1 MONTH OF
FREE
READING

at

www.ForgottenBooks.com

By purchasing this book you are eligible for one month membership to ForgottenBooks.com, giving you unlimited access to our entire collection of over 1,000,000 titles via our web site and mobile apps.

To claim your free month visit:
www.forgottenbooks.com/free1026852

ISBN 978-0-331-20245-8
PIBN 11026852

C. F. Gellerts

sämmtliche Schriften.

Neue rechtmäßige Ausgabe.

Sechster Theil.

Leipzig,
Weidmann'sche Buchhandlung
und
Hahn'sche Verlagsbuchhandlung.
1839.

Der sechste und siebente Theil von Gellerts sämmtlichen Schriften, die moralischen Vorlesungen enthaltend, wurden im J. 1770, nach Gellerts Tode, herausgegeben von Johann Adolf Schlegel und Gottlieb Leberecht Heyer. Aus ihrer Vorrede folgen hier die Stellen, welche sich auf ihr Verfahren bei der Herausgabe beziehen, dagegen sind ihre Bemerkungen über den Werth der mor. Vorl. ebensowohl als eine weitläuftige Erklärung gegen einige im J. 1770 zu Leipzig erschienene Sammlungen Gellertscher Briefe und Gedichte weggelassen worden.

––––––––

„Den seligen Gellert bewogen die Ermunterungen seiner Freunde ohngefähr ein halbes Jahr vor seinem Absterben zu dem ernsten Entschlusse, seine Moral, so viel in seinem Vermögen wäre, durch eine sorgfältigere Durchsicht in den Stand zu setzen, daß sie wenigstens nach seinem Tode ohne Hinderung dem Drucke überlassen werden könnte. Da er, nach seinem freundschaftlichen Zutrauen zu uns, bey der Ausgabe seiner Werke uns schon mehrmals wegen der Verbesserungen, die etwan dienlich seyn möchten, zu Rathe gezogen: so war er solches auch dießmal zu thun gesonnen. Er hatte in dieser Absicht den Anfang gemacht, eine neue Abschrift seines Manuscripts verfertigen zu lassen; und dem einen von uns bereits die fünf ersten Vorlesungen zugeschickt, um seine Kritiken darüber zu vernehmen. Sein Tod hat, wie das Publicum mit uns bedauren wird, eine gänzliche Ausführung seines Vorsatzes verhindert; und er hat deswegen uns das Geschäffte aufgetragen, die Ausgabe des Werks zu besorgen. Ein Auftrag, der uns vor der Welt nicht anders, als zur Ehre gereichen kann; aber durch die vertrauliche Freundschaft, welche ein Gellert dadurch noch auf seinem Sterbebette gegen uns blicken lassen, uns noch werther ist. Wir haben also wohl kaum nöthig, das Publicum zu versichern, daß wir uns aufs eifrigste beflissen haben, dem zu uns gefaßten Zutrauen Gnüge zu thun. Wir sind die davon vorhandnen Handschriften genau durchgegangen. Wir haben sie sorgfältig mit einander verglichen, um überall diejenigen Lesarten zu wählen, die uns die besten zu seyn dünkten. Die überflüssigen Stellen, die vom Verfasser selbst bemerket waren, haben wir weggestrichen, einige Anmerkungen, wo sie zur allgemeinen Brauchbarkeit dienlich schienen, beygefüget *), und überhaupt die Vorschriften, die unser verstorbener Freund uns wegen dieses Werkes in seinen Briefen gegeben hatte, aufs gewissenhafteste befolget.

Was man von diesem Werke sich versprechen dürfe, und aus was für einem Gesichtspunkte man es zu betrachten habe, das können wir mit des Verfassers eignen Worten sagen; denn unter seinen Papieren hat sich ein Aufsatz befunden, der zum Vorberichte vor seiner Moral bestimmet war. Hier ist er:

„Man hat seit vielen Jahren in mich gedrungen, daß ich „die moralischen Vorlesungen, die ich vor meinen Zuhörern

---

*) (Diese Anmerkungen, die fast nur in einigen, der dritten Vorlesung beigefugten, aus Bruckers Gesch. der Philos. u. aus Rollins Gesch. alter Zeit und Völker geschöpften Erläuterungen bestehen, sind in der gegenwärtigen Ausgabe weggelassen worden.)

„gehalten, in den Druck geben möchte, und ich habe mich
„geweigert, es zu thun, weil ich sicher wußte, daß man von
„meinen Vorlesungen mehr erwartete, als sie leisten würden,
„und weil ein Unterricht, der der studirenden Jugend nützlich
„seyn kann, darum noch kein Werk für das Publicum ist.
„Da man aber nicht müde wird, dieses Verlangen zu wieder=
„holen; da man selbst dem Publico eine Schrift, die meine
„moralischen Vorlesungen vorstellen sollte, übergeben hat; und
„da ich nicht mehr im Stande bin, diese Vorlesungen selbst
„zu halten, oder sie zu verbessern: so überlasse ich sie hiermit
„dem Drucke, so wie ich sie mündlich gehalten habe, mit allen
„ihren Mängeln. Es ist nie meine Absicht gewesen, ein voll=
„ständiges System der Moral zu entwerfen; ein Werk, zu
„dem ich viel zu wenig Tiefsinn besitze; sondern ich habe mei=
„nen Zuhörern das Vornehmste aus den Sittenlehrern auf
„eine faßliche und praktische Art in zwanzig bis dreyßig Stun=
„den vorzutragen und bey diesem Vortrage, wo ich es meinen
„Absichten gemäß fand, die moralischen Schriften eines Mos=
„heims, Baumgartens, Crusius und Jerusalems, eines Hut=
„chesons, Fordyce und anderer scharffinnigen und beredten
„Männer zu nutzen gesucht. Aus diesem Gesichtspunkte wird
„man das gegenwärtige Werk beurtheilen, und mir die Nach=
„sicht, die ich wenigstens durch meine gute Absicht zu verdie=
„nen scheine, nicht versagen. Gott aber lasse, was nützlich
„an dieser Schrift ist, es gehöre mir oder Andern an, zur
„Ausbreitung der Weisheit und Tugend gereichen, und das
„Mangelhafte derselben unschädlich seyn. Leipzig ꝛc.“

. . . .

„Am Schlusse wird man einen Anhang von Charakteren
finden, und man wird die Meisterhand, mit der sie gezeichnet
sind, nicht verkennen. Der selige Gellert pflegte sie seinen Vor=

lesungen hier und da einzuschalten; aber in dem Verzeichniße
von dem Innhalte seines Werkes hat er ihnen ihren Platz in
einem Anhange angewiesen. Diese Stelle haben wir ihnen nach
reifer Ueberlegung gelassen, da sonst ein Werk, dem es ohnedieß
nicht an Charakteren fehlet, damit zu sehr würde überhäuft
worden seyn.“

Inhalt.

Vorerinnerung
an seine Zuhörer.

Meine Herren, die Absicht bey meinen moralischen Vorlesungen, die ich Ihnen diesen Sommer, so Gott will, zu halten gedenke, geht nicht bloß dahin, Ihnen die Sittenlehre von derjenigen Seite vorzutragen, wo sie den Verstand als eine Wissenschaft unterrichtet, aufklärt und überzeugt: eine Arbeit, die schon viel scharfsinnige Männer vor mir glücklich unternommen haben; sondern Ihnen die Sittenlehre vornehmlich von der Seite zu zeigen, wo sie das Herz rührt, bildet und bessert.

Die Weisheit, die uns durch Grundsätze der Vernunft fromm und ruhig, die uns zu Freunden unsrer selbst, andrer Menschen, und zu Freunden und Verehrern Gottes machen soll, ist nach der Erziehung, die wir zu unsern Zeiten genießen, nicht schwer zu fassen. Wie viel Lehrbücher giebt es nicht, darinne sie deutlich und strenge vorgetragen wird! Und wie viel Studirende müßten Schulen und Akademien mit einem edlen Herzen und mit gebesserten Sitten verlassen, wenn die Tugend bloß auf der Kenntniß eines moralischen Lehrgebäudes beruhte; wenn sie bloß ein Werk der Vernunft und nicht der Religion; bloß ein Werk der Erziehung und nicht einer göttlichen Veränderung unsers Herzens wäre! Aber vielleicht ist doch die Trockenheit selbst, mit der wir die Moral vortragen, eine von den Ursachen, daß uns ihr natürlicher Werth nicht genug rührt. Vielleicht ist auch dieses die wichtigste Ursache, daß wir die Wahrheiten der Moral nur mit dem Gedächtnisse, höchstens mit dem Verstande fassen. Wir schmeicheln uns, indem wir sie erlernen, daß sie uns besser und tugendhafter mache, weil sie uns in gewissen Stücken einsichtsvoller machet. Wir schmeicheln uns, daß wir von der Schönheit der Tugend überzeugt sind; und oft sind wir es nur von der Güte unsers Systems. Wir rechnen die Mühe, die wir auf die Kenntniß der Sittenlehre und ihrer Beweise anwenden, der Tugend selbst als eine Mühe an, die wir auf ihre Erlangung und die Ausübung ihrer Gesetze gewandt hätten. Gleichwohl bleibt das Herz bey aller unsrer Weisheit leer, und bey dem geringsten Widerstande ungeneigt, sich nach ihr zu richten; und oft handeln wir in der nächsten Stunde wider diejenige Pflicht, die wir kurz vorher auf eine demonstrative Art erwiesen haben.

Ich will es also versuchen, ob ich Ihnen die vornehmsten Theile der Sittenlehre auf eine lebhaftere Art, nicht bloß durch Beweise der Vernunft, sondern zugleich durch die Aussprüche des Herzens und die Stimmen der innerlichen Empfindung und des Gewissens, durch Beyspiele und Gemälde, vortragen und erläutern kann. Und o! wie glücklich werde ich mich schätzen, wenn ich diese Absicht erreichen, und mich um Ihre Tugend, das ist, um Ihre höchste Wohlfahrt in jeder Stunde verdient machen kann! Möchte ich doch diesen Eifer lebhaft fühlen, so oft ich vor Ihnen auftrete; und möchte er mich doch beredt machen, Ihnen die Pflichten der Moral als die liebenswürdigsten und heiligsten Gesetze unsrer Wohlfahrt abzubilden!

Ja, Jüngling, wer du auch seyst, vom Blute der Hohen oder der Niedern entsprossen, vergiß nicht, warum du lebst und

studirest. Die Gelehrsamkeit ist dein Beruf auf der Akademie.
Ein wichtiger Beruf! Aber wisse, daß Gelehrsamkeit ohne Tu=
gend, daß Verstand ohne ein gebessertes Herz, daß Wissenschaft
und Geschmack ohne Unschuld und Frömmigkeit weder für dich
noch die Welt Glück sey, nicht Ehre, sondern Schande für dei=
nen unsterblichen Geist. Suchst du die wahre Weisheit und Zu=
friedenheit: so suche sie von deiner Jugend an in der Kenntniß
und täglichen Ausübung der Religion, der allgemeinen und der
besondern Pflichten des Menschen.

Denk, daß nichts selig macht, als die Gewissensruh,
Und daß zu deinem Glück dir Niemand fehlt, als du.

Allein, meine Zuhörer, verlassen Sie sich bey Ihrer Tugend
auch auf die beste Moral der Vernunft nicht. Sie ist gut, aber
nicht zureichend, das verdorbene Herz zu ändern und umzubilden.
Dieses thut allein die göttliche Kraft der Religion. Ich werde
daher in meinen Vorlesungen von Zeit zu Zeit den Unterschied
und die Grenzen der Tugend der Vernunft und der Tugend der
Religion zu bestimmen, und Sie in der Verehrung der Religion
dadurch zu bestärken suchen. Eine nöthige Vorsicht, theuerste
Commilitonen! Denn wir, die wir uns den Wissenschaften wid=
men, fangen nicht selten an, aus einer ungemeßnen Liebe gegen
alles, was Licht der Vernunft heißt, und aus einem philosophi=
schen Stolze auf unsere eigenen Kräfte, das Licht der Offenba=
rung und die höhere Kraft der Gnade nicht für so nöthig zu
achten; sondern wir schmeicheln vielmehr uns insgeheim, daß wir
durch die Hülfe der Vernunft, durch ihre Beweise und Bewe=
gungsgründe, weise und tugendhafte Menschen werden können.
Nein, das Auge der Vernunft, welches das Licht der Religion
nicht vertragen kann, ist gewiß ein blödes Auge.

Bey meinem Vortrage selbst, werde ich keinem besondern Lehr=
gebäude folgen, wohl aber die moralischen Schriften eines Mos=

1 *

heim, Baumgarten, Crusius; eines Hutcheson, Fordyce und anderer scharfsinnigen und beredten Männer zu Ihrem Vortheile zu nützen suchen. Der Inhalt meiner Vorlesungen wird sich am bequemsten unter drey Abtheilungen bringen lassen. In der ersten werde ich in einigen Abhandlungen von der Natur und Absicht der Moral, von ihrem doppelten Erkenntnißgrunde, nämlich der Vernunft und den Empfindungen des Herzens und Gewissens; von Pflicht, Tugend und Glückseligkeit; von dem Vorzuge der Moral unsrer Zeiten vor der Moral der alten Weltweisen; und von dem Unterschiede zwischen der Sittenlehre der Vernunft und der Sittenlehre der Religion reden. In der zweyten Abtheilung will ich die allgemeinen Mittel, zur Tugend zu gelangen, in einigen kurzen Regeln vortragen, sie zu erläutern und auf das Leben anzuwenden suchen. In der dritten werde ich endlich von den vornehmsten Pflichten gegen uns, die Welt und Gott ebenfalls auf eine praktische Art handeln.

Ich fange also meine Vorlesungen mit dem herzlichen Wunsche an, daß sie Ihnen nützlich, in Ihrem ganzen Leben nützlich, auf mehr als Ein Leben heilsam seyn mögen. Das gebe der Urheber alles unsers Weisheit, Tugend und Glückseligkeit, und lasse in unsern Seelen die Liebe des Guten und den Abscheu des Bösen täglich lebendiger und kräftiger werden, zur Verherrlichung seines Namens und zu unsrer immerwährenden Wohlfahrt!

Erste Abtheilung,

welche die Erklärung der Gründe und Eigenschaften der Moral überhaupt enthält.

wir nicht leben können, und die wir suchen müssen. Wir fühlen
alle einen unwiderstehlichen Trieb zum Leben und zum Vergnügen; wir sind mit vielen Uebeln umringet, vor denen wir uns
eben so natürlich scheuen; wir sehen tausend Gegenstände, die
uns an sich locken, die uns Anfangs vergnügen und bald darauf
bestrafen. Wir finden, daß nicht alle Vergnügungen, denen wir
nacheilen, von einerley Würde sind, daß einige flüchtig, andere
dauerhaft, daß einige mehr unserm Körper, andre mehr unsrer
Seele angemessen sind; daß wir einige, wenn wir sie genossen
haben, mit einem geheimen Beyfalle billigen, auf andre hingegen
mit Reue, Scham und Unwillen zurück sehen; daß wir unsre
Kräfte und Reigungen bald auf diese, bald auf jene Art, bald
zu unserm Vortheile, bald zu unserm Schaden anwenden können.

Wir sehen uns ferner mit Menschen umgeben, deren
Hülfe und Gesellschaft wir nicht entbehren, und die auch die unsrige nicht missen können; die unser Vergnügen, so wie wir das
ihrige, bald befördern, bald stören können. Wir fühlen Reigungen gegen sie, die ein innerliches Bewußtseyn bald für gut und
edel, bald für unerlaubt und verwerflich erkläret, und die das
Urtheil des Verstandes bald mit Gründen rechtfertiget, bald verbeut. Wir finden Handlungen, die nach dem Ausspruche eines
innerlichen Richters bald gut, bald böse sind; und so lange wir
nicht durch Leidenschaften aufgebracht werden, erklärt sie unser
Herz, ohne große Beweise des Verstandes, ohne lange Untersuchung, für das, was sie sind, für löblich oder schändlich.

Wir finden endlich, wenn wir uns, Andre, die Natur
mit ihren Auftritten, die Welt mit ihren Wundern, mit ihrer
Ordnung, Mannichfaltigkeit, Schönheit, Weisheit, Pracht und
Vollkommenheit, in den Theilen und im Ganzen, im Großen
und Kleinen, in ihren Absichten und Mitteln, von der Seite des
Nutzens und des Vergnügens, betrachten, wir finden so viele
Spuren eines weisen, gütigen und allmächtigen Schöpfers, daß

Erste Vorlesung.

Einleitung in die Moral; oder Abriß derselben
nach ihrer Beschaffenheit, ihrem Umfange,
und ihrem Nutzen.

————

Die Moral, oder die Kenntniß von der Pflicht des Menschen, soll unsern Verstand zur Weisheit und unser Herz
zur Tugend bilden, und durch beides uns zum Glücke leiten.
Niemand wird ein Glück suchen, das er nicht kennet, noch die
Mittel dazu anwenden können, wenn er sie eben so wenig kennet,
oder nicht überzeugt ist, daß sie die besten und einzigen sind.
Die Moral soll uns also lehren, was unser wahres Glück, oder
unser höchstes Gut sey, das ist, was für ein Geschöpf, das
aus einem unsterblichen Geiste und aus einem hinfälligen Körper
besteht, am zuträglichsten, der Ruhe der Seelen und der äußerlichen Wohlfahrt am gemäßesten sey; und auf was für einem
Wege wir am sichersten zu diesem Ziele gelangen können.

Wir sind, wenn wir auf uns selbst blicken, mit mannichfaltigen Kräften, Fähigkeiten, und natürlichen Neigungen versehen; wir sind mit künstlichen und wunderbaren Werkzeugen des
Körpers ausgerüstet; wir entdecken tausend Bedürfnisse, ohne die

seine Kritiken darüber zu vernehmen. Sein Tod hat, wie das
Publicum mit uns bedauren wird, eine gänzliche Ausführung
seines Vorsatzes verhindert; und er hat beswegen uns das Geschäffte aufgetragen, die Ausgabe des Werks zu besorgen. Ein
Auftrag, der uns vor der Welt nicht anders, als zur Ehre gereichen kann; aber durch die vertrauliche Freundschaft, welche ein
Gellert dadurch noch auf seinem Sterbebette gegen uns blicken
laſſen, uns noch werther iſt. Wir haben also wohl kaum nöthig,
das Publicum zu verſichern, daß wir uns aufs eifrigſte befliſſen
haben, dem zu uns gefaßten Zutrauen Gnüge zu thun. Wir
ſind die davon vorhandnen Handſchriften genau durchgegangen.
Wir haben ſie ſorgfältig mit einander verglichen, um überall
diejenigen Lesarten zu wählen, die uns die beſten zu ſeyn dünkten. Die überflüſſigen Stellen, die vom Verfaſſer ſelbſt bemerket
waren, haben wir weggeſtrichen, einige Anmerkungen, wo ſie zur
allgemeinen Brauchbarkeit dienlich ſchienen, beygefüget *), und
überhaupt die Vorſchriften, die unſer verſtorbener Freund uns
wegen dieſes Werkes in ſeinen Briefen gegeben hatte, aufs ge-
wiſſenhafteſte befolget.

Was man von dieſem Werke ſich verſprechen dürfe, und aus
was für einem Geſichtspunkte man es zu betrachten habe, das
können wir mit des Verfaſſers eignen Worten ſagen; denn unter
ſeinen Papieren hat ſich ein Auffatz befunden, der zum Vorberichte vor ſeiner Moral beſtimmet war. Hier iſt er:

„Man hat ſeit vielen Jahren in mich gedrungen, daß ich
„die moraliſchen Vorleſungen, die ich vor meinen Zuhörern

---

*) (Dieſe Anmerkungen, die faſt nur in einigen, der dritten Vorle-
   ſung beigefugten, aus Bruckers Geſch. der Philoſ. u. aus Rollins Geſch. alter Zeit und Völker geſchöpften Erläuterungen beſtehen, ſind in der gegenwärtigen Ausgabe weggelaſſen worden.)

„erhalten, der den Druck geben möchte, und ich habe mich
„geweigert, es zu thun, weil ich sicher wußte, daß man von
„meinen Vorlesungen mehr erwartete, als sie leisten würden,
„und weil ein Unterricht, der der studirenden Jugend nützlich
„seyn kann, darum noch kein Werk für das Publicum ist.
„Da man aber nicht müde wird, dieses Verlangen zu wieder-
„holen; da man selbst dem Publico eine Schrift, die meine
„moralischen Vorlesungen vorstellen sollte, übergeben hat; und
„da ich nicht mehr im Stande bin, diese Vorlesungen selbst
„zu halten, oder sie zu verbessern: so überlasse ich sie hiermit
„dem Drucke, so wie ich sie mündlich gehalten habe, mit allen
„ihren Mängeln. Es ist nie meine Absicht gewesen, ein voll-
„ständiges System der Moral zu entwerfen; ein Werk, zu
„dem ich viel zu wenig Tiefsinn besitze; sondern ich habe mei-
„nen Zuhörern das Vornehmste aus den Sittenlehrern auf
„eine faßliche und praktische Art in zwanzig bis dreyßig Stun-
„den vorzutragen und bey diesem Vortrage, wo ich es meinen
„Absichten gemäß fand, die moralischen Schriften eines Mos-
„heims, Baumgartens, Crusius und Jerusalems, eines Hut-
„chesons, Fordyce und anderer scharfsinnigen und beredten
„Männer zu nutzen gesucht. Aus diesem Gesichtspunkte wird
„man das gegenwärtige Werk beurtheilen, und mir die Nach-
„sicht, die ich wenigstens durch meine gute Absicht zu verdie-
„nen scheine, nicht versagen. Gott aber lasse, was nützlich
„an dieser Schrift ist, es gehöre mir oder Andern an, zur
„Ausbreitung der Weisheit und Tugend gereichen, und das
„Mangelhafte derselben unschädlich seyn. Leipzig 2c.“

. . . .

„Am Schlusse wird man einen Anhang von Charakteren
ben, und man wird die Meisterhand, mit der sie gezeichnet
, nicht verkennen. Der selige Gellert pflegte sie seinen Vor-

lesungen hier und da einzuschalten; aber in dem Verzeichniſſe
von dem Innhalte ſeines Werkes hat er ihnen ihren Platz in
einem Anhange angewieſen. Dieſe Stelle haben wir ihnen nach
reifer Ueberlegung gelaſſen, da ſonſt ein Werk, dem es ohnedieß
nicht an Charakteren fehlet, damit zu ſehr würde überhäuft
worden ſeyn."

Inhalt.

Vorerinnerung
an feine Zuhörer.

Meine Herren, die Absicht bey meinen moralischen Vorlesungen, die ich Ihnen diesen Sommer, so Gott will, zu halten gedenke, geht nicht bloß dahin, Ihnen die Sittenlehre von derjenigen Seite vorzutragen, wo sie den Verstand als eine Wissenschaft unterrichtet, aufklärt und überzeugt: eine Arbeit, die schon viel scharfsinnige Männer vor mir glücklich unternommen haben; sondern Ihnen die Sittenlehre vornehmlich von der Seite zu zeigen, wo sie das Herz rührt, bildet und beffert.

Die Weisheit, die uns durch Grundsätze der Vernunft fromm und ruhig, die uns zu Freunden unsrer selbst, andrer Menschen, und zu Freunden und Verehrern Gottes machen soll, ist nach der Erziehung, die wir zu unsern Zeiten genießen, nicht schwer zu fassen. Wie viel Lehrbücher giebt es nicht, darinne sie deutlich und strenge vorgetragen wird! Und wie viel Studirende müßten Schulen und Akademien mit einem edlen Herzen und mit gebefferten Sitten verlaffen, wenn die Tugend bloß auf der Kenntniß eines moralischen Lehrgebäudes beruhte; wenn sie bloß ein Werk der Vernunft und nicht der Religion; bloß ein Werk

Gellert VI.   1

der Erziehung und nicht einer göttlichen Veränderung unsers
Herzens wäre! Aber vielleicht ist doch die Trockenheit selbst, mit
der wir die Moral vortragen, eine von den Ursachen, daß uns
ihr natürlicher Werth nicht genug rührt. Vielleicht ist auch dieses die wichtigste Ursache, daß wir die Wahrheiten der Moral
nur mit dem Gedächtnisse, höchstens mit dem Verstande fassen.
Wir schmeicheln uns, indem wir sie erlernen, daß sie uns besser
und tugendhafter mache, weil sie uns in gewissen Stücken einsichtsvoller machet. Wir schmeicheln uns, daß wir von der Schönheit der Tugend überzeugt sind; und oft sind wir es nur von
der Güte unsers Systems. Wir rechnen die Mühe, die wir auf
die Kenntniß der Sittenlehre und ihrer Beweise anwenden, der
Tugend selbst als eine Mühe an, die wir auf ihre Erlangung
und die Ausübung ihrer Gesetze gewandt hätten. Gleichwohl
bleibt das Herz bey aller unsrer Weisheit leer, und bey dem geringsten Widerstande ungeneigt, sich nach ihr zu richten; und oft
handeln wir in der nächsten Stunde wider diejenige Pflicht, die
wir kurz vorher auf eine demonstrative Art erwiesen haben.

Ich will es also versuchen, ob ich Ihnen die vornehmsten
Theile der Sittenlehre auf eine lebhaftere Art, nicht bloß durch
Beweise der Vernunft, sondern zugleich durch die Aussprüche des
Herzens und die Stimmen der innerlichen Empfindung und des
Gewissens, durch Beyspiele und Gemälde, vortragen und erläutern kann. Und o! wie glücklich werde ich mich schätzen, wenn
ich diese Absicht erreichen, und mich um Ihre Tugend, das ist,
um Ihre höchste Wohlfahrt in jeder Stunde verdient machen
kann! Möchte ich doch diesen Eifer lebhaft fühlen, so oft ich
vor Ihnen auftrete; und möchte er mich doch beredt machen,
Ihnen die Pflichten der Moral als die liebenswürdigsten und
heiligsten Gesetze unsrer Wohlfahrt abzubilden!

Ja, Jüngling, wer du auch seyst, vom Blute der Hohen
oder der Niedern entsprossen, vergiß nicht, warum du lebst und

ftudireſt. Die Gelehrſamkeit iſt dein Beruf auf der Akademie.
Ein wichtiger Beruf! Aber wiſſe, daß Gelehrſamkeit ohne Tu=
gend, daß Verſtand ohne ein gebeſſertes Herz, daß Wiſſenſchaft
und Geſchmack ohne Unſchuld und Frömmigkeit weder für dich
noch die Welt Glück ſey, nicht Ehre, ſondern Schande für dei=
nen unſterblichen Geiſt. Suchſt du die wahre Weisheit und Zu=
friedenheit; ſo ſuche ſie von deiner Jugend an in der Kenntniß
und täglichen Ausübung der Religion, der allgemeinen und des
beſondern Pflichten des Menſchen.

Denk, daß nichts ſelig macht, als die Gewiſſensruh,
Und daß zu deinem Glück dir Niemand fehlt, als du.

Allein, meine Zuhörer, verlaſſen Sie ſich bey Ihrer Tugend
auch auf die beſte Moral der Vernunft nicht. Sie iſt gut, aber
nicht zureichend, das verdorbene Herz zu ändern und umzubilden.
Dieſes thut allein die göttliche Kraft der Religion. Ich werde
daher in meinen Vorleſungen von Zeit zu Zeit den Unterſchied
und die Grenzen der Tugend der Vernunft und der Tugend der
Religion zu beſtimmen, und Sie in der Verehrung der Religion
dadurch zu beſtärken ſuchen. Eine nöthige Vorſicht, theuerſte
Commilitonen! Denn wir, die wir uns den Wiſſenſchaften wid=
men, fangen nicht ſelten an, aus einer ungemeinen Liebe gegen
alles, was Licht der Vernunft heißt, und aus einem philoſophi=
ſchen Stolze auf unſere eigenen Kräfte, das Licht der Offenba=
rung und die höhere Kraft der Gnade nicht für ſo nöthig zu
achten; ſondern wir ſchmeicheln vielmehr uns insgeheim, daß wir
durch die Hülfe der Vernunft, durch ihre Beweiſe und Bewe=
gungsgründe, weiſe und tugendhafte Menſchen werden können.
Nein, das Auge der Vernunft, welches das Licht der Religion
nicht vertragen kann, iſt gewiß ein blödes Auge.

Bey meinem Vortrage ſelbſt, werde ich keinem beſondern Lehr=
gebäude folgen, wohl aber die moraliſchen Schriften eines Mos=

1 *

heim, Baumgarten, Crusius; eines Hutcheson, Forbice und anderer scharfsinnigen und beredten Männer zu Ihrem Vortheile zu nützen suchen. Der Innhalt meiner Vorlesungen wird sich am bequemsten unter drey Abtheilungen bringen lassen. In der ersten werde ich in einigen Abhandlungen von der Natur und Absicht der Moral, von ihrem doppelten Erkenntnißgrunde, nämlich der Vernunft und den Empfindungen des Herzens und Gewissens; von Pflicht, Tugend und Glückseligkeit; von dem Vorzuge der Moral unsrer Zeiten vor der Moral der alten Weltweisen; und von dem Unterschiede zwischen der Sittenlehre der Vernunft und der Sittenlehre der Religion reden. In der zweyten Abtheilung will ich die allgemeinen Mittel, zur Tugend zu gelangen, in einigen kurzen Regeln vortragen, sie zu erläutern und auf das Leben anzuwenden suchen. In der dritten werde ich endlich von den vornehmsten Pflichten gegen uns, die Welt und Gott ebenfalls auf eine praktische Art handeln.

Ich fange also meine Vorlesungen mit dem herzlichen Wunsche an, daß sie Ihnen nützlich, in Ihrem ganzen Leben nützlich, auf mehr als Ein Leben heilsam seyn mögen. Das gebe der Urheber aller unsrer Weisheit, Tugend und Glückseligkeit, und lasse in unsern Seelen die Liebe des Guten und den Abscheu des Bösen täglich lebendiger und kräftiger werden, zur Verherrlichung seines Namens und zu unsrer immerwährenden Wohlfahrt!

Erste Abtheilung,

welche die Erklärung der Gründe und Eigenschaften der Moral überhaupt enthält.

Erste Vorlesung.

Einleitung in die Moral; oder Abriß derselben nach ihrer Beschaffenheit, ihrem Umfange, und ihrem Nutzen.

Die Moral, oder die Kenntniß von der Pflicht des Menschen, soll unsern Verstand zur Weisheit und unser Herz zur Tugend bilden, und durch beides uns zum Glücke leiten. Niemand wird ein Glück suchen, das er nicht kennet, noch die Mittel dazu anwenden können, wenn er sie eben so wenig kennet, oder nicht überzeugt ist, daß sie die besten und einzigen sind. Die Moral soll uns also lehren, was unser wahres Glück, oder unser höchstes Gut sey, das ist, was für ein Geschöpf, das aus einem unsterblichen Geiste und aus einem hinfälligen Körper besteht, am zuträglichsten, der Ruhe der Seelen und der äußerlichen Wohlfahrt am gemäßesten sey; und auf was für einem Wege wir am sichersten zu diesem Ziele gelangen können.

Wir sind, wenn wir auf uns selbst blicken, mit mannichfaltigen Kräften, Fähigkeiten, und natürlichen Neigungen versehen; wir sind mit künstlichen und wunderbaren Werkzeugen des Körpers ausgerüstet; wir entdecken tausend Bedürfnisse, ohne die

wir nicht leben können, und die wir suchen müssen. Wir fühlen
alle einen unwiderstehlichen Trieb zum Leben und zum Vergnügen; wir sind mit vielen Uebeln umringet, vor denen wir uns
eben so natürlich scheuen; wir sehen tausend Gegenstände, die
uns an sich locken, die uns Anfangs vergnügen und bald darauf
bestrafen. Wir finden, daß nicht alle Vergnügungen, denen wir
nacheilen, von einerley Würde sind, daß einige flüchtig, andere
dauerhaft, daß einige mehr unserm Körper, andre mehr unsrer
Seele angemessen sind; daß wir einige, wenn wir sie genossen
haben, mit einem geheimen Beyfalle billigen, auf andre hingegen
mit Reue, Scham und Unwillen zurück sehen; daß wir unsere
Kräfte und Reigungen bald auf diese, bald auf jene Art, bald
zu unserm Vortheile, bald zu unserm Schaden anwenden können.

Wir sehen uns ferner mit Menschen umgeben, deren
Hülfe und Gesellschaft wir nicht entbehren, und die auch die unsrige nicht missen können; die unser Vergnügen, so wie wir das
ihrige, bald befördern, bald stören können. Wir fühlen Reigungen gegen sie, die ein innerliches Bewußtseyn bald für gut und
edel, bald für unerlaubt und verwerflich erkläret, und die das
Urtheil des Verstandes bald mit Gründen rechtfertiget, bald verbeut. Wir finden Handlungen, die nach dem Ausspruche eines
innerlichen Richters bald gut, bald böse sind; und so lange wir
nicht durch Leidenschaften aufgebracht werden, erklärt sie unser
Herz, ohne große Beweise des Verstandes, ohne lange Untersuchung, für das, was sie sind, für löblich oder schändlich.

Wir finden endlich, wenn wir uns, Andre, die Natur
mit ihren Auftritten, die Welt mit ihren Wundern, mit ihrer
Ordnung, Mannichfaltigkeit, Schönheit, Weisheit, Pracht und
Vollkommenheit, in den Theilen und im Ganzen, im Großen
und Kleinen, in ihren Absichten und Mitteln, von der Seite des
Nutzens und des Vergnügens, betrachten, wir finden so viele
Spuren eines weisen, gütigen und allmächtigen Schöpfers, daß

es nicht auf unsern Willen ankömmt, ob wir ihn erkennen, und an ihn glauben wollen, oder nicht. Hat er uns gemacht, uns alle Kräfte und Neigungen, die wir besitzen, gegeben: so wird er auch eine weise Absicht gehabt haben, zu der wir sie anwenden sollen. Sollte der Mensch wohl das größte Werk der Schöpfung, und doch kein mit ihr übereinstimmendes Werk seyn?

Auf diese göttliche Absicht geht die Moral der Vernunft zurück, und sucht sie in der Natur des Menschen, oder die Bestimmung desselben in seinen Kräften und Neigungen auf. Diese Bestimmung oder Absicht, wird theils durch die natürliche Beschaffenheit unsrer Eigenschaften, welche uns die Vernunft entdecket, theils durch ein geheimes Gefühl des Herzens, oder den Trieb des Gewissens offenbaret, der nicht nur unsern Verstand nöthiget, ein göttliches Gesetz überhaupt zu erkennen, sondern der uns auch fühlbar wahrnehmen läßt, ob etwas seiner Natur nach recht oder unrecht, erlaubt oder strafbar, rühmlich oder schändlich sey. Die Absicht also, zu der wir von Gott erschaffen sind, zu bemerken und zu erforschen, und die Mittel, die wir anwenden müssen, jene zu erreichen und auszuführen, lehret die philosophische Moral. Diese höchste Absicht kann nichts geringers seyn, als eine dauerhafte und allgemeine Zufriedenheit und Glückseligkeit der Menschen, durch einen freywilligen Gehorsam gegen unsern Herrn und Schöpfer. Diese von ihm geordnete Glückseligkeit mit Unterwerfung, Treue und Eifer suchen und befördern, ist Pflicht, Weisheit und Tugend; und so wie die Pflichten, die uns die Natur lehret, Mittel zu unserm wahren Glücke sind: so sind sie auch unveränderlich, und in dem ewigen Willen Gottes und in seiner Heiligkeit gegründet. Denn einen Gott denken, der bloß gütig und allmächtig, nicht aber zugleich heilig und gerecht ist, der es nicht achtet, ob wir seinem Willen, den er uns in dem Gewissen und in der Vernunft offenbaret, gehorchen oder nicht, heißt Gott schänden und sein Wesen aufheben. Die Moral lehret uns also heilige Pflichten, und für uns selige. Sie lehret uns den Unterschied des Guten und Bösen, des Edlen und Unedlen, des Rühmlichen und Schändlichen erkennen, damit wir desto leichter das Gute suchen, und das Böse verwerfen." Wie willig sollten wir daher ihre Befehle erlernen und ausüben, da wir unaufhörlich das Verlangen fühlen, glücklich zu seyn!

Allein die Neigungen und Leidenschaften, die uns Gott zu Triebfedern unsers Glücks, zur Erreichung desselben, oder zur Abwendung des Uebels, gegeben hat, sind Kräfte, die eine freiwillige und ihren Gegenständen gemäße und sorgsame Anwendung erfordern. Zu heftig oder zu schwach begehren und verabscheuen, entfernet uns beides von unserm Glücke. Das Gute verlangen, das Böse scheuen, und doch die Mittel, jenes zu erhalten, dieses zu vermeiden, nicht suchen und gebrauchen wollen, ist ein kindisches, widersprechendes und rebellisches Verlangen nach Glückseligkeit.

Ferner: unsre Neigungen und Bedürfnisse sind mannichfaltig. Eine Neigung, die zu unsrer Natur gehöret, so befriedigen, daß wir die andern unerfüllt lassen, oder beleidigen, ist wider die Eintracht unsrer Seele und wider das System des Glücks. Wir sind auch vieler Vergnügungen fähig, die einander dem Werthe nach untergeordnet sind, und die wir nicht alle zugleich genießen können; vieler Schmerzen, die ebenfalls von verschiedener Größe sind, und die wir nicht alle von uns entfernen können. Fehlen wir nun hier bey unsrer Wahl; wählen wir nicht das größere Gut, wenn wir ein kleineres zugleich nicht erreichen können; wählen wir nicht das kleinere Uebel, um dem größern zu entgehen; wollen wir gleichsam Frühling und Sommer, Saat und Erndte, zugleich in unsrer Seele haben, eine bittere Arzney mehr scheuen, als die Krankheit: so handeln wir wider die Natur, und wider unser

Glück, deſſen Weſen durch unſern Willen, nicht kann geändert werden.

Alles dieſes ſetzt einen Anführer, den Verſtand, voraus, und eine Achtſamkeit auf ſeine Stimme und auf den Ausſpruch eines innerlichen Gefühls deſſen, was gut iſt, oder nicht. Aber den Verſtand gehörig fragen und anhören, ſeine Ausſprüche mit unſerm Gewiſſen vergleichen, dazu gehöret Aufrichtigkeit, Lehrbegierde, und eine Stille der heftigen Leidenſchaften. Iſt es alſo zu verwundern, wenn wir ihn, dieſen Verſtand, oder die Stimme des Herzens oft gar nicht, oft dunkel und irrig verſtehen? — Wir müſſen den Befehlen des Verſtandes oft dadurch gehorchen, daß wir ihnen eine ſüße Neigung entweder ganz aufopfern, oder die unordentliche Selbſtliebe doch mäßigen. Beides iſt Arbeit, und eine Gewalt, die wir uns ſelbſt anthun müſſen. Wird es alſo nicht gewiß ſeyn, daß die Tugend, daß unſer Glück, ohne Mühe, ohne fortgeſetzte Mühe, weder erlanget, noch erhalten werden kann, und daß alſo die Moral ein Werk unſers ganzen Lebens, des jugendlichen, des männlichen, des höhern Alters, daß ſie keine müßige Weisheit der Schulen, keine kraftloſe Nahrung des Gedächtniſſes, keine pralende Wiſſenſchaft ſey, um in Geſellſchaften oder Büchern damit zu glänzen, ſondern ein Unterricht, dem wir in unſerm Herzen und ganzen Wandel, in der Stille und im Geräuſche, in den Stuben der Arbeit und der Erholung, im Glücke und im Unglücke, in geſunden und kranken Tagen, nahe am Tode und fern vom Grabe, in allen Verhältniſſen des Lebens, als Kind, als Vater, als Bruder, als Gatte, als Freund, als Lehrer, als Regent, als Unterthan, als Bürger des Vaterlandes, und als Bürger der Welt und der Ewigkeit folgen ſollen? Denn wo iſt ein Gemüthszuſtand, ein Zeitpunkt, ein Fall zu erdenken, der nicht eine gehörige, moraliſche und freye Anwendung unſrer Kräfte erforderte? Und wo iſt ein Fall, da es beſſer wäre, wider die heilige, unveränderliche Anordnung eines allwissenden, gütigen, gerechten und allmächtigen Wesens zu handeln, in welchem sich alles zu unserm Glücke, oder zu unserm Verderben vereiniget?

Die Moral ist, gleich der Sonne, ein Licht, das unsern Geist erleuchtet; sie breitet ihren Glanz über die sittlichen Gegenstände aus, und kläret dem Auge des Menschen die mannichfaltigen Schuldigkeiten und Absichten seines Daseyns aus seinen Fähigkeiten und verschiedenen Bestimmungen auf. Allein sie ist nicht bloß ein Licht, das erleuchtet, sie soll auch das Herz beleben. Sie soll den Saamen der natürlich guten Neigungen erwärmen, daß er seine Früchte, die Früchte der Tugend und Glückseligkeit für uns und Andere trage. Unser Geschmack am Guten nimmt zu, je mehr wir die Schönheit und Göttlichkeit der Tugend und ihren wohlthätigen Einfluß in alle Verhältnisse des Lebens kennen lernen. Wir fangen an, das Löbliche, das Rechtschaffne und Gesetzmäßige der Gedanken, Neigungen und Handlungen lebhaft, geschwind und in seinen verschiedenen Graden zu empfinden. Und diese Empfindung, wenn wir sie warten und pflegen, begleitet uns durch alle Umstände des Lebens, ermuntert uns zu unsrer Schuldigkeit, und macht uns sinnreich und eifrig, sie auf die beste Art zu beobachten. Diese fortgesetzte Beobachtung fließt wieder in unsre Neigung ein, und stärkt sie dankbar mit neuen Kräften. Es wird uns leichter, gut zu seyn, weil wirs schon oft gewesen sind. Ein geheimes Vergnügen, recht gethan zu haben, breitet sich in unserm Herzen aus, und macht uns muthig, froh für uns, froh für Andere, freudig gegen Gott; denn der Tugendhafte, wie der weiseste König es ausgedrückt hat, ist getrost, wie ein junger Löwe.*) Dieses stille Vergnügen, der erste Segen der Tugend, durchströmt, gleich einem sanften Bache, das Herz und tränket seine edlen

---

*) Sprüche Sal. 28, 1.

Neigungen; fie schlagen Wurzel und wachsen. So wächst auch
der Abscheu gegen das Laster. Wir erkennen seine Häßlichkeit,
seinen schändlichen Einfluß, seinen Streit mit der Vernunft und
dem Gesetze Gottes; wir fühlen an unsren eignen Thorheiten
und Vergehungen die bestrafende Last des Bösen, und lernen es
hassen. Dieser Haß begleitet uns in die Versuchungen, und hilft
uns siegen. Wir finden an den Beyspielen und dem Umgange
der Rechtschaffnen ein Gefallen; unser Herz eifert ihnen nach,
und wird durch sie edler. Wir bemerken die Beyspiele der Las
sterhaften mit Mißfallen; unser Herz verschließt sich ihrem Um
gange, und schätzt das Gute desto höher. So macht ein glück
liches Gemälde der Kunst, das neben einem häßlichen aufgestellt
ist, unsern Geschmack an dem Schönen nur lebhafter; und das
Mißfallen an dem Schlechten erhöht die Liebe zu dem Schönen. —
Auf diese Weise bildet und bessert die Moral das Herz.

Allein die Moral zeigt uns auch vornehmlich unser Ver
hältniß mit dem Ewigen, dem Vater der Geister und aller
Vollkommenheit. Ihn kennen, dieses muß auf unser Herz den
seligsten Einfluß haben. Ihn kennen heißt zugleich ihn lieben,
verehren, anbeten, sich seiner erfreuen, sich seinen Befehlen und
Schickungen ohne Ausnahme unterwerfen, Dankbarkeit und Ver
trauen gegen ihn fühlen, und Bewundrung und Liebe gegen
seine Vollkommenheit und Werke. Erweckt und befestiget die Mo
ral diese Erkenntniß und diese Neigungen: so ist offenbar, daß sie
unser Herz zur höchsten Stufe der Würde und Glückseligkeit,
deren wir von Natur fähig sind, erhebt. Diese Erkenntnisse und
Neigungen sind durch ihren Gegenstand groß; und darum erhe
ben sie das Herz. Sie vereinigen uns mit der Quelle der Voll
kommenheit; und darum machen sie unser Herz ruhig und zu
frieden. Sie geben unsern Privatneigungen und den ge
selligen Pflichten Ordnung und Leben, und werden die
heiligsten und mächtigsten Bewegungsgründe zur Rechtschaffenheit

ohne Zeugen, ohne irdische Belohnungen des Ruhms und Eigennutzes, bloß aus einem ehrwürdigen Gehorsame gegen die Gottheit. Sie stärken uns, unsre eignen Vortheile zu vergessen, und
der Tugend auch schwere Opfer zu bringen, so bald unser eignes Vergnügen mit unsern Pflichten nicht bestehen kann. Sie
stärken uns, Ruhe, Bequemlichkeit, Güter, Gesundheit, ja
selbst das Leben, wenn es die Gottheit verlangt, großmüthig zu
verleugnen, und auch aus ihrer Hand Elend mit Dank, und
Schmerzen mit Gebuld und höhern Hoffnungen eines künftigen
glückseligern Lebens, anzunehmen. Dieses ist der höchste Zug
des moralischen Charakters, nämlich die Gewißheit einer
ewigen Fortdauer, welche unser Herz wünschet, die Einrichtung unsrer Seelenkräfte verspricht, und der Begriff von der
Güte, Macht, Weisheit und Heiligkeit Gottes unterstützet. Die
Moral, die unsern Geist zur Tugend bildet, ist also eine Wissenschaft für mehr als Ein Leben; und unser moralisches
Glück ist das einzige, das uns mit unserm Herzen in die Unsterblichkeit folget. In diesem Leben keimt unsre Tugend, die
Ewigkeit bringt sie zur Reife, und ist die Erndte unsers Geistes.
Aber welches sind die Gesetze der Moral?

Der Gesetze der Weisheit und Moral sind nicht viele; nur
der Erklärungen, Beweise und Anwendungen dieser Gesetze giebt
es viele. Thue, so lautet das Hauptgesetz der Moral, thue,
aus Gehorsam und mit Aufrichtigkeit des Herzens
gegen deinen allmächtigen Schöpfer und Herrn, alles, was den Vollkommenheiten Gottes, was deinem eignen wahren Glücke und der Wohlfahrt deiner Nebenmenschen gemäß ist; und unterlaß das
Gegentheil. Diese Gesetze und die Verbindlichkeit, ihnen zu
gehorchen, sind für eine durch die Offenbarung aufgeklärte Vernunft nicht schwer zu erkennen. Denn ohne das Licht der Religion würden auch wir in der Lehre von Gott und der Tugend

nicht heller sehen, als die Weltweisen des Alterthums, welche doch die scharfsinnigsten Männer waren; und gleichwohl weis in unsern Tagen das geringste Dorf mehr von dem Einigen Gott und den Pflichten des Menschen, als die Städte, worinne Künste und Wissenschaften so vorzüglich blühten, als Athen und Rom wußten. Diese Gesetze der Moral also zu erkennen und zu beweisen, ist für uns keine schwere Weisheit; aber sie in allen Umständen, zu aller Zeit, und in allen Verhältnissen, aus Ehrfurcht gegen Gott, auszuüben trachten, dieß, dieß ist die schwerste und höchste Weisheit: Das Herz hat eigentlich nur Eine Tugend, und diese ist der lebendige, kräftige, von dem Gewissen und der Vernunft erzeugte Vorsatz, überall gut und der göttlichen Bestimmung ohne Ausnahme gemäß zu handeln, weil wir nichts seligers thun können. Aus dieser Tugend des Herzens fließen, gleich als aus einer reichen Quelle, viele Ströme einzelner Tugenden und Pflichten.

Die vornehmsten dieser Tugenden, als die letzten und höchsten Güter des Menschen, in deren Besitze er Ruhe und Zufriedenheit, und die wahre Hoheit des Geistes findet, sind Ehrfurcht und Liebe gegen Gott; Mäßigung und Beherrschung seiner Begierden; Gerechtigkeit und Liebe gegen die Menschen, unsre Brüder; Fleiß und Arbeitsamkeit in seinem Berufe; Gelassenheit und Geduld im Unglücke; Demuth, Vertrauen auf die göttliche Vorsehung, und Ergebung in ihre Schicksale. Diese Güter sind das Einkommen des Gewissens und einer wohl angewandten Vernunft. Deutlicher zu reden, wir fühlen Reigungen zum Guten, die das Gewissen eingiebt, und die Vernunft rechtfertiget; wir fühlen Reigungen des Herzens zum Bösen, deren Schändlichkeit das Gewissen aussagt, und die Vernunft durch Gründe erweist. In dem Mangel dieser unglaubten Reigungen, und in der größern Anwesenheit der guten, in der Regierung der natürlichen Triebe und Begierden des Willens nach den anerkannten göttlichen Gesetzen und Absichten, in der Beherrschung unsrer Sinne und Unterdrückung der Leidenschaften, in dem Bewußtseyn, daß wir das sind, was wir nach dem Plane und der Anordnung Gottes seyn sollen, oder vielmehr, daß wir uns aufrichtig und eifrig bestreben, so gut zu seyn, als wir seyn sollen; — darinne muß unsre höchste Pflicht und das höchste Glück der Seele bestehen.

Daß aber die Herrschaft über seine Begierden und Leidenschaften, zu welcher Wachsamkeit und Vorsicht gehören; daß die Liebe und der Eifer für das Gute; daß Gerechtigkeit, Güte und Menschenliebe, die allezeit mit unserm und Andrer Glücke in Verwandtschaft stehen, und uns der Gottheit am ähnlichsten machen; daß Unerschrockenheit, Gelassenheit und Geduld bey den mannichfaltigen Gefahren und unvermeidlichen Unfällen des Lebens; daß Demuth, ohne welche der Mensch eine ewige Lügen ist; daß Liebe, Ehrfurcht und Vertrauen zu Gott, und die stille und beständige Ergebung in seine weisen Schickungen, G ü t e r der Seele vom h ö c h st e n W e r t h e, und also unsre h ö ch st e Pflicht sind, das heißt, daß wir ohne sie kein wahres Verdienst, kein beständiges Glück besitzen, dieses läßt sich empfinden und beweisen.

Der Bösewicht, der diese Güter nicht besitzt, erklärt sie durch seine Unruhen und schreckensvollen Empfindungen für die höchsten. Warum zittert er, wenn ihm sein Glück nicht mangelt? Der Gute erklärt sie durch seine Zufriedenheit und ein geheimes Bewußtseyn für die höchsten. Warum wäre er in ihrem Besitze ruhig, wenn noch größere Güter für sein Herz vorhanden wären? Unser Gewissen kündiget mit einer unwiderstehlichen Beredtsamkeit uns diese Eigenschaften als edel und liebenswürdig, und die entgegengesetzten als schrecklich und strafwürdig an. Man

denke sich selbst in aller Herrlichkeit der äußerlichen Güter, im
Ueberfluße der Ehre, des Reichthums und der Hoheit, mit allen
Vergnügungen der Einbildungskraft umgeben, mit aller Erkennt=
niß der Künste und Wissenschaften bereichert, und mit dem treff=
lichsten Verstande begabt; und zugleich denke man sich mit einem
Herzen, dem die obengenannten Güter, dem Mäßigung sei=
ner selbst, Rechtschaffenheit und Gottesliebe feh=
len; wird uns unser Gewissen für glücklich erklären? Man
stelle sich vor, daß ein höherer Geist, der unsere ganze Be=
stimmung übersähe und dieses Herz in uns offen erblickte, den
Ausspruch von unserm Werthe thun sollte, würde er uns wohl
mit seinem Beyfalle beehren können? Er sähe in unsrer Seele
da, wo Güte und Wohlwollen herrschen sollte, einen krie=
chenden Eigennutz, anstatt der Ehrfurcht und des Ver=
trauens gegen Gott eine kindische Eigenliebe und Vergötte=
rung unsrer selbst; würde er uns bey allem äußerlichen Glücke,
bey allen Gaben des Verstandes, bey aller irdischen Hoheit, nicht
für die armseligsten Thoren halten, denen Ordnung und Ueber=
einstimmung fehlte? Wird uns wohl der rechtschaffne Mann in
diesem unserm Charakter, wenn er ihn kennt, seiner Achtung
und Liebe würdig finden? Und die Gottheit selbst, mit welch
einem Auge wird sie auf ein solches Herz herab sehen? Ist Gott
nicht ein gerechterer Richter, als der frömmste Mensch und der
höchste Engel? Läßt sichs ohne Lästerung denken, daß er, die
Quelle alles Guten, die Rechtschaffenheit des Herzens weniger
schätzen und fordern sollte, als Mensch und Engel? daß er die
böse Beschaffenheit unsers Herzens, die ihm stets offenbar ist,
und die seinem heiligen Wesen und seinen Absichten mit uns
widerstreitet, nicht hassen und bestrafen sollte? Es muß also
das moralische Gut des Herzens seyn, was unserm Geiste die
höchste Würde, das höchste Vergnügen und den höchsten Beyfall
schenkt. Und so wenig sich der Mensch ohne Gesundheit wohl

befindet: so wenig kann er ohne die Güte des Herzens ruhig
und glückselig seyn; die Tugend ist die Gesundheit der Seele.
Dieses Gut, wie es in diesem Anfangszustande der Hauptinnhalt
unsers Glücks und unsrer Bestimmung ist, muß zugleich der
Keim der Glückseligkeit auf eine ewige Fortdauer seyn, da unsre
Seele dasselbe nie, ohne ihr Wesen zu verlieren, verlieren kann.

Diese Eigenschaften und Güter des Herzens können ferner
von allen Menschen gesucht und durch fortgesetzte Bestrebungen
in einem gewissen Maaße erlangt werden; ein offenbarer Beweis, daß sie die vornehmsten sind. Die übrige Glückseligkeit
steht selten ganz in unsrer Gewalt. Es gehören zu ihrem Besitze besondere Umstände und Zeiten. Hohe Einsichten und Wissenschaften zu besitzen, Gesundheit, Ehre und Macht zu haben,
und beständig zu haben, kömmt nicht auf unsern Willen, nicht
auf unsere Bemühung und Vorsichtigkeit allein an; sie hängen
oft von der Geburt, und oft von Umständen ab, die wir weder
herbey rufen, noch vorher sehen können. Sie sind nie ganz
unser. Aber die Güter des Herzens bieten sich allen Sterblichen
an. Jeder kann sich die wahre Güte der Seele erwerben, die
in der Anwendung der Gesetze der Vernunft und des Gewissens
besteht. Er kann im Stillen ein König seyn, und weise über
seine Neigungen regieren. Er kann seinen Begierden die angewiesenen Grenzen setzen, seine Leidenschaften unterdrücken, daß
sie das Reich der Ordnung und die Wohlfahrt des Geistes nicht
umstürzen. Er kann den Mißbrauch der natürlichen Triebe, die
auf die Erhaltung des Lebens und die Fortdauer des menschlichen Geschlechts abzielen, verhüten, und sie durch ihre rechtmäßige Absicht, zu der sie die Vorsehung uns eingepflanzet hat,
regieren; das heißt, er kann mäßig, enthaltsam und keusch
seyn. Er kann die geringern Uebel um eines höhern Gutes
willen beherzt über sich nehmen, seine Unruhe über den Mangel
gewisser Güter des Lebens besänftigen, und die Last der größern

Unfälle und Leiden, die von der menschlichen Natur nicht können getrennet werden, durch weise Betrachtungen schwächen; er kann also großmüthig, gelassen und geduldig seyn.

Der Mensch kann sein Vergnügen in dem Glücke der Andern erneuern, es durch Handlungen befördern, ihren Schmerz durch Mitleiden veringern, durch Hülfe und Rath heben, und wissen und fühlen, daß er gütig und gerecht ist, daß er liebt und wieder geliebt wird, daß er ein Freund und Beförderer der Wohlfahrt der Menschen ist. Die größte Wollust des Herzens! Er kann seinem guten Herzen den Adel der Demuth und die Verfassung geben, sich nicht für würdiger zu halten, als er ist, und Andere nicht für geringer, als sie sind; Andrer gute Eigenschaften und Talente zu schätzen, und von den seinigen ein bescheidnes Urtheil zu fällen; endlich seine Unwürdigkeit gegen den zu erkennen, welcher ihm und Andern der gütige Geber aller Vorzüge und Gaben des Geistes, des Körpers und des Glücks ist. Diese Tugend der Demuth, die ihn erniedriget, wird ihn nicht niederschlagen, sondern ihm den edlen Muth geben, immer besser und würdiger zu werden, und ihn vor den lügenhaften Eingebungen des Stolzes bewahren, der alle Wahrheit des Herzens aufhebt. Sie wird ihn vor der Verachtung gegen Andre, und vor dem Neide, der unedelsten Leidenschaft, schützen, ihn sanftmüthig, gelinde und gütig gegen Andre bilden, und ihn eben dadurch zu den Diensten und Freuden der Geselligkeit und Freundschaft fähiger machen. Der Mensch kann Ehrfurcht, Vertrauen, Liebe und Dankbarkeit gegen den Vater und Erhalter aller Geschöpfe in seiner Seele erzeugen und nähren, und sich dadurch die höchsten Freuden erschaffen, die ein Herz fühlen muß, das die ganze Welt als eine große Familie ansieht, die von dem weisesten, und mächtigsten, und gütigsten Wesen regieret wird, das über alle wacht, und dessen Liebe unendlich ist. Jeder Sterbliche, sage ich, kann diese Güter als ein Eigen-

2*

thum besitzen; und sie zu erlangen, zu beschützen und zu ver=
mehren, giebt uns die Natur in allen Altern des Lebens Mittel
und Gelegenheiten. Der Knabe, der Jüngling, der Mann und
der Greis können, obgleich mit verschiedenen Kräften, nach dem
Besitze dieser Eigenschaften und Güter des Herzens trachten; und
sie selbst dürfen uns in keinem Auftritte, in keinen Umstän=
den des Lebens, ohne Verlust unsrer Zufriedenheit, ganz fehlen.
Sie verschönern das äuserliche Glück, und geben ihm noch mehr
Reiz für uns. Sie sind in traurigen Stunden Beruhigung, und
in Unfällen Trost und Schutz. Der Weise ist ohne sie ein leb=
loser Zeiger, der die Stralen der Sonne auffängt, und sie auf
seiner Oberfläche, sich selbst unnütze, von fremden Augen bemer=
ken läßt. Der Schwächste am Verstande wird durch diese Tu=
genden nützlich und glücklich. Der Hohe und der Niedrige, kei=
ner kann sie entbehren, ohne in seiner Sphäre eine Mißgeburt
zu seyn, die sich und Andern mißfällt, und dem Schöpfer ein
Greul ist. Der letzte Auftritt des Lebens, da wir alle die an=
dern Güter verlassen müssen, erklärt endlich die Güter des Her=
zens für die würdigsten. Sie versüßen das Schrecken des Todes,
und machen den Augenblick, in dem auch Helden zittern, für
uns zum trostvollen und ruhigen. So glücklich kann die Moral
und die Ausübung ihrer Pflichten jeden Sterblichen, auch den
Niedrigsten machen; wie viel glücklicher für sich und die Welt,
den Fürsten, den Beherrscher eines ganzen Landes! Er kann
und er soll der Gottheit am ähnlichsten werden.

Daß wir, dieses rühmliche Geschöpf zu seyn, uns bemühen,
daß wir, diese Güter zu erlangen, uns bestreben sollen und
können; dieses ist nach der Vernunft gewiß. Aber daß unsre
natürliche Tugend sehr unvollkommen bleibt, daß wir oft tausend
Bemühungen, uns zu bessern, fruchtlos anwenden, daß wir
eine Neigung zum Bösen, die sowohl durch die Geburt, als
durch die Erziehung und durch Beyspiele erzeugt ist, in uns

tragen, daß sie der beste Mensch nie ganz bekämpfen kann, daß wir eine große Trägheit und oft ein Unvermögen zum Guten fühlen, dieses lehret uns die Erfahrung.

Und daß wir dieses Verderben, dieses Unvermögen, nicht durch die bloßen Kräfte der Natur, sondern durch einen höhern göttlichen Beystand überwinden können, dieses lehret uns die Religion; und ein Blick in unser Herz, in unser Leben bestätiget diese Lehre. Wenn also der Mensch keine, als die natürliche Religion, empfangen hat: so ist das System, von dem ich itzt geredet, wahr und gut, und er muß ihm folgen. Hat er aber eine nähere Offenbarung von Gott und seinen Pflichten, wie sie der Christ hat, und höhere Mittel seinen Verstand zu erleuchten, und sein Herz zu bessern und zu bilden, als die Mittel der Natur sind: so muß ihm die natürliche Religion die Führerinn zur geoffenbarten werden, oder er treibt den schändlichsten Mißbrauch mit der Vernunft, und wird ein Rebell gegen die Weisheit und Güte Gottes.

Die allgemeinen Hülfsmittel aber, die uns die Natur darbeut, zur Tugend zu gelangen und uns in derselben zu befestigen, lassen sich von einem forschenden Verstande leicht entdecken. „Erwirb dir, so lehret die Vernunft und die Erfah„rung, erwirb dir eine deutliche, überzeugende und vollständige „Erkenntniß deiner Pflichten, ihrer Nothwendigkeit und Vor„trefflichkeit; erneure und befestige diese Erkenntniß oft, bewahre „sie vor Irrthümern, und wende sie sorgfältig auf das Leben „und die Ausübung an, und lerne es empfinden, daß deine „Pflicht, auch die schwerste, dein Glück ist. — Wache über deine „Leidenschaften und deine Sinnlichkeit, sie verführen dich; setze „daher ein weises Mißtrauen in dich selbst, und prüfe täglich „dein Herz und deinen Wandel mit Aufrichtigkeit; denn jeder „neuer Tag ist ein neues Leben für dich. — Denke oft, in „feyerlicher Stille, mit Ehrfurcht an Gott, und suche in der

„Betrachtung seiner Vollkommenheiten und Werke, und in den
„Spuren seiner besondern Vorsehung und Liebe gegen dich, den
„heiligsten Antrieb, überall rechtschaffen zu handeln, weil er dich
„überall bemerket. Laß dich diese Betrachtung zum demüthigen
„Danke und zum willigen Gebete um seine Hülfe und Gnade
„leiten; denn was wärest du ohne sie? — Lerne, wie dich selbst,
„so auch die Menschen, mit denen du umgeben bist, und die
„Welt, die du bewohnest, mit ihren Gütern und dem wahren
„Werthe derselben, immer sorgfältiger erkennen. — Denke fleißig
„an die große Absicht, zu der du auf Erden lebst, oft an die
„Kürze deines Lebens, an die Würde und Unsterblichkeit deines
„Geistes, an die Belohnungen der Tugend und an die Bestra=
„fungen des Lasters, nicht allein auf dieses Leben, sondern auf
„eine ganze Ewigkeit hinaus. — Unterdrücke nie den Trieb dei=
„nes Gewissens und die innerliche Schamhaftigkeit vor dem Bö=
„sen; sie sind die Schutzengel des Guten. — Bestrebe dich früh
„in deiner Jugend, gewissenhaft zu leben, ehe sich dein Herz
„gegen das Gute verhärtet. — Suche dich stets nützlich zu be=
„schäfftigen, und lerne Mühe über dich nehmen; denn ohne
„Mühe ist kein Glück, und kein Verdienst, und keine Tugend. —
„Versage dir oft auch erlaubte Vergnügungen, um die Herrschaft
„über deine Neigungen zu behaupten. — Fliehe den Umgang
„der Lasterhaften, suche die Gesellschaft guter Menschen, lerne
„Klugheit aus ihren Beyspielen, und Weisheit aus dem Unter=
„richte der Verständigern, und aus dem Lesen nützlicher Schrif=
„ten für den Verstand und das Herz. — Dieses thue, und fahre
„fort, es zu thun, so wirst du an Tugend und Glückseligkeit
„wachsen." Dieß sind die vornehmsten Rathschläge der Vernunft.
Es ist indessen wahr, wir können die ganze Glückseligkeit des
Menschen nicht bloß in die gute Verfassung des Herzens setzen. Der
Mensch, der nicht Geist allein, sondern auch Körper ist, und
durch seine Sinne so viel angenehme Empfindungen genießen

kann, bedarf auch der äußerlichen Gegenstände des Glücks. Bequemlichkeit, Gesundheit, Dauerhaftigkeit und Stärke des Körpers, ein guter Name, Freyheit und Sicherheit, Ansehn und Reichthum sind wünschenswerthe Güter; aber doch nur die kleinern. Krankheit, Niedrigkeit, Armuth, Verachtung, Mangel der Bequemlichkeiten, ein gebrechlicher Körper sind Uebel, gegen die wir nie ganz gleichgültig seyn können; aber es sind doch nur die geringern. Die größten Bösewichter haben oft alle Macht, alle Reichthümer besessen, und sich doch für unglücklich erkläret. Den Besten und Frömmsten unter den Menschen hat oft das äußerliche Glück gemangelt; und sie haben durch ihre Zufriedenheit doch bewiesen, daß sie nicht unglücklich waren, und daß ihre Tugend sie schadlos hielt. Man frage sein Herz aufrichtig, wen es für glücklicher hält, einen ruhig sterbenden Sokrates, oder einen ungerechten Richter, der ihn zum Tode verdammt? Einen unschuldig gefangenen Joseph, oder das glückliche Laster, das ihn in Fesseln schlägt? Einen freudigen Paulus in Ketten, oder einen Felix, der vor seiner Beredtsamkeit zittert? Vermindern wohl Würden und Reichthümer die Pein eines erwachten Gewissens und die Furcht des Todes? Wir ringen nach ihnen, wir erreichen sie, und werden gieriger, derselben noch mehr zu erreichen. Sie stillen unsere Wünsche nie ganz; denn unsre Wünsche sind unersättlich. Und wenn wir sie auch mäßigen, kömmt denn die Befriedigung dieser gemäßigten Wünsche nur auf uns, und nicht auf günstige Erfolge an, die nicht von uns abhängen?

Erlangen wir diese äußerlichen Güter nicht, indem wir sie suchen, so verwandelt sich die verfehlte Hoffnung in Unruhe. Hingegen das moralische Gut (welche selige Eigenschaft!) erfüllt uns auch noch zu der Zeit, wenn wir darnach trachten, und es nicht gleich, oder nicht im höchsten Maaße erhalten, doch mit innerer Beruhigung und stillem Beyfalle. Die Herrschaft über meinen Zorn, die ich itzt zu behaupten suche, glückt mir nicht

ganz, oder doch nur spät. Dennoch bin ich mir meiner guten
Absicht bewußt; und dieses tröstet mich. Ich habe lange nach
der Geduld gestrebt, und ich sehe immer noch dieses Gut nicht
ganz mein. Dennoch beruhiget mich der Gedanke: du hast sie
nicht vergebens gesucht, du hast deine Pflicht gethan. Ich will
eine heilsame Anstalt befördern helfen. Das Mittel ist gut, das ich
wähle; aber mein Fleiß und meine Mühe bringen den erwünsch-
ten Ausgang nicht hervor. Dennoch sind sie nicht verloren. Das
Andenken der guten Absicht, des redlichen Fleißes, belohnet mich,
ob ich gleich die Frucht nicht erreicht sehe. Ich bin doch besser
geworden, weil mein Herz etwas Gutes gewollt hat; und keine
Zeit, kein Urtheil der Menschen, kein Zufall kann mir diesen
Vortheil entreißen. Wie weit trefflicher und höher sind also die
moralischen Güter, ihrer Beschaffenheit nach, als die übrigen
Güter! Welche erquickende Belohnung ists, sich von einer niedern
Stufe der Weisheit und des Guten auf die höhere fortgerückt, sich
von diesem, von jenem Fehler losgerissen sehen, einer unerlaubten Begierde widerstanden, eine stürmische Leidenschaft besiegt
haben, sich vorsichtiger und wachsamer, mäßiger und keuscher,
bescheidner und gelaßner, in Gefahren muthiger und entschloßner,
im Unglücke getroster erblicken, und sich des hohen Beystandes
der Vorsehung und ihrer ewigen Gnade getrösten dürfen!

So sey dein liebstes Gut ein frommes weises Herz!
Dieß mehre deine Lust, dieß mindre deinen Schmerz,
Dieß sey dein Rang, dein Stolz, dein höchstes Glück auf Erden!
Sonst alles, nur nicht dieß, kann dir entrissen werden.
Zu wissen, es sey dein, zu fühlen, daß dus hast,
Dieß Glück erkauffst du nicht durch aller Güter Last;
Und ohne dieses Herz schmeck noch so viel Vergnügen,
Es ist ein Rausch, und bald, bald wird der Rausch verfliegen.

Zweyte Vorlesung.

Von der natürlichen Empfindung des Guten und Bösen, des Löblichen und Schändlichen.

Meine Herren, es giebt außer dem Unterrichte, den uns die Vernunft von unsern Pflichten anbeut, noch eine andere Belehrung, die uns das Herz durch eine angebohrne Empfindung von dem, was gut oder böse ist, ertheilet. Diese Empfindungskraft des Herzens unterstützet den Verstand in der Beurtheilung der Pflicht, und kömmt ihm nicht selten zuvor; oder anders ausgedrückt: wir haben in unsrer Natur nicht nur das Licht der Vernunft, das uns nöthiget, ein göttliches Gesetz der Tugend zu erkennen, sondern wir besitzen in unserm Herzen auch ein Vermögen, durch welches wir empfinden können, ob etwas edel oder unedel, erlaubt oder strafbar, rühmlich oder schändlich sey. Dieses Vermögen, diese Empfindung des Herzens ist der Grund des Gewissens, das eigentlich nur durch den Ausspruch über unsre Handlungen, ob sie gut oder böse sind, sich offenbaret. Von dieser natürlichen sittlichen Empfindung wollen wir itzt besonders reden. Lassen Sie uns also den Menschen in seinen verschiednen Neigungen, Gesinnungen und

freyen Handlungen gegen sich selbst, gegen andere Men=
schen, und gegen Gott betrachten. Fragen Sie Ihr In=
nerstes, was Sie an ihm billigen oder mißbilligen, lieben oder
haffen, hochachten oder verabscheuen, für recht oder unrecht erklä=
ren; und warum Sie dieses thun; und versuchen Sie, ob wir
auch auf diesem Wege zu den Kennzeichen des moralischen Gu=
ten und Bösen gelangen können.

Damon sorgt für nichts, als wie er seine Wünsche und Lei=
denschaften befriedigen will. Er liebt eigentlich nichts, als was
seinen Sinnen schmeichelt; und seine Arbeit besteht darinne, die
angenehmsten Speisen und Getränke, so oft und so lange er
kann, zu sich zu nehmen, und neue Reizungen des Geschmacks
zu erfinden. Die körperliche Wollust ist seine tägliche Gefährtinn.
Er schläft, um wieder den Genuß dieser sinnlichen Vergnügungen
zu erneuern; und er erneuert ihn, um wieder schlafen zu können.
Billiget Ihr Herz diese Handlungen und Neigungen? Sehen
Sie mit einem geheimen Beyfalle auf diesen Menschen? — Se=
tzen Sie sich an seine Stelle. Wird Ihnen das Nachdenken über
diese Handlungen eine gewisse Selbstzufriedenheit gewähren?

Eben der Damon treibt seine Sinnlichkeit so hoch, daß er
seine Gesundheit schwächt und sich unleibliche Schmerzen verur=
sachet. Wird er Ihnen nicht noch verächtlicher? Er geht in
dem Genusse seiner sinnlichen Ergetzungen so weit, daß er die
Kräfte seines Geistes schwächt und erstickt. Seine Familie, seine
Freunde brauchen seiner Hülfe und seines Rathes. Aber er kann
nicht denken; er ist zu träge zum Nachsinnen; er scheut die ge=
ringste Mühe, und bezeigt keine Reigung für das Glück der Sei=
nigen. Er will ganz dem Geschmacke, der Trägheit und Weich=
lichkeit leben; er will bloß für sich da seyn. Nimmt Ihre Ab=
neigung gegen diesen Menschen nicht zu? Wollten Sie wohl
an seiner Stelle seyn?

.. Dieſer Damon, der ſeine Begierden nicht mehr ohne gewalt=
ſame Mittel befriedigen kann, bricht ſeinen Freunden das Wort,
hintergeht ſie durch Liſt, leugnet ein anvertrautes Gut, beleidiget
ſeinen Wohlthäter, und verräth ſein Vaterland. Können Sie
dieſen Mann ohne Abſcheu denken? Und was verachten und haſ=
ſen Sie denn an ihm? Dieſes, daß er ohne Regel und Ord=
nung, daß er nur für ſich ſelbſt lebt; daß er ſeine ſinnlichen Be=
gierden nicht einſchränken will; daß er, um ſeine Wünſche zu
erfüllen, Andre hülflos laſſen, oder wohl gar unglücklich machen will.

Aber was verurſacht es, daß Sie die Handlungen dieſes
Damons verachten oder verabſcheuen, je nachdem Sie ihn
auf den verſchiednen Stufen ſeiner Lebensart als bloße Zuſchauer
betrachten? Iſt ſeine Lebensart nur Ihrer Selbſtliebe und Ihrem
eignen Vortheile zuwider? Aber er ſoll in einem fremden Lande,
er ſoll in einem andern Welttheile leben, oder lange vor Ihnen
geſtorben ſeyn! — Iſt bloß das Urtheil Ihres Verſtandes die
Urſache, daß Sie die Aufführung dieſes Mannes mißbilligen?
Aber die Urtheile des Verſtandes geben für ſich allein einer Sache
den innerlichen Werth oder Unwerth nicht. Der Verſtand iſt
nur das Licht, das dieſen Werth oder ſein Gegentheil an den
freyen Handlungen, Abſichten und Geſinnungen entdecket. Wir
fühlen, wenn wir uns dieſen Damon vorſtellen, ohne daß wir
erſt lange unſern Verſtand ausfragen dürften, eine gewiſſe inner=
liche Abneigung gegen ſeine Handlungen und Geſinnungen, die
nicht auf unſern Willen ankömmt, und die uns nöthiget, dieſen
Charakter zu mißbilligen; ſo wie wir uns genöthiget finden, ein
Geſicht, dem die edelſten Theile, dem Augen und Lippen fehlen,
mit Widerwillen zu betrachten.

. Gehen Sie noch einen Schritt weiter. Es wird Ihnen von
eben dem Damon erzählet, daß er keine Ehrfurcht, keine Liebe
und Dankbarkeit, keinen Gehorſam gegen das höchſte und voll=
kommenſte Weſen, gegen Gott, habe, ſondern vielmehr die ent=

gegengesetzten Empfindungen in sich ernähre, und sie durch seine Handlungen ungescheut zu erkennen gebe. Wird Ihnen dieser Charakter nicht noch schrecklicher? Stellen Sie sich vor, als ob Sie selbst ihn annehmen sollten. Können Sie dieß mit Gelassenheit denken? Und was ist es denn, warum Sie diese Gemüthsverfassung verabscheuen? Ist es der gekränkte Vortheil Gottes? Aber Gott gewinnt und verliert nichts durch alle unsre Hochachtung und Abneigung. Er ist und bleibt Gott!

Denken Sie sich nunmehr einen Menschen von entgegengesetztem Charakter. Semnon genießt die sinnlichen Ergetzungen mit einer gewissen Einschränkung, damit er gesund bleibe. Wir billigen ihn mehr, als den Damon; aber wir haben noch keinen Wohlgefallen an ihm. Vorher verschloß er sich einsam bey dem Genusse seiner Mahlzeiten und seines Weines. Itzt öffnet er seinen Tisch den Freunden; und er wird dem Auge des Geistes schon erträglicher. Er wendet seine Reichthümer zu Schmuck und Bequemlichkeiten an, weil sich seine Freunde daran vergnügen und ihm danken. — Semnon gefällt schon mehr.

Semnon vergnügt sich an Künsten und Wissenschaften, und füllt durch dieses Vergnügen einen Theil seiner leeren Stunden aus. Wir sehen ihn in Gedanken lieber bey den Werken der Natur, der Malerey, Baukunst und Musik beschäfftiget, als bey den kostbarsten Mahlzeiten, bey denen er nur den Geschmack seiner Zunge befriedigte.

Er verbessert seinen Geschmack und seine Einsicht so sehr, daß er Andre dadurch vergnügen kann; und es ist seine Absicht, sie zu vergnügen. Wir fühlen schon mehr Wohlgefallen an ihm.

Er kömmt so weit, daß er mit seinem Verstande auf nützliche Bemühungen für das gemeine Beste fällt. Unsre Hochachtung für ihn wächst. Er hat sich durch Uebung eine gute und geschwinde Beurtheilungskraft, ein fertiges Gedächtniß, einen feinen Witz erworben; Fähigkeiten, die ihn vollkommner machen, indem sie ihn gemeinnütziger für die Welt machen. Er schränket seine sinnlichen Vergnügungen noch mehr ein, und ist unermüdet in Beschäfftigungen, die seiner Nation nützen, ob sie sich gleich nicht auf unsern eignen Nutzen erstrecken. Fühlen wir nicht etwas anders gegen ihn, als gegen einen Damon, der weder Verstand, noch Geschmack, noch Arbeitsamkeit besitzet?

Semnon sieht Menschen, die elend sind. Es ist ihm unangenehm, daß sie es sind. Er wünschet, sie wären es nicht. Er ist besser, als Damon; wir fühlen es. — Er freut sich, daß es seinem Hause und seinen Freunden wohlgeht. Er ist nach unsrer Empfindung besser, als der gleichgültige Damon. — Er sorgt für das Glück der Seinigen, weil ihm das eine natürliche Liebe befiehlt. Wir billigen es. — Er sorgt aber bloß für das Glück der Seinigen. Er hat Kräfte und Gelegenheiten, auch Andern zu dienen; und er thut es nicht. Wir mißbilligen es. — Er fängt an, auch Andern zu dienen. Wir achten ihn schon höher.

Er hat einem Bekannten das Leben gerettet. Wir bewundern die That. Aber sie hat ihn wenig Mühe, wenig Gefahr gekostet. Wir bewundern sie weniger. Er hat es vielleicht gethan, weil er wissen konnte, daß ihn der Andre reichlich belohnen, oder daß er sich einen Namen dadurch erwerben würde. — Unsere Hochachtung fällt. Der Verdacht des Eigennutzes verringert den Werth seiner Handlung.

Er hat das Glück einer Person durch viele Mühe befördert, ohne Absicht auf seinen eignen Vortheil. Wir beehren eine solche That mit Beyfalle. Sie setzet eine uneigennützige Neigung, eine gütige Gesinnung voraus. — Er hat mit noch größrer Mühe das Glück vieler Familien, einer ganzen Nation, er hat es mit Aufopferung seiner Kräfte, ja seines Lebens, zu befördern gesucht; er hat es gethan, weil er es für eine göttliche Pflicht gehalten, sich um die Wohlfahrt der Menschen verdient zu machen, und weil es sein Wunsch und seine

Abſicht war, dieſen göttlichen Willen zu erfüllen. —
Hier fühlen wir den höchſten Grad des Wohlgefallens an einem
Semnon, in ſo weit wir ihn im Verhältniſſe gegen ſeine
Mitmenſchen betrachten.

Warum können wir alſo dieſer ſeiner Handlung unſern Beyfall nicht verſagen. Weil ſie uneigennützige Geſinnungen, Regungen des Wohlwollens und einer Güte vorausſetzet, die edel
in ihrer Abſicht, und nach ihrem Umfange, in ſo weit ſie ſich
auf Viele erſtrecket, groß iſt. Wir wollen unter dieſe Vielen itzt
nicht gehören. Alſo iſt die That, in ſo weit wir Zuſchauer derſelben ſind, nicht unſers Eigennutzes wegen ſchön, ſondern wegen
ihrer innerlichen Güte; nicht des Vortheils wegen, den ſie dem
Semnon gebracht, weil ſie ſeinen eignen Vortheil nicht zum
Grunde hat, ſondern demſelben vielmehr entgegen war. Wie
könnte ſie uns alſo gefallen, wenn ſie an und für ſich keine Würde
hätte? Wie könnten wir ſie billigen, Alle ſie billigen, wenn
nicht eine Kraft, eine Empfindungskraft in unſern Herzen verſchloſſen wäre, gewiſſe Reigungen und Handlungen,
als löblich oder ſchändlich, als gut oder böſe zu empfinden, ohne
daß es bey dieſer Empfindung bloß auf unſern Willen, oder unſre Urtheile ankäme?

Setzen Sie zu dem Charakter des Semnon noch einen Haupt-
zug. Er iſt von der Macht, Weisheit, Güte und Heiligkeit eines
höchſten Weſens, als dem Urſprunge der ganzen Natur, und der
Quelle alles Schönen und Guten, vollkommen überzeugt. Er
fühlt gegen dieſen allmächtigen Vater die Empfindungen der
höchſten Liebe und Dankbarkeit, des kindlichſten Vertrauens und
einer uneingeſchränkten Unterwerfung. Er ſtrebt nach dem Beyfalle dieſer höchſten Güte und Weisheit, verläßt ſich im Glücke
und Unglücke auf ihre erhaltende und ſchützende Macht, und trö-
ſtet ſich im Tode mit der glücklichen Fortdauer ſeiner Seele und
mit der unaufhörlichen Gnade Gottes. Billigen Sie dieſe Ge-

müthsverfaſſung nicht? Scheint Ihnen Semnons Herz nicht
ehrwürdig? Halten Sie ihn nicht für ſo gut in Ihrer Empfin-
bung, als ein Menſch ſeyn kann? und wünſchten Sie ſich nicht
in ſeiner Stelle? Aber wer nöthiget Sie dazu, dieſen Mann,
ſeine Geſinnungen, ſeine Handlungen hochzuſchätzen? Ein innerliches Gefühl, das Ihnen die Güte ſeines Charakters zu empfinden giebt.

Dieſe ſittliche Empfindungskraft des Guten und Edlen iſt der
Vernunft, bey ihren Unterſuchungen von Pflicht und Tugend,
zur Gehülfinn gegeben. Aber man erinnert ſich auch, daß dieſer
moraliſche Geſchmack, wie alle Fähigkeiten und Kräfte der Seele,
ſeine Ausbildung und Anwendung verlanget; daß er zwar in
keinem Herzen ganz fehlet; aber daß er durch Sinnlichkeit, Sorgloſigkeit und vorſetzliche Unterdrückung kann verderbt und zurück
gehalten werden. Doch wie wir, wenn wir wiſſen wollen, was
klug und anſtändig iſt, nicht den Unwiſſendſten, ſondern den
Klügſten fragen werden: ſo müſſen wir auch das Gefühl des
rechtſchaffenſten Mannes, der uns durch ſeine Handlungen bekannt
wird, in der Frage von dem, was moraliſch ſchön und gut iſt,
unendlich mehr hören, als die Empfindungen eines Menſchen,
der von Jugend auf ohne Erziehung ſich den Eindrücken der
Sinne und den Ausſchweifungen der Begierden überlaſſen hat.
Wir können den Geſchmack an der Moralität eben ſo bilden
und beſſern, wie wir den natürlichen Geſchmack an dem Schönen in den Werken der Natur und Kunſt erhöhen. Je
mehr wir uns mit den Werken des Schönen bekannt machen,
ihren Eindruck auf uns wirken laſſen, ihre Theile und die Ueber-
einſtimmung derſelben betrachten, gegen einander vergleichen, und
darüber nachdenken; deſto mehr wächſt er. So wächſt auch der
Geſchmack an dem moraliſchen Guten, wenn wir uns edle, rühmliche Neigungen, Abſichten und Handlungen denken; ſie oft, in
ihrem Einfluſſe auf das Glück der Menſchen, in ihrer Vortreff-

lichkeit und in ihrer Uebereinstimmung mit unsrer Natur, als einem Werke Gottes, denken, ihr Schönes zu empfinden, und durch alles dieses den Abscheu gegen das entgegengesetzte Böse zu stärken suchen.

Der Begriff also der Tugend und des Lasters, oder dessen, was den wahren Werth und die wahre Schande des Menschen ausmacht, stützt sich zwar zuförderst auf Aussprüche und Gründe der Vernunft, aber doch auch dabey auf eine moralische Empfindung, oder auf einen Trieb des Herzens und Gewissens, der uns belehret und fühlen läßt, ob gewisse Reigungen, Entschließungen und freywillige Handlungen eine innerliche Verbindlichkeit und Vortrefflichkeit haben, oder nicht. Jeder frage sich aufrichtig, ob nicht seinem Herzen ein Unterschied des Guten und Bösen eingedrückt sey, der ihn nöthige, ohne lange Beweise des Verstandes, diese oder jene That, diese Absicht, diese Begierde als gut und edel, oder als schändlich und strafbar zu empfinden. Es ist selbst nach der Analogie unsrer übrigen Empfindungskräfte höchst wahrscheinlich, daß wir ein solches moralisches und richterisches Vergnügen, zu empfinden, und durch die Empfindung zu entscheiden, besitzen müssen. Wir haben ein Gefühl des Schicklichen und Unschicklichen, welches uns, in Ansehung des äußerlichen Wohlstandes, unterweist; des Unstreitigwahren und Ungereimten, das unserm Geiste, bey der Anwendung der Kraft zu denken, zum Führer dienet; des Schönen und Schlechten, welches das Genie leitet, bey seinen Nachahmungen der Natur, fast ohne daß es sich dessen bewußt ist, nach den Regeln der Natur zu arbeiten. Sollten wir nicht auch für Kräfte und Handlungen von noch größrer Wichtigkeit ein unterscheidendes Gefühl, nicht auch ein unmittelbares Wohlgefallen an solchen Reigungen und Handlungen in unser Herz eingedrückt erhalten haben, welche die Vernunft zwar rechtfertiget und als billig und gut erweist, aber doch, wenn sie durch nichts unterstützt würde, in tausend Fällen viel zu langsam und für die meisten Menschen viel zu unvernehmlich beweisen würde? Wenn wir aber unparteiisch auf das merken, was uns eine innerliche Empfindung unsrer Natur für recht und gut zu halten nöthiget, und den Begriffen des Guten nachdenken: so werden wir dadurch zu dem Bewußtseyn der höchsten natürlichen Gesetze und allgemeinen Verpflichtungen gelangen; nämlich: „Thue das, was mit der Voll= „kommenheit Gottes, mit der Wohlfahrt deiner eignen Natur „und andrer Menschen übereinstimmt, weil du dich dazu verbun= „den fühlst; und unterwirf alle deine Neigungen, Absichten und „Handlungen dem Gewissen und eben dadurch dem Gehorsame „gegen Gott. Unterlaß das Gegentheil, weil es wider die Ver= „bindlichkeit streitet, die dir dein Gewissen auferlegt. — Unter= „laß alles, was diesen Gehorsam mittelbar oder unmittelbar hin= „dern kann. Thue alles, was ihn erleichtern, verstärken und „befestigen kann.‟

So sehr wir von dem Daseyn und den Vollkommenheiten des höchsten Wesens überzeugt sind, eben so zuverlässig wissen wir auch, daß die moralische Beschaffenheit unsrer Natur sein Werk ist. Was können wir also anders daraus schließen, als daß es sein Wille sey, daß wir uns in diejenige Verfassung des Gemüths setzen, und diejenige Art, zu wollen und zu handeln, erwählen sollen, welche den so offenbaren Absichten und Bestimmungen unsrer Natur, als eines Werkes von ihm, am gemäßesten ist; und daß also eben hierinnen unsere Pflicht, und in dieser Pflicht die besondre und allgemeine Glückseligkeit und Vollkommenheit bestehen muß? Durch diese innerliche Verbindlichkeit werden an= dre Verbindlichkeiten, in Absicht auf den Willen Gottes und auf die Wirkungen seiner Gnade oder seiner Strafe in dieser oder in einer andern Welt, nicht überflüßig. *) Nein, alles, was uns

---

*) S. die Vorrede zu Hutchesons Sittenlehre 15. S. in der An= merkung.

Gellert VI.

die Erkenntniß und Ausübung der Tugend erleichtern oder einschärfen kann, der Tugend, von der wir so leicht abweichen, und
die in den meisten Herzen durch ihre innere Vortrefflichkeit so
wenig Eindruck macht, alles dieses gehöret mit zur Verbindlichkeit; alle Gründe der Vernunft. Und wenn ich erkenne, daß
über das natürliche Gesetz noch ein von Gott geoffenbartes da
ist: so gehören auch die Gründe dieser Offenbarung dazu, und
zwar vorzüglich. Wenn endlich Gott für Laster und Tugend,
außer den natürlichen Strafen und Belohnungen in diesem Leben,
noch andre Strafen und Belohnungen in einer künftigen Welt
bestimmt hat: so werde ich auch verbunden seyn, beides zu glauben, und diesen Glauben zum höchsten Antriebe der Tugend anzuwenden. Denn ein Gesetz ohne Strafen und Belohnungen
kann nicht Statt finden, weil es ohne sie vergeblich wäre; obgleich diese Strafen und Belohnungen weder die Natur des Gesetzes, noch der moralischen Verbindlichkeit ausmachen, sondern
bloß nothwendige Folgen des Gesetzes sind.

Wenn also die Bestimmung des Menschen und seine wahre
Würde in liebreichen Neigungen und Handlungen
gegen die Menschen, und in der höchsten Ehrfurcht und
Liebe gegen Gott besteht; wenn sie darinne besteht, daß wir
die natürliche Liebe zu uns selbst nebst ihren Wünschen
und Begierden so regieren und mäßigen, damit sie uns an
der Verehrung Gottes, an den Neigungen und Handlungen für das allgemeine Beste, und für unsre eigne
höchste Wohlfahrt nicht hindern können: so ist es gewiß,
daß dieses die Tugend ist, und daß wir eine natürliche
Verbindlichkeit in unsern Herzen dazu fühlen, sie durch die
Vernunft erkennen, und also eine Pflicht haben, tugendhaft, das ist, so gut, so vollkommen und glücklich zu
werden, als es der Mensch nach der göttlichen Anlage seyn

kann *). Ja, die Tugend ist keine eigenwillige Erfindung der Vernunft:

Sie ist kein Wahlgesetz, das uns die Weisen lehren;
Sie ist des Himmels Ruf, den nur die Herzen hören?
Ihr innerlich Gefühl beurtheilt jede That,
Warnt, billigt, mahnet, wehrt, und ist der Seele Rath.
Wer ihrem Winke folgt, wird niemals unrecht wählen;
Er wird der Tugend nie, noch ihm das Glücke fehlen!

*) Nämlich in dem Stande der Ordnung der Natur sollte der Mensch seinen Schöpfer über alles verehren und lieben, gegen seinen Nebenmenschen liebreich, gerecht und aufrichtig seyn, die Kräfte und Güter, die ihm die Vorsehung verliehen, weislich und mäßig gebrauchen. Auf diese Weise würde der Mensch sich den Absichten seines höchsten Wohlthäters gemäß verhalten, sich selbst vollkommner machen, und die allgemeine Wohlfahrt befördern helfen. Dieses ist der Innhalt des Naturgesetzes, welches uns das Gewissen und die Vernunft, wenn wir sie fragen, deutlich lehren. Gleichwohl zeigt uns die alte und neue Geschichte und die tägliche Erfahrung das menschliche Geschlecht in einer ganz andern Gestalt. Anstatt daß bey ihm das Gute, wo nicht beständig herrschen, wenigstens die Oberhand haben sollte, so herrschet das Böse; und anstatt daß ein gewisser Grad von Bosheit so selten als eine Mißgeburt in der Natur seyn sollte, so finden wir ihn nicht nur oft, sondern oft bey ganzen Völkern und in ganzen Jahrhunderten in aller seiner schrecklichen Stärke. Ein deutlicher Beweis, wie wahr dasjenige sey, was uns die Offenbarung von dem Verfalle der menschlichen Natur lehret, und wie sehr wir bey allem dem, was uns Vernunft und Gewissen von der Nothwendigkeit und Schönheit der Tugend sagen, des höhern Beystandes der Religion bedürfen, um wirklich zu dieser Tugend zu gelangen. Indessen bleibet die Verbindlichkeit zur Tugend auch in dem Stande des natürlichen Verderbens nothwendig, weil sie in dem unveränderlichen Willen Gottes und in der ersten göttlichen Anlage der menschlichen Natur gegründet ist. Und diese Nothwendigkeit, sollte sie uns nicht nach der Hülfe der Religion desto begieriger machen?

Wollen Sie sich kürzer überzeugen, was wahre Würde der Seele, was Tugend sey: so stellen Sie sich einen Menschen vor, der leer von aller Ehrfurcht und Liebe gegen Gott, von allen guten Neigungen gegen andre Menschen ist; der alles, was er thut, bloß aus Eigennutz oder aus Ehrsucht, oder aus sinnlichen, ja wohl thierischen Trieben thut; der sich keiner vernünftigen Einschränkung seiner Begierden, keiner göttlichen höhern Bestimmung bey seinen Fähigkeiten und dem Gebrauche seiner Kräfte unterwerfen will; können Sie ihn für gut halten? Widersteht Ihnen nicht Ihr eignes Gefühl? Geben Sie diesem Manne die größten Gaben des Verstandes, die feinsten Einsichten in alle menschlichen Künste und Wissenschaften, das glücklichste Gedächtniß, die lebhafteste Einbildungskraft, die größten Reichthümer, den schönsten Körper, die festeste Gesundheit und Stärke, Muth, Tapferkeit und Entschließung in Gefahren. Aber denken Sie ihn sich dabey, wie er alle diese Eigenschaften und Gaben nur für sich anwendet, keinem Menschen dienet, so bald es ihn nur die geringste Mühe kostet, Niemanden, auch seinen Freund nicht, glücklich macht, unempfindlich gegen die Majestät Gottes ist, ihr sein Daseyn nicht zu verdanken haben, gegen sie nicht demüthig seyn will. Denken Sie ihn sich, wie er, anstatt die Aufwallungen des Neides, der Habsucht, der Rache, der Wollust zu unterdrücken, ihnen vielmehr sklavisch gehorcht. Ist es Ihnen möglich, diesen Menschen für gut zu halten? Denken Sie ihn sich endlich, daß er alle diese Vorzüge der Natur anwendet, Andre um ihr Glück, ihre Gesundheit, ihre Ehre und ihr Leben zu bringen, so oft es sein eigner Vortheil befiehlt; — denken Sie nicht ein Ungeheuer? Die Tugend muß also nicht in den Eigenschaften des Verstandes oder in körperlichen Vollkommenheiten bestehen, sondern in den Neigungen des Willens, in liebreichen und gütigen Neigungen gegen Andre; in einer freyen und demüthigen Unterwerfung unter den Willen des höchsten Wesens; in einer willigen Anwendung unſers Verſtandes auf das, was uns von unſerm Gewiſſen als gut empfohlen wird; in der Beherrſchung aller unſrer Begierden nach der von uns erkannten göttlichen Regel. Hierinnen muß die Tugend beſtehen, weil alles dieſes die höchſte Vollkommenheit in ſich ſchließt, zu der ein Vernünftiger nach ſeiner eignen Empfindung zu gelangen wünſchen kann. Sie wird ſtets Achtſamkeit und Ueberwindung erfordern; denn wenn ſie uns ſo leicht und natürlich wäre, als der Schlaf, oder der Hunger: ſo würde ſie kein Werk der Freyheit und des Geiſtes ſeyn. Sie wird ſtets darinne beſtehen, daß wir nichts vornehmen dürfen, wovon wir fühlen und ſchließen, daß es wider den Plan der Natur, das iſt, wider die Abſichten Gottes ſtreitet; und alſo wird ſie auch darinne beſtehen, daß wir dieſe göttlichen Abſichten ſorgfältig erforſchen, ſie als heilige Kenntniſſe, die zu unſrer Wohlfahrt unentbehrlich ſind, in unſerm Verſtande bewahren, und die Ueberzeugung davon beſtändig erneuern müſſen, weil ſie ſonſt erliſcht; ferner daß wir dieſe Kenntniß auf unſern Willen wirken laſſen und die Hinderniſſe vermeiden müſſen, die ſie unfruchtbar machen. Sie wird ſtets darinne beſtehen, alle unſre Reigungen, Fähigkeiten und Kräfte ſo zu verbeſſern und anzuwenden, wie es das vernünftige Verlangen, glücklich zu ſeyn, befiehlt. Und welcher Menſch, der einen Gott glaubt, und ihn zu erkennen aufrichtig bemüht iſt; der folglich nicht nur ſeine Güte, ſondern auch ſeine Heiligkeit erkennet; welcher Menſch getraut ſich wohl ohne Ehrfurcht und Gehorſam gegen ihn, und alſo auch ohne Menſchenliebe gut und glücklich zu werden? Welcher Menſch getraut ſich, wenn er die Quaal der Leidenſchaften in ſich fühlet, auf eine andre Art ruhig und glücklich zu werden, als wenn er ſie einſchränkt, das iſt, die Ausſprüche der Vernunft und des Gewiſſens mehr bey ſich gelten läßt, als den flüchtigen Kützel der Sinne, der Einbildungskraft und zügelloſer Begierden? So bald wir einen Gott, welcher Liebe und Heiligkeit iſt, annehmen: so ist kein Fall, kein einziger Fall, keine Regung des Herzens, keine angenehme Empfindung der Seele oder der Sinne, kein irdischer Vortheil zu erdenken, wo es besser wäre, nicht tugendhaft zu seyn, das heißt, wider den erkannten Willen Gottes, der allein das höchste Gut, dessen Beyfall allein das wahre Glück, dessen Mißfallen an uns nothwendiger Weise das größte Elend ist, zu handeln, und also ein Rebell in der Schöpfung Gottes zu seyn, um dadurch glücklich zu werden.

Theuerste Commilitonen, prägen Sie sich diesen Grundsatz der Sittenlehre tief in Ihr Herz. Alles beweist ihn; der Gedanke an Gott und das Gefühl des ruhigen Herzens. Lassen Sie diese Wahrheit Ihren Liebling, Ihre höchste Vernunft seyn: Es ist kein Fall zu erdenken, wo es besser wäre, nicht tugendhaft zu seyn, kein Fall ohne Ausnahme; so gewiß eine belohnende und rächende Vorsehung, und so gewiß unsre Seele unsterblich ist. Ja, es ist noch eine ewige Welt; und darum ist kein Fall in der gegenwärtigen, wo es besser wäre, nicht tugendhaft zu seyn. Das Liebenswürdigste also, das Göttlichste am Menschen, was ist es? Gehorsam und Tugend! Wozu ist uns das Leben gegeben? Zur beständigen Ausübung unsrer Pflichten.

> O Jüngling, faß doch diese Lehren,
> Itzt ist dein Herz geschickt dazu.
> Dem kleinsten Laster vorzuwehren,
> Die Tugend ewig zu verehren,
> Sey Niemand eifriger, als du.
> Durch sie steigst du zum göttlichen Geschlechte,
> Und ohne sie sind Könige nur Knechte.
> Sie macht dir erst des Lebens Anmuth schön.
> Sie wird im widrigen Geschicke
> Dich über dein Geschick erhöhn;

Sie wird im letzten Augenblicke,
Wenn alle traurig von dir gehn,
In himmlischer Gestalt zu deiner Seite stehn,
Und in die Welt der Herrlichkeiten
Den Geist, den sie geliebt, begleiten.
Sie wird dein Schmuck vor jenen Geistern seyn,
Die sich schon auf dein Glück und deinen Umgang freun.
O Mensch, ist dir dieß Glück zu klein,
Um strenge gegen dich, um tugendhaft zu seyn?

Dritte Vorlesung.

Von dem Vorzuge der heutigen Moral vor der Moral der alten Philosophen, und von der Schrecklichkeit der freygeisterischen Moral.

————————

Unsere heutige Moral (wir verstehen darunter zugleich die Wahrheiten der natürlichen Theologie und des Rechts der Natur) hat vor der Moral der alten Griechen und Römer keinen geringen Vorzug; einen Vorzug, der leicht in die Augen fällt, wenn man sich nicht durch eine übermäßige Verehrung des Alterthums selbst blendet.

Die Begriffe von der Gottheit sind bey den Meisten der alten Weltweisen, hier unvollkommen und finster, dort abentheuerlich und schrecklich. Bald bevölkern sie den Olymp mit vielen Göttern, bald lassen sie ihn von einem müßigen Gott bewohnet werden, bald setzen sie ein unvermeidliches Schicksal auf den Thron; bald lassen sie die ganze Natur Gott seyn, bald haben sie gar keinen Gott, und das Ungefähr tritt an seine Stelle. Auch ein Sokrates, der die reinsten Begriffe von der Gottheit zu haben scheint, will, daß man den eingeführten Göttern seines Vaterlandes opfern soll; und wer sind diese Gottheiten der Alten?

Des Witzes Fürst, Homer, singt seines Gottes Rechte.
Wer ist sein Zevs? Ein Gott, der ich nicht werden möchte.
Ihn kleide noch so schön die Pracht der Dichtkunst ein;
Ich bin zu stolz, sein Freund und auch er selbst zu seyn.

Aus falschen Begriffen von Gott müssen falsche Grundsätze in die Moral übergehen. Sie bleibt, wenn sie auch noch so gut geformt wird, ein Körper mit einer kranken Seele. Jeder der alten Weisen schuf sich beynahe einen eignen Gott, einen Gott nach seiner Phantasey und seinem natürlichen Charakter, und legte ihm die Eigenschaften und Neigungen bey, die sein Temperament und seine Erziehung am meisten billigten. Er ließ ihn streng, gelind, sinnlich, heroisch gesinnet seyn, nachdem er es selbst war, oder nicht war.

Ihre Lehre von der Natur der Seele ist ein Irrgarten von Vermuthungen und Träumen. Wer kann die spitzfindigen Erklärungen und ewigen Zänkereyen der griechischen Weisen von dem Wesen der Seele, auch wenn sie ein beredter Cicero erzählet, ohne Mitleiden oder Unwillen lesen?

Selbst die Klügsten unter ihnen vermutheten und wünschten die Unsterblichkeit des Geistes mehr, als daß sie solche mit Gewißheit in ihren Lehrgebäuden festgesetzet hätten; was konnten sie also gewisses von dem Zustande künftiger Belohnungen und Strafen, oder von ihrer Beschaffenheit und Dauer, zum Antriebe der Tugend, lehren? Der gelehrte Engländer, Warburton, hat in seinem Werke von der göttlichen Sendung des Mose *) gründlich erwiesen, daß alle griechische Weltweisen von der Unsterblichkeit der Seele und von den Belohnungen und Strafen eines künftigen Lebens nichts geglaubt, ob sie gleich davon, als von einem Unterrichte geredet, der der menschlichen Gesellschaft zuträglich sey. Wenigstens kannten sie keine andre Unsterblichkeit der

*) III. Buch II. III. und IV. Abschn.

Seele, als diejenige, die aus dem an die Atheisterey grenzenden Lehrsatz floß, daß Gott die Weltseele, die menschliche Seele aber ein Ausfluß derselben sey.

Ihre Begriffe von der Tugend sind oft mangelhaft, oft unnatürlich; und mußten sie dieses nicht seyn, wenn sie aus ihren Begriffen von Gott und der Natur der Seele herflossen? Was ist die Tugend, wenn ihr Wesen nicht in der Uebereinstimmung unsrer Handlungen mit dem Willen des Schöpfers, als unsers Herrn und Gesetzgebers, besteht? Mit dem Willen, den wir aus seinen Vollkommenheiten, aus der Einrichtung der Natur und den dadurch vorgezeichneten Endzwecken erkennen sollen; und dessen Erkenntniß die erste Pflicht unsers Verstandes ist? Wenn gründete ein Plato, Aristoteles, oder Zeno das Wesen der Tugend auf die große Wahrheit, daß Gott unser Gesetzgeber und Richter sey? Was war der Stoiker bey seiner eingebildeten Tugend, als sein eigener Gott? Er hatte, wie er sagte, der Gottheit und ihrer Hülfe nicht nöthig, um tugendhaft zu seyn. Wenn sie also auch einen wesentlichen Unterschied des Guten und Bösen erkannten: so erkannten sie doch nicht, daß dieser Unterschied in dem Willen Gottes und in seiner Herrschaft über die Menschen, als über seine Geschöpfe und Unterthanen, gegründet sey, und leiteten ihre Tugend nicht aus dem Gehorsame gegen Gott, sondern bloß aus der natürlichen Schönheit des Guten und der natürlichen Häßlichkeit des Lasters her. Plato entkräftet den Körper und steigt durch die Tödtung der Sinne mit der Seele zu dem Vater der Geister empor; dieß ist seine Tugend. Wohlklingende Worte! Zeno lehret uns, um uns die Tugend zu lehren, die natürlichen Triebe und Neigungen ersticken, das Vergnügen der Sinne für kein Vergnügen, den Schmerz für keinen Schmerz halten. Also sind wir tugendhaft, wenn wir aufhören, Menschen zu seyn? Prächtige Worte! Wer sich vor allem verwahret, was der Seele irgend Unruhe und dem Körper Schmer-

zen erwecken kann, iſt nach der Lehre des Epikurs ein Tugend=
hafter.   Wer ſich nach den Meynungen der Klügſten und den
Geſetzen des Landes in ſeinen Sitten und Betragen richtet, iſt
nach dem Syſteme des Ariſtoteles tugendhaft.

Der glaubt an ein Gedicht, und jener eignen Tand;
Den macht die Dummheit irr, und den zu viel Verſtand.

Das Verzeichniß ihrer einzelnen Tugenden oder Pflich=
ten iſt unvollſtänbig und mangelhaft.   Wenn auch der weiſe
Heide, in Anſehung der Pflichten gegen Andre, ſo weit gekom=
men iſt, daß er die verbietende Regel als billig erkannt hat:
Was du nicht willſt, das dir Andre thun ſollen, das thue ihnen
auch nicht! ſo iſt er doch nicht bis zu der gebietenden Richtſchnur
der Religion empor geſtiegen: Was du willſt, das dir die Men=
ſchen thun ſollen, das thue ihnen auch: was du nach den Re=
geln der Gerechtigkeit, Liebe und vernünftigen Nachſicht wün=
ſchen würdeſt, das dir der Andre, wenn er in deinen Umſtänden
ſich befände, und du in den ſeinigen wäreſt, thun ſoll, das thue
ihm itzt!   In dieſem Gebote iſt das erſte, aber in dem erſten
nicht dieſes enthalten.   Ich kann mich enthalten, den Andern
zu beleidigen, ohne ihm deswegen zu dienen, ſorglos bey ſeinem
Elende und ohne Beſtreben ſeyn, ſein Glück ihm zu erhalten
oder es zu verbeſſern.   Dieſe höchſte Regel der Pflicht iſt nie die
Regel der ſich ſelbſt gelaßnen Vernunft geweſen. — Die alten
Weiſen ſteckten die Schranken der Mäßigkeit und männlichen
Keuſchheit ſehr weit.   Der ſtrenge Cato pries die Hurerey als
ein Gegenmittel wider den Ehebruch an. — Einige hielten die
Trunkenheit für kein ſonderliches Laſter. — Der Haß und die
Verfolgung der Feinde einer Familie war in Rom Tugend, und
ſelbſt ein Cicero begünſtigte die Rache. — Der Selbſtmord war
eine erlaubte Freylaſſung, und wird oft mit den prächtigſten
Lobſprüchen zur heroiſchen Tugend erhoben. — Die ſo gerühmte

Tugend der Alten, die Liebe des Vaterlandes, was ist sie oft als eine partheyische und schwärmerische Hitze für die Ehre und den ewigen Namen ihrer Nation, zum Untergange der Freyheit und des Glücks andrer Völker? — Wo ist die allgemeine Menschenliebe? Wo die Mildthätigkeit in der Tugendlehre der Alten? Barmherzigkeit, so lehret Seneca, ist eine Gemüthskrankheit; das Mitleiden ist der Fehler eines kleinen Geistes, der bey dem Anblicke fremder Leiden den Muth sinken läßt, und ist den niedrigsten Gemüthsarten vorzüglich eigen*). Aristoteles hielt die Sanftmuth für eine Gemüthsschwachheit, und Geduld bey erlittenen Beleidigungen für etwas sklavenartiges. Wo ist die Demuth in der Moral der Alten? Ist nicht der Stolz, ein kleiner Gott seyn zu wollen, der Mittelpunkt der stoischen Sittenlehre?

Die Sittenlehre der Alten zeigt kein sicheres Mittel der Beruhigung in den mannichfaltigen Leiden und Uebeln dieses Lebens, keinen wahren Trost, der allein in einer bemüthigen Ergebung in die Hand des Allmächtigen, und in der Versicherung besteht, daß denen, die ihm gehorchen und vertrauen, alles zur Wohlfahrt dienet, und daß er unsre Schicksale mit Güte und Weisheit von Ewigkeit her geordnet hat und täglich regieret.

Unsere heutige Moral hat alle diese Mängel nicht, hat würdige und erhabene Begriffe von Gott, richtige und edle von der Menschenliebe, von der Einschränkung und Mäßigung unsrer Begierden; sie hat auch mehr Gewißheit von der Unsterblichkeit der Seele, und den mit ihr verknüpften Strafen des Lasters und Belohnungen der Tugend. Woher kömmt uns dieses Licht? Waren die alten Philosophen nicht scharfsinnige Männer? Sind

---

*) Clementiam mansuetudinemque omnes boni praestabunt; misericordiam autem vitabunt. Est enim vitium pusilli animi, ad speciem alienorum malorum succidentis. Itaque pessimo cuique familiarissima. SEN. *de Clement. libr.* II. *cap.* 5.

sie nicht unsre Lehrmeister in der Kunst zu denken und sich aus=
zudrücken? Warum haben sie nicht richtiger und wahrer in der
Moral gedacht? Wandten sie nicht den größten Fleiß an? War=
um übertreffen wir einen Sokrates, Plato, Xenophon, Epictet,
Aristoteles, Cicero, Seneca an Einsichten in die Sittenlehre?
Sind wir größre Geister, als sie? Warum sind die heidnischen
Philosophen und Poeten in den Lehren von der Verehrung eines
Einigen Gottes, von den Pflichten der allgemeinen Liebe, der
Liebe gegen die Feinde, von dem Ursprunge des Guten und Bö=
sen, von der Unsterblichkeit der Seele, so tief unter der Gewiß=
heit, die wir heut zu Tage in allen diesen Lehrpunkten haben?

Es ist offenbar, daß wir diesen Vorzug in der Moral, dem
Lichte, das uns die christliche Religion angezündet hat, zu dan=
ken haben; so sehr sich auch einige Philosophen schmeicheln mö=
gen, daß sie diese Ueberlegenheit ihrem Scharfsinne schuldig wä=
ren. Durch den Unterricht, den wir von Jugend auf in den
Wahrheiten der Religion empfangen, macht unsre Vernunft die=
selben sich eigen, ohne daß wirs wissen. Wir finden sie, wenn
wir anfangen selbst zu denken, in unserm Gedächtnisse; und so
meynen wir, daß wir sie, so wohl nach ihrem Umfange als nach
dem Grade der Gewißheit, allein dem Lichte der Vernunft zu
danken hätten. In der That sind auch die Sittenlehren der
Religion das Sittengesetz, das die Vernunft billiget und größ=
tentheils für ihre eigene Stimme erkennet. Aber warum waren
gleichwohl diese Gesetze der Vernunft und des Gewissens in dem
Verstande der größten Geister unter den Alten mit so vielen
Finsternissen überzogen, oder warum fehlten ihnen einige gar in
ihren Lehrgebäuden? Nachdem die Offenbarung der christlichen
Religion die Vernunft wieder in ihre Rechte eingesetzet, und ihr
das verlorne Licht, das sich so wohl mit den ihr zurück gebliebnen
Stralen verträgt, ertheilet hat: so schmeichelt sich unser Stolz, daß
diese Verbeßrung der Moral, dieser Sieg über die abergläubischen

und ungläubigen Meynungen, die Frucht unsers Fleißes, unsers Tiefsinns, und unsrer gründlichen Methode sey, und daß also der Vorzug unsrer heutigen Moral der gereinigten Philosophie angehöre. Aber die Frage bleibt stets: Was hat denn diese Philosophie so gereiniget? Warum ist kein einziger unter den alten Philosophen zu finden, der sich von allem Aberglauben seiner Nation befreyet hätte? Warum war es ihnen so unmöglich, sich bey ihren Lehrgebäuden von den Eindrücken der Erziehung und den Fesseln hergebrachter Meynungen loszuarbeiten? Ist es nicht offenbar, daß auch wir ohne das Licht der christlichen Religion nicht weiser in den Sitten geworden seyn würden, da die Welt so viele Jahrhunderte hindurch, vor der Ankunft des Erlösers, sich von den Finsternissen des Aberglaubens und der Abgötterey nicht hatte befreyen können? Die Feinde der geoffenbarten Religion rühmen sich in unsern Tagen, daß sie die Pflichten der natürlichen Religion deutlich zu erklären, die Eigenschaften Gottes aus der Vernunft zu beweisen, und aus dem Verhältnisse, in dem wir als Geschöpfe mit ihm stehen, die Pflichten herzuleiten wissen, die wir ihm und den Gliedern seiner großen Familie schuldig sind. Sie rühmen sich mit Recht; aber warum konnten dieses das scharfsinnige Athen und Rom, und die vor diesen durch die Wissenschaften aufgeklärten Welttheile, nicht auch? Woher haben sie also ihre richtigern Kenntnisse der philosophischen Moral! Aus der Quelle der Religion, deren sie sich stolz schämen, und die sie undankbar verspotten.

Du spottest stolz der Schrift, nennst sie den Witz der Blöden;
Doch laß die Sokraten von Gott und Tugend reden.
Spricht einer so gewiß, mit so viel Kraft und Licht,
So zuversichtlich schön, als ein Apostel spricht?

Die Lehren des Sokrates, des besten Sittenlehrers der Alten, wurden von den größten Philosophen und beredtesten Männern

fortgepflanzet. Aber warum haben sie gleichwohl die Verbesse=
rung der natürlichen Religion und Sittenlehre in den vier Jahr=
hunderten, die von ihm bis auf die Erscheinung des Erlösers
verstrichen sind, nicht gewirket? Sind diese Jahrhunderte nicht
diejenigen gewesen, worinnen alle Wissenschaften und Künste bey
den Heiden aufs höchste getrieben wurden? Rom erlernte die
Philosophie von den Griechen; ward es dadurch tugendhafter?
Hörte es auf, fremden Königen mit einem schnöden Stolze zu
begegnen? Menschen zu Sklaven zu erniedrigen, deren Leben
für nichts geachtet wurde; besiegte Heerführer, ja zuweilen so
gar Könige zu ermorden; und an grausamen Schauspielen, wo
Menschenblut zur Lust vergossen war, sich zu ergötzen? Blieb
das aufgeklärte Griechenland nicht unmenschlich, wenn es seine
Kinder wegsetzte? Und welche Schandthaten wurden nicht in den
Tempeln der Götter, als ein Theil der Religion, ausgeübt?
Behielten nicht selbst die Laster in Athen und Rom ihre Tempel?
Ist es nicht unleugbar, daß wir unsre beßre und gründlichere
Sittenlehre den Lehren der christlichen Religion zu danken haben?
Der Philosoph bildet seinen Verstand durch Wahrheiten der Re=
ligion, welche die Vernunft billiget, so bald sie solche erkennet,
und welche sie doch ohne die Offenbarung bald nur undeutlich,
bald gar nicht sieht. Diese Grundsätze nimmt er bey seinem
Systeme an, und sucht die Beweise und die Verbindung der
Pflichten aus der Natur Gottes und des Menschen auf, welches
einer geübten Vernunft nicht schwer fällt, weil es unendlich leich=
ter ist, ben Beweis zu schon entdeckten Wahrheiten zu finden,
als die Wahrheit selbst zu entdecken? Die christliche Sittenlehre
hat endlich Wahrheiten, die der Verstand ohne eine besondere
Offenbarung nicht wissen konnte; diese setzet der Philosoph bey
Seite. Und nunmehr sieht das Gemälde seiner Moral dem Ge=
mälde der Religionssittenlehre nicht ganz ähnlich; und doch sind
die besten Züge, wissentlich oder unwissentlich, aus ihr entlehnet.

So verfuhren gewiſſe Maler, welche die Zimmer einer ſchwedi=
ſchen Königinn ſchmückten. Sie ſonderten von den Gemälden
eines Raphaels die Geſichter ab, ſetzten ſie künſtlich auf Tape=
ten, und malten alsdann die übrigen Theile des Körpers nach
dem Befehle des Geſichts dazu.

Mich deucht, dieſe Anmerkungen ſind geſchickt, uns in der
Hochachtung gegen die Religion und der Ueberzeugung von ihrer
Vortrefflichkeit und Göttlichkeit zu befeſtigen; uns zu lehren, wie
unvollkommen und geſchwächt auch der beſte natürliche Verſtand,
und wie undankbar der chriſtliche Menſch ſey, der ſich eines
höhern Lichts, das ihn zur Weisheit und Tugend leiten will,
ſchämet. — „Ja, die Tugend und die Religion hat dem Chri=
„ſtenthume unendlich viel zu danken. Es ſchärft nicht nur die
„natürliche Religion ein, es bringt auf die Beſſerung des Her=
„zens, auf eine Tugend um Gottes willen; es lehrt unbeſchreib=
„lich wichtige Pflichten, die vorher kein Weltweiſer gelehret hat,
„kräftige Gründe zur Tugend, die man bey dieſen vergeblich
„ſucht. Das Chriſtenthum allein hat die Abgötterey mit allen
„anhangenden Greueln geſtürzt, die Ruhe in dem Staate be=
„feſtigt, die Pflichten der Liebe, des Mitleidens und der Gut=
„thätigkeit in Schwang gebracht. Nur das Chriſtenthum hat
„den Unterricht in der Religion allgemein und durch Gründung
„einer ſichtbaren Kirche zugleich dauerhaft gemacht."*)

Meine Herren, nachdem wir eine Vergleichung zwiſchen der
Moral der alten und neuern Zeiten angeſtellet, und dabei ge=
zeigt haben, wie viel die neuere Philoſophie, zur Verbeſſrung
ihrer Moral, aus der göttlichen Offenbarung geſchöpfet: ſo laſ=
ſen Sie uns ihr noch die Moral der Freygeiſterey an die Seite
ſetzen; gleich dem Maler, der, um die Anmuth einer ſchönen

---

*) S Nöſſelts Auszug aus der Vertheidigung der Wahrheit und
Göttlichkeit chriſtlicher Religion, III. Abſchn. II. Hauptſt.
1. Abth. §. 132. a. d. 71. S.

Landschaft zu heben, ihr das Bild einer andern entgegen stellt,
die der Krieg ihres Schmuckes und Segens beraubt hat.

Das System der freygeisterischen Moral ist nicht schwer zu
entwerfen. Der niedrigste Mensch, der sich seinen Leidenschaften
ungestört überläßt, prediget es in seinen Handlungen; und seine
Handlungen lassen sich leicht in Grundsätze auflösen. — „Suche
„dein Vergnügen. Was dieses befördert, ist erlaubt und weise;
„was dich davon abhält, ist Thorheit, Furchtsamkeit und Aber-
„glaube. Die Selbstliebe ist dein Gesetz; folge ihr, so lange
„dich keine offenbare Gewalt abhält, und fürchte nichts, als den
„Arm des Henkers. Nichts ist für sich gut, nichts böse. Die
„Gottheit achtet der niedrigen Handlungen des Menschen nicht,
„und seine Natur befiehlt ihm, nach dem eingepflanzten In-
„stincte zu handeln. — Der ist frey, der thun darf, was er
„wünschet; und was er wünschet, nur das ist sein Glück: Ver-
„gnügungen der Sinne und der Einbildungskraft, Freuden der
„Wollust, der Ehre und des Reichthums.“ Dringt, ruft der
Freygeist uns zu,

Dringt durch des Aberglaubens Nacht,
Folgt der Natur, genießt, was sie euch schenket;
Sucht nichts, als was ihr wünscht, flieht nichts, als was euch
kränket;
Denkt frey, und gebt nicht auf die Thoren Acht.
Der Pöbel ist der größte Hauf auf Erden,
Von diesem reißt euch los. Er weis nicht, was er glaubt,
Hält jeden Trieb für unerlaubt,
Und sieht nicht, daß er sich sein Glück aus Milzsucht raubt.
Drum faßt den kurzen Unterricht:
Was viele glauben, glaubet nicht.
Folgt des Natur. Sie ruft, was kann sie anders wollen,
Als daß wir ihr gehorchen sollen?
Gellert VI.

Die Furcht erdachte Recht und Pflicht,
Und schuf den Himmel und die Hölle;
Setzt die Vernunft an ihre Stelle,
Was seht ihr da? den Himmel und die Hölle?
O nein, ein weibisches Gedicht.
Laßt doch der Welt ihr kindisches Geschwätze.
Was jeden ruhig macht, ist jedem sein Gesetze:
Mehr glaubt und braucht ein Kluger nicht.

Dieses System verdienet keine Widerlegung. Es erwecket Abscheu, so bald man es in seinen Folgen denkt; und das nicht ganz verderbte Herz empört sich mit seiner natürlichen Güte wider die Frechheit des Unglaubens. Wie elend würde der Freygeist seyn, wenn er eine Republik Menschen zu solchen Philosophen umbilden könnte, als er selbst ist, oder seyn will? Wie würde es mit seinem vergötterten Vergnügen, mit dem Besitze der Güter und Personen, die er zu seinem Wunsche bedarf, mit seiner Sicherheit und seinem Leben stehen? Ich und alle sind alsdann, wie er, gesinnet. Wir kennen auch keinen Unterschied des Guten und Bösen. Unser Gott ist der Eigennutz, die Selbstliebe, und das Vergnügen der Sinne. Werden wir ihm nicht seine Freuden mit List oder Gewalt entreißen, so bald es unser Vergnügen befiehlt? Was ist mir an seiner Ruhe gelegen, wenn ich die meinige durch die Zerstörung der seinigen befördern kann? Ich raube sie ihm. Aber er wird sich widersetzen? So widersetze ich mich auch. Er bietet List und Tücke, Gift und Meuchelmord auf, zu seinem Ziele zu gelangen; ich auch. Ewiger Krieg des Eigennutzes und der Frechheit! Ist kein gerechter Gott, keine Tugend, keine Unsterblichkeit der Seele, und also keine ewige Belohnung oder Strafe, was soll mich abhalten, so oft ich kann, der Stimme meiner erhitzten Leidenschaften zu gehorchen?

Dann hätt ich Luft ein Bösewicht zu seyn,
Und würde, wär kein Gott, auch keinen König scheun!

So ist denn, nach dem Systeme des Freydenkers, der schwär=
zeste Undank, wenn er mein Vergnügen befördert, kein Laster?
so darf ich meinen Nächsten heimlich plündern, wenn es meine
Ruhe also verlangt, und den Nachbar mit Gifte aus dem Wege
räumen, wenn ich mich seiner Gattinn nicht anders bemächtigen
kann? So sind Betrug, Verrätherey und Meyneid erlaubt, so
bald sie ein Mittel sind, die Befehle meines Eigennutzes zu be=
friedigen? So sind die Bande der Familie und der Freundschaft
nichts als abergläubische Fessel? So darf man mir meine Gat=
tinn, die ich, wie mich, liebe, rauben; meine Tochter, die
Freude meines Hauses, entehren; meinen Sohn, die Hoffnung
meines Lebens, zum Ungehorsamen, zum Bösewichte, zum Lästrer
Gottes machen? So ist nichts mein? So ist keine äußerliche
Sicherheit, als durch List und Gewalt? So hat der Obere kein
Gesetz, als die Stillung seiner unmäßigen Begierden? Und ich
soll ihm gehorchen? So hat der Niedere kein Gesetz, als die
Gewalt, wo er kann, von sich abzuwenden, und das Leben des
Obern seinem Eigennutze aufzuopfern? Und ich soll regieren?
So ist keine Treue, kein Band der Liebe, das die Menschen
verknüpft; und nur der Eigennutz ist ihr höchstes Gesetz? Und
in diese Gesellschaft der Betrüger, der Undankbaren, der Meyn=
eidigen, der Räuber, der Mörder, der Blutschänder, der Got=
tesleugner, wollet ihr uns versetzen, ihr Freygeister? O Feinde
der Menschen und Gottes! Ist dieses die Welt der Zufriedenheit,
o so sey der Tag unsrer Geburt verflucht!

Meine Herren, dieses Gemälde der freygeisterischen Moral
muß uns nothwendig in der Verehrung der Tugend stärken, die
uns eine erleuchtete Vernunft, das Gewissen und die Religion
anpreisen. Aber vielleicht scheint Ihnen dieses Gemälde nicht

4 *

getreu genug zu seyn. Und es ist wahr, nicht alle Feinde der
geoffenbarten Religion nehmen ganz diese schreckliche Moral an.
Die äußerlichen Umstande, in welchen sie sich befinden, ihr per-
sönlicher Charakter und selbst die wohlthätigen Eindrücke, welche
der erste Unterricht in der Religion in ihren Herzen, ohne daß
sie es erkennen wollen, zurückgelassen hat, schränken dieselbe in
einzelnen Fällen ein. Aber ist es bey dem allen nicht eben so
wahr, daß es die Moral vieler Freygeister ist; und daß die Freygeisterey, wenn auch nicht auf einmal, doch nach und nach auf
eine solche Moral abführet? Beweisen dieß nicht so manche deistische
Schriften zur Genüge? Man verlasse nur auf dem Wege der
Pflicht die leitende Hand der Offenbarung; und bald werden sich
die verderbten Neigungen des Herzens zu Führerinnen anbieten,
und reizen, noch einen Schritt weiter zu wagen, bis man endlich über alle Grenzen der Pflicht hinaus ist. Wenigstens setzt
man sich allezeit einer so großen Gefahr aus, wenn man in dem
hellsten Lichte der Offenbarung, anstatt sie gehörig zu prüfen,
sich entschließen kann, lieber ein Deist zu seyn. Bewahren Sie
also, meine Herren, Ihre noch zarten Seelen vor den Grundsätzen der Freygeisterey, die, so schrecklich sie überhaupt sind,
dennoch einzeln in einem uns natürlichen Hange zum Laster oft
ihren Schutz finden; vor den freygeisterischen Meynungen, die
von den Thronen der Großen schon in die Hütten der Niedern
sich verbreiten, gleich der Pestilenz, die im Finstern schleicht, und
der Seuche, die im Mittage verderbt. Saurin, der vortreffliche
Saurin, saget*), er habe keinen Freygeist, keinen ohne Ausnahme, gekannt, der nicht auf seinem Todbette sein System wi-
derrufen und verabscheuet hätte; und Sie finden viele solcher

*) S. Saurins Predigten über die Leidensgeschichte Jesu und
andere damit verwandte Materien, II. Th. XI. Pred. 272 S.
in der neuen Uebersetzung.

lehrreichen Beyspiele in einem Werke des dänischen frommen und gelehrten Bischofs, Pontoppidan, aufgestellet. *)

Ja, bey den Kräften einer dauerhaften Gesundheit, in dem Taumel der Leidenschaften, in der täglichen Erneuerung der Wollüste, in den Zerstreuungen und Gesellschaften ausschweifender Menschen, benebelt vom Weine, unterwiesen in den Geheimnissen der Zweifelsucht und des Spottes über die heilige Schrift, läßt sich der Verstand zwingen, Unsinn als Wahrheit zu glauben; und das Gewissen, gleich einer geschändeten Unschuld, verhüllt sich einige Zeit. Aber bey der Annäherung einer gefährlichen Krankheit, losgerissen von den Vergnügungen, an die der Ausschweifende gefesselt war, frey und genöthiget zum Nachdenken, erblickt er die Gegenstände in einem ganz andern Lichte. Die Vernunft, vom aufgewachten Gewissen gedrungen, behauptet die Rechte der Wahrheit. Die Schrecken des Todes, der Gedanke der Ewigkeit, der Gedanke eines heiligen Gottes, den kein Freygeist aus seinem Herzen vertilgen kann, dringen mit aller Macht auf ihn, und sind die Folter seiner Seele, die ihr das Bekenntniß abnöthiget, daß sie sich wider Gott empöret hat; daß sie unselig ist.

Wir haben in unsern Tagen so viele Lehrer der Freygeisterey; und damit uns weder ein frecher Britte, noch ein spottender Gallier umsonst unterrichten möge, so breiten wir zum Danke dafür ihre Geheimnisse aus, und ersinnen nur Farben, den Unglauben zu schmücken. Hüten Sie sich vor solchen Schriften und Menschen, theuerste Freunde! Sie treten in die große Welt, und Viele von Ihnen eilen vielleicht bald in fremde Länder, bald in die Gefahr, mit den Grundsätzen des Unglaubens vertrauter zu werden. Das Ansehen eines sonst gelehrten und scharfsinnigen

*) S. Pontoppidans Kraft der Wahrheit den Unglauben zu besiegen.

Mannes, eines Mannes von feiner Lebensart, der angenehm
und gesucht in Gesellschaft ist, dem Viele gehorchen müssen, dessen Schutz wir nicht entbehren können, macht seinen Unglauben
oft glänzend in unsern Augen; und der Freygeist im Ordensbande lehrt immer einbringender, als der im Schulrocke, ob sie
schon Beide gleich elend lehren.

Ich bitte Sie, meine Herren; denn was kann ich anders
thun, als bitten? Ich bitte Sie, als Ihr Freund, bey allem,
was Ihnen schätzbar ist, auf Erden und im Himmel; bey der Liebe
des Blutes, aus dem Sie entsprossen sind; bey der Ruhe des
Herzens, die Sie alle suchen; bey dem Glücke der Nachwelt, die
von Ihnen entspringen soll; und bey wem soll ich mehr bitten?
bey Gott, dem Allmächtigen! — widerstehen Sie den Verführungen der Freygeisterey und des Lasters. Bewahren Sie Ihr
empfindliches Gewissen von Jugend auf, und wehren Sie, durch
Ihr standhaftes Beyspiel, der Ungebundenheit in den Meynungen und Sitten, wie Sie rühmlich thun. Erinnern Sie sich
oft der schreckensvollen Worte: „Gleichwie sie nicht geachtet ha-
„ben, daß sie Gott erkenneten: hat sie Gott dahin gegeben in
„verkehrten Sinn.“ *)

Denken Sie, wenn Sie einen freygeisterischen König mit seinem Unglauben triumphiren sehen, an einen rechtschaffenen Antonin, der doch noch lange kein Christ war. Denken Sie, wenn
Sie bereinst in den Gemächern der Großen einen Rochester, einen
Hobbes, einen Bolingbroke und Shaftsbury der Religion spotten
hören, denken Sie an einen Verulam, Addison, Littleton und
West, die sie durch ihre Schriften und Sitten verherrlichten. Der
gewissenhafte Minister, der sonst Gaben des Geistes und der Geschicklichkeit zu öffentlichen Geschäften besitzet, wird an allen Höfen, wo noch so wenig Religion herschet, dennoch der ehrwür-

*) Röm. 1, 28.

bigste bleiben. — Irren Sie die Sophistereyen eines Bayle, die er mit einem spitzfündigen Scharfsinne und einer ruhmredigen Gelehrsamkeit unterstützet: o so denken Sie an so viele große Männer, welche die Vernunft über die Begierde sinnreich und gelehrt zu scheinen, und den Glauben über Beide herrschen lie= ßen. Ein gelehrter Erasmus, oder Melanchthon, gehe bey Ih= nen weit über einen gelehrten Bayle. Was ist der Witz eines La Mettrie, mit dem er frech über das Heiligste spottet, gegen den Geist eines Hallers, mit dem er die Religion und die Rechte der Vernunft vertheidiget? *) Vergleichen Sie den Verstand, der aus der Sittenlehre eines Mosheims spricht, mit dem Verstande, der aus der Schrift vom glückseligen Leben **) redt: so ist der erste der Verstand eines Engels, und der andre der Ver= stand eines unsaubern Geistes. Lesen Sie die vortrefflichen Werke eines Squire, eines Rössel und Jerusalem, die sie zur Ver= theidigung der Wahrheit und Göttlichkeit der Religion aufge= setzet, und woburch sie unsern Zeiten eine wahre Wohlthat er= wiesen haben.

Schämen Sie sich nie, Religion zu haben. Die edelsten See= len haben sie für ihre Ehre und ihr Glück gehalten. Widerlegen Sie den Unglauben durch ein gesittetes Leben, und wo es nöthig ist, durch Gründe und eble Freymüthigkeit. Aber, was wird die große Welt von mir denken, wenn ich so gewissenhaft mich ihren Neigungen und Beyspielen entgegen stelle? Wird sie mich nicht mit dem Namen eines Schwermüthigen, eines Milzsüch= tigen, eines Schwärmers, eines Menschen, der nicht zu leben weis, dem der Schulstaub den Kopf verfinstert hat, bestrafen? Und wie sehr fürchtet sich ein empfindliches Herz vor diesen

---

*) S. seine vortreffliche Vorrede zu dem von ihm übersetzten Werke: Prüfung der Sekte, die an allem zweifelt.

**) Traité de la Vie Heureuse par Seneque, vom La Mettrie.

Namen! Es ist wahr, die Verachtung ist ein fürchterlicher
Feind, und ihr zu entgehn, haben Tausend der Religion ent=
saget, die, wenn man sie ihnen durch Gewalt hätte entreißen
wollen, lieber ihr Vermögen und ihr Leben selbst Preis gegeben
hätten. Aber um besto mehr müssen wir uns wider diese falsche
Schande waffnen, und uns durch den Beyfall des Gewissens
über den Spott hinaus setzen. Endlich giebt es ja noch überall
Rechtschaffne und Freunde der Religion, die uns durch ihre Hoch=
achtung schadlos halten. Und gesetzt, es gäbe ihrer wenige oder
gar keine: was ist die Geringschätzung der Sterblichen? Auch
der Vornehmsten unter den Thoren dieser Erde?

> Was ist der frechste Spott,
> Den oft die Tugend leidet?
> Ihr wahrer Ruhm! Denn wer das Böse meidet,
> Das Gute thut, hat Ruhm bey Gott

fortgepflanzet. Aber warum haben sie gleichwohl die Verbesse=
rung der natürlichen Religion und Sittenlehre in den vier Jahr=
hunderten, die von ihm bis auf die Erscheinung des Erlösers
verstrichen sind, nicht gewirket? Sind diese Jahrhunderte nicht
diejenigen gewesen, worinnen alle Wissenschaften und Künste bey
den Heiden aufs höchste getrieben wurden? Rom erlernte die
Philosophie von den Griechen; ward es dadurch tugendhafter?
Hörte es auf, fremden Königen mit einem schnöden Stolze zu
begegnen? Menschen zu Sklaven zu erniedrigen, deren Leben
für nichts geachtet wurde; besiegte Heerführer, ja zuweilen so
gar Könige zu ermorden; und an grausamen Schauspielen, wo
Menschenblut zur Lust vergossen war, sich zu ergötzen? Blieb
das aufgeklärte Griechenland nicht unmenschlich, wenn es seine
Kinder wegsetzte? Und welche Schandthaten wurden nicht in den
Tempeln der Götter, als ein Theil der Religion, ausgeübt?
Behielten nicht selbst die Laster in Athen und Rom ihre Tempel?
Ist es nicht unleugbar, daß wir unsre beßre und gründlichere
Sittenlehre den Lehren der christlichen Religion zu danken haben?
Der Philosoph bildet seinen Verstand durch Wahrheiten der Re=
ligion, welche die Vernunft billiget, so bald sie solche erkennet,
und welche sie doch ohne die Offenbarung bald nur undeutlich,
bald gar nicht sieht. Diese Grundsätze nimmt er bey seinem
Systeme an, und sucht die Beweise und die Verbindung der
Pflichten aus der Natur Gottes und des Menschen auf, welches
einer geübten Vernunft nicht schwer fällt, weil es unendlich leich=
ter ist, den Beweis zu schon entdeckten Wahrheiten zu finden,
als die Wahrheit selbst zu entdecken? Die christliche Sittenlehre
hat endlich Wahrheiten, die der Verstand ohne eine besondere
Offenbarung nicht wissen konnte; diese setzet der Philosoph bey
Seite. Und nunmehr sieht das Gemälde seiner Moral dem Ge=
mälde der Religionssittenlehre nicht ganz ähnlich; und doch sind
die besten Züge, wissentlich oder unwissentlich, aus ihr entlehnet.

Beredsamkeit und Poesie. Diese grenzen beide nahe an einander, sie haben oft einerley Absicht, zu unterrichten und zu rühren; und dennoch ist die Beredsamkeit nicht Poesie, und die Poesie noch mehr als bloße Beredsamkeit. So grenzet die Moral der gesunden Vernunft nahe an die Moral der Religion; sie haben die meisten Pflichten und die Absicht, Tugend und Glückseligkeit zu befördern, mit einander gemein; und dennoch ist die Moral der Vernunft so wenig die Moral der Religion, als die Beredsamkeit Poesie ist.

Sie entfernen sich beide von einander, erstlich in Ansehung der Quelle, aus der sie ihre Pflichten schöpfen. Die Quelle der natürlichen Sittenlehre ist die Vernunft und das moralische Gefühl des Guten und Bösen. Was mit den Wahrheiten der Vernunft und den Empfindungen des Gewissens, mit der Natur der Menschen und der Wohlfahrt der Welt, übereinstimmt, ist recht und gut; und alles, was durch eine richtige Folge daraus hergeleitet werden kann, ist Pflicht; und die absichtsvolle Ausübung dieser Pflicht aus Gehorsam gegen Gott, ist Tugend. — Die christliche Sittenlehre hat mit der natürlichen dieses Gesetz der gesunden Vernunft gemein; aber sie hat über dasselbe noch eine höhere Quelle, aus der sie schöpft, die Offenbarung. Jene, die Vernunft, kann irren, und hat oft geirret; diese kann nicht trügen, wenn sie richtig verstanden wird. Alles, was in der Offenbarung ein klares und deutliches Sittengesetz ist, das ist Pflicht; die Vernunft mag nun diese Pflicht durch ihr eignes Licht einsehen können oder nicht. Die Liebe der Feinde ist eine Pflicht der christlichen Sittenlehre, wenn auch die Vernunft sie nicht gebeut, wenn es ihr auch schwer wird, die Nothwendigkeit dieser Pflicht zu erkennen; genug, die Religion gebeut sie. Das Gebet ist eine beständige Pflicht der christlichen Moral; es scheine der Vernunft auch noch so unnöthig. Die Demuth gegen Gott und Menschen ist eine beständige Pflicht der Sittenlehre der Re=

ligion; der Stolz der Vernunft lehne sich auch noch so sehr wider
diese Tugend auf.

Die natürliche und christliche Moral vereinigen sich zwey=
tens in dem gemeinschaftlichen Zwecke, die Sitten zu bes=
sern; allein die letzte geht viel weiter, als die erste. Sie will
nicht bloß das äußerliche Betragen des Menschen einrichten, und
ihn zum vernünftigen Bürger machen, der die öffentliche Ruhe
befördert. Sie hat eine höhere Absicht, nämlich sein ganzes
Herz zu ändern und zu erneuern. Sie hat auch höhere Mittel.
Sie fordert Buße und Glauben auf eine Art, von der die
Vernunft schweigt. Sie macht durch den Glauben die Liebe
Gottes und des Nächsten zu Grundfesten, auf welchen das ganze
Gebäude der Pflichten ruht. Ihre Wahrheiten sind mit einer
göttlichen Kraft verbunden; und das ist vorzüglich der hohe
Punkt, worinnen die Vernunft und Religion unterschieden sind,
daß jene, wenn sie uns auch die Nothwendigkeit und Vortreff=
lichkeit unserer Pflichten gelehret hat, uns dennoch nicht sagen
kann, woher wir die herrschende Neigung und Kraft, das Böse
zu überwinden und das erkannte Gute willig auszuüben, empfan=
gen sollen. Die Moral der Religion gebeut nicht bloß die äußer=
liche Beobachtung der Pflichten; sie bringt auf die beständige
Tugend des Herzens, auf die Willigkeit der Seele gegen das
göttliche Gesetz, und auf die Reinigkeit aller unsrer Neigungen
und Absichten. Sie lehret uns, daß alle gute Thaten, so sehr
sie äußerlich mit den Gesetzen übereinkommen, so nützlich sie in
ihren Erfolgen, so schwer und ruhmwürdig sie in der Ausführung
sind, dennoch den Namen der Tugend nicht verdienen, wenn sie
nicht aus einer überwiegenden Liebe und Ehrfurcht gegen Gott
und unsern Erlöser, und aus einer wahren Liebe gegen die Men=
schen fließen. — Sie ist so vollständig, daß sie dem Herzen
keine Ausnahme verstattet. Sie lehret, daß, wer Ein Gebot
wissentlich übertritt, gewissermaßen die ganze Summe der gött=

lichen Gesetze übertreten habe. Die Sittenlehre der Religion
droht den stillen Lastern, dem Neide, dem Geize, der Verleumdung, der Lieblosigkeit, dem Müßiggange, der Unmäßigkeit und
Weichlichkeit eben die Strafen, womit sie von den Lastern ab-
schreckt, welche die öffentliche Ruhe und das Beste der Welt stören; sie schließt sie von dem Reiche Gottes aus. Kann das Herz,
so lange es diese Aussprüche für göttlich hält, noch Ausnahmen
machen? Die christliche Moral verbeut nicht nur das Laster, sie
will auch die Quellen des Lasters, die Begierden, verstopfen.
Du sollst, so befiehlt sie, in deinem Herzen auch nicht wider das
göttliche Gesetz begehren. So weit geht die philosophische Moral nicht.

Die Tugenden der Vernunft gleichen drittens den Tugenden der Religion, wenn wir auf ihre Natur sehen. Die Mäßigkeit der Vernunft stimmt mit der Mäßigkeit der Religion
überein; und dennoch unterscheiden sie sich in Ansehung der Quelle
und der Absicht weit von einander. Die Tugend der Erziehung
und des Temperaments gleicht der Religionstugend; aber welcher
Unterschied, bloß aus Liebe zur Gesundheit und zum Leben, bloß
des guten Namens und seines äußerlichen Glücks wegen, mäßig
seyn; und hingegen eben diese Tugend aus der erhabensten Absicht, aus Liebe und Ehrfurcht gegen Gott, aus einem Herzen,
das der Glaube geadelt, ausüben! Ich kann gutthätig seyn,
weil ich so erzogen bin, weil ich ein empfindliches und weichli-
ches Herz habe, weil die Gutthätigkeit Ruhm und Freunde erwirbt, weil ich Clienten und Lobredner suche; aber ich kann auch
aus Liebe und Dankbarkeit gegen Gott, aus einem edlen Verlangen, Menschen glücklich zu machen, weil sie Gottes Geschöpfe
sind, gutthätig seyn. Diese Gattung der Gutthätigkeit ist die
Tugend der Religion; so wie die uneigennützige allgemeine Menschenliebe die Hauptfarbe in dem Gemälde der christlichen Sittenlehre ist, und sich dadurch über die Systeme der Vernunftweisen

aus den alten Zeiten eben so weit erhebt, als eine grüne blu=
michte Flur über eine sandichte Haide, aus der nur einzelne
dürftige Pflanzen hervorragen. — Die natürliche Moral lehret
die Verachtung der äußerlichen Güter, in so fern sie mit der
Ruhe des Herzens nicht bestehen können; die christliche befiehlt
über dieses die Pflicht der Verleugnung, durch die wir die Liebe
zu uns, zur Welt und zum Leben, der Liebe zu Gott und zu
dem Nächsten aufopfern müssen, wenn die Ehre Gottes und die
geistliche Wohlfahrt des Menschen nicht anders befördert werden
kann. Die Demuth ist besonders eine eigenthümliche Tugend der
christlichen Moral; und sie allein beweist beynahe den himmli=
schen Ursprung der Religion, und den großen Unterschied der
philosophischen und christlichen Sittenlehre. Der Mensch, der
stolze Mensch, der, an sich betrachtet, ein Nichts ist, und doch
gern ein Gott wäre, sollte der die Demuth lehren, wenn er sich
eine Moral ausdenkt; die christliche Demuth lehren? Das heißt,
die Tugend des Herzens, die aus der Ueberzeugung entsteht, daß
alle unsre Gaben, Vorzüge und Verdienste, die Gaben der Reli=
gion und der Natur, der Seele, des Körpers, des äußerlichen
Glücks, freye und unverdiente Geschenke Gottes sind, die wir
sorglos und undankbar gemißbraucht und verderbt haben, die
wir noch oft bey allem unsern guten Willen mißbrauchen? Die
Demuth der Religion, welche uns dreist saget, daß wir nicht
durch unsre Kräfte können tugendhaft und glückselig werden?
Sollte diese Tugend eine Frucht seyn, die auf dem Boden der
stolzen Vernunft entsprösse? Sie ist eine eigenthümliche Tugend
der christlichen Moral.

Die Beweise der christlichen und philosophischen Moral sind
viertens in Ansehung der Deutlichkeit, Stärke und Allgemein=
heit sehr verschieden. Es ist gewiß, die Vernunft kann die Schön=
heit der Tugend und ihren glücklichen Einfluß auf die Wohlfahrt
des Menschen erweisen; allein sie braucht viel Mühe und Kunst,

alle Pflichten aus gewissen Grundsätzen herzuleiten, sie unter ein=
ander freundschaftlich zu verbinden und in ein übereinstimmendes
Lehrgebäude einzuschließen. Diese Methode, den Menschen von
seinen Pflichten zu überzeugen, so gut sie ist, ist doch nur für
Wenige, nicht für die Welt. Sie erfordert, um ihr in ihren
Beweisen folgen zu können, Scharfsinn, und einen geübten Ver=
stand, der nur das Antheil weniger Menschen ist. — Die christ=
liche Moral hingegen ist mit einer so weisen Einfalt, Deutlich=
keit und Kürze vorgetragen, daß sie von dem schwächsten Ver=
stande kann begriffen und von dem ungeübtesten Gedächtnisse be=
halten werden. Ihre Beweise sind eben so helle, als ihre Pflich=
ten, und so stark, daß sie keinen Einwurf leiden, weil sie gött=
liche Aussprüche sind. Du sollst deinen Nächsten lieben, als dich
selbst, ihn nicht beleidigen, für sein irdisches und ewiges Glück
sorgen; denn Gott dein Vater, Schöpfer und Erhalter, und Er=
löser, der Gott der Liebe und Gnade, liebt ihn, wie dich; die
Liebe ist deine Pflicht, weil sie eine Nachahmung Gottes und
dein Glück ist. Die christliche Moral zeigt Gott überall als das
liebreichste und heiligste Wesen, und entlehnet die Beweise unsrer
Pflichten von diesen göttlichen Vollkommenheiten. — Was ihr
thut, sagt die christliche Moral, so thut es alles zu Gottes Ehre*);
thut es so, daß Andre aus euren Thaten und Werken auf die
Vorstellungen, die ihr von den göttlichen Eigenschaften habt, auf
eure Ehrfurcht gegen seine Vollkommenheiten und auf euren Ge=
horsam gegen seine Befehle schließen und einen Antrieb daher
nehmen können, in ihrem Wandel auch so zu verfahren. Wird
ein so unterrichteter Schüler der christlichen Sittenlehre noch un=
gewiß seyn können, ob er, und warum er zu allen Zeiten, in
allen Handlungen seines Lebens, an allen Orten, in jedem Alter,
in der Jugend so wohl als am letzten seiner Tage, in jedem

*) 1 Kor. 10, 31.

Stande, im höchsten so wohl als im niedrigsten, in jedem Auftritte des Lebens, im Glücke sowohl als im Unglücke, mäßig, enthaltsam gerecht, liebreich, gutthätig, keusch, treu, wahrhaft, bescheiden und geduldig seyn, oder doch aufrichtig suchen soll, es zu seyn? Wir hätten Ursache, nicht vortheilhaft von der christlichen Moral zu benken, oder, deutlicher zu reden, sie nicht für göttlich zu halten, wenn sie in der Methode und Sprache der Philosophen vorgetragen wäre. Sie könnte alsbann kein Unterricht für alle Seelen seyn; und sollte sich Gott eines Mittels bedienen, die Menschen weise und fromm zu machen, das sich für ihren Verstand und die nothwendigen Geschäffte dieses Lebens nicht schickt? Dieses läßt sich ohne Entheiligung Gottes nicht denken.

Die Vernunft hat große Bewegungsgründe und Ermunterungen zur Tugend; aber die christliche Moral hat fünftens außer diesen noch höhere, und giebt den Bewegungsgründen der Vernunft mehr Licht und Stärke. Was diese von der Unsterblichkeit der Seele vermuthet, oder doch so tiefsinnig vorträgt, daß es nur Wenige überzeugen kann; das sagt die Moral der Religion mit hoher Zuversicht und auf das Ansehen Gottes. Der Mensch, welcher glaubt, daß seine Seele unsterblich ist, weil es unmöglich ist, daß ihn Gott hintergehen kann, der weis es überzeugender, als ein Philosoph durch seine schärfsten Beweise. — Die Belohnungen und Strafen der Ewigkeit, dieser Schimmer des Lichts in der Philosophie, ist in der Religion ein heller Mittag. Alles fließt in diesen Mittelpunkt zusammen: Gott ist ein Richter der Lebendigen und der Todten, der alles ans Licht bringen, von dem jeder empfahen wird, nachdem er gehandelt hat bey seinem Leben, es sey gut oder böse*). Alle göttliche Eigenschaften sind in der Religion Bewegungsgründe zur Tugend und Abhaltungen vom Laster; und diese Eigenschaften erkennet die

*) 2 Kor. 5, 10.

Mannes, eines Mannes von feiner Lebensart, der angenehm und gesucht in Gesellschaft ist, dem Viele gehorchen müssen, dessen Schutz wir nicht entbehren können, macht seinen Unglauben oft glänzend in unsern Augen; und der Freygeist im Ordensbande lehrt immer eindringender, als der im Schulrocke, ob sie schon Beide gleich elend lehren.

Ich bitte Sie, meine Herren; denn was kann ich anders thun, als bitten? Ich bitte Sie, als Ihr Freund, bey allem, was Ihnen schätzbar ist, auf Erden und im Himmel; bey der Liebe des Blutes, aus dem Sie entsprossen sind; bey der Ruhe des Herzens, die Sie alle suchen; bey dem Glücke der Nachwelt, die von Ihnen entspringen soll; und bey wem soll ich mehr bitten? bey Gott, dem Allmächtigen! — widerstehen Sie den Verführungen der Freygeisterey und des Lasters. Bewahren Sie Ihr empfindliches Gewissen von Jugend auf, und wehren Sie, durch Ihr standhaftes Beyspiel, der Ungebundenheit in den Meynungen und Sitten, wie Sie rühmlich thun. Erinnern Sie sich oft der schreckensvollen Worte: „Gleichwie sie nicht geachtet ha„ben, daß sie Gott erkenneten: hat sie Gott dahin gegeben in „verkehrten Sinn." *)

Denken Sie, wenn Sie einen freygeisterischen König mit seinem Unglauben triumphiren sehen, an einen rechtschaffenen Antonin, der doch noch lange kein Christ war. Denken Sie, wenn Sie dereinst in den Gemächern der Großen einen Rochester, einen Hobbes, einen Bolingbroke und Shaftsbury der Religion spotten hören, denken Sie an einen Verulam, Addison, Littleton und West, die sie durch ihre Schriften und Sitten verherrlichten. Der gewissenhafte Minister, der sonst Gaben des Geistes und der Geschicklichkeit zu öffentlichen Geschäften besitzet, wird an allen Höfen, wo noch so wenig Religion herrschet, dennoch der ehrwür-

*) Röm. 1, 28.

bigste bleiben. — Irren Sie die Sophistereyen eines Bayle, die er mit einem spitzfündigen Scharfsinne und einer ruhmredigen Gelehrsamkeit unterstützet: o so denken Sie an so viele große Männer, welche die Vernunft über die Begierde sinnreich und gelehrt zu scheinen, und den Glauben über Beide herrschen ließen. Ein gelehrter Erasmus, oder Melanchthon, gehe bey Ihnen weit über einen gelehrten Bayle. Was ist der Witz eines La Mettrie, mit dem er frech über das Heiligste spottet, gegen den Geist eines Hallers, mit dem er die Religion und die Rechte der Vernunft vertheidiget?*) Vergleichen Sie den Verstand, der aus der Sittenlehre eines Mosheims spricht, mit dem Verstande, der aus der Schrift vom glückseligen Leben**) redt: so ist der erste der Verstand eines Engels, und der andre der Verstand eines unsaubern Geistes. Lesen Sie die vortrefflichen Werke eines Squire, eines Rössels und Jerusalem, die sie zur Vertheidigung der Wahrheit und Göttlichkeit der Religion aufgesetzet, und wodurch sie unsern Zeiten eine wahre Wohlthat erwiesen haben.

Schämen Sie sich nie, Religion zu haben. Die edelsten Seelen haben sie für ihre Ehre und ihr Glück gehalten. Widerlegen Sie den Unglauben durch ein gesittetes Leben, und wo es nöthig ist, durch Gründe und edle Freymüthigkeit. Aber, was wird die große Welt von mir denken, wenn ich so gewissenhaft mich ihren Neigungen und Beyspielen entgegen stelle? Wird sie mich nicht mit dem Namen eines Schwermüthigen, eines Milzsüchtigen, eines Schwärmers, eines Menschen, der nicht zu leben weis, dem der Schulstaub den Kopf verfinstert hat, bestrafen? Und wie sehr fürchtet sich ein empfindliches Herz vor diesen

---

*) S. seine vortreffliche Vorrede zu dem von ihm übersetzten Werke: Prüfung der Sekte, die an allem zweifelt.

**) Traité de la Vie Heureuse par Seneque, vom La Mettrie.

Namen! Es ist wahr, die Verachtung ist ein fürchterlicher Feind, und ihr zu entgehn, haben Tausend der Religion entsaget, die, wenn man sie ihnen durch Gewalt hätte entreißen wollen, lieber ihr Vermögen und ihr Leben selbst Preis gegeben hätten. Aber um desto mehr müssen wir uns wider diese falsche Schande waffnen, und uns durch den Beyfall des Gewissens über den Spott hinaus setzen. Endlich giebt es ja noch überall Rechtschaffne und Freunde der Religion, die uns durch ihre Hochachtung schadlos halten. Und gesetzt, es gäbe ihrer wenige oder gar keine: was ist die Geringschätzung der Sterblichen? Auch der Vornehmsten unter den Thoren dieser Erde?

> Was ist der frechste Spott,
> Den oft die Tugend leidet?
> Ihr wahrer Ruhm! Denn wer das Böse meidet,
> Das Gute thut, hat Ruhm bey Gott

Vierte Vorlesung.

Von dem Unterschiede der philosophischen Moral und der Moral der Religion.

————

Wir legen aus übergroßer Liebe zur Weisheit unsrer Vernunft, und aus einer geheimen Abneigung gegen die Religion, leicht der philosophischen Moral mehr Verdienste und Kräfte bey, als sie in der That besitzt, und öffnen uns durch eine tiefsinnige Schulweisheit den Weg zu einer deistischen Tugend, bey der wir uns selbst genug sind, und also keiner Offenbarung, keines höhern Lichts und keiner andern Kraft, als die wir von Natur haben, zu unsrer Tugend und Glückseligkeit bedürfen. Uns vor diesem Irrthume, der schon Viele zu einem stolzen Unglauben verleitet hat, zu bewahren, lassen Sie uns itzt den Unterschied zwischen der Moral der Vernunft und der Moral der Religion, zwischen der Tugend der Philosophie und der Tugend der Religion erklären.

Die natürliche und die geoffenbarte Sittenlehre haben von der einen Seite vieles mit einander gemein, und sind von der andern doch sehr weit unterschieden. Sie gleichen einander, wenn ich mich des Gleichnisses ohne Fehler bedienen darf, wie die

Beredſamkeit und Poeſie. Dieſe grenzen beide nahe an einander, ſie haben oft einerley Abſicht, zu unterrichten und zu rühren; und dennoch iſt die Beredſamkeit nicht Poeſie, und die Poeſie noch mehr als bloße Beredſamkeit. So grenzet die Moral der geſunden Vernunft nahe an die Moral der Religion; ſie haben die meiſten Pflichten und die Abſicht, Tugend und Glückſeligkeit zu befördern, mit einander gemein; und dennoch iſt die Moral der Vernunft ſo wenig die Moral der Religion, als die Beredſamkeit Poeſie iſt.

Sie entfernen ſich beide von einander, erſtlich in Anſehung der Quelle, aus der ſie ihre Pflichten ſchöpfen. Die Quelle der natürlichen Sittenlehre iſt die Vernunft und das moraliſche Gefühl des Guten und Böſen. Was mit den Wahrheiten der Vernunft und den Empfindungen des Gewiſſens, mit der Natur der Menſchen und der Wohlfahrt der Welt, übereinſtimmt, iſt recht und gut; und alles, was durch eine richtige Folge daraus hergeleitet werden kann, iſt Pflicht; und die abſichtsvolle Ausübung dieſer Pflicht aus Gehorſam gegen Gott, iſt Tugend. — Die chriſtliche Sittenlehre hat mit der natürlichen dieſes Geſetz der geſunden Vernunft gemein; aber ſie hat über daſſelbe noch eine höhere Quelle, aus der ſie ſchöpft, die Offenbarung. Jene, die Vernunft, kann irren, und hat oft geirret; dieſe kann nicht trügen, wenn ſie richtig verſtanden wird. Alles, was in der Offenbarung ein klares und deutliches Sittengeſetz iſt, das iſt Pflicht; die Vernunft mag nun dieſe Pflicht durch ihr eignes Licht einſehen können oder nicht. Die Liebe der Feinde iſt eine Pflicht der chriſtlichen Sittenlehre, wenn auch die Vernunft ſie nicht gebeut, wenn es ihr auch ſchwer wird, die Nothwendigkeit dieſer Pflicht zu erkennen; genug, die Religion gebeut ſie. Das Gebet iſt eine beſtändige Pflicht der chriſtlichen Moral; es ſcheine der Vernunft auch noch ſo unnöthig. Die Demuth gegen Gott und Menſchen iſt eine beſtändige Pflicht der Sittenlehre der Re ligion; der Stolz der Vernunft lehne sich auch noch so sehr wider diese Tugend auf.

Die natürliche und christliche Moral vereinigen sich zweytens in dem gemeinschaftlichen Zwecke, die Sitten zu beſſern; allein die letzte geht viel weiter, als die erste. Sie will nicht bloß das äußerliche Betragen des Menschen einrichten, und ihn zum vernünftigen Bürger machen, der die öffentliche Ruhe befördert. Sie hat eine höhere Absicht, nämlich sein ganzes Herz zu ändern und zu erneuern. Sie hat auch höhere Mittel. Sie fordert Buße und Glauben auf eine Art, von der die Vernunft schweigt. Sie macht durch den Glauben die Liebe Gottes und des Nächsten zu Grundfesten, auf welchen das ganze Gebäude der Pflichten ruht. Ihre Wahrheiten sind mit einer göttlichen Kraft verbunden; und das ist vorzüglich der hohe Punkt, worinnen die Vernunft und Religion unterschieden sind, daß jene, wenn sie uns auch die Nothwendigkeit und Vortrefflichkeit unserer Pflichten gelehret hat, uns dennoch nicht sagen kann, woher wir die herrschende Neigung und Kraft, das Böse zu überwinden und das erkannte Gute willig auszuüben, empfangen sollen. Die Moral der Religion gebeut nicht bloß die äußerliche Beobachtung der Pflichten; sie bringt auf die beständige Tugend des Herzens, auf die Willigkeit der Seele gegen das göttliche Gesetz, und auf die Reinigkeit aller unsrer Neigungen und Absichten. Sie lehret uns, daß alle gute Thaten, so sehr sie äußerlich mit den Gesetzen übereinkommen, so nützlich sie in ihren Erfolgen, so schwer und ruhmwürdig sie in der Ausführung sind, dennoch den Namen der Tugend nicht verdienen, wenn sie nicht aus einer überwiegenden Liebe und Ehrfurcht gegen Gott und unsern Erlöser, und aus einer wahren Liebe gegen die Menschen fließen. — Sie ist so vollständig, daß sie dem Herzen keine Ausnahme verstattet. Sie lehret, daß, wer Ein Gebot wissentlich übertritt, gewissermaßen die ganze Summe der gött-

lichen Gesetze übertreten habe. Die Sittenlehre der Religion
droht den stillen Lastern, dem Neide, dem Geize, der Verleum=
dung, der Lieblosigkeit, dem Müßiggange, der Unmäßigkeit und
Weichlichkeit eben die Strafen, womit sie von den Lastern ab=
schreckt, welche die öffentliche Ruhe und das Beste der Welt stö=
ren; sie schließt sie von dem Reiche Gottes aus. Kann das Herz,
so lange es diese Aussprüche für göttlich hält, noch Ausnahmen
machen? Die christliche Moral verbeut nicht nur das Laster, sie
will auch die Quellen des Lasters, die Begierden, verstopfen.
Du sollst, so befiehlt sie, in deinem Herzen auch nicht wider das
göttliche Gesetz begehren. So weit geht die philosophische Mo=
ral nicht.

Die Tugenden der Vernunft gleichen drittens den Tugen=
den der Religion, wenn wir auf ihre Natur sehen. Die Mä=
ßigkeit der Vernunft stimmt mit der Mäßigkeit der Religion
überein; und dennoch unterscheiden sie sich in Ansehung der Quelle
und der Absicht weit von einander. Die Tugend der Erziehung
und des Temperaments gleicht der Religionstugend; aber welcher
Unterschied, bloß aus Liebe zur Gesundheit und zum Leben, bloß
des guten Namens und seines äußerlichen Glücks wegen, mäßig
seyn; und hingegen eben diese Tugend aus der erhabensten Ab=
sicht, aus Liebe und Ehrfurcht gegen Gott, aus einem Herzen,
das der Glaube geadelt, ausüben! Ich kann gutthätig seyn,
weil ich so erzogen bin, weil ich ein empfindliches und weichli=
ches Herz habe, weil die Gutthätigkeit Ruhm und Freunde er=
wirbt, weil ich Clienten und Lobredner suche; aber ich kann auch
aus Liebe und Dankbarkeit gegen Gott, aus einem edlen Ver=
langen, Menschen glücklich zu machen, weil sie Gottes Geschöpfe
sind, gutthätig seyn. Diese Gattung der Gutthätigkeit ist die
Tugend der Religion; so wie die uneigennützige allgemeine Men=
schenliebe die Hauptfarbe in dem Gemälde der christlichen Sitten=
lehre ist, und sich dadurch über die Systeme der Vernunftweisen

aus den alten Zeiten eben so weit erhebt, als eine grüne blumichte Flur über eine sandichte Hayde, aus der nur einzelne dürftige Pflanzen hervorragen. — Die natürliche Moral lehret die Verachtung der äußerlichen Güter, in so fern sie mit der Ruhe des Herzens nicht bestehen können; die christliche befiehlt über dieses die Pflicht der Verleugnung, durch die wir die Liebe zu uns, zur Welt und zum Leben, der Liebe zu Gott und zu dem Nächsten aufopfern müssen, wenn die Ehre Gottes und die geistliche Wohlfahrt des Menschen nicht anders befördert werden kann. Die Demuth ist besonders eine eigenthümliche Tugend der christlichen Moral; und sie allein beweist beynahe den himmlischen Ursprung der Religion, und den großen Unterschied der philosophischen und christlichen Sittenlehre. Der Mensch, der stolze Mensch, der, an sich betrachtet, ein Nichts ist, und doch gern ein Gott wäre, sollte der die Demuth lehren, wenn er sich eine Moral ausdenkt; die christliche Demuth lehren? Das heißt, die Tugend des Herzens, die aus der Ueberzeugung entsteht, daß alle unsre Gaben, Vorzüge und Verdienste, die Gaben der Religion und der Natur, der Seele, des Körpers, des äußerlichen Glücks, freye und unverdiente Geschenke Gottes sind, die wir sorglos und undankbar gemißbraucht und verderbt haben, die wir noch oft bey allem unsern guten Willen mißbrauchen? Die Demuth der Religion, welche uns dreist saget, daß wir nicht durch unsre Kräfte können tugendhaft und glückselig werden? Sollte diese Tugend eine Frucht seyn, die auf dem Boden der stolzen Vernunft entsprösse? Sie ist eine eigenthümliche Tugend der christlichen Moral.

Die Beweise der christlichen und philosophischen Moral sind viertens in Ansehung der Deutlichkeit, Stärke und Allgemeinheit sehr verschieden. Es ist gewiß, die Vernunft kann die Schönheit der Tugend und ihren glücklichen Einfluß auf die Wohlfahrt des Menschen erweisen; allein sie braucht viel Mühe und Kunst,

alle Pflichten aus gewissen Grundsätzen herzuleiten, sie unter einander freundschaftlich zu verbinden und in ein übereinstimmendes
Lehrgebäude einzuschließen. Diese Methode, den Menschen von
seinen Pflichten zu überzeugen, so gut sie ist, ist doch nur für
Wenige, nicht für die Welt. Sie erfordert, um ihr in ihren
Beweisen folgen zu können, Scharfsinn, und einen geübten Verstand, der nur das Antheil weniger Menschen ist. — Die christliche Moral hingegen ist mit einer so weisen Einfalt, Deutlichkeit und Kürze vorgetragen, daß sie von dem schwächsten Verstande kann begriffen und von dem ungeübtesten Gedächtnisse behalten werden. Ihre Beweise sind eben so helle, als ihre Pflichten, und so stark, daß sie keinen Einwurf leiden, weil sie göttliche Aussprüche sind. Du sollst deinen Nächsten lieben, als dich
selbst, ihn nicht beleidigen, für sein irdisches und ewiges Glück
sorgen; denn Gott dein Vater, Schöpfer und Erhalter, und Erlöser, der Gott der Liebe und Gnade, liebt ihn, wie dich; die
Liebe ist deine Pflicht, weil sie eine Nachahmung Gottes und
dein Glück ist. Die christliche Moral zeigt Gott überall als das
liebreichste und heiligste Wesen, und entlehnet die Beweise unsrer
Pflichten von diesen göttlichen Vollkommenheiten. — Was ihr
thut, sagt die christliche Moral, so thut es alles zu Gottes Ehre*);
thut es so, daß Andre aus euren Thaten und Werken auf die
Vorstellungen, die ihr von den göttlichen Eigenschaften habt, auf
eure Ehrfurcht gegen seine Vollkommenheiten und auf euren Gehorsam gegen seine Befehle schließen und einen Antrieb daher
nehmen können, in ihrem Wandel auch so zu verfahren. Wird
ein so unterrichteter Schüler der christlichen Sittenlehre noch ungewiß seyn können, ob er, und warum er zu allen Zeiten, in
allen Handlungen seines Lebens, an allen Orten, in jedem Alter,
in der Jugend so wohl als am letzten seiner Tage, in jedem

---

*) 1 Kor. 10, 31.

Stande, im höchsten so wohl als im niedrigsten, in jedem Auftritte des Lebens, im Glücke sowohl als im Unglücke, mäßig,
enthaltsam gerecht, liebreich, gutthätig, keusch, treu, wahrhaft,
bescheiden und geduldig seyn, oder doch aufrichtig suchen soll, es
zu seyn? Wir hätten Ursache, nicht vortheilhaft von der christlichen Moral zu denken, oder, deutlicher zu reden, sie nicht für
göttlich zu halten, wenn sie in der Methode und Sprache der
Philosophen vorgetragen wäre. Sie könnte alsdann kein Unterricht für alle Seelen seyn; und sollte sich Gott eines Mittels bedienen, die Menschen weise und fromm zu machen, das sich für
ihren Verstand und die nothwendigen Geschäffte dieses Lebens nicht
schickt? Dieses läßt sich ohne Entheiligung Gottes nicht denken.

Die Vernunft hat große Bewegungsgründe und Ermunterungen zur Tugend; aber die christliche Moral hat fünftens
außer diesen noch höhere, und giebt den Bewegungsgründen
der Vernunft mehr Licht und Stärke. Was diese von der Unsterblichkeit der Seele vermuthet, oder doch so tiefsinnig vorträgt,
daß es nur Wenige überzeugen kann; das sagt die Moral der
Religion mit hoher Zuversicht und auf das Ansehen Gottes. Der
Mensch, welcher glaubt, daß seine Seele unsterblich ist, weil es
unmöglich ist, daß ihn Gott hintergehen kann, der weis es überzeugender, als ein Philosoph durch seine schärfsten Beweise. —
Die Belohnungen und Strafen der Ewigkeit, dieser Schimmer
des Lichts in der Philosophie, ist in der Religion ein heller Mittag. Alles fließt in diesen Mittelpunkt zusammen: Gott ist ein
Richter der Lebendigen und der Todten, der alles ans Licht bringen, von dem jeder empfahen wird, nachdem er gehandelt hat
bey seinem Leben, es sey gut oder böse*). Alle göttliche Eigenschaften sind in der Religion Bewegungsgründe zur Tugend und
Abhaltungen vom Laster; und diese Eigenschaften erkennet die

*) 2 Kor. 5, 10.

Mannes, eines Mannes von feiner Lebensart, der angenehm und gesucht in Gesellschaft ist, dem Viele gehorchen müssen, dessen Schutz wir nicht entbehren können, macht seinen Unglauben oft glänzend in unsern Augen; und der Freygeist im Ordensbande lehrt immer eindringender, als der im Schulrocke, ob sie schon Beide gleich elend lehren.

Ich bitte Sie, meine Herren; denn was kann ich anders thun, als bitten? Ich bitte Sie, als Ihr Freund, bey allem, was Ihnen schätzbar ist, auf Erden und im Himmel; bey der Liebe des Blutes, aus dem Sie entsprossen sind; bey der Ruhe des Herzens, die Sie alle suchen; bey dem Glücke der Nachwelt, die von Ihnen entspringen soll; und bey wem soll ich mehr bitten? bey Gott, dem Allmächtigen! — widerstehen Sie den Verführungen der Freygeisterey und des Lasters. Bewahren Sie Ihr empfindliches Gewissen von Jugend auf, und wehren Sie, durch Ihr standhaftes Beyspiel, der Ungebundenheit in den Meynungen und Sitten, wie Sie rühmlich thun. Erinnern Sie sich oft der schreckensvollen Worte: „Gleichwie sie nicht geachtet ha-„ben, daß sie Gott erkenneten: hat sie Gott dahin gegeben in „verkehrten Sinn." *)

Denken Sie, wenn Sie einen freygeisterischen König mit seinem Unglauben triumphiren sehen, an einen rechtschaffenen Antonin, der doch noch lange kein Christ war. Denken Sie, wenn Sie dereinst in den Gemächern der Großen einen Rochester, einen Hobbes, einen Bolingbroke und Shaftsbury der Religion spotten hören, denken Sie an einen Verulam, Addison, Littleton und West, die sie durch ihre Schriften und Sitten verherrlichten. Der gewissenhafte Minister, der sonst Gaben des Geistes und der Geschicklichkeit zu öffentlichen Geschäften besitzt, wird an allen Höfen, wo noch so wenig Religion herrschet, dennoch der ehrwür-

*) Röm. 1, 28.

digſte bleiben. — Irren Sie die Sophiſtereyen eines Bayle,
die er mit einem ſpitzfündigen Scharfſinne und einer ruhmredigen
Gelehrſamkeit unterſtützet: o ſo denken Sie an ſo viele große
Männer, welche die Vernunft über die Begierde ſinnreich und
gelehrt zu ſcheinen, und den Glauben über Beide herrſchen ließen. Ein gelehrter Erasmus, oder Melanchthon, gehe bey Ihnen weit über einen gelehrten Bayle. Was iſt der Witz eines
La Mettrie, mit dem er frech über das Heiligſte ſpottet, gegen
den Geiſt eines Hallers, mit dem er die Religion und die Rechte
der Vernunft vertheidiget?*) Vergleichen Sie den Verſtand,
der aus der Sittenlehre eines Mosheims ſpricht, mit dem Verſtande,
der aus der Schrift vom glückſeligen Leben**) redt: ſo
iſt der erſte der Verſtand eines Engels, und der andre der Verſtand eines unſaubern Geiſtes. Leſen Sie die vortrefflichen Werke
eines Squire, eines Röſſelt und Jeruſalem, die ſie zur Vertheidigung der Wahrheit und Göttlichkeit der Religion aufge-
ſetzet, und wodurch ſie unſern Zeiten eine wahre Wohlthat erwieſen haben.

Schämen Sie ſich nie, Religion zu haben. Die edelſten Seelen haben ſie für ihre Ehre und ihr Glück gehalten. Widerlegen
Sie den Unglauben durch ein geſittetes Leben, und wo es nöthig
iſt, durch Gründe und eble Freymüthigkeit. Aber, was wird
die große Welt von mir denken, wenn ich ſo gewiſſenhaft mich
ihren Neigungen und Beyſpielen entgegen ſtelle? Wird ſie mich
nicht mit dem Namen eines Schwermüthigen, eines Milzſüch-
tigen, eines Schwärmers, eines Menſchen, der nicht zu leben
weis, dem der Schulſtaub den Kopf verfinſtert hat, beſtrafen?
Und wie ſehr fürchtet ſich ein empfindliches Herz vor dieſen

*) S. ſeine vortreffliche Vorrede zu dem von ihm überſetzten Werke:
Prüfung der Sekte, die an allem zweifelt.

**) Traité de la Vie Heureuse par Seneque, vom La Mettrie.

Namen! Es ift wahr, die Verachtung ift ein fürchterlicher
Feind, und ihr zu entgehn, haben Taufend der Religion ent-
faget, die, wenn man fie ihnen durch Gewalt hätte entreißen
wollen, lieber ihr Vermögen und ihr Leben felbft Preis gegeben
hätten. Aber um defto mehr müffen wir uns wider diefe falfche
Schande waffnen, und uns durch den Beyfall des Gewiffens
über den Spott hinaus fetzen. Endlich giebt es ja noch überall
Rechtfchaffne und Freunde der Religion, die uns durch ihre Hochachtung fchadlos halten. Und gefetzt, es gäbe ihrer wenige oder
gar keine: was ift die Geringfchätzung der Sterblichen? Auch
der Vornehmften unter den Thoren diefer Erde?

   Was ift der frechfte Spott,
  Den oft die Tugend leidet?
  Ihr wahrer Ruhm! Denn wer das Böfe meidet,
  Das Gute thut, hat Ruhm bey Gott

deſſen! in der andern das vollbrachte Gute und das beſiegte Böſe; wie wenig iſt deſſen! Ich fühle Beſtrafungen des Gewiſſens. Gott kennt alle meine Fehler, auch die geheimſten der Gedanken und Neigungen; ſie ſind Empörungen wider ſeine Geſetze, die er mir durch die Vernunft und das Gewiſſen entdeckte. Wird er dieſe Vergehungen in einer zukünftigen Welt ewig beſtrafen? Er iſt Heiligkeit! — Wird er mich mit Gnade beglücken? Er iſt Liebe! — Werde ich ewig dauern? Aber ich bin Staub und ein Sünder! — Werde ich nicht ewig dauern? Aber ich bin Gottes Geſchöpf, und fühle das Verlangen in mir, unendlich zu leben! Wer entreißt mich dieſer Ungewißheit, und zugleich der Furcht? Die Vernunft? — Redte ſie doch entſcheidender! Der Tod wird meine Zweifel auflöſen. Ich trete alſo in eine andre Welt ein; auch in eine ewige und glückliche? Das wolle Gott! Er ſagts, und ſtirbt.

Laſſen Sie den Tugendhaften nach der Religion auch auf dem Lager des Todes das Bekenntniß ſeines Glaubens und ſeiner Hoffnung ablegen. Stützt er ſich auf ſeine ſchwachen Tugenden, um den Schritt in die Ewigkeit beherzt zu thun? Iſt nicht durch den Glauben an den Erlöſer ein göttliches Verdienſt ſein, das ihm bey Gott Vergebung der Sünden, und ſelbſt für ſeine unvollkommne Tugend Belohnung erwarb? Hat er keine höhern Hoffnungen, als die, welche ihm die Stralen der geſunden Vernunft entdecken? Laſſen Sie ihn reden. Er überſieht ſein Leben und blickt mit ſeinem Geiſte über das Grab hinaus, in die Ewigkeit. Der Arzt hat ihm ſchon ſein nahes Ende verkündiget. Er richtet ſeine Gedanken auf Gott, und ſpricht voller hoher Zuverſicht:

So iſt, Allmächtiger, denn meine Hülfe nah?
Du rufſt. Hier bin ich, Herr! Preis und Halleluja
Sey dir, der ſeine Hand ſtets über mich gebreitet,

Beredsamkeit und Poesie. Diese grenzen beide nahe an einander, sie haben oft einerley Absicht, zu unterrichten und zu rühren; und dennoch ist die Beredsamkeit nicht Poesie, und die Poesie noch mehr als bloße Beredsamkeit. So grenzet die Moral der gesunden Vernunft nahe an die Moral der Religion; sie haben die meisten Pflichten und die Absicht, Tugend und Glückseligkeit zu befördern, mit einander gemein; und dennoch ist die Moral der Vernunft so wenig die Moral der Religion, als die Beredsamkeit Poesie ist.

Sie entfernen sich beide von einander, erstlich in Ansehung der Quelle, aus der sie ihre Pflichten schöpfen. Die Quelle der natürlichen Sittenlehre ist die Vernunft und das moralische Gefühl des Guten und Bösen. Was mit den Wahrheiten der Vernunft und den Empfindungen des Gewissens, mit der Natur der Menschen und der Wohlfahrt der Welt, übereinstimmt, ist recht und gut; und alles, was durch eine richtige Folge daraus hergeleitet werden kann, ist Pflicht; und die absichtsvolle Ausübung dieser Pflicht aus Gehorsam gegen Gott, ist Tugend. — Die christliche Sittenlehre hat mit der natürlichen dieses Gesetz der gesunden Vernunft gemein; aber sie hat über dasselbe noch eine höhere Quelle, aus der sie schöpft, die Offenbarung. Jene, die Vernunft, kann irren, und hat oft geirret; diese kann nicht trügen, wenn sie richtig verstanden wird. Alles, was in der Offenbarung ein klares und deutliches Sittengesetz ist, das ist Pflicht; die Vernunft mag nun diese Pflicht durch ihr eignes Licht einsehen können oder nicht. Die Liebe der Feinde ist eine Pflicht der christlichen Sittenlehre, wenn auch die Vernunft sie nicht gebeut, wenn es ihr auch schwer wird, die Nothwendigkeit dieser Pflicht zu erkennen; genug, die Religion gebeut sie. Das Gebet ist eine beständige Pflicht der christlichen Moral; es scheine der Vernunft auch noch so unnöthig. Die Demuth gegen Gott und Menschen ist eine beständige Pflicht der Sittenlehre der Re-

ligion; der Stolz der Vernunft lehne sich auch noch so sehr wider
diese Tugend auf.

Die natürliche und christliche Moral vereinigen sich zwey=
tens in dem gemeinschaftlichen Zwecke, die Sitten zu bes=
sern; allein die letzte geht viel weiter, als die erste. Sie will
nicht bloß das äußerliche Betragen des Menschen einrichten, und
ihn zum vernünftigen Bürger machen, der die öffentliche Ruhe
befördert. Sie hat eine höhere Absicht, nämlich sein ganzes
Herz zu ändern und zu erneuern. Sie hat auch höhere Mittel.
Sie fordert Buße und Glauben auf eine Art, von der die
Vernunft schweigt. Sie macht durch den Glauben die Liebe
Gottes und des Nächsten zu Grundfesten, auf welchen das ganze
Gebäude der Pflichten ruht. Ihre Wahrheiten sind mit einer
göttlichen Kraft verbunden; und das ist vorzüglich der hohe
Punkt, worinnen die Vernunft und Religion unterschieden sind,
daß jene, wenn sie uns auch die Nothwendigkeit und Vortreff=
lichkeit unserer Pflichten gelehret hat, uns dennoch nicht sagen
kann, woher wir die herrschende Neigung und Kraft, das Böse
zu überwinden und das erkannte Gute willig auszuüben, empfan=
gen sollen. Die Moral der Religion gebeut nicht bloß die äußer=
liche Beobachtung der Pflichten; sie bringt auf die beständige
Tugend des Herzens, auf die Willigkeit der Seele gegen das
göttliche Gesetz, und auf die Reinigkeit aller unsrer Neigungen
und Absichten. Sie lehret uns, daß alle gute Thaten, so sehr
sie äußerlich mit den Gesetzen übereinkommen, so nützlich sie in
ihren Erfolgen, so schwer und ruhmwürdig sie in der Ausführung
sind, dennoch den Namen der Tugend nicht verdienen, wenn sie
nicht aus einer überwiegenden Liebe und Ehrfurcht gegen Gott
und unsern Erlöser, und aus einer wahren Liebe gegen die Men=
schen fließen. — Sie ist so vollständig, daß sie dem Herzen
keine Ausnahme verstattet. Sie lehret, daß, wer Ein Gebot
wissentlich übertritt, gewissermaßen die ganze Summe der gött=

den der Religion, wenn sie billig sind, muß die christliche Sit=
tenlehre Beyfall und Ehrerbietung abnöthigen. Die Vernunft
ist allerdings ein hohes göttliches Geschenke; und sie aufrichtig
anwenden, um die moralische Natur des Menschen kennen zu
lernen, und aus seinen Kräften, Fähigkeiten, Bedürfnissen, und
den Verhältnissen gegen Gott und unsre Brüder, zu bestimmen
suchen, was wir nach ihrem Befehle und nach dem Ausspruche
des Gewissens zu thun, oder zu lassen schuldig sind, das ist die
wichtigste Pflicht. Für Heiden, die keine nähere Offenbarung
hatten, war das Naturgesetz auch das höchste Gesetz. Aber für
Christen ist die philosophische Moral der Schritt zur Moral der
Religion; und in dieser Aussicht ist es gewiß, daß ein vernünfti=
ger und aufrichtiger Deist die höchste Anlage zum Christen hat.
Selbst die Apostel, wenn sie die Heiden zum Christenthume füh=
ten, fiengen ihren Unterricht mit der natürlichen Erkenntniß von
Gott an. Wer, nach ihrem Ausspruche, zu Gott kommen, das
ist, ein Christ werden will, der muß glauben, daß Gott sey und
denen, die ihn suchen, ein Vergelter seyn werde*). Ein from=
mer Hauptmann, Cornelius, fürchtete Gott nach der Vernunft;
und gleichwohl war diese Frömmigkeit, nach der Bekanntma=
chung der christlichen Religion, nicht zu seinem Heile zureichend.
Aber sie führte ihn doch zum Glauben an den Erlöser der Welt;
und in so weit war sie ein Gehorsam, der Gott angenehm seyn
mußte. Nun sehe ich mit Wahrheit, sagte der Apostel, daß Gott
die Person nicht ansieht, sondern wer ihn fürchtet und recht thut,
ist ihm angenehm**). Wer Gott, nach der Vorschrift,
die er ihm gegeben hat, mit ganzem Herzen fürchtet
und recht thut, ist ihm angenehm; — dieß sey unser
höchster Grundsatz; und die beständige Ausübung desselben unsre

*) Hebr. 11, 6.
**) Apostelgesch. 10, 34, 35.

einzige Ehrbegierde! Gott, der Allmächtige, ist unser
Freund; in unsrer Seele wohnet Friede; und die
ganze ewige Zukunft wird Seligkeit seyn; — dieses
ist der größte und würdigste Gedanke eines Vernünftigen, den
er denken, und den er höher als den Besitz der ganzen Welt
halten soll.

Fünfte Vorlesung.

In wie fern die Tugend der Weg zur Glückseligkeit sey, und worinnen das Wesen der Tugend bestehe.

Wenn die Glückseligkeit in dem Genusse des höchsten und dauerhaften Guten bestehet, dessen ein Mensch fähig, und in der Befreyung von den grötern und kleinern Uebeln, deren Abwendung in unserer Gewalt ist: so lehret uns alles, die Vernunft, unser Herz und die Erfahrung, daß die Tugend der einzige und sichre Weg zu unsrer Glückseligkeit sey; oder daß uns der Besitz und die Ausübung der Tugend die höchsten und beständigsten Freuden gewähre, und die größten Uebel entweder abwende, oder uns doch die Last derselben erleichtern helfe. Hiervon wollen wir in der gegenwärtigen Stunde reden.

Wir sind, wenn wir uns auf der doppelten Seite, des Körpers und der Seele, betrachten, verschiedener Freuden fähig; verschiedenen Uebeln ausgesetzet. Wir finden Vergnügungen und Schmerzen des Körpers, Vergnügungen der Einbildungskraft, Vergnügungen des Verstandes, Freuden des Herzens, und Unruhen und Vorwürfe desselben; Freuden, die theils der Lebhaftigkeit und Dauer, theils der Güte und Würde nach, sehr verschieden sind.

Die sinnlichen Freuden, die aus der Stillung der körperlichen Begierden entstehen, sind die flüchtigsten und zugleich die unedelsten; denn wir haben sie mit den Thieren gemein. Ihr Genuß läßt nichts in unsrer Seele zurück, über das wir mit Beyfalle nachdenken könnten. Die herrlichste Mahlzeit gehalten zu haben, ist kein Gedanke, dessen sich unser Geist im Stillen rühmet, kein Trost, der unsre Seele im Elende aufrichtet. Die Freuden einer bloß körperlichen Liebe, ohne den Geist verständiger Freundschaft und einer keuschen Ehe, sind, wie die kürzesten, also auch die niedrigsten dem Range nach. Selbst die unschuldigsten Freuden der Sinne gleichen den Blumen; sie sterben, so bald sie gebrochen sind.

Wir nehmen ferner wahr, daß die Vergnügungen der Sinne, nur in einer gewissen Maaße genossen, mit unsrer Natur übereinstimmen; daß uns die Uebermaaße derselben, Schmerzen des Körpers, Schwachheiten und Krankheiten erwecket, die Kräfte des Lebens verzehret, die Fähigkeiten des Geistes schwächet und unterdrücket. Wir nehmen wahr, daß diese natürlichen Neigungen zum sinnlichen Vergnügen durch eine uneingeschränkte Befriedigung zu stürmischen Leidenschaften werden, die uns zum Gegenstande der Lust hinreißen, den Verstand blenden und in dem Herzen das Gefühl des Rühmlichen und Nützlichen ersticken. Wir nehmen wahr, daß die Begierde der Selbstliebe, der Liebe zum Leben und zur Gesundheit; daß das Verlangen nach Ruhm, Macht und Ansehen, nach Reichthume und Pracht, nach Ruhe und Bequemlichkeit, wenn sie zu stark anwachsen, ihre anmuthige Seite verlieren, sich in unser Unglück verkehren, und die Fieber der Seele werden, die wir Zaghaftigkeit, Wollust, Geiz, Ehrsucht, Eitelkeit, Trägheit und Faulheit nennen. Wenn wir also von dieser Seite gesichert seyn, uns nicht selbst zuwider handeln, und nicht die größern Vergnügungen aus einem sinnlichen Kützel uns rauben wollen: so entsteht die erste Pflicht, sich selbst und seine natürlichen Neigungen in ihren von dem Gewissen und der

Vernunft angewiesenen Schranken zu halten. Die Ausübung dieser Pflicht ist die Tugend der Mäßigung.

Die Freuden der Einbildungskraft, die uns die Gegenstände der Natur oder der Kunst durch ihre Anmuth, durch das Nachdenken über ihre Schönheit, Ordnung und Mannichfaltigkeit, durch den Genuß des Auges oder des Ohres gewähren, sind dauerhaftere Freuden, als die bloß sinnlichen. Wir können ihren Genuß oft und ohne Ekel wiederholen, und einen großen Theil unsers Lebens mit demselben ausfüllen. Das Vergnügen eines tobenden Rausches und einer sanften Musik; wie sehr sind sie, der Güte und den Folgen nach, von einander unterschieden! Diese Freuden der Einbildung sind also ein höherer Grad des Vergnügens, und unserm Geiste mehr angemessen. Ihre Erinnerung belebt, wenn sie schon vorüber sind, das Herz noch mit einem Wohlgefallen; und sie sind so lange gut, als sie uns an keinem größern Glücke hindern.

Ehre und Beyfall, in so weit sie eine Frucht der Verdienste sind, geben ein großes und dauerhaftes Vergnügen. Reichthümer und Macht verschaffen es nicht durch sich, sondern durch den weisen Gebrauch. In der Hand des Tugendhaften werden sie Glück, in der Hand des Lasterhaften Unglück.

Die Uebung und Verbesserung der Kräfte des Geistes und Verstandes, hilft uns zu einer neuen Vergnügung. Wir bewundern einen durchbringenden Verstand, und die Werke, die er schafft. Wir schätzen einen unermüdeten Fleiß, je nützlicher seine Einflüsse dem gemeinen Besten sind. Wir schätzen ein treues Gedächtniß, einen lebhaften Witz, eine große Beurtheilungskraft, an uns und Andern, und ehren die Werke, worinne wir die Spuren eines geübten Geistes finden, mit unserm Wohlgefallen. Wir bewundern so gar die Fertigkeiten des Körpers, die durch Fleiß und regelmäßige Uebung erreicht werden, die Geschicklichkeit zu tanzen, zu ringen, zu Pferde zu sitzen. Wenn bewundern wir aber die Gemächlichkeiten eines Menschen, der, auf dem Bette der Trägheit und Weichlichkeit ausgestreckt, sein Leben unter allerhand Belustigungen verträumt?

Ein noch höheres Vergnügen entsteht aus gewissen Neigungen und Handlungen, die mit der Wohlfahrt der Andern, als Ursachen oder Wirkungen, im Verhältnisse stehen. Wir fühlen eine Neigung des Mitleidens gegen Personen, die wir unglücklich sehen, vornehmlich die wir lieben, und ein unruhiges süßes Verlangen, sie von ihrem Unglücke zu befreyen. Wir empfinden ein Vergnügen an dem Glücke derer, denen wir gewogen sind, und ein Verlangen, ihnen dieß Glück zu erhalten. Und eben diese gesellschaftlichen Empfindungen der natürlichen Zuneigung, des Mitleidens, der Freundschaft und eines allgemeinen Wohlwollens sind es, die wir so wohl in uns als in Andern, ohne große Anleitung des Verstandes, zu billigen und zu lieben uns gedrungen finden. Eben dieses Vergnügen, an Andrer Wohlfahrt Theil zu nehmen, ihren Uebeln abhelfen zu können; das Bewußtseyn, ihnen gedient und genützet, und, so viel wir gekonnt, sie glücklich gemacht zu haben; selbst der Gedanke, daß wir es ernstlich gewollt haben, ist das edelste Vergnügen für den Geist. Diese menschenfreundlichen Neigungen und die daraus fließenden freyen Handlungen; so wohl die, durch die wir uns in den Stand setzen, Andern zu dienen, als die, durch die wir ihnen wirklich dienen; sind nicht allein die Quelle des edelsten, sondern auch des dauerhaftesten Vergnügens, weil diese Neigungen selbst bis an unsre letzten Augenblicke dauern, und beständig von der Wohlfahrt der Menschen verlanget werden. Mein Nächster bedarf meines Wohlwollens, meiner uneigennützigen Bemühungen; und wenn ich beydes zurück halte, so widerstehe ich den Absichten meiner Bestimmung, und raube mir dadurch die innerliche Zufriedenheit, indem ich mich, wider die göttliche Einrichtung der Natur, als ein Geschöpf verhalte, das nur zur Stillung seiner sinnlichen Begierden da ist. Ernähre ich gar die Neigung des Unwillens und des Hasses, so entsteht ein nothwendiger Streit dieser Leidenschaft mit dem natürlichen moralischen Gefühle, und also Unruhe und Vorwürfe des Gewissens.

Diese dem Herzen eingedrückte Neigung, sich für das Glück der Andern zu bemühen, ihrem Elende zu wehren, so viel gütige Handlungen auszuüben, als wir können, und das zwar ohne Eigennutz, um den Beyfall unsers Gewissens und des allwissenden Zeugen zu erlangen; diese Neigung kann das allgemeine Wohlwollen, und die Ausübung desselben die Tugend der Menschenliebe und Gerechtigkeit genennet werden.

Einen Gott erkennen (und ihn nicht erkennen, heißt eben so viel, als ihn nicht erkennen wollen), einen Gott erkennen, ihn als das vollkommenste, heiligste, weiseste, mächtigste und liebreichste Wesen in der Einrichtung der ganzen Natur, in so viel tausend wunderbaren Geschöpfen, in so viel Millionen Gutthaten und weisen Veranstaltungen, in so viel Absichten und angewandten Mitteln, die auf das allgemeine und besondre Beste des menschlichen Geschlechtes abzielen, in den Fähigkeiten unsrer Seele, in den Regungen unsers Gewissens, in den Wundern unsers Körpers und der Empfindungen, die uns eigen sind, ihn da erkennen; einen Gott erkennen, der alles regiert, alles trägt, alles liebt, in dessen Hand unser höchstes Glück und unser höchstes Elend stehen muß; einen Gott, ohne den wir nichts wären, einen allmächtigen Vater, durch den wir alles in jedem Augenblicke sind, der unser nicht bedarf, der nichts als unser Glück wollen kann, oder er ist nicht Gott; einen solchen Gott erkennen, und doch keine Neigung der tiefsten Anbetung und Unterwerfung gegen ihn fühlen, ihn nicht über alles verehren und lieben, ihm nicht gehorchen, ihm nicht vertrauen, sich seiner Regierung nicht ohne alle Ausnahme unterwerfen wollen, ihn nicht als den Zeugen unsrer Absichten, als den Zuschauer unsrer Handlungen, als

ben Richter, der allein Belohnungen und Strafen mit Recht
austheilen kann, betrachten, nicht seines Beyfalls würdig seyn
wollen; dieß ist kein Charakter eines Vernünftigen; dieß ist das
Bild des verworfensten Geistes, den jemals der Verstand benken
und das Herz verabscheuen kann. Nein, der vernünftige Mensch
erkennet und verehret einen Schöpfer und Gott;

> Er, er erhebt die Hand zum Danken,
> Und preiset den, der ihn gemacht;
> Gott ist der größte der Gedanken,
> Die sein erstaunter Geist gedacht!

Aus der Erkenntniß Gottes und den Empfindungen der Liebe,
der Ehrfurcht, des Vertrauens und der Dankbarkeit schöpft die
Seele die heiligsten und erhabensten Freuden. Ohne Gott ist
unser Herz nie beruhiget, und unsre Wohlfahrt nie gesichert.
Aber seiner Gnade gewiß seyn, sich seiner Liebe, seines allmächti=
gen Schutzes bewußt seyn, sich mit dem Vertrauen auf ihn trö=
sten können, welche Ruhe kann uns da mangeln? Und welches
Glück läßt sich über diese Gemüthsverfassung hinaus benken?
Wie Gott der höchste Gedanke ist, so ist er auch der reichste an
Wonne und für das Herz der seligste. „Einen Gott erkennen,
„sagt ein frommer Schriftsteller, ist der Freude Anfang; einen
„Gott anbeten, ist der Freude Wachsthum; einen Gott lieben,
„ist der Freude völlige Reife."*) Ihn aber erkennen, und Em=
pfindungen der Seele gegen ihn haben, die dieser Erkenntniß ge=
mäß sind, und das thun, was diese Empfindungen uns empfeh=
len, dieses ist die Anbetung Gottes, das Wesen und das
Glück der Religion, die höchste Tugend und daher die höchste
Staffel der menschlichen Glückseligkeit.

In dieser ehrfurchtsvollen Gemüthsverfassung gegen die Gott=
heit, und in den gütigen Gesinnungen gegen die Menschen; in

---

*) S. Youngs Nachtgedanken, Achte Nacht.

der Ausübung der Handlungen, die uns durch diese Empfindun¬
gen angepriesen werden, und folglich auch in der Beherrschung unſrer
ſinnlichen Begierden, und unſrer Selbſtliebe, daß ſie uns von dieſer
Beſtimmung nicht entfernen, beſteht die ganze Summe der Pflicht
und Tugend, und alſo auch die Summe unſrer Glückſeligkeit.

Wir können nicht alle Beſchwerden und Leiden, die mit der
Natur verbunden ſind, von uns entfernen; und alſo können wir
auch in dem gegenwärtigen Leben nicht vollkommen glücklich ſeyn.
Wenn wir die Claſſe der Schmerzen des Körpers und der Seele
durchgehen, und ſie in Anſehung ihrer Größe und Dauer unter
einander betrachten: ſo finden wir zwar, daß die körperlichen
Schmerzen groß und langwierig ſeyn können; allein ſo bald ſie
aufhören, unterſcheiden ſie ſich doch von den moraliſchen dadurch,
daß ſie kein Gefühl eines Uebels zurück laſſen. — Krankheit und
Dürftigkeit, Unehre und Schande, ſind Quellen großer Schmer¬
zen; allein nur alsdann am meiſten, wenn wir ſie uns ſelbſt
zugezogen haben. Die Schmerzen der Mitleidenſchaft, die aus
dem Unglücke der Perſonen, die wir lieben, auf uns eindringen,
ſind auch ſehr groß, allein wir haben in der Betrachtung der
göttlichen Vorſehung, die allezeit weiſe und gnädig unſre Schick¬
ſale zu unſerm Privatglücke und dem allgemeinen Beſten ein¬
richtet, ein kräftiges Mittel wider dieſe Schmerzen; und wir
finden eine Art der Befriedigung darinnen, uns ihnen willig zu
überlaſſen, weil ſie aus dem Wohlwollen des Herzens entſprin¬
gen, und mit Liebe vermiſcht ſind. Die größte und dauerhafteſte
unter allen Martern der Seele iſt eben diejenige, von der die
Tugend am meiſten befreyet, ich meyne die Gewiſſensangſt,
oder die peinlichen Vorwürfe ſeines eigenen Herzens, wiſſentlich
wider die Befehle der Natur und Gottes gehandelt zu haben.
Allein ſo gewiß es iſt, daß wir vielen körperlichen Schmerzen
und den quälenden Vorwürfen des Gewiſſens durch Wachſamkeit
und Mäßigung ausweichen können; ſo bleiben doch noch ſtets

Uebel übrig, die wir nicht ganz aufheben, sondern deren Eindruck wir nur schwächen können. Wir sind nämlich Uebeln der Natur, Uebeln unsrer eignen Verschuldung, Uebeln durch die Schuld Andrer ausgesetzt. Unsre guten Absichten glücken nicht allezeit; das beste Herz hat seine schwache Seite und fällt oft in Fehler, die von ihm hätten vermieden werden können, und die sein Glück stören; unsre Freunde, die wir als einen Theil unsers Glücks lieben, leiden, oder werden uns entrissen; unsre Gesundheit geht verloren; unsre Güter und Reichthümer verkehren sich oft in Mangel und Armuth; unsrer guter Name wird verunehret; der Tod selbst nähert sich uns täglich: — was soll uns in diesen Umständen beruhigen? Der große Gedanke von Gott, unserm Schöpfer und Erhalter, der Glaube an seine weise und gnädige Regierung unsrer Schicksale, das Bewußtseyn einer überwiegenden Liebe zu ihm und zum Guten, und die Hoffnung einer ewigen glückseligen Fortdauer. Können wir also die Uebel dieses Lebens nie ganz von uns entfernen: so können wir doch unsre Seelen durch Gelassenheit und Standhaftigkeit stärken, und durch eine völlige Ergebung in die göttlichen Rathschlüsse den Eindruck des Elends mindern, und der Furcht widerstehen. Diese Tugend oder Hoheit der Seele, die uns im Leben und im Tode so unentbehrlich ist, wird aus der Betrachtung der göttlichen Liebe und Vorsehung, aus dem Zeugnisse eines guten Gewissens, und aus der festen Versicherung von der Unsterblichkeit und Glückseligkeit unsers Geistes erzeuget; daher ist der Gerechte, mit der Schrift zu reden, getrost wie ein junger Löwe.*)

Laß Erd und Welt,
So kann der Fromme sprechen,
Laß unter mir den Bau der Erde brechen,
Gott ist es, dessen Hand mich hält.

*) Sprüche Sal. 28, 1.

Dieses ist die Anordnung der Natur, nach welcher der Mensch glücklich werden kann und soll. Er wird es, wenn er seine natürlichen Neigungen, die auf die Erhaltung des Lebens und den Genuß der sinnlichen Freuden gerichtet sind, den höhern Neigungen immer unterwirft, die auf die Güter der Seele abzielen. Er darf und soll sich lieben, aber nach einer gewissen Einschränkung. Er darf die Freuden der Sinne genießen; aber sie müssen den höhern Freuden des Geistes und der Ruhe der Seele nicht Abbruch thun. Er muß mäßig seyn, seine Begierden nach dem Befehle der Vernunft beherrschen, seine Fähigkeiten und Kräfte üben und verbessern, und die Freuden der eingepflanzten Menschenliebe und der Liebe Gottes, als das größte Gut, suchen und schmecken. — So bald wir uns bloß der Selbstliebe, dem Eigennutze und der Sinnlichkeit überlassen: so folgen stürmische Leidenschaften und Verfinsterungen der Vernunft. Wir verlieren die edlen Gesinnungen des Herzens gegen Menschen und Gott, und die Lust zu guten Handlungen. Unsre sinnlichen Begierden zu stillen, werden wir ihre Knechte, Sklaven der Wollust und andrer schändlichen Ausschweifungen, und dadurch zugleich Zerstörer unsers Körpers. Unsre Leidenschaften zu befriedigen, und dem Eigennutze zu gehorchen, werden wir Lieblose, Niederträchtige, Betrüger, Gewaltthätige, Menschenfeinde. Für einen thierischen Kützel der Sinne entsagen wir den höchsten Freuden der Religion. Wir entfernen den Gedanken von Gott aus unsrer Seele und mit ihm die edelsten und süßesten Neigungen der Ehrfurcht, der Liebe und des Vertrauens, und rauben uns das Bewußtseyn seines Beyfalls. In so weit ist es gewiß, daß kein Lasterhafter glücklich seyn kann. Je mehr hingegen der Mensch die Ordnung der Vernunft und des Gewissens beobachtet, desto mehr ist er das, was er seyn soll, mit sich zufrieden und in sich glücklich, wenn gleich nicht vollkommen.

Stellen Sie sich einen Mann vor, der die Güter des Lebens

nach ihrem wahren Werthe schätzt und sucht, nicht mehr begehrt, als er nöthig hat, seine Begierden nach dieser Regel ordnet, und Andern so viel Gutes gönnt und schafft als er kann; einen Mann, der es sich bewußt ist, daß er der Vernunft und dem Gewissen, und durch sie dem Willen der Vorsehung folgt; einen Mann, der sich mit ihrer Liebe, mit ihrem allmächtigen Schutze im Herzen trösten und seine Schicksale ihrer Weisheit überlassen kann; sollte der nicht so glücklich seyn, als ein Mensch werden kann? Er befreyt sich von Quaalen des Geizes, der Ehrsucht, des Stolzes, der Wollust, des Neides, von der nagenden Furcht, von der Pein der Rachsucht und den Gefahren der Tollkühnheit. Wird es ihm so leicht an den nothwendigen Bedürfnissen des Lebens fehlen? Er ist ja arbeitsam, sparsam und genügsam. Wird ihm die Gesundheit, die Frucht der Mäßigung und Arbeitsamkeit, so leicht mangeln? Sind nicht die Leidenschaften die gefährlichsten Feindinnen des Körpers und der Seele? und von diesen befreyt er sich ja. — Wird ihm die Achtung und Freundschaft und der Beystand der Menschen mangeln? Ihm, der sich aufrichtig bemüht, das natürliche Gesetz der Liebe durch Dienstfertigkeit, Treue, Rath, Mitleiden und Beyfreude zu erfüllen, und der es um desto mehr erfüllt, je minder er einer unordentlichen Selbstliebe folgt? Liebt und ehret man ein solches Herz nicht wieder; und wird man gegen einen solchen Mann so leicht undankbar, ungerecht und schmähsüchtig verfahren? So verderbt ist die Natur selten; und selbst das Laster will einer beständigen und nützlichen Tugend noch immer wohl. — Und wenn auch der Tugendhafte seine Sicherheit nicht immer schaffen, seine äußerliche Wohlfahrt nicht immer erhalten kann, wenn er die Schmerzen und Krankheiten nicht stets von sich abzuwehren, sich den Beleidigungen oder der Verachtung der Boshaften und Unverständigen nicht immer zu entziehen vermag; kann er sich denn seine Beschwerden und Leiden nicht versüßen, und durch Gelassenheit ihre Schwere mindern? Das kann der Lasterhafte nicht! Ist der Gedanke, daß der Fromme sein Elend nicht verschuldet hat, kein mächtiger Trost für ihn? Hat er nicht den Beyfall seines eigenen Herzens, der ihn stärket? Und ist ein ruhiges Gewissens nicht das Glück, das er für keine Welt hingäbe? Hat er nicht die Gewogenheit und die Hülfe der Rechtschaffenen; und ist nicht ihr Mitleiden sein Ruhm? Hat er nicht das Vertrauen zu Gott, dessen Macht und Güte nichts Grenzen setzet? Wir sind nicht eher glücklich, als bis wir glauben, daß Niemand, auch unter bessern äußerlichen Umständen, im Grunde glücklicher seyn könne, als wir. Und kann dieß der Tugendhafte nicht glauben? Wie könnte er glücklicher werden, wenn er, über die Ruhe dieses Lebens, noch die frohe Aussicht in eine glückselige Unsterblichkeit vor sich hat? Wird ihn seine Liebe zum Guten und sein Vertrauen zu Gott im Tode verlassen? Wenn er, schlecht gekleidet, mäßig gespeiset, und von den Lobrednern ungerühmt, einst von der Bühne des Lebens abtritt; wird er darum glauben können, daß er in der Pracht des Purpurs, an der Tafel des Ueberflusses, und unter den Lobeserhebungen der Erde, weiser, ruhiger und zufriedner gewesen seyn, oder es in einer künftigen Welt mehr werden würde? Er könnte von Wenigem sein Leben erhalten; und der Begüterte kann mit seinem Ueberflusse eben nicht mehr ausrichten. *)

*) Anmerk. Wenn die Tugend uns alle diese Vortheile bringt: so ist sie gewiß unser höchstes Glück, und, da wir alle von Natur einen unauslöschlichen Trieb zur Glückseligkeit fühlen, auch unsere höchste und immerwährende Schuldigkeit Dieser Satz ist zu vernünftig, als daß man ihn nicht für wahr halten sollte, so bald man ihn denkt. Wenn also die Beweisgründe von der Schönheit, Vortrefflichkeit und Nutzbarkeit der Tugend zu einer beständigen Tugend hinlänglich wären: so bedürften wir nichts weiter, als uns recht lebhaft von unsrer Schuldigkeit und dem glücklichen Einflusse der Tugend, oder der erkannten auszuüben-

In so fern die Tugend der Natur als ein Eigenthum der Seele betrachtet wird, so ist sie die aufrichtige und eifrige Bestrebung, alle erkannte Gesetze der Natur zu aller Zeit und auf die beste Weise zu beobachten, weil sie göttliche Anordnungen sind, und stets unser und Andrer Glück zum Grunde haben. Alles also, was nicht aus einer vernünftigen Ueberzeugung und einem edlen Gefühle unsrer Schuldigkeit, und aus der Absicht, der göttlichen Bestimmung gemäß zu handeln, seinen Ursprung nimmt, ist uns eigentlich keine Tugend; es mag in seinen Folgen uns oder Andern auch noch so heilsam seyn. Eine tugendhafte oder moralisch gute Handlung setzet allezeit eine innerliche Verbindlichkeit der Vernunft und des Herzens voraus, die wir wissentlich und freywillig ausüben. — Der Schau-

den Pflicht zu überzeugen, diese Ueberzeugung stets gegenwärtig im Verstande zu erhalten, und die unordentlichen, unmäßigen und anziehenden Begierden und Leidenschaften dadurch zurück zu halten.

Allein wie traurig ist's, daß uns die Erfahrung lehrt, daß wir diese Vorstellungen nicht immer lebhaft in uns erhalten, und durch dieselben in unsern Willen wirken können; daß also auch die besten Menschen nie so tugendhaft sind, als sie seyn sollen und seyn können! Wir fühlen vielmehr in tausend Fällen einen natürlichen Widerstand gegen die Tugend und ein Unvermögen, dem Lichte der Vernunft zu gehorchen.

Ferner: Das Licht der Vernunft bleibt doch mit vielen Wolken und Finsternissen in Ansehung unsrer Pflichten, und mit vieler Ungewißheit umhüllt. Unwissenheit und Vorurtheile, die aus den Begierden und Leidenschaften erzeugt werden, verführen unsern Verstand zu falschen Urtheilen von dem, was gut und böse, tugendhaft und lasterhaft ist.

In der geoffenbarten Religion sind, wie in den vorhergehenden Vorlesungen umständlicher gezeigt worden, die Wahrheiten der Schrift ein höheres und göttliches Licht für den Verstand, und eine göttliche Kraft für das Herz; sie sind so wohl eine Arzney der Seele, als auch die Nahrung und Speise derselben. Die Buße oder die göttliche Sinnesänderung der Schrift ist daher das einzige Mittel zur wahren Tugend, ohne welches wir ewig verderbt bleiben werden.

platz unsrer Neigungen und Absichten liegt mitten in unsrer Seele. Wir können eben so wohl wissen, was in uns bey gewissen Handlungen vorgeht, als wir durch unser Auge die äußerlichen Gegenstände und ihre Wirkungen von den Ursachen unterscheiden können. Wir können es fühlen, ob wir eine an und für sich gute Handlung wissentlich und freywillig aus Ueberzeugung ihrer Vortrefflichkeit, aus Ehrfurcht gegen den göttlichen Willen thun, wenigstens deswegen zu thun wünschen und suchen, oder nicht. Wir können uns bewußt werden, ob unsre Selbstliebe, oder das Wohlwollen gegen das Beste der Andern; ob der Eindruck des Eigennutzes, oder der Eindruck des göttlichen Ansehens; ob das Verlangen nach Ehre und Vergnügen, oder das Verlangen der Rechtschaffenheit der einzige Antrieb unsrer Entschließungen und guten Unternehmungen sey, wenigstens die Oberhand in unserm Herzen habe. Vieles also kann äußerlich das Gepräge der Tugend führen, ohne den innern Gehalt derselben zu haben.

Das Gute und Nützliche thun, nicht so wohl, weil es gut ist, sondern bloß, weil es mit unserm Temperamente, unsrer Erziehung, der eingeführten Gewohnheit, und mit unserm Stande überein kömmt, ist für unser Herz keine Tugend. Wir werden dadurch nicht besser, nicht edelgesinnter, nicht zufriedner mit uns selbst, nicht übereinstimmender mit den göttlichen Absichten; und was ist die Tugend, wenn sie diese göttlichen Folgen nicht hat? Wenn nichts mehr als Selbstliebe und Eigennutz zu einem rechtschaffenen Herzen gehöret, wie kann es dem Menschen zum Ruhme gerechnet werden? Warum achten wir den mühsamen und vortheilhaften Fleiß eines Geizigen nicht hoch? Warum belohnen wir einen Helden, der aus Herrschsucht die glücklichsten Eroberungen macht, und mit unglaublicher Mühe einen ganzen Welttheil bezwingt, nicht mit unserm Beyfalle?

Göttliche Bücher von der Tugend schreiben, um sich den Ruhm eines vortrefflichen Scribenten zu erwerben; seinem Amte

wohl vorstehen, um ein noch einträglicheres dadurch zu erhalten;
von jedermann Gutes reden, um wieder von jedermann gelobet
zu werden; sein Vermögen zu Gutthaten anwenden, um den
Namen des Freygebigen und Wohlthäters zu erlangen; bey gro=
ßen Verdiensten bemüthig seyn, um seine Verdieste noch bewun=
bernswürdiger zu machen; die Rache ersticken, weil man zaghaft
ist; die Ausschweifungen der Wolluft fliehen, bloß weil man die
Schande der Wolluft scheut, und die guten Sitten lieben, weil
man in einem Hause lebt, wo sie angesehen machen; die Re=
ligion mit seinem Blute vertheidigen, bloß weil man barinne
erzogen worden; Dienstfertigkeit und Treue beobachten, weil sie
Freunde und Gönner erwecken; Wittwen und Waisen ernähren,
um Gott zu gewinnen, daß er uns noch mehr segnen soll; den
Ehrgeiz fliehen, weil man die Bequemlichkeit liebt, und den
Geldgeiz, weil man die Ehre liebt; den Eigensinn, weil er uns
lächerlich, und die Schmähsucht, weil sie uns bey Andern ver=
haßt macht; den Trunk meiden, weil er uns eine tödtliche Krank=
heit zugezogen, und vertragsam werden, um sich keine neuen
Feinde zu erwecken; — tausend und aber tausend solche Hand=
lungen, die die Gestalt der Tugend haben, sind in Absicht der
Quelle, aus der sie fließen, nichts weniger als Tugend, sind
oft strafbare Handlungen, und nichts als eine geschmückte Selbst=
liebe. Ich erinnere Sie hier an den Ausspruch eines Apostels,
der den Gebrauch der rühmlichsten Eigenschaften und Wunder=
gaben, und die Ausübung der größten Thaten zum Besten der
Andern, welche die Welt als Tugend bewundert, für elend er=
kläret, wenn sie bloß aus eigennützigen und selbstliebischen Ab=
sichten verrichtet werden. — Wenn ich mit Menschen= und mit
Engelzungen redte, sagt er,*) und hätte der Liebe (gegen Gott
und Menschen) nicht: so wäre ich ein tönend Erz, oder eine

---

*) 1 Kor. 13, 1. 2.

klingende Schelle — und wenn ich weissagen könnte, und wüßte alle Geheimnisse und alle Erkenntniß, und hätte allen Glauben, also daß ich Berge versetzte, und hätte der Liebe nicht: so wäre ich nichts — und wenn ich alle meine Haabe ben Armen gäbe, und ließe meinen Leib brennen, und hätte der Liebe nicht: so wäre mirs nichts nütze. — — So herrlich hat kein Vernunftweiser auf Erden von der Quelle der Tugend jemals geredet.

Wie oft würden wir vor uns und Andern erschrecken, wenn wir unsere moralischen Handlungen stets in dem Gefolge ihrer Absichten erblicken sollten; und erblicket sie nicht das allsehende Auge in diesem Lichte? — Sagt es uns nicht unfre Empfindung, daß bloße Selbstliebe keine Tugend ist? Sagt es uns nicht das Urtheil der Welt, so bald sie unfre kriechenden Absichten bemerket? Wer steht bey sich an, eine bescheidne uneigennützige Gutthätigkeit, die nicht giebt, um gesehen zu werden, die, aus Begierde zu dienen, dienet, weil sie sich dazu verbunden erkennt, weil sie glücklich machen und Andrer Elend mindern will; wer steht an, sie mit einem innerlichen Beyfalle zu ehren, und hingegen eine lohnsüchtige Liebe geringe zu schätzen? — Gesetzt, meine Herren, Sie könnten in der Seele des Einen diese Absicht lesen: „ich bin „keusch, weil ich die Schande scheue, die mir das entgegenge= „setzte Laster bringen würde;“ und in der Seele des Andern: „ich bin keusch, weil mirs die Vernunft und das Gewissen be= „fehlen, wenn ich auch der Schande entgehen könnte; ich will „es seyn, weil ich nichts heiligers und edlers weis, als der „göttlichen Anordnung zu gehorchen, wenn es auch noch so viel „Ueberwindung kostete;“ welcher Seele würden Sie Ihren Bey= fall ertheilen, und welche für tugendhaft erklären? Ja, das moralische Gefühl irret selten in seinen Aussprüchen, wenn wir es nicht durch böse Gewohnheiten und Leidenschaften partheyisch gemacht haben. Es sagt laut, daß es bey der Tugend nicht auf die äußerliche Handlung, sondern auf die Güte der Quelle und

der Abſicht, nicht auf die Mühe der That, ſondern auf das Be=
wußtſeyn einer göttlichen Verbinblichkeit, nicht auf den Glanz
der Handlung, ſondern auf die Reigung, mit der wir ſie unter=
nehmen, auf das Herz, mit Einem Worte, auf den Gehorſam
und die Ehrfurcht gegen den Willen der Gottheit, von der wir
mit allen unſern Kräften abhängen, ankomme; und daß die
Handlungen, die ſich auf unſer Beſtes und auf unſre Selbſter=
haltung beziehen, wenn ſie Tugend ſeyn ſollen, zugleich wiſ=
ſentliche und freywillige Ausübungen einer höhern Verbinblichkeit,
das iſt, Gehorſam gegen Gott ſeyn müſſen. Auf dieſe Weiſe
können unſere geringſten freyen Handlungen Werke des guten
Herzens und ein edler Gehorſam werden, der mit dem Plane
Gottes übereinſtimmt; und darum ſind ſie in ſich gut. Denn
wird wohl die Unmäßigkeit erſt dann unebel, wenn ſie Krankheit,
Armuth und Verachtung gebiert; und iſt ſie alsdann wohl edel,
wenn ſie dieſe ſchlimmen Wirkungen nicht nach ſich zieht? Iſt die
Wahrheitsliebe alsdann keine Pflicht mehr, wenn ſie mir Haß
zuwege bringt? Oder die Liebe für das Vaterland keine Tugend
mehr, wenn ſie mich das Leben koſtet? Nur dann eine, wenn
ich durch ſie Lorbern erringe? Die Tugend iſt die Uebereinſtim=
mung aller unſrer Abſichten, Reigungen und Unternehmungen
mit der göttlichen Anordnung, die ſich ſtets auf unſer Glück und
das Beſte unſrer Rebenmenſchen bezieht. Wie geneigt ſollten wir
alſo ſeyn, ſie auszuüben, und wie wenig ſind wirs, wenn wir
uns aufrichtig prüfen! Sollten nicht unſre Seelen ein gewiſſes
Verderben erlitten haben, da wir von Natur ſo wenig Luſt und
Kraft zur Tugend fühlen, und in tauſend Fällen vielmehr einen
Hang zum Laſter? Die Tugend fordert Rachdenken, Wachſamkeit,
Einſchränkung und Mäßigung der Begierden; und dieſe Opfer
ſcheuen wir? Es iſt ſchwer, ſeinen Sinnen zu gebieten, ſeine lieb=
ſten Reigungen zurück zu halten, und die angenehmen Blendwerke
der Einbildung zu zerſtreuen. Die Tugend verlangt, daß wir unſer

Innerſtes prüfen; und dieſe Prüfung erfordert Mühe, und zeigt
uns die Fehler, die wir ablegen ſollen, und die wir doch lieben.
Anſtatt die edlern Neigungen unſrer Seele von Jugend auf zu näh⸗
ren und auszubilden, unterdrücken wir ſie durch ſinnliche Lüſte und
ſchwächen das natürliche Gefühl des Guten und Edlen, das uns
Gott ins Herz gedrückt hat, und gewöhnen unſern Verſtand an
Vorurtheile und falſche Vorſtellungen von dem, was Glück iſt. Die
Tugend fordert ein immerwährendes Andenken an Gott, eine leb⸗
hafte Vorſtellung ſeiner Eigenſchaften, um uns in der Liebe des Gu⸗
ten zu ſtärken. Allein unter den Bezauberungen der Sinne und der
Einbildung, unter den blendenden Reizungen der Ehre und der
Reichthümer, unter den Sorgen der Eitelkeit und den Zerſtreuungen
des Lebens, erliegt die Kraft unſers Geiſtes; die Vorſtellung Gottes,
unſers Vaters und Geſetzgebers, die uns in der Tugend befeſtigen
ſollte, wird dem Verſtande dunkel, und dem Herzen, das keinen
Zeugen haben, und gern ungebunden ſeyn will, beſchwerlich; und
ſo artet unſer Herz immer mehr aus, verliert die Empfindungen der
Anbetung und Liebe Gottes, des Wohlwollens gegen Andre, wird
ſinnlich und wird laſterhaft. Gleichwohl, meine Herren, iſt kein
andrer Weg zur Glückſeligkeit, als der Weg der Tugend, ſo müh⸗
ſam er auch ſein mag; ſo wie hingegen der Weg des Laſters der
Weg zum Verderben iſt, ſo angenehm er auch in ſeinem Anfange
ſeyn mag.

> Des Laſters Bahn iſt Anfangs zwar
> Ein breiter Weg durch Auen;
> Allein ſein Fortgang wird Gefahr,
> Sein Ende Nacht und Grauen.
> Der Tugend Pfad iſt Anfangs ſteil,
> Läßt nichts als Mühe blicken;
> Doch weiter fort führt er zum Heil,
> Und endlich zum Entzücken.

Zweite Abtheilung,

von den allgemeinen Mitteln, zur Tugend
zu gelangen und sie zu vermehren.

Sechste Vorlesung.

Allgemeine Mittel, zur Tugend zu gelangen und sie zu vermehren.

Erste und zweyte Regel.

Alle Tugend, wie wir in der vorhergehenden Vorlesung erinnert haben, setzet eine gewisse Ueberwindung voraus, wir mögen sie von der Seite des Verstandes, oder des Herzens betrachten. Sie setzet Kenntnisse und Einsichten des Verstandes voraus, welche Mühe und Aufmerksamkeit fordern. Sie verlanget Aufrichtigkeit des Herzens, diese Einsichten anzunehmen, und Entschließung und Lust, ihnen zu gehorchen. Unser Wille aber gehorchet nicht leicht, wenn ihn der Verstand nicht überzeugt; und unsre Ueberzeugung von unsrer Schuldigkeit wird unkräftig, wenn wir sie nicht oft erneuern. Wir müssen ferner unsern Verstand gebrauchen, nicht allein um die Pflicht des Menschen überhaupt kennen zu lernen, sondern auch um die allgemeine Regel des Guten und Rechtschaffenen auf die besondern Fälle unsers Lebens überall anzuwenden. Unser ganzer Wandel muß Tugend oder Gehorsam gegen unsre Pflicht seyn, wenn es gewiß ist, daß in der Tugend unſer Glück beſteht. Alſo gehört eine fortgeſetzte Aufmerkſamkeit des Verſtandes zur Tugend. Gleichwohl ſind Sorgloſigkeit und Unachtſamkeit gewöhnliche Fehler des Menſchen, die ihn entweder in der Unwiſſenheit ſchlummern laſſen, oder die ihn blenden, an der Seite der Wahrheit Irrthümer und gefährliche Einbildungen zu bulden. Der Menſch muß alſo der Tugend koſtbare und mühſame Opfer des Verſtandes bringen. Traurige Wahrheit! Aber dieſer Dienſt wird leichter, je öfter wir ihn leiſten; er wird ſelbſt durch die Ausübung angenehm! Erfreuliche Wahrheit!

Unſer Herz, oder unſer Wille hat Neigungen, Begierden und Wünſche, die oft der Tugend ganz zuwider ſind, und unterdrückt werden müſſen; andre, welche von dem Verſtande regieret, gemäßiget und geordnet werden müſſen. Die meiſten ſind ein Theil von uns ſelbſt, ſind von unſrer Eigenliebe, unſerm Stolze, dem Eigennutze und den unrichtigen Meynungen von dem, was wir für Glück oder Elend halten, erzeugt. Wie ſchwer werden dieſe Begierden zu bezwingen ſeyn! Sie ſterben nach allen Siegen, die wir über ſie erhalten, nie ganz aus, werden durch tauſend Gegenſtände der Sinne und der ſchaffenden Einbildungskraft wieder erreget, und wachſen durch die Befriedigung zu herrſchenden Gewohnheiten und zu ſtürmiſchen Leidenſchaften an, die uns die Freyheit rauben, dem Lichte des Verſtandes zu folgen, oder die dieſes Licht verdunkeln, damit es nicht leuchte. Die Kraft der ſchlimmern Beyſpiele (und wer kann leugnen, daß die meiſten Menſchen ſchlimme Beyſpiele geben?) geſellet ſich zu dem Gewichte der natürlichen Neigungen und entkräftet die Regel des Guten. — Der Menſch muß alſo von der Seite des Herzens der Tugend koſtbare und oft mühſame Opfer bringen; ſeine Sinnlichkeit, ſeine Trägheit zur Pflicht, oft ſeine liebſten Neigungen und das Vergnügen, das ihre Befriedigung verſpricht, ihr aufopfern. Er muß der Gewalt der Sinne und der Kraft des Bey-

spiels widerstehen, das uns natürlicher Weise zur Nachahmung
reizet. Er muß über sich selbst herrschen und der strenge Hand=
haber der Gesetze seyn. Schwere Herrschaft! Aber diese Herr=
schaft wird durch die Ausübung leichter, und verwandelt sich
immer mehr und mehr in Freude und Ruhe. Großer Trost
eines Herzens, das der Tugend aufrichtig nachstrebt!

Wie gelangen wir also unter Anleitung der Vernunft da=
hin, daß wir unsre Pflichten willig und standhaft ausüben, und
die Hindernisse überwinden lernen, die sich ihr in uns selbst, oder
von außen, widersetzen? Wie bekommen wir Lust und Kraft zur
Tugend, einen Geschmack an ihren Reizungen, und einen Abscheu
vor den falschen Süßigkeiten des Lasters? Niemand zweifelt,
daß man die Tugend beständig fortsetzen müsse; gleichwohl
sind wir nicht immer geneigt dazu. Eine oder etliche gesetzmä=
ßige, gute Handlungen sind nicht der tugendhafte Charakter selbst.
Nein, dieser Charakter ist der beständige, lebendige, thä=
tige Vorsatz, stets gut und fromm zu seyn und es
immer mehr zu werden. Wie gelangen wir zu dieser über=
wiegenden Geneigtheit der Seele zur Rechtschaffenheit?

Die Vernunft schlägt uns allgemeine Mittel vor, die sich auf
die moralische Natur der Menschen und auf die Natur der Tu=
gend gründen. Von diesen wollen wir reden. Sind sie richtige
Folgen aus den Grundsätzen der Vernunft, und Stimmen des
Gewissens: so sind es göttliche Mittel, die wir anzuwenden
verbunden sind, wenn es uns ein Ernst um Tugend und Glück=
seligkeit ist. Die vornehmsten dieser Mittel von der Seite des
Verstandes und des Herzens sind folgende: „erstlich eine deut=
„liche, überzeugende und vollständige Kenntniß unsrer Pflichten,
„die wir immer fortsetzen, erneuern und vor Irrthümern bewah=
„ren, auf das Leben und die Ausübung anwenden und mit einer
„beständigen Prüfung unsers Herzens und Wandels verbinden
„müssen: das Andenken an Gott, oder die sorgfältige Betrach=

„tung seiner Eigenschaften und Vollkommenheiten, welche der
„größte Antrieb zur Tugend sind (diese Betrachtung ist eine An=
„leitung zum Gebete, oder schon selbst ein Schritt dazu): die
„Kenntniß unsrer selbst, und der Menschen, mit denen wir um=
„geben sind: die sorgfältige Betrachtung der Welt, in der wir
„leben, der Absicht, zu der wir leben, und der Ewigkeit, in die
„wir durch dieses Leben eingehen: die öftere Erweckung des Ge=
„wissens oder moralischen Gefühls, das ist, der natürlichen Em=
„pfindung von der Schönheit des Guten und dem Schrecklichen
„des Lasters: der Umgang mit tugendhaften Personen, und das
„Lesen guter Schriften für den Verstand und für das Herz: end=
„lich die sorgfältige und aufrichtige Untersuchung und Prüfung,
„ob uns Gott nicht außer dem Lichte der Vernunft noch eine
„nähere Offenbarung seines Willens und des Weges zu unsrer
„Glückseligkeit gegeben habe. Man sagt uns, daß eine solche
„Offenbarung vorhanden sey; und es ist also unsre höchste Pflicht,
„die Gründe ihrer Göttlichkeit zu untersuchen, und ihnen auch
„so gar dann, wenn wir sie bloß wahrscheinlich finden sollten,
„wie doch nach einer unparteyischen Prüfung nicht zu besorgen
„steht, unsern Beyfall und Gehorsam keinen Augenblick zu versagen."

Von diesen Mitteln will ich ausführlicher reden, und sie in
besondern Regeln in einigen Stunden vortragen. — Die Reli=
gion billiget und gebeut diese Mittel, in so weit sie den richtigen
Gebrauch der Vernunft und des Gewissens gebeut. Allein sie
lehret uns zugleich, daß eine bloß natürliche Kenntniß unsrer
Pflichten nicht genug zur wahren Tugend sey; noch mehr, daß
eine bloß menschliche Erkenntniß auch der geoffenbarten Religions=
wahrheiten nicht genug dazu sey; sondern daß eine höhere Ueber=
zeugung, durch den Geist Gottes gewirket, unsern Verstand erleuch=
ten und unser Herz heiligen müsse, und daß wir ohne diesen
Beystand weder Lust noch Kraft zum Guten besitzen; daß Gott
in uns beides, das Wollen und Vollbringen, durch das Wort

der Wahrheit wirke *), wenn wir nur demselben glauben und gehorchen wollen. Sie lehret uns, daß wir bey der Erforschung, Betrachtung und Anwendung der göttlichen Wahrheiten um diesen höhern Beyſtand, als das größte Gut der menſchlichen Seele, in Demuth bitten und uns deſſelben in allen Fällen verſichert halten müſſen. „So ihr, die ihr arg ſeyd (ſagt unſer Erlöſer), „könnet euren Kindern gute Gaben geben; wie viel mehr wird „der Vater im Himmel denen den heiligen Geiſt geben, die ihn „darum bitten!“ **)

Dieſes iſt eine Grundwahrheit der chriſtlichen Moral, und eben dadurch unterſcheidet ſich die bloß natürliche Tugend von der Tugend oer Religion unendlich weit. Und ſo gut eine bloß philoſophiſche Kenntniß unſrer Pflichten iſt: ſo iſt es doch für Chriſten nach den Ausſprüchen der heiligen Schrift gewiß, daß der Menſch ganz verändert werden muß, wenn er tugendhaft, glückſelig, und Gott ähnlich und gefällig werden will. Das Mittel dieſer Veränderung wird die Buße genannt. Dieſe iſt die Wirkung der göttlichen Gnadenkraft in den verderbten Seelen der Menſchen, durch welche die Hinderniſſe, die uns zum Guten und zur Tugend untüchtig machen, gehoben, und die Kräfte dazu verliehen werden, ſo weit es die Schwachheit unſrer Natur zuläßt. Da indeſſen die Religion mit uns als mit vernünftigen Geſchöpfen umgeht: ſo ſchließt ſie den Gebrauch der natürlichen Hülfsmittel zur Tugend ſo wenig aus, daß ſie ihn vielmehr zum voraus ſetzet. Es iſt alſo unſere Schuldigkeit, uns um dieſelben zu bekümmern. Wenn wir endlich mit einem Verſtande, der durch die Wahrheiten der Religion aufgeklärt iſt, der Tugend, ihren Pflichten, Abſichten, Mitteln und Hinderniſſen nachſpüren: ſo können wir allerdings viel nützliche Entdeckungen machen;

---

*) Philipp. 2, 13.
**) Luc. 11, 13.

das kann nicht geleugnet werden.   Laſſen Sie uns alſo die vor=
nehmſten dieſer natürlichen Mittel in einigen Regeln vortragen.

Erſte Regel: **Bemühe dich, eine deutliche, gründ=
liche und vollſtändige Erkenntniß deiner Pflichten
zu erlangen.**

Zu einer deutlichen und gründlichen Einſicht in die
Pflichten, gehören richtige Begriffe und kräftige Beweiſe und
Bewegungsgründe.   Wenn ich nicht weis, wie viel mir obliegt,
wenn ich Tugend und Laſter mehr dem Namen, als ihrer Natur
und ihren Kennzeichen nach, kenne, wenn ich die irrigen Begriffe,
die unſre Einbildung und unſer Herz, das alles ſcheut, was ſeine
Neigungen feſſelt, von Pflicht und Tugend ſich zu entwerfen
pflegt, wenn ich dieſe Begriffe nicht zu widerlegen weis, wenn
mein Verſtand nicht von der Schönheit und Vortrefflichkeit der
Geſetze der Tugend überzeugt iſt; wie werde ich den Vorſatz in
mir erwecken, ſie zu erfüllen, und meinem Herzen die Kraft erwer=
ben, die zur Erfüllung nöthig iſt? — Man ſtelle ſich alſo ſeine
Pflichten oft, mit ihren Urſachen und in ihrer hohen Würde
vor; das iſt, man ſuche ſich lebhaft zu überführen, daß ſie in
dem ewigen heiligen Willen der Gottheit gegründet ſind, und
wie vortrefflich ſie mit unſerer Natur, mit unſerer innerlichen
und äußerlichen Glückſeligkeit, und mit der Wohlfahrt des gan=
zen Geſchlechts der Menſchen übereinſtimmen.

Man nehme, um nach dieſer Regel zu verfahren, die Geſin=
nungen und Pflichten gegen den Urheber des Glau=
bens, und denke ſie mit ihren Gründen und Urſachen.   Wird
es ſchwer ſeyn, dieſe Gründe zu finden?   Sind ſie nicht in Gott
und in uns ſelbſt enthalten?   Warum ſoll ich Empfindungen
der Ehrfurcht, der Liebe, des Vertrauens, der Dankbarkeit, gegen
die Gottheit haben?   Iſt dieſes ſo ſchwer zu entdecken?   Wer iſt
Gott?   Wer iſt der Menſch?   Was wäre der Menſch ohne Gott?
Wer iſt die Quelle unſers Daſeyns und unſrer Erhaltung? —

Finden wir nicht einen natürlichen Widerstand in unserm Herzen, keinen Gott zu verehren? Tragen wir nicht ein Gefühl in unsern Seelen, das die ehrerbietigen Neigungen gegen Gott billiget? Und sind wir nicht gezwungen, einen Menschen zu verabscheuen, der sie erstickt zu haben scheint? Fühlen wir hingegen nicht, daß diese Empfindungen vortrefflich mit dem natürlichen Zuge nach Beruhigung und Glückseligkeit übereinstimmen, und eine stärkende Nahrung für dieses Verlangen sind?

Man braucht zu einer solchen Untersuchung beynahe nichts, als Aufrichtigkeit und Stille der Leidenschaften. Der Verstand wird in diesem Falle von dem Gewissen erleuchtet; und die Ueberzeugung des Verstandes von der Nothwendigkeit und Heiligkeit der Gesetze wirket gegenseitig wieder auf das Gewissen. Beide rufen uns zu:

Ein Mensch, der Gott verläßt, erniedrigt sein Geschicke;
Wer von der Tugend weicht, der weicht von seinem Glücke.

Auf eben diesem Wege können wir auch zur Ueberzeugung von der innern Vortrefflichkeit und Heiligkeit der Pflichten gegen Andre und uns selbst gelangen. Und warum soll ich denn also Niemanden schaden, und so vielen nützen, als ich kann? Warum soll ich denn frey vom Hasse, vom Neide, vom Ungestüme, von Habsucht, von Ehrsucht, von Verleumdung, von Verachtung und Geringschätzung Andrer; warum gerecht, liebreich, gutthätig, mitleidig, dankbar, vertragsam seyn? — Weil es die Vollkommenheit unserer Seele, und die Wohlfahrt der menschlichen Gesellschaft, die Gott will und wollen muß, befiehlt; weil ich mich in dem Innersten meiner Seele genöthiget fühle, gütige Neigungen gegen das Beste der Andern und solche Handlungen, die davon zeugen, zu billigen, das Gegentheil aber zu verabscheuen; weil ich erkenne, daß die Welt ein Himmel wäre, wenn wir uns beständig nach dieser Ordnung richteten, und daß sie

eine Wüste voll Elend und Marter seyn würde, wenn jeder dieses Gesetz der Natur zu übertreten unternähme.

> O wenn nur aller Menschen Ehre
> Die Neigung Andre zu erfreun,
> Die Zärtlichkeit und Liebe wäre,
> Welch Glück wär es, ein Mensch zu seyn!
> Wenn sie einander froh umfiengen,
> Und nie durch Tücke hintergiengen,
> Durch Neid und Rachgier nie entstellt;
> Wenn niemals andre Thränen flössen,
> Als welche Lieb und Dank vergössen,
> Wie göttlich wäre dann die Welt!

Warum soll ich mäßig, keusch, arbeitsam, genügsam, standhaft, geduldig seyn? Gott will es, weil er Gott ist, weil er
mein Glück will, weil die Ruhe der Seele, die Wohlfahrt meines Lebens, die Erhaltung meiner Gesundheit, das Glück meines
Nächsten, und also meine ganze Bestimmung, zu der mich die
Hand Gottes gebildet hat, dem ich aus Liebe zu gehorchen verbunden bin, ohne diese Neigungen und ihre Ausübungen nicht
bestehen können.

Zur Ueberzeugung von seiner Schuldigkeit gehöret also
die Einsicht, daß sie der Wille der Gottheit, der ewige,
unveränderliche, weiseste und väterlichste Wille sey, der mein und
aller Vernünftigen Glück zum Gegenstande hat; die Einsicht, daß
ich, so oft ich von irgend einem erkannten Gesetze der Tugend
abweiche, eine gute Neigung, die ich fühle, ersticke, eine unerlaubte, die ich als unerlaubt gefühlt habe, befriedige, daß ich,
sage ich, alsdann ein Rebell wider Gott und mein eigner Feind bin.

Zu einer vollständigen Erkenntniß gehöret endlich, daß
wir unsre Pflichten in ihrem ganzen Umfange und in ihrer
Verbindung unter einander übersehen; daß wir die ganze

Summe unsers Verhaltens, wie es sich durch unser Leben und alle seine Umstände verbreiten soll, kennen lernen; daß wir die besondern Pflichten und ihre mannichfaltigen Arten, die aus der allgemeinen Pflicht eben so, wie die verschiedenen Aeste, Zweige, Blüthen und Früchte aus der Wurzel eines fruchtbaren Baumes, hervor wachsen, erkennen und auf das Leben anwenden lernen. Das Gesetz mag gebieten oder untersagen; so ist es gewiß, daß, wo uns die Vernunft Eine Art des Lasters verbeut, wir auch alle Arten desselben dazu rechnen müssen, die mit ihm in Verwandtschaft stehen; und daß, wo sie uns Eine Art der Tugend befiehlt, wir auch alle Arten dazu zählen müssen, die mit jener zu einerley Geschlechte gehören. Man kann dieses durch Beyspiele sich leicht erklären. Wir wollen einige wählen.

Ich soll, so sagt mir die Vernunft, nicht unmäßig seyn. Bin ich das nur alsdann, wenn ich meinen Körper mit so viel Speise und Trank beschwere, daß er krank wird? Nicht auch, wenn ich dadurch meinen Geist ersticke, und mich zu Geschäfften ungeschickt mache? Ist die Uebermaaße im Schlafe, in Vergnügungen, in Sorgen nach Ehre oder Reichthum, nicht auch Unmäßigkeit; nicht selbst die Uebermaße in Arbeiten?

Ich soll mein Vermögen nicht verschwenden. Geschieht dieses nur, wenn ichs zur Ueppigkeit, zur Pracht anwende? Kann ichs nicht durch Trägheit und Sorglosigkeit eben so wohl verwahrlosen? Kann ichs nicht zu überflüßigen Bequemlichkeiten verwenden? Ob ich mit dem Golde mir den Lobspruch des Schmeichlers, die Ehre, daß ich die beste Tafel halte, die reichsten Kleider trage, oder auch den Namen des Freygebigen erkaufe; ist dieses nicht einerley Verschwendung? Ist nur der Mißbrauch des Vermögens Verschwendung, nicht auch der Mißbrauch der Zeit? Und kann ich die Zeit verschwenden, ohne zugleich gewisse Kräfte der Seele und des Körpers unnütz oder schädlich anzuwenden?

7 *

Die Vernunft sagt mir: Vertraue Gott! Er ist die Vollkommenheit, bey ihm ist Hülfe; ohne ihn bist du nichts. Sagt sie mir also nur, daß ich mein Vertrauen nicht auf die Hülfe des Großen setzen, ihn nicht als meinen Gott ansehen soll? — Kann ich nicht eben so wohl auf die Liebe eines Freundes, oder einer Freundinn, zu viel Vertrauen setzen? Nicht auf mein Gold, auf meinen Stand, auf meine Schönheit, auf meine Geschicklichkeit, auf meinen großen Verstand, auf meine Weltklugheit, auf meine Ehre bey der Welt, auf mein gutes Herz?

Ich soll nicht ungerecht seyn. Ist es also genug, wenn ich Niemanden Gewalt anthue? Giebt es keine feinern Ungerechtigkeiten? Wenn ich aus Neid, aus Geiz, aus Ehrsucht alle die Mittel an mich ziehe, wodurch sich mein dürftiger Nächster erhalten könnte, ist dieses keine Ungerechtigkeit? Wenn ich ihn fühllos barben lasse, da ich weit mehr habe, als ich bedarf; wenn ich ihn barben lasse, weil er zu verschämt ist, mich anzusprechen; wenn ich ihn durch Versprechungen meiner Hülfe, oder durch die Verweigerung derselben, künstlich nöthige, daß er mir einen Theil seiner Dienste oder seines nothdürftigen Vermögens bewilligen muß; wenn ich gewisse Güter, oder Dienste von ihm unter der Bedingung, ihm wieder zu bedienen, erhalte, und es nicht thue; öffentliche Belohnungen des gemeinen Wesens, für die ich arbeiten soll, annehme, und nicht arbeite; sind dieses nicht Ungerechtigkeiten?

Bin ich nur ungerecht, wenn ich des Andern Vermögen kränke? Nicht auch, wenn ich seine Gesundheit durch unmäßige Dienste aufreibe, und seine Ruhe durch stolze Härte störe? Nur, wenn ich seinen guten Namen verletze? Nicht auch, wenn ich unterlasse, ihn zu retten, da ich es könnte? Ists nur Ungerechtigkeit, wenn ich ihm seinen Freund, seine Gattinn, sein Kind entziehe? Ists keine, wenn ich ihm seine Tugend, sein gutes Gewissen raube; wenn ich ihn in Irrthümer stürze, ihn durch mein Beyspiel, durch meine Lehren um die Erkenntniß der Wahrheit und die Empfindung des Guten, um die Liebe gegen das höchste Wesen und gegen Andre bringe? Ist dieß nicht das höchste Glück?

Bin ich schon gütig, wenn ich Andern Nahrung und Kleider gebe? Ist mein Nächster nur Leib? Soll ich nur für die Erhaltung seines Lebens sorgen? Sind seine Irrthümer, seine unerlaubten Neigungen ein geringeres Elend, als der Mangel der Lebensmittel? Bedarf er also nicht meines Unterrichts, meiner Ermunterung, meines Raths, des Vorschubs guter Gelegenheiten, sich nützlich zu beschäfftigen, um dem Müßiggange zu entgehen und durch Arbeit sein eignes Brodt zu gewinnen? Bedarf er nicht meines Beyspiels im Guten?

Sind die Personen, denen ich Hülfe schuldig bin, nur die, die mir durchs Blut, oder durch Stand und Lebensart, und Neigungen verwandt sind? Ist nicht jeder Mensch, auch der, der weit unter mir, oder über mir steht, in tausend Fällen mein Nächster? Muß er nur vorzügliche Gaben haben, wenn ich ihm dienen soll? Ist nicht der Einfältigste noch ein Mensch? Muß er mich bloß durch sein Aeußerliches, durch seine Miene zum Mitleiden und zur Hülfe einladen? Ist es nicht auch alsdann meine Pflicht, ihm zu dienen, wenn mir sein Aeußerliches mißfällt? Bin ich nicht so gar denen Dienste schuldig, die wider mich sind? — Soll ich nicht wünschen und suchen, daß alle Menschen so glücklich seyn mögen, als sie es nach dem göttlichen Willen seyn können?

Wer eine einzige Pflicht der Tugend nicht kennen, nicht ausüben will, der ist nicht aufrichtig gesinnet, der will nicht weiter tugendhaft seyn, als es seine natürliche Neigung erlaubt.

Man muß sich ferner überzeugen, daß mit einem jeden Laster nicht allein alle seine Arten, sondern auch die Begierden verboten sind, aus denen sie entspringen; daß mit einer jeden Tugend nicht allein alle ihre Arten geboten sind, sondern auch die

es gewiß ist, daß in der Tugend unſer Glück beſteht. Alſo gehört
eine fortgeſetzte Aufmerkſamkeit des Verſtandes zur Tugend.
Gleichwohl ſind Sorgloſigkeit und Unachtſamkeit ge=
wöhnliche Fehler des Menſchen, die ihn entweder in der Unwiſ=
ſenheit ſchlummern laſſen, oder die ihn blenden, an der Seite
der Wahrheit Irrthümer und gefährliche Einbildungen zu bul=
den. Der Menſch muß alſo der Tugend koſtbare und mühſame
Opfer des Verſtandes bringen. Traurige Wahrheit! Aber die=
ſer Dienſt wird leichter, je öfter wir ihn leiſten; er wird ſelbſt
durch die Ausübung angenehm! Erfreuliche Wahrheit!

Unſer Herz, oder unſer Wille hat Neigungen, Begierden und
Wünſche, die oft der Tugend ganz zuwider ſind, und unterbrückt
werden müſſen; andre, welche von dem Verſtande regieret, ge=
mäßiget und geordnet werden müſſen. Die meiſten ſind ein Theil
von uns ſelbſt, ſind von unſrer Eigenliebe, unſerm Stolze, dem
Eigennutze und den unrichtigen Meynungen von dem, was wir
für Glück oder Elend halten, erzeugt. Wie ſchwer werden dieſe
Begierden zu bezwingen ſeyn! Sie ſterben nach allen Siegen,
die wir über ſie erhalten, nie ganz aus, werden durch tauſend
Gegenſtände der Sinne und der ſchaffenden Einbildungskraft
wieder erreget, und wachſen durch die Befriedigung zu herrſchen=
den Gewohnheiten und zu ſtürmiſchen Leidenſchaften an, die uns
die Freyheit rauben, dem Lichte des Verſtandes zu folgen, oder
die dieſes Licht verdunkeln, damit es nicht leuchte. Die Kraft
der ſchlimmern Beyſpiele (und wer kann leugnen, daß die mei=
ſten Menſchen ſchlimme Beyſpiele geben?) geſellet ſich zu dem
Gewichte der natürlichen Neigungen und entkraftet die Regel des
Guten. — Der Menſch muß alſo von der Seite des Herzens
der Tugend koſtbare und oft mühſame Opfer bringen; ſeine Sinn=
lichkeit, ſeine Trägheit zur Pflicht, oft ſeine liebſten Neigungen
und das Vergnügen, das ihre Befriedigung verſpricht, ihr auf=
opfern. Er muß der Gewalt der Sinne und der Kraft des Bey=

spiels widerstehen, das uns natürlicher Weise zur Nachahmung
reizet. Er muß über sich selbst herrschen und der strenge Hand=
haber der Gesetze seyn. Schwere Herrschaft! Aber diese Herr=
schaft wird durch die Ausübung leichter, und verwandelt sich
immer mehr und mehr in Freude und Ruhe. Großer Trost
eines Herzens, das der Tugend aufrichtig nachstrebt!

Wie gelangen wir also unter Anleitung der Vernunft da=
hin, daß wir unsre Pflichten willig und standhaft ausüben, und
die Hindernisse überwinden lernen, die sich ihr in uns selbst, oder
von außen, widersetzen? Wie bekommen wir Lust und Kraft zur
Tugend, einen Geschmack an ihren Reizungen, und einen Abscheu
vor den falschen Süßigkeiten des Lasters? Niemand zweifelt,
daß man die Tugend beständig fortsetzen müsse; gleichwohl
sind wir nicht immer geneigt dazu. Eine oder etliche gesetzmä=
ßige, gute Handlungen sind nicht der tugendhafte Charakter selbst.
Nein, dieser Charakter ist der beständige, lebendige, thä=
thige Vorsatz, stets gut und fromm zu seyn und es
immer mehr zu werden. Wie gelangen wir zu dieser über=
wiegenden Geneigtheit der Seele zur Rechtschaffenheit?

Die Vernunft schlägt uns allgemeine Mittel vor, die sich auf
die moralische Natur der Menschen und auf die Natur der Tu=
gend gründen. Von diesen wollen wir reden. Sind sie richtige
Folgen aus den Grundsätzen der Vernunft, und Stimmen des
Gewissens: so sind es göttliche Mittel, die wir anzuwenden
verbunden sind, wenn es uns ein Ernst um Tugend und Glück=
seligkeit ist. Die vornehmsten dieser Mittel von der Seite des
Verstandes und des Herzens sind folgende: „erstlich eine deut=
„liche, überzeugende und vollständige Kenntniß unsrer Pflichten,
„die wir immer fortsetzen, erneuern und vor Irrthümern bewah=
„ren, auf das Leben und die Ausübung anwenden und mit einer
„beständigen Prüfung unsers Herzens und Wandels verbinden
„müssen: das Andenken an Gott, oder die sorgfältige Betrach=

Irrthümer treten an die Stelle der Wahrheit; wir müssen also unsere Erkenntniß oft erneuern und reinigen.

Unsere Begierden stehen sehr oft mit unsern Pflichten im Streite. Wir fühlen den Zwang, den wir uns anthun müssen, und wünschten, ihn nicht nöthig zu haben. Die Neigungen erwachen und laden uns durch ihre Annehmlichkeiten ein, da wirs am wenigsten dachten. Wir scheuen uns zwar, ihnen so gleich zu gehorchen. Der Verstand zeigt sie uns als unerlaubt, das Herz als angenehm. Sollte kein Mittel seyn, den Verstand und das Herz zu vereinigen, ohne daß Beide ihre Rechte verlören? Schon zieht sich eine kleine Wolke vor unsere Erkenntniß. Wider unsre Pflicht, dawider wollen wir nicht handeln; o nein! Indessen unterlassen wir, das Bild unsrer Pflicht unverfälscht in unsrer Seele zu erhalten. Wir lassen einige von den Hauptzügen auslöschen, oder setzen unvermerkt einige dazu, die sich mit ihnen zu vertragen scheinen; das heißt, wir nehmen Irrthümer auf, die in dem Schooße unsrer Begierden erzeugt und von den angenehmen Empfindungen der Sinne genährt werden. Diese Irrthümer vereinigen wir mit den Begriffen unsrer Tugend, so gut wir können. Zum Unglücke sehen wir sie oft nicht, weil wir sie nicht sehen wollen. Die Beyspiele andrer Menschen rechtfertigen das, was wir heimlich als erlaubt wünschen; und diese Beyspiele werden gefährliche Beweise für uns. Indessen trösten wir uns, daß wir der Tugend nicht untreu werden wollen, machen im Stillen kleine Ausnahmen, fehlen erst verschämt, dann dreister.

So gehen wir oft Tage, oft Monate, oft vielleicht den größten Theil des Lebens, bald stark, bald schwach, bald überzeugt, bald nicht überzeugt, dahin.

Um ein Beyspiel anzuführen: das Vergnügen des Geschmacks und der angenehmen Empfindungen ist an und für sich durch die Vernunft erlaubt; nur die Uebermaaße ist verboten. Allein unsre natürliche Neigung dazu möchte gern kein Ziel haben. — So lange wir ein richtiges Bild von der Mäßigkeit und von ihrer Vortrefflichkeit in uns aufbewahren, werden wir nicht leicht in dem Genusse der Speisen oder der Getränke ausschweifen. Allein man setze zu diesem Bilde einige falsche Züge, oder man sehe es nur auf einer Seite an, oder setze dem Gedanken von der Vortrefflichkeit der Mäßigkeit die angenehmen Empfindungen des Geschmacks entgegen; und schon wird die helle Erkenntniß, die man sich ehedem davon erworben, verfinstert.

Was heißt mäßig seyn? Nicht mehr Nahrung zu sich nehmen, als der freye Gebrauch der Kräfte der Seele und des Leibes verstattet. „Kann man diesen Begriff aufrichtig haben und sich so leicht mit Wein überfüllen, der zu Verrichtungen ungeschickt, und zu vielen Thorheiten fähig macht? Nein! Aber das Maaß läßt sich doch so vollkommen nicht bestimmen. Dieß mißbraucht Kratipp, der gern seinem Geschmacke folgen, und doch nicht wider seine Einsicht handeln möchte. Wie geht dieses an? Er betrachtet die Tugend der Mäßigkeit itzt auf der Seite des Körpers allein. Er hat so und so viel Getränke vertragen können, und ist nicht ungesund worden, er befindet sich vielmehr wohl; also ist er nicht unmäßig, wenn er täglich nicht mehr als dieses Maaß Wein zu sich nimmt. Ob die Kräfte seiner Seele gehemmt oder geschwächt, und zur Arbeit unfähiger werden; ob seine Neigung, Gutes zu thun, nach und nach entschläft; ob er diesen Aufwand des Geldes nicht besser anlegen könnte; nach dieser Regel mißt er itzo seine Mäßigkeit nicht ab. — Das ist freylich schändlich, spricht er, trinken und sich seines Verstandes berauben; aber das werde ich mir auch nicht gestatten. — Er sitzt den folgenden Tag an der Seite eines Freundes. Unter allerhand angenehmen Gesprächen und den Begeisterungen der Freundschaft und des Scherzes reizt ihn der Wein mehr, als gewöhnlich. Die Begierde lebt auf. Er denkt heimlich an die Mäßigkeit. Er sucht ihr Bild und kann es nicht finden. Doch nein, er findet es in einer veränderten Gestalt; es hat etliche fremde Züge angenommen. Unmäßig im Weine seyn, das heißt itzo nach Kratipps Sittenlehre, sich vornehmen, nicht eher vom Weine zu gehen, bis man seiner Sinne und seines Verstandes beraubt ist. Wer wird so ein Unmensch seyn? Nein, aber an der Hand seiner Freunde darf man wohl die Freuden des Lebens genießen und sie mit ihnen theilen; der Wein ist ein Geschenk der Vorsehung; seine Vernunft durch den Wein zu betäuben, das wäre etwas schreckliches. — — Und so trinkt dieser Redner unter den Eingebungen seiner Begierde, nach denen er seine Vernunft stimmet, sich heute um den Gebrauch seines Verstandes.

Wir wissen alle, daß der Hang zu einer Sache durch die öftere Befriedigung wächst, und daß das Gleichgewichte des Verstandes und des Willens durch die Leidenschaften aufgehoben wird. Nehmen Sie also an, daß wir oft unter so falschen Aussichten des Verstandes unsern Neigungen folgen: so ist es nicht zu verwundern, wenn wir entweder im Verstande uns falsche Begriffe von der Tugend erschaffen; oder wenn ihn die Leidenschaft zurück hält, uns unsre Schuldigkeit und die Schönheit der Tugend zu zeigen. Niemand wird mit einem Male der Lasterhafteste; aber nach und nach geräth man in das Unglück, Licht und Einsicht in die Gesetze der Vernunft, und die feine Empfindung des Edlen und Guten zu verlieren.

Es ist ferner keine böse Neigung, die wir befriedigen und zur herrschenden Gewohnheit werden lassen, die nicht andre unerlaubte Neigungen zur Gesellschaft nähme. Auf diese Art verheeren wir nach und nach das Herz, und stürzen das ganze Gebäude aller Pflichten ein. Indessen schmeicheln wir uns, daß wir nur Einer Thorheit ergeben sind und hingegen viele Tugenden an uns zählen.

Es ist wahr, denkt Cleon, der von Natur zur Wollust geneigt ist, ich könnte diese Begierde mehr einschränken. Aber sie hindert mich nicht an meiner Gesundheit, nicht an meinen Geschäfften, nicht an der Dienſtfertigkeit und Gutthätigkeit, nicht an meinem ehrlichen Namen; ich bin alſo immer noch nicht laſterhaft.

Welche falſche Begriffe hat Cleon von der Wolluſt! Nur angenommen, daß er ſie ohne andre Laſter nicht befriedigen kann, ſo wird er dieſe bald auch begehen. Er wird ſich eben ſo wohl ſchmeicheln, daß es keine Laſter ſind; er wird ein Verſchwender oder Geizhals werden, je nachdem es die Wolluſt befiehlt; er wird hart und ungerecht werden, ein Verläumder, ein feiner Räuber, weil es ſeine Hauptneigung gebeut.

So kann Eine Neigung zum Laſter, der wir mit Wiſſen nachhängen, den ganzen Grund der Tugend umſtoßen, und unſre Erkenntniß von unſern Pflichten, ſo gut ſie auch Anfangs war, verfinſtern und verfälſchen. — Und welcher Menſch iſt ohne eine Schooßneigung? Wie werden wir alſo bey ſo vielen Anfällen der Begierden, bey den äußerlichen Verſuchungen, das Bild von der Schönheit und Vortrefflichkeit der Tugend getreu und lebhaft in uns erhalten können, wenn wir es nicht immer in unſerm Verſtande erneuern, nicht die verlornen Züge hinzuſetzen, und die verloſchenen wieder aufmalen, nicht immer unſre Einſicht erweitern, unſre Ueberzeugung durch Gründe erwecken und befeſtigen? Thun wir dieſes täglich? — Wir behalten oft die Namen einer Sache, die Namen der Tugend und Pflicht, wir nennen ſie, und denken eigentlich nur den Schall des Wortes, nicht die Begriffe; gleichwohl meynen wir, daß wir z. E. an die Mäßigkeit gedacht hätten, weil wir ihren Namen oder eine bunkle Vorſtellung derſelben gedacht haben.

Wir können ferner die Gründe der Tugend, den Hauptbewegungsgrund, daß ſie göttlicher Wille iſt, aus den Gedanken verlieren. Die innerliche Güte der Tugend beſteht darinne, daß ſie der Wille des Schöpfers iſt, der nie anders als gut für uns ſeyn kann. Gleichwohl haben Tugenden und Laſter auch ihre natürlichen Folgen, ihre Belohnungen oder Strafen. Es

eine Wüste voll Elend und Marter seyn würde, wenn jeder dieses Gesetz der Natur zu übertreten unternähme.

O wenn nur aller Menschen Ehre
Die Neigung Andre zu erfreun,
Die Zärtlichkeit und Liebe wäre,
Welch Glück wär es, ein Mensch zu seyn!
Wenn sie einander froh umfiengen,
Und nie durch Tücke hintergiengen,
Durch Neid und Rachgier nie entstellt;
Wenn niemals andre Thränen flössen,
Als welche Lieb und Dank vergössen,
Wie göttlich wäre dann die Welt!

Warum soll ich mäßig, keusch, arbeitsam, genügsam, standhaft, geduldig seyn? Gott will es, weil er Gott ist, weil mein Glück will, weil die Ruhe der Seele, die Wohlfahrt meines Lebens, die Erhaltung meiner Gesundheit, das Glück meines Nächsten, und also meine ganze Bestimmung, zu der mich die Hand Gottes gebildet hat, dem ich aus Liebe zu gehorchen verbunden bin, ohne diese Neigungen und ihre Ausübungen nicht bestehen können.

Zur Ueberzeugung von seiner Schuldigkeit gehöret die Einsicht, daß sie der Wille der Gottheit, der ewig unveränderliche, weiseste und väterlichste Wille sey, der mein und aller Vernünftigen Glück zum Gegenstande hat; die Einsicht, daß ich, so oft ich von irgend einem erkannten Gesetze der Tugend abweiche, eine gute Neigung, die ich fühle, ersticke, eine unerlaubte, die ich als unerlaubt gefühlt habe, befriedige, daß ich sage ich, alsdann ein Rebell wider Gott und mein eigner Feind bin.

Zu einer vollständigen Erkenntniß gehöret endlich, daß wir unsre Pflichten in ihrem ganzen Umfange und in ihrer Verbindung unter einander übersehen; daß wir die ganze

Summe unsers Verhaltens, wie es sich durch unser Leben und alle seine Umstände verbreiten soll, kennen lernen; daß wir die besondern Pflichten und ihre mannichfaltigen Arten, die aus der allgemeinen Pflicht eben so, wie die verschiedenen Aeste, Zweige, Blüthen und Früchte aus der Wurzel eines fruchtbaren Baumes, hervor wachsen, erkennen und auf das Leben anwenden lernen. Das Gesetz mag gebieten oder untersagen; so ist es gewiß, daß, wo uns die Vernunft Eine Art des Lasters verbeut, wir auch alle Arten desselben dazu rechnen müssen, die mit ihm in Verwandtschaft stehen; und daß, wo sie uns Eine Art der Tugend befiehlt, wir auch alle Arten dazu zählen müssen, die mit jener zu einerley Geschlechte gehören. Man kann dieses durch Beyspiele sich leicht erklären. Wir wollen einige wählen.

Ich soll, so sagt mir die Vernunft, nicht unmäßig seyn. Bin ich das nur alsdann, wenn ich meinen Körper mit so viel Speise und Trank beschwere, daß er krank wird? Nicht auch, wenn ich dadurch meinen Geist ersticke, und mich zu Geschäfften ungeschickt mache? Ist die Uebermaaße im Schlafe, in Vergnügungen, in Sorgen nach Ehre oder Reichthum, nicht auch Unmäßigkeit; nicht selbst die Uebermaße in Arbeiten?

Ich soll mein Vermögen nicht verschwenden. Geschieht dieses nur, wenn ichs zur Ueppigkeit, zur Pracht anwende? Kann ichs nicht durch Trägheit und Sorglosigkeit eben so wohl verwahrlosen? Kann ichs nicht zu überflüßigen Bequemlichkeiten verwenden? Ob ich mit dem Golde mir den Lobspruch des Schmeichlers, die Ehre, daß ich die beste Tafel halte, die reichsten Kleider trage, oder auch den Namen des Freygebigen erkaufe; ist dieses nicht einerley Verschwendung? Ist nur der Mißbrauch des Vermögens Verschwendung, nicht auch der Mißbrauch der Zeit? Und kann ich die Zeit verschwenden, ohne zugleich gewisse Kräfte der Seele und des Körpers unnütz oder schädlich anzuwenden?

7 *

Die Vernunft sagt mir: Bertraue Gott! Er ist die Vollkommenheit, bei ihm ist Hülfe; ohne ihn bist du nichts. Sagt sie mir also nur, daß ich mein Bertrauen nicht auf die Hülfe des Großen setzen, ihn nicht als meinen Gott ansehen soll? — Kann ich nicht eben so wohl auf die Liebe eines Freundes, oder einer Freundinn, zu viel Vertrauen setzen? Nicht auf mein Gold, auf meinen Stand, auf meine Schönheit, auf meine Geschicklichkeit, auf meinen großen Verstand, auf meine Weltklugheit, auf meine Ehre bey der Welt, auf mein gutes Herz?

Ich soll nicht ungerecht seyn. Ist es also genug, wenn ich Niemanden Gewalt anthue? Giebt es keine feinern Ungerechtigkeiten! Wenn ich aus Neid, aus Geiz, aus Ehrsucht alle die Mittel an mich ziehe, woburch sich mein dürftiger Nächster erhalten könnte, ist dieses keine Ungerechtigkeit? Wenn ich ihn fühllos barben lasse, da ich weit mehr habe, als ich bedarf; wenn ich ihn barben lasse, weil er zu verschämt ist, mich anzusprechen; wenn ich ihn durch Versprechungen meiner Hülfe, oder durch die Verweigerung derselben, künstlich nöthige, daß er mir einen Theil seiner Dienste oder seines nothdürftigen Vermögens bewilligen muß; wenn ich gewisse Güter, oder Dienste von ihm unter der Bedingung, ihm wieder zu bedienen, erhalte, und es nicht thue; öffentliche Belohnungen des gemeinen Wesens, für die ich arbeiten soll, annehme, und nicht arbeite; sind dieses nicht Ungerechtigkeiten?

Bin ich nur ungerecht, wenn ich des Andern Vermögen kränke! Nicht auch, wenn ich seine Gesundheit durch unmäßige Dienste aufreibe, und seine Ruhe durch stolze Härte störe? Nur, wenn ich seinen guten Namen verletze? Nicht auch, wenn ich unterlasse, ihn zu retten, da ich es könnte? Ists nur Ungerechtigkeit, wenn ich ihm seinen Freund, seine Gattinn, sein Kind entziehe? Ists keine, wenn ich ihm seine Tugend, sein gutes Gewissen raube; wenn ich ihn in Irrthümer stürze, ihn durch mein Bey-

ſpiel, durch meine Lehren um die Erkenntniß der Wahrheit und
die Empfindung des Guten, um die Liebe gegen das höchſte Weſen und gegen Andre bringe? Iſt dieß nicht das höchſte Glück?

Bin ich ſchon gütig, wenn ich Andern Nahrung und Kleider
gebe? Iſt mein Nächſter nur Leib? Soll ich nur für die Erhaltung ſeines Lebens ſorgen? Sind ſeine Irrthümer, ſeine unerlaubten Neigungen ein geringeres Elend, als der Mangel der
Lebensmittel? Bedarf er alſo nicht meines Unterrichts, meiner
Ermunterung, meines Raths, des Vorſchubs guter Gelegenheiten,
ſich nützlich zu beſchäfftigen, um dem Müßiggange zu entgehen
und durch Arbeit ſein eignes Brodt zu gewinnen? Bedarf er
nicht meines Beyſpiels im Guten?

Sind die Perſonen, denen ich Hülfe ſchuldig bin, nur die,
die mir durchs Blut, oder durch Stand und Lebensart, und Neigungen verwandt ſind? Iſt nicht jeder Menſch, auch der, der
weit unter mir, oder über mir ſteht, in tauſend Fällen mein
Nächſter? Muß er nur vorzügliche Gaben haben, wenn ich ihm
dienen ſoll? Iſt nicht der Einfältigſte noch ein Menſch? Muß
er mich bloß durch ſein Aeußerliches, durch ſeine Miene zum
Mitleiden und zur Hülfe einladen? Iſt es nicht auch alsdann
meine Pflicht, ihm zu dienen, wenn mir ſein Aeußerliches mißfällt? Bin ich nicht ſo gar denen Dienſte ſchuldig, die wider
mich ſind? — Soll ich nicht wünſchen und ſuchen, daß alle
Menſchen ſo glücklich ſeyn mögen, als ſie es nach dem göttlichen
Willen ſeyn können?

Wer eine einzige Pflicht der Tugend nicht kennen, nicht
ausüben will, der iſt nicht aufrichtig geſinnet, der will nicht weiter tugendhaft ſeyn, als es ſeine natürliche Neigung erlaubt.

Man muß ſich ferner überzeugen, daß mit einem jeden Laſter
nicht allein alle ſeine Arten, ſondern auch die Begierden verboten ſind, aus denen ſie entſpringen; daß mit einer jeden Tugend nicht allein alle ihre Arten geboten ſind, ſondern auch die

guten Reigungen, als die Quellen, aus benen sie fließen.
Noch mehr, alles ist verboten, was das Erste veranlassen
kann, und alles geboten, was das Andre befördern kann.
Welcher Umfang von Pflichten!

Zum Umfange unsrer Pflichten gehören ferner alle Pflichten,
die wir in ben verschiedenen Altern, Ständen, Verhältnissen und
Vorfällen dieses Lebens zu beobachten haben. — Kein Alter,
kein Stand, keine Lebensart ohne Tugend. In diesem Verstande
haben der Knabe, der Jüngling, der Mann und der Greis, der
Hohe und der Niedrige, der Begüterte und der Arme, der Gesunde und der Kranke, der Glückliche und der Unglückliche, der
Gatte und die Gattinn, der Vater und das Kind, der Bruder
und der Freund, der Wohlthäter und der Schulbner, der Weise
und der Einfältige ihre besondern Pflichten. Diese müssen wir
aufsuchen; und diese Gelehrigkeit, die wir durch Aufsuchung derselben beweisen, ist selbst die erste Pflicht.

Soll die Tugend ein Gut seyn, so muß sie es immer; in
allen Umständen des Lebens muß sie es seyn. Auf diese Weise
können wir, oder sollten wir doch stets tugendhaft seyn; und
auch die gleichgültigsten Handlungen zur Tugend machen.

Sein Ansehen zeigen, das uns ein Amt giebt, ist keine Tugend; aber es thun, weil es unsre Pflicht ist, weil wir die Wohlfahrt der Andern und die Ordnung der Welt zu erhalten suchen,
weil wir dem göttlichen Willen gehorchen wollen; das kann Tugend werden. — Ein Vergnügen genießen, ist an und für sich
keine Tugend; allein es genießen, um sich aufzuheitern, neue
Kräfte zur Arbeit zu sammeln, Andre mit sich zugleich zu erfreuen,
weil auch die Freude unsre Pflicht ist; das kann zur Tugend
werden. — Ihnen die Moral lesen, ist an und für sich keine
Tugend. Gesetzt, ich thäte es aus Eitelkeit, Ruhmsucht, Eigennutze, um meine Einsicht, meine Tugend zu zeigen, so würde es
nichts weniger als Tugend seyn. Aber es kann zur Tugend

werden, wenn ich es aus Neigung für Ihr Glück, aus Begierde
meine Pflicht zu erfüllen, und aus Ehrfurcht gegen den thue,
der uns die Moral ins Herz gedrückt hat.

Zweyte Regel: Setze die Bemühung, deine Pflicht
zu erkennen, sorgfältig fort, und bewahre die er=
langte Erkenntniß vor Irrthümern.

Wir gelangen nicht auf einmal zu einer überzeugenden
und vollständigen Erkenntniß unsrer Pflichten; wir müssen sie
also beständig fortsetzen. Wir gelangen nicht ohne Mühe und
Anstrengung des Verstandes dazu; wir müssen diese Mühe nicht
scheuen.

Gesetzt, wir hätten uns die richtigsten Begriffe von den Pflich=
ten erworben, wir wären mit der Natur der Tugenden und La=
ster vollkommen bekannt, wir wüßten ihre Kennzeichen und Gren=
zen zu bestimmen, wir kennten die Gründe, worauf sie ruhten,
und wären im Stande, die verschiedenen Pflichten daraus zu
erweisen und sie unter einander zu einem ganzen Gebäude auf=
zuführen, da jeder Theil seinen gehörigen Platz einnähme (und
zu dieser Geschicklichkeit gelangen wir doch nur stufenweise und
langsam); so sind wir dennoch nie sicher, daß unser Verstand sich
in dem ungestörten oder ungekränkten Besitze dieser Erkenntniß
erhalten werde, und also auch nie sicher, daß wir die innerliche
Ueberzeugung von der Nothwendigkeit und Vortrefflichkeit der
Tugend stets besitzen werden. Tausend Dinge stören oder schwä=
chen die Ueberzeugung des Verstandes, die wir uns erworben ha=
ben; wir müssen also, wenn wir auch diesen Gegenständen selbst
nicht entfliehen können, wenigstens ihrem Eindrucke widerstehen.
Aber auch unter den unschuldigen und nothwendigen Geschäfften
des Lebens verliert sich ein Theil der Ueberzeugung, die wir uns
von der Würde der Tugend erworben haben. Die klärsten Be=
griffe löschen allmählig aus, weichen neuen Vorstellungen; und

Irrthümer treten an die Stelle der Wahrheit; wir müssen
unsere Erkenntniß oft erneuern und reinigen.

Unsere Begierden stehen sehr oft mit unsern Pflichten im St
Wir fühlen den Zwang, den wir uns anthun müssen, und wi
ten, ihn nicht nöthig zu haben. Die Neigungen erwachen
laden uns durch ihre Annehmlichkeiten ein, da wirs am w
sten dachten. Wir scheuen uns zwar, ihnen so gleich zu g
chen. Der Verstand zeigt sie uns als unerlaubt, das Her
angenehm. Sollte kein Mittel seyn, den Verstand und das
zu vereinigen, ohne daß Beide ihre Rechte verlören? E
zieht sich eine kleine Wolke vor unsere Erkenntniß. Wider
Pflicht, dawider wollen wir nicht handeln; o nein! Int
unterlassen wir, das Bild unsrer Pflicht unverfälscht in u
Seele zu erhalten. Wir lassen einige von den Hauptzügen
löschen, oder setzen unvermerkt einige dazu, die sich mit ihn
vertragen scheinen; das heißt, wir nehmen Irrthümer auf
in dem Schooße unsrer Begierden erzeugt und von den ang
men Empfindungen der Sinne genährt werden. Diese Ir
mer vereinigen wir mit den Begriffen unsrer Tugend, s
wir können. Zum Unglücke sehen wir sie oft nicht, weil w
nicht sehen wollen. Die Beyspiele andrer Menschen rechtfer
das, was wir heimlich als erlaubt wünschen; und diese Bey
werden gefährliche Beweise für uns. Indessen trösten wir
daß wir der Tugend nicht untreu werden wollen, machen im
len kleine Ausnahmen, fehlen erst verschämt, dann drei

So gehen wir oft Tage, oft Monate, oft vielleicht den
ten Theil des Lebens, bald stark, bald schwach, bald überz
bald nicht überzeugt, dahin.

Um ein Beyspiel anzuführen: das Vergnügen des Gesch
und der angenehmen Empfindungen ist an und für sich durc
Vernunft erlaubt; nur die Uebermaaße ist verboten. Allein
natürliche Neigung dazu möchte gern kein Ziel haben. —

lange wir ein richtiges Bild von der Mäßigkeit und von ihrer
Vortrefflichkeit in uns aufbewahren, werden wir nicht leicht in
dem Genusse der Speisen oder der Getränke ausschweifen. Allein
man setze zu diesem Bilde einige falsche Züge, oder man sehe es
nur auf einer Seite an, oder setze dem Gedanken von der Vortrefflichkeit der Mäßigkeit die angenehmen Empfindungen des Geschmacks entgegen; und schon wird die helle Erkenntniß, die man
sich ehedem davon erworben, verfinstert.

Was heißt mäßig seyn? Nicht mehr Nahrung zu sich nehmen, als der freye Gebrauch der Kräfte der Seele und des Leibes verstattet. Kann man diesen Begriff aufrichtig haben und
sich so leicht mit Wein überfüllen, der zu Verrichtungen ungeschickt, und zu vielen Thorheiten fähig macht? Nein! Aber das
Maaß läßt sich doch so vollkommen nicht bestimmen. Dieß mißbraucht Kratipp, der gern seinem Geschmacke folgen, und doch
nicht wider seine Einsicht handeln möchte. Wie geht dieses an?
Er betrachtet die Tugend der Mäßigkeit itzt auf der Seite des
Körpers allein. Er hat so und so viel Getränke vertragen können, und ist nicht ungesund worden, er befindet sich vielmehr
wohl; also ist er nicht unmäßig, wenn er täglich nicht mehr als
dieses Maaß Wein zu sich nimmt. Ob die Kräfte seiner Seele
gehemmt oder geschwächt, und zur Arbeit unfähiger werden; ob
seine Neigung, Gutes zu thun, nach und nach entschläft; ob er
diesen Aufwand des Geldes nicht besser anlegen könnte; nach dieser Regel mißt er itzo seine Mäßigkeit nicht ab. — Das ist
freylich schändlich, spricht er, trinken und sich seines Verstandes
berauben; aber das werde ich mir auch nicht gestatten. — Er
sitzt den folgenden Tag an der Seite eines Freundes. Unter
allerhand angenehmen Gesprächen und den Begeisterungen der
Freundschaft und des Scherzes reizt ihn der Wein mehr, als gewöhnlich. Die Begierde lebt auf. Er denkt heimlich an die
Mäßigkeit. Er sucht ihr Bild und kann es nicht finden. Doch

Ferner iſt eine tägliche Prüfung unſrer ſelbſt ein unentbehrliches Mittel zur Tugend. Wer begeht keine Fehler; und wer wird ſie ablegen, ohne ſie zu kennen; und wer wird ſie gewahr werden, ohne ſie aufrichtig aufzuſuchen? Dieſes Geſchäfft iſt ſchwer; aber zum Wachsthume im Guten iſt es nothwendig, und es vergilt uns unſre Mühe mit herrlichen Vortheilen. In dieſer Prüfung wird eine gewiſſe Stille der Seele und ein feyerlicher Ernſt erfordert. Man entferne ſeine Geſchäffte und andre Zerſtreuungen, und heiße ſeine Begierden ſchweigen. Man denke nach einem vollbrachten Tage, vielleicht auf ſeinem Lager, wie Sokrates die Gewohnheit gehabt, an ſeine Handlungen, an die Abſichten, die man dabey gehabt, an die Empfindungen, die unſer Herz den Tag über gefühlet hat. Man denke an ſeine Vergehungen, an die Gelegenheiten zu denſelben, an den geringen oder ſtarken Widerſtand, den wir dabey zu überwinden gehabt.— Man fühle das Uebereilte bey ſeinen Reden und Thaten, das Eigennützige, das Schimpfliche oder Nichtige ſeiner Neigungen und Abſichten. — Man ſtelle ſich bey ſeinen Fehlern und Vergehungen, die man erblickt, den Einfluß vor, den ſie auf unſer Herz, auf unſre Ruhe, in Anſehung der Gnade und Liebe des Unendlichen, deren wir uns durch ſie unwürdig gemacht; den Einfluß, den ſie auf unſre Geſundheit, auf unſern guten Namen und unſer äußerliches Glück, durch den Schaden, welchen ſie nach ſich ziehen, gehabt, oder doch haben können; den unglücklichen Einfluß, den ſie auf unſre Freunde, oder überhaupt auf Andre haben können.

Man bemerke eben ſo ein gutes Verhalten, fühle das Edle und Erquickende deſſelben, erfreue ſich, in Demuth und Dank vor Gott, ſeiner Siege über ſich ſelbſt und über die Hinderniſſe der Tugend, und ſtärke dadurch die Liebe zur Rechtſchaffenheit und den Ekel gegen das Böſe.

Seneca hat ſchon die Wichtigkeit dieſes Tugendmittels erkannt.

„Man muß, sagt er*), täglich sich selbst zur Rechenschaft
„fordern. Dieß that Sextius. Welchen Fehler hast du
„heute abgelegt? Welchem Laster hast du widerstan=
„den? Worinnen bist du besser geworden? So fragte
„er am Schlusse eines jeglichen Tages sein eigen Herz aus. Was
„kann schöner seyn, als wenn man sich gewöhnet, jeden Tag
„einer solchen Prüfung zu unterwerfen? Ich folge dieser Regel,
„und rede täglich mit mir selbst. Wenn die Nacht einbricht, so
„denke ich das ganze Leben des verfloßnen Tages wieder durch;
„ich untersuche alle meine Handlungen und Reden, ich verheele
„mir nichts, ich übergehe nichts.“ Hielt dieses der heidnische
Philosoph für eine Pflicht; wie vielmehr muß es der christliche
dafür halten!

Diese aufrichtige und tägliche Prüfung wird uns unsre H a u p t=
n e i g u n g e n und die s c h w a c h e S e i t e entdecken, auf der wir uns
am meisten befestigen müssen. Sie wird uns die G e l e g e n h e i=
t e n kennen lehren, die uns am gefährlichsten sind, und die M i t=
t e l, die wir insbesondere anwenden müssen, uns in unsrer Pflicht
zu befestigen. Ein großer Vortheil! Ja, ohne diese fortgesetzte
Prüfung werden wir auf der Bahn der Tugend nur sehr lang=
sam fortschreiten: denn d a s i s t e b e n d e s K l u g e n W e i s h e i t,
d a ß e r i m m e r a u f s e i n e n W e g m e r k e t, wie Salomo sagt**).

Laßen Sie uns diese Regel der täglichen achtsamen Vorbe=

---

*) Quotidie ad rationem reddendam de ira vocandus est animus.
Sextius, consummato die: quod hodie malum tuum sanasti?
cui vitio obstitisti? qua parte melior es? interrogabat animum
suum. — Quid pulchrius hac consuetudine excutiendi totum
diem? Utor hac potestate et quotidie apud me caussam dico.
Cum sublatum e conspectu lumen est, totum diem mecum scru-
tor, facta ac dicta mea remetior, nihil mihi ipse abscondo,
nihil transeo. *Seneca* L. III. de ira.

**) Sprüche Sal. 14, 8.

reitung zu seiner Lebensart, und der Prüfung seiner selbst, durch
das Beispiel des Orests, eines liebenswürdigen und weisen
Jünglings, dessen Geschäffte die Erlangung der Wissenschaften
und guten Sitten ist, erläutern. Er hat eine glückliche Erziehung genossen und früh gewagt, sich selbst zu regieren. Sein
Verstand ist gut unterrichtet, und noch ist sein Herz von
Ausschweifungen frey. Er begeht Fehler, und kennt sie, und
verbessert sie. Er ist streng gegen sich, und genießt doch tausend
Freuden. Er ist lebhaft, ohne ausgelassen zu seyn. Er ist ge-
sellig, und doch ein sorgfältiger Haushalter seiner Zeit und seines
Vermögens.

Damon fragt ihn, wie er sich in dieser Ordnung erhalten
könne. Orest antwortet ihm: Meistens dadurch, daß ich mir
jeden Tag mit Gott vornehme, nicht von ihr abzuweichen, und
diesen Vorsatz oft erneure, so oft es möglich ist, ausführe, und
wenn ich dawider gehandelt, es mir schwerlich vergebe.

Früh, fahrt er fort, so bald ich die Pflichten der Andacht
und Anbetung beobachtet, und Gott um Weisheit und Gnade
angerufen habe, denke ich so fort an mich, an die Geschäffte,
Begebenheiten, Gesellschaften, Versuchungen, die mich gewiß, oder
wahrscheinlich, erwarten. Zu dieser Tugend, wenn es eine ist,
hat mich mein erster Anführer, so bald ich denken konnte, gewöhnt.

Fangen Sie, sagte dieser liebreiche und wackre Mann,

1) keinen Tag an, ohne sich vorher Ihre Beschäfftigungen vorzustellen. Der Fleiß ist Ihre Pflicht,
aber auch Ihr Glück; machen Sie sich ihn durch die Ausübung
zur angenehmen Nothwendigkeit, und durch die Absicht zur Tugend. Studiren Sie, um ein rechtschaffener und nützlicher Mann
zu werden, und freuen Sie sich, daß Sie Fähigkeiten dazu haben, und daß Ihr Glück mit Ihrem Fleiße verbunden ist. —
Sie haben itzt noch kein Amt; aber das Amt des Jünglings ist,
sich zu einem künftigen Amte vorzubereiten. Der sorgfältige Ge-

brauch der Zeit, der Gelegenheit, der Kräfte Ihrer Seele und Ihres Körpers, das ist Ihr Amt; ein wichtiges Amt, das Ihnen Gott schon durch die Vernunft aufgelegt hat. Richten Sie es mit Treue und Eifer aus, und seyn Sie ruhig, wenn Sie sich dieses Zeugniß am Abende geben können; gesetzt, daß ihr Fleiß auch nicht allemal glückt, gesetzt, daß Sie nicht so viel Genie oder Fortgang in den Wissenschaften haben, als einer ihrer Freunde. Ihr Fleiß soll Sie nicht bloß gelehrt, er soll Sie zum geduldigen, arbeitsamen, gewissenhaften Jünglinge, zum freudigen Jünglinge, dereinst zu eben diesem Manne, zu eben diesem Greise machen, und Sie von allen Gefahren der Trägheit und des Lasters abhalten. — So denken Sie, Orest, früh bey sich selbst, und gehen Sie mit diesen Gedanken der Pflicht, als mit Ihren Schutzengeln, an Ihre Arbeiten!

2) fuhr er fort, denken Sie an die Vergnügungen, die den Tag über Sie erwarten. Sagen Sie zu sich selbst: Werde ich sie mäßig genießen, so, daß ich dadurch neue Kräfte sammle? Werde ich sie dankbar genießen? Werde ich mich freuen, sie Andern mittheilen zu können? Werde ich an mich halten, wenn mich der Geschmack am Sinnlichen zur Ausschweifung verleiten wollte? — Wie werde ich das Glück des Umgangs und der Freundschaft genießen? Werde ich meinen Leichtsinn im Reden fesseln? Wird mein Scherz noch gewürzt seyn? Werde ich als ein redlicher Mann sprechen, was ich denke, und bescheiden seyn, indem ich aufrichtig bin?

3) Wie werde ich in den kleinen und größern Versuchungen, die mir begegnen können, mich verhalten? Ich gefalle gern. Werde ich dieses Glück heute durch eine Schmeicheley erkaufen? — Ich spotte gern. Werde ich mir heute keine Gewalt anthun? — Man wird mir vielleicht das Glück eines Andern erzählen; werde ich groß genug seyn, mich darüber zu erfreuen; edel genug, es ihm zu gönnen, wenn

ich auch weis, daß er mein Feind ist? — Ich fühle zuweilen
ein mürrisches und unfreundliches Wesen. Werde ich ihm heute
nicht widerstehen? Wie werde ich die Fehler der Andern vertragen? Auch so, wie ich wünsche, daß sie meine dulden mögen? — Ich lasse mich im Umgange leicht vom Zorne übereilen. Diesen Fehler will ich mir so wenig erlauben, als den
Geist des Eigennutzes. — Werde ich an der Seite des andern
Geschlechts mich unschuldig ihres Umganges, ihrer Schönheit,
ihres Witzes erfreuen, und keine Neigung mit mir zurück nehmen, die ich nicht dem ehrwürdigsten Manne gestehen wollte?

4.) Es können mir Verdrüßlichkeiten und Unfälle begegnen. Waffne ich mich auch schon vom
Anfange des Tages mit Muth, mit Gelassenheit,
mit Ergebung in den Plan der weisen Vorsehung?
Ich bin ein Mensch, zur Ewigkeit geschaffen; Gott ist der Herr
von meinen Tagen — Vielleicht ist ihr Ziel nahe. Aber sollte
ich darüber zittern? Nein, so lange ich recht thue, ist der Tod
mein Glück und das Leben meine Freude. — Vielleicht beleidiget
mich ein Freund durch seine Schwachheit. Werde ich ihm nachgeben? Vielleicht dulde ich einen Vorwurf an meinem guten
Namen. Es wird schmerzen; aber Glück genug, wenn ichs nicht
verdiene. Vielleicht leide ich einen Verlust an meiner Gesundheit. Werde ich meine Unruhe darüber mäßigen?

5.) Was werde ich in der Stunde der Einsamkeit
denken? Vielleicht die Bewegungsgründe zu einer Pflicht, die
mir schwer wird? Einen großen Gedanken der Religion, der
das Herz stärkt und erhebt? Eine schöne Stelle eines Dichters
oder Redners, die zur Gewissenhaftigkeit, zur Menschenliebe,
zum Muthe wider das Laster ermahnet? Wird kein stiller Augenblick für mich verfließen, da ich die Natur, die Wunder der Erde
und des Himmels, und die mannichfaltigen Geschenke Gottes
dankbar betrachte, die Spuren seiner erhaltenden Vorsehung be-

merke, und mit einer lebendigen Vorstellung den Tod, das Ge=
richte und die Ewigkeit, zu meiner Weisheit und Ruhe, denke? —
Werde ich nicht daran denken, jemanden durch Rath oder Für=
spruch, oder doch durch Mitleiden zu beglücken? Werde ich mich
ernstlich daran erinnern, daß die Tugend das größte Geschenke
des Himmels und mein Glück ist; daß sie nichts trauriges ist,
auch da, wo sie Mühe fordert?

Mit diesen Gedanken, sagte mein Führer, die Sie erweitern
oder verkürzen können, fangen Sie jeden Tag ihrer Jugend an,
und Sie werden vor tausend Versuchungen sicher und zu Ihrer
Pflicht geschickter seyn. Dieser Regel, sagte er, bin ich selbst
von meinen jüngern Jahren bis in meine höhern gefolgt; und
ich habe es, Dank sey es Gott! so weit gebracht, daß mich
meine Fehler behutsam und demüthig, und mein Fortgang in
der Weisheit und Tugend muthiger und standhafter gemacht.
Wenigstens kann ich Ihnen die Versicherung geben, daß ich in
keine Tage meines Lebens ruhiger zurück sehe, als in diejenigen,
die ich auf diese bedachtsame Weise angefangen und zu endigen
gesucht habe. So schaut der Wandrer, wenn er sich dem Gip=
fel des Berges, den er erreichen will, immer mehr nähert, froh
zurück auf die erstiegenen Beschwerlichkeiten, und gewinnet
Muth, die neuen zu besiegen; denn auf der Höhe lacht ihm sein
Glück entgegen.

Dieser mein Führer, setzt der junge Orest hinzu, gieng so
freundschaftlich mit mir um, daß er mir entweder meine Fehler
liebreich entdeckte, wenn er sie bemerkt hatte, oder mir selbst das
Bekenntniß derselben am Abende gütig abzulocken suchte. — Ich
war wegen meiner natürlichen Lebhaftigkeit besonders denen
Neigungen ausgesetzet, die meiner Unschuld gefährlich zu
werden schienen. Ich entdeckte ihm meine Schwachheiten und
bat um seine Hülfe. Er umarmte mich oft wegen meiner Auf=
richtigkeit. O, sagte er, nur getrost! Sie fallen nicht, so lange

Sie über Ihr Herz wachen. Ist es Ihnen nicht lieb, daß Sie
den Sieg heute über Ihre Neigung davon getragen? Sind Ih=
nen die unerlaubten Wünsche, die Sie gefühlt, nicht zuwider?
Würden Sie nicht mit Schrecken auf Ihr Lager gehen, wenn
Sie Ihre Tugend entehret hätten? Nun so benken Sie dieses
itzt, fühlen Sie Ihr Glück, danken Sie Gott, wenn Sie in
Ihrem Zimmer sind, und bitten Sie ihn um seinen fernern Bey=
stand auf dem Wege der Tugend. Ich habe so viel Verlangen,
Sie zu schützen und mich um Ihr Glück verdient zu machen;
und Gott, der die Liebe ist, sollte nicht so gütig gesinnet seyn,
als ein Mensch, nicht unendlich hülfreicher?

Brauchen Sie alle menschliche Mittel, Fleiß in Geschäfften,
und Mäßigkeit; widerstehen Sie dem ersten Gefühle der Rei=
gung, widerstehen Sie dem ersten Bilde der Einbildungskraft,
und fliehen Sie die gefährliche Einsamkeit, die diese Bilder aus=
malet. Seyn Sie schamhaft, nicht bloß in Gesellschaft, son=
dern auch in dem Umgange mit sich allein. Die Schamhaf=
tigkeit ist die Hüterinn, die uns die Vorsehung zur Bewahrung
der Unschuld ins Herz gesetzet hat. Wir würden der Wollust,
die so vielen Reiz hat, ohne diesen Schutzgeist schwerlich wider=
stehen können. Vertreiben Sie diesen Engel nicht aus Ihrer
Seele; er hilft Ihnen siegen. Sie sind zwar zu edel, als daß
Sie sich erst durch den Gedanken: Die Wollust kann meine Ge=
sundheit verletzen, mir Martern und Schändungen des Körpers
zubereiten! zurück halten müßten; und dennoch vergessen Sie der
tragischen Beyspiele derer nie, die auf dem Pfade der Wollüste
zu einem frühen und schrecklichen Tode geeilet sind. — Ich weis
es, lieber Orest, wie schwer diese Opfer der Tugend sind. Die
reizendsten Neigungen der Natur dämpfen; o das ist mehr, als
Wälle ersteigen und Heere erlegen! Aber bedenken Sie, die un=
schuldigen Freuden der Liebe sind Ihnen nicht versagt, nur die
zügellosen. Sie sollen nicht fühllos seyn. Sie sollen die Freuden

der Liebe und der Freundschaft künftig in den Armen einer schätz=
baren und Sie liebenden Gattinn erwarten, und ein desto glück=
seligerer Mann werden, je unschuldiger der Jüngling gewesen
ist. Sagen Sie mir alles, als Ihrem besten Freunde; aber fol=
gen Sie mir auch, als Ihrem aufrichtigen Freunde. — Werden
Sie nie sicher; denn der fällt am ersten, wer stolz genug ist, in
seine Tugend kein Mißtrauen weiter zu setzen.

Da diese Seite Ihre schwache Seite ist: so verwahren Sie
den Eingang dazu mit jedem Morgen besonders. — Die Re=
ligion, mein Orest, hat eine Kraft, die alle Vernunft nicht hat.
Wenn Sie früh die Schrift lesen und es rührt Sie eine Stelle
besonders: so drücken Sie solche in Ihr Gedächtniß, und machen
Sie dieselbe des Tages über zu einer göttlichen Rüstung. Ge=
setzt, Sie läsen in der Geschichte Josephs die Worte:*) Wie
sollte ich ein solch großes Uebel thun, und wider
Gott sündigen! so wenden Sie solche auf sich an: Und ich,
würde ich nicht wirklich dieses Uebel thun, wenn ich meiner
Neigung nachgeben wollte? Gesetzt, Sie läsen die Stelle: So
hoch der Himmel ist über der Erde, so läßt er seine
Gnade walten über die, so ihn fürchten!**) so sagen
Sie zu sich selbst: So lange ich also Gott fürchte, so habe ich
das, was mehr ist, als Himmel und Erde, die Gnade und das
Wohlgefallen des Unendlichen, die ganze Summe der Glückselig=
keit. So lange ich ihn fürchte, darf ich mich vor nichts fürch=
ten; und wer Gott nicht fürchtet, der muß sich vor allem fürch=
ten. — Wohlan denn! Ich will mein Gewissen auch diesen
Tag sorgfältig bewahren. Der Gott der Himmel und der Erden,
der Vater aller Geister, waltet über mir mit seiner Gnade:

> Den majestätischen Gedanken
> Geb ich für alle Welten nicht!

*) 1 Mos 39, 9.
**) Ps. 103, 11.

Vergeſſen Sie nie das vortreffliche Gebet Sirachs: Herr
Gott, Vater und Herr meines Lebens, behüte mich
vor unzüchtigem Geſichte und wende von mir alle
böſen Lüſte. Laß mich nicht in Schlemmen und Un-
keuſchheit gerathen.*)

Halten Sie ſich, wenn Sie Zeit genug dazu gewinnen können, ein Tagebuch über Ihr eigen Herz, und ſtellen Sie wenigſtens Einmal in der Woche eine genaue Prüfung Ihres Verhaltens an. Verſchweigen Sie ſich keinen Fehler, keine unerlaubte Reigung, keine uneblen Gedanken. Bemerken Sie die
Gelegenheiten Ihrer Fehler, die Siege über ſich ſelbſt, Ihre
guten Schritte auf der Bahn der Tugend; und dieſes thun Sie,
nicht als vor meinen Augen, ſondern als vor den Augen des
Allwiſſenden. — Sie werden ſtraucheln, vielleicht, das Gott
nicht wolle! in eine offenbare Ausſchweifung fallen; aber Sie
werden bald mit Reue und Scham, und neuem Muthe, und
größrer Demuth, wieder von Ihrem Falle aufſtehen. — Gott
vergiebt Ihnen unendlich mehr, als ich; aber er vergiebt uns,
damit wir ihn fürchten und ſeine Befehle, als Befehle der Wohlfahrt, halten. Er hat uns die Tugend nicht zur Marter gegeben; nein, zur Ruhe, zur Freude, mein lieber Dreſt. Sie hat
die Verheißung dieſes und des zukünftigen Lebens, und iſt zu
allen Dingen nütze, zum Troſte im Elende, zur Vorſichtigkeit
im Glücke, zur Ruhe im Tode. Seyn Sie beherzt! Erinnern
Sie ſich jeden Tag ihres Lebens der kürzeſten und ſicherſten Sittenlehre: Sey fromm! — und das Uebrige ſtelle der
Vorſehung anheim. Erinnern Sie ſich oft des erhabenen
Ausſpruchs eines Sirachs: Wie groß iſt der, ſo weiſe iſt!
Aber wer Gott fürchtet, über den iſt Niemand.**)

*) Sir. 23, 4. 5. 6.
**) Sir. 25, 13. 14.

Ich liebe Sie bey allen Ihren Fehlern; denn Sie haben ein gutes Herz, Aufrichtigkeit und Wachsamkeit; und Gott sieht das Herz an.

Durch die Hülfe dieser Erziehung, beschließt der junge Orest, durch eine fortgesetzte Beobachtung dieser Lehren, durch eine tägliche Uebung der Andacht, in der ich die Vorstellung und den Glauben der großen Wahrheiten der Religion in mir erwecket und belebet habe, durch eine tägliche Vorbereitung auf die Pflichten des Lebens, durch eine aufrichtige Prüfung am Ende des Tages, bin ich, zwar nicht frey von Schwachheiten und Thorheiten, aber doch, Dank sey Gott, von wissentlichen oder fortgesetzten Lastern, bis an meine männlichen Jahre fortgerückt. Und ich weis es gewiß, ich weis es aus der Erfahrung, der Weg der Tugend, so mühsam er uns oft scheint, oder wird, ist der schönste, den der Mensch betreten kann; und eine hülfreiche unsichtbare Hand leitet und stärkt uns, wenn wir nicht träge stille stehen, nicht verdrossen widerstreben, oder gar zurück treten. Ich weis es aus der Erfahrung, was Einer der vernünftigsten Heiden schon gesaget hat:*) „Ein einziger Tag, an dem man „tugendhaft und weislich gelebt, ist mehr werth, als eine ganze „in Sünden vollbrachte Ewigkeit."

Vierte Regel: Der mächtigste Antrieb zum Guten ist in den göttlichen Eigenschaften enthalten. Suche also immerzu ein lebhaftes und würdiges Bild von den Vollkommenheiten Gottes in deiner Seele zu entwerfen, dir dasselbe gegenwärtig zu erhalten, und es nie ohne Ehrfurcht zu betrachten; auch verbinde täglich dieses Mittel mit dem Gebete.

---

*) Vnus dies bene et ex praeceptis sapientiae actus peccanti im-
. mortalitati anteponendus est.

Wir bedürfen Muth, die Mühe der Tugend zu überwinden, und Kraft, dem Reize des verbotenen Lasters, wenn es uns fesseln will, zu widerstehen. Diesen Muth, diese Kraft, den Gesetzen zu gehorchen, gewähret uns vornehmlich die Betrachtung der Würde und Majestät des Gesetzgebers. O wie mächtig, Theuerste Freunde, ist nicht der Gedanke: Der Allmächtige, der Herr so vieler Millionen Welten und Geister, der Ewige, der Allwissende, Er, der Heilige und Gütige, sieht, bemerket und billiget dich, ist dein Freund, wenn du recht thust, ist dein Beschützer und Belohner! Ohne seinen Beyfall ist kein Glück; ohne Gehorsam gegen ihn keine Ruhe der Seele; er belohnet die Tugend in Ewigkeit; er strafet das Laster in Ewigkeit; und er würde nicht Gott seyn, wenn er zwischen dem Guten und Bösen keinen Unterschied machte. Er ist der Herr der Gesetze; und das Leben verlieren, ist unendlich weniger, als mit Wissen und Vorsatz ein Gesetz Gottes übertreten. —

Gott, den wir mit sterblichen Augen nicht sehen können, hat uns seine Vollkommenheiten in den Werken und Wundern der Natur sinnlich gemacht. Diese Wunder, darunter wir selbst das vornehmste sind, müssen wir oft und aufmerksam betrachten, um das Bild von seiner Macht, Weisheit, Güte und Heiligkeit in unserm Verstande lebhaft und groß zu erhalten. Welches Wunder, welcher Lehrer der Gottheit ist nicht in uns selbst, der Gedanke, und das Vermögen, Andern durch Worte diesen Gedanken mitzutheilen!

Gedanke, kannst du dich ergründen?
Du nur vermagst, dich zu empfinden,
Und siehst dich mit Erstaunen an.
O du, durch den ich will und wähle,
Selbst deine Schöpferinn, die Seele,

Erstaunt, daß sie dich schaffen kann;
Sie weis nicht eh, daß sie dich zeuget,
Bis du durch sie geworden bist.
Gedanke, wenn sonst alles schweiget,
Lehrst du, wie groß die Gottheit ist!

Alles prediget Gott und seine Vorsehung. Unser Verstand
sagt es uns, daß er die Quelle unendlicher Vollkommenheiten
ist, und unser Herz fühlt es, daß Gott Liebe und Heiligkeit ist.
Wir sind daher verbunden, so viel an uns ist, alle Dinge anzu=
wenden, daß wir uns dadurch in der Anbetung und Liebe
Gottes stärken, die Gelegenheiten aufzusuchen, die uns zu sei=
ner Betrachtung führen, und heilsame Lehren und Antriebe dar=
aus herzuleiten, die uns bewegen, das Gute um Gottes willen
zu thun. Unsre guten und bösen Schicksale müssen uns an unsre
Abhängigkeit von Gott und an unser Vertrauen auf ihn erinnern.
Himmel und Erde, Gestirne, Meere, Berge und alles, was
unserm Auge groß ist, muß uns die Größe Gottes zu Gemüthe
führen. Die beständige Erneuerung und Abwechselung der Natur
muß in uns das Bild der Weisheit und Vorsehung Gottes er=
wecken. Und wie oft können uns nicht Speise und Trank, die
wir zu uns nehmen, die Gesundheit, die wir genießen, der gute
Name und die Ehre, die uns folgen; wie oft können uns nicht
auch die Freuden einer tugendhaften Liebe, der Freundschaft und
eines vertrauten Umgangs, zu Vorstellungen der unendlichen
Liebe und Güte Gottes dienen, die unsre Dankbarkeit und Ge=
genliebe erwecken und beseelen, und uns lehren sollen, einem so
gütigen Vater mit allen unsern Kräften zu gehorchen; so gut
zu seyn, wie er ist; und in der besten Ordnung und Ueberein=
stimmung, wie er, seine Gaben anzuwenden, als weise Haus=
halter, die nach der verschiedenen Anwendung der anvertrauten
Güter entweder ewig glücklich oder unglücklich seyn werden.

Indeſſen müſſen wir bekennen, daß es ſchwer, ja unmöglich iſt, die Vorſtellungen des unendlichen Geiſtes unter den irdiſchen Geſchäfften und ſinnlichen Zerſtreuungen dieſes Lebens immer rein und lebendig in unſern Seelen zu erhalten. Die hellſte Vernunft leidet ihre Finſterniſſe, und der beſte Wille erliegt oft unter ſeiner natürlichen Trägheit, wenn der Menſch einen bloß geiſtigen Gegenſtand ſich vorzuſtellen ſuchet. Dennoch bleibt dieſe Vorſtellung, ſie ſey noch ſo ſchwer, wenn ſie anders ein Mittel zur Tugend iſt, unſre beſtändige Pflicht; und wir müſſen dieſes Andenken an Gott nur um beſto öfter erneuern, je leichter es ſich aus unſerm Geiſte zu verlieren pflegt. Dieſe Begriffe müſ-ſen nicht nur lebhaft, ſondern auch Gottes würdig; die höchſten; rein von dem Zuſatze aller menſchlichen Unvollkommenheiten ſeyn wenn ſie auf unſre Tugend mit Nachdruck wirken ſollen. Denn was kann den Geſetzen in den Augen deſſen, der ihnen gehorchen ſoll, mehr Anſehen und Majeſtät verleihen, als die Vorſtellung der Hoheit und Liebenswürdigkeit des Geſetzgebers? Es iſt wahr, die Tugend iſt unſer Glück, unſer höchſter Vortheil; und das Laſter iſt unſre Strafe, unſer höchſtes Elend. Aber nicht alle Tugend belohnet unmittelbar, nicht jedes Laſter beſtrafet unmittelbar. Die Ausübung vieler Tugenden kann auf einige Zeit mit Verluſt und Mühſeligkeit, und die Ausübung vieler Laſter mit einem anſcheinenden Glücke verknüpft ſeyn. Und was wird in dieſer Ausſicht den Menſchen, der ſein Glück keinen Au-genblick miſſen will, und doch oft ſein wahres Glück nicht kennt, was wird ihn, wenn ſeine Pflicht ein irdiſches Glück zum Opfer fordert, und die göttlichen Geſetze ſeinen Neigungen und Wün-ſchen widerſtreiten, in dem Gehorſame gegen dieſe Geſetze ſtär-ken, als das erhabene Bild des Geſetzgebers, der nichts befehlen kann, als was weiſe und gut iſt, wenn unſer Herz auch noch ſo viel dawider einwenden wollte, und wir auch die Urſachen ſeiner Geſetze gar nicht einſehen könnten? Selbſt die Beloh-

nungen und Strafen, die mächtigen Triebfedern eines gehorchenden Herzens, erhalten ihre Kraft von der Vorstellung der Heiligkeit, Güte und Gerechtigkeit des unendlichen Gesetzgebers.
Wie wenig wird den ein noch künftiges ewiges Glück, oder
ein ewiges Elend seines Geistes rühren, der beides nicht in der
unwandelbaren Liebe und Gerechtigkeit des Ewigen begründet
erblickt! Wie unrein und lohnsüchtig wird endlich unser Gehorsam gegen die göttlichen Gesetze bleiben, wenn er nicht durch die
Betrachtung der göttlichen Vollkommenheiten belebt, sondern
bloß von dem Eigennutze gewirket wird! Unsre Tugend wird
Sklavendienst und nicht eine Willigkeit der Seele seyn, welche
Liebe, Ehrfurcht und Dankbarkeit voraus setzet; so wie hinwieder
diese Empfindungen ein lebendiges Erkenntniß Gottes in unserm
Verstande voraus setzen.

Diese Bemühung des denkenden Menschen, den Schöpfer in
dem wundervollen Baue der Welt, in so viel unzähligen Wohlthaten, die aus seiner Hand strömen, in der Regierung so wohl
unsrer besondern als der allgemeinen Schicksale, in der Erhaltung unsers Lebens, in der Einrichtung unsrer Seele, in den
Empfindungen des Gewissens und den Aussprüchen der Vernunft,
zu bemerken und anzubeten; diese Andacht des Herzens, so wie
sie die Pflicht des Vernünftigen und die erhabenste Freude ist, ist
zugleich, wenn wir sie täglich fortsetzen, das stärkste Mittel, uns
in einer willigen Unterwerfung gegen die Gesetze Gottes zu erhalten; und wer Gott nicht denken mag, denkt allezeit bey seiner
Tugend niederträchtig, oder hat vielmehr gar keine Tugend.

Ja, er, zu dessen Licht kein irdisch Auge steigt,
Ließ keinem Sterblichen sein Wesen unbezeugt.
Sieh auf, so siehst du ihn; hör nur, willst du ihn hören,
Im Donner redet er und in der Vögel Chören.
Du magst seyn, wo du willst, ihm kannst du nicht entgehn.

Gellert VI.   9

Wo du bift, ift auch Gott, dein Gott wird vor dir ftehn.
Sein Odem schafft, entseelt, und schafft es dann aufs neue;
Er trägt der Welten Bau, ohn Arbeit, ohne Reue.

Die Religion gebeut das beständige Gebet als ein heil=
sames Mittel zur Tugend; und schon die Vernunft hat Licht
genug, die Vortrefflichkeit dieses Mittels einzusehen, und es
uns anzupreisen.

Diejenigen, die das Gebet geringe schätzen, kennen es un=
streitig nicht. Sich täglich in einer stillen und feyerlichen Stunde
mit dem Verlangen eines ehrerbietigen Herzens zu dem Unend=
lichen nahen, seine Gedanken auf ihn selbst richten, sie von allen
fremden Vorstellungen reinigen, ihn, als die Quelle alles Gu=
ten, um Segen und Gnade anrufen, seine Wohlthaten erkennen
und ihn gerührt dafür preisen; seine Mängel und Schwachheiten
in dem Lichte Gottes und in der Anrede an ihn entdecken und
bekennen, die Vergebung derselben im Glauben suchen und er=
halten; welch Geschäffte kann ehrwürdiger und geschickter seyn,
die Tugend des schwachen Menschen zu beschützen und zu ver=
stärken? Es ist wahr, Gott bedarf unsers Gebetes nicht. Er
ist geneigt, uns glücklich zu machen, ohne daß er erst durch un=
ser Gebet dazu müßte bewegt werden. Er ist stets Gott, ohne
unser Gebet. Aber der Mensch bedarf des Gebets: und seine
Tugend lebt, wenn ich so reden darf, von dem Gebete. Es ist
ein Mittel, in der Weisheit und Tugend zu wachsen; und von
dieser Seite müssen wir hier das Gebet betrachten. Es ist wahr,
wir gewinnen in unsern Seelen durch die Betrachtung der gött=
lichen Eigenschaften schon viel; aber diese Betrachtung bringt
tiefer in unsern Geist, wenn wir das Gebet selbst damit verknüpfen.

Wer kann mit Wahrheit beten, ohne sich und sein Inneres
zugleich zu prüfen? Diese Prüfung ist von derjenigen, die wir
in dem Vorhergehenden angepriesen, der Stärke nach unter=

schieden. Wir gehen bey einer allgemeinen Prüfung gern partheyisch mit uns um, und schmeicheln uns wegen eines geringen Gehorsams oder wegen einzelner guten Thaten mit dem Namen der Tugend. Die Eigenliebe verdeckt oder verkleinert unsre Fehler, wenn wir bloß mit uns selbst zu rechten haben. Aber mit seinem Geiste auf Gott gerichtet, frey von irdischen Vorstellungen und unruhigen Begierden, in einer feyerlichen Anrede an den Unendlichen, der alles weis, der auf unser Herz merkt, der von keinem Scheine geblendet, von keinem leeren Tone bewegt wird; sich so prüfen, dieses muß mehr Aufrichtigkeit bey der Prüfung, mehr Selbsterkenntniß, mehr Reue über seine Fehler wirken. Diese Prüfung stärkt unsre Demuth, und befestiget unsre heilsamen Entschließungen, zu gehorchen. Ist das Gebet also nicht ein Glück für uns?

> Wer sich der Pflicht zu beten schämet,
> Der schämt sich, Gottes Freund zu seyn.

Wer kann mit Wahrheit beten, ohne zugleich das Bild der göttlichen Vollkommenheiten in seinem Geiste zu erneuern? Und wird die Vorstellung seiner Güte, Weisheit, Heiligkeit und Allmacht, die wir in dem Gebete so feyerlich, und einzig mit Gott beschäfftiget, unternehmen, nicht tiefer in unsern Geist eindringen, als das allgemeine Andenken an Gott? Werden diese Betrachtungen, die das Gebet theils voraus setzet, theils zugleich in sich schließt, nicht die Empfindungen der Ehrfurcht und Liebe, der Dankbarkeit und des Vertrauens zu Gott erwecken, beleben und stärken? Und diese Empfindungen, sind sie nicht die höchste Tugend und die Quellen alles Gehorsams? Das Gebet ist also ein Segen für unsre Tugend, und erwärmt, gleich der Sonne, den guten Saamen in unserm Herzen. Wie können wir ferner um die Gnade und Liebe des allmächtigen Vaters bitten, und doch den Vorsatz behalten, das zu unterlassen, was uns dieser

Gnade würdig machen kann? Können endlich Menschen, die vor Gott ihre Unwürdigkeit, ihr Unvermögen, ihre Fehler täglich bekennen, und bereuen, und die Vergebung derselben suchen, sich noch immer vom Stolze beherrschen lassen, noch immer ohne Demuth bleiben, und ohne Liebe gegen die Glieder der Familie des Gottes, den sie als den gemeinschaftlichen Vater und Wohlthäter anbeten?

Der Spitzfindige wende noch so viel wider die Nothwendigkeit des Gebetes ein. Die einfältigste Vernunft erkennet es, durch die Religion aufgeklärt, als ein heilsames und nothwendiges Mittel, zur Tugend zu gelangen, und in derselben zu wachsen. Ja, Theuerste Freunde, so lange wir aufrichtig diese Pflicht ausüben, so lange können wir von unserer Tugend viel Gutes hoffen, und von Gott alles. Je mehr der Ekel gegen das Gebet wächst, desto näher sind wir dem Laster. Wir fühlen uns bereits, und scheuen uns vor den Augen dessen, der das Unrecht verbeut. Wir wünschen heimlich, er möchte uns nicht bemerken, und entziehen uns kindisch seinen Blicken, als sähe er uns nicht, wenn wir uns mit unserm Geiste und Gebete nicht mehr zu ihm nahen. Auch ein halbes Gebet, wenn ich so reden darf, wird selten ein Herz ganz von der Tugend fallen lassen. Ich berufe mich, statt aller Beweise, getrost auf unsere Erfahrung. Welche Tage haben wir am leichtsinnigsten, am eitelsten und strafbarsten, und welche am bedachtsamsten und nützlichsten zugebracht? Diese, da wir früh, oder in andern stillen Augenblicken, an Gott, unsern Schöpfer und Vater, im Gebete mit tiefster Unterwerfung dachten, uns unsere Pflichten lebendig vorstellten, ihm unsern Eifer wörtlich gelobten, ihn zum Zeugen unsrer aufrichtigen Gesinnungen anriefen, um seinen mächtigen Beystand demüthig und zuversichtlich baten? Oder jene, da wir diese Pflicht ganz unterließen?

Ich weis es, Sie kennen diese Regeln der wahren Weisheit vielleicht so gut, als ich; sie liegen alle in dem Gebiete der Vernunft und der Religion vor unsern Augen entdeckt; und sie zu sehen, ist nicht schwer. Aber sie auszuüben, Theuerste Freunde, das ist die höchste Weisheit; und eben zu dieser Ausübung will ich Sie gern ermuntern und leiten, und mich des Vertrauens bedienen und würdig machen, das Sie in mich setzen. Verfahren Sie täglich nach den Regeln, die ich Ihnen itzt und zeither vorgetragen habe, und Sie werden es empfinden, wie heilsam sie in sich sind. Ich kenne die Wenigsten unter Ihnen; und ich sehe Sie vielleicht in wenig Jahren alle nicht mehr, und alsdann wohl niemals in diesem Leben wieder. Aber Sie gehören doch alle mit mir zu der großen Familie Gottes, deren Glück mir werth seyn, und um das ich mich auf alle Art verdient machen soll. Möchte ich doch diese Pflicht in dieser Stunde mit Absicht und Nachdruck erfüllt und der Tugend auch nur Einen frühen Verehrer gewonnen, oder ihr einen näher zugeführt haben; wie glücklich wollte ich mich preisen! Diese einzige That, wäre sie nicht schon eines ganzen Lebens werth? Ja, ich, Theuerste Jünglinge, ich trete menschlichem Ansehen nach bald, und viel eher von dem Schauplatze dieses Lebens ab, als Sie; allein in wenig Jahren (denn was sind dreißig oder funfzig flüchtige Jahre?) vereiniget uns alle die Ewigkeit wieder. Da wird es für uns erwiesen seyn, wie glücklich der ist, der es sich früh gewagt hat, mit Gott tugendhaft zu seyn, oder es zu werden, wenn er es noch nicht war. Da dankt mir vielleicht Einer unter Ihnen, so wie ich dem Freunde danken werde, der mich den Weg der Weisheit geleitet;

Da ruft, o möchte Gott es geben!
Auch mir vielleicht ein Jüngling zu:
Heil sey dir, denn du hast mein Leben,
Die Seele mir gerettet, du!　　　•
O Gott, wie muß das Glück erfreun,
Der Retter einer Seele seyn!

Achte Vorlesung.

Allgemeine Mittel, zur Tugend zu gelangen und sie zu vermehren.

Fünfte Regel.

Je weniger wir, meine Herren, diese Welt, uns selbst und andre Menschen kennen, desto mehr steht unser Verstand in Gefahr, mit Irrthümern und Vorurtheilen erfüllt zu werden, und desto mehr ist unser Herz den Neigungen und Leidenschaften unterworfen, die der Weisheit und Tugend sich widersetzen und uns unvermerkt auf die Bahn des Leichtsinns und des Lasters leiten. Daraus folgt die nothwendige Regel:

Fünfte Regel: Bemühe dich früh, von deinen ersten Jahren an, die Welt, die Menschen und dich selbst kennen und immer genauer kennen zu lernen.

Viele verleben oft, unter immerwährenden Zerstreuungen, die Hälfte ihrer Jahre, ohne mit Ernst daran zu denken, was die Welt ist, und warum sie auf der Welt sind. Aus den Handlungen der meisten, und noch nicht der schlimmsten, Menschen zu urtheilen, müßte man glauben, sie hielten sich deswegen von Gott auf die Erde gesetzet, um ihren Sinnen und ihrer Einbildung zu schmeicheln, oder die Kräfte ihres Geistes und Leibes so anzuwenden, damit sie Bequemlichkeit, Ueberfluß, Ehre, Aemter und Würden erbeuten möchten. Wir kommen selten oder doch spät dahin, daß wir diese Welt und die künftige mit unsern Gedanken als etwas verbundenes betrachten lernten; und wir sollten uns doch, wenn wir weise seyn wollten, von Jugend auf gewöhnen, also zu benken: „Diese Welt ist ein Ort der Vorbereitung, „dieses Leben ist ein Stand der Prüfung, wo wir uns durch Ge-„horsam gegen unsern Schöpfer zu einer künftigen unendlich „herrlichern Welt geschickt machen sollen. So unterschieden die „Menschen hier an Gaben, Ständen, Verrichtungen und Glücks-„gütern sind: so haben sie doch alle Ein Amt, Eine Pflicht, „nämlich nach dem ihnen zugefallenen Loose, ihren Gehorsam „und ihre Liebe gegen die Vorsehung zu üben. Dieses soll der „Hohe und Niedrige, der Reiche und Arme, der Weise und Ein-„fältige, der Gelehrte und der Handwerksmann, der Glückliche „und der Geplagte thun. In diesem Punkte versammeln sich „alle Linien des Zirkels der Welt. Wer in der Pflicht, in die „er gesetzt ist, treu ist, und bey dieser Treue auf die Vorsehung „zurück sieht, der hat ihren Beyfall, ihren Schutz, und in der „künftigen Welt die Belohnung seines Verhaltens zu genießen: „Wer sich dieser Pflicht weigert und den Absichten Gottes wider-„steht, der widersteht seinem eignen gegenwärtigen Glücke, ver-„achtet die göttliche Gnade und eilt ewigen Strafen entgegen.“

Diese Vorstellung von der Welt, wenn wir sie von den ersten Jahren an tief in unsre Seele drückten und zur Grundfeste unserer sittlichen Handlungen machten, würde unsre Tugend in allen Umständen unterstützen helfen. Sie würde uns im Glücke Mäßigung, im Unglücke Gelassenheit, in den höchsten Würden Demuth, in dem niedrigsten Stande Edelmuth, und überall Weisheit lehren, die Hindernisse der Tugend leichter zu überwinden,

Wir bedürfen Muth, die Mühe der Tugend zu überwi
und Kraft, dem Reize des verbotenen Lasters, wenn es
fesseln will, zu widerstehen. Diesen Muth, diese Kraft,
Gesetzen zu gehorchen, gewähret uns vornehmlich die Betr
tung der Würde und Majestät des Gesetzge
O wie mächtig, Theuerste Freunde, ist nicht der Gedanke:
Allmächtige, der Herr so vieler Millionen Welten und G
der Ewige, der Allwissende, Er, der Heilige und Gütige,
bemerket und billiget dich, ist dein Freund, wenn du recht
ist dein Beschützer und Belohner! Ohne seinen Beyfall ist
Glück; ohne Gehorsam gegen ihn keine Ruhe der Seele; e
lohnet die Tugend in Ewigkeit; er strafet das Laster in E
keit; und er würde nicht Gott seyn, wenn er zwischen dem
ten und Bösen keinen Unterschied machte. Er ist der Her
Gesetze; und das Leben verlieren, ist unendlich weniger, al
Wissen und Vorsatz ein Gesetz Gottes übertreten. —

Gott, den wir mit sterblichen Augen nicht sehen können
uns seine Vollkommenheiten in den Werken und Wunder
Natur sinnlich gemacht. Diese Wunder, darunter wir selbst
vornehmste sind, müssen wir oft und aufmerksam betrachten
das Bild von seiner Macht, Weisheit, Güte und Heiligke
unserm Verstande lebhaft und groß zu erhalten. Welches A
ber, welcher Lehrer der Gottheit ist nicht in uns selbst, der
danke, und das Vermögen, Andern durch Worte diesen
danken mitzutheilen!

Gedanke, kannst du dich ergründen?
Du nur vermagst, dich zu empfinden,
Und siehst dich mit Erstaunen an.
O du, durch den ich will und wähle,
Selbst deine Schöpferinn, die Seele,

Erstaunt, daß ſie dich ſchaffen kann;
Sie weiß nicht eh, daß ſie dich zeuget,
Bis du durch ſie geworden biſt.
Gedanke, wenn ſonſt alles ſchweiget,
Lehrſt du, wie groß die Gottheit iſt!

Alles prediget Gott und ſeine Vorſehung. Unſer Verſtand
ſagt es uns, daß er die Quelle unendlicher Vollkommenheiten
iſt, und unſer Herz fühlt es, daß Gott Liebe und Heiligkeit iſt.
Wir ſind daher verbunden, ſo viel an uns iſt, alle Dinge anzuwenden, daß wir uns dadurch in der Anbetung und Liebe
Gottes ſtärken, die Gelegenheiten aufzuſuchen, die uns zu ſeiner Betrachtung führen, und heilſame Lehren und Antriebe daraus herzuleiten, die uns bewegen, das Gute um Gottes willen
zu thun. Unſre guten und böſen Schickſale müſſen uns an unſre
Abhängigkeit von Gott und an unſer Vertrauen auf ihn erinnern.
Himmel und Erde, Geſtirne, Meere, Berge und alles, was
unſerm Auge groß iſt, muß uns die Größe Gottes zu Gemüthe
führen. Die beſtandige Erneuerung und Abwechſelung der Natur
muß in uns das Bild der Weisheit und Vorſehung Gottes erwecken. Und wie oft können uns nicht Speiſe und Trank, die
wir zu uns nehmen, die Geſundheit, die wir genießen, der gute
Name und die Ehre, die uns folgen; wie oft können uns nicht
auch die Freuden einer tugendhaften Liebe, der Freundſchaft und
eines vertrauten Umgangs, zu Vorſtellungen der unendlichen
Liebe und Güte Gottes dienen, die unſre Dankbarkeit und Gegenliebe erwecken und beſeelen, und uns lehren ſollen, einem ſo
gütigen Vater mit allen unſern Kräften zu gehorchen; ſo gut
zu ſeyn, wie er iſt; und in der beſten Ordnung und Ueberein-
ſtimmung, wie er, ſeine Gaben anzuwenden, als weiſe Haushalter, die nach der verſchiedenen Anwendung der anvertrauten
Güter entweder ewig glücklich oder unglücklich ſeyn werden.

Indessen müssen wir bekennen, daß es schwer, ja unmöglich ist, die Vorstellungen des unendlichen Geistes unter den irdischen Geschäfften und sinnlichen Zerstreuungen dieses Lebens immer rein und lebendig in unsern Seelen zu erhalten. Die hellste Vernunft leidet ihre Finsternisse, und der beste Wille erliegt oft unter seiner natürlichen Trägheit, wenn der Mensch einen bloß geistigen Gegenstand sich vorzustellen suchet. Dennoch bleibt diese Vorstellung, sie sey noch so schwer, wenn sie anders ein Mittel zur Tugend ist, unsre beständige Pflicht; und wir müssen dieses Andenken an Gott nur um desto öfter erneuern, je leichter es sich aus unserm Geiste zu verlieren pflegt. Diese Begriffe müssen nicht nur lebhaft, sondern auch Gottes würdig; die höchsten; rein von dem Zusatze aller menschlichen Unvollkommenheiten seyn wenn sie auf unsre Tugend mit Nachdruck wirken sollen. Denn was kann den Gesetzen in den Augen dessen, der ihnen gehorchen soll, mehr Ansehen und Majestät verleihen, als die Vorstellung der Hoheit und Liebenswürdigkeit des Gesetzgebers? Es ist wahr, die Tugend ist unser Glück, unser höchster Vortheil; und das Laster ist unsre Strafe, unser höchstes Elend. Aber nicht alle Tugend belohnet unmittelbar, nicht jedes Laster bestrafet unmittelbar. Die Ausübung vieler Tugenden kann auf einige Zeit mit Verlust und Mühseligkeit, und die Ausübung vieler Laster mit einem anscheinenden Glücke verknüpft seyn. Und was wird in dieser Aussicht den Menschen, der sein Glück keinen Augenblick missen will, und doch oft sein wahres Glück nicht kennt, was wird ihn, wenn seine Pflicht ein irdisches Glück zum Opfer fordert, und die göttlichen Gesetze seinen Neigungen und Wünschen widerstreiten, in dem Gehorsame gegen diese Gesetze stärken, als das erhabene Bild des Gesetzgebers, der nichts befehlen kann, als was weise und gut ist, wenn unser Herz auch noch so viel dawider einwenden wollte, und wir auch die Ursachen seiner Gesetze gar nicht einsehen könnten? Selbst die Beloh-

nungen und Strafen, die mächtigen Triebfedern eines gehorchenden Herzens, erhalten ihre Kraft von der Vorstellung der Heiligkeit, Güte und Gerechtigkeit des unendlichen Gesetzgebers.
Wie wenig wird den ein noch künftiges ewiges Glück, oder
ein ewiges Elend seines Geistes rühren, der beides nicht in der
unwandelbaren Liebe und Gerechtigkeit des Ewigen begründet
erblickt! Wie unrein und lohnsüchtig wird endlich unser Gehorsam gegen die göttlichen Gesetze bleiben, wenn er nicht durch die
Betrachtung der göttlichen Vollkommenheiten belebt, sondern
bloß von dem Eigennutze gewirket wird! Unsre Tugend wird
Sklavendienst und nicht eine Willigkeit der Seele seyn, welche
Liebe, Ehrfurcht und Dankbarkeit voraus setzet; so wie hinwieder
diese Empfindungen ein lebendiges Erkenntniß Gottes in unserm
Verstande voraus setzen.

Diese Bemühung des denkenden Menschen, den Schöpfer in
dem wundervollen Baue der Welt, in so viel unzähligen Wohlthaten, die aus seiner Hand strömen, in der Regierung so wohl
unsrer besondern als der allgemeinen Schicksale, in der Erhaltung unsers Lebens, in der Einrichtung unsrer Seele, in den
Empfindungen des Gewissens und den Aussprüchen der Vernunft,
zu bemerken und anzubeten; diese Andacht des Herzens, so wie
sie die Pflicht des Vernünftigen und die erhabenste Freude ist, ist
zugleich, wenn wir sie täglich fortsetzen, das stärkste Mittel, uns
in einer willigen Unterwerfung gegen die Gesetze Gottes zu erhalten; und wer Gott nicht denken mag, denkt allezeit bey seiner
Tugend niederträchtig, oder hat vielmehr gar keine Tugend.

Ja, er, zu dessen Licht kein irdisch Auge steigt,
Ließ keinem Sterblichen sein Wesen unbezeugt.
Sieh auf, so siehst du ihn; hör nur, willst du ihn hören,
Im Donner redet er und in der Vögel Chören.
Du magst seyn, wo du willst, ihm kannst du nicht entgehn.

Gellert VI.   9

viele Fehler und Gebrechen ihres Körpers zu bedecken und durch
künstlichen Anstrich die bleiche kranke Farbe des Gesichts in eine
frische gesunde zu verwandeln gewußt! Sie wollte also seyn,
was sie nicht war. Sie hintergieng das Auge aus Eitelkeit.
Diese verständige Dame spricht mit ihrer Kammerfrau von einigen Fehlern, die ihr heutiger Anzug gehabt, sehr hitzig; und ich
hätte geglaubt, sie würde sich itzt nach der Aufführung ihrer Kinder erkundigen. Sie überlegt mit ihr, welches Kleid sie morgen
anlegen soll, und fängt an, auf den Antenor giftig zu schmähen
(denn er hat ihr zehn Ducaten im Spiele abgewonnen), den
Klitander hingegen zu bewundern, und ihrem jungen Sohne sein
Genie zu wünschen; denn er hat trefflich getanzet. Ist das die
verständige weise Lesbia? Dorimene, die zufallsweise die oberste
Stelle in der Gesellschaft eingenommen, ist nunmehr in Lesbiens
Munde eine Närrinn, eine Buhlerinn. Lesbia redt endlich spöttisch von ihrem Gemahle, der sie zu bürgerlich liebt; befiehlt,
man soll sie morgen vor zehn Uhr nicht wecken, und den Vormittag keines von ihren Kindern vor sie lassen, weil sie um Ein
Uhr angekleidet seyn müßte. Mitten unter diesen Betrachtungen
eilet sie zur Ruhe, und läßt sich von ihrer Kammerfrau ein
Abendgebet vorlesen, um dabey einschlafen zu können. Das ist
also die würdige Lesbia, die in Gesellschaft ihrem Verstande eine
gewisse feine Richtung, ihrem Herzen eine ihm fremde Güte, und
ihrer Gestalt eine eben so fremde Anmuth zu ertheilen weiß?
Eigentlich hat sie weder Verstand noch Tugend. Sie pranget
mit erborgten Sittensprüchen, und mit Neigungen, die sie ihrem
Herzen eben so, wie die Kleider ihrem Körper, anlegt.

Die Gesellschaft, von der wir gesprochen, ist in dem Hause
eines vornehmen Reichen, eines Reichen von Geschmacke. Der
Jüngling schließt aus seiner Pracht, aus dem Ueberflusse, aus
dem Gefolge, aus der Achtung, die ihm Andre bezeugen, auf sein
Glück, und faßt die Meynung, wer so leben könne, wie Lupin,

sey glücklich. Ist ers wirklich oder scheint er es nur zu seyn? Lassen Sie uns seinen Zustand entwerfen, und sein Bekenntniß hören.

Seht hier den glücklichen Lupin!
Er glänzt und alles glänzt in seinem Haus um ihn.
Er führt mich selbst herum. Mehr kann man nicht erblicken,
Mehr Kunst und mehr Geschmack, ersonnen zum Entzücken.
Hier herrscht Bequemlichkeit, vereint mit kluger Pracht;
Was Künstlern witzig glückt, was Maler ewig macht,
Was feine Wollust heischt, dieß lachte mir entgegen;
Und nichts gebrach an dem, was Menschen wünschen mögen.
Wie glücklich, sieng ich an, wie glücklich sind Sie nicht!
Und eine Röthe stieg Lupinen ins Gesicht.
Was kann man, fuhr ich fort, noch mehr als dieß begehren?
Ich glücklich? sprach Lupin, und schon entwischten Zähren.
Mein Sohn, ein Bösewicht, den ich nicht bessern kann;
Mein Weib, das mich nicht liebt — Ich unglückseliger Mann!
Was hilft mir mein Pallast? Was helfen Millionen?
Würd ich dieß Elend los, in Hütten wollt ich wohnen.

Und gleichwohl, wie oft preisen wir nicht, durch den äußern Glanz geblendet, die Lupine glücklich, und streben nach ihrem Glücke, als nach der größten Zufriedenheit des Lebens! Wie schwer wird es uns, die Tugend im Staube, und das Verdienst in der Hütte zu erkennen und zu schätzen, wenn wir uns gewöhnet haben, beides nur im äußerlichen Schimmer und in dem Ansehen des Standes und der Würden zu suchen! Wie schwer wird es uns, zu glauben, daß man ohne Pracht und Reichthümer und ausgesuchte Bequemlichkeiten, ohne eine herrliche Tafel, ohne Würden, ohne Gefolge und Bewundrer, ohne Palläste, ohne die äußerlichen Merkmale der Verdienste, ruhig und glücklich genug seyn könne! Wie schwer wird uns die Ueber-

zeugung, daß der Reiche oft arm bey seinem Reichthume, und
der Arme reich bey seiner Armuth, daß ein guter Muth, auch
ohne die Tafeln des Ueberflusses, ein tägliches Wohlleben
sey*); daß der Weg der Tugend des Frommen Freude sey,
auch im Staube; und daß der Lasterhafte, umringt mit allem
Glücke der Hoheit, dennoch elend und blöde sey! Wie schwerlich kann man sich überreden, daß ein unbekanntes Leben viel
natürlicher und bequemer sey, als ein großer Ruhm; daß der,
der sich in Aemter und Würden drängt, und nach Gewalt bey
dem Könige ringt, oft nur nach den Ketten der Sklaverey ringt;
„daß, wie Young sagt**), der Neid, und die Eifersucht gegen
„die, die uns glücklich scheinen, eine doppelte Thorheit sey; Thor-
„heit als eine Sünde, Thorheit als ein Irrthum; weil es gar
„keinen Neid auf Erden geben würde, wenn wir wüßten, wie
„wenig andre Menschen besitzen, oder genießen!‟ Wie schwerlich
kann man sich überreden, daß die wahre Größe und Hoheit des
Menschen nicht sichtbar, nicht sinnlich sey, und ganz allein für
das Auge des Verstandes gehöre; daß Weisheit, Güte, Gerechtigkeit und Kenntniß derjenigen Wahrheit, die uns Gott, seine
Vollkommenheiten, seine heiligen Absichten und Wege richtig kennen und verehren lehret, daß die Beförderung der wahren immerwährenden Wohlfahrt vernünftiger Geschöpfe, die Errettung
der Menschen von ihrem Verderben: daß dieses allein große und
wahrhaftig erhabne Gegenstände und Güter der Seele seyn; und
daß alles andre dagegen, aller äußerlicher Glanz klein und nichts
sey, keine Hochachtung verdiene, keine wahre Hoheit geben könne!

Eben dieser Jüngling, von dem wir geredet haben, tritt den
andern Tag von dem Landhause, wo die Gesellschaft gewesen, in

---

*) Sprüche Sal. 15, 15.

**) In seiner Abhandlung von dem wahren Werthe des menschlichen
Lebens.

die Hütte eines Greises, von dem er gehöret, daß er neunzig
Jahr alt und sehr zufrieden sey.

Aber seine Hütte, von den fleißigen Händen seiner alten Hausfrau nur landmäßig geschmückt, welcher Unterschied gegen das
Schloß, das er itzt verlassen! Er redt mit dem Alten und
fragt ihn, was er mache. Ich, spricht er, baue und reinige die
Bäume in dem Garten meines Herrn, so lange mich meine abgelebten Füße halten; außerdem sitze ich gemeiniglich hier auf
meiner Ruhebank, auf der ich schon als Knabe gesessen, und
denke an meinen Tod, und erwarte ihn alle Stunden, und danke
Gott im Himmel, daß er mir in meinem Leben so viel Gutes
erwiesen hat. — Worinne hat denn euer Gutes bestanden, lieber Alter? — Daß ich von Jugend auf gesund gewesen bin,
und bis in mein neunzigstes Jahr habe arbeiten können; daß ich
mein Brodt bis heute gehabt, auch oft eine Erquickung; daß
mich Gott eine fromme Frau hat finden lassen, die friedlich mit
mir zum Grabe und zum Himmel geht, die mich liebt, mich
versorgt und von der ich zwey wohlgerathne Kinder gehabt habe,
die Gott vor etlichen Jahren zu sich genommen. Endlich, lieber
Herr, meine größte Glückseligkeit auf Erden ist diese, daß mich
Gott vor Sünden wider das Gewissen bewahret und mir ein
zufriednes Herz gegeben hat, und die Hoffnung der ewigen Seligkeit. Ich sterbe gern und habe keinen Kummer, als daß meine
alte Gattinn sich zu sehr um mich grämen wird.

Der Greis, denkt der Jüngling, indem er ihm eine Wohlthat
reicht, ist bey aller seiner Niedrigkeit nicht unglücklich. Aber die
kleine Hütte, das töpferne Tischgeräthe, der leinene Rock, von
den Händen seiner Gattinn gesponnen, die Schaale Milch, mit
schwarzem Brodte vermenget, die der Alte isset, das zwar reinliche aber doch einfältige Lager des Alten, sein arbeitsames Leben
bis ins neunzigste Jahr, sein von der Sonne verbranntes Gesicht, seine Hand, von der Arbeit hart, sein zitterndes Haupt,

benehmen dem Glücke und der Tugend des Alten viel von ihrer Würde in des Jünglings Augen. Denn was sind alle diese Gegenstände für die Sinne? Was, so denkt seine Einbildung, ist ein ruhiges Leben ohne Bequemlichkeit, Ueberfluß und feine Lebensart? Gleichwohl ist dieser Greis, der kurz nach seinem Abschiede, in den Armen seiner Hausfrau, ruhig entschläft, eines der glücklichsten, der weisesten Geschöpfe, so bald wir ihn jenseit des Grabes denken.

Wie wenig wir von Jugend auf angeführt werden, uns selbst kennen zu lernen, unsre Schooßneigungen, unsre Schwachheiten und guten Eigenschaften, die Kräfte, die wir zu den Geschäfften des Lebens empfangen haben, den Mißbrauch derselben, dem wir so leicht ausgesetzet sind, die besondre Lebensart, die wir wählen sollen, und die doch einen großen Einfluß in unser Glück oder Unglück haben wird, je nachdem wir verständig oder betrüglich wählen; dieses ist durch die Erfahrung nur zu sehr bestätiget. Und wie wenig wir oft diesen Fehler in den reifern Jahren, wenn unser Verstand schon zu einer unrichtigen Denkungsart verwöhnt, und unser Charakter durch eine fehlerhafte Erziehung und durch einen unbehutsamen Umgang mit der Welt übel gebildet ist, wie wenig wir diesen Fehler alsdann verbessern, oder zu verbessern im Stande sind; möchte doch dieses keine so gewisse Erfahrung seyn!

Die Geschichte, wenn wir sie auf eine weise Art studiren, verkürzet den langen und mühsamen Weg, den Menschen und uns selbst kennen zu lernen. Der Mensch ist in allen Weltaltern, nur unter verschiednen Gestalten, eben derselbe. Seine Neigungen und Gesinnungen lassen sich aus seinen Thaten und Handlungen bestimmen, und diese aus jenen erklären. Aber wie oft erlernen wir die Geschichte nur für das Gedächtniß; höchstens zum Gebrauche des Verstandes und zur Zierde der Beredsamkeit! Wie selten für unser Herz! Wie selten von der Seite, wo sie

der Spiegel der göttlichen Vorsehung und die Auslegerinn alles
dessen ist, was uns die Religion von der Beschaffenheit des mensch=
lichen Herzens lehret!

Wie zuträglich würde es zu dieser Absicht seyn, wenn wir
viel umständliche und mit Einsicht geschriebene Lebensbeschreibun=
gen, nicht allein der Großen, sondern auch der merkwürdigen
Personen des mittlern, und der tugendhaften des niedrigen Stan=
des, lesen könnten! Aber diese Lebensbeschreibungen müßten uns
die Großen nicht bloß auf ihren glänzenden Thronen, nicht bloß
in ihren ersiegten Lorberkränzen; die Staatsmänner nicht bloß
in ihren Cabinettern, wie sie in Berathschlagungen begriffen
sind; die Gelehrten nicht bloß auf ihren Studirstuben zeigen, wie
sie sich den Wissenschaften aufopfern. Sie müßten sie uns auch,
um uns ihren sittlichen Charakter kennen zu lehren, in den An=
gelegenheiten ihres Hauses und Herzens, in dem vertrauten Um=
gange mit ihren Freunden und mit ihrer Familie, in dem Ver=
halten gegen ihre Untergebenen, in den geheimen Rollen, die sie
frey von aller Verstellung im Glücke und Unglücke gespielt, in
den Lieblingsfehlern sehen lassen, die sie bald glücklich, bald un=
glücklich bestritten haben. Wir müßten sie darinnen, ohne red=
nerische Vergrößerungen ihrer guten Eigenschaften, in so aufrich=
tigen Gemälden erblicken, als uns die heilige Schrift von ihren
großen Männern macht, die bey aller ihrer Frömmigkeit immer
noch Menschen sind, unvollkommene und doch im Guten nach=
ahmungswürdige Beyspiele. Solche Nachrichten würden nützlich
seyn, uns die Kenntniß des Menschen erleichtern und uns unser
eigenes Bild in Andern sehen lassen.

Wenn große und rechtschaffene Männer aufrichtige Anekdoten
ihres geheimen Lebens aufsetzten und sie den Händen ihrer Freunde
überließen, aus denen sie zu der Zeit, da es die Klugheit erlaubte,
der Nachwelt mitgetheilet würden; wie lehrreich würden sie nicht
dem denkenden Leser, und wie bemüthigend oft für ihn seyn! —

uns nicht bloß von den Sinnen leiten zu laſſen und unſer Glück mehr in uns ſelbſt zu ſuchen.

Wir lernen gemeiniglich bey unſerm Eintritte in die große Welt die Menſchen in einem ſehr falſchen Lichte kennen. Aus dieſen Vorſtellungen entſpringen mannichfaltige Irrthümer und Blendwerke der Einbildung, welche den betrügeriſchen Begierden, die ſchon in uns da ſind, gleichſam das Leben ertheilen, und uns zu einer thörichten Nachahmung andrer Menſchen verführen.

Wir unterſcheiden ſelten das, was der Menſch wirklich iſt, von dem, was er zu ſeyn ſcheint, und zu ſcheinen ſich bemüht. Was iſt der Menſch von Natur? Sein Verſtand iſt durch Unwiſſenheit und Einfalt verfinſtert, ſein Herz mit böſen Neigungen und einer unmäßigen Selbſtliebe erfüllt; und ſein Körper iſt ein zerbrechliches, ſchwaches und ungeſundes Wohnhaus für ſeine Seele. Und was iſt der größte Theil der Menſchen, auch wenn er durch Zucht und Kunſt verbeſſert worden? Meiſtens eine Vermiſchung von Schwachheit und Stärke, von Weisheit und Thorheit, von Tugend und Laſter, von Ruhe und Unruhe. Bald ſieht der Menſch ſeine Mängel des Geiſtes und Körpers, und verbirgt ſie; bald will er ſie nicht ſehen und beſſer ſcheinen, als er iſt. Eigenliebe, Stolz und Eigennutz ſind die gemeinſten Quellen ſeiner Handlungen, wenigſtens in der ſo genannten großen Welt. Aus ihnen entſpringen ſo wohl die Mittel, die er zu ſeinem Glücke wählet, als die Art, wie er ſie anwendet, und der fehlerhafte Eifer, mit dem er bey dieſer Anwendung verfährt.

Der Menſch will beſſer, reicher, weiſer, vornehmer, als Andre ſeyn, weil er ſich übermäßig liebt. Er will in Andern Achtung und Bewunderung erwecken, weil er ſtolz iſt, weil dieſer Stolz ſeiner Einbildung ſchmeichelt, weil Achtung und Bewunderung ihm Unterwürfige, Dienſtfertige und Sklaven ſeiner Leidenſchaften verſchafft. Was dieſe Abſichten befördert, hält er für Klugheit; und dieſe Klugheit ahmen wir blindlings nach.

Wer weiß nicht, daß das Kleid, der Aufzug, das Gefolge, der Stand, das Geschlecht, die Miene, das Gespräch, die äußere Lebensart, nicht der Mensch, nicht das Selbst des Menschen, nicht seine wahre Würde, und also auch nicht sein wahres Glück ist? Und gleichwohl, wie oft lassen wir uns von diesem Scheine blenden! Wie oft, nicht allein in unsern frühern Jahren, sondern auch wohl noch in den spätern, lassen wir unser Auge, unser Ohr von dem Werthe des Menschen und seines Glücks urtheilen, und täuschen uns mit Träumen der Einbildung, und mit dem Wunsche, unser Glück nach diesen Träumen einzurichten!

Wir treten in eine große Gesellschaft, in eine Gesellschaft der Vornehmen; und was erblicken wir da? Weise, ehrwürdige, tugendhafte, bewundernswürdige und glückliche Geschöpfe, die wir zu seyn wünschen, deren Sitten wir nachahmen, deren Meynungen wir begierig annehmen, ohne sie erst zu untersuchen. Und was würden wir oft sehen, wenn wir nicht nach den Sinnen urtheilten?

Damis, dieser Große, spricht. Alles hört ihn als ein Orakel an. Er redt von den Geschäfften des Staats mit einsichtsvoller Beredsamkeit. Wie angenehm und nachdrücklich ist sein Ton, und wie beredt und edel seine Miene! Alles ist Anstand an ihm. Die Pracht seiner Kleidung erhebt sein Ansehn, und wo er hintritt, folgen ihm Aufwärter und Verehrer. Man bewundert ihn überall; denn auch Kleinigkeiten erhalten einen Werth durch ihn. Dieser Mann beehret mich mit einer günstigen Miene. Welch ein Glück! Er nähert sich mir, um mit mir zu sprechen. Meine Antworten gefallen ihm. Er klopft mich beyfallsvoll auf die Schulter — Ich zittre vor Freuden. Er lobt meine Bescheidenheit öffentlich; er rühmt meine Wissenschaft, verspricht mir seine Gnade, in kurzem seine Freundschaft. O wie glücklich bin ich! und wie ehrwürdig ist dieser Große! — — Betrogner Jüngling!

Wer ist der Große, der dich ehrt?
Sprich! kennt er der Verdienste Werth?
Seh ihn aus seinem hohen Stande;
Vielleicht wird dir sein Beyfall klein;
Vielleicht hältst dus, ihm werth zu seyn,
Nunmehr für eine Schande.

Wie würdest du erschrecken, wenn du diesem Manne in das Innerste seines Herzens folgen könntest! — Trenne das von ihm, was nicht sein ist. Folge ihm in sein Zimmer, wo er sein Ordensband, sein blendendes Kleid, seine bligenden Diamanten ablegt. Ist dieses noch der bewundernswürdige Körper? Vielleicht siehst du einen Leib, durch Laster und Ausschweifungen entkräftet und geschändet. Vielleicht schmückte er sich, um seine Gebrechen zu verbergen.

Folge ihm in seine Seele nach. Höre ihn reden und denken. Ist er der Weise, der Glückliche, der er dir zu seyn schien? Verschlossen in seinem Zimmer spricht er von denen, die er stürzen, und von denen, die er zu seiner Sicherheit erheben will. Seine Staatskunst ist eine arbeitsame List, sich bey dem Regenten beliebt, und sein eigen Glück immer größer und fester zu machen!

Was ist die Weisheit sonst, durch die sein Geist gestiegen?
Nichts als die Wissenschaft, den Fürsten zu vergnügen,
Durch Scenen stolzer Lust ihn glücklich zu zerstreun,
Und, um sich groß zu sehn, des Fürsten Knecht zu seyn.

Ist dieses der weise und vergötterte Minister? Einer seiner Lieblinge kömmt und kündiget ihm ein neues Schlachtopfer der Wollust an. Wie? Dieser gesetzte und ehrwürdige Mann, ist ein Sklave der niederträchtigsten Leidenschaft? Dieser Mann lobte deine Bescheidenheit; und er ist ein Wollüstling? Er lobte deine

Wissenschaft; und das erste Buch, das er itzt ergreift, ist ein unzüchtiger Roman? Was hättest du, nach der Miene und den Reden dieses Mannes zu urtheilen, von ihm gedacht, daß er in seinem Cabinette am Ende des Tages vornehmen würde? Dieser Mann denkt nicht an sich, nicht an seinen Beruf, nicht an seine Pflicht, nicht an Gott. Er thut das Gegentheil. Und wenn er also noch höher, wenn er der größte Monarch wäre, wer ist er? Ein Thor, ein Lasterhafter, der sich durch Kunst in etwas verstellt, das er nicht ist. Elender Damis!

Der Sklave, der den Staub von deinen Füßen kehret,
Ist gegen dich ein Gott, wenn er die Tugend ehret.

In eben dieser Gesellschaft sieht der Jüngling eine Dame, der man den Ruhm der Anmuth, der Tugend und der Lebensart ertheilet. Wie glänzt ihr Anzug, und mehr, als alle ihre Juwelen, ihr belebtes Auge! Alles ist Geschmack in ihrer Kleidung und in ihrem Betragen. Sie scherzt; und man bewundert sie. Man redt einige Augenblicke von ernsthaften Vorfällen, von der Erziehung eines jungen Fräuleins; und diese Dame redt Weisheit, spricht göttliche Sittensprüche, und athmet Verstand. Sie tanzet; und ihre Person gefällt noch mehr. Alles ist frey und groß. Sie spielt, und thut es mit einem Anstande, der dem Spiele das Ansehen einer edlen Beschäfftigung giebt. Welche liebenswürdige Person des schönen Geschlechts, denkt der Jüngling, und preist ihren Gemahl, den sie oft bescheiden anlächelt, glückselig!

Aber diese große Person auf dem Theater der Welt, wer ist sie, entfernt von dem Zwange der Gesellschaft, entkleidet von dem trügenden Schmucke, befreyt von den Fesseln des Standes, und der Begierde zu gefallen; wer ist sie in ihrem Zimmer, bey ihren Kindern, bey ihrem Gemahle, bey ihren Bedienten?

Sie eilt nach Hause. O wie hat sie durch ihren Schmuck so

viele Fehler und Gebrechen ihres Körpers zu bedecken und durch künstlichen Anstrich die bleiche kranke Farbe des Gesichts in eine frische gesunde zu verwandeln gewußt! Sie wollte also seyn, was sie nicht war. Sie hintergieng das Auge aus Eitelkeit. Diese verständige Dame spricht mit ihrer Kammerfrau von einigen Fehlern, die ihr heutiger Anzug gehabt, sehr hitzig; und ich hätte geglaubt, sie würde sich itzt nach der Aufführung ihrer Kinder erkundigen. Sie überlegt mit ihr, welches Kleid sie morgen anlegen soll, und fängt an, auf den Antenor giftig zu schmähen (denn er hat ihr zehn Ducaten im Spiele abgewonnen), den Klitander hingegen zu bewundern, und ihrem jungen Sohne sein Genie zu wünschen; denn er hat trefflich getanzet. Ist das die verständige weise Lesbia? Dorimene, die zufallsweise die oberste Stelle in der Gesellschaft eingenommen, ist nunmehr in Lesbiens Munde eine Närrinn, eine Buhlerinn. Lesbia redt endlich spöttisch von ihrem Gemahle, der sie zu bürgerlich liebt; befiehlt, man soll sie morgen vor zehn Uhr nicht wecken, und den Vormittag keines von ihren Kindern vor sie lassen, weil sie um Ein Uhr angekleidet seyn müßte. Mitten unter diesen Betrachtungen eilet sie zur Ruhe, und läßt sich von ihrer Kammerfrau ein Abendgebet vorlesen, um dabey einschlafen zu können. Das ist also die würdige Lesbia, die in Gesellschaft ihrem Verstande eine gewisse feine Richtung, ihrem Herzen eine ihm fremde Güte, und ihrer Gestalt eine eben so fremde Anmuth zu ertheilen weiß? Eigentlich hat sie weder Verstand noch Tugend. Sie pranget mit erborgten Sittensprüchen, und mit Neigungen, die sie ihrem Herzen eben so, wie die Kleider ihrem Körper, anlegt.

Die Gesellschaft, von der wir gesprochen, ist in dem Hause eines vornehmen Reichen, eines Reichen von Geschmacke. Der Jüngling schließt aus seiner Pracht, aus dem Ueberflusse, aus dem Gefolge, aus der Achtung, die ihm Andre bezeugen, auf sein Glück, und faßt die Meynung, wer so leben könne, wie Lupin, sey glücklich. Ist ers wirklich oder scheint er es nur zu seyn? Lassen Sie uns seinen Zustand entwerfen, und sein Bekenntniß hören.

> Seht hier den glücklichen Lupin!
> Er glänzt und alles glänzt in seinem Haus um ihn.
> Er führt mich selbst herum. Mehr kann man nicht erblicken,
> Mehr Kunst und mehr Geschmack, ersonnen zum Entzücken.
> Hier herrscht Bequemlichkeit, vereint mit kluger Pracht;
> Was Künstlern witzig glückt, was Maler ewig macht,
> Was feine Wollust heischt, dieß lachte mir entgegen;
> Und nichts gebrach an dem, was Menschen wünschen mögen.
> Wie glücklich, fieng ich an, wie glücklich sind Sie nicht!
> Und eine Röthe stieg Lupinen ins Gesicht.
> Was kann man, fuhr ich fort, noch mehr als dieß begehren?
> Ich glücklich? sprach Lupin, und schon entwischten Zähren.
> Mein Sohn, ein Bösewicht, den ich nicht bessern kann;
> Mein Weib, das mich nicht liebt — Ich unglückseliger Mann!
> Was hilft mir mein Pallast? Was helfen Millionen?
> Würd ich dieß Elend los, in Hütten wollt ich wohnen.

Und gleichwohl, wie oft preisen wir nicht, durch den äußern Glanz geblendet, die Lupine glücklich, und streben nach ihrem Glücke, als nach der größten Zufriedenheit des Lebens! Wie schwer wird es uns, die Tugend im Staube, und das Verdienst in der Hütte zu erkennen und zu schätzen, wenn wir uns gewöhnet haben, beides nur im äußerlichen Schimmer und in dem Ansehen des Standes und der Würden zu suchen! Wie schwer wird es uns, zu glauben, daß man ohne Pracht und Reichthümer und ausgesuchte Bequemlichkeiten, ohne eine herrliche Tafel, ohne Würden, ohne Gefolge und Bewundrer, ohne Palläste, ohne die äußerlichen Merkmale der Verdienste, ruhig und glücklich genug seyn könne! Wie schwer wird uns die Ueber=

zeugung, daß der Reiche oft arm bey seinem Reichthume, und
der Arme reich bey seiner Armuth, daß ein g u t e r M u t h, auch
ohne die Tafeln des Ueberflusses, ein t ä g l i c h e s W o h l l e b e n
sey*); daß der Weg der Tugend des Frommen Freude sey,
auch im Staube; und daß der Lasterhafte, umringt mit allem
Glücke der Hoheit, dennoch e l e n d und b l ö d e sey! Wie schwerlich kann man sich überreden, daß ein unbekanntes Leben viel
natürlicher und bequemer sey, als ein großer Ruhm; daß der,
der sich in Aemter und Würden drängt, und nach Gewalt bey
dem Könige ringt, oft nur nach den Ketten der Sklaverey ringt;
„daß, wie Young sagt**), der Neid, und die Eifersucht gegen
„die, die uns glücklich scheinen, eine doppelte Thorheit sey; Thor-
„heit als eine Sünde, Thorheit als ein Irrthum; weil es gar
„keinen Neid auf Erden geben würde, wenn wir wüßten, wie
„wenig andre Menschen besitzen, oder genießen!" Wie schwerlich
kann man sich überreden, daß die wahre Größe und Hoheit des
Menschen nicht sichtbar, nicht sinnlich sey, und ganz allein für
das Auge des Verstandes gehöre; daß Weisheit, Güte, Gerechtigkeit und Kenntniß derjenigen Wahrheit, die uns Gott, seine
Vollkommenheiten, seine heiligen Absichten und Wege richtig kennen und verehren lehret, daß die Beförderung der wahren immerwährenden Wohlfahrt vernünftiger Geschöpfe, die Errettung
der Menschen von ihrem Verderben: daß dieses allein große und
wahrhaftig erhabne Gegenstände und Güter der Seele seyn; und
daß alles andre dagegen, aller äußerlicher Glanz klein und nichts
sey, keine Hochachtung verdiene, keine wahre Hoheit geben könne!

Eben dieser Jüngling, von dem wir geredet haben, tritt den
andern Tag von dem Landhause, wo die Gesellschaft gewesen, in

---

*) Sprüche Sal. 15, 15.

**) In seiner Abhandlung von dem wahren Werthe des menschlichen
Lebens.

die Hütte eines Greises, von dem er gehöret, daß er neunzig Jahr alt und sehr zufrieden sey.

Aber seine Hütte, von den fleißigen Händen seiner alten Hausfrau nur landmäßig geschmückt, welcher Unterschied gegen das Schloß, das er itzt verlassen! Er redt mit dem Alten und fragt ihn, was er mache. Ich, spricht er, baue und reinige die Bäume in dem Garten meines Herrn, so lange mich meine abgelebten Füße halten; außerdem sitze ich gemeiniglich hier auf meiner Ruhebank, auf der ich schon als Knabe gesessen, und denke an meinen Tod, und erwarte ihn alle Stunden, und danke Gott im Himmel, daß er mir in meinem Leben so viel Gutes erwiesen hat. — Worinne hat denn euer Gutes bestanden, lieber Alter? — Daß ich von Jugend auf gesund gewesen bin, und bis in mein neunzigstes Jahr habe arbeiten können; daß ich mein Brodt bis heute gehabt, auch oft eine Erquickung; daß mich Gott eine fromme Frau hat finden lassen, die frieblich mit mir zum Grabe und zum Himmel geht, die mich liebt, mich versorgt und von der ich zwey wohlgerathne Kinder gehabt habe, die Gott vor etlichen Jahren zu sich genommen. Endlich, lieber Herr, meine größte Glückseligkeit auf Erden ist diese, daß mich Gott vor Sünden wider das Gewissen bewahret und mir ein zufriednes Herz gegeben hat, und die Hoffnung der ewigen Seligkeit. Ich sterbe gern und habe keinen Kummer, als daß meine alte Gattinn sich zu sehr um mich grämen wird.

Der Greis, denkt der Jüngling, indem er ihm eine Wohlthat reicht, ist bey aller seiner Niedrigkeit nicht unglücklich. Aber die kleine Hütte, das töpferne Tischgeräthe, der leinene Rock, von den Händen seiner Gattinn gesponnen, die Schaale Milch, mit schwarzem Brodte vermenget, die der Alte isset, das zwar reinliche aber doch einfältige Lager des Alten, sein arbeitsames Leben bis ins neunzigste Jahr, sein von der Sonne verbranntes Gesicht, seine Hand, von der Arbeit hart, sein zitterndes Haupt, benehmen dem Glücke und der Tugend des Alten viel von ihrer Würde in des Jünglings Augen. Denn was sind alle diese Gegenstände für die Sinne? Was, so denkt seine Einbildung, ist ein ruhiges Leben ohne Bequemlichkeit, Ueberfluß und feine Lebensart? Gleichwohl ist dieser Greis, der kurz nach seinem Abschiede, in den Armen seiner Hausfrau, ruhig entschläft, eines der glücklichsten, der weisesten Geschöpfe, so bald wir ihn jenseit des Grabes denken.

Wie wenig wir von Jugend auf angeführt werden, uns selbst kennen zu lernen, unsre Schooßneigungen, unsre Schwachheiten und guten Eigenschaften, die Kräfte, die wir zu den Geschäfften des Lebens empfangen haben, den Mißbrauch derselben, dem wir so leicht ausgesetzet sind, die besondre Lebensart, die wir wählen sollen, und die doch einen großen Einfluß in unser Glück oder Unglück haben wird, je nachdem wir verständig oder betrüglich wählen; dieses ist durch die Erfahrung nur zu sehr bestätiget. Und wie wenig wir oft diesen Fehler in den reifern Jahren, wenn unser Verstand schon zu einer unrichtigen Denkungsart verwöhnt, und unser Charakter durch eine fehlerhafte Erziehung und durch einen unbehutsamen Umgang mit der Welt übel gebildet ist, wie wenig wir diesen Fehler alsdann verbessern, oder zu verbessern im Stande sind; möchte doch dieses keine so gewisse Erfahrung seyn!

Die Geschichte, wenn wir sie auf eine weise Art studiren, verkürzet den langen und mühsamen Weg, den Menschen und uns selbst kennen zu lernen. Der Mensch ist in allen Weltaltern, nur unter verschiednen Gestalten, eben derselbe. Seine Neigungen und Gesinnungen lassen sich aus seinen Thaten und Handlungen bestimmen, und diese aus jenen erklären. Aber wie oft erlernen wir die Geschichte nur für das Gedächtniß; höchstens zum Gebrauche des Verstandes und zur Zierde der Beredsamkeit! Wie selten für unser Herz! Wie selten von der Seite, wo sie der Spiegel der göttlichen Vorsehung und die Auslegerinn alles dessen ist, was uns die Religion von der Beschaffenheit des menschlichen Herzens lehret!

Wie zuträglich würde es zu dieser Absicht seyn, wenn wir viel umständliche und mit Einsicht geschriebene Lebensbeschreibungen, nicht allein der Großen, sondern auch der merkwürdigen Personen des mittlern, und der tugendhaften des niedrigen Standes, lesen könnten! Aber diese Lebensbeschreibungen müßten uns die Großen nicht bloß auf ihren glänzenden Thronen, nicht bloß in ihren erstegten Lorberkränzen; die Staatsmänner nicht bloß in ihren Cabinettern, wie sie in Berathschlagungen begriffen sind; die Gelehrten nicht bloß auf ihren Studirstuben zeigen, wie sie sich den Wissenschaften aufopfern. Sie müßten sie uns auch, um uns ihren sittlichen Charakter kennen zu lehren, in den Angelegenheiten ihres Hauses und Herzens, in dem vertrauten Umgange mit ihren Freunden und mit ihrer Familie, in dem Verhalten gegen ihre Untergebenen, in den geheimen Rollen, die sie frey von aller Verstellung im Glücke und Unglücke gespielt, in den Lieblingsfehlern sehen lassen, die sie bald glücklich, bald unglücklich bestritten haben. Wir müßten sie darinnen, ohne rednerische Vergrößerungen ihrer guten Eigenschaften, in so aufrichtigen Gemälden erblicken, als uns die heilige Schrift von ihren großen Männern macht, die bey aller ihrer Frömmigkeit immer noch Menschen sind, unvollkommene und doch im Guten nachahmungswürdige Beyspiele. Solche Nachrichten würden nützlich seyn, uns die Kenntniß des Menschen erleichtern und uns unser eigenes Bild in Andern sehen lassen.

Wenn große und rechtschaffene Männer aufrichtige Anekdoten ihres geheimen Lebens aufsetzten und sie den Händen ihrer Freunde überließen, aus denen sie zu der Zeit, da es die Klugheit erlaubte, der Nachwelt mitgetheilet würden; wie lehrreich würden sie nicht dem denkenden Leser, und wie bemüthigend oft für ihn seyn! —

Wie glänzend ist Ludwig, der Große, wenn ihn uns die Geschichte von ferne auf dem Throne, in seinen Eroberungen und auf dem Theater königlicher Anstalten zeigt! Wie glücklich scheint er zu seyn! Und doch wie sehr ein Mensch, wie klein, wie unglücklich wird er uns, wenn wir ihn in der Nähe, auf seinem Zimmer, in der Gewalt verstellter Lieblinge, an der Seite unglücklicher Kinder, unter der Last seiner Leidenschaften, in den Fesseln der Wollust, unter den Zurufungen der Schmeichler, unter der Unruhe seiner leeren Stunden, und endlich an der Hand einer Maintenon voller Scham über seine Vergehungen erblicken, und, um den Herrn aller Herren zu seinem Freunde zu machen, ihn, in der falschen Meynung die Religion zu beschützen, gegen ihre aufrichtigsten Bekenner mit einem blutdürstigen Schwerdte wüten sehen! Ihn von der ersten Seite kennen, heißt ihn nur nach einem betrüglichen Scheine kennen; ihn von der andern Seite kennen, muß einen Prinzen Weisheit und Kenntniß seiner selbst lehren. Einen Racine, einen Addison nur als Dichter kennen, ist wenig; ihn als Freund, als Vater, als Clienten, ihn als Jüngling, als Mann bey Hofe, ihn als einen Christen, ihn im Tode kennen, dieses ist Kenntniß für das Herz. Wenn der Jüngling in dem Leben des Addison liest: „Als Addison „die Aerzte und alle Hoffnung des Lebens aufgegeben, ließ er „einen jungen nahen Anverwandten, dem er noch sterbend nützen „wollte, zu sich rufen. Anfangs schwieg der sterbende Addison. „Nach einer bescheidnen und anständigen Pause sagte der Jüng- „ling: Theuerster Herr, Sie haben mich rufen lassen. Ich „glaube und hoffe, daß Sie mir etwas befehlen wollen. Ich „werde Ihre Befehle heilig beobachten. Darauf ergriff Addison „des Jünglings Hand, drückte sie und sprach sanft zu ihm: „Siehe, in welchem Frieden ein Christ sterben kann! „Er sprachs mit Mühe aus und starb bald darauf.“ Wenn ein Jüngling diese Nachricht liest, sollte sie nicht den Wunsch in seinem Herzen erwecken, auch einst so glückselig und lehrreich zu sterben, und täglich so zu leben, damit er einst auf diese Art sterben könne? Lassen Sie diese Erzählung einen tiefen Eindruck auf Ihr Herz machen, theuerste Commilitonen. In diesem Frieden sterben können, das ist die wahre Hoheit des Menschen und Christen, das ist Ruhm und Seligkeit.

Neunte Vorlesung.

Allgemeine Mittel, zur Tugend zu gelangen und sie zu vermehren.

Sechste, siebente und achte Regel.

Die Leidenschaften oder Affecten sind ein mächtiges Hinderniß der Weisheit und Tugend. Sie entstehen von der natürlichen Begierde nach Glückseligkeit. Sie werden durch die Sinne, durch die Einbildungskraft, durch innerliche angenehme Empfindungen, durch falsche Vorstellungen eines moralischen Werths oder Unwerths, den wir mit den Gegenständen verknüpfen, erregt und unterhalten. — Wer kann daraus nicht die Regel ziehen, die uns alle Sittenlehrer anpreisen, (sechste Regel) daß man den Eindrücken der Sinne, den Blendwerken der Einbildungskraft wehren, seine Reizungen, wenn sie an und für sich erlaubt sind, mäßigen, die unerlaubten sogleich zurück halten, und den unrichtigen Vorstellungen, die den Affecten das Leben geben, durch Verstand begegnen muß.

Jeder kennt die übeln Folgen der heftigen Leidenschaften. Er sieht und fühlt, daß sie den Verstand blenden, den Willen zum Sklaven machen, daß sie durch die Befriedigung beynahe unbezwinglich werden, daß sie dem Leben und der Gesundheit, der Ehre, dem gemeinen Wesen und der Glückseligkeit der Andern schaden; und doch bringen es nur Wenige durch diese Bewegungsgründe dahin, sich von ihnen loszureißen. Ein sichrer Beweis, daß unsre Natur ein allgemeines Verderben müße erlitten haben, weil die ordentlichen Mittel, sie zu beßern, so wenig ausrichten.

Die Hauptursachen, warum wir zu heftig begehren oder verabscheuen, sind die Sinnlichkeit, die Gewalt der Einbildungskraft und die Verknüpfung gewisser Nebenbegriffe von Vortrefflichkeit und moralischer Güte, die wir den Gegenständen der Sinne und der Einbildungskraft unvermerkt beylegen.

Die erste dieser Ursachen ist die Sinnlichkeit, oder der starke Eindruck, den die gegenwärtigen Gegenstände auf unsre Empfindung haben. Wir sind in den ersten Jahren unsers Lebens beynahe nichts, als Sinn. So lange unsre Vernunft noch nicht erwacht, vertritt die Empfindung die Stelle der Vernunft; und wenn sich diese regt, hat jene schon bey den Meisten ihre Herrschaft aufgerichtet. In der Minderjährigkeit des Verstandes, da diejenigen, die für unsre Erziehung zu sorgen haben, unsre Begierden bilden und uns gewöhnen sollten, mäßig und richtig zu empfinden, uns vornehmlich solche Gegenstände zeigen sollten, von denen wir einen edlen Eindruck annehmen könnten, werden wir vielmehr den Sinnen und ihrer Gewalt überliefert. Die Beyspiele unterrichten uns stillschweigend, werden die Philosophie unsrer Begierden, und stecken uns mit vielen falschen Begriffen des Vergnügens und Mißvergnügens an. Also verstreichen unsere ersten Jahre. Nunmehr wird es uns schwer, Sachen des Verstandes zu denken, da wir so lange nichts als die Gegenstände der Sinne gedacht und empfunden haben. Wir können unsrer Vernunft schwerlich gebieten, wenn wir ihr gebieten sollten. Wir wissen die Güte unsrer Empfindungen nicht anders zu bestimmen, als nach dem angenehmen oder wibrigen Eindrucke, den die Sinne erreget haben; und angenehme Empfindungen scheinen uns allein gute zu seyn. Alle Begierden wachsen dadurch, daß sie oft befriediget worden; und so wächst die Gewalt der Sinnlichkeit; das Nachdenken wird uns beschwerlich; und wir urtheilen von dem Werthe oder Unwerthe einer Sache nach dem Auge, dem Ohre, dem Gefühle.

Was ist das System unsrer ersten Jahre? Was hält der unausgebildete Jüngling für gut, für edel, für nicht gut, für schädlich? Wie urtheilet er? Nach der Vernunft?

Die traurige Vernunft! Wie könnte die erfreun?
Die Weisheit, die er kennt, ist Lärm und Spiel und Wein.
Wir wollen, jauchzet er, die Zeiten froh gebrauchen;
Und lassen ohne Lust die Geister nicht verrauchen.
Mit Rosen, die der May den Jünglingen erlaubt,
Und Greisen nur versagt, bekränzen wir das Haupt.
Der Alten spotten wir, und spotten ihrer Lehren;
Philosophirten sie, wenn sie so alt nicht wären?

Und wie urtheilet der Mann? Was sind seine Wünsche; und welches sind die Güter, die er für suchenswerth hält, und nach denen er so ängstlich und arbeitsam ringet? Sind es nicht Reichthümer und Bequemlichkeiten, Pracht und Ansehen, Ehre und Würden?

Die Gewalt der Einbildungskraft wird ebenfalls ein großes Hinderniß der Weisheit und Tugend. Unsre angenehmen oder unangenehmen Empfindungen werden in der Einbildungskraft aufbewahret; und so oft uns die Sache oder ein Theil und Umstand derselben einfällt, erneuert auch die Einbildung das dabey genoßne Vergnügen, oder Mißvergnügen. Wir erblicken in der Natur, oder in Gedanken, einen Ort, wo wir Freude oder Verdruß gefühlet; und schon fällt uns beides mit seinen Ursachen und Folgen ein, und das Verlangen darnach, oder die Abneigung, wacht plötzlich in uns auf. Diese Bilder der Einbildungskraft sind gemeiniglich nicht die getreusten; daher sind auch die Empfindungen, welche durch sie erwecket werden, ihnen an Untreue ähnlich. Wir vergrößern in der Einbildung den Reiz eines Gegenstandes, der uns angenehm gerührt hat, und vermindern seine Mängel. Wir vergrößern unvermerkt das Beschwerliche an einer Sache, die uns unangenehm war, und vermindern das Gute, das sie bey sich hatte oder haben konnte. Mit Einem Worte, unsre Einbildungskraft, bestochen von unsern Neigungen, setzet bey ihren Gemälden hinzu und läßt hinweg, gleich einem schmeichlerischen und ungetreuen Maler. — Amynt ist vor einiger Zeit in einer Gesellschaft gewesen, wo man ihn mit Lobsprüchen und Ehrenbezeugungen überhäufet hat. Die Einbildung stellet dem ehrsüchtigen Amynt diese Scene des Vergnügens itzt wieder vor. Sie malet ihm die lächelnden und und ehrerbietigen Mienen seiner Bewundrer, ihr Bestreben, ihm zu gefallen, sichtbar ab; sie läßt den lauten Beyfall in seinen Ohren vom neuen erschallen. Welch Vergnügen giebt ihm nicht diese Vorstellung! Aber ist dieses Bild, mit dem ihn die Einbildung entzücket, und sein Verlangen nach dieser Gesellschaft und nach dem Genusse des Beyfalls wieder anfeuert, denn auch getreu? Nichts weniger. Sie unterdrückt die beschwerlichen Umstände, und vergrößert die angenehmen. Die Gesellschaft hat ihn bewundert, das ist wahr. Aber es ist auch wahr, daß er sich bey dieser Gesellschaft viel Zwang anthun, sich kriechend nach ihren Meynungen und Einfällen richten, und viele falsche Urtheile von den Fehlern oder Verdiensten der Andern anhören mußte. Diese Züge läßt die Einbildung in ihrem Gemälde aus.

Sie zeigt dem Amynt die Lobsprüche als ein freywilliges Geschenk, und läßt hinweg, daß er sich den größten Theil derselben durch ein Gegenlob und durch demüthige Danksagungen erkaufte. Sie zeigt ihm seinen erhaltenen Beyfall, als den billigen Tribut seiner Verdienste, und läßt in der Vorstellung hinweg, was er doch selbst in der Gesellschaft fühlte, daß diese Personen ihre Bewunderung übertrieben, und gewisse Gefälligkeiten von ihm dafür verlangten. Sie zeigt ihm nur die vortheilhafte Seite, und läßt die beschwerlichen Umstände bey diesem genoßnen Glücke, die ermüdenden Complimente, die Länge der gehaltenen Tafel, die übereilten Reden, zu welchen die Ehrsucht den Amynt verleitet, den Stolz, mit dem diese Gesellschaft sein Herz vergiftet, die verlornen Stunden, die er weit vernünftiger hätte anwenden können, alles dieses läßt sie hinweg. Durch dieses ungetreue Bild erwacht in ihm die Begierde nach der Erneuerung des Beyfalls, und der Wunsch nach der vorigen oder jener ähnlichen Gelegenheit. Je öfter diese Vorstellungen in ihm Platz nehmen, je williger er sich ihnen überläßt; desto mehr wächst sein Verlangen nach Beyfall, so daß es bis zur Stufe der Leidenschaft steiget. Diese Zaubereyen der Einbildungskraft, die uns in die Geschäffte so wohl, als in die Einsamkeit folgen, die uns stets mehr sehen lassen, als wir in dem Genusse der Sache antreffen, die uns mehr auf die Stärke des Vergnügens, als auf seine Dauer, aufmerksam machen, die uns nur die vorübereilende Belustigung malen, nicht aber die Empfindungen der Seele, welche auf ein falsches Vergnügen folgten, die uns nur das gegenwärtige Uebel an einer Sache, nicht aber das künftige Gute, nur den Schmerz, sich wegen einer Beleidigung nicht zu rächen, aber nicht die Ehre, die Rache besiegt zu haben, zeigen; diese Blendwerke der Einbildung, sage ich, sind beständige Zuflüsse unordentlicher Begierden. Und eben diese Blendwerke müssen wir durch das Licht des

Verstandes zerstreuen, wenn wir an Weisheit wachsen und nicht wider unser Glück begehren, oder verabscheuen wollen. In der Stunde der heftigen Leidenschaft, sie entstehe nun durch die Einbildung, oder durch einen Gegenstand, der auf unsre Sinne wirket, verliert der Verstand seine Stärke. Die angenehme Empfindung, oder auch die unangenehme, nöthiget ihn, in das Verlangen des Herzens zu willigen. Man muß also dem ersten Gefühle zeitig durch Gründe der Weisheit und Tugend widerstehen, sich aus seiner eigenen Erfahrung, oder aus fremden Beyspielen belehren, wie betrüglich das Urtheil der Sinne und der Einbildungskraft sey. Man muß sich in den Stunden der Ruhe und Freyheit durch Nachdenken und Ueberlegung waffnen, indem man die Gelegenheiten und Gefahren, die uns übereilet haben, oder hätten übereilen können, überdenkt, sich die Gelegenheiten, die uns heute oder morgen begegnen können, vorstellet, und die Weisheit daraus lernet, wie man sich dabei verhalten soll. Nicht weniger muß man den Vorsatz, dieser Weisheit zu gehorchen, oft in sich erwecken und so bald die Gelegenheit sich zeigt, ihn standhaft, so schwer er auch dem Herzen werden mag, ausführen. — Man gewöhne sich daher, gegen alles, was wir nicht geprüft haben, mißtrauisch zu seyn, und so bald wir den Aufruhr der Leidenschaft merken, uns von ihr loszureißen. Der Wein, den ich itzt vor meinen Augen sehe, oder den mir die Einbildungskraft zeigt, erweckt in mir die Vorstellung des angenehmen Gefühls, mit dem er begeistert. Ich schmecke ihn im voraus; aber ich weiß, er ist meiner Gesundheit, oder doch meinem Herzen gefährlich. Er verleitet mich zur Unbedachtsamkeit, zu Ausschweifungen, oder unordentlichen Begierden. Meine Einbildung redt wahr, wenn sie mir sein Vergnügen anpreist; aber mein Verstand sagt mir, daß ich über diesem Vergnügen ein weit größeres verlieren werde. Wem soll ich glauben? Man erinnere sich also, wenn man sich unbedachtsam von einer heftigen Neigung hinreißen lassen, an das größere oder dauerhaftere Gute, das man durch ein flüchtiges Vergnügen der Leidenschaft verloren, an das äußerliche oder innerliche Uebel, welches man sich dadurch zugezogen, daß man der Pflicht ein kurzes Vergnügen nicht aufopfern, oder einen geringern Schmerz dem größern Gute zu Ehren nicht erdulden wollen. — Ein unbändiger Zorn, was hat er dir oder Andern für Verdruß und Unruhen erregt! — Eine Befriedigung der schmeichlerischen Wolluft, mit welchen Vorwürfen hat sie dich und Andre bestraft! Welche Unordnung in deinem Leben und in deinem Herzen, welch Uebel in der Gesellschaft gestiftet, und mit welcher Schande dich vor dem Angesichte deines Schöpfers bedeckt! — Was sind die Folgen einer sinnlichen Trägheit, der du dich überläffest, der beständigen Zerstreuungen in neue Vergnügen, denen du nacheilest, des Müßiggangges, dem du dich ergiebst; sind es nicht Unehre, Mangel, Unzufriedenheit mit dir selbst, und Anweisungen zu neuen Thorheiten und Lastern?

Allein so gewiß es ist, daß die unordentlichen Neigungen und Begierden durch die Blendwerke der Einbildung und durch unrichtige Vorstellungen des Verstandes erhalten und verstärkt werden: so gewiß ist es auch, daß diese Vorstellungen durch jene oft, und vielleicht stets, zuerst erzeugt werden. Ehe noch der Verstand geschickt ist, sich durch falsche Vorstellungen blenden zu lassen, äußern sich die unerlaubten Begierden schon; und gewisse Neigungen der Aeltern pflanzen sich meistens auf das Herz des Kindes fort. So erbt der Zorn, der Geiz, die Rache, die Wollust nicht selten auf die Kinder. Verrathen nicht Thaten zarter Kinder, die noch nicht denken können, bösartige Neigungen? Man kann endlich einen Rachgierigen, Wollüstigen, Geizigen leicht überführen, daß er sich von einem Scheine der Einbildung hintergehen läßt; wird er aber deswegen sich in einen sanftmüthigen, freygebigen und enthaltsamen Mann verwandeln? Und wie lange behauptet diese Ueberzeugung ihre Kraft? Er fällt, ohne zu wissen, woburch, wieber in seine vorigen Fesseln zurück. Also sind nicht bloß unsre falschen Meynungen, sondern oft unsre falschen Begierden zuerst zu bekämpfen, die eben den irrigen Vorstellungen das Leben ertheilen; so wie diese bankbar jene wieder unterstützen.

Die Verknüpfung gewisser Nebenbegriffe von Vortrefflichkeit und von moralischer Güte, oder auch von bem Gegentheile, die wir den sinnlichen und andern Gegenständen der Einbildungskraft beylegen, und zu benen wir theils durch die Erziehung, theils durch den Umgang mit der Welt gelanget sind, diese Verknüpfung, sage ich, ist eine neue Nahrung vieler unrichtigen Begierden und Affecten.

Warum begehren wir Reichthum, Ueberfluß, Ansehen, Pracht, Bequemlichkeit, das Kostbare in Mahlzeiten, Kleidern und andern Dingen so heftig? Warum halten wir sie so sehr für Glück?— Warum halten wir das Gegentheil, einen niebrigen, unbekannten Stand, Armuth und Dürftigkeit, so sehr für Elend? Ist das Erste an und für sich, seiner Natur nach, Glück, oder der Anwendung nach? Ist das Andre an und für sich, seiner Natur nach, Elend, oder nur in der Art, wie wirs ertragen? Wir verknüpfen Begriffe von einem moralischen Werthe oder Unwerthe mit diesen Gegenständen, der ihnen nicht wesentlich ist.

Es ist wahr, Reichthum ist ein treffliches Mittel, viel Gutes auszurichten. Aber brauchen wir ihn zu dieser Absicht? Wünschen wir ihn beswegen so sehr? Wir wünschen ihn mehr aus Eigennutz. Wir gestehen, daß sein Besitz nicht glücklich macht, daß er ungewiß ist, daß er nicht so liebenswürdig ist; aber wir denken zugleich dunkel mit seinem Besitze den rühmlichen

Gebrauch, und erhitzen und rechtfertigen dadurch unsre Begierde nach Reichthümern.

Diese dunkeln Begriffe von moralischer Vortrefflichkeit, oder moralischem Uebel, sind oft die geheimen Triebfedern unsrer heftigen Begierden. Wir sehen, daß die Reichen und Vornehmen mehr geschätzet werden, als die Andern; und so denken wir den Reichthum und den vornehmen Stand, als verknüpft mit moralischer Güte; mit Verdienst, mit Einsicht, mit Lebensart, mit Tugend, mit Hoheit der Seele verknüpft.

Wir ringen nach Ehre; und weil Ehre Verdienst voraus setzet, so denken wir mit der Ehre das Verdienst als verknüpft, das doch selten an ihr zu finden ist. Dieser berühmte Mann hat so viele löbliche Thaten gethan; du willst auch berühmt werden; der Ruhm ist etwas vortreffliches. Aber eigentlich rührt uns nur der Kützel des Ruhms, und nicht seine wahre Würde.

Erast sucht nichts so sehr, als Pracht. Weis Erast nicht, daß die Pracht an und für sich kein Gut ist? Er weis es; aber er benkt die Pracht nicht bloß von der Seite der Bequemlichkeit, oder des Schimmers. Er denkt sie, wie sie Freunde und Bewundrer macht, uns den Ruhm des Geschmacks und der Lebensart erwirbt, den Ruhm des Verstandes; wie die Tafel, an der wir kostbar unsre Gäste speisen, uns den Ruhm zuwege bringt, freygebig und von der großen Welt zu seyn. Anstatt, daß er sich diese Eigenschaften erwerben sollte, will er sie bequem und ohne viel Mühe in seinen Besitz bringen; und in der Pracht erblickt er sie. Diese falschen Begriffe hat er aus dem Umgange angenommen, ohne sie gehörig zu prüfen.

Cotill verbindet mit der Vorstellung von der Schönheit der Person, die er heftig liebt, verschiedene Begriffe von moralischer Güte, die seine Liebe so feurig und in seinen Augen so edel machen. Er benket mit dem Begriffe der Schönheit zugleich, daß die heitre und liebliche Miene auch ein sanftes und leutseliges

Herz voraussetze, daß da mehr Verstand sey, wo Artigkeit und annehmendes Wesen ist, daß der vornehme Stand und das Vermögen seiner Geliebten seine Liebe um so viel rühmlicher und ihn um so viel glücklicher mache; daß Andre aus der Liebe dieser Person auf seinen Geschmack, auf seinen Verstand, auf seinen Vorzug schließen würden.

Neran hält seinen niedern Stand für Elend. Und warum denn? Kann er in diesem Stande kein Gutes thun? Ist sein Haus nicht Welt genug für ihn, die er sich täglich verbinden kann? Hat Niemand Ehre, als wer die Welt mit großen Thaten und einem großen Namen erfüllt? Hat nicht der stille Beyfall der Rechtschaffenen und der wenigen Klugen, der gegründete Beyfall unsers Herzens einen weit größern Werth, als der geräuschvolle, unsichere Beyfall der Welt? Und der Beyfall der Gottheit, ist er nicht der erhabenste Ruhm, nach dem man streben kann? Ist sein Stand Elend in Ansehung der sinnlichen oder andrer Freuden? Kann Neran bey dem mäßigen Genusse der einfältigsten Speisen keine Freuden der Sinne empfinden? Gehört zum Geschmacke bloß die Kostbarkeit? Wird er nicht, wenn er mit seinem Vergnügen hauszuhalten weis, oft mehr Vergnügen haben, als der Vornehmere? Ersetzet nicht die Dauer seines Vergnügens den Grad der Empfindlichkeit, den er zu entbehren scheint? Hat es nicht die Vorsehung so eingerichtet, daß die natürlichen Triebe der Erhaltung leicht und überall befriediget werden können?

Ist das allgemeine Vergnügen, das aus dem Anblicke der Natur und ihrer Betrachtung auf uns einfließt, dem Neran nicht eben so wohl und mehr offen, als den Vornehmern? Muß er die Dinge, darinnen Kunst und Pracht sich zeigen, selbst besitzen, um sich daran zu vergnügen? Macht nicht der tägliche Genuß das Herz gegen solche Reizungen gleichgültig?

Kann Neran die Freuden der Freundschaft und der Liebe, des Wohlthuns und der Dankbarkeit, dieser edelsten und zugleich empfindlichsten Neigungen; kann er die geheimen und erhabnen Freuden der Religion, und ihre so kräftigen Tröstungen nicht fühlen? Muß er deshalb erst in einen hohen Stand rücken?

Neran verknüpft in Gedanken mit einem niedern Stande, mit der Armuth, gewisse moralische Uebel, die Geringschätzung von Andern, den Vorwurf, daß er nicht Verdienste genug habe, den Mangel an Freunden und Gönnern, den Mangel an Gelegenheiten, edle Thaten zu thun. Er glaubt, man würde sein gutes Herz nicht bemerken; und tausend solche Vorstellungen mehr, die gemeiniglich aus einer übertriebenen Selbstliebe entspringen, helfen ihm sich selbst täuschen. Daß Marull von seinem Vermögen einen Waisen kann erziehen lassen, und daß es Andre als einen Beweis seines guten Charakters ansehen, dieses verknüpft er mit dem Begriffe des Reichthums. Aber ist denn der niedrigste Stand dieser edlen Gesinnungen und Thaten nicht auch fähig? Siegmund, der die Pferde des Marull besorgt, ruft ein älternloses Kind, das er täglich auf der Straße sich selbst überlassen, und ohne Erziehung aufwachsen sieht, heimlich in den Stall, und lehrt es lesen und schreiben, und bringt ihm die Grundsätze der Religion bey, und bittet seinen Cameraden um einige Wohlthaten für die Erziehung dieses Kindes. Wer thut mehr Edles, Marull in seinem hohen, oder Siegmund in seinem niedern Stande?

Es ist schwer, diese Verknüpfung der Begriffe, an die wir von Jugend auf gewöhnet werden, und nach denen wir unvermerkt den Werth der Gegenstände zu bestimmen pflegen, auszurotten; und dennoch ist es die Pflicht des Menschen, durch Nachsinnen und durch Versuche des Gegentheils, diese Vorstellungen, die bloß zufällig mit einander verbunden find, von einander zu trennen, wenn wir nicht unrichtig urtheilen, nicht nach einer falschen Einbildung begehren und die Gegenstände nicht mit gebieterischen Leidenschaften erkaufen wollen.

So bald wir nicht richtig und wahr urtheilen; so müssen wir auch unrichtig und falsch begehren und empfinden. Empfinden aber müssen wir, und unser Herz kann nicht müßig seyn. Vergißt es seiner Bestimmung zu eblen und bessern Gegenständen, so müssen sich uneblere seiner bemächtigen. Das Herz liebt, billiget, sucht alsdann, was die Sinne, die Mode, die Beyspiele der großen Welt, die elenden Urtheile derer, denen es gefallen will, billigen. Wie könnten sonst die Jagd, der Tanz, das Reiten und gewisse andere Uebungen des Leibes, gewisse Gebräuche und Ceremonien, die Neigungen der Jugend und des Alters oft ganz an sich ziehen? Wie könnte man es auflösen, daß Vernünftige ihre Würde in der Geschicklichkeit viel zu trinken, in der Kunst sich zu schlagen, in dem Verdienste sich reicher als Andre zu kleiden, suchen könnten; wenn wir nicht mit diesen Dingen in Gedanken einen moralischen Werth verbänden, den sie doch selten haben?

Man lerne also überhaupt ein edles Mißtrauen in seine Urtheile, in seine Vergnügungen, und in das, was man scheut, setzen. Man gebiete seinen Sinnen, widersetze sich den Empfindungen durch die Stärke der Vernunft, und sehe nicht allein auf den Grad, sondern noch mehr auf die Dauer des Vergnügens, oder Mißvergnügens. Man rechne den Werth eines Gutes, oder seinen Unwerth stets so aus, daß man das Vergnügen, so darauf folgt, oder das Elend, das damit verknüpft ist, auch in die Summe bringe. Man bedenke endlich oft, wie ungewiß und unbeständig alle Vergnügen sind, welche von äußerlichen Dingen abhängen; daß wir niemals allen Schmerzen entgehen können, weder denen, die uns insbesondere, noch

denen, die uns in Verbindung mit Andern betreffen, und daß
wir ohne Religion nie ruhig werden.*)

Siebente Regel: Uns in der Ueberzeugung von der
Vortrefflichkeit der Tugend zu stärken, und unser
Vermögen zur Tugend zu vermehren, haben wir

---

*) Mittel, wider die Unordnungen, die von den Affecten herrühren:

I. Wider die Unordnungen im Verstande.
  a) Man muß die Uebereilung vermeiden und nicht mit seinem
     Urtheile zu schnell sein
  b) Man muß bis zur Quelle seiner Auferziehung zurückgehen,
     um die Fehler derselben zu entdecken, und die Vorurtheile, zu
     denen man dadurch verwöhnt worden, desto williger abzulegen,
  c) Man muß sich einen Freund wählen, der verständig genug
     ist, die Wahrheit zu erkennen, und großmüthig genug, sie
     zu sagen.
II. Wider die Unordnungen in den Sinnen.
  a) Man muß sich hüten, daß man die Sache, die den Affect
     erregt, nicht oft wiederhole.
  b) Man muß den Müßiggang fliehen.
  c) Man muß den Sinnen etwas Gewalt anthun.
III. Wider die Unordnungen in der Einbildung.
  a) Man muß der Einbildung gewisse Bilder eindrücken, die
     man zu Hülfe rufen kann, wenn der Affect Bilder in uns
     erweckt, die zum Bösen reizen.
  b) Man suche sich zu dem Ende aus den Wahrheiten der Re-
     ligion diejenigen aus, die uns am geschicktesten zu seyn schei-
     nen, die Herrschaft über die Seele zu behaupten; z. E. man
     denke oft an den Tod, das Gericht, die Ewigkeit, so wohl die
     glückselige als unglückselige, an die Allgegenwart Gottes.
IV. Wider die Unordnungen im Herzen.
  a) Man muß der Unruhe und Unersättlichkeit seines Herzens
     nach neuen Gegenständen dadurch abhelfen, daß man alle
     Creaturen, alles, was wir so übermäßig schätzen, und oft so
     ängstlich wünschen, in die Classe der Eitelkeit setze.
  b) Man muß öfters von den Geschöpfen zu dem Schöpfer hin-
     auf steigen, und sich gewöhnen, überall Gott zu finden.

S. Saurins Predigten, II. Th. IX. Pred.

alle einen sichern Weg, den Weg der innerlichen
Erfahrung und der fortgesetzten Ausübung unsrer
Pflichten; was wird also gewisser seyn, als daß wir diesen
Weg gehen müssen?

Unser Herz hat eine ursprüngliche Empfindung des
Guten und Bösen, des Erlaubten und Unerlaubten, die sichrer ist, als alle Demonstration. Allein wie wir dem Lichte der
Vernunft widerstehen und es verfinstern können: so können wir
auch das innerliche sittliche Gefühl schwächen und zurück halten.
Wie wir auf die Aussprüche der Vernunft merken müssen: so
müssen wir auch auf die Billigung oder Mißbilligung unsers
Herzens, oder Gewissens, merken. Seinen Eingebungen zum
Guten widerstehen, seinen Vorwürfen über das Böse kein Gehör
geben, heißt das Herz gegen das Gute und Böse unempfindlich
und sich des getreusten Rathgebers unwürdig und verlustig machen. Nicht wissen wollen, was in unserm Herzen vorgeht, das
bringt uns endlich dahin, daß wirs nicht wissen können; und an
der Hand der Unachtsamkeit und der Zerstreuung dahin gehen
und das Gefühl des Guten nicht in sich erwecken, das ist eben
so viel als es ersticken und vernichten. Läßt sich der Werth der
Tugend empfinden, und ist diese Empfindung ein kräftiger Antrieb zur Tugend: so ist kein gewisseres Mittel, dieses selige
Gefühl zu verstärken, als daß wir keine Gelegenheit versäumen, unsre Pflicht auszuüben, und des innerlichen Beyfalls uns bewußt werden. Der glückliche Erfolg unsrer Pflicht,
der uns mit uns selbst zufrieden macht, vermehret unsern Geschmack an der Tugend, giebt uns Muth und Lust zu neuen
Unternehmungen, und erwecket zugleich den Ekel am Bösen.
Dadurch wächst das Vermögen, recht zu thun, die Mühe wird
immer leichter, und die Pflicht, die uns mit dem Beyfalle des
Herzens belohnet, angenehmer. Wir erfahren, daß der Weg
der Pflicht der Weg zur Ruhe und eben deswegen ein göttlicher

Gellert VI.   11

Weg sey, und in dieser Ueberzeugung wacht der Vorsatz, ihn ohne Ausnahme zu gehen, immer mit neuen Verstärkungen in unserm Herzen auf. — Eine böse Reigung erstickt, eine Leidenschaft besiegt, eine unerlaubte That unterlassen haben, und dann die Freude über seinen Sieg empfinden, und das Schändliche, das durch allen Reiz des Lasters durchbringt, in seiner Seele fühlen, dieses überzeugt unwiderstehlich, daß die Tugend von Gott sey, und erneuert den Entschluß, sich sträfliche Neigungen weder durch die Einbildung, noch durch die Ausübung, zu erlauben. Das Herz gelanget zu der Stärke, keine unedle Regung zu dulden, weil es fühlet, daß durch diese Dulbung die Neigung zum Laster wächst, und daß Leidenschaften, die wir oft und ohne Widerstand fühlen, eben badurch stärker und durch die Ausübung noch unersättlicher werden. Wenn wir sogleich von den ersten Jahren unsers Lebens an uns aufrichtig bemühten, die Neigung zur Sinnlichkeit und Wolluft, zum Eigennutze, zur Unmäßigkeit, zum Stolze, zum Neide, zur Unwahrheit, zur Härte und Grausamkeit zurück zu halten: wie viel liebenswürbiger würde uns die Tugend werden, wie viel lasterhafte Handlungen unsers künftigen Lebens würden wir badurch verhindern, und wie stark würde die Stimme des Guten in uns reden! Dürfen wir uns verwundern, daß wir in dem männlichen Alter so wenig Neigung zur Tugend fühlen, wenn wir sie in den jüngern Jahren nicht gepflegt, ober sie durch Ausschweifungen gar unterbrückt haben? Dürfen wir uns verwundern, daß uns die Pflichten des Mannes unerträglich werden, wenn wir die Pflichten des Jünglings nicht ausgeübt haben? Nimmt nicht die Liebe zum Guten durch die Unterlassung des Guten ab? Wächst nicht die Neigung zum Bösen durch die Ausübung? Wird nicht die Gewohnheit zum Gesetz der Natur? — Gedenke daher, o Jüngling, an beine Pflichten in beiner Jugend, ehe benn die bösen Tage

kommen, ehe die Kräfte der Seele abnehmen, ehe die Lebhaftig=
keit deines Geistes erlischt, ehe das Herz durch die Gewohnheit
im Bösen hart wird. Was ist schöner, als der gewissenhafte
Jüngling, der den Frühling seines Lebens mit Unschuld
schmücket und die Tugend früh lieben lernet? Seine Wissen=
schaft ist Freude, und seine Kunst Sittsamkeit; denn die
Freude begleitet gern ein Herz, das recht thut. Wie weit wird
er in seinen männlichen Jahren auf der Bahn der Tugend fort=
gerückt, und wie glücklich wird er als Greis seyn, wenn er in
die durchlebten Alter seiner Tage nicht bloß ohne Schauer und
Schrecken, sondern mit Freuden der Seele und mit dem Bey=
falle des ewigen Gesetzgebers zurück blicken kann! Was rührt
uns auf dem Gesichte einer angenehmen Person beider Geschlech=
ter am meisten? Sind es nicht die Empfindungen der Un=
schuld, der Heiterkeit und Güte des Herzens, die sich
in den Mienen abdrücken und uns die verborgene Seele malen?
Wie sehr muß also die Tugend die Seele verschönern, da sie der
Schmuck des Gesichtes ist, und wie sehr muß das Laster die
Seele verunstalten, da seine bösen Züge, in dem Gesichte abge=
drückt, das Auge mit Abscheu erfüllen!

Der falsche Gedanke, der so Viele von ihrer Pflicht entfernet,
als ob die Tugend die Freuden des Lebens aufhübe,
und man aufhören müßte ein Mensch zu seyn, um
tugendhaft zu leben, läßt sich nicht glücklicher widerlegen, als
durch die innerliche Empfindung des Guten, das man standhaft
und fortgesetzt ausübt. Eben so falsch ist die Schamhaftigkeit,
wenn man sich bey seiner Pflicht vor den Vorwürfen seiner Ge=
fährten und vor ihrer Verachtung fürchtet: wenn man bey einer
strengen Tugend sich selbst fraget: „aber was wird die Welt von
„dir denken, wird sie dich nicht für einen Sonderling, für einen
„Milzsüchtigen und Heuchler halten?" Schon oft hat diese trü=
gerische Schamhaftigkeit den Jüngling fehlgeführet, und das

11 *

Herz des Mannes wankend gemacht. Auch sie kann am besten durch das Gegentheil, durch die Empfindung der Würde der Tugend, die wir aus einer langen Erfahrung kennen, zurück gehalten werden. Man kann es empfinden, daß die wahre Ehre im Beyfalle unsers Gewissens, und nicht in den betrüglichen Urtheilen der Andern, bestehe. Man kann, durch eine aufrichtige Beobachtung seiner Pflichten, zur Empfindung der erhabensten Freude und des Trostes gelangen, daß der Allmächtige unser Freund ist; und wird uns dieser Trost nicht Muth zur Beharrlichkeit in der Tugend geben?

Achte Regel: Die Beyspiele haben eine erstaunende Kraft auf unsern Verstand und auf unser Herz; die Vorstellung derselben und der Umgang mit rechtschaffnen Leuten ist daher ein kräftiges Mittel, uns in der Weisheit und Tugend zu befestigen und zu erhalten.

Wir ahmen alle von Natur gern nach und nehmen die Regungen und Gesinnungen derer, die wir hochschätzen, und mit denen wir Umgang pflegen, unvermerkt an; und wie wir von den Stralen der Sonne, in der wir gehen, Farbe und Wärme empfangen, ohne daß wir daran denken: so bildet auch der Umgang, ohne daß wir daran denken, unsern Geschmack und unsre Sitten. Wer mit den Weisen umgehet, wird weise, wer aber der Narren Geselle ist, wird Unglück haben*). Unter allen Versuchungen, die uns von der Tugend ableiten und unvermerkt dem Laster zuführen können, ist die böse Gesellschaft die gefährlichste; und daher ist die Pflicht, uns vor derselben zu hüten und ihr zu entsagen, so groß. Niemand schmeichle sich auch, daß er den wahren Vorsatz habe, gut zu seyn oder zu werden, und sich vor dem Laster zu hüten, der die

*) Sprüche Sal. 13, 20.

Verſuchungen und Gelegenheiten dazu nicht ſorgfältig vermeidet. Sind wir ſchon in ſchlimme Geſellſchaften verwickelt, ſo iſt die Flucht zwar ſehr ſchwer, aber doch iſt ſie unumgänglich noth= wendig. **Wandle den Weg nicht mit ihnen, o Jüngling, wehre deinem Fuße vor ihrem Pfade — denn der Gottloſen Weg iſt dunkel und ſie wiſſen nicht, wo ſie fallen werden***). Hingegen iſt es mehr als wahrſchein= lich, daß wir in guten Geſellſchaften weniger Gelegenheit zu Verſuchungen und öftere zu guten Handlungen finden. Dieſer Vortheil allein genommen, ſollte ſchon ſtark genug ſeyn, uns anzutreiben, daß wir die Geſellſchaft der **Vernünftigen** und **Rechtſchaffnen** ſuchten, und uns auf alle Art beſtrebten, ihrer Gewogenheit würdig zu werden.

In dieſe Claſſe gehört inſonderheit der rechtſchaffne und tu= gendhafte Freund, der uns an gegenſeitiger Liebe und an Jahren gleicht. Welcher Vortheil, an ſeiner Hand mit Liebe geleitet, durch ſein Beyſpiel ermuntert, durch ſeinen Beyfall belohnet, durch ſeinen Rath unterſtützet, durch ſeine Bitten, oft durch ſeinen Blick gewarnet und geſtärkt, auf der Bahn des Guten fortſchreiten zu können! Einen **weiſen** und **frommen** Freund finden, iſt ein unſchätzbares Glück, eine der größten Wohlthaten, die uns die Vorſehung auf der Welt erzeigt, einen ſolchen Freund aber ſuchen, iſt eine der größten Pflichten; und ihn ſchätzen und und nachahmen, der einzige wahre Dank, wodurch wir uns eines ſolchen Glückes würdig machen können.

Sich endlich überhaupt die guten Beyſpiele ſeiner oder der verfloßnen Zeiten vorſtellen, ſie ſtudiren und durch ſie zu gleichem Eifer im Guten ſich bilden; ſich an die Beyſpiele derer oft er= innern, die durch das Laſter ſich ſichtbar beſtrafet, und an ihrem Unglücke das Elend des Laſters erkennen und fühlen lernen; wer

---

*) Sprüche Sal. 1, 15. 4, 19.

kennet dieses Mittel der Weisheit nicht, und wer kann es nicht
ausüben? Jeder Stand, jedes Alter, jedes Geschlecht, hat seine
Beyspiele der Tugend, und nur gar zu gewiß auch seine fürchterlichen Beyspiele, die uns sagen, was wir nicht seyn sollen.
Diese Beyspiele sich zu Nutze zu machen, ist, wie allezeit, so
vornehmlich in unsern jüngern Jahren, ein Glück für unsre
Sitten und der größte Lobspruch unsers Charakters. Plinius
rühmt in einem seiner Briefe*) von dieser Seite her einen
gewissen Jüngling, Junius Avitus, der ihm durch den Tod
entrissen worden. „Seine größte Klugheit (spricht er, nach-
„dem er zuvor seinen Verlust beklagt hat) bestund darinn,
„daß er Andre für klüger als sich selbst hielt; und seine größte
„Gelehrsamkeit darinnen, daß er von Andern lernen wollte.
„Immer fragte er etwas, das entweder die Wissenschaften oder
„die Pflichten des Lebens betraf. So kehrte er stets durch das,
„was er gehört, oder gefragt hatte, gebesserter zurück." —
Dieses Gemälde, von der Hand eines großen Gelehrten und
gesitteten Staatsmannes, kann Ihnen, meine Herren, nicht
gleichgültig seyn. Und wenn es erlaubt wäre, das öffentlich
zu sagen, was man in einem vertrauten Briefe ohne Fehler
sagen darf: so würde ich ein großes Theil dieses Lobes auf
einen ruhmvollen jungen Avitus anwenden, den ich unlängst,
und in dem vielleicht viele von Ihnen einen trefflichen Freund verloren, auf einen B r a w e. Sein Andenken beschließt diese Stunde.

*) Omnia mihi studia, omnes curas, omnia avocamenta exemit,
excussit, eripuit dolor, quem ex morte Junii Aviti gra-
vissimum cepi — cujus haec praecipua prudentia, quod
alios prudentiores arbitrabatur; haec praecipua eruditio, quod
discere volebat. Semper ille aut de studiis aliquid, aut de
officiis vitae consulebat. Semper ita recedebat, ut melior factus; et erat factus, vel eo, quod audierat, vel quod omnino
quaesierat. *Plin.* Ep. Lib. VIII. ep. 23.

Die Charaktere des la Brüyere; sie sind beynahe ein Jahrhundert in dem Besitze des Beyfalls. — Auch des Abt *Trublet* Essais de Litterature et de Morale sind wegen verschiedener kleiner moralischer Auffätze noch lesenswerth.

Die Maximen des Herrn von Rochefoucault und der Marquisinn be la Sable. So sinnreich die ersten sind, so würden sie doch nützlicher seyn, wenn der Witz des Verfassers weniger arbeitete, die menschliche Tugend bloß zu Ehrgeiz und Eigennutz zu erniedrigen. Die Madame be la Sable benkt wahrer, wenn sie auch nicht so sinnreich benkt, als ein Rochefoucault.

Die Bestimmung des Menschen von dem Herrn Probst Spalding; — eine kleine Theorie der Moral, schön durch die Einfalt des Plans und die Lebhaftigkeit des Vortrags; eine Moral der Vernunft, die aber oft aus der Moral der Religion geschöpft hat.

Rabeners Satyren, insonderheit der erste, zweyte und vierte Theil. Der Charakter dieses Mannes verdienet eben so viel Hochachtung als sein Genie. Lernen Sie an seinem Beyspiele, daß man ein Originalautor und doch zugleich für die Geschäffte des Vaterlandes der arbeitsamste und brauchbarste Mann seyn kann.

Thomas Abbt vom Verdienste. (Berlin, 1765. 8.) Dieses Werk ist mit Scharfsinn, Beredsamkeit, Freymüthigkeit und mannichfaltiger Belesenheit geschrieben; es unterrichtet und vergnügt. Auch da, wo wir die Meinungen des Autors nicht annehmen mögen, gefällt er doch durch die Art, mit der er sie gesagt hat, die nicht selten originalmäßig ist. — Montesquieu scheint zu sehr sein Held zu seyn; hingegen weis er den Rousseau mit seinem Emile glücklich zu bemüthigen. Kurz, es sind scharfsinnige Betrachtungen über den Werth der Verdienste des vernünftigen Menschen und Bürgers. Ich wünschte, daß er dieses Verdienst mehr und öfter in dem Lichte der Religion betrach-

Tugend zu finden, von dem diese Werke oft zeugen; der Fleiß, die Beredsamkeit und die natürliche Güte des Herzens, womit sie oft geschrieben sind, verdienen und belohnen die Aufmerksamkeit der Leser. Aber mitten unter den Bemühungen, uns weise und tugendhaft zu machen, können sie uns statt der Tugend leicht einen Stolz einflößen, der sich bloß mit dem Scheine der Tugend schmücket. Dieses gilt besonders von der stoischen Sittenlehre. Ihre prächtigen Sittensprüche blähen das kranke Herz auf, schmeicheln ihm mit einer Stärke, die es nicht hat, und überlassen es seiner natürlichen Ohnmacht.

. Wir haben aus unsern Zeiten viel treffliche Sittenschriften, wo sich das Licht der Religion mit dem Lichte der Vernunft vereiniget, oder worinne die durch die Religion aufgeklärte Vernunft unterrichtet und rühret. Ich will einige derselben erwähnen, nicht als ob ich glaubte, sie wären Ihnen ganz unbekannt, sondern um Ihre Achtung für diese Werke durch meinen Beytritt zu bestärken, und Ihnen eine kleine und nicht kostbare moralische Bibliothek zu entwerfen und zu empfehlen.

Mosheims Sittenlehre — nach meiner Empfindung ein sehr schätzbares Werk; bey der Weisheit der Religion, zugleich voll gründlicher Weisheit der Vernunft und voll trefflicher Abhandlungen aus dem Reiche der Wissenschaften; und neben der Kenntniß des menschlichen Herzens, die darinnen herrschet, zugleich voll Beredsamkeit, die den Leser vergessen läßt, daß er fünf starke Bände liest, und ihn am Ende fast unzufrieden macht, daß ihrer nicht mehr sind; ein Werk des Genies und der Gelehrsamkeit, das Werk eines Mannes, der die Ehre unsers Jahrhunderts war, und den Jahrhunderte noch nützen und bewundern werden, von dessen Namen vielleicht unsre Nachkommen, wenn sie das Zeitalter des guten Geschmacks in der deutschen Beredsamkeit bestimmen wollen, es das Mosheimische nennen werden; so wie man die schönste Periode der griechischen Philosophie die

Sokratische zu nennen pflegt. Ich ermuntre insonderheit diejenigen von Ihnen, die sich der Kanzel widmen, die Moral dieses Mannes achtsam zu lesen und sich auch wohl Auszüge daraus zu machen. Ja ich bitte Sie inständig, es künftig in ihren Aemtern noch zu thun, und mit seinen Einsichten, seiner Gelehrsamkeit, seinen gründlichen Schriftforschungen, seiner Kenntniß des Menschen und seiner Beredsamkeit und Anmuth Ihre Einsicht und Beredsamkeit zu nähren. Der selige Gesner nennt dieses Werk mit Recht einen Schatz für geistliche Redner. Wer es mit desto größerm Nutzen lesen will, der mache sich zuerst den summarischen Auszug des Herrn Doctor Millers wohl bekannt.

Baumgartens und Crusius Sittenlehre — obgleich beide Werke nur in der Sprache der Katheder, die oft noch mündliche Erläuterungen voraussetzet, abgefaßt sind, und nicht eigentlich in unser Verzeichniß gehören: so haben sie doch zu viele Verdienste der Gründlichkeit, Vollständigkeit und der Güte des Herzens, als daß ich sie unempfohlen übergehen könnte. Sie werden insonderheit denen nützen, die Andre wieder von den Pflichten der Vernunft und Religion unterrichten wollen.

Hutchesons und Fordyce Sittenlehre der Vernunft. Diese beiden Engländer erklären und vertheidigen die Rechte der Tugend, die Anforderungen des Gewissens und der Vernunft, in einer sehr faßlichen Methode. Sie führen überall den Menschen zur Liebe der allgemeinen Vollkommenheit und zur Anbetung und Liebe Gottes, als zu seinem höchsten Gesetze und zu seinem angemeßnen Glücke, zurück. Ihr Eigenthümliches besteht vornehmlich darinnen, daß sie nicht so wohl die Pflicht und das Herz der Menschen aus Grundsätzen, als vielmehr seine Pflicht und Tugend aus den Grundlinien des Herzens, aus seinen moralischen Empfindungen des Guten und Bösen, zu erklären und gleich den Naturforschern aus Beobachtungen und Erfahrungen das sittliche System aufzurichten suchen. Aber beide,

insonderheit der erste, bauen in ihrer Sittenlehre wohl zu sehr
auf den moralischen Geschmack (Sens morale), den Shaftsbury
zuerst durch seine Schriften bey den Engländern in Aufnahme
gebracht. Fordyce ist Hutchesons Schüler gewesen, und sein
Werk scheint der Kürze wegen einen Vorzug vor dem Werke des
Lehrers zu haben. Hutcheson hat auch eine kleine Moral lateinisch geschrieben, die ich seinem größern Werke vorzuziehen geneigt wäre.

Richard Lucas sicherer Weg zur wahren Glückseligkeit — aus dem Englischen übersetzt, drey Theile; ein lehrreiches Werk, das eher zu ausführlich als zu unvollständig ist.

Basedows, Professors zu Altona, praktische Philosophie für alle Stände; ein nützliches und wo nicht für
Gelehrte, doch für wißbegierige Leser, in den meisten Capitela
sehr brauchbares Buch. Er unterrichtet die Welt von ihren
Pflichten eben so leicht, als gründlich, und weis durch die Mannichfaltigkeit und Wichtigkeit der Materien, durch Reichthum
und Kürze, durch einen populären Vortrag auch der tiefsinnigern
Gründe, durch eine nachdrückliche Schreibart und durch einen
überall hervor leuchtenden Eifer für Wahrheit und Tugend, für
Pflicht und Religion, für das Beste der Welt, die Aufmerksamkeit des Lesers zu gewinnen und zu erhalten. Der Hofmann,
der Kaufmann und Bürger, und selbst das andre Geschlecht,
können vieles aus diesem Werke nützen. Er denkt oft aus sich
selbst, oft neu, zuweilen zu kühn; aber er schämt sich auch nicht,
der Schüler eines Pufendorf, Baumgarten, Mosheim,
Crusius, Hutcheson und Montesquieu zu seyn. Vielleicht hätte er sich in der Ordnung der Materien dem Systeme,
ohne ängstlich zu werden, mehr nähern, die meisten Charaktere
aus dem Toussaint entbehren, die Schreibart hin und wieder
verschönern und einige harte Sätze unterdrücken können. Und
wie sehr würde er sich das deutsche Publicum verbindlich gemacht

Hallers und Hageborns Lehrgedichte gehören vor=
züglich in unsre Bibliothek; auch

Racinens Gedichte von der Religion.

Zu dieser Classe zähle ich ferner die guten prosaischen Ge=
dichte, besonders die Clarissa und den Grandison. Aber
wie? Romane von dem philosophischen Katheder anzupreisen?
Ja, wenn es Werke eines Richardsons sind, so halte ich ihre
Empfehlung für Pflicht. Doch die schrecklichen Charaktere in
der Clarissa, können sie nicht das Herz der Jugend verderben?
Das kömmt auf uns an, die wir lesen. Eigentlich sind sie ein=
gerichtet, uns einen Abscheu vor dem Laster zu erwecken, und sie
haben ihr Gegengift bey sich. Ich verweise Sie auf die Kritik
und den Lobspruch des Herrn von Haller über dieses Buch, die
Sie in seinen kleinen Schriften finden, und die vielleicht in ganz
Deutschland unter den großen Gelehrten nur ein Haller hat ver=
fertigen können. Es giebt leere und freye Stunden, in denen
wir diese Werke ohne Vorwurf und mit vielem Nutzen lesen kön=
nen. Ich habe ehedem über den siebenten Theil der Clarissa
und den fünften des Grandisons mit einer Art von süßer Weh=
muth einige der merkwürdigsten Stunden für mein Herz verwei=
net; dafür danke ich dir noch itzt, Richardson!

Eine vorzügliche Stelle in unsrer kleinen Bibliothek verdienen
auch die heiligen Reden eines Tillotson, ·Delany,
Saurin, Mosheim, Jerusalem, Crusius, Cramer,
Schlegel, Gisecke, Spalding, und andrer geistreichen Män=
ner; Reden, denen wir ja wohl eine Stunde von dem Tage
schenken können, der insbesondre den Uebungen der Religion ge=
widmet werden soll.

Für die niedre Welt, welche kurz und doch nachdrücklich
und sinnlich von ihren Pflichten unterrichtet seyn will, ist unter
den moralischen Büchern wohl kaum ein schöneres, als die Sit=
tenlehre des Sirachs. — —

Die ganze Pflicht des Menschen — Dieses Werk
eines unbekannten Engländers, das von seiner Nation mit unglaublichem Beyfalle aufgenommen und in die meisten europäischen Sprachen übersetzet worden, ist besonders zum Unterrichte
der Einfältigen geschrieben; und solcher giebt es im hohen
Stande so wohl, als im niedrigen, und im Alter der höhern
Jahre so wohl, als im Alter der Jugend. Der Verfasser beschreibt die Pflichten der Religion gegen Gott, gegen uns selbst
und den Nächsten, nebst den Mitteln, die ihre Ausübung erleichtern, und sein Werk ist in der That ein treffliches Hausbuch, womit Hausväter und Hausmütter ihre Untergebenen versorgen sollten.

Endlich, theuerste Commilitonen, lassen Sie sich weit über
alle andre Bücher, den Schatz aller Wahrheit und Erkenntniß,
die uns allein weise, tugendhaft und glücklich machen kann, die
Quelle der wahren Beruhigung und des höchsten Trostes im Leben und im Tode, den Schatz der heiligen Bücher der Schrift
empfohlen seyn. Studiren Sie die Wahrheiten derselben mit
aller Achtsamkeit des Verstandes, mit aller Willigkeit und Demuth des Herzens, mit sorgfältiger Anwendung der Hülfsmittel,
die uns die Einsicht in die Offenbarung erleichtern können, mit
Gebet zu Gott um Erleuchtung und Gehorsam gegen die erkannte
Wahrheit. Lernen Sie die Offenbarung als die größte Wohlthat, die Gott dem menschlichen Geschlechte von der Schöpfung
der Welt an erwiesen hat, mit tiefster Ehrfurcht und Anbetung
aufs dankbarste erkennen. Was das natürliche Licht der Sonne
dem Auge des Leibes ist (und wie elend würde nicht der Aufenthalt auf Erden ohne die Sonne seyn!) das ist sie, die Offenbarung der Schrift, dem Auge des Geistes. In welcher heidnischen
Finsterniß des Irrthums und Aberglaubens würden wir nicht,
bey allen Bemühungen der Vernunft, ohne das Licht der Schrift
geblieben seyn! Ich habe mir angelegen seyn lassen, das Beste
zu lesen, was die klügsten und vernünftigsten unter den alten

Weisen von Gott, Religion und Tugend, von den Mitteln zur
Ruhe und Zufriedenheit und dem höchsten Gute des Menschen
gelehret haben; und ich bezeuge Ihnen auf mein Gewissen, daß
alle ihre Weisheit, gegen den Unterricht der Offenbarung gehalten, Schatten und Ungewißheit, höchstens ein dunkler Schimmer,
öfters aber so gar Finsterniß, Thorheit, Aberglaube und Unsinn
ist. Was die gereinigte Weltweisheit unsrer Tage in diesen
Lehrstücken richtiger und anständiger vorträgt, das hat sie alles
der Lehre der Schrift zu danken. Wer waren aber die Alten,
die so fruchtlos und unglücklich ganze Jahrhunderte an der Erforschung der Wahrheit und Weisheit zur Tugend gearbeitet haben? Waren es nicht die tiefsinnigsten und gelehrtesten Männer
unter den beiden heidnischen Völkern, bey denen die Wissenschaften am meisten getrieben und verehret wurden? Und wer waren
die Verfasser der Bücher der Schrift? Waren es nicht Männer,
die in den menschlichen Wissenschaften ganz ungeübt und meistens
bey einer niedrigen Lebensart, unter einem ungelehrten und ver-
achteten Volke, bey dem Hirtenstabe und Fischnetze erzogen waren? Nun lehrten gleichwohl ihre Schriften die Erkenntniß eines
Einigen Gottes, Weisheit und Tugend, unendlich reiner und
vollkommener, als jene Werke der Weltweisen. Sollten also die
Bücher der Schrift nicht einen göttlichen Ursprung haben, und
sollte es nicht der schändlichste Undank und die größte Versündi-
gung seyn, sie geringe zu schätzen? Lassen Sie mich ein aufrichtiges Geständniß ablegen, theuerste Freunde. Ich habe funfzig
Jahre gelebt, und mannichfaltige Freuden des Lebens genossen. Keine sind dauerhafter, unschuldiger, und glückseliger für
mich gewesen, als die mein Herz, von den sanften Fesseln der
Religion eingeschränkt, nach ihrem Rathe gesucht und genossen
hat; dieses bezeuge ich auf mein Gewissen. Ich habe funfzig Jahre gelebt, und mannichfaltige Mühseligkeiten des
Lebens erduldet; und nirgends mehr Licht in Finsternissen, mehr

Stärke, mehr Trost und Muth in den Leiden gefunden, als bey der Quelle der Religion; dieses bezeuge ich auf mein Gewissen. Ich habe funfzig Jahre gelebt, und bin mehr als einmal an den Pforten des Todes gewesen; und habe es erfahren, daß nichts, nichts ohne Ausnahme, als die göttliche Kraft der Religion die Schrecken des Todes besiegen hilft; daß nichts, als der heilige Glaube an unsern Heiland und Erlöser, den bangen Geist bey dem entscheidenden Schritte in die Ewigkeit stärken und das Gewissen, das uns anklagt, stillen kann; dieses bezeuge ich, als vor Gott. Gilt das Ansehen eines Freundes und Lehrers bey Ihnen: o so lassen Sie das meinige zu der Zeit bey sich gelten, wenn Ihnen der stolze Vernünftler die Lehren der Schrift geringschätig machen, und der verschlagene Freygeist Ihnen Ihren heiligen Glauben entreißen will. Nie müsse denn unter dir, Volk christlicher Jünglinge, ein Verächter oder Spötter des besten aller Bücher erfunden werden!

Verehre stets die Schrift. Sie ist dein Glück auf Erden,
Und wird, so wahr Gott ist, dein Glück im Himmel werden.
Verachte christlich groß des Bibelfeindes Spott;
Die Lehre, die er schmäht, bleibt doch das Wort aus Gott.

Dritte Abtheilung,

von den vornehmsten Pflichten des Menschen.

Die Charaktere des la Brüyere; sie sind beynahe ein Jahrhundert in dem Besitze des Beyfalls. — Auch des Abt *Trublet* Essais de Litterature et de Morale sind wegen verschiedener kleiner moralischer Aufsätze noch lesenswerth.

Die Marimen des Herrn von Rochefoucault und der Marquisinn be la Sable. So sinnreich die ersten sind, so würden sie doch nützlicher seyn, wenn der Witz des Verfassers weniger arbeitete, die menschliche Tugend bloß zu Ehrgeiz und Eigennutz zu erniedrigen. Die Madame be la Sable benkt wahrer, wenn sie auch nicht so sinnreich benkt, als ein Rochefoucault.

Die Bestimmung des Menschen von dem Herrn Probst Spalding; — eine kleine Theorie der Moral, schön durch die Einfalt des Plans und die Lebhaftigkeit des Vortrags; eine Moral der Vernunft, die aber oft aus der Moral der Religion geschöpft hat.

Rabeners Satyren, insonderheit der erste, zweyte und vierte Theil. Der Charakter dieses Mannes verdienet eben so viel Hochachtung als sein Genie. Lernen Sie an seinem Beyspiele, baß man ein Originalautor und boch zugleich für die Geschäffte des Vaterlandes der arbeitsamste und brauchbarste Mann seyn kann.

Thomas Abbt vom Verdienste. (Berlin, 1765. 8.) Dieses Werk ist mit Scharffinn, Beredsamkeit, Freymüthigkeit und mannichfaltiger Belesenheit geschrieben; es unterrichtet und vergnügt. Auch ba, wo wir die Meinungen des Autors nicht annehmen mögen, gefällt er doch durch die Art, mit ber er sie gesagt hat, die nicht selten originalmäßig ist. — Montesquieu scheint zu sehr sein Held zu seyn; hingegen weis er ben Rousseau mit seinem Emile glücklich zu demüthigen. Kurz, es sind scharfsinnige Betrachtungen über ben Werth der Verdienste des vernünftigen Menschen und Bürgers. Ich wünschte, baß er dieses Verdienst mehr und öfter in bem Lichte der Religion betrach=

Unſer Körper hat ſeine Güter. Wir lieben die Geſundheit und Dauerhaftigkeit deſſelben, und ſuchen die Mittel zur Beſchützung und Erhaltung unſers Lebens. Krankheit und Schwächlichkeit ſind nicht nur die Zerſtörer unſers Leibes, ſie ſind auch gern die Peiniger unſrer Seele. Sie machen uns zu den erlaubten Freuden des Lebens, zum Dienſte der Welt, zum Umgange, und ſelbſt zur Erwerbung unſrer Bedürfniſſe ungeſchickt. Und ein geſunder feſter Körper, wie viel Freude und Vortheile verſchafft er uns und der Welt! Die Sorge für die Güter des Körpers iſt alſo Pflicht, ſo lange ſie uns von keinem größern Gute abhält.

Wir lieben und ſchätzen aber auch vermöge unſers natürlichen Verlangens nach Glückſeligkeit diejenigen Gegenſtände, die auf unſre äußerliche oder geſellſchaftliche Wohlfahrt einen Einfluß haben; wir wünſchen einen guten Namen, Anſehen, Vermögen, Sicherheit, Freyheit. Sie ſind Mittel theils zu nothwendigen Bedürfniſſen, theils zur Ruhe und Bequemlichkeit des Lebens; und die Sorgfalt für dieſe Güter iſt Pflicht, in ſo fern wir dieſelben als Mittel ſo wohl zu dieſen als andern höhern Abſichten, aus Gehorſam gegen den göttlichen Willen, ſuchen und anwenden.

Unſer Geiſt hat ſeine Güter; Kräfte des Verſtandes, der Einbildung, des Gedächtniſſes und des Geſchmacks. Sie ſchaffen uns wichtige Vortheile; ſie geben vielen Künſten, Wiſſenſchaften und Gewerben, die bald nützen, bald vergnügen, ihr Daſeyn und Leben. Auf ihrer richtigen Anwendung beruht ſichtbar die Wohlfahrt des Menſchen. Sie ſind mehr, als die Güter des Glücks, mehr, als die Güter des Körpers. Die Sorgfalt für dieſe Güter iſt Pflicht, und zwar größre Pflicht.

Unſer Herz hat ſeine Güter, die von dem Verſtande zugleich abhängen, ich meyne die Herrſchaft über ſeine Begierden, oder die Mäßigung derſelben; ferner die Neigung des Wohlwollens gegen Anbre, und die edelſte Reigung der Ehrfurcht und Liebe gegen den Urheber unſers Weſens. Die Sorgfalt für dieſe Gü=ter iſt Pflicht, ſie iſt die höchſte Pflicht.

Nach dieſer bekannten Rangordnung und Eintheilung der Gü=ter des Menſchen will ich die Lehre von den vornehmſten Pflich=ten ſo vortragen, wie ich glaube, daß ſie Ihnen am nützlichſten und angenehmſten werden kann.

Von den Pflichten gegen den Körper.

Ich komme alſo ohne weitere Einleitung zu den Gütern des Körpers. Wer hält nicht Geſundheit, Stärke und Dauer=haftigkeit des Körpers in den Arbeiten und Beſchwerden des Lebens für ein Glück? Wer liebt nicht die Reinlichkeit und Wohlanſtändigkeit? Die Sorge für dieſe Güter wird alſo aus allen denen Urſachen eine Pflicht für uns ſeyn, aus welchen ſie ein Gut ſind. Ihre Wichtigkeit beſtimmt jeder=zeit die Größe der Pflicht, und ihre Natur lehret die Mit=tel, die uns dieſe Pflicht erleichtern helfen.

Wir reden zuerſt von der Geſundheit, von der Größe dieſes Gutes, alsdann von den Mitteln, es zu erhalten, und zuletzt will ich ihre Anwendung in einigen Charakteren darſtellen.

Iſt die Geſundheit eines der angenehmſten Geſchenke der Vorſehung, ſo iſt es Dankbarkeit, ſie zu erhalten und zu beſchü=tzen; und wer kann glauben, daß er ſich die Geſundheit gegeben, da er ſich ſelbſt nicht das Leben gegeben hat? Iſt ſie ferner ein Geſchenke, das uns zu nützlichen Abſichten verliehen worden: ſo wird es die göttlichen Abſichten aufhalten und zernichten hei=ßen, wenn man ſeine Geſundheit muthwillig oder durch Vernach=läſſigung zu Grunde richtet oder ſchwächet.

Laſſen Sie uns näher kommen und die Geſundheit auf der Seite des Vergnügens und des Nutzens betrachten. Ihr Einfluß breitet ſich über unſern Körper und unſre Seele, über unfre Geschäffte und über die Welt aus. Ein richtiger Umlauf des Blutes und der Lebensgeister, eine fühlbare Stärke der Nerven und eine Leichtigkeit, unfre Glieder nach dem Willen unfrer Bedürfnisse zu bewegen, ein uns einladender Hunger zu dem Genusse auch der einfältigsten Speisen, ein williger und stärkender Schlaf, sind große Vortheile und Freuden des Menschen. Diese Freuden störet die Kränklichkeit.

Der Mangel der Gesundheit überzieht die Seele mit einem traurigen und verdrüßlichen Wesen, das uns an den unschuldigsten Vergnügungen wenig oder gar keinen Geschmack finden läßt, wenn sie auch in unfrer Gewalt stehen. Alsdann hat Umgang, Freundschaft und Liebe, Ehre und Vermögen und Bequemlichkeit oft keinen Reiz für uns; und das, was den Gesunden vergnügt, mißfällt nicht selten dem Kranken. Wie ihm vor den gesundsten Speisen ekelt, weil er sie nicht genießen kann: so verschmäht er oft, aus gleicher Ursache, die unschuldigsten und besten Freuden des Geistes. — Der sonst so angenehme Eindruck, den die Werke der schönen Künste auf den Gesunden machen, ist für den Kränklichen verloren. Unzufrieden mit sich, findet er an ihnen wenig Gefallen. Sein Geist ist starr, und es wird ihm schwer, das Schöne zu fühlen; denn sein Herz steht mit einem geheimen Unmuthe im Verständnisse. Und was sind die leeren Stunden des Kranken, die er nicht auszufüllen weis, anders als finstre Stunden für ihn? Noch trauriger ist sein Zustand, wenn er seine Gesundheit durch seine eigne Schuld verloren hat. Eine heimliche Anklage: Du hast dir deine Freuden mit deiner Gesundheit geraubt! verfolgt ihn sodann am Tage und quält ihn in der Nacht. Sind endlich die mannichfaltigen und oft unheilbaren Schmerzen des Körpers, und die peinlichen Curen, die nicht selten schlimmer als Krankheit und Tod sind, nicht Lehrer genug, daß die Gesundheit ein schätzbares Gut, und ein kranker Zustand des Körpers eine Art eines langsamen Todes sey!

So wie uns die Gesundheit geschickter zu den Pflichten des Lebens macht: so ist die Vernachläſſigung derſelben ein Unrecht, das wir uns und der Welt anthun; und ſeine Geſundheit wiſſentlich verderben, iſt vor der Vernunft und dem Gewiſſen eine Art von freywilliger Giftmiſcherey. Seine Geſundheit nicht achten, heißt oft den freyen und richtigen Gebrauch ſeines Verſtandes itzt oder doch auf das Zukünftige hindern und erſticken. Wir denken matt und kraftlos in einem geſchwächten Körper; und wie viele irrige und phantaſtiſche Meynungen haben nicht ihren Sitz in einem ſchwarzen und verderbten Blute! Man kennt Schwermüthige und Irrgeiſter, die es nicht mehr waren, da ſie unter der Hand des Arztes geſund geworden. Aus Mangel der Geſundheit wird uns das Denken und Nachſinnen beſchwerlich; die Seele wird in ihren Arbeiten aufgehalten, wenn uns der Körper den nöthigen Zufluß der Lebensgeiſter verſagt, oder wenn dieſelben ihre Lebhaftigkeit zu geſchwind verlieren. Und welcher Menſch ſoll nicht, ſo lange er lebt, für die Verbeſſerung und Anwendung des Verſtandes, als ſeines größten Glücks, beſorgt ſeyn? Faſſen wir nicht mit dem Verſtande Gott und die Welt, Pflicht und Tugend? Iſt er nicht das Licht auf dem Wege der Wohlfahrt? Und was werden wir, wenn dieſes Licht halb erliſcht, ſehen, als dunkle Gegenſtände? Wird uns nicht die Wahrheit unkenntlich werden, wenn uns das Gedächtniß und die Einbildungskraft ihre Kennzeichen und Eigenſchaften nicht mehr ſchildern wollen, wie es in Krankheiten und im hohen Alter zu geſchehen pflegt? — Mit dem Verluſte der Geſundheit verliert unſer H e r z, gleich unſerm Verſtande, und mit beiden die Welt. Seine heimliche Unzufriedenheit mit ſich ſelbſt ergießt ſich unvermerkt in die Neigungen gegen Andre und in die Geſinnungen gegen Gott. Wem die Geſundheit fehlet, wenigſtens wem ſie durch ſeine Schuld fehlet, der iſt gemeiniglich mürriſch, auch wenn er es nicht ſeyn will, und verbittert durch ſein Betragen

Die ganze Pflicht des Menschen — Dieses Werk eines unbekannten Engländers, das von seiner Nation mit unglaublichem Beyfalle aufgenommen und in die meisten europäischen Sprachen übersetzet worden, ist besonders zum Unterrichte der Einfältigen geschrieben; und solcher giebt es im hohen Stande so wohl, als im niedrigen, und im Alter der höhern Jahre so wohl, als im Alter der Jugend. Der Verfasser beschreibt die Pflichten der Religion gegen Gott, gegen uns selbst und den Nächsten, nebst den Mitteln, die ihre Ausübung erleichtern, und sein Werk ist in der That ein treffliches Hausbuch, womit Hausväter und Hausmütter ihre Untergebenen versorgen sollten.

Endlich, theuerste Commilitonen, lassen Sie sich weit über alle andre Bücher, den Schatz aller Wahrheit und Erkenntniß, die uns allein weise, tugendhaft und glücklich machen kann, die Quelle der wahren Beruhigung und des höchsten Trostes im Leben und im Tode, den Schatz der heiligen Bücher der Schrift empfohlen seyn. Studiren Sie die Wahrheiten derselben mit aller Achtsamkeit des Verstandes, mit aller Willigkeit und Demuth des Herzens, mit sorgfältiger Anwendung der Hülfsmittel, die uns die Einsicht in die Offenbarung erleichtern können, mit Gebet zu Gott um Erleuchtung und Gehorsam gegen die erkannte Wahrheit. Lernen Sie die Offenbarung als die größte Wohlthat, die Gott dem menschlichen Geschlechte von der Schöpfung der Welt an erwiesen hat, mit tiefster Ehrfurcht und Anbetung aufs dankbarste erkennen. Was das natürliche Licht der Sonne dem Auge des Leibes ist (und wie elend würde nicht der Aufenthalt auf Erden ohne die Sonne seyn!) das ist sie, die Offenbarung der Schrift, dem Auge des Geistes. In welcher heidnischen Finsterniß des Irrthums und Aberglaubens würden wir nicht, bey allen Bemühungen der Vernunft, ohne das Licht der Schrift geblieben seyn! Ich habe mir angelegen seyn lassen, das Beste zu lesen, was die klügsten und vernünftigsten unter den alten

Weisen von Gott, Religion und Tugend, von den Mitteln zur
Ruhe und Zufriedenheit und dem höchsten Gute des Menschen
gelehret haben; und ich bezeuge Ihnen auf mein Gewissen, daß
alle ihre Weisheit, gegen den Unterricht der Offenbarung gehal=
ten, Schatten und Ungewißheit, höchstens ein dunkler Schimmer,
öfters aber so gar Finsterniß, Thorheit, Aberglaube und Unsinn
ist. Was die gereinigte Weltweisheit unsrer Tage in diesen
Lehrstücken richtiger und anständiger vorträgt, das hat sie alles
der Lehre der Schrift zu danken. Wer waren aber die Alten,
die so fruchtlos und unglücklich ganze Jahrhunderte an der Er=
forschung der Wahrheit und Weisheit zur Tugend gearbeitet ha=
ben? Waren es nicht die tiefsinnigsten und gelehrtesten Männer
unter den beiden heidnischen Völkern, bey denen die Wissenschaf=
ten am meisten getrieben und verehret wurden? Und wer waren
die Verfasser der Bücher der Schrift? Waren es nicht Männer,
die in den menschlichen Wissenschaften ganz ungeübt und meistens
bey einer niedrigen Lebensart, unter einem ungelehrten und ver=
achteten Volke, bey dem Hirtenstabe und Fischnetze erzogen wa=
ren? Nun lehren gleichwohl ihre Schriften die Erkenntniß eines
Einigen Gottes, Weisheit und Tugend, unendlich reiner und
vollkommener, als jene Werke der Weltweisen. Sollten also die
Bücher der Schrift nicht einen göttlichen Ursprung haben, und
sollte es nicht der schändlichste Undank und die größte Versündi=
gung seyn, sie geringe zu schätzen? Lassen Sie mich ein aufrich=
tiges Geständniß ablegen, theuerste Freunde. Ich habe funfzig
Jahre gelebt, und mannichfaltige Freuden des Lebens genos=
sen. Keine sind dauerhafter, unschuldiger, und glückseliger für
mich gewesen, als die mein Herz, von den sanften Fesseln der
Religion eingeschränkt, nach ihrem Rathe gesucht und genossen
hat; dieses bezeuge ich auf mein Gewissen. Ich habe funf=
zig Jahre gelebt, und mannichfaltige Mühseligkeiten des
Lebens erduldet; und nirgends mehr Licht in Finsternissen, mehr

Stärke, mehr Trost und Muth in den Leiden gefunden, als bey
der Quelle der Religion; dieses bezeuge ich auf mein Gewis=
sen. Ich habe funfzig Jahre gelebt, und bin mehr als
einmal an den Pforten des Todes gewesen; und habe es erfah=
ren, daß nichts, nichts ohne Ausnahme, als die göttliche Kraft
der Religion die Schrecken des Todes besiegen hilft; daß nichts,
als der heilige Glaube an unsern Heiland und Erlöser, den ban=
gen Geist bey dem entscheidenden Schritte in die Ewigkeit stär=
ken und das Gewissen, das uns anklagt, stillen kann; dieses
bezeuge ich, als vor Gott. Gilt das Ansehen eines Freun=
des und Lehrers bey Ihnen: o so lassen Sie das meinige zu der
Zeit bey sich gelten, wenn Ihnen der stolze Vernünftler die
Lehren der Schrift geringschätig machen, und der verschlagene
Freygeist Ihnen Ihren heiligen Glauben entreißen will. Nie
müsse denn unter dir, Volk christlicher Jünglinge, ein Verächter
oder Spötter des besten aller Bücher erfunden werden!

Verehre stets die Schrift. Sie ist dein Glück auf Erden,
Und wird, so wahr Gott ist, dein Glück im Himmel werden.
Verachte christlich groß des Bibelfeindes Spott;
Die Lehre, die er schmäht, bleibt doch das Wort aus Gott.

Dritte Abtheilung,

von den vornehmsten Pflichten des Menschen.

Eilfte Vorlefung.

Von der Sorgfalt für die Gesundheit des Körpers.

Von den vornehmsten Pflichten des Menschen.

Die Summe der menschlichen Glückseligkeit besteht aus vielen einzelnen Gütern, die sich bald auf Bedürfnisse unsers Körpers, bald auf unsre gesellschaftliche Wohlfahrt, bald auf das Glück der Seele beziehen. Die innerliche Anleitung des Gewissens und der Vernunft, diese Güter zu behaupten und dem Endzwecke, zu dem sie uns von Gott gegeben sind, gemäß anzuwenden, heißt überhaupt die Pflicht des Menschen, und die regelmäßige Ausübung dieser Pflichten aus der rechten Absicht, heißt Tugend. Das allgemeine Amt des Menschen besteht also darinne, diese Pflichten, so wohl nach ihrer Absicht, als nach ihren Mitteln aufrichtig zu erforschen, sie als den göttlichen Willen zu verehren, und dieselben immerdar und in allen Vorfällen, in seiner Seele durch Einwilligung und Vorsatz, aber auch in äußerlichen Handlungen durch die That auszuüben. Ich darf in der Einleitung zu diesen Pflichten kurz seyn, da ich das Vornehmste schon in den ersten Vorlesungen erinnert habe.

Unſer Körper hat ſeine Güter. Wir lieben die Geſundheit und Dauerhaftigkeit deſſelben, und ſuchen die Mittel zur Beſchützung und Erhaltung unſers Lebens. Krankheit und Schwächlichkeit ſind nicht nur die Zerſtörer unſers Leibes, ſie ſind auch gern die Peiniger unſrer Seele. Sie machen uns zu den erlaubten Freuden des Lebens, zum Dienſte der Welt, zum Umgange, und ſelbſt zur Erwerbung unſrer Bedürfniſſe ungeſchickt. Und ein geſunder feſter Körper, wie viel Freude und Vortheile verſchafft er uns und der Welt! Die Sorge für die Güter des Körpers iſt alſo Pflicht, ſo lange ſie uns von keinem größern Gute abhält.

Wir lieben und ſchätzen aber auch vermöge unſers natürlichen Verlangens nach Glückſeligkeit diejenigen Gegenſtände, die auf unſre äußerliche oder geſellſchaftliche Wohlfahrt einen Einfluß haben; wir wünſchen einen guten Namen, Anſehen, Vermögen, Sicherheit, Freyheit. Sie ſind Mittel theils zu nothwendigen Bedürfniſſen, theils zur Ruhe und Bequemlichkeit des Lebens; und die Sorgfalt für dieſe Güter iſt Pflicht, in ſo fern wir dieſelben als Mittel ſo wohl zu dieſen als andern höhern Abſichten, aus Gehorſam gegen den göttlichen Willen, ſuchen und anwenden.

Unſer Geiſt hat ſeine Güter; Kräfte des Verſtandes, der Einbildung, des Gedächtniſſes und des Geſchmacks. Sie ſchaffen uns wichtige Vortheile; ſie geben vielen Künſten, Wiſſenſchaften und Gewerben, die bald nützen, bald vergnügen, ihr Daſeyn und Leben. Auf ihrer richtigen Anwendung beruht ſichtbar die Wohlfahrt des Menſchen. Sie ſind mehr, als die Güter des Glücks, mehr, als die Güter des Körpers. Die Sorgfalt für dieſe Güter iſt Pflicht, und zwar größre Pflicht.

Unſer Herz hat ſeine Güter, die von dem Verſtande zugleich abhängen, ich meyne die Herrſchaft über ſeine Begierden, oder die Mäßigung derſelben; ferner die Neigung des Wohlwollens

gegen Andre, und die edelste Neigung der Ehrfurcht und Liebe
gegen den Urheber unsers Wesens. Die Sorgfalt für diese Güter ist Pflicht, sie ist die höchste Pflicht.

Nach dieser bekannten Rangordnung und Eintheilung der Güter des Menschen will ich die Lehre von den vornehmsten Pflichten so vortragen, wie ich glaube, daß sie Ihnen am nützlichsten
und angenehmsten werden kann.

Von den Pflichten gegen den Körper.

Ich komme also ohne weitere Einleitung zu den Gütern des
Körpers. Wer hält nicht Gesundheit, Stärke und Dauerhaftigkeit des Körpers in den Arbeiten und Beschwerden
des Lebens für ein Glück? Wer liebt nicht die Reinlichkeit
und Wohlanständigkeit? Die Sorge für diese Güter wird
also aus allen denen Ursachen eine Pflicht für uns seyn, aus
welchen sie ein Gut sind. Ihre Wichtigkeit bestimmt jederzeit die Größe der Pflicht, und ihre Natur lehret die Mittel, die uns diese Pflicht erleichtern helfen.

Wir reden zuerst von der Gesundheit, von der Größe
dieses Gutes, alsdann von den Mitteln, es zu erhalten, und
zuletzt will ich ihre Anwendung in einigen Charakteren darstellen.

Ist die Gesundheit eines der angenehmsten Geschenke der
Vorsehung, so ist es Dankbarkeit, sie zu erhalten und zu beschützen; und wer kann glauben, daß er sich die Gesundheit gegeben,
da er sich selbst nicht das Leben gegeben hat? Ist sie ferner ein
Geschenke, das uns zu nützlichen Absichten verliehen worden:
so wird es die göttlichen Absichten aufhalten und zernichten heißen, wenn man seine Gesundheit muthwillig oder durch Vernachlässigung zu Grunde richtet oder schwächet.

Lassen Sie uns näher kommen und die Gesundheit auf der
Seite des Vergnügens und des Nutzens betrachten. Ihr
Einfluß breitet sich über unsern Körper und unsre Seele, über

unfre Geschäffte und über die Welt aus. Ein richtiger Umlauf des Blutes und der Lebensgeister, eine fühlbare Stärke der Nerven und eine Leichtigkeit, unsre Glieder nach dem Willen unsrer Bedürfnisse zu bewegen, ein uns einladender Hunger zu dem Genusse auch der einfältigsten Speisen, ein williger und stärkender Schlaf, sind große Vortheile und Freuden des Menschen. Diese Freuden störet die Kränklichkeit.

Der Mangel der Gesundheit überzieht die Seele mit einem traurigen und verdrüßlichen Wesen, das uns an den unschuldigsten Vergnügungen wenig oder gar keinen Geschmack finden läßt, wenn sie auch in unsrer Gewalt stehen. Alsdann hat Umgang, Freundschaft und Liebe, Ehre und Vermögen und Bequemlichkeit oft keinen Reiz für uns; und das, was den Gesunden vergnügt, mißfällt nicht selten dem Kranken. Wie ihm vor den gesundesten Speisen ekelt, weil er sie nicht genießen kann: so verschmäht er oft, aus gleicher Ursache, die unschuldigsten und besten Freuden des Geistes. — Der sonst so angenehme Eindruck, den die Werke der schönen Künste auf den Gesunden machen; ist für den Kränklichen verloren. Unzufrieden mit sich, findet er an ihnen wenig Gefallen. Sein Geist ist starr, und es wird ihm schwer, das Schöne zu fühlen; denn sein Herz steht mit einem geheimen Unmuthe im Verständnisse. Und was sind die leeren Stunden des Kranken, die er nicht auszufüllen weis, anders als finstre Stunden für ihn? Noch trauriger ist sein Zustand, wenn er seine Gesundheit durch seine eigne Schuld verloren hat. Eine heimliche Anklage: Du hast dir deine Freuden mit deiner Gesundheit geraubt! verfolgt ihn sodann am Tage und quält ihn in der Nacht. Sind endlich die mannichfaltigen und oft unheilbaren Schmerzen des Körpers, und die peinlichen Curen, die nicht selten schlimmer als Krankheit und Tod sind, nicht Lehrer genug, daß die Gesundheit ein schätzbares Gut, und ein kranker Zustand des Körpers eine Art eines langsamen Todes sey?

So wie uns die Gesundheit geschickter zu den Pflichten des Lebens macht: so ist die Vernachläßigung derselben ein Unrecht, das wir uns und der Welt anthun; und seine Gesundheit wissentlich verderben, ist vor der Vernunft und dem Gewissen eine Art von freywilliger Giftmischerey. Seine Gesundheit nicht achten, heißt oft den freyen und richtigen Gebrauch seines Verstandes itzt oder doch auf das Zukünftige hindern und ersticken. Wir denken matt und kraftlos in einem geschwächten Körper: und wie viele irrige und phantastische Meynungen haben nicht ihren Sitz in einem schwarzen und verderbten Blute! Man kennt Schwermüthige und Irrgeister, die es nicht mehr waren, da sie unter der Hand des Arztes gesund geworden. Aus Mangel der Gesundheit wird uns das Denken und Nachsinnen beschwerlich: die Seele wird in ihren Arbeiten aufgehalten, wenn uns der Körper den nöthigen Zufluß der Lebensgeister versagt, oder wenn dieselben ihre Lebhaftigkeit zu geschwind verlieren. Und welcher Mensch soll nicht, so lange er lebt, für die Verbesserung und Anwendung des Verstandes, als seines größten Glücks, besorgt seyn? Fassen wir nicht mit dem Verstande Gott und die Welt, Pflicht und Tugend? Ist er nicht das Licht auf dem Wege der Wohlfahrt? Und was werden wir, wenn dieses Licht halb erlischt, sehen, als dunkle Gegenstände? Wird uns nicht die Wahrheit unkenntlich werden, wenn uns das Gedächtniß und die Einbildungskraft ihre Kennzeichen und Eigenschaften nicht mehr schildern wollen, wie es in Krankheiten und im hohen Alter zu geschehen pflegt? — Mit dem Verluste der Gesundheit verliert unser Herz, gleich unserm Verstande, und mit beiden die Welt. Seine heimliche Unzufriedenheit mit sich selbst ergießt sich unvermerkt in die Neigungen gegen Andre und in die Gesinnungen gegen Gott. Wem die Gesundheit fehlet, wenigstens wem sie durch seine Schuld fehlet, der ist gemeiniglich mürrisch, auch wenn er es nicht seyn will, und verbittert durch sein Betragen

das Vergnügen des Freundes, des Gatten, des Kindes, des Amts-
genoſſen. Sein Herz nimmt nicht genug Antheil an den Freuden der Andern, indem es den Mangel der ſeinigen zu ſehr fühlt;
und vor der Empfindung ſeines eignen Elends öffnet es ſich, ſelten oder mühſam dem Eindrucke des Mitleidens. Die natürliche
Lebhaftigkeit des Gefühls wird durch Krankheiten geſchwächt;
und wir wollen alsdann das Edle und Gute am wenigſten,
wenn wir es am wenigſten lebhaft fühlen können. Wer glaubt
und empfindet, daß er ſo glücklich iſt, als er ſeyn kann, wird
natürlicher Weiſe muthig und geſchickt, auch Andre glücklich wiſſen und ſehen zu wollen. Das Herz des Kranken fühlt Unruhen, die es an edlen Entſchließungen und Neigungen hindern.
Die Menſchenliebe ſinkt unter der Laſt der unruhigen Selbſtliebe;
und der Mangel ſolcher liebreichen Empfindungen iſt ein Mangel
des größten Glücks unſers Herzens. Unſer Muth verliert ſich in
Furchtſamkeit und Mißtrauen. Die Abnahme der Kräfte macht
uns zaghaft, und das Gefühl der verſchuldeten Krankheit hindert
die Freuden der Religion, der Dankbarkeit gegen die Vorſehung;
und wie viel entbehrt ein Herz, das nicht froh an ſeinen Schöpfer denken mag!

Welcher Stand, welches Geſchäffte und Gewerbe des Lebens
verlangt nicht Geſundheit und Kräfte, wenn es glücklich ausgeführet werden ſoll? Der Verluſt der Geſundheit, wenn er unſer
Werk iſt, iſt daher ein Raub, den wir an der Welt begehen.
Wir entziehen ihr die Dienſte, die wir doch von ihr verlangen,
oder entrichten ihr die Dienſte nur halb, die ſie ganz zu fordern
das Recht hat. — Das mannichfaltige Vergnügen, das uns
nützlich geleiſtete Dienſte verſchaffen, entgeht uns in dieſen Umſtänden; und die Seele, wenn ſie edel denkt, macht doch darauf
vorzüglich Anſpruch.

Nicht genug, daß wir nicht nützlich ſind, oder aufhören es zu
ſeyn; nicht genug, daß wir den Charakter nicht rühmlich behaup-

ten können, den wir in der Welt behaupten sollten; wir werden auch der Gesellschaft und den Unsrigen beschwerlich, so wie wir es uns selbst sind. Wir werden die Bürde unsrer Freunde. Nicht selten leben wir auf ihre Kosten, und entziehen das ihnen, was wir zu unserm Unterhalte uns selbst verschaffen sollten; wir stören ihre Ruhe durch unsre Unruhe, wir verursachen ihnen Kummer, und machen uns ihnen widrig, statt daß wir ihre Freude und ihr Verlangen seyn sollten. Tausend Pflichten, die der kranke Vater, der kranke Lehrer, der kranke Gatte und Freund nicht mehr ausüben kann! Man wünschet unsern Tod, weil unser Leben der Welt eine Last wird.

Mit dem Genusse der Gesundheit sind hingegen große Vortheile verknüpft. Das Gefühl gesunder Kräfte giebt Muth zu Unternehmungen, erleichtert die Last der Arbeiten, macht, daß wir die Gefahren nicht scheuen und unter den Hindernissen unsrer Absichten nicht zu früh ermatten. Ein heitrer Geist, ein froher Muth, ein geselliges Herz, sind gern Freunde der Gesundheit. Der Gesunde kann seiner Wohlfahrt und dem Glücke der Welt mehr nützen, tausend Ungemächlichkeiten, unter denen der Kränkliche erliegt, gelassen ertragen, der Dürftigkeit durch Fleiß leicht entgehen, sich eher die Geschicklichkeiten seines Berufs erwerben und sie erhöhen, und wenn er sonst nur die nöthigen Gaben und den guten Willen besitzt, in allen Auftritten der Geschäffte und des Lebens nützlicher und angenehmer seyn. Die Farbe der Gesundheit ist die schönste für das Gesicht beider Geschlechter, empfiehlt sich dem Auge, und erweckt das Zutrauen, daß man kein Sklave verwüstender Leidenschaften sey. Aller Anstand des Körpers, den die Kunst lehret, wird durch die Gesundheit erhöhet; so wie der Mangel derselben sich in der matten und ersterbenden Miene, in zitternden Händen, in ängstlichen Stellungen, in schlaffen Tritten dem Auge mißfällig macht. — Dem Gesunden, in so fern sein Herz ruhig ist, lacht die ganze Natur mit doppeltem

Gellert VI.   13

Reize. Jeder Morgen, der ihn mit frischen Kräften erweckt, zeigt ihm eine neue Sonne. Er kann unzählige Freuden des Lebens genießen, vor denen der eingeschloßne Sieche zittert. Wäre der Gesunde auch der Aermste und der Niedrigste unter den Menschen; so wartet doch überall ein kühlender Trunk, ein stärkendes Brodt, eine freye Luft, ein anmuthiges Feld, ein Vergnügen der Freundschaft, oder der Liebe, der Gesprächigkeit, der Einbildungskraft, der Kunst, auf ihn; und den mühsamsten Fleiß versüßt ihm am Ende des Tages ein sanfter Schlaf, der neue Kräfte in seine Nerven ergießt. Was sind Ehre, Macht, Reichthümer, Umgang, bey dem Mangel der Gesundheit? Was für unbrauchbare Schätze sind nicht in vielen Fällen die besten Gaben des Geistes in einem kranken Körper! Und wir könnten noch zweifeln, ob wir für die Erhaltung unsrer Gesundheit wachen sollten, da uns alles ihren Werth und ihren Einfluß in unser und Andrer Glück verkündiget?

Die Mittel, seine Gesundheit zu erhalten, und sie, wenn sie wanket, zu befestigen, sind durch Erfahrung und Aufmerksamkeit auf sich und Andre leicht zu entdecken. Prüfe, lehret Sirach, was deinem Leibe gesund ist, und siehe, was ihm ungesund ist; das gieb ihm nicht*). Nicht der gelehrte Arzt so wohl, als die aufmerksame Vernunft, unterrichtet uns schon, daß Mäßigkeit in Speisen, Getränken und Vergnügungen, Arbeitsamkeit und Leibesbewegungen, die Beherrschung stürmischer Leidenschaften, ein heitres sorgenfreyes Herz und eine gemeßne Ausruhung von unsern Geschäfften die sicherste Nahrung der Gesundheit sind**).

---

*) Sir. 37, 30.

**) Valetudo sustentatur notitia sui corporis et observatione, quae res aut prodesse soleant aut obesse; et continentia in victu omnique cultu, corporis tuendi caussa; et praetermittendis vo-

Wenden wir diese Mittel gar nicht, oder nur selten und nachs
lässig an: so ist unsre Neigung für die Gesundheit zu schwach.
Wenden wir diese Mittel sorgfältiger an, als es ihre Absicht
erfordert: so ist unsere Gesundheitsliebe zu groß. Die Probe von
dem Uebermaaße dieser Neigung ist, wenn sie andern Neigungen,
die auch zum System unsrer Wohlfahrt gehören, die Kraft oder
gar das Leben entzieht. Aus Liebe für die Gesundheit seinen
guten Namen lächerlich machen, seine Geschäffte vernachläßigen,
seine Zeit mit einem unberufnen Lesen medicinischer Bücher, oder
mit einem ganz überflüßigen Gebrauche der Brunnen und Bäder
verbringen, ist eine übertriebene und widerrechtliche Sorgfalt.
So bald wir die Gesundheit allein um ihrer selbst willen suchen:
so verliert sie ihren Werth und ihre ganze Würde, wie alle Güter dieses Lebens. Sie ist allerdings ein nothwendiges Mittel
zum Glücke des Menschen, aber nicht sein ganzes Glück, nicht
der wichtigste Theil desselben. — Ferner, die Mittel zur Gesundheit zwar sorgfältig anwenden, aber nicht aus Absicht für
die Gesundheit und für ihren Einfluß in das Leben, heißt nicht
für seine Gesundheit vernünftig sorgen; ist keine Tugend. Man
kann mäßig seyn, um seine Schönheit zu erhalten, und sich vor
heftigen Leidenschaften hüten, weil man außerdem in lustigen
Gesellschaften nicht gern gesehen seyn würde; man kann sich bewegen, um mehr Geschmack an der Tafel zu finden, und sich in
Arbeiten nicht übernehmen, weil man den Müßiggang liebet.
So viel auch dieses Verhalten zur Gesundheit zufällig beytragen
kann; so würde es doch ungereimt seyn, sich deswegen den Ruhm
anzumaßen, daß man für seine Gesundheit gesorgt hätte.

Wofern es gewiß ist, daß wir nicht leben, um zu essen, und
nicht essen, um unsern Geschmack und unsre Weichlichkeit zu

luptatibus; postremo arte eorum, quorum ad scientiam haec
pertinent. *Cic. Offic.* L. II. c. 24.

13 *

kitzeln: so wird der mäßig seyn, der sich nicht mehr Nahrung erlaubt, als die Stärkung seines Körpers erfordert und der freye Gebrauch seines Geistes verstattet. Dieses Maaß lehrt uns die Erfahrung, oder unsre eigne Empfindung; und es wird allezeit sicherer seyn, weniger, als mehr, zu genießen. Wer bey der Tafel bloß seinem Appetite und dem Rathe des Geschmacks folget, der würde, wenn er auch nicht krank davon werden sollte, sich doch vergebens schmeicheln, mäßig gegessen zu haben. Die Mäßigkeit erfordert allezeit eine freywillige Einschränkung. Nicht daran denken, ob man zu viel ißt oder trinkt, sich nicht hüten, um nicht in das Uebermaaß zu fallen, sich nichts versagen, in der Meynung seine Kräfte dadurch besto besser zu stärken, ist keine Mäßigkeit *). Keine Schmerzen von seinen Mahlzeiten empfinden, keinen unmittelbaren Verlust seiner Gesundheit dadurch erleiden, sind noch keine sichern Kennzeichen der Mäßigkeit. Der Schaden des Uebermaaßes kann morgen, kann langsam, kann oft erst im Alter kommen. Wenn unser Körper ungeschickter zur Arbeit, unsre Seele träger und unwilliger zu ihren Verrichtungen durch unsre Nahrung gemacht wird: so ist die größte Vermuthung vorhanden, daß wir unmäßig gegessen, oder ungesunde Speisen zu uns genommen, oder ohne Hunger gegessen haben. Das sind gute Mahlzeiten, die noch den andern Tag darauf angenehm sind; wie das die besten Köche sind, die Leonidas, der Hofmeister des Alexanders, ihm anpries: „Zur guten Mittags„mahlzeit ein Spaziergang am frühen Morgen, zur guten Abend„mahlzeit eine mäßige Mittagsmahlzeit **)." So wie gewisse Speisen weniger schädlich sind, als andre; so kann auch eine an

*) Hanc sanam et salubrem formam vitae tenere memento, ut corpori tantum indulgeas, quantum bonae valetudini satis est. Durius tractandum, ne animo male pareat. *Seneca.*

**) Ad praudium iter antelucanum, ad coenam frugale praudium und für sich gesunde Nahrung doch der besondern Beschaffenheit unsrer Körper und Lebensart weniger zuträglich seyn. Die für uns gesündern Speisen den wohlschmeckendern nachsetzen, oder gar keine Wahl treffen wollen, streitet wider die Gesetze der Gesundheit. Sich an warme und hitzige Getränke gewöhnen, weil sie uns auf einige Zeit zur Arbeit munter und lebhaft machen, ist eine heimliche Untergrabung seiner Gesundheit, weil wir die Nerven dadurch zu oft reizen und endlich schlaff machen.

Es gehört also zur Mäßigkeit auch die Bemühung, alles das kennen zu lernen, was der Gesundheit leicht schaden kann, und nicht zu warten, bis die Enthaltung eine Nothwendigkeit, oder ein unfruchtbares Mittel geworden ist. Diese Sorgfalt erstrecket sich auch auf den Schlaf und alle Vergnügungen, die unsre Sinne rühren, vornehmlich auf die Keuschheit, als eine Tugend, die man auch dem Körper schuldig ist *).

Regeln der Gesundheit.

Die allgemeinen Regeln, seine Gesundheit zu erhalten, sie, wenn sie wanket, zu befestigen, oder doch ihren größern Verlust zu verhüten, lehret uns, wie ich schon erinnert, die Erfahrung und Aufmerksamkeit. Ich bin seit vielen Jahren genöthiget gewesen, auf die Regeln aufmerksam zu seyn; ich habe also ein desto größer Recht, Ihnen die vornehmsten vorzutragen; bey denen ich, um zuverlässiger und weniger trocken zu reden, des Englischen Arztes Armstrongs **) sehr schönes Lehrgedichte

---

*) S. die ganze Pflicht des Menschen (Neue Ausg.), §. 164 und überhaupt das ganze 2te Capitel von den Pflichten gegen uns selbst, besonders von 279—294. Man findet in dieser trefflichen Abhandlung alles beysammen die Gründe der Vernunft und der Religion für diese Tugenden und wider ihre entgegengesetzten Laster, nebst den Mitteln der Vernunft und des Christenthums, jene zu befordern, diese zu hindern und zu ersticken.

**) Armstrong's Art of preserving Health. Es verdienen auch dasvon dieser Materie nützen will. Die ganze Diät bezieht sich auf unser Verhalten in Ansehung der Luft, der Speisen, der Getränke, des Schlafs, der Leibesbewegung und der Leidenschaften.

Die Luft.

Die Luft, der unentbehrliche Hauch unsers Lebens, ist eine Quelle so wohl der Gesundheit als tausendfacher Krankheiten.

Nichts ist der Gesundheit schädlicher, als eine eingeschloßne, faulende Luft, die schon in hundert Lungen angesteckt worden. — Die beiden äußersten Eigenschaften der Luft, allzufeucht und allzutrocken, verderben unsre Lunge. — Athme also, so viel es bey dir steht, frische freye Luft, nicht die Luft volkreicher dumpfigter Städte, nicht sumpfigter Gegenden; sondern Luft des freyen Landes, der Berge, nicht Luft, von schlammichten Bächen verunreiniget.

Oeffne dein Zimmer vornehmlich in der wärmern Jahreszeit der heitern Morgenluft, der Kühlung des Abends, und laß deine geraume Schlafstäte durch freyen Aether zum Garten, nicht gleich dem melancholischen Alcofen, zum finstern stockenden Kerker, nicht zum Behältnisse der Dünste, werden. Kühle es im Sommer durch Wasser und Essig ab, wenn es die Luft nicht genug durchstreichen kann. — Unser Schlaf, die Quelle neuer Kräfte, will beides, die allzugroße Wärme und allzugroße Kälte der Luft, entfernet wissen. Vergrabe dich nicht in erhitzende Betten. Die härtere Matratze, der elastische Pfühl müsse dich einschläfern. Dein leicht bedecktes Haupt und die wärmern Füße werden beinen Schlaf begünstigen, dich frey, heiter und ohne Hitze erwachen lassen. —

von die lehrreichen Blätter von der Diät, die in dem Arzte des Herrn D. Unzers, besonders in dem ersten und andern Bande, enthalten sind, nachgelesen zu werden.

Die beſte Luft zu genießen, müſſe dich der Frühlings- oder Sommermorgen nicht im Bette überleben. Dieſe Stunde hat nicht allein das Gold der Arbeit, ſondern auch der Geſundheit im Munde.

Die heißen Zimmer des Winters mäßige, und erſchrick nicht über die kleine Oeffnung im Fenſter. Die Kälte, die hereinbringt, töbtet dich nicht; aber die Hiße beines Zimmers, die dir ſo wohl thut, entkräftet dich und kocht deine beſſern Säfte aus. Bedecke dich lieber mit Kleidern; und ſcheue wohlbedeckt die Kälte nicht; auch ſie iſt Balſam.

Plötzlich aus der Kälte in die Hiße, aus der Hiße in die Kälte, halte für gleich ſchäblich; und ganz gewöhne deinen Körper weder an dieſe, noch an jene.

Zu leichte Kleider im Sommer halten die Hiße nicht ab, ſie vermehren ſie, und vom Schweiße durchbrungen wird das ſeidne Gewand im kühlen Abende die Oeffnungen der Ausbuftung verſchließen und das Fieber dir zuführen.

Sey reinlich! eine Tugend, die der Wohlſtand und die Geſellſchaft empfiehlt; aber eben ſo ſehr die Geſundheit. Entziehe dem Körper den ihn übertünchenden Staub und den leimichten Schweiß durch Bäder und reine friſche Wäſche, und vermeide alles, was ſeinen äußerlichen Theilen Fäulniß und Schärfe bringt; ſie zieht ſich in die Säfte. Lies die Schrift des deutſchen Hippokrates, eines Arztes, der ehebem das Orakel der Kranken und die Freude der Geſunden, und die Ehre unſrer Akademie war, die Schrift eines Platners, de morbis ex immunditie.

Diät im Eſſen und Getränke.

Aus Mangel an Gewohnheit ſchadet oft die beſte Nahrung. Gewöhne dich alſo, wenn du geſund biſt, an alles, und gehe ſtufenweiſe fort, und halte Maaß; die höchſte Regel! — Die einfachen Speiſen, die dir Erde, Luft und Waſſer anbieten, ſchaben am wenigſten. — Das junge und nicht gemäſtete, ſondern auf ſeiner freyen Weide ſich wohlhabende Thier nährt am zuträglich ſten; und das freye Reh wird dich nicht mit melancholiſchem Blute anſtecken.

Ermüde dich nie durch lange Mahlzeiten; ſättige dich nie mit Leckereyen und den Künſten der mördriſchen Köche. Die Speiſe, die, allein genommen, die geſündeſte iſt, wird durch die mannichfaltige Miſchung mit andern zum Gifte, und gährt unter der Hitze des fremden Gewürzes zu einem ſcharfen brauſenden Moſte von Säften. „Welch eine Menge von Dingen, die durch „Eine Kehle gehen ſollen, miſchet die Schwelgerey, die deßwegen „Erde und Meer plündert, durch einander! — O Himmel, wie „viel Becker und Köche beſchäfftiget ein einziger Magen!" *) So denke oft mit dem Seneca, und ſchäme dich, leckerhaft zu ſeyn.

Iß, wenn dich hungert, und warte nicht, bis der Hunger ein Tyrann wird. — Gieb auf deinen Körper, auf deine Gewohn heit und Erziehung, auf deine Lebensart, auf die Jahreszeiten bey der Wahl und der Menge deiner Nahrung Acht. — Iſt dein Magen ſchlaff, ſo meide alles, was die ſchlaffe Spannung noch ſchlaffer machet, die fetten Schüſſeln und die in die Galle eilenden Oele. — Keine heilſame Speiſe ſchickt ſich gleich gut für alle. Das harte Nahrungsmittel, das im Rauche getrocknete Fleiſch, das im Salpeter erhaltne Rind, der gedörrte Fiſch wird den ſtarken Magen des arbeitenden Landmanns nicht beläſtigen; aber gieb ihm zarte Speiſen, Künſte der Mundköche, und er wird in wenig Wochen zu ſeiner Arbeit keine Kräfte mehr ha ben. So gieb dem ſchwachen Magen harte Nahrungsmittel und volle Schüſſeln; und du wirſt ihn noch mehr ſchwächen.

*) Vide, quantum rerum, per unam gulam transiturarum, permiscent luxuria, terrarum marisque vantatrix — Dii boui, quantum hominum pistorum coquorumque anus venter exercet! Sen. ep. 95.

Die haftige Sättigung eines zu großen Hungers ist die Mut=
ter vieler Fieber: und das Fasten eines Magens, den nur ein
kaltsinniger Appetit ruft, wird Gesundheit. Erjage dir, um desto
besser zu speisen, mit dem Sokrates den Hunger durch Spazie=
rengehen.

Der Frühling, der Sommer, der Herbst, bieten dir ihre bal=
samischen Pflanzen und Gartenfrüchte zur Erfrischung und Stärke
dar. Wie viel heilsame Kräuter verachtet unser verwöhnter Gau=
men! Ein jeder Monat im Sommer bringt die Frucht zur
Reife, die dir am dienlichsten ist. Genieße sie mäßig; sie ist
Arzney der Natur.

Milch, ein balsamisches Nahrungsmittel. Das Land schenke
sie dir, als Süßigkeit, oder als einen heilsamen Essig. Beson=
ders stärke der erquickende Trank einer reinen frischen Quelle,
entlediget von fremden Theilen, deine Gesundheit und stähle
deine Nerven.

Der Wein sey nie das gewöhnliche Getränke des noch zarten
Jünglings. Er stärke, zu Zeiten genossen, den Mann, belebe
den Greis, erquicke den Matten, und vermehre im harten Win=
ter die natürliche Wärme, als Arzney. Wohlthätiger Trank,
nie müsse dich die Unmäßigkeit in Gift verwandeln!

Fliehe die vielen warmen Getränke unsers weichlichen Jahr=
hunderts; das tägliche Getränke ausländischer Pflanzen, die wir
für viele Kosten über entlegene Meere herbeyholen, unsern Ma=
gen zu schwächen. Unsre Vorväter kannten diese Getränke nicht,
und mit ihnen auch viele Krankheiten nicht.

Bewegung.

Arbeite und sey stark! Fange mit leichter Bewegung an,
und steige stufenweise. Auf einmal aus der Ruhe in große Be=
wegung; so schadest du der Gesundheit. — Folge in der Bewe=
gung deinem Geschmack; Arbeit, die wir hassen, ermüdet bald. —

Bewegung in heitrer freyer Luft ist heilsamer, als in den ein-
geschloßnen Zimmern. Durchstreiche am kühlen Morgen oder
Abende der wärmern Jahrszeiten die Felder, und erfreue dein
Auge, und erfülle deine Einbildungskraft mit den Gegenständen
der Natur. Die Bewegung, die dein Herz aufheitert, ist doppelte Arzney. — Steige auf die Berge und laß dich von gesunden Kräutern umduften und vom reinen Aether stärken. — Be-
streige das Roß, aber mit Vorsichtigkeit, nicht auf Kosten deiner
Gesundheit und vielleicht deines Lebens, nicht mit jugendlicher
Tollkühnheit; ermüde das Wild; baue den Garten. — Allein
vergiß auch nicht der Regel des Seneca*): „Die Leibesübungen
„müssen leicht und kurz seyn, sie müssen dem Körper bald eine
„Erholung verschaffen, und der Zeit schonen, deren Kostbarkeit
„man vornehmlich bedenken muß." Eile nicht heiß in die Kälte,
nicht kalt in die Hitze. Wie dein Körper im zehrenden Winter
kräftigere Speisen und Getränke fordert: so fordert er auch stär-
kere Bewegung. Bilde den folgsamen Leib nach dem Himmelsstriche, den du bewohnest, und lerne die Kunst, das zu ertragen,
was du nicht vermeiden kannst. — Fliehe vor der Arzney in
gesunden Tagen. Alles, was über seine natürliche Geschwindigkeit das Blut forttreibt, zu viel Uebung und Bewegung des Leibes, der öftere Trank, starke gesalzene Speisen, dieses treibt
auch das Leben fort.

Leidenschaften.

Und endlich, liebst du deine Gesundheit, dein Leben: so fliehe
den Aufruhr der Leidenschaften. Der Zorn, die Liebe, die Furcht,
selbst die heftige Freude, das Feuer der Ehrbegierde, der Rache,
des Neides, hat viele in Krankheiten und in das Grab gestür-

---

*) Sint exercitationes faciles et breves, quae corpus et sine mora
laxent et tempori parcant, cujus praecipua ratio est habenda.
Seneca.

zet, die lange das Leben genießen sollten. — Glaube nicht, was
dir nicht unmittelbar schadet, was du bey den Kräften der Jugend nicht fühlest, werde dir nie schaden, werdest du niemals
fühlen. Es giebt eine langsame und eine geschwinde Strafe;
und oft beseufzet erst der Mann die Sorglosigkeit des Jünglings
zu spät.

Fliehe also die Unmäßigkeit der Tafel; den Trunk, den schrecklichen Feind der Tugend und des Lebens; fliehe den jugendlichen
Leichtsinn und die Tollkühnheit; fliehe den schmeichlerischen, aber
tödtlichen Feind, die Wollust, fliehe ihn, Jüngling, und sey
stark und gesund, und werde alt mit gutem Gewissen vor Gott
und den Menschen!

Zwölfte Vorlesung.

Von den Fehlern, welche der vernünftigen Sorge für die Gesundheit des Leibes entgegen stehen; desgleichen von der Sorgfalt, einen festen und dauerhaften Körper zu erlangen.

--------- — —

Zu wenig Gesundheitsforge.

Meine Herren, man kann bey der Pflicht der Gesundheit, von der wir in der letzten Vorlesung gesprochen haben, leicht zu wenig, oder auch zu viel thun. Lassen Sie uns diesen zwiefachen Fehler noch in einem doppelten Gemälde betrachten und zu unsrer eignen Belehrung anwenden.

Sejus, ein Gelehrter, den der Reiz der Wissenschaften bezaubert, vergräbt sich in seine Bücher und mag es nicht fühlen, daß er seine Kräfte durch ein angestrengtes Nachsinnen und den Mangel an Erholung zu geschwind verzehret. Er isset wenig und glaubt, durch die Mäßigkeit für seine Gesundheit hinlänglich zu sorgen; aber er bringt keinen freyen Geist zu seinen Mahlzeiten. Sie sind keine Erholungen für ihn; er denkt, indem er an der Tafel sitzt, eben die gelehrten Zweifel, die er in seiner

Studirstube dachte. Weiß Sejus nicht, daß die Anstrengung der Nerven die gesunde Verdauung hindert; oder konnte er dieses nicht leicht wissen? Warum macht er bey Tische keinen Stillstand mit seiner sonst löblichen Wißbegierde? Sejus sorgt für seine Gesundheit durch Bewegung. Er erschüttert seinen Körper in der ersten Stunde nach der Mahlzeit; denn in dieser Stunde kann er am wenigsten arbeiten. Er meynt es gut, und in der That liebt er seine Gesundheit zu wenig; denn er mag es nicht glauben, daß die Bewegung vier oder fünf Stunden nach der Mahlzeit der Gesundheit sehr zuträglich, und kurz darnach hingegen schädlich ist. Er flieht von seiner Holzsäge, oder von seiner Billardtafel warm zu seinen Büchern und studiret. Er wird heiter, wenn er ein warmes fremdes Getränke zu sich nimmt; er genießt es zwo und drey Stunden nach einander, sich zu stärken, hält genau über sein gewöhnliches Maaß und schmeichelt sich, daß er die Diät dabey beobachte und zu der Zeit für seine Gesundheit sorge, da er nur für seine Munterkeit sorgt. Er setzt diese Lebensart viele Jahre fort und glaubt, weil er nicht so gleich davon krank wird, um desto mehr, daß er seiner Gesundheit schone. Und selbst diese seine so verkehrte Sorge für seine Gesundheit; was hat sie zur Absicht? Sorgt er darum für sie, weil sie ein göttliches Geschenk ist? Nein, sondern weil sie ein Mittel ist, seine gelehrte Wollust desto besser zu befriedigen. Könnte Sejus bey kränklichem Körper noch tiefsinnigere Bücher der Welt zur Bewunderung vorlegen: so würde er die Gesundheit wenig achten. Er schläft sechs bis sieben Stunden, nachdem er bis zur Mitternacht seine Geister im Lesen erschöpft, und glaubt, seinen Schlaf der Gesundheit gemäß eingerichtet zu haben, weil er wieder an seine Arbeit gehen kann. Aber warum glaubt er nicht, daß der Schlaf vor Mitternacht zuträglicher sey? Warum will er nicht über eine Gewohnheit durch Zwang siegen, da sie ohne Zwang nicht kann verdränget werden? Doch er fühlt ja keine Beschwerungen; er kann früh wieder denken. Indessen verkündigen ihm die Blässe seines Gesichts, seine eingefallenen Schlä‘e, ein mattes Auge, eine zitternde Hand, die heimliche Abnahme seiner Kräfte; warum hört er diese Warnungen nicht? Könnte er seine Hitze des Studirens nicht mäßigen, oder giebt es keine richtigere Diät? Der Arzt droht ihm Krankheiten. Sejus weiset ihn dadurch zurück, daß er für sein Amt arbeiten müsse; eigentlich arbeitet er für seinen Ehrgeiz. Indessen thut sich Sejus in einzelnen Fällen einige Gewalt an, und glaubt, daß er nunmehr besser für seine Gesundheit sorge. Er studiret des Tags eine Stunde weniger und will sich bey einem Glase Wein erholen. Er trinkt und disputiret mit sich oder seinen Freunden. Er höret eine Musik, und anstatt sie in seine Empfindungen eindringen zu lassen, denkt er metaphysisch an die Natur der Musik, oder an ihre Beschaffenheit bey den Alten. Er geht oder fährt spazieren, genießt weder das Vergnügen der Gesellschaft noch die Freuden der Gegend; er ist mit seinem Geiste bey seinem Manuscripte, und füllt die Lücken aus; macht Verbesserungen, oder entwirft einen neuen Plan. Sejus kömmt also von seinen Erholungen immer mit eben der Gemüthsverfassung zurück, die er bey seinen Büchern gehabt. Kann er sich einbilden, daß er für seine Gesundheit sich bewegt habe? Seine überwiegende Neigung nach Wissenschaft regiert ihn allenthalben, und seine Gesundheit wird, bey allem äußerlichen Anscheine seiner Sorgfalt für sie, nicht stärker oder dauerhafter. Der Zwang, den er sich anthut, ist eine verkleidete Begierde nach Wissenschaft; und die Arzeneyen, die er zu sich nimmt, giebt er seinem Körper, damit er seinen Ehrgeiz unterstützen, nicht, damit er ihn geschickt machen soll, der Welt nach dem göttlichen Befehle besto besser und länger zu dienen.

Sejus verwüstet durch seine Leidenschaft eines gelehrten Ehrgeizes heimlich seine Gesundheit. Er zittert vor jedem auch

ungegründeten Tadel. Ein mißlungnes Lob tritt bey ihm ins
Blut und störet den Hunger bey der Mahlzeit. Man hat ihm
Fehler in den Journalen vorgerückt, und ihn mit Bitterkeit,
auch mit Unrecht getadelt. Schon bringt er die erste Nacht
schlaflos zu, und sein Puls schlägt gleich dem Pulse des Fiebers.
Um seine Unschuld zu retten, setzet er sich am dritten Tage nie=
der und arbeitet mit solcher Hitze an seiner Vertheidigung, daß er
darüber in ein Fieber verfällt. Er glaubt, daß er seiner Gesundheit
ohne seine Schuld geschadet; und er konnte es doch wissen, daß
er ihr schaden würde. Er glaubt, sein guter Name sey mehr
als die Gesundheit; und es ist erst die Frage, ob sein Ruhm
bey Vernünftigen jemals durch diesen Tadel gelitten, und ob
seine Rechtfertigung die Unbilligen überzeugen, oder ihm nicht
vielmehr neue Feinde erwecken werde? War die verscherzte Ge=
sundheit also ein gerechtes Opfer? Oder ist die Wiederherstellung
derselben weniger ungewiß, als die Wiederherstellung seiner ein=
gebildeten Ehre? Hängt an den Krankheiten der Tod, so hat
er das Leben, das größte Gut, für seine Ehre gewagt. Ist
dieses vernünftiger, als seinen guten Namen durch das Duell
retten wollen?

Sejus erstickt durch seinen unabläßigen und nagenden Fleiß
den guten frohen Muth, und verstopft also eine Quelle der Ge=
sundheit. Er ist eigensinnig und findet täglich zum Zorne Ge=
legenheit, bedauert seine schnellen Aufwallungen und sucht seine
Gesundheit, wie er glaubt, durch niederschlagende Pulver in
Sicherheit zu setzen. — Er läßt seine Zimmer, wo er studiret
und schläft, selten reinigen, daß nicht Unordnung entstehe, und
duldet lieber den erstickenden Staub und die träge faulende Luft
der verschloßnen Studierstube. Er schläft nicht zu viel, und
schläft doch im warmen Zimmer und in erhitzenden Betten; denn
er ist weichlich. Er isset gern harte Speisen und glaubt für
seine Gesundheit genug zu thun, daß er nicht übermäßig davon

iſſet. — Sejus liebt ſeine Geſundheit zu wenig, nur bis auf
einen Punkt; er liebt ſie ſeiner Hauptneigung wegen, und ver=
derbt ſie doch durch dieſelbe.

Uebertriebne Sorgfalt für die Geſundheit.

Iris begeht den entgegengeſetzten Fehler. Sie fürchtet ſich
ſo vor der Krankheit und dem Tode, daß ſie täglich zur Apo=
theke ihre Zuflucht nimmt. — Sie denkt und redet nichts, als
Diät, und fällt aus Furcht, ſich zu ſchaden, neuen Uebeln in
die Hände. Sich nicht zu erkälten, flieht ſie die geſunde Luft;
und um einen unnöthigen Schweiß abzuwarten, entkräftet ſie ſich
den Vormittag in heißen Zimmern und ſchwächt die Nerven
durch warme Getränke. — Sie raubt ſich den Appetit durch
zu viele Mittel ihn bey ſich zu erregen, und macht durch un=
zeitige Arzneyen ſich ſelber krank, indem ſie Krankheiten zuvor=
kommen will. — Die Bewegung hält ſie für nöthig; aber man
kann ſich, ſo denkt ſie, leicht zu ſehr bewegen, und mein Körper
iſt zart und mein Blut bald in Wallung gebracht. Sie unter=
nimmt alſo jede Bewegung mit Furcht, wird niemals frey im
Gemüthe, und fühlt, daß ſie ſich durch die Bewegung Beſchwe=
rungen zuzieht; und eigentlich ſchadet ihr nur ihre übertriebene
Furcht. — Es fehlet ihr ſtets etwas, weil ſie glaubt, daß ihr
etwas ſchaden könne. Sie verſagt ſich die unſchuldigſten Ver=
gnügungen, weil ſie beſorgt, daß ſie ihrer Geſundheit nachtheilig
ſeyn möchten. Um nicht krank zu werden, entzieht ſie ſich manche
geſunde Speiſe, und wählet dafür ſolche, die am erſten ſcharfe
oder faulende Säfte verurſachen. Jede Krankheit ihrer Nach=
barn ſtürzt ſie in neue Sorgen, und jede Leiche in Angſt des
Todes. So leidet ſie durch die Furcht vor den Uebeln faſt eben
das, was ſie von den Uebeln ſelbſt leiden würde, vor denen ſie
ſich ſo ängſtlich zu verwahren ſucht. Wie elend iſt Iris! Wie

verächtlich auf der Seite des bürgerlichen Lebens! Wird sie eine
vernünftige Gattinn, eine sorgfältige Mutter, eine zärtliche nnd
hülfreiche Freundinn seyn? Wie viel Pflichten wird sie aus
Furcht, zu sterben, unterlassen? Und also will sie leben, bloß
um zu leben? Welche unwürdige Absicht! Und wie unglücklich
wird sie nicht dadurch! Sie verliert die größten Pflichten des
Herzens, die aus der Thätigkeit und der Erfüllung der gesellschaftlichen Pflichten entspringen. Sie raubt sich Achtung, Liebe,
Vertrauen. Sie raubt sich die beiden kostbarsten Güter des Lebens, die Ruhe der Seele, und zugleich die Gesundheit des Leibes durch übermäßige Sorgfalt für die Gesundheit. Arm-
selige Iris!

So groß übrigens die Pflicht auch ist, für seine Erhaltung
vernünftig zu wachen; so müssen wir doch nicht vergessen, daß
die Gesundheit, bey aller unsrer Vorsichtigkeit, eben so wie die
übrigen Güter, nie ganz in unsrer Gewalt stehe.

Festigkeit des Körpers.

Gleichfalls kann man gesund seyn, ohne darum einen festen
und dauerhaften Körper zu haben; aber diese Festigkeit desselben
ist selbst eine Stütze der Gesundheit und oft eine nothwendige
Eigenschaft zu den Geschäfften des Lebens; daher ist die Sorge
für ihre Erlangung und Bewahrung auch eine Pflicht. Niemand weis mit Gewißheit, wozu er in der Welt berufen sey,
ob ihn nicht sein Stand nöthigen werde, harte und ermüdende
Arbeiten zu übernehmen, sich der Gewalt der Witterung, der
Wärme und Kälte auszusetzen, schwere Reisen zu thun und ihre
Unbequemlichkeiten zu ertragen, im Felde zu dienen und oft mit
dem Hunger und Durste, mit dem Schlafe und dem Ungemache
des Wetters zugleich zu streiten. Da dieses Niemand sicher weis,
da viele Geschäffte ohne einen dauerhaften Körper gar nicht,
viele nicht glücklich genug besorgt werden können; da Niemand

von ben Beschwerlichkeiten des Lebens frey bleiben kann: so haben wir einen festen und abgehärteten Körper für ein Glück, die Weichlichkeit desselben hingegen für ein Unglück zu achten. Wir sind daher besonders in der Jugend verbunden, diese Weichlichkeit zu fliehen. Dieses geschieht, wenn wir uns die Vergnügungen und Gemächlichkeiten des Lebens nicht nothwendig machen, uns nicht ängstlich an besondre Speisen und Getränke gewöhnen, stufenweise unsern Hunger mit allen, auch harten, Speisen stillen, und unsern Durst am liebsten mit Wasser löschen, den Körper weder zu warm noch zu leicht bekleiden, vor der rauhen Luft nicht zitternd fliehen, und auch im heißen Sommer uns anstrengen lernen. Alle Leibesübungen härten den Körper und machen ihn unser. Dieses wußten die Alten, und ihre Kinder bekamen eine eben so dauerhafte Lebesbeschaffenheit, als sie selbst hatten. Sich an keine Stunde sklavisch binden und zuweilen von der Ordnung glücklich abweichen; den Schlaf unterbrechen, so süß er uns auch seyn mag; frühzeitig auch auf einem harten Lager sanft schlafen lernen; oft sein eigner Bedienter seyn, auch wenn wir zehen derselben um uns haben; kleine Reisen zu Fuße thun, auch wenn wir fahren könnten; sich frühzeitig an frische Bäder gewöhnen; alles dieses mit Vorsicht und von den ersten Jahren an gewagt, befördert die Stärke und Dauerhaftigkeit des Körpers. Warum übertrifft uns der Landmann an diesen glücklichen Eigenschaften, als weil er ohne Verzärtelung in Bewegung und freyer Luft, bey einfältigen und leicht zu habenden Speisen, ohne warme oder hitzige Getränke erzogen und als ein Kind schon arbeitsam und dauerhaft geworden ist? — Wer die Festigkeit seines Körpers fühlt, wird den Gefahren besser trotzen; und Gefahren stehen uns oft bevor. Wer hart gewöhnt ist, wird die Beschwerlichkeiten des Mangels und der Armuth gelassner ertragen; und Niemand weis sein künftiges Schicksal. Er wird weniger Krankheiten unterworfen seyn, wenn er die Veränderung der Luft, der Speisen und des Getränkes, des Landes und des Wassers, wenig an seinem Körper fühlt. Und so wahr es ist, daß durch eine Bewegung und Anstrengung ohne Rast, unser Körper, gleich dem Eisen, abgerieben wird: so wahr ist es auch daß die Unthätigkeit hingegen die Starke unsers Körpers verzehrt, wie der Rost das Eisen. Ein hart gewöhnter Mann wird in den Geschäfften des Körpers, ohne bald zu ermüden, ausdauern; und wie viele Verrichtungen des Geistes finden sich, die eben deswegen nicht glücken, oder uns bald zur Last werden, weil unser Körper das Stehen, oder Sitzen, oder die Bewegung nicht lange aushalten kann! Ein gesunder, aber weichlicher Leib ist also unserm Glücke in der Welt, unserm Amte und Stande, unsrer Gelassenheit im Unfalle, oft zuwider; daher sind wir verbunden, unsern Körper nicht zu verzärteln. Wie viele Pflichten der Liebe, der Freundschaft und des äußerlichen Berufs können uns zur Last werden, bloß weil wir einen zu zärtlichen Körper haben! Der Geistliche wird in dem warmen Zimmer des Kranken zittern; und die Wallung seines Blutes, die er zu sehr fühlt, wird ihn in dem Eifer seines Amtes hindern, oder ihn nöthigen, den Kranken eher zu verlassen, als er thun sollte. Der Freund, der die geringste Gemächlichkeit sich nothwendig gemacht hat, wird es für einen Raub an sich selbst halten, wenn er sie mit seinem Freunde theilen, und, weil er auf drey Betten und nicht anders zu schlafen gewohnt ist, ihm Eins abtreten soll. Die verzärtelte Hausfrau, die den Anblick des Kranken kaum ertragen kann, wie wird sie, so gut gesinnt ihr Herz ist, die Pflichten des Beystandes und der Wartung gegen einen kranten Gemahl, gegen ein leidendes Kind, gegen eine sterbende Freundinn, die ihren Trost itzt wünschet, beobachten können? Sie kann ohne Kopfweh sich nicht zwo Stunden von ihrem ordentlichen Schlafe entziehen; und sie sollte das Elend der Ihrigen eine ganze lange Nacht durch Wachen erleichtern? Sie will es

14 ·

rann. und sie fällt selbst krank darnieder; denn so gesund sie ist, so ist sie es doch nur in derselben Ordnung, an die sie sich von Jugend auf ängstlich und zärtlich gebunden hat. — Cleon befindet sich übel, so bald er seinen gewöhnlichen Schweiß nicht früh im Bette abwarten kann; und ob er gleich weder den Schlaf noch das weiche Bette liebt, so hat er sich doch dieß durch eine lange Gewohnheit unentbehrlich gemacht. So oft ihn sein Amt nöthiget, diese eigensinnige Diät zu versäumen: so ist er den Tag über träge und verdrossen, und, so gern er sonst arbeitet, zur Arbeit ungeschickt. Er soll itzt einen Rath ertheilen, und sein Haupt ist mit Dünsten beschweret. Er sieht itzt nichts, so scharfsinnig er sonst ist; denn sein Verstand leidet von seinem Körper. Aber gleichwohl soll der Rath schnell ertheilet werden und ist mit großen Folgen verknüpft. Warum machte sich Cleon zum Sklaven einer solchen Diät? — Dorant dienet gern, aber er ist nicht gesund, wenn er sich des Tags nicht zwo festgesetzte Stunden bewegt. Er soll in diesen Stunden einen Fremden mit Höflichkeit aufnehmen; aber er gähnt und weis keine Worte zu finden; denn sein Körper, der itzt bewegt seyn will, fesselt ihn. Der Fremde hat viel von Dorants Höflichkeit gehört und sieht itzt einen gezwungenen Mann vor sich. Er kam, um ihm ein Glück anzubieten; aber er mißfällt ihm; und Dorant verliert ansehnliche Vortheile nicht durch die Schuld seines Charakters, sondern weil es die Stunde ist, an die er sich zu knechtisch gebunden hat. — Der junge Arist besitzt alle Geschicklichkeiten, sein Glück zu machen. Er versteht die Sprachen, die Geschichte und Rechte, und tritt als Sekretair in die Dienste eines großen Ministers, der mit seinen Gaben und guten Sitten gleich sehr zufrieden ist. Aber Arist ist von seinem Vater sehr zärtlich erzogen, ob gleich sehr mäßig. Arist ist gesund, so lange er in seiner methodischen Einrichtung bleibt. Itzt wird er von seinem Gönner in geheimen Verrichtungen auf etliche Wochen verschickt. Er

hat bequemes Reisegeräthe; allein er muß vierzig Meilen, und
Tag und Nacht reisen. In der andern Nacht hat er schon Flüsse,
und ist entkräftet. Sein Wein geht ihm aus. In der That
trinkt er nur zwey Gläser seit vielen Jahren her. Er findet
einen Tag keinen Wein; und schon verliert er den Appetit, und
leidet am Magen. Den dritten Tag fällt nasses und rauhes
Wetter ein, und Arist kann die rauhe Luft nicht vertragen. Er
kömmt mit einem Fieber an den fremden Hof; doch durch Ruhe
erholt er sich bald wieder und richtet seine Geschäffte vortrefflich
aus. Nach etlichen Wochen reiset er zurück und kömmt kraftlos
und mit einem neuen Fieber bey seinem Minister an. Seine
Sprachen, sein offner Verstand, seine feine Lebensart, seine ge-
fällige Miene und ein gesitteter Anstand bestimmen ihn zu Geschäfften in der großen Welt. Seine Treue und Sorgsamkeit
gleichen seinen Geschicklichkeiten. Der Minister will ihn ferner
verschicken und arbeitet an seinem Glücke. Aber Arist zittert.
Sein Körper kann die Beschwerlichkeiten der Witterung und den
Mangel gewohnter Bequemlichkeiten nicht erdulden. Er denkt
an seine beiden Fieber, bittet um seine Entlassung, und wird ein
Stadtschreiber in dem nächsten Städtchen; er, der aller Wahrscheinlichkeit nach zu einem Gesandschaftsrathe gebohren war, der
sich um sein Vaterland und die Wohlfahrt seiner Familie außerordentlich hätte verdient machen und tausendmal nützlicher reisen
können, als Andre, wenn nur sein Körper nicht wäre verzärtelt
worden; denn gesund war er, und er würde dauerhaft gewesen
seyn, wenn es Arist bey Zeiten gewagt hätt', ihn aus einer trägen Gemächlichkeit zu ziehen und ihm Beschwerlichkeiten mit Vernunft zuzumuthen.

Auf diese Weise läßt es sich leicht einsehen, daß Dauerhaftigkeit, in so weit sie durch Bewegung, Versuche und stufenweise
Abweichung von einer gewohnten Lebensart erlanget wird, eine
große Pflicht sey, und daß man sie durch Absicht eben so wohl

zur Tugend machen könne, als die Sorge für die Gesundheit
selbst. Denn ohne die gehörige höhere Absicht (lassen Sie uns
dieses nie vergessen, meine Herren), ohne die gehörige höhere
Absicht ist die beste That, die für sich noch so gut und nützlich
ist, keine Tugend für uns; und weder die Ausübung der größern
noch der kleinern Pflichten macht uns tugendhaft, wenn wir sie
nicht aus Unterwerfung gegen den Willen Gottes, aus anerkannter Verbindlichkeit und in Rücksicht gegen ihn, als unsern Herrn
und Gesetzgeber, und also um seinetwillen auszuüben trachten.
Es mögen Pflichten gegen uns oder Andre seyn, wenn wir sie
bloß aus Gewohnheit, aus Geschmack für unser Vergnügen,
Wohlseyn und Ansehen, aus Eigennutz und bloßer Selbstliebe
beobachten: so thun wir nichts, als daß wir uns selbst ehren und
uns bey dem, was wir thun und lassen, selbst zur höchsten Absicht und in derselben uns zu Gott machen.

Ich kann die Lehre von den Pflichten in Absicht auf unsre
Gesundheit und unser Leben nicht beschließen, ohne aus Liebe für
Sie, theuerste Jünglinge, eine Erinnerung hinzu zu setzen. Es
ist keine Zeit, wo man mehr Ursache hätte, für die Erhaltung
und Befestigung seiner Gesundheit zu sorgen, als das Alter der
Jugend; und vielleicht ist keine Zeit, wo man weniger dafür
sorgt. In diesem lebhaften Alter fühlen wir den Anwachs unsrer
Kräfte zu sehr, als daß wir ihre Abnahme befürchten sollten. In
diesem muthigen Alter sind gleichwohl die Feinde unsrer Gesundheit und unsers Lebens am mächtigsten. Wir sind, denn unser
Blut kocht, nicht selten kühn und unbedachtsam in unsern Unternehmungen. Unsere Leidenschaften sind heftig und bringen sich
unserm umnebelten Verstande als unschuldig oder nothwendig auf.
Wir sind den Versuchungen der Unmäßigkeit, der Wollust, und
eines falschen Ehrgeizes, diesen gefährlichsten Feinden der Gesundheit, am meisten ausgesetzt. Ja, wie viele berauben sich
dieses Schatzes in ihren ersten Jahren durch Leichtsinn, Eitelkeit,

Eigensinn, Sinnlichkeit, und erkaufen sich die Schwachheiten und
Schmerzen des Alters und den peinlichen Vorwurf, daß sie die
Urheber derselben gewesen sind, schon auf ihr dreyßigstes Jahr!
Wenn sie den Frühling ihres Lebens in Unschuld und Mäßigkeit
zugebracht hätten, so würden sie ein gesundes und ruhiges Alter
genossen haben, nicht durch die Schwindsucht früh aufgerieben,
nicht durch unheilbare Seuchen schrecklich hingerissen, nicht durch
die Martern der Gicht zu einem langsamen Tode verdammt
worden seyn! Wie viele würden, bey einer genau beobachteten
Mäßigkeit itzt mit keinem dicken und vergifteten Blute, mit keinen krampfigten Nerven, mit keinem schwindlichten Haupte, mit
keiner tödtlichen Mattigkeit der Lebensgeister zu streiten haben!
Wie viele würden an der Seite einer liebenden Gattinn, mit
wohlgearteten und gesunden Kindern gesegnet, unter dem Beyfalle der Rechtschaffenen, ihres Lebens froh genießen und ihren
Beruf glücklich abwarten, die itzt ungeliebt, bestraft mit übelge-
sitteten oder kranken Kindern, unter den heimlichen Vorwürfen
der Welt und ihres Herzens, ihr Leben ängstlich verbringen,
und, zu dem Dienste der Welt ungeschickt, ihr eine Beschwerde
werden!

Wie zerbrechlich ist unser Körper, wie zerstörbar unsre Gesundheit und unser Leben! Ein Tropfen Blut, der aus seiner
angewiesnen Stelle verdrängt wird, ein verletzter Nerve, ein
Fädchen im Gewebe des Gehirns zerrissen, ein Trunk auf die
Hitze, eine plötzliche Veränderung der Luft, ein zurückgetriebener
Schweiß, ein zu sehr befriedigter Hunger, ein gewaltsamer Zorn —
braucht es mehr, als dieses, um uns in Krankheiten zu stürzen,
ja in den Staub zu legen? Und wir wollten nicht vorsichtig
mit unsrer Gesundheit umgehen, bey unsrer Zerbrechlichkeit nicht
täglich an unser Ende denken, nicht weise leben, um ruhig sterben zu können?

Fliehen und haſſen Sie, wie Sie rühmlich thun, den jugend=
lichen Leichtſinn, die Ausgelaſſenheit und Wildheit der Sitten,
die man ehedem mit dem Namen der akademiſchen Freyheit beeh=
ret hat, die ſchreckliche Begierde, ein Held beym Trunke zu ſeyn,
die verzehrende Begierde der Spielſucht, die ſo manchem Jüng=
linge Glück und Geſundheit geraubt, die giftigen Freuden der
ſchmeicleriſchen Wolluſt, die ſo manchen blühenden Jüngling
zum verdorrten Gerippe gemacht hat. Laſſen Sie meine Bitte
gelten, liebſte Jünglinge! Ich bitte, indem ich um Ihre Ent=
haltſamkeit und Mäßigung bitte, ich bitte eigentlich für Ihre
Geſundheit, für das Glück Ihres künftigen Lebens, für die Ruhe
und Tugend Ihrer Seelen, für das Beſte der Welt, für die
Freude des Himmels, ich bitte als Ihr Freund, als Ihr aufrich=
tiger Lehrer, als ein Vater ſeine Söhne bittet; und ich weis es,
Sie hören die Bitten der Liebe. —

Die Geſundheit und Feſtigkeit des Körpers bleibt ein Geſchenk
der Vorſehung, das wir mit Dank erhalten und nützen, aber
deſſen Verluſt wir auch mit Gelaſſenheit tragen ſollen, wenn es
dem allweiſen Regierer unſrer Schickſale gefällt, ihn über uns
zu verhängen. Ohne dieſe Ergebung werden wir bey aller unſrer
Sorgfalt nicht allein nie ruhig und ſicher ſeyn können, ſondern
wir werden ſelbſt aus großer Aengſtlichkeit in häufige Fehler ver=
fallen, die unſrer Geſundheit ſchaden, in kindiſche Fehler einer
zu großen Vorſichtigkeit bey geſunden Tagen, oder einer nieder=
ſchlagenden Bangigkeit bey ſiechen Tagen. Die höchſte Pflicht
alſo bey dem natürlichen Befehle, für unſre Geſundheit zu wa=
chen, iſt dieſe, daß wir bey einer vernünftigen Sorge, und bey
einem rühmlichen Gebrauche unſrer Geſundheit, ſie getroſt den
Händen der Vorſicht überlaſſen, ſo wie unſer Leben ſelbſt. Ent=
geht uns dieſes ſchätzbare Gut, ſo iſt es Troſt genug, daß wir
es uns ſelbſt nicht geraubt, oder daß wir es unſrer höhern Pflicht
aufgeopfert haben. Iſt der Verluſt unſrer Geſundheit eine un=

liche Frucht der Unachtsamkeit in der Diät, der Uebereilung, oder der Unwissenheit (Fehler, von denen Niemand ganz frey ist) so werden wir uns doch tausendmal eher beruhigen können, als wenn eben dieser Verlust eine Frucht des bewilligten fortgesetzten Lasters seyn sollte; davor uns Gott bewahren wolle. Aber auch in diesem Falle kann aus unserm Elende noch Tugend werden, wenn wir die Strafen der Thorheit in Demuth tragen und sie zur Weisheit und Besserung anwenden. Der ist nie ganz unglücklich, der aus seinem Unglücke Klugheit lernet.

So traurig endlich das Schicksal ist, nicht gesund zu seyn, auch wenn es nicht das Werk unsrer Schuld ist: so hat es doch auch seine gute Seite, auf die wir sehen müssen. Es ist wahr, ein siecher Körper macht die Seele weder weise noch tugendhaft; aber er kann uns nöthigen, aufmerksamer auf uns, auf Weisheit und Tugend zu seyn. Er kann uns hindern, daß wir uns in gewisse Zerstreuungen und Vergnügungen nicht einlassen, in denen unser zu empfindliches Herz verdorben seyn würde. Er kann uns zum Mitleiden und zur Dienstfertigkeit fähiger machen, wenn wir wollen, und gemeiniglich sind diejenigen, die viel Schmerzen und Unfälle erduldet haben, brauchbare, willige und trostreiche Freunde der Menschen, wenn sie ein gebessertes Herz besitzen. Gelassenheit, Geduld, Vertrauen sind oft die Tugenden, die von Vielen in der sonst traurigen Schule der Erfahrung und des Elends allein können gelernet werden. Der kranke Mensch endlich, so ungeschickt er zu vielen Pflichten seyn mag, kann doch die ihm eigenthümliche Pflicht behaupten, das Loos, das ihm, als einem Geschöpfe, aus der Hand Gottes zugefallen ist, gelassen zu tragen, und für dasjenige zu erkennen, das für seine wahre und immerwährende Wohlfahrt das beste ist. Er darf die Gesundheit hoffen, wünschen und suchen; aber stets in einer ergebungsvollen Rücksicht auf den Urheber des Lebens. Er darf klagen und menschlich weinen;

aber nicht ängſtlich murren. Gott iſt der Herr von unſern Schickſalen. Zu dieſer großmüthigen Erduldung des menſchlichen Elendes belebt uns vor allen die Religion durch die lebendige Hoffnung eines unendlichen Glückes. „Was zagſt du? kann der „Elende zu ſich ſelbſt ſagen: Gott hat noch eine ganze Ewig= „keit, dich zu beglücken. Sey getroſt und hoffe auf ihn!“

Dreyzehnte Vorlesung.

Von der Sorge für die Wohlanständigkeit und äußerliche Sittsamkeit.

Die Reinlichkeit, von der ich itzt zu Ihnen, meine Herren, zuvörderst reden will, ist eine nothwendige Eigenschaft des Wohlstandes und befördert zugleich die Gesundheit. Von dieser doppelten Seite empfiehlt sie uns die Vernunft, welche das Gegentheil um desto mehr verdammt, weil es allezeit Nachlässigkeit, Trägheit und Sorglosigkeit des Charakters, oder vorgefaßte Meynungen, oder Stolz, oder eine übertriebne Geschäfftigkeit voraussetzet. Selbst die Armuth kann noch reinlich seyn, und wer das eingezogenste Leben führet, soll es noch in seiner Einsamkeit seyn. Eben das, was unsern Körper ekelhaft macht, schadet auch seiner Gesundheit und Festigkeit. Der Staub und Schmutz, die uns verunstalten, verstopfen zugleich die kleinen Höhlen und Oeffnungen, durch welche unser Körper ausdünstet. Die vom Schweiße dem Auge widrige Leinwand verursacht zugleich Stockung und Fäulniß; und die reinliche und frische Wäsche, die unser Auge ergötzt, erfrischt und stärkt zugleich den Körper. Eben das kühle Wasser, das unsre Haut reinigt, stärkt auch unsre Nerven und

erweckt unsre Lebensgeister. Eben die eingeschloßne und modernde
Luft des Zimmers, die dem Geruche Ekel erweckt, verunreiniget
die Lunge und schwächt sie. Eben die Sorgfalt, die unsern Zahn
zum Schnee, und unsern Athem zu reinem frischen Aether macht,
bewahret den Mund vor Fäulnissen und unsern Gaumen vor
Flüssen. Es ist ein sicheres Kennzeichen, daß man sich zu wenig
liebt, wenn man die Reinlichkeit nicht liebt; ja es ist eine Art
von Aufforderung, das uns Andre verachten sollen, weil wir uns
selbst nicht achten, und daß sie uns durch Geringschätzung bestrafen sollen, weil wir unverschämt genug sind, ihren rechtmäßigen
Ekel aufzubringen. Man hat ganze Verzeichnisse von Krankheiten gesammelt, die ihre Nahrung oder ihren Ursprung aus der
Unreinlichkeit des Körpers haben. Dieser Bewegungsgrund sollte
wenigstens alle die rühren, die, dem Wohlstande allein zu gefallen, sich nicht entschließen mögen, reinlich zu seyn. Reinlichkeit
verlanget Ordnung; und vielleicht hassen wir den Unreinlichen
auch aus dieser Ursache, weil wir vermuthen, daß kein Gesetz der
Ordnung in seiner Seele herrsche. Aber auch die Reinlichkeit
hat ihr Uebermaaß: „Sie darf, sagt Cicero, nicht zu gesucht,
„und dadurch selbst Andern beschwerlich seyn: sie muß bloß jene
„Nachlässigkeit vermeiden, welche den natürlichen Wohlstand und
„die gute Lebensart beleidiget." *)

Die Wohlanständigkeit kann niemals ohne Reinlichkeit
seyn; allein sie fordert in Ansehung der Geberden und Stellungen unsers Körpers doch noch mehr. Der äußerliche Anstand
verlanget eine regelmäßige und doch ungezwungene Bewegung
unserer Gliedmaßen, durch welche ihre Absicht leicht und genau
erfolgen kann. In der That ist der wahre Anstand des Körpers
eben so wenig eine Frucht eigensinniger Regeln, als es die Be-

---

*) Adhibenda est munditia non odiosa neque exquisita nimis, tan-
tum quae fugiat agrestem et inhumanam negligentiam. *Cicero.*

redſamkeit einer Schrift iſt. Man rechnet vielleicht bey dieſem oder jenem Volke viel Willkührliches zum Wohlſtande und nicht ſelten eine gekünſtelte Wendung zur Schönheit des Körpers, und eine eingeführte unnatürliche Mode zum Wohlſtande in der Kleidung. Allein diejenige geſittete Nation kennen wir nicht, die einen niederhangenden Kopf, Schultern, die zum Haupte empor ſchwellen, Arme, die ſtarr herunter hängen, oder als angeheftet ſich an den Körper ſchmiegen, einen hervor ſtrotzenden Unterleib und eine eingezogene Bruſt, Füße, die ſich im Gehen einwärts ſchließen, oder den Leib von einer Seite zur andern werfen, für Anſtand des Körpers hielte, weil alle die Stellungen dem Baue deſſelben und der Abſicht der Gliedmaßen zuwider ſind. „Das „Stehen, der Gang, das Sitzen, das Liegen bey Tiſche, das „Geſicht, die Augen, die Bewegung der Hände, müſſen einen „guten Anſtand und vornehmlich denjenigen haben, den uns die „Natur ſelbſt lehret. Man muß dabey beſonders zween Fehler „vermeiden: das zu Süße und Weibiſche, und dann das Rohe „und Bäuriſche;“ ſo lehrte der Kenner der Gelehrſamkeit und des Wohlſtandes, der weiſeſte Conſul, ſeinen Sohn, der damals in Athen ſtudirte [*].

Alles, was den freyen Gebrauch des Körpers in unſre Gewalt bringen hilft, das befördert auf gewiſſe Weiſe auch ſeinen Anſtand. Daher ſind alle Leibesübungen, die nach Regeln vorgenommen werden, wo nicht die einzigen, doch die ſicherſten Mittel dazu; und es iſt eine erfreuliche Betrachtung, daß das Nützliche für den Körper ihm auch den meiſten Anſtand giebt. Es iſt gut, an ſchönen Beyſpielen erlernen, wie man ſeinen Kör-

[*] Status, incessus, sessio, accubitio, vultus, oculi, manuum motus, teneant illud decorum, praesertim natura ipsa duce et magistra. Quibus in rebus duo maxime fugienda sunt: ne quid effeminatum aut molle, et ne quid durum aut rusticum sit. *Cicero.*

per richtig tragen soll, aber mehr als die Richtigkeit können uns
die Beyspiele nicht lehren. Das Schöne der Stellung, oder der
Bewegung und Geberdung, besteht in dem Eigenthümlichen, das
sich für unsern Körper und für seinen ganzen Bau und für die
Seele, die darinnen herrschet, vornehmlich schicket. Dieses ist der
eigenthümliche Anstand, der einen vor dem Andern dem Auge
gefälliger macht. Die Kunst kann ihn uns nicht geben; nein,
er ist ein freywilliger Erfolg, bey dem wir uns mehr zu hüten
haben, daß wir ihn nicht durch die Nachahmung verdrängen,
als uns zu bemühen, wie wir ihn unter gewisse Regeln bringen,
und jedes mal ängstlich anwenden wollen: denn daraus entspringt
der Fehler der Kostbarkeit und der Pedanterey im Anstande.
Das Zeichnen ist unstreitig ein Mittel, unser Auge an den An=
stand zu gewöhnen und ihm die Gesetze der Uebereinstimmung
zur eignen Regel zu machen. Und wie sollte der, der richtig
und schön gezeichnete Gemälde und die besten Stellungen in den
Werken der Bildhauer oft im Auge hat, sich nicht eine Empfin=
dung des Anstandes erwerben, nach welcher sich sein eigner Kör=
per unvermerkt bilden wird, wenn er sie nicht vernachlässiget? —
Wenn auch das Fechten nie zur Abwendung der Gefahren diente:
so wäre es doch vielleicht darum nützlich, weil es unsre Glied=
maßen nach Regeln aus ihren schläfrigen oder unbiegsamen Stel=
lungen zieht, sie gefügig und stark macht, und also den Anstand
des Körpers erleichtern hilft. So giebt das Reuten, außer dem
Anstande und der Sicherheit zu Pferde, natürlich auch einen
Anstand, den Körper zu tragen, in so fern es uns den Körper
im Gleichgewichte frey und mit wenig Mühe halten lehret; und
das Freywillige läßt sich nie vom Anstande trennen. Ich weis,
daß jede von diesen Künsten ihr Eigenthümliches hat, das, nur
in ihrem Bezirke, für den Körper schön ist, und außer demselben
uns einen Uebelstand geben kann; aber dieses gilt so gar von
der Schule des Körpers, ich meyne dem Tanzboden. Die Stel=

längen solcher Kunst, in ihrem feinsten Grade, in den ordentlichen Gang auf der Gasse oder in die Geberdungen der Gesellschaft bringen, wird allezeit anstößig bleiben. Wir wissen sehr wohl, so natürlich die Gesetze des guten Tanzes sind, daß die Welt kein Tanzboden ist; und so vortrefflich die Gesetze der Singstimme sind, daß im Reden dieser abgemeßne Klang unnatürlich wird.

Auf der Miene beruht (wer erfährt das nicht?) in Ansehung der Wohlanständigkeit unglaublich viel; und die Miene auszubilden ist zum Wohlstande eben so nöthig, als es die Bildung des Verstandes zur Tugend ist. Aber wie bilden wir die Miene? Ich denke, auf eine doppelte Art, davon die eine unendlich wichtiger ist, als die andre. Die Bildung, die der natürliche Spiegel, oder die Erinnerung des Freundes oder Aufsehers uns giebt, nimmt das Gezerrte, das Komische, das Starrköpfische, das zu Freye, das Aengstliche hinweg; und die Miene hat schon viel gewonnen, wenn sie diese Fehler nicht hat. Aber wie eine Rede noch nicht schön ist, weil keine Sprachfehler darinne sind, ob sie gleich ohne Richtigkeit der Sprache nie ganz schön seyn kann: so hat auch die Miene noch ihren größten Witz nicht, bloß darum, weil die Hauptzüge des Gesichts nicht fehlerhaft sind. Das, was sich der Welt in der Miene am meisten empfiehlt, oder beschwerlich macht, ist der Charakter des Geistes und Herzens, der durch das Auge und Gesichte redt. Ein heitres, bescheidnes, sorgenfreyes, edles, sanftmüthiges, großdenkendes Herz; ein Herz voll von Leutseligkeit, Aufrichtigkeit und gutem Gewissen, voll von Herrschaft über seine Sinne und Leidenschaften; dieß Herz bildet sich gern in den Geberden des Gesichts und in den Wendungen des Körpers ab; dieß Herz erzeugt meistens die bescheidne, gefallende, einnehmende und bezaubernde Miene, die gesetzte, edle, erhabne und majestätische Miene, das Sanfte und Leutselige der Gesichtszüge, das Auf-

zur Tugend machen könne, als die Sorge für die Gesundheit selbst. Denn ohne die gehörige höhere Absicht (lassen Sie uns dieses nie vergessen, meine Herren), ohne die gehörige höhere Absicht ist die beste That, die für sich noch so gut und nützlich ist, keine Tugend für uns; und weder die Ausübung der größern noch der kleinern Pflichten macht uns tugendhaft, wenn wir sie nicht aus Unterwerfung gegen den Willen Gottes, aus anerkannter Verbinblichkeit und in Rücksicht gegen ihn, als unsern Herrn und Gesetzgeber, und also um seinetwillen auszuüben trachten. Es mögen Pflichten gegen uns oder Andre seyn, wenn wir sie bloß aus Gewohnheit, aus Geschmack für unser Vergnügen, Wohlseyn und Ansehen, aus Eigennutz und bloßer Selbstliebe beobachten: so thun wir nichts, als daß wir uns selbst ehren und uns bey dem, was wir thun und lassen, selbst zur höchsten Absicht und in derselben uns zu Gott machen.

Ich kann die Lehre von den Pflichten in Absicht auf unsre Gesundheit und unser Leben nicht beschließen, ohne aus Liebe für Sie, theuerste Jünglinge, eine Erinnerung hinzu zu setzen. Es ist keine Zeit, wo man mehr Ursache hätte, für die Erhaltung und Befestigung seiner Gesundheit zu sorgen, als das Alter der Jugend; und vielleicht ist keine Zeit, wo man weniger dafür sorgt. In diesem lebhaften Alter fühlen wir den Anwachs unsrer Kräfte zu sehr, als daß wir ihre Abnahme befürchten sollten. In diesem muthigen Alter sind gleichwohl die Feinde unsrer Gesundheit und unsers Lebens am mächtigsten. Wir sind, denn unser Blut kocht, nicht selten kühn und unbedachtsam in unsern Unternehmungen. Unsere Leidenschaften sind heftig und bringen sich unserm umnebelten Verstande als unschuldig oder nothwendig auf. Wir sind den Versuchungen der Unmäßigkeit, der Wollust, und eines falschen Ehrgeizes, diesen gefährlichsten Feinden der Gesundheit, am meisten ausgesetzet. Ja, wie viele berauben sich dieses Schatzes in ihren ersten Jahren durch Leichtsinn, Eitelkeit,

Eigenſinn, Sinnlichkeit, und erkaufen ſich die Schwachheiten und Schmerzen des Alters und den peinlichen Vorwurf, daß ſie die Urheber derſelben geweſen ſind, ſchon auf ihr dreyßigſtes Jahr! Wenn ſie den Frühling ihres Lebens in Unſchuld und Mäßigkeit zugebracht hätten, ſo würden ſie ein geſundes und ruhiges Alter genoſſen haben, nicht durch die Schwindſucht früh aufgerieben, nicht durch unheilbare Seuchen ſchrecklich hingeriſſen, nicht durch die Martern der Gicht zu einem langſamen Tode verdammt worden ſeyn! Wie viele würden, bey einer genau beobachteten Mäßigkeit itzt mit keinem dicken und vergifteten Blute, mit kei⸗ nen krampfigten Nerven, mit keinem ſchwindlichten Haupte, mit keiner töbtlichen Mattigkeit der Lebensgeiſter zu ſtreiten haben! Wie viele würden an der Seite einer liebenden Gattinn, mit wohlgearteten und geſunden Kindern geſegnet, unter dem Bey⸗ falle der Rechtſchaffenen, ihres Lebens froh genießen und ihren Beruf glücklich abwarten, die itzt ungeliebt, beſtraft mit übelge⸗ ſitteten oder kranken Kindern, unter den heimlichen Vorwürfen der Welt und ihres Herzens, ihr Leben ängſtlich verbringen, und, zu dem Dienſte der Welt ungeſchickt, ihr eine Beſchwerde werden!

Wie zerbrechlich iſt unſer Körper, wie zerſtörbar unſre Ge⸗ ſundheit und unſer Leben! Ein Tropfen Blut, der aus ſeiner angewieſnen Stelle verdrängt wird, ein verletzter Nerve, ein Fäbchen im Gewebe des Gehirns zerriſſen, ein Trunk auf die Hitze, eine plötzliche Veränderung der Luft, ein zurückgetriebener Schweiß, ein zu ſehr befriedigter Hunger, ein gewaltſamer Zorn — braucht es mehr, als dieſes, um uns in Krankheiten zu ſtürzen, ja in den Staub zu legen? Und wir wollten nicht vorſichtig mit unſrer Geſundheit umgehen, bey unſrer Zerbrechlichkeit nicht täglich an unſer Ende denken, nicht weiſe leben, um ruhig ſter⸗ ben zu können?

Fliehen und hassen Sie, wie Sie rühmlich thun, den jugendlichen Leichtsinn, die Ausgelassenheit und Wildheit der Sitten,
die man ehedem mit dem Namen der akademischen Freyheit beehret hat, die schreckliche Begierde, ein Held beym Trunke zu seyn,
die verzehrende Begierde der Spielsucht, die so manchem Jünglinge Glück und Gesundheit geraubt, die giftigen Freuden der
schmeichlerischen Wollust, die so manchen blühenden Jüngling
zum verdorrten Gerippe gemacht hat. Lassen Sie meine Bitte
gelten, liebste Jünglinge! Ich bitte, indem ich um Ihre Enthaltsamkeit und Mäßigung bitte, ich bitte eigentlich für Ihre
Gesundheit, für das Glück Ihres künftigen Lebens, für die Ruhe
und Tugend Ihrer Seelen, für das Beste der Welt, für die
Freude des Himmels, ich bitte als Ihr Freund, als Ihr aufrichtiger Lehrer, als ein Vater seine Söhne bittet; und ich weis es,
Sie hören die Bitten der Liebe. —

Die Gesundheit und Festigkeit des Körpers bleibt ein Geschenk
der Vorsehung, das wir mit Dank erhalten und nützen, aber
dessen Verlust wir auch mit Gelassenheit tragen sollen, wenn es
dem allweisen Regierer unsrer Schicksale gefällt, ihn über uns
zu verhängen. Ohne diese Ergebung werden wir bey aller unsrer
Sorgfalt nicht allein nie ruhig und sicher seyn können, sondern
wir werden selbst aus großer Aengstlichkeit in häufige Fehler verfallen, die unsrer Gesundheit schaden, in kindische Fehler einer
zu großen Vorsichtigkeit bey gesunden Tagen, oder einer nieder-
schlagenden Bangigkeit bey siechen Tagen. Die höchste Pflicht
also bey dem natürlichen Befehle, für unsre Gesundheit zu wachen, ist diese, daß wir bey einer vernünftigen Sorge, und bey
einem rühmlichen Gebrauche unsrer Gesundheit, sie getrost den
Händen der Vorsicht überlassen, so wie unser Leben selbst. Entgeht uns dieses schätzbare Gut, so ist es Trost genug, daß wir
es uns selbst nicht geraubt, oder daß wir es unsrer höhern Pflicht
aufgeopfert haben. Ist der Verlust unsrer Gesundheit eine un-

glückliche Frucht der Unachtsamkeit in der Diät, der Uebereilung, oder der Unwissenheit (Fehler, von denen Niemand ganz frey ist): so werden wir uns doch tausendmal eher beruhigen können, als wenn eben dieser Verlust eine Frucht des bewilligten fortgesetzten Lasters seyn sollte; davor uns Gott bewahren wolle. Aber auch in diesem Falle kann aus unserm Elende noch Tugend werden, wenn wir die Strafen der Thorheit in Demuth tragen und sie zur Weisheit und Besserung anwenden. Der ist nie ganz unglücklich, der aus seinem Unglücke Klugheit lernet.

So traurig endlich das Schicksal ist, nicht gesund zu seyn, auch wenn es nicht das Werk unsrer Schuld ist: so hat es doch auch seine gute Seite, auf die wir sehen müssen. Es ist wahr, ein siecher Körper macht die Seele weder weise noch tugendhaft; aber er kann uns nöthigen, aufmerksamer auf uns, auf Weisheit und Tugend zu seyn. Er kann uns hindern, daß wir uns in gewisse Zerstreuungen und Vergnügungen nicht einlassen, in denen unser zu empfindliches Herz verdorben seyn würde. Er kann uns zum Mitleiden und zur Dienstfertigkeit fähiger machen, wenn wir wollen, und gemeiniglich sind diejenigen, die viel Schmerzen und Unfälle erduldet haben, brauchbare, willige und trostreiche Freunde der Menschen, wenn sie ein gebessertes Herz besitzen. Gelassenheit, Geduld, Vertrauen sind oft die Tugenden, die von Vielen in der sonst traurigen Schule der Erfahrung und des Elends allein können gelernet werden. Der kranke Mensch endlich, so ungeschickt er zu vielen Pflichten seyn mag, kann doch die ihm eigenthümliche Pflicht behaupten, das Loos, das ihm, als einem Geschöpfe, aus der Hand Gottes zugefallen ist, gelassen zu tragen, und für dasjenige zu erkennen, das für seine wahre und immerwährende Wohlfahrt das beste ist. Er darf die Gesundheit hoffen, wünschen und suchen; aber stets in einer ergebungsvollen Rücksicht auf den Urheber des Lebens. Er darf klagen und menschlich weinen;

aber nicht ängstlich murren. Gott ist der Herr von unsern Schicksalen. Zu dieser großmüthigen Erduldung des menschlichen Elendes belebt uns vor allen die Religion durch die lebendige Hoffnung eines unendlichen Glückes. „Was zagst du? kann der „Elende zu sich selbst sagen: Gott hat noch eine ganze Ewig= „keit, dich zu beglücken. Sey getrost und hoffe auf ihn!"

Dreyzehnte Vorlesung.

Von der Sorge für die Wohlanständigkeit und äußerliche Sittsamkeit.

— · — —

Die Reinlichkeit, von der ich izt zu Ihnen, meine Herren, zuvörderst reden will, ist eine nothwendige Eigenschaft des Wohlstandes und befördert zugleich die Gesundheit. Von dieser boppelten Seite empfiehlt sie uns die Vernunft, welche das Gegentheil um desto mehr verdammt, weil es allezeit Nachlässigkeit, Trägheit und Sorglosigkeit des Charakters, oder vorgefaßte Meynungen, oder Stolz, oder eine übertriebne Geschäfftigkeit voraussetzet. Selbst die Armuth kann noch reinlich seyn, und wer das eingezogenste Leben führet, soll es noch in seiner Einsamkeit seyn. Eben das, was unsern Körper ekelhaft macht, schadet auch seiner Gesundheit und Festigkeit. Der Staub und Schmuz, die uns verunstalten, verstopfen zugleich die kleinen Höhlen und Oeffnungen, durch welche unser Körper ausdünstet. Die vom Schweiße dem Auge widrige Leinwand verursacht zugleich Stockung und Fäulniß; und die reinliche und frische Wäsche, die unser Auge ergözt, erfrischt und stärkt zugleich den Körper. Eben das kühle Wasser, das unsre Haut reinigt, stärkt auch unsre Nerven und

erweckt unfre Lebensgeister. Eben die eingeschloßne und moderude
Luft des Zimmers, die dem Geruche Ekel erweckt, verunreiniget
die Lunge und schwächt sie. Eben die Sorgfalt, die unsern Zahn
zum Schnee, und unsern Athem zu reinem frischen Aether macht,
bewahret den Mund vor Fäulnissen und unsern Gaumen vor
Flüssen. Es ist ein sicheres Kennzeichen, daß man sich zu wenig
liebt, wenn man die Reinlichkeit nicht liebt; ja es ist eine Art
von Aufforderung, das uns Andre verachten sollen, weil wir uns
selbst nicht achten, und daß sie uns durch Geringschätzung bestrafen sollen, weil wir unverschämt genug sind, ihren rechtmäßigen
Ekel aufzubringen. Man hat ganze Verzeichnisse von Krankheiten gesammelt, die ihre Nahrung oder ihren Ursprung aus der
Unreinlichkeit des Körpers haben. Dieser Bewegungsgrund sollte
wenigstens alle die rühren, die, dem Wohlstande allein zu gefallen, sich nicht entschließen mögen, reinlich zu seyn. Reinlichkeit
verlanget Ordnung; und vielleicht hassen wir den Unreinlichen
auch aus dieser Ursache, weil wir vermuthen, daß kein Gesetz der
Ordnung in seiner Seele herrsche. Aber auch die Reinlichkeit
hat ihr Uebermaaß: „Sie darf, sagt Cicero, nicht zu gesucht,
„und dadurch selbst Andern beschwerlich seyn: sie muß bloß jene
„Nachlässigkeit vermeiden, welche den natürlichen Wohlstand und
„die gute Lebensart beleidiget.‟ *)

Die Wohlanständigkeit kann niemals ohne Reinlichkeit
seyn; allein sie fordert in Ansehung der Geberden und Stellungen unsers Körpers doch noch mehr. Der äußerliche Anstand
verlanget eine regelmäßige und doch ungezwungene Bewegung
unserer Gliedmaßen, durch welche ihre Absicht leicht und genau
erfolgen kann. In der That ist der wahre Anstand des Körpers
eben so wenig eine Frucht eigensinniger Regeln, als es die Be-

---

*) Adhibenda est munditia non odiosa neque exquisita nimis, tan-
tam quae fugiat agrestem et inhumanam negligentiam. *Cicero.*

redfamkeit einer Schrift ist. Man rechnet vielleicht bey diesem oder jenem Volke viel Willkührliches zum Wohlstande und nicht selten eine gekünstelte Wendung zur Schönheit des Körpers, und eine eingeführte unnatürliche Mode zum Wohlstande in der Kleidung. Allein diejenige gesittete Nation kennen wir nicht, die einen niederhangenden Kopf, Schultern, die zum Haupte empor schwellen, Arme, die starr herunter hängen, oder als angeheftet sich an den Körper schmiegen, einen hervor strotzenden Unterleib und eine eingezogene Brust, Füße, die sich im Gehen einwärts schließen, oder den Leib von einer Seite zur andern werfen, für Anstand des Körpers hielte, weil alle die Stellungen dem Baue desselben und der Absicht der Gliedmaßen zuwider sind. „Das „Stehen, der Gang, das Sitzen, das Liegen bey Tische, das „Gesicht, die Augen, die Bewegung der Hände, müssen einen „guten Anstand und vornehmlich denjenigen haben, den uns die „Natur selbst lehret. Man muß dabey besonders zween Fehler „vermeiden: das zu Süße und Weibische, und dann das Rohe „und Bäurische;" so lehrte der Kenner der Gelehrsamkeit und des Wohlstandes, der weiseste Consul, seinen Sohn, der damals in Athen studirte ').

Alles, was den freyen Gebrauch des Körpers in unsre Gewalt bringen hilft, das befördert auf gewisse Weise auch seinen Anstand. Daher sind alle Leibesübungen, die nach Regeln vorgenommen werden, wo nicht die einzigen, doch die sichersten Mittel dazu; und es ist eine erfreuliche Betrachtung, daß das Nützliche für den Körper ihm auch den meisten Anstand giebt. Es ist gut, an schönen Beyspielen erlernen, wie man seinen Kör-

---

*) Status, incessus, sessio, accubitio, vultus, oculi, manuum motus, teneant illud decorum, praesertim natura ipsa duce et magistra. Quibus in rebus duo maxime fugienda sunt: ne quid effeminatum aut molle, et ne quid durum aut rusticum sit. *Cicero.*

per richtig tragen soll, aber mehr als die Richtigkeit können uns
die Beyspiele nicht lehren. Das Schöne der Stellung, oder der
Bewegung und Geberdung, besteht in dem Eigenthümlichen, das
sich für unsern Körper und für seinen ganzen Bau und für die
Seele, die darinnen herrschet, vornehmlich schicket. Dieses ist der
eigenthümliche Anstand, der einen vor dem Andern dem Auge
gefälliger macht. Die Kunst kann ihn uns nicht geben; nein,
er ist ein freywilliger Erfolg, bey dem wir uns mehr zu hüten
haben, daß wir ihn nicht durch die Nachahmung verdrängen,
als uns zu bemühen, wie wir ihn unter gewisse Regeln bringen,
und jedes mal ängstlich anwenden wollen: denn daraus entspringt
der Fehler der Kostbarkeit und der Pedanterey im Anstande.
Das Zeichnen ist unstreitig ein Mittel, unser Auge an den An=
stand zu gewöhnen und ihm die Gesetze der Uebereinstimmung
zur eignen Regel zu machen. Und wie sollte der, der richtig
und schön gezeichnete Gemälde und die besten Stellungen in den
Werken der Bildhauer oft im Auge hat, sich nicht eine Empfin=
dung des Anstandes erwerben, nach welcher sich sein eigner Kör=
per unvermerkt bilden wird, wenn er sie nicht vernachlässiget? —
Wenn auch das Fechten nie zur Abwendung der Gefahren diente:
so wäre es doch vielleicht darum nützlich, weil es unsre Glied=
maßen nach Regeln aus ihren schläfrigen oder unbiegsamen Stel=
lungen zieht, sie gefügig und stark macht, und also den Anstand
des Körpers erleichtern hilft. So giebt das Reuten, außer dem
Anstande und der Sicherheit zu Pferde, natürlich auch einen
Anstand, den Körper zu tragen, in so fern es uns den Körper
im Gleichgewichte frey und mit wenig Mühe halten lehret; und
das Freywillige läßt sich nie vom Anstande trennen. Ich weiß,
daß jede von diesen Künsten ihr Eigenthümliches hat, das, nur
in ihrem Bezirke, für den Körper schön ist, und außer demselben
uns einen Uebelstand geben kann; aber dieses gilt so gar von
der Schule des Körpers, ich meyne dem Tanzboden. Die Stel=

lungen seiner Kunst, in ihrem feinsten Grade, in den ordentli=
chen Gang auf der Gasse oder in die Geberdungen der Gesell=
schaft bringen, wird allezeit anstößig bleiben. Wir wissen sehr
wohl, so natürlich die Gesetze des guten Tanzes sind, daß die
Welt kein Tanzboden ist; und so vortrefflich die Gesetze der
Singstimme sind, daß im Reden dieser abgemeßne Klang
unnatürlich wird.

Auf der Miene beruht (wer erfährt das nicht?) in An=
sehung der Wohlanständigkeit unglaublich viel; und die Miene
auszubilden ist zum Wohlstande eben so nöthig, als es die Bil=
dung des Verstandes zur Tugend ist. Aber wie bilden wir die
Miene? Ich denke, auf eine doppelte Art, davon die eine un=
endlich wichtiger ist, als die andre. Die Bildung, die der Um=
gang, der Spiegel, oder die Erinnerung des Freundes oder Auf=
sehers uns giebt, nimmt das Gezerrte, das Komische, das
Sauertöpfische, das zu Freye, das Aengstliche hinweg; und die
Miene hat schon viel gewonnen, wenn sie diese Fehler nicht hat.
Aber wie eine Rede noch nicht schön ist, weil keine Sprachfehler
darinne sind, ob sie gleich ohne Richtigkeit der Sprache nie
ganz schön seyn kann: so hat auch die Miene noch ihren größten
Reiz nicht, bloß darum, weil die Hauptzüge des Gesichts nicht
fehlerhaft sind. Das, was sich der Welt in der Miene am
meisten empfiehlt, oder beschwerlich macht, ist der Charakter des
Geistes und Herzens, der durch das Auge und Gesichte redt.
Ein heitres, bescheidnes, sorgenfreyes, edles, sanftmüthiges,
großdenkendes Herz; ein Herz voll von Leutseligkeit, Aufrichtig=
keit und gutem Gewissen, voll von Herrschaft über seine Sinne
und Leidenschaften; dieß Herz bildet sich gern in den Geberden
des Gesichts und in den Wendungen des Körpers ab; dieß Herz
erzeugt meistens die bescheidne, gefallende, einnehmende und be=
zaubernde Miene, die gesetzte, edle, erhabne und majestätische
Miene, das Sanfte und Leutselige der Gesichtszüge, das Auf=

richtige und Treuherzige des Auges, den Ernst der Stimme mit
Heiterkeit gemildert, das Freundliche des Blickes mit Schamhaftigkeit verbunden; und die beste Farbe des Gesichts oder die beste
Miene ist die gute Farbe des Herzens und Verstandes. — Die
Miene trügt, werden Sie sagen. Ja, meine Herren, man kann
sie nachäffen; aber selten, ohne daß man die Nachäffung durch
den Zwang verräth; und die Wahrheit in der Miene läßt sich
eben so leicht unterscheiden, als die Wahrheit eines richtigen und
eines bloß schimmernden schönen Gedanken. Die Schminke wird
nie die Haut selbst, so fein sie auch aufgetragen ist. Ferner irrt
mich auch dieses nicht, daß Gesichter mit guten Mienen oft ungesittete Herzen haben. Ich schließe vielmehr daraus, daß diese
Personen viel natürliche Anlage zu denen Eigenschaften gehabt,
deren Merkmale in ihrer Bildung anzutreffen sind. Endlich
mag es wahr seyn, daß oft unter einer finstern Miene ein
sanftes und frohes Herz, und unter einem drohenden trotzigen
Auge ein liebreicher Charakter verborgen ist. Diese Mißhelligkeit
kann entweder von übel angenommenen Gewohnheiten der Miene
und einem schlechten Umgange, oder daher entstehen, daß der
Charakter, den sie verkündiget, Naturschuld ist, oder von den
ersten Jahren an unser eignes böses Werk auf lange Zeit gewesen ist, ob wir es gleich nachher unterdrückt haben.

Daß böse und lasterhafte Neigungen aus dem Herzen gern
in die Miene übergehen, dessen versichert uns eine untrügliche
Erfahrung; wenigstens von gewissen Lastern. Und was ist die
schönste Bildung des Gesichts, in die sich die gehässigen Züge
der Wollust, des Zorns, der Falschheit, des Neides, des Geizes,
des Stolzes und der Unzufriedenheit eingedrückt haben? Was
ist aller äußerlicher Anstand, wenn ein unedles oder leichtsin-
niges Herz durch die Miene hervor blickt? Das sicherste Mittel,
sein Gesicht, so viel in unsrer Gewalt steht, zu verschönern, ist
also dieses, daß man sein Herz verschönere, und keine bösen

Leidenschaften darinnen herrschen lasse. Das beste Mittel, keine leere und einfältige Miene zu haben, ist, daß man richtig und fein denken lerne. Das beste Mittel, einen edlen Reiz über sein Gesicht auszubreiten, ist, daß man ein Herz voll Religion und Tugend habe, welche Hoheit und Zufriedenheit in demselben ausbreitet. Der große Young sagt an einem Orte, daß er sich keinen göttlichern Anblick denken könne, als ein schönes Frauenzimmer auf ihren Knien in der Stunde der Andacht, die sie unbemerkt verrichtete, und auf deren Stirne die Demuth und Unschuld einer frommen Seele sich vereinigen. Und in der That, müßte das liebreiche und dienstfertige Wesen, das wir in dem äußerlichen Betragen so sehr schätzen, uns nicht freywillig und überall folgen, wenn wir immer die liebreichen und dienstfertigen Menschen wären, die wir zu scheinen uns so viel Mühe geben? Eine Mühe, die wir kaum nöthig hätten, um es wirklich zu seyn. Man nehme zween Minister von gleichen Naturgaben und gleichen äußerlichen Vortheilen an. Der eine soll ein gebildeter Christ, der andre nur ein gebildeter Weltmann seyn. Welcher wird am meisten durch sein äußerliches Betragen gefallen? Jener, dessen Herz voll edler und dienstfertiger Menschenliebe wallt; oder dieser, den die Selbstliebe gefällig macht?

Wie sehr der Ton der Stimme den äußerlichen Anstand belebe, ist eben so bekannt. Der Ton des Einen gefällt und rührt uns schon, ohne daß wir seine Sprache verstehen, und die Stimme des Andern beleidiget uns durch ihre Härte, durch das Hohle, durch das Schreyende, durch das Rauhe und Grobe. Es ist gewiß, daß wir uns das Angenehme der Stimme eben so wenig allezeit geben können, als das Einnehmende der Miene; allein ihren meisten Fehlern können wir doch abhelfen, so gar einigen, die ihren Sitz in den Werkzeugen der Sprache selbst haben. Man wende nur Fleiß und Mühe an, die Stimme auf ihre Hauptabsicht, auf das Vernehmliche und Deutliche, einzuschränken: so wird sie selten mißfallen. Sie wird stärker und schwächer, nachdem es nöthig ist, sie wird langsamer oder schneller werden. Sie wird das Rauhe durch Uebung, und das Plumpe, das wir ohne gute Erziehung angenommen, durch beßre Nachahmungen verlieren. Die Erlernung des Singens wird der Stimme auch keine geringen Vortheile verschaffen. Allein die Stimme ist oft der freywillige Ausdruck unsers Charakters, und sie wird also auch das Gute und Fehlerhafte desselben an sich nehmen. Es giebt einen gewissen Ton, der das Leere des Verstandes verräth; man würde ihn verlieren, wenn man denken lernte. Es giebt einen schläfrigen und trägen Ton; man würde ihn verlieren, wenn man munter und lebhaft denken lernte, und seinen Verstand oder Witz mehr anstrengte. Es giebt etwas hastiges und übereilendes in der Stimme; man würde es am ersten mäßigen, wenn man die Schnelligkeit seines Geistes oder die Heftigkeit seiner Begierden mäßigte. Wer kennt nicht das Trotzige und Gebietrische der Stimme, das Weichliche, das Klägliche? Nur die Quelle des Herzens gebessert, so wird sich die Stimme auch bessern. Zu viel Dreistigkeit oder zu viel Furchtsamkeit macht beides die Stimme im Umgange unangenehm; und je bescheidner der verständige Mann ist, wenn er einmal den Schauplatz der Welt gewohnet ist, desto angenehmer wird seine Stimme seyn. So bald die Stimme die Fehler der Gewohnheit, übler Gesellschaft oder des Temperaments verliert und durch Uebung sich bildet: so wird sie die seyn, die sich für uns schicket, sie mag ihrer Natur nach zu dieser oder jener Classe gehören. Das Leben der Stimme bleibt allezeit das Herz mit seinen guten Neigungen und Empfindungen. Um gut sich auszudrücken, muß man Geschmack haben; und um den richtigen Ton zu unsern Worten zu finden, muß man eben diesen Geschmack, eben dieses feine Gefühl haben.

Wie viel glücklicher würden wir mit unsern höhern Gaben

seyn, wenn wir diese Pflichten der Wohlanständigkeit nicht oft für so geringe hielten! Sie folgt uns in unser Amt und in unser Haus, in den freundschaftlichen Umgang und in die Scene der großen Welt. Ein guter Anstand erweckt Vertrauen. Der ausgebildete Körper empfiehlt sich, ohne daß wir daran denken. Die gute Miene spricht für uns, und unser Ton unterstützet sie. Man verwehrt uns oft den Zutritt zu unserm Glücke, oder zur Bahn rühmlicher Unternehmungen, wenn wir unser äußerliches Betragen vernachlässiget haben. Man nimmt uns hingegen gern auf, und schätzt unsre Gaben besto höher, je weniger mißfallendes, je mehr Richtigkeit wir in dem Aeußerlichen zeigen. Mancher Diener der Religion hätte den Weg zu dem Herzen eines Großen, das er zu gewinnen suchte, nicht verfehlet, wenn sein schlechter Anstand dem Großen nicht eine verächtliche Meynung von seiner Person beygebracht hätte. Er würde der Tugend mehr Dienste in großen Gesellschaften leisten können, wenn er bey seiner gründlichen Gelehrsamkeit und bey seinem frommen Herzen nicht vergessen hätte, daß die Art, unsern Körper zu tragen, uns lächerlich oder geringschätzig machen könne; daß die ekle Welt uns die Pflicht auflege, ihr nicht zu mißfallen und nicht von dem eingeführten Wohlstande abzuweichen. Ein ängstliches Wesen erfüllt den Andern, der mit uns zu thun hat, mit eben dem Zwange, den wir fühlen, und hält ihn von uns zurück. Viel Belesenheit, viel Weisheit, viel gute Absicht, dabey aber ein bäurischer Anstand, eine pedantische Miene, ein rauher Ton, richten in Gesellschaften wenig aus. Die öffentlichen Verrichtungen unsrer Aemter leiden oft erstaunend, so geschickt wir auch dazu sind, bloß weil wir keine Leute von Lebensart sind. Das Uebertriebne im Anstande, das Kostbare und Gezwungne verkündiget unsre Eitelkeit, oder den Mangel des Geschmacks und der Kenntniß der Welt; und sollten die Verrichtungen unsrer Aemter nichts dabey verlieren, wenn wir eine geringe Meynung

15 *

bey Andern von uns erwecken? Hat nicht mancher gelehrte
Schulmann den Nutzen seiner Geschicklichkeit und seines Fleißes
gehindert, weil er komische Geberden und Stellungen angenommen, die ihn bey seinen Schülern lächerlich machten? Dieses
widerfährt uns nicht allein in unsern Aemtern, sondern im
Hausstande und in allen Verhältnissen des Lebens, wo es uns
oft deswegen schwer oder unmöglich wird, Ansehen, Liebe und
Hochachtung zu behaupten, weil wir beschwerlich oder ekelhaft
in dem Aeußerlichen sind. Es gehören große Verdienste dazu,
angenommene Fehler des Körpers dadurch zu verhüten; und Niemand darf die Pflichten gegen denselben für Kleinigkeiten halten, so lange wir Augen und Ohren haben, die das Regelmäßige als schön, und das Unregelmäßige als unanständig zu
empfinden von der Natur unterrichtet sind. Die Reinlichkeit des
Körpers im häuslichen Leben scheint etwas geringes zu seyn;
und dennoch, wie oft mag die Vernachlässigung desselben bey
beiden Geschlechtern die erste Quelle des Ueberdrusses und Ekels
in der Ehe geworden seyn! Das Kleid, das unsern Körper
bedeckt, ist freylich sein Werth nicht; aber gleichwohl ist es gewiß, daß eine altväterische Tracht, in der wir allein hervor
treten, anstößig wird, und das Sonderbare oder Sorglose unsers
Charakters verräth. Der schmutzige Rock eines Mannes, der
einen bessern tragen könnte, ist wirklich eine Beleidigung für die
Gesellschaft; und er sey noch so gelehrt, so giebt doch die Gelehrsamkeit keinen Schutzbrief der Unanständigkeit. Moden in Kleidern sind nichts; allein wenn sie unschuldig sind, so müssen wir
sie beobachten; und es wird genug seyn, wenn wir weder die
Ersten noch die Letzten darinne sind, uns weder zu neu noch zu alt,
weder zu geringe noch zu kostbar kleiden, und den männlichen Wohlstand nicht mit einem weichlichen und weibischen Putze verwechseln. *)

*) Ein Sittenlehrer am Hofe des Nero hat uns ein Gemälde von
der Galanterie der jungen römischen Herren hinterlassen, das

Die Sorge für die Wohlanständigkeit des Körpers, so ent=
fernt sie von der Tugend zu seyn scheint, kann doch Tugend
werden, wenn wir sie in der Absicht beobachten, um desto nütz=
licher zu seyn und Niemanden anstößig zu werden, weil dieses
ein Gesetz der Vernunft und also eine göttliche Bestimmung ist.
Endlich wird die Regel im äußerlichen Anstande, die wir mit
Vorsatz ausüben und sie als Pflicht in Acht nehmen, uns wahr=
scheinlich eine Regel bey wichtigern Handlungen werden, und
uns erinnern, wie wir jedesmal in der Gesellschaft uns verhal=
ten sollen, um desto gemeinnütziger zu seyn, wie wir uns herab
lassen, die Fehler der Andern tragen, oder sie liebreich verbessern
sollen. Ich schließe diese Betrachtungen über die Wohlanständig=
keit mit dem Charakter eines Jünglings, der sie sich eigen
gemacht hat.

Semnon, ein Jüngling von großen Fähigkeiten, aber nied=
rer Erziehung und geringem Vermögen, der sich der Gottesge=
lahrtheit gewidmet, wußte, daß seinem nicht übel gebauten Kör=
per der äußerliche Anstand mangelte. Sein Fleiß in den Wis=
senschaften und gelehrten Sprachen war groß und seinem Genie
zur Beredtsamkeit gleich. Kannst du, fieng er an, ohne deinem
Fleiße zu schaden, dir nicht die Furchtsamkeit und das ängstliche

---

unserm Jahrhunderte nicht unwahrscheinlich vorkommen kann:
Complures videas, quibus ad tonsorem multae horae transmit-
tuntur, dum decerpitur, si quid proxima nocte succrevit, dum
de singulis capillis in consilium itur, dum disjecta coma aut
restituitur, aut deficiens hinc atque illinc in frontem compelli-
tur. — Quis est illorum, qui non sollicitior sit de capitis
sui decore, quam de salute? Qui non comptior esse malit,
quam honestior? — Nosti complures juvenes barba et coma
nitidos, de capsula totos Nihil ab illis speraveris forte, nihil
solidum. — O homines inter pectinem et speculum desidiose
occupatos! *Seneca de Brev. vitae,* c. XII.

Wesen benehmen, das dich in jede Gesellschaft begleitet? Bist du nicht vielleicht so furchtsam, weil du dir bewußt bist, daß du deinen Körper nicht regelmäßig tragen kannst, und weil du zu selten Gelegenheit hast, größre Gesellschaften zu sehen? Wer die Mittel nicht sucht und mit Fleiß anwendet, der schätzt die Absicht zu wenig, oder traut sich zu wenig zu. Du willst, fuhr er fort, einen geschickten Mann suchen, der dir deine Fehler sagt und deinen Körper bildet. Geht es nicht ingeheim an, so sey es am öffentlichen Orte. Aber täglich eine Stunde Zeit? Gut, stehe eine Stunde früher auf, so hast du jene ersparet; oder wende diejenige dazu an, die Andre verträumen, oder vergehen. — Aber der Aufwand? Du hast nicht viel Vermögen! Nun, so erspare dir ein Kleid durch gute Ordnung, oder eine Reise in dein Vaterland: so hast du die geringen Kosten, die dir nöthig sind. Semnon wagt es und besucht ein Jahr lang einen guten Tanzmeister, und wartet die dazu ausgesetzte Stunde so emsig ab, als jede Stunde des Berufs. Er tanzet nicht, um tanzen zu können. Er tanzet, um sich regelmäßige Bewegungen des Körpers eigen zu machen; er tanzet nicht kunstreich, und doch tanzet er, daß es ihm wohl läßt. Schon lernt er ungezwungner gehen; die Hände sind ihm nicht mehr im Wege; er stubiret nicht mehr auf eine natürliche Verbeugung. Er flieht das Gekünstelte, und sein Anstand wird gesetzt und durch die Erinnerungen seiner Freunde immer gefallender, ohne gesucht zu seyn. Wie viel hat er in Einem Jahre gewonnen! Er, der vordem nicht wußte, ob er über seinen schwankenden Gang und seine krummen Knie zu gebieten hätte, oder nicht; der die finstre Miene der Stubirstube in jede Gesellschaft mitbrachte, und das: Wie befinden Sie sich? mit eben dem verzognen Munde sagte, mit dem er an seinem Pulte zu schreiben gewohnt war. — Er prediget itzt, und man sagt ihm, daß seine Stellung und Geberdungen weit natürlicher und anständiger sind, als ehedem.

Seine Schüchternheit ist in dem Umgange mit den Personen höhern Standes, wo er den Körper bildete, schon geringer worden, und er erschrickt nicht mehr, wenn er antworten soll. Gleichwohl hat Semnon in seinem Fleiße nicht abgenommen. Wie er diese Stunde aus Pflicht besorgte; so eilt er zu den übrigen. Der Umgang hat seiner Sittsamkeit nicht geschadet; denn Semnon vergißt nie, daß man bey allem Umgange vorsichtig und gewissenhaft seyn müsse. Er wird durch seine Geschicklichkeit in einem Hause von vieler Lebensart bekannt, und unterrichtet den Sohn dieses Hauses etliche Stunde wöchentlich in den alten Sprachen. Man nahm ihn hierauf an den Tisch. Hier sah er oft Fremde beiderley Geschlechts, und lernte sich den gefälligen Zwang anthun, den man als der Niedre der vornehmen Gesellschaft schuldig ist, lernte die edle Bescheidenheit, die so weit von dem Kriechenden des Clienten unterschieden ist. Sein vornehmer Wirth ehrte ihn wegen seiner Geschicklichkeit und guten Sitten, weckte seinen Muth auf und unterrichtete ihn stillschweigend durch sein eigen Beyspiel. Semnon ist noch eben der gewissenhafte Theolog, und doch ein Theolog von Lebensart. Er hat schon viele Fehler des Wohlstandes bemerken und auch viel Gutes ungezwungen annehmen gelernet. Er ist ernsthaft, und doch gefällig. Man hört ihn gern reden; denn seine Miene redt zugleich, und sein Ton sagt, daß er das fühlt und versteht, was er redt. Er lernt die Sprache der Welt, und wählt aus ihr die Sprache des vernünftigen Theologen, der mit der Welt itzt und künftig so reden soll, daß er Vertrauen und Achtung auch gegen seine Person sich erwirbt. Er kennt in kurzer Zeit die Gebräuche der Tafeln und Complimente, und lernet, wie er anständig und gesetzt bey solchen Gelegenheiten verfahren soll. Er speise künftig bey dem Minister oder bey dem Fürsten, er wird nie lächerlich und stets seinem Charakter anständig verfahren. Eine edle Freimüthigkeit in der Miene und Sprache wer-

ben ihn auch alsbann begleiten, wenn es künftig sein Amt befiehlt,
den Großen ihre Fehler zu sagen; und nie wird er die Ehrer:
bietung gegen die Höhern beleidigen, indem er der Religion
Eingang verschaffen will. Er sammelt sich lebenbige frische Züge
der Menschen und ihrer Schwachheiten und ihrer Tugenden aus
dem Leben der Gesellschaft; und er wird, weil er Lebensart
lernte, eben deswegen in vielen Fällen beredter und lehrreicher
seyn. Er lernt, weil er Gelegenheit hat, die fremde Sprache,
die itzt bey den Großen herrschet, und die er schon verstund,
reden, und über der Tafel reden. Kann man leichter zu dieser
Geschicklichkeit gelangen? Vielleicht hört mancher Große künftig
Semnons Vermahnungen in französischen Worten achtsam an,
die er in der deutschen Sprache verächtlich zurück gewiesen hätte.
Er lernt von vielen Geschäfften des Lebens sprechen. Wird ihm
dieses in seinem Amte nicht nützlich seyn? Kann der Geistliche
in Gesellschaften stets von den Wahrheiten der Religion reden?
Er lernt von der Musik, der Malerey und der Baukunst, von
der Oekonomie, die sein vornehmer Wirth liebt, urtheilen. Ist
dieses einem Geistlichen keine Zierde in Gesellschaften, wenn er
sonst ein bescheidner Mann ist? Wie viel Vortheile hat Semnon
mit dem äußerlichen Wohlstande auf sein künftiges Leben erlernt!
Welch ein würdiger Prediger der Höfe wird er werden, wenn
ihn Gott dahin ruft? Und auch welches niedrige Amt wird
nicht durch ihn glücklicher geführt werden, als wenn er keine
Lebensart hätte? Er hat sie nicht gelernt, um damit zu glän:
zen, nicht aus Ehrsucht; nein, aus Pflicht, aus Eifer für sein
künftiges Amt. Hätte er seinen Körper nicht gebildet, so würde
er, aller seiner Geschicklichkeit ungeachtet, vielleicht nie den Zu:
tritt in das vornehme Haus erlanget oder ihn nicht lange be:
hauptet haben. Itzt ist er in demselben schon um drey Jahre
älter, und für das Leben um vieles weiser, angenehmer, und
brauchbarer geworden. Möchten wir doch viel solche junge Sem

nons zum Beyſpiele aufſtellen können! Wie viel Ehre würden
ſie itzt oder künftig den geiſtlichen Aemtern machen!

Meine Herren, der Fremde und der Einheimiſche, der Hohe
und der Niedre, hat bisher unſrer Akademie den Ruhm der guten Sitten gegeben. Laſſen Sie uns fortfahren, dieſe Ehre zu
behaupten, und auch den Schatten der Ungezogenheit und Wildheit verdrängen, welche nie Gefährtinnen der Wiſſenſchaften und
Künſte ſeyn dürfen. Laſſen Sie uns über dieſe Sittſamkeit halten, die vor ſo vielen Ausſchweifungen bewahret und ſo große
Vortheile verſchafft. Wo iſt für Studirende mehr Ruhe, mehr
unſchuldiges Vergnügen, mehr wahre Freiheit und weniger Beein-
trächtigung derſelben, als hier? Und wem haben wir dieſes
Glück zu danken? Den guten Sitten, der beſcheidnen und ſtillen Lebensart. O, gute Jünglinge, helft ſie erhalten, wenn
Ihr Euch und mich liebt; und hütet Euch vor dem Geſchmacke
am Sonderbaren und Dreiſten: denn auf das Sonderbare und
Dreiſte folgt bald das Ausſchweifende und Unverſchämte. Nein,
was ehrbar, was gerecht, was züchtig, was liebreich und ruhmwürdig iſt; iſt etwan eine Tugend,
iſt etwan ein Lob, dem ſtrebet nach!*) Das ſind die
wahren guten Sitten, welche die Religion und gereinigte Vernunft uns lehren.

*) Philipp. 4, 8.

Vierzehnte Vorlesung.

Von den Pflichten in Absicht auf die äußerlichen Güter des gesellschaftlichen Lebens, und zwar zuvörderst in Absicht auf guten Namen und Ehre.

Das Verlangen nach einem guten Namen, nach Beyfall und Ehre ist dem Menschen eben so natürlich, als das Verlangen nach Vollkommenheit; in so weit nämlich Beyfall und Ehre entweder als eine Frucht und ein Merkmal der Verdienste, oder als nützliche Mittel zu heilsamen Absichten mit menschlicher Vollkommenheit verknüpft sind. Der Trieb nach Ehre bleibt also so lange eine natürliche gute Anleitung zu löblichen Bemühungen, als er von der Vernunft zu seiner Absicht gehörig geleitet, auf wahre Verdienste und gute Eigenschaften gerichtet, und durch Demuth und Unterwerfung gegen Gott geordnet und regieret wird; und er wird nur alsbann eine Quelle von Thorheiten und Lastern, wenn er sich der Herrschaft der Vernunft entreißt, in eine heftige Leidenschaft ausartet, und die Absicht verkehret. Ein Mensch, der durch keinen Beyfall und durch keine Schande gerühret wird,

ist der nächste bey dem Thiere; und unter den ehrsüchtigen Herzen ist dieses noch das beste, das seine Ehre in solchen Gegenständen sucht, die der Welt heilsam, und ohne die Uebung der
höhern Kräfte der Seele nicht wohl zu erlangen sind.

Der gute Name, in so fern er die Rechtschaffenheit des Herzens, die alle Menschen besitzen sollen, voraussetzet, bleibt allezeit
Pflicht; und wir können nicht gut seyn, wenn wir ihn nicht
wünschen und eifrig suchen. Aber in wie fern ist die Bestrebung
nach Ehre eigentlich Pflicht? Lassen Sie uns, dieses zu erkennen,
die Beschaffenheit der Ehre, ihren Einfluß auf uns und Andre,
die Absicht, aus der wir Ehre suchen, und die Mittel und Eigenschaften, durch die wir sie suchen, genauer betrachten.

Die Ehre ist überhaupt die günstige und gegründete Meynung
der Andern von unsern Verdiensten und Geschicklichkeiten, und
von der Absicht, sie auf die beste und gemeinnützigste Art anzuwenden. Den Klugen und Rechtschaffnen gefallen wollen, ist für
sich löblich. Ihr Beyfall vergnügt, und stärkt die Seele zu neuen
guten Unternehmungen. In dieser Aussicht ist das Gerüchte
köstlicher, denn großer Reichthum, und Gunst besser,
denn Silber und Gold*). Den Beyfall der Rechtschaffenen
in einem Maaße verlangen, in welchem wir ihn nach unsrer eignen Ueberzeugung nicht verdienen, ist Begehrlichkeit und Geiz.
Die gute Meynung der Verständigen begehren, ohne Verdienste
zu haben, oder ohne dieselben gehörig zu suchen, ist mehr als
Eitelkeit, ist die Lüge eines elenden Herzens. Eben daher wa-
chet ein Mann von kleinen Verdiensten so ängstlich für seine Ehre,
weil er weis, daß sein Anspruch darauf schlecht gegründet ist.
Die Achtung der Andern durch zufällige Güter, durch Reichthum,
Geburt, Stand und Pracht, durch das Kleid und andre Kostbarkeiten suchen, ist sinnlicher Ehrgeiz; und der Tribut des Bey-

*) Sprüche Sal. 22, 1.

falls, den wir durch diese Vorzüge von Andern erhalten, ist das
Almosen des Pöbels, der gern das Glänzende mit den Verdien=
sten vermenget, weil Verdienste oft im Glanze erscheinen *).
Seinen Ehrgeiz in freywilligen Geschenken der körperlichen Na=
tur, in Schönheit und Stärke setzen, heißt als Bildsäule dieselbe
Bewunderung verlangen, die der Hand des Künstlers gehört. In
dem äußerlichen Anstande und in gefälligen Sitten seine Ehre
allein suchen, ist der Ehrtrieb kleiner Seelen. Sie hingegen durch
Gaben des Geistes, durch angenehme oder nützliche Werke der
Kunst und des Witzes gehörig suchen, ist eine rühmliche Ehrbe=
gierde. Und seine Ehre in einem guten Gewissen, durch eine
willige und sorgfältige Beobachtung aller seiner Pflichten aus
Unterwerfung gegen Gott, und in dessen Beyfalle suchen, in einer
wahren Niedrigkeit und Demuth des Herzens gegen ihn, als dem
Quell aller Vollkommenheit und den Geber aller guten Gaben,
in der Empfindung aller seiner eigenen Unwürdigkeit suchen, das
ist die höchste Staffel des Verlangens nach Ehre, auf welche sich
die Menschen, so verschieden ihre Gaben und Fähigkeiten, so ver=
schieden ihr Rang, ihre Geburt, Erziehung und ihre natürlichen
Neigungen sind, dennoch empor schwingen können. Welche rühm=
liche Bemerkung für die Würde des Menschen, daß Alle die wahre
Ehre durch Pflicht und Demuth erlangen können!

Durch sie steigst du zum göttlichen Geschlechte,
Und ohne sie sind Könige nur Knechte.

Aber auch welche demüthigende Erfahrung, daß die meisten
sie außer dieser Hoheit, in zufälligen oder sinnlichen Gegenstän=
den, oder in eingebildeten und thörichten, oder noch tiefer herab,
in schimpflichen Gegenständen suchen! Ohne das Verdienst des
Herzens mögen wir noch so berühmt seyn, noch so hoch steigen,

*) Youngs Nachtged.

unſre Höhe iſt doch nur, wie Young ſagt, der Galgen unſers
Namens.

Die Menſchen offenbaren ihre gute Meynung von uns durch
äußerliche Kennzeichen; und dieſe Kennzeichen bedeuten nichts,
wenn ſie nicht im Stande ſind, von unſern Verdienſten und
ihren Abſichten richtig zu urtheilen, oder wenn ſie ſich ihrer
ohne Ueberzeugung bedienen. Das Verlangen nach Beyfalle,
wenn es vernünftig ſeyn ſoll, muß alſo ein Verlangen nach einem
gegründeten und wahren Beyfalle der Klugen und Rechtſchaffnen
ſeyn. Den Klugen reizt nur die Gründlichkeit des Lobes:

> So bald dem Lobe die gebricht:
> So wirds von ihm nicht angenommen.
> Dem Thoren aber iſt ein jedes Lob willkommen,
> Er mags verdienen oder nicht.

Nur der Menge, nur dem unwiſſenden Pöbel gefallen wollen,
iſt Schwulſt der Ehrliebe, und ſetzet keine wahre Hoheit voraus.
Dieſen Beyfall durch niedrige Wege, durch Geſchenke, Schmei=
cheleyen, kriechende Herablaſſung erkaufen, iſt niederträchtige Ehr=
liebe. Nur nach den zweydeutigen Zeichen der Ehre, nach demü=
thigen Stellungen und Begrüßungen, nach Titeln, Würden und
Lobſprüchen ſtreben, und zwar nicht ohne Verdienſte zu beſitzen,
iſt eitler Ehrgeiz. Aber ohne Verdienſte darnach ſtreben, iſt ehr=
ſüchtige Dummheit. So ſehr uns auch Andre, die nicht im
Stande ſind, von uns zu urtheilen, ehren mögen: ſo iſt es doch
für uns eine Ehre ohne Bedeutung. Und, o wie oft erringen
wir ſtatt der Ehre nur den leeren Schall! Aber ſie ſind gutge=
ſinnt, die Menſchen, die uns loben. Es ſey ſo! Sind ſie darum
Richter der Verdienſte? Und wir ſchmachten ſo nach dem Glücke,
Allen, das heißt, den Unwiſſenden, zu gefallen? Dieſer Ehrtrieb
kann nicht richtig, kann nicht anders als übertrieben ſeyn. Ja,
wie oft können die Menſchen, wenn ſie gleich nicht wollen, dens

noch unrichtig von unsern Vollkommenheiten und Tugenden urtheilen, so viel Einsicht sie auch besitzen! Sie sehen die meistenmale das nicht, was unsern Verdiensten und Tugenden den Werth giebt oder raubt, nicht die Quelle und die Absicht, aus der sie entsprangen. Sie sehen das Gehäuse und den Zeiger, nicht das innerliche Triebwerk des Verdienstes. Werde ich darum weiser und frömmer, wenn Millionen Geschöpfe von mir urtheilen, daß ichs bin? Der Ruhm kann also der Seele keine wahre Würde geben, wenn sie diese Würde nicht in sich hat und fühlt. Der innere Beyfall unsers Gewissens, daß wir nach den Gesetzen der Vernunft und Tugend auf die redlichste und beste Art zu handeln trachten, muß also allezeit vorher gehen, wenn der Ruhm und der gute Name kein Schall ohne Bedeutung seyn soll.

Durch nützliche und gute Bemühungen nach Ehre und einem guten Namen streben, bloß weil das Gefühl davon ein Vergnügen ist, oder weil wir einen starken und natürlichen Trieb dazu empfinden, oder von Jugend auf künstlich zu dieser Ehrbegierde sind gebildet worden, ist Wollust der Seele, Frucht der Erziehung und Gewohnheit, und nichts weniger, als Tugend. Der Gegenstand dieser Begierde sey auch noch so groß und ehrwürdig, und so nützlich für das Publicum; in Ansehung unsers Herzens und der Absicht, ist er das Letzte doch nur zufälliger Weise. Unsre Kraft, die wir auf diesen Gegenstand verwenden, sey Geist oder Körper; es sey der erhabenste, feinste Verstand; dieß ändert die Natur unsrer Ehrbegierde nicht. Fleiß und Nachtwachen, tiefes Nachsinnen, Erfindung mit unendlicher Mühe, alle Opfer der Bequemlichkeit, der Gesundheit, ja des Lebens, die wir unsrer Ehrliebe bringen, machen sie zu keiner Tugend. Man sey der größte Weltweise und die Bewunderung der Klugen und verdenke sein Leben in nützlichen Erfindungen; man sey der größte Held und wage sein Leben in tausend Gefahren, wo Andre zittern, und besiege ganze Nationen man sey der größte Dichter und

schreibe göttliche Sittensprüche und werde das Orakel der Nachwelt; man sey der größte Künstler und verbeßre den Nutzen der
Erde; man sey der weiseste und wachsamste Regent und beglücke
sein Volk auf Jahrtausende hinaus! man kann dieses alles seiner
Ehrbegierde zu gefallen seyn; des Kützels wegen, den wir bey
dem Ruhme empfinden, und gar nicht in Rücksicht auf Gott und
Pflicht, und auf den wahren Nutzen der Andern; das heißt, nicht
aus Tugend.

Die Ehrbegierde, deren Antrieb mein äußerlicher Vortheil
allein ist, da ich den Beyfall der Andern durch nützliche Unternehmungen suche, um ihre Gewogenheit, ihren Fürspruch, ihre
Hülfe, mit einem Worte, mein Glück, oder einen Theil desselben,
oder das, was ich für Glück achte, zu erhalten, ist ein erlaubter
Eigennutz, aber noch keine Tugend. Man würde das Gute, das
man thut, unterlassen, wenn die gute Meynung der Andern kein
Mittel zu unsrer Hauptabsicht wäre, und wenig bekümmert seyn,
ob sie uns für lobenswerth hielten oder nicht.

Den guten Namen und die Ehre als ein Mittel betrachten
und begehren, um desto mehr Gutes zu stiften, und, indem er
uns erfreut oder nützt, den Eifer für unsre Pflicht dadurch beleben, dieses ist eine pflichtmäßige Ehrbegierde. Den guten Namen
oder den Beyfall suchen, weil uns der Mangel dessen an unserm
und Andrer Glücke hindern würde, und weil wir dieses doppelte
Glück zu befördern für ein göttliches Gesetz der Vernunft achten,
auch dieß ist ein tugendhafter Ehrtrieb. Wir sind in dieser Aussicht nicht nur verbunden, alles das zu meiden, was uns die Achtung der Vernünftigen rauben kann, sondern auch den Schein
des Uneblen. Wir sind verbunden, nicht nur das zu thun, was
rühmlich und Pflicht ist, sondern auch darum, weil es Pflicht
und gut ist; sonst ist unsre Ehrbegierde nicht rühmlich, oder wir
begehren mehr, als wir verdienen. Man kann die Probe sehr
leicht anstellen. Ich rette einen meiner Feinde, der mich empfind-

lich beleidiget hat, aus dem Gefängniſſe und bezahle zehntauſend
Thaler Schulden für ihn. Eine That, die mir einen großen
Namen macht, und den großen Namen eines ſonderbaren Wohl=
thäters wollte ich auch erlangen. Iſt dieſer Ehrtrieb Tugend?
Wer wird das glauben? Man ſage es dem vernünftigen und
rechtſchaffnen Manne, der dieſe That lobt, daß man ſie deswegen
unternommen habe, nicht ſowohl um den verunglückten Feind
aus ſeinem Gefängniſſe zu befreyen, als um ſich einen großen
Namen zu erwerben; und er wird aufhören, uns zu bewundern,
und anfangen, uns geringe zu ſchätzen. Er wird mich für einen
ehrſüchtigen Schwärmer und nicht für den rühmlichen Mann
halten, der aus Gehorſam gegen Gott ſeine Feinde, ſtatt ſich an
ihnen zu rächen, beglücket.

So gewiß es aber ſeyn mag, daß die günſtige Meynung der
Andern uns keinen wahren Werth ertheilet und oft ein leerer
Schall iſt; ſo gewiß es ſeyn mag, daß die nachtheilige Meynung
der Welt von uns kein ſichres Kennzeichen des Mangels unſerer
Verdienſte, ja oft ein Beweis der Größe unſrer Verdienſte iſt,
ſo bleibt es doch allezeit eine Pflicht der Vernünftigen, für einen
rühmlichen Namen zu wachen, und die Geringſchätzung und Ver=
achtung in den Augen der Welt durch erlaubte und geprüfte
Mittel zu verhindern.

Iſt es nämlich gewiß, daß ich mehr Gutes für mich, für
meine Freunde, für mein Vaterland, für die Welt ausrichten
kann, wenn ich, bey den Kräften und dem Willen dazu, auch
die gute Meynung und Achtung der Andern beſitze: ſo iſt es
Unbeſonnenheit, ſie zu vernachläſſigen. — Iſt es wahr, daß ich
bey allen Gaben und Geſchicklichkeiten mir und der Welt weniger
nützen kann, ſo bald ich bey Andern in keinem guten Anſehen
ſtehe: ſo iſt es thöricht, dieſem Mangel des Anſehens und der
Ehre nicht zuvor zu kommen, oder ihm abzuhelfen, wenn ich
vernünftige Mittel dazu in meiner Gewalt ſehe, oder ſie durch

Fleiß und Achtsamkeit in meine Gewalt bringen könnte. — Wir wollen einige Regeln in Absicht auf den rühmlichen Namen bestimmen.

Erste Regel: Der sicherste und vornehmste Weg zu einem guten Namen, ist, daß man ein rechtschaffner und nützlicher Mann zu seyn sich bestrebe. Der Beyfall der Vernünftigen wird durch nichts Geringers gewonnen; und so wenig ihrer auch seyn mögen: so sind sie doch, nächst dem innern Zeugnisse des Gewissens, die einzigen und zuverläßigen Richter unter den Menschen. So wenig ihrer sind: so wiegt doch die gute Meynung Eines Rechtschaffenen in der Waagschale der Vernunft mehr, als der Beyfall ganzer Millionen Thoren, oder Lasterhaften. Der Beyfall eines einzigen würdigen Mannes ist nicht nur Stärke, Trost und Belohnung für mein Herz; nein, er ist mir auch die Anwartschaft auf die Achtung Aller, die ihm gleichen. Die Rechtschaffnen haben alle Ein Herz und Ein Gefühl des Edlen, wie sie alle einerley Regel des Guten haben. Der Beyfall des Kenners ist gleichsam die verstärkte Stimme des Sprachrohrs, die weiter reicht, als das laute Geschrey einer Menge von Thoren. Und wer giebt den Ton zu den richtigen Urtheilen der Unwissenden und Leichtsinnigen, ja oft der Lasterhaften, an? Ist es nicht meistens der Kluge und Rechtschaffne! Sie hören, weil sie nicht selbst urtheilen können, oder zu träge sind, urtheilen zu wollen, oder sich fühlen, daß sie leicht falsch urtheilen und sich dadurch vor der Welt beschämen könnten, auf den Ausspruch, den der Gute von uns thut, nehmen ihn, als ihre eigne Erfindung, an, und lallen ihn nach, damit man sie für Richter von Einsicht halten solle. Wer kann es endlich leugnen, daß wir durch die strenge Beobachtung eines rechtschaffnen Betragens selbst die Stimmen der Thoren und Lasterhaften, wo nicht schnell, doch nach und nach auf unsre Seite ziehen? Der Thor, er wolle oder wolle nicht, fühlt sich endlich doch, wenn er unsre Gaben, unsern Fleiß und unser übereinstimmendes Verhalten kennen lernt, gezwungen, uns heimlich seinen Beyfall zu ertheilen; und er wird sich, wenn es sein Vortheil befiehlt, lieber unsrer Einsicht und Redlichkeit anvertrauen, als den Pralereyen seiner Gefährten, deren Eigennuz, oder Eitelkeit und Unwissenheit er aus seinem eignen Herzen so zuverlässig kennt. Der Lasterhafte, so sehr er es auch ist, wird selten in seinem Herzen eine böse Meynung von dem Manne haben, der seiner Pflicht folgt. Wenn er ihn ja verunglimpft, so wird er mehr der Art, seine Tugend auszuüben, mehr seines Aeußerlichen, als der Tugend selber spotten, die ihm, Trotz seiner bösen Leidenschaften, doch ehrwürdig bleibt. Verfolgt aber ja dieses Geschlecht der elendesten Sterblichen den Rechtschaffnen mit Verachtung: so ist sie ihm bey Vernünftigen eine Ehre. Wie die Wespen durch ihre Verwüstungen die schönste Frucht verkündigen: so verkündigen die Schmähsüchtigen oft das größte Verdienst. Schande vor der Welt, die wir nicht verdienen, ist freylich ein Unglück, aber doch ein Unglück, dafür uns unser Gewissen, der Beyfall der Edlen, und mehr als alles, der Beyfall des Himmels reichlich entschädigt; ein Unglück, das sich oft, gleich als in dem Trauerspiele, in ein ruhmwürdiges Glück für uns auflöset.

Zweyte Regel: Es ist nicht genug für den guten Namen, daß wir rechtschaffne und nützliche Männer seyn wollen, wir müssen auch, jeder an seinem Theile, auf die beste Art nützlich zu seyn trachten.

Jeder hat von der Hand der Natur gewisse eigenthümliche Gaben, oder eine besondre Mischung von Fähigkeiten empfangen, die ihn vorzüglich in den Stand setzen, Andrer Beyfall, Vertrauen und Liebe sich zu erwerben.

Die Werkzeug unsers Glücks sind allen gleich gemessen;
Ein jeder hat sein Pfund und Niemand ist vergessen.

Auf diese Fähigkeiten nicht Acht haben, heißt, nicht nur sei=
nem natürlichen Rufe nicht folgen, sondern auch bey Andern die
gute Meynung von sich verringern. Es fehlet uns oft nicht an
Fleiße und Eifer, der wackre Mann zu seyn. Wir thun mehr,
als Andre, und wir thun es doch nie mit Beyfalle; denn die
natürliche Fähigkeit mangelt uns. Jener bleibt ein elender Red=
ner und heißt es in dem Munde der Welt, und mit Recht.
Gleichwohl ist er der fleißigste Mann, und man schätzt ihn nicht.
Vielleicht hätte er mit seinem Fleiße im Handel sich die Achtung
der Welt erworben. Er kränkt sich, daß er sie nicht hat, daß
ihn kein Beyfall belohnet. Er klagt heimlich die Erde und den
Himmel an, und er sollte seine verfehlte Wahl anklagen. Strephon
dichtet sich um den Beyfall der Menschen, den er durch seine
Arbeiten zu erlangen hofft. Er ist wirklich ein gutgesinnter
Mann, der Beyfall verdienen und Nutzen schaffen will. Hätte
er sich geprüft, oder sein Genie von Andern prüfen lassen: so
würde er gefunden haben, daß er zu einem arbeitsamen Geschäffte,
wo er nur die Erfindungen und Anschläge der Andern hätte aus=
führen dürfen, geschickt gewesen wäre. Vielleicht würde er Rechts=
händel mit Beyfalle und Vortheil geführt haben, anstatt daß er
bey allen seinen Bemühungen itzt das Unglück hat, ein schlechter
Poet zu seyn. Ein Hofmann, den Niemand achtet, weil er zu
dieser Lebensart nicht gebohren ist, würde vielleicht ein gelehrter
und nützlicher Herr auf seinem Landgute, und jener elende ver=
achtete Rechtsgelehrte ein trefflicher Künstler geworden seyn, wenn
beide den natürlichen Beruf, der durch die angebohrnen Fähig=
keiten und Gaben an sie ergieng, nicht verkannt hätten.

Es versteht sich, daß wir unsre natürlichen Gaben ausbilden
müssen. Viele kennen ihr Talent und folgen ihm, und werden
doch nie nützlich und des Beyfalls werth, weil sie zu wenig Mühe
anwenden, es auszubilden, oder, aus Mangel der Vorsicht und
Klugheit, ihre Mühe vergeblich verschwenden. Sie wollen eher

Ruhm ober Belohnung haben, als es Zeit ist, unb verlieren oft
barüber ben Beyfall, ben sie sonst erlangen könnten; ober sie
unterlassen in ber Folge bas, was zur Erhaltung bes Beyfalls
nothwendig war. Hätte sich ber junge Autor mit seinem Genie,
unb seiner Begierde zu gefallen, nicht eher hervor gewagt, bis
er bie schönen Wissenschaften genau erlernt unb bie Aussprüche
bes Kenners vernommen: so würbe er mit Beyfalle erschienen
seyn, unb bieser Beyfall würbe ihn zu neuem Fleiße gestärkt haben, ba ihn itzt ber Tabel entweder niederschlägt, ober so hart
macht, baß er fortschreibt, ohne auf bas Urtheil bes Publici zu
hören. Neran hätte wirklich ein Redner mit Beyfall werden
können. Er hat große Gaben unb viel Gelehrsamkeit; allein es
ist ihm zu gering gewesen, sich in ber Sprache zu üben. Er hat
sie nicht in seiner Gewalt, er kennt ihre Fehler unb Schönheiten
nicht, er trägt bie Worte, wie ber schlechte Maler bie Farben,
ohne Wahl unb Klugheit auf. Er würbe unendlich nützlicher
unb sein Beyfall weit größer geworden seyn, wenn er ein nothwendiges Mittel ber Berebsamkeit nicht für ein entbehrliches ober
sehr leichtes gehalten hätte.

Dritte Regel: Man treibe bas vornehmlich, wozu
uns bie Natur unb bie Umstände geschickt machen,
unb treibe es fortgesetzt; allein man versäume auch
biejenigen Wege nicht, bie in unsern Hauptweg
einschlagen. Der Handelsmann soll alles erlernen unb üben,
was unmittelbar zu seinem Handel gehört; bas ist nothwendig
unb sein Gewerbe. Er hat Naturell unb günstige Umstände zu
biesem Naturell vor sich. Er muß ein ehrlicher Mann seyn; unb
bas sollen wir alle in jebem Stande seyn. Aber wenn er keine
Sprachen, keine Lebensart erlernen, sich keine Kenntniß frember
Länder unb ihrer Handlungen erwerben wollte; würbe er wohl
seinen Handel mit so vielem Beyfalle treiben? Das Nützliche,
bas in unsre Hauptabsicht einen Einfluß hat, hat ihn auch in

unfern guten Namen. Der Soldat, der nichts als das, was zum Soldaten nothwendig erfordert wird, erlernen will, wird es eben deswegen mit weniger Beyfall ausüben. Das Lesen guter Bücher, die Erlernung gewisser Wissenschaften und Sprachen, der Umgang mit Leuten von Geschmacke, wird seiner Kriegswissenschaft bald eine Hülfe, bald eine Zierde; in Gefahren oder schnellen Entschließungen wird es seinem Muthe ein Orakel und in Zeiten des Friedens seinem Betragen eine Ehre seyn.

Orgon, der mit vielen Fähigkeiten in das Amt getreten ist, läßt es bey diesen Fähigkeiten bewenden. Er braucht sie, so gut er sie hat, und glaubt für seinen Namen genug zu thun. Er thut viel zu wenig. Seine Fähigkeiten nicht verstärken, ist eine Unterlassung der schuldigen Pflicht. Er ist ein Geistlicher. Er weis etwas von der Kirchengeschichte; aber warum bereichert er sich nicht noch mehr mit ihr? Sie würde ihm in seinem Vortrage oft nützen. Er schreibt seine Predigten sorgfältig nieder. Aber soll er nur sich ausschreiben? Warum liest er nicht die besten Redner? Er hat ja Zeit übrig. Er weis keine Profangeschichte. Ist diese einem Theologen etwan unbrauchbar? Erfüllt sie nicht das Gedächtniß mit nützlichen Sachen und Charakteren, mit Verzeichnissen der Handlungen und ihren guten oder verderbten Quellen? Lehrt ihn nicht vornehmlich die alte Geschichte, den besten Menschen ohne die christliche Religion, als einen sehr unvollkommenen Menschen kennen? Unser Geistlicher versteht die englische Sprache, und er vergißt sie und könnte so viel gute Bücher lesen, die seinen Verstand stärken, und ihn also immer geschickter zu seinem Amte, immer nützlicher und folglich des Beyfalls der Welt immer würdiger machen würden? Er warte seines Amtes sorgfältig und thue außer den Stunden desselben das, was in den Nutzen seines Amtes einfließt, das heißt, er verbeßre seine Gaben und höre damit nicht auf.

Auf diese Weise sind Künstler und Gelehrte, ja selbst die

Handwerker verbunden, das, was ihre Kunst oder ihr Gewerbe
erhöhen kann, so oft und so lange sie können, ohne ihrer Haupt=
pflicht Schaden zu thun, in ihre Gewalt zu bringen.　　·

Vierte Regel: Unsere wahre Ehre besteht zwar dar=
innen, daß wir unsern pflichtmäßigen Beruf, un=
sern Stand, unser nützliches Gewerbe, mit Eifer
und Treue beobachten, und außer diesem Wege geht
keine gebahnte Straße zum Beyfalle; aber wir kön=
nen diesen Eifer haben, und doch oft keinen oder
wenig Beyfall erlangen, wenn wir die allgemeinen
Mittel des Beyfalls, nämlich Klugheit, Beschei=
denheit und Wohlanständigkeit vergessen.

Kein Stand und keine nützliche Lebensart ist ohne Ehre. Die
Ehre des Landmanns ist, daß er die Pflichten seines Standes
auf die beste und nützlichste Art zu erfüllen trachtet.　Dieß ist
die Ehre des Handwerkers und des Künstlers, des Gelehrten und
des Tagelöhners, des Königes und des Unterthanen, des Vaters
und des Kindes, der Hausfrau und der Aufwärterinn.　Wer in
seinem Stande, darein ihn die Natur und die Umstände, darein
ihn Gott durch die Einrichtung der Natur gesetzet hat, eifrig
und treu, und zwar aus Pflicht eifrig und treu ist, der hat die
wahre Ehre im Herzen, deren sich kein Engel schämen darf, und
eben darinnen hat er auch das Mittel, sich des äußerlichen Bey=
falls zu versichern.　Allein wie viele Menschen schwächen oder
hindern diesen letzten Beyfall durch die Art, mit der sie ihre sonst
nützliche Pflicht leisten!　Was ist Eifer in seinem Berufe ohne
Klugheit?　Wie oft wird er beleidigend!　Was sind Verdienste
ohne Bescheidenheit?　Wie oft erwecken sie uns Verächter oder
Hasser!　Was ist Treue und Rechtschaffenheit, ohne Beobachtung
der Wohlanständigkeit?　Klugheit, Bescheidenheit, Freundlichkeit
und anständige Sitten sind der tugendhaften Anwendung unsrer
Geschicklichkeiten zu unserm und Andrer Besten das, was dem

Gemälde Licht und Schatten, oder dem Erdboden die grüne Farbe ist. Eben deswegen ist der Wohlstand eine so wichtige Pflicht, weil er Andre geneigter macht, unsre Gaben zu erkennen und zu nützen, und uns wieder zu dienen. Eben deswegen ist die Bescheidenheit bey unsern Pflichten und Vorzügen eine so wichtige Tugend, weil sie denen, welchen wir in unserm Berufe dienen, unsre Pflicht angenehmer macht, indem sie uns angenehm macht; und weil sie gleichsam das Blendende unsrer Verdienste in dem Auge des Andern mildert, und den Andern seinen eignen geringern Werth weniger fühlen läßt. Der Mangel der Klugheit in den verschiednen Umständen und Verhältnissen des Lebens, bey den verschiedenen Personen dieser großen Scene, die bald Höhere, bald Niedre, bald von dieser Gemüthsverfassung und Lebensart, bald von einer andern sind, wird nothwendig unsre Geschicklichkeit oft unnütze und unfruchtbar, oft wohl gar schädlich machen. Der Mangel der Klugheit ist öfters Schuld, daß man gerade durch die eifrigste Erfüllung seiner Pflichten Andre beleidiget, sich selbst aber viele lieblose Urtheile zuzieht. Der Mangel angenehmer und leutseliger Sitten fällt eher in das Auge, als der Werth des Verdienstes; und der Lehrer, der Anführer, der Rathgeber, der Freund, der Autor, der Vater, der Künstler, der diese Eigenschaften in seiner Sphäre vergißt, oder das unterläßt, wodurch er sie hätte erlangen können, schadet oft, je mehr er nützen will, dem gegenwärtigen und künftigen Nutzen, und raubt sich bey Andern mit ihrer guten Meynung auch ihr Vertrauen, und mit der Hochachtung ihre Liebe. Ein mürrischer obgleich treuer Lehrer, ein schmutziger obgleich fleißiger und geschickter Jüngling, ein hitziger obgleich gelehrter Scribent, der aufrichtigste Freund ohne die gehörige Klugheit, der dienstfertigste Mann ohne Lebensart und Bescheidenheit, der witzigste Kopf mit pedantischen Sitten, nützen um desto minder, je minder sie gefallen; und ihr guter Name leidet nie, daß nicht auch ihr eignes Glück und das

Wohl der Andern dadurch leiden sollte. Kann man noch fragen, ob man verbunden sey, auf die beste Art für seinen guten Namen zu sorgen?

So gar die Beobachtung willkührlicher aber unschuldiger Gebräuche ist ein Gesetz, das der gute Name auflegt. Der gutgesinnte Sonderling hat keine Entschuldigung mehr für sich, so bald er sieht, daß die Abweichung von einem eingeführten Gebrauche ihn dem Tadel oder der Verachtung der Welt aussetzet. Er lebt nicht für sich, er kleidet sich auch nicht bloß für sich, sondern für Andre; und es kömmt nicht auf ihn an, ob er die Mode seines Großvaters beybehalten, oder sich ohne Ueppigkeit kleiden soll, wie es der itzige Gebrauch befiehlt. Er soll wenigstens ein glückliches Mittel zu treffen und das Anständige von dem Eiteln und Albernen zu trennen wissen.

Endlich auch die Vermeidung des Scheins von allem dem, was den Mangel der Geschicklichkeit oder unerlaubte Absichten, und einen übeln Gebrauch seiner Gaben anzuzeigen pflegt, alles, was Andre überreden kann, daß wir von unsern guten Grundsätzen und dem geraden Pfade unsrer Pflichten abzuweichen anfangen, die Verhütung alles dessen, was den Schein des Lasters, oder der Thorheit, oder eines ungesitteten Betragens hat, alles dieses, sage ich, ist eine Pflicht des guten Namens. Und wie oft sündigen sehr gute Herzen wider diese Pflicht!

Der Prediger darf mit seinen eitlen Anverwandten umgehen, er kann Gastereyen besuchen und ein rechtschaffner Geistlicher seyn. Allein so bald er sieht, daß er den Verdacht eines sinnlichen eitlen Mannes oder eines Schmarozers dadurch auf sich laden würde: so ist er verbunden, mit aller Strenge auch den Schein zu fliehen. Sein Amt leidet mit seiner Ehre. Der Docent darf in seinen Vorlesungen Munterkeit anbringen. Aber er scherze noch so witzig, so bald er sich dadurch den Verdacht eines Leichtsinnigen oder Spötters zuzieht: so ist seine Kunst unerlaubt und wider seine Pflicht und seinen guten Ruf. Der Lehrer in Schriften soll freylich mehr auf die Sachen, als auf die Worte sehen. Allein durch eine nachläſſige und sorglose Schreibart kann er oft den Schein annehmen, als ob er der gründliche, deutliche und geiſtreiche Scribent nicht wäre, der er doch in der That iſt; als ob es seine Abſicht nicht ſey, so lehrreich zu werden, als er ſeyn könnte. Eben deswegen soll er ſich der guten und faßlichen Schreibart befleißigen, und, weil sein bloßer Wille nichts hilft, ſich der Mittel bedienen, sie zu erhalten, so beschwerlich es ihm auch fallen mag.

Selbſt diejenigen Männer, die mit außerordentlichen Gaben, und den Kräften, der Natur zu gebieten, von Gott ausgerüſtet waren, haben uns das Beyspiel hinterlaſſen, wie man, seinem Berufe und dem guten Namen zu Ehren, noch ſtets den Eifer in seinen Pflichten mit Klugheit, Beſcheidenheit und Gefälligkeit verbinden soll. Wer hat einen größern Eifer, Gutes zu thun, gefühlt, als Paulus? Welche Klugheit begleitet gleichwohl seinen Unterricht, wenn er dem neugierigen Athen die Lehre Jesu verkündiget! Wie oft und sehr bemüht er ſich, allen allerley zu werden, und nach den Meynungen Andrer, so lange sie unſchäd-lich sind, ſich zu richten! Er darf Sold nehmen, aber er will lieber, so lange er ſich selbſt erhalten kann, das Evangelium umsonſt predigen, und seinen guten Namen dadurch ſchü-tzen*). Welche Beſcheidenheit, wenn er sein göttliches Amt rüh-met! Wie sorgfältig vermeidet er den Schein des Eigennutzes, wenn er reiche Almoſen nach Jerusalem sendet! Und wer hatte gleichwohl weniger Ursache, den Schein des Unerlaubten zu fürch-ten, als ein göttlicher Gesandte? Aber, sagt er, auf daß uns **Niemand Böses nachreden möge wegen dieser rei-chen Steuer**). Er hatte die Sache Gottes zu vertheidigen,

*) 2 Kor. 11, 7. 8.   1 Kor. 9, 7. 12. 18.
**) 2 Kor. 8, 20.

als er vor dem Könige Agrippa redete; und doch mit welcher anständigen Behutsamkeit, mit welcher nachahmungswürdigen Klugheit verbindet er seine Freymüthigkeit! Ich wünsche zu Gott, spricht er, es fehle an viel oder wenig, daß du, und alle, die mich heute hören, solche seyn möchten, als ich bin, diese Bande ausgenommen *).

Man kann sich fast alle Regeln der Klugheit und Anständigkeit in seinem Berufe aus den Beyspielen dieser heiligen Männer entwerfen, wenn man das absondert, was zu dem besondern Amte von Gott erleuchteter und mit außerordentlichen Kräften begnadigter Personen gehört.

Der sicherste Pfad der Ehre ist also der Weg der fortgesetzten Pflicht, die sorgfältigste Bearbeitung und Anwendung seiner Gaben für unser Glück und Andrer Bestes, in allen verschiedenen Umständen des geselligen Lebens, unter der Begleitung der Klugheit, Bescheidenheit und Wohlanständigkeit.

Meine Herren, das erlaubte natürliche Bestreben nach Ehre kann leicht in die bösen Leidenschaften des Ehrgeizes und Hochmuthes ausarten. Wir sind aber ehrgeizig, wenn wir Ruhm und Ansehen bloß um unsertwillen als einen Zweck, und nicht als ein Mittel zu höhern guten Absichten suchen, und uns also zu unserm Gott machen. Wir sind hochmüthig, wenn wir uns Verdienste zuschreiben, die wir gar nicht, oder doch nicht in dem Maaße besitzen, als wir uns schmeicheln, uns dadurch über Andre setzen, oder nicht wissen wollen, daß alle unsre Gaben und Vorzüge unverdiente Geschenke des Unendlichen sind. Die Ehrbegierde also, wenn sie gut bleiben soll, muß durch die Tugend der Demuth gegen Gott und Menschen, von der ich an seinem Orte reden will, gemäßiget und geadelt werden. Wir müssen nie

*) Apostelgesch. 26, 29.

vergeſſen, daß unſer höchſter Ruhm dieſer iſt, alles zur Ehre
deſſen zu thun, von dem wir ſind.

Und damit wir den Stolz nicht in uns ernähren, ſo laſſen
Sie uns oft an unſre Mängel, Schwachheiten und Thorheiten
denken, welche denen verborgen ſind, die uns ehren. Müſſen wir
erſt dreyßig Jahre alt werden, um einzuſehen, daß wir vielleicht
Thoren ſind; und vierzig Jahre, um einzuſehen, daß wir es ge=
wiß ſind?*) Laſſen Sie uns zu uns ſelbſt ſagen: Was würde
die Welt von dir urtheilen, wenn ſie dich genug kennte, und
was für Ehre würdeſt du von ihr fordern, wenn ſie um alle
deine Thorheiten und ſträflichen Eigenſchaften wüßte? Iſt es
nicht Glück genug, daß ſie dich nicht verachtet; und du verlangſt
den Zoll der Verehrung von ihr, der dir nicht gehört?

Laſſen Sie uns oft an die Beſchaffenheit der menſchlichen
Ehre denken. Wie ungegründet, wie unrein, wie veränderlich
und flüchtig, wie klein in ihrem Umfange iſt ſie; und gleichwohl
wie verführeriſch und verderblich für unſer Herz, wenn wir uns
von ihr beherrſchen laſſen! Und endlich, wie viel hilft uns Ruhm
und Ehre?

Habe den Beyfall der ganzen Welt, Ruhmbegieriger! Wird
er dich in der Stunde des Elends beruhigen? Wird das gute
Zeugniß der Menſchen deine Krankheit mindern und die Unruhen
deines Gewiſſens ſtillen? Wird der König, wenn er dich auf
deinem Sterbebette noch mit ſeiner Gegenwart, als dem größten
Beyfalle, beehret, die Schrecken des Todes von dir entfernen
und dir eine einzige deiner Sünden, die dich ängſtigen, erlaſſen
können? Werden dir die Lobſprüche aller Menſchen in deiner
letzten Stunde das Recht oder nur die geringſte Verſicherung der
Gnade bey Gott und einer ſeligen Ewigkeit ertheilen? Und
wenn du hingegen, entblößt von dem Ruhme der Menſchen, von

---

*) Youngs Nachtged.

ihnen kaum bemerkt, oder wohl gar geringe geschätzt, das Zeugniß eines guten Gewissens und der Ehre bey Gott hast, wie selig
bist du da, o Mensch, im Glücke, im Elende und am Ende deines Lebens! Der höchste Ruhm ist die Ehre eines wahren Christen, die ihm die Religion ertheilt, wenn er mit heiliger Zuversicht von sich denken und sagen kann:

> Des Sohnes Gottes Eigenthum,
> Durch ihn des ew'gen Lebens Erbe,
> Dieß bin ich; und das ist mein Ruhm,
> Auf den ich leb und sterbe.

Dieß sey auch unser höchster und ewiger Ruhm!

Funfzehnte Vorlesung.

Fortsetzung von den Pflichten, in Absicht auf die gesellschaftlichen Güter, und zwar in Absicht auf Vermögen, bürgerliches Ansehen und Macht.

Vermögen, Ansehen und Macht in der bürgerlichen Verfassung sind Mittel, theils unsre nothwendigen Bedürfnisse zu befriedigen, theils die unschuldigen Bequemlichkeiten des Lebens uns zu verschaffen, theils Andern zu nützen und ihr Glück zu befördern. Sie in dieser Absicht begehren, durch erlaubte Mittel, durch Geschicklichkeit, Fleiß und Verdienste suchen, durch Treue und Sorgfalt erhalten und vermehren, ist Pflicht. Wie weit diese Pflicht gehe, welches z. E. das Maaß des Reichthums sey, nach dem ein jedweder streben dürfe, läßt sich zwar durch allgemeine Regeln nicht genau bestimmen; allein so viel ist gewiß, daß die Sorge für das Vermögen unsern Bedürfnissen angemessen seyn, von dem Verlangen, Gutes dadurch zu stiften, regieret werden und keiner andern natürlichen oder sittlichen Neigung nachtheilig seyn, oder mit einem Worte, keiner andern Pflicht widerstreiten muß. Vermögen und Ansehen auf dem Wege des Berufs und der Verdienste suchen und behaupten, um

seine und Andrer Sicherheit zu erhalten oder zu befördern, um
seinem Hause, seinen Freunden und dem gemeinen Wesen desto
bessere Dienste zu leisten; wer wird dieses nicht für ein Gesetz
der Vernunft und also für Pflicht erklären? So oft wir daher
aus natürlicher Gleichgültigkeit, aus Eigensinn, Bequemlichkeit,
Leichtsinn, Trägheit und Sinnlichkeit, oder aus Vorurtheilen
die Sorge für das Vermögen hintansetzen: so kann diese Enthaltung nicht rühmlicher seyn, als die Ursache; sie ist Fehler.
Wenn wir Vermögen haben, es sey viel oder wenig, und wir
nützen es nicht, uns und Andern zum wahren Besten, sondern
halten es gierig zurück, so sind wir geizig. Der Arme kann
also eben so wohl geizig seyn, als der Reiche; er darf nur sein
geringes Vermögen erhalten oder vermehren wollen, nicht weil
es ein Mittel zu seinen nothwendigen Bedürfnissen ist, sondern
weil er es als einen letzten Endzweck liebt; so wie er mit seinen
wenigen Groschen, die sein Reichthum sind, wenn er sie sorglos
und aus Ueppigkeit verthut, eben so wohl ein Verschwender seyn
kann, als der Reiche mit seinen Schätzen.

Wer aus Trägheit mit einem geringen Vermögen zufrieden
ist, weil er nicht mehr bedarf, und doch durch eine sorgfältigere
und treuere Beobachtung seines Berufs sich ein größeres erwerben
könnte, der sündiget; denn er könnte mit größerm mehr Gutes
stiften. Wer hingegen mit Gefahr seiner Gesundheit und seines
guten Namens nach Gütern strebt, der liebt das Vermögen zu
sehr. Wer die rühmlichsten und heilsamsten Arbeiten unternimmt,
alle Kräfte seines Verstandes noch so sehr bessert und anstrengt,
die trefflichsten Werke der Wissenschaft oder Kunst der Welt mittheilt, aber bloß aus Begierde nach Reichthume, ist vor dem
Gerichte der Vernunft nichts edler bey seinem Fleiße, als der
geizige Handelsmann, der mit tausend Beschwerlichkeiten nach
beiden Indien reiset, um bloß reich zurück zu kommen. Sich
die Erwerbung oder die Erhaltung seines Vermögens so ange-

legen seyn laſſen, daß uns keine Zeit übrig bleibet, die Pflichten
des Freundes, des Vaters, des Gatten zu erfüllen, iſt offenbar
unerlaubte Häuslichkeit. Für die Bedürfniſſe des Körpers durch
ſo vielen Fleiß ſorgen, daß man ungeſchickt wird, ſeinen Ver=
ſtand und ſein Herz zu verbeſſern, oder daß man keine Zeit dazu
übrig behält, iſt eine Geringſchätzung der Seele und verräth
Geiz. Sich krank arbeiten, um Vermögen zu haben, Andern
Gutes zu thun, iſt unter dem Vorwande der Pflicht eine Ver=
letzung derſelben. Reichthum beſitzen, und deswegen glauben,
daß man nicht arbeiten dürfe, heißt glauben, daß man Andern
bloß darum nützen müſſe, um nicht ſelbſt zu darben.

Unſer Reichthum, wir mögen ihn dem Glücke zu verdanken
oder durch Fleiß überkommen haben, iſt, gleich unſern übrigen
Gütern, ein Geſchenke der Vorſehung, und die Pflicht, ihn
wohl anzuwenden, iſt eine der wichtigſten und ſchwerſten. Er
iſt, wie wir ſchon geſagt haben, ſeiner Natur nach ein Mittel
zu vortrefflichen Abſichten; und ſo bald wir ihn nicht dazu ge=
brauchen, ſo ſchaden wir uns und der Welt, wir mögen ihn
nun geizig verſchließen oder verſchwenderiſch durchbringen.

Die Art, wie wir ihn gebrauchen, hat in unſer ganzes Ver=
halten und in unſern moraliſchen Charakter einen großen Ein=
fluß. Wer ſein Vermögen übel anwendet, wendet auch zugleich
ſeine Zeit, ſeinen Verſtand, und die Kräfte ſeines Körpers übel
an. Und wenn Eitelkeit, Stolz, Eigenſinn und Weichlichkeit
die Triebfedern bey dem Gebrauche unſers Vermögens ſind: ſo
werden eben dieſe Neigungen ihre Herrſchaft auch bald über unſre
übrigen Handlungen ausbreiten. Die üble Anwendung unſers
Vermögens verderbt nothwendiger Weiſe unſer Herz. Lieben wir
es zu ſehr, ſo wird unſer Herz niederträchtig, abgöttiſch gegen
den Reichthum, hart zum Mitleiden und zur Menſchenliebe;
und wie können wir es übel verwenden, ohne daß wir dadurch
theils unordentliche Neigungen befriedigen, theils neue verwerf=

liche Begierden in uns erzeugen und unsern Leidenschaften schmei=
cheln? — Sein Vermögen der herrlichen Tafel, der Pracht in
Kleidern und Pallästen, den kostbaren Bequemlichkeiten und
Ergötzungen widmen, ist Nahrung für die Weichlichkeit, den
Stolz, die Sinnlichkeit und Trägheit; und ein Vermögen, auf
diese Art verwendet, geht nicht bloß verloren, sondern macht
den Besitzer dadurch schlimmer, weil es Thorheiten und Schwach=
heiten entweder unterhält, oder erzeugt.

Der Reichthum erstreckt sich ferner nicht allein auf unsre Be=
dürfnisse, sondern auch auf die Bedürfnisse der Andern. Geiz
ist Grausamkeit gegen die Dürftigen, und die Verschwendung ist
es nicht weniger. Wenn es daher Vernunft und Pflicht ist, mit
seinem Vermögen so viel Gutes zu thun, als man thun kann:
so muß es auch Vernunft seyn, so wohl alle zu große Liebe des
Geldes zu ersticken, als auch allen unnöthigen Aufwand zu ver=
meiden und die Mühe nicht zu scheuen, welche die gute Anwen=
dung des Vermögens erfordert. Es ist Pflicht, ein milder, hülf=
reicher und gutthätiger Mann zu seyn; und das Vermögen, das
wir entbehren können, zu unnöthigen Kostbarkeiten und Zier=
rathen und zu theuern Vergnügungen anwenden, anstatt daß
wir dem Mangel Andrer dadurch hätten abhelfen, Elende erquicken
und Nackende kleiden können, ist vor der Vernunft ein Raub an
den Armen. Der ist noch kein vernünftiger Haushalter seines
Vermögens, der es nur dann und wann, heute oder morgen,
wohl anlegt; so wie der noch kein aufrichtiger Mann ist, der ein
oder etliche mal die Wahrheit saget. Die nützliche Anwendung
unsers Vermögens und Ueberflusses muß sich daher durch unser
ganzes Leben verbreiten und zu einer Fertigkeit werden, wie alle
andre Pflichten; und wie das Vermögen zu allen Zeiten ein Ge=
schenke der Vorsehung bleibt, so müssen wir auch zu allen Zei=
ten den besten und rühmlichsten Gebrauch nach unserm Gewissen
davon zu machen suchen.

Nächst der Arbeitsamkeit ist die Sparsamkeit ein
herrliches Mittel, unser Vermögen zu vervielfältigen und dem
Mangel vorzubeugen. Durch sie verwahrt der Reiche seinen
Schatz vor einer sorglosen Verschwendung, und durch sie ist der
Aermere an vielen Dingen reich. Die Sparsamkeit, wenn es
auch kein römischer Consul gesaget hätte, ist nicht allein das
größte Einkommen*), sondern auch oft eine Beschützerinn wider
den Geiz, indem sie uns die Kunst lehret, mit Wenigem auszu-
kommen, und das Entbehrliche von dem Unentbehrlichen vernünftig zu unterscheiden. Ohne Sparsamkeit ist kein König reich
genug; und durch sie wird der Dürftige sein eigner Wohlthäter.
Sie befördert die Genügsamkeit und Mäßigkeit, aus denen sie,
wenn sie Tugend ist, zuerst entspringt. Sie mäßiget und ordnet
nicht nur den Aufwand, den unsre Erhaltung, die Bedeckung
unsers Körpers, unsre Wohnungen und Vergnügungen erfordern; sondern sie lehret uns auch, durch einen behutsamen Gebrauch die Dauer und Schönheit der äußerlichen Bedürfnisse
erhalten. Tausend Menschen, die klagen, daß sie in ihrem
Stande zu wenig haben, würden genug haben, wenn sie den
unnöthigen Aufwand zurück setzten, den die Mode, die Pracht,
die Bequemlichkeit und der leckere Gaumen verlangt; und Tausend, die für Niemanden als sich genug haben, würden, wenn
sie eben dieses thäten, noch zu Gutthaten und rühmlichen Frey-
gebigkeiten übrig haben. Plinius der Jüngere, der so gern und
mit einer so guten Art freygebig war, lehret uns die Quelle
seiner Gutthätigkeit. „Was mir meine Einkünfte versagen,
„ersetze ich durch Sparsamkeit und Mäßigkeit; sie ist die Quelle,
„aus der meine Freygebigkeit fließt.“**) Dieses Exempel eines
großen Mannes und Staatsministers beweiset, daß man sich in dem

---

*) Maximum vectigal. *Cic. Parad.* VI.

**) Quod cessat ex reditu, frugalitate suppletur, ex qua velut e
fonte liberalitas nostra decurrit. *Plin.*

erhabenſten Stande der Sparſamkeit ſo wenig zu ſchämen habe, daß
ſie vielmehr die Zierde der Großen iſt. Wir können viele Dinge
glücklich entbehren, wenn wir wollen, und das Herz erſchafft
ſich Reichthümer, indem es wenig begehrt°).

Sejus klagt über den Mangel an Glücksgütern. Er arbeitet
übermäßig, um ſich und ſein Haus zu erhalten; doch bey aller
ſeiner Arbeit leidet er Mangel. Er hat nie ſo viel, als er
braucht, und er gewinnt doch durch ſeinen Fleiß viel. — Wer
mag' an dieſem Mangel Schuld ſeyn? Vielleicht Sejus ſelbſt.
Er ſehe ſeine und ſeiner Gattinn Ausgaben durch. Er ziehe den
Aufwand der Mode von dem, was der Wohlſtand und die Nothwendigkeit fordert, ab. — Sein Stand verlanget kein Sammet-
kleid von ihm. Er hätte alſo hundert Thaler erſparen können,
und mit dieſem Hundert noch zehn Thaler Ausgaben, die ihm
ſein reicher Rock bey öffentlichen Gelegenheiten zugemuthet. —
Er hat wahre Verdienſte, warum will er die Augen durch Kleider füllen? Der Kluge ſchätzt ihn nicht höher, ſondern minder,
wenn er weis, daß er mehr Aufwand macht, als ein verſtändi-
ger Haushalter machen ſoll. — — Seine Gaſtereyen koſten ihm
jährlich hundert Thaler. Er lerne ſie mit funfzigen beſtreiten,
oder ſey groß genug nur Freunde zu haben, die mit Einem
Gerichte und ihm zufrieden ſind: ſo wird er viel erſparen. —
Er verthut, ohne daß er es ſelbſt weis, bloß in Kleinigkeiten,
die er ſo gern kauft und doch nicht nöthig hat, funfzig Thaler.
Er werde haushälteriſch, und lehre ſich und ſeine Frau die
Wahrheit, daß es die größte Sparſamkeit ſey, nicht käufiſch zu
ſeyn. — Er lerne mit einer weniger koſtbaren Wohnung zufrie-

:°) Adsuescamus a nobis removere pompam, servis paucioribus
    serviri, veſtes parare, ad quod inventae sunt, habitare con-
    tractius. Discamus membris noſtris iuuti, naturae voluntati
    parentes, quae pedes dedit, ut per nos ambularemus, oculos,
    ut per nos videremus. Dieſe Sittenlehre des Seneca ſcheint für
    unſer weichliches Jahrhundert geſchrieben zu ſeyn.

ben seyn, und erspare nur da, wo es ihm Ehre ist, zu ersparen, und er wird genug, und vielleicht übrig haben. Nicht bloß die Bedürfnisse, sondern oft unsre unersättlichen Begierden machen das Leben dürftig und elend.

Ansehen und Gewalt suchen, um sie Andern fühlen zu lassen, ist Herrschsucht und Tyranney. Ansehen und Gewalt suchen oder brauchen, um sie zu haben und sich an seinem Vorzuge zu kützeln, ist Stolz. Macht und Ansehen auf die gehörige Art und nicht anders als durch Verdienste suchen, oder wenn sie uns durch Geburt und Stand rechtmäßig zukommen, behaupten, um Sicherheit und eine vernünftige Freyheit zu erhalten, und Andern desto nützlicher zu werden, ist weise Pflicht.

Das Verlangen also nach Mitteln, die unsern äußerlichen Wohlstand verbessern, zu unsern Bedürfnissen nothwendig und einer erlaubten Bequemlichkeit beförderlich sind, ist an und für sich unschuldig und gründet sich auf den natürlichen Trieb nach Glückseligkeit. Wenn man dabey auf Andrer Glück sein Absehen hat, so ist es nicht nur ein unschuldiges, sondern auch ein rühmliches Verlangen. Ja, wenn man dabey auf das Gesetz der Vernunft und Gottes Rücksicht nimmt, so verdient es so gar ein tugendhaftes Bestreben genannt zu werden. So bald wir hingegen das Verlangen nach Reichthümern und Macht nicht in seine von der Vernunft ihm vorgeschriebenen Grenzen einschließen: so wird es eine unmäßige und schändliche Leidenschaft. Vermögen und Macht begehren, lieben und erhalten, um sie zu haben, und das Mittel, wider seine Natur, in einen letzten Endzweck zu verkehren, ist die niedrigste Stufe des Geizes oder Stolzes. Vermögen und Ansehen begehren, suchen oder besitzen, bloß weil sie Mittel sind, unsre Sinnlichkeit und Eitelkeit und die Träume der Einbildung zu vergnügen, ist zwar kein so hoher Grad der Thorheit, aber doch allemal wider die Vernunft. Das Maaß der Güter, die man sucht, wird sich alsdann ganz nach dem

Maaße der Begierden und der Einbildung richten; und wie diese keine Grenzen kennen, so kann jenes auch keine haben.

Der sicherste Weg zu Reichthum und bürgerlicher Gewalt zu gelangen, bleibt allezeit der Weg der Geschicklichkeit und des Fleißes, der Aufrichtigkeit und Klugheit, der Unverdrossenheit, Sparsamkeit, und Gefälligkeit im Umgange. Er ist der Weg zum Tempel des guten Namens und zum rühmlichen Reichthume. Wenn auch dieser Weg trügen sollte, so ist er doch der rechtmäßige; und ihn gegangen zu seyn, auch ohne den glücklichen Erfolg, ist allezeit Belohnung. Alle die andern Künste, reich zu werden, sind entweder kriechende oder lasterhafte.

Wie schwer, wie mühsam ists, sich Schätze zu erwerben!
Soll ich sie dumm erfreyn und hinterlistig erben?
Soll ich durch Sklaverey vor Großen sie erstehn,
Und niederträchtig seyn, um mich bald reich zu sehn?
Soll ich sie, wie Serpil, durch Meineid mir erlügen,
Staat, Mündel und Altar und Gott darum betrügen?

Die Klugheit, die uns befiehlt, bey unserm Fleiße und bey der Anwendung unsrer nützlichen Geschicklichkeit auf die Umstände der Zeit, des Ortes, des Landes, in dem wir leben, auf die günstigen Gelegenheiten zu sehen, die sich äußern, Andrer Mangel durch unsre Aemsigkeit zu ergänzen und daraus einen eben so rechtmäßigen als seltnen Gewinnst zu ziehen, diese Klugheit wird uns ohne die Hülfe der Arglist und der Gewinnsucht, sinnreich in Erfindungen und Unternehmungen machen, und uns den Muth und die Hurtigkeit lehren, mit der sie ausgeführet werden müssen. Werden wir endlich nach dieser Regel, die wir gegeben haben, keine Reichen: so werden und bleiben wir doch nützliche und rechtschaffne Männer, die so viel gewinnen werden, als die Erhaltung des Lebens erfordert, und welche Andern auf tausendfache Arten Wohlthaten erweisen können, wenn gleich nicht durch ihren Ueberfluß.

Bleiben wir aber, ungeachtet des Fleißes in unserm Berufe,

arm, ober, ungeachtet unſrer Geſchicklichkeit, lange ober ſtets
ohne einen angewieſenen Ruf, welcher letzte Fall boch ſehr ſelten
iſt: ſo müſſen wir es als bas Schickſal anſehen, bas uns bie Hand
ber Vorſicht in ber Welt zu tragen aufgelegt hat; unb, es ge=
laſſen tragen, iſt Tugend. So viel können wir uns boch von ber
Güte ber Menſchen unb noch mehr von ber Gnade ber Vorſehung
verſprechen, baß wir, bey Fleiß unb Arbeit, Nahrung unb Klei=
ber, unb in ben Fällen ber Krankheit unb ber Theurung lieb=
reiche Unterſtützungen finden werben. Man vergeſſe nur nie, baß
ber, ber laß in ſeiner Arbeit verfährt, ein Bruder
beſſen iſt, ber bas Seine durchbringt*); unb man ver=
menge ben Mangel, ben man aus eigner Schuld leidet, nicht mit
ber rühmlichen Armuth, unb einen eiteln Wunſch nach Reich=
thümern nicht mit bem erlaubten Verlangen nach einem noth=
bürftigen Auskommen.

Sirach macht die Gerechtigkeit ober die Rechtſchaffenheit unb
Tugend zur Quelle ber Ehre unb bes Glücks. Die Stelle iſt zu
vortrefflich, als baß ich ſie Ihnen nicht empfehlen ſollte. „Wer
„anhält an ber Gerechtigkeit unb Tugend, ſagt er, ber findet ſie.
„Unb ſie wird ihm begegnen, wie eine Mutter ber Ehren, unb
„wird ihn empfahen, wie eine junge Braut. Sie wird ihn ſpei=
„ſen mit Brobt bes Verſtandes unb mit Waſſer ber Weisheit
„tränken. Daburch wird er ſtark werben, baß er feſt ſtehen
„kann, unb wird ſich an ſie halten, baß er nicht zu Schanden
„wird. Sie wird ihn erhöhen über ſeinen Nächſten unb ihm
„ſeinen Mund aufthun in ber Gemeine. Sie wird ihn krönen
„mit Freude unb Wonne, unb mit ewigen Namen begaben. Aber
„bie Narren finden ſie nicht, unb bie Gottloſen können ſie nicht
„erſehen; benn ſie iſt fern von ben Hoffärtigen unb bie Heuchler
„wiſſen nichts von ihr."**)

*) Sprüche Sal. 18, 9.
**) Sir. 15, 1—8.

Meine Herren, so wünschenswerth Ehre und Reichthum scheinen mögen: so brauchen wir doch zu unserer wahren Ruhe keinen großen Namen und keine großen Reichthümer. Wie tröstlich
ist diese Anmerkung! Der beste Ruhm ist der Ruhm der Pflicht,
das Zeugniß des guten Gewissens vor Gott und die Liebe des
rechtschaffnen Freundes und Mannes; dieser Ruhm steht in unsrer
Gewalt. Alle andre Ehre, die Ehre großer Talente und außer-
ordentlicher Thaten, gilt ohne die Ehre des Herzens für uns
eigentlich nichts. Sie macht uns berühmter und angesehner, aber
nicht weiser und besser. Hat uns also die Natur keine großen
Gaben ertheilet; was ringen wir nach dem Ruhme großer Gaben? Wollen wir uns selbst und die Welt belügen, und uns die
schreckliche Last aufbürden, ein Eigenthum zu behaupten, das seinem rechtmäßigen Besitzer leicht entrissen werden kann, und also
noch vielmehr dem, der es erschlichen hat, keine Stunde gewiß
ist? Bey Einem Pfunde, das du empfangen hast, sey zufrieden
mit dem Ruhme, dieses Eine Pfund zu nützen und sorgfältig
anzuwenden. Dieses ist Ehre bey Menschen, bey Engeln und
bey Gott. — Haben wir große und sonderbare Talente empfangen: nun wohl gut! Sie sind uns nicht zum Pompe unsers
Namens, sondern zum Besten der Welt und zur Beobachtung
großer Pflichten ertheilet. Wenden Sie diese Gaben zu dieser
Absicht an, unbekümmert, ob Ihnen der äußerliche Ruhm allezeit folgt; genug, daß Sie den innern haben. Der Beyfall der
Rechtschaffnen entgeht den Verdiensten nie; dieses ist Ehre genug.
Aber oft müssen doch große Verdienste im Staube bleiben; oft
müssen sie statt der Stimme öffentlicher Glückwünschungen die
Stimme der bösen Nachrede und des Neides hören. — Alsdann
besteht unsre Größe darinnen, uns über Niedrigkeit und Verachtung hinweg zu setzen, und das zu bleiben, was wir sind, wenn
uns auch die ganze Welt verkennte. — Seyn Sie unbesorgt,
was für Ehren und Würden Ihrer künftig warten, theuerste

Jünglinge, und gehen Sie getrost den Weg der Pflicht und des
Verdienstes, der Wissenschaften und guten Sitten, wie Sie thun,
fort. Der Plan unsers Schicksals ist von Ewigkeit angelegt, ist
gut und doch oft der nicht, den wir uns entworfen haben. Ich
verehre und kenne die besondern Führungen der Vorsehung aus
meinem eignen Schicksale. Nie habe ich den Weg gewünscht,
auf dem ich mich itzt befinde; und alles hat sich vereinigen müssen, mich unvermerkt darauf zu leiten. Wenn ich nunmehr zurück sehe, und mich mit meinen Fähigkeiten und Kräften betrachte:
so ist der Stand, darinnen ich, Dank sey es der Güte Gottes!
stehe, und den ich nicht gewünscht habe, eben der, worinnen ich,
nach meinem Naturelle und nach der Beschaffenheit meines Körpers, mehr Nützliches thun kann, als in keinem andern, so geringe auch das ist, was ich thue. — Unser Schicksal entwickelt
sich oft zu der Zeit nicht, da wir es wünschen; aber Geduld!
die Stunde wird kommen. Es ist uns oft beschwerlich; aber
Geduld! es wird günstiger. — Viele sind aus der Niedrigkeit,
ehe sie es meynten, gezogen, und aus der Dürftigkeit, in der sie
seufzten, zum Ueberflusse geleitet worden, und das auf Wegen,
die sie vorher nicht kannten. — Der Mensch, pflegt man zu
sagen, ist der Schöpfer seines Glücks; ein sehr falscher Satz, wenn
er nicht eingeschränkt wird. Der Herr der Himmel und der Erden ist es; und unser ist die Pflicht, nach seinem Plane an unserm Glücke mit Ergebung und Demuth und Vertrauen zu arbeiten, nicht seine Fürsorge mit Wünschen um Versorgungen,
Güter und Würden zu beleidigen. Er weis, was wir bedürfen,
und er meynt es besser mit uns, als wir es selbst meynen können.
Trachte am ersten nach seinem Reiche und dessen Gerechtigkeit, so wird dir das Andre alles zufallen*).

Ich kenne den Ruhm, theuerste Freunde, und ich kenne sein
Leeres. Er beruhiget das Herz nicht. Die Begierde darnach ist

*) Matth. 6, 33.

Durst, wird mit vieler Mühe gestillt, und wird noch heftigerer Durst. Erlangen wir ihn, so ist er Last, und ein unbekanntes Leben ist der Natur weit gemäßer.

O selig, wen sein gut Geschicke
Bewahrt vor großem Ruhm und Glücke;
Der, was die Welt erhebt, verlacht;
Der frey vom Joche der Geschäffte
Des Leibes und der Seelen Kräfte
Zum Werkzeug stiller Tugend macht.

Ich kenne die Reichthümer nicht durch den Besitz; aber ich kenne sie in den Händen der Andern. Sie sind selten Glück, öfter Strafe; und es ist schwerer, den Reichthum, als den Mangel zu tragen*). —

Ich wiederhole es nochmals, nichts ist so klein in den Schicksalen der Menschen, es steht unter der göttlichen Regierung, Anordnung und Zulassung; und der Plan, den sie anlegt, wenn er auch nicht mit unserm Wunsche übereinstimmet, bleibt doch, für uns und die Welt, der beste. Sorge daher, o Jüngling, nur für wahre Verdienste mit allem Eifer, in Bescheidenheit und Demuth, **und verlaß dich dabey auf den Herrn von ganzem Herzen, und nicht auf deinen Verstand; so wird er dich recht führen****). Getrost!

Du stehst in dessen Hand, der war, eh du gedacht,
Den Plan zu deinem Glück von Ewigkeit gemacht;
Den Plan zum Glück des Wurms, der deinem Aug' verschwindet,
Und Nahrung und sein Haus im kleinsten Sandkorn findet.

*) Non possidentem multa vocaveris
Recte beatum. Rectius occupat
Nomen beati, qui Deorum
Muneribus sapienter uti,
Duramque callet pauperiem pati,
Pejusque leto flagitium timet. *Horat.*

**) Sprüche Sal. 3, 5. 6.

Leipzig, Druck von Hirschfeld.

C. F. Gellerts

sämmtliche Schriften.

Neue rechtmäßige Ausgabe.

Siebenter Theil.

Leipzig,
Weidmann'sche Buchhandlung
und
Hahn'sche Verlagsbuchhandlung.
1839.

Inhalt.

Fortsetzung

der

dritten Abtheilung.

Von den vornehmsten Pflichten des Menschen.

———

Sechzehnte Vorlesung.

Von den Pflichten in Absicht auf die Güter der Seele, und zwar in Absicht auf die Anwendung der Kräfte des Verstandes.

Alles vereiniget sich, uns die wichtige Pflicht zu lehren, die uns obliegt, die Kräfte unsers Geistes zu verbessern und auszubilden, wir mögen nun die Natur und Absicht dieser Kräfte selbst, oder den Nutzen und das Vergnügen betrachten, das mit der Verbesserung und regelmäßigen Anwendung derselben verbunden ist.

Unsere Vernunft ist ein unschätzbares Geschenke. Durch ihren Dienst lernen wir Wahrheit und Irrthum, Gutes und Böses unterscheiden; und uns, die Menschen, die Welt und Gott, als den Schöpfer, Regierer und Gesetzgeber derselben, erkennen. Sie zeigt uns mit Beyhülfe der Erfahrung den Einfluß, den die Gegenstände der Natur auf unser Glück oder Unglück haben. Durch ihr Licht entdecken wir, was in dem Innersten unsrer Seele vorgeht, und werden uns unsrer Absichten, Entschließungen und geheimsten Neigungen bewußt. Durch sie lernen wir

1*

die Uebereinstimmung unsrer Absichten mit unsern Handlungen, und ihren gewissen oder wahrscheinlichen Erfolg auf das Gegenwärtige oder Zukünftige. Vornehmlich lehret sie uns die Natur, und in der Ordnung, Nutzbarkeit und Herrlichkeit derselben, die Weisheit, Güte und Macht ihres Urhebers erkennen, seine Heiligkeit und Gerechtigkeit aber in unserm eignen Gewissen und in dem Unterschiede wahrnehmen, den wir zwischen Tugend und Laster, Recht und Unrecht, zu empfinden genöthiget sind.

Der Umfang und die Klarheit dieses Lichts der Seele wächst, nachdem wir es achtsam und vorsichtig zu seiner Absicht anwenden. Es nimmt ab, nachdem wir es nicht gebrauchen, und verhüllt sich in Finsternisse, nachdem wir es mißbrauchen. Ferner muß man nicht vergessen, daß diese Klarheit nicht ohne Mühe, nicht ohne fortgesetzte Mühe, nicht ohne Hülfe der Unterweisung, nicht ohne ein fleißiges und tägliches Nachdenken wächst. Durch Uebungen wird der Verstand stärker; durch den öftern Gebrauch seiner Fähigkeiten wird das Gebiete seiner Erkenntniß erweitert und ihm die Herrschaft über das Herz und seine Neigungen bestätiget. Durch Vernachläßigung und Mißbrauch der Kräfte des Verstandes hingegen entstehen in der Seele, gleich als in einem übel regierten Staate, Irrungen, Widersetzlichkeiten und Empörungen. Irrthümer und Blendwerke verdrängen alsbann die richtigen und wahren Vorstellungen aus dem Besitze, der ihnen eigenthümlich gebührt. Unrichtige Meynungen erzeugen unrichtige Begierden, legen den Gegenständen unsrer Neigungen einen falschen Werth bey, und erschaffen stürmische Leidenschaften, diese Peiniger unsers Herzens und derer, die mit uns leben. Ungewisse Meynungen haben schon die üble Wirkung, daß sie keine Beständigkeit und Einfalt in unserm Verhalten zulassen, unrichtige aber müssen uns oft zu Fehlern und Thorheiten verleiten; und wo ist eine Privatthorheit, die nur in dem Bezirke unsrer Seele bliebe, und nicht auf irgend eine Weise sich der Gesellschaft mittheilte?

Wenn alles dieses gewiß ist; wenn die Kräfte des Verstandes stufenweise, durch Mühe und Anwendung und langsam steigen; wenn unser Verstand mit seinen Einsichten die Neigungen des Willens mäßigen und erhöhen, lenken und ordnen muß; wenn er Tugend erzeugt, Laster und Elend verhütet, und den Werth und Gebrauch der äußerlichen Güter bestimmen und einrichten hilft; wenn er das Vermögen ist, dessen richtiger Gebrauch uns dem Bilde der Gottheit am nächsten bringt; sollte es keine Pflicht von äußerster Wichtigkeit seyn, die Gaben des Verstandes zu verbessern? Jeder also, er habe ein kleineres oder größeres Maaß desselben empfangen, ist verbunden, so lange er lebt, die Kräfte desselben zu erhöhen, das heißt, nach den Umständen, in denen er steht, kein Mittel zu versäumen, das zur natürlichen Erleuchtung des Verstandes dienet, allezeit die besten und sichersten zu wählen und beharrlich anzuwenden; das zu vermeiden, was ihn an der Wahl oder Anwendung dieser Mittel hindern kann, und stets mit Aufrichtigkeit des Herzens seinen Verstand zu gebrauchen.

Die wichtigsten Untersuchungen, die der Mensch mit seinem Verstande anzustellen hat, sind unstreitig diese: „Woher bin ich? „— Was soll ich auf der Erde? — Wohin eile ich? — Wie gelange ich zu der Absicht und Glückseligkeit, zu der mich Gott „geschaffen hat? Sollte er mir nicht irgend außer meiner Ein„sicht, die so schwach und eingeschränkt ist, und außer dem Ge„wissen, das ich so leicht unterdrücken kann, wenn es meine „Begierden befehlen, sollte er nicht irgend außer diesen Quellen „der Erkenntniß noch eine andre nähere Offenbarung von seinem „Willen gegeben haben?“ Sie ist vorhanden, sagt man mir. Ich bin also verbunden, mir sie bekannt zu machen und die Kennzeichen ihrer Göttlichkeit sorgfältig und unpartheyisch zu untersuchen, als vor den Augen Gottes, mit aufrichtigem Herzen, und in der sichern Erwartung, daß mich Gott nicht werde in der wichtigsten Angelegenheit in Irrthum fallen lassen. Ja,

wenn ich auch keine unumſtößlichen Beweiſe anträfe, ſo müſſen
mich doch ſchon die wahrſcheinlichen zum Glauben an die Religion bewegen, weil es eine Pflicht der Vernunft iſt, der Wahr-
ſcheinlichkeit zu folgen, da ſie mehr Grund für ſich hat, als das
Unwahrſcheinliche oder das bloß Mögliche. Ich bin alſo nicht
allein aus Gehorſam gegen meinen Schöpfer verbunden, durch
ein höheres Licht der geoffenbarten Wahrheiten, wenn eins vorhanden iſt, meinen Verſtand zu erleuchten, wo ich anders glückſelig werden will; ſondern ich muß die nähere Offenbarung ſeines
Willens zugleich als die höchſte Wohlthat in tiefſter Dankbarkeit
durch einen thätigen Gehorſam ehren und nichts heiligers wiſſen,
als dieſen Willen Gottes, der nothwendig Güte und Wahrheit
ſeyn muß, lebendig zu erkennen und nach allen meinen Kräften
zu vollbringen. Dieſes ſagt mir die Vernunft, die er mir gegeben hat. Ueberhaupt aber hat die menſchliche Vernunft, auch
bloß in Abſicht auf die natürliche Religion betrachtet, die Unterſtützung und Handleitung der Offenbarung vonnöthen; denn die
wahre natürliche Religion iſt in dem verderbten Zuſtande, darinnen wir uns befinden, kein Werk der bloßen ſich ſelbſt gelaſ-
ſenen Vernunft, wie ſolches die Geſchichte unwiderſprechlich be-
weiſet *).

Die moraliſche Anwendung des Verſtandes beſteht überhaupt
darinnen, daß wir durch ihn richtig von dem urtheilen lernen,
was Wahrheit und Irrthum, was gut oder böſe iſt, was unſer
wahres Glück befördert oder aufhält, was den Schein des Guten durch unſre Einbildung und durch den Reiz der Begierden
erhält, oder den Schein des Uebels durch ihren Betrug annimmt.
Wir müſſen unſern Verſtand gewöhnen, die Handlung nie von
ihrer Abſicht zu trennen, als beſtünde die Tugend nur in der

*) Nöſſelts Auszug aus der Vertheidigung der Wahrheit und
Göttlichkeit der Religion; 70 — 74. S.

äußerlichen Beobachtung der Pflichten, und nicht vielmehr in der überwiegenden Liebe zum Guten. Wir müssen ihn anwenden, durch sein Licht den falschen Glanz des Lasters zu zerstreuen, und uns die Fertigkeit erwerben, dasselbe oft in seiner natürlichen Häßlichkeit, als ein Verderbniß der Vernunft und des Herzens, als den höchsten Schimpf des göttlichen Adels unsrer Seele, als den Störer der Absichten Gottes zu denken, mit allem seinem schädlichen Gefolge, mit der Verwahrlosung der Gesundheit, des guten Namens, der äußerlichen Wohlfahrt, des Lebens, der Ruhe des Gewissens; es stets als einen schrecklichen Gegenstand des göttlichen Mißfallens zu denken, als das, was unsern Zustand durch die ganze Ewigkeit hindurch immer entsetzlicher machen muß. Wir müssen den Verstand gewöhnen, bey seinen Urtheilen an sich zu halten, sich nicht von den Sinnen und Leidenschaften übereilen, nicht von den Grundsätzen der Menge verführen, noch von der Gewalt der Beyspiele zu falschen Aussprüchen fortreißen zu lassen. Wir müssen durch ihn die Hindernisse des Guten bemerken, wir müssen unsre Neigungen und Meynungen kennen und alle unsre Wünsche und Bemühungen der Hauptabsicht unterwerfen lernen, Gott dadurch zu gefallen und durch ihn unendlich glücklich zu werden. Endlich müssen wir auch unsern Verstand zu dem gehörigen Erkenntnisse solcher Künste, Gewerbe und Geschäffte anwenden, die das menschliche Leben bedarf, und ohne deren Ausübung wir weder nützlich genug sind, noch auch dem Müßiggange, dem schlimmsten Feinde der Tugend, entgehen können.

Wer also durch die natürlichen Mittel des Unterrichts, der Erfahrung und des Beyspiels verständiger und weiser werden kann (und dieses können wir alle werden), und diese Mittel versäumet, oder nachläßig gebraucht, der sündiget an seinem Verstande. Wer diese Mittel nicht mit der Sorgfalt, die sie verdienen, sucht, der unterläßt eine heilige Pflicht. Wer sich, wenn er sein eigner Herr und seines Verstandes mächtig ist, keine gewisse Zeit zur Verbesserung und Erweiterung seiner Erkenntniß erlaubt, der liebt die Wahrheit viel zu wenig und seine Bequemlichkeit und Trägheit unendlich mehr. Wenn man, durch die willige Anwendung und Ausübung einer erkannten Pflicht der Vernunft, die Ueberzeugung von dieser Pflicht und ihrer Vortrefflichkeit verstärken kann: so schwächen alle diejenigen das Licht ihres Verstandes, die, so bald sie etwas, das ausgeübt werden soll, als wahr und gut erkennen, es nicht so gleich, und so oft ausüben, als sie nicht durch unüberwindliche Schwierigkeiten daran verhindert werden. Die Erfahrung, insonderheit die innerliche, ist oft der stärkste und deutlichste Beweis der Wahrheit, und in so fern auch ein Zuwachs der Vernunft. Seinen Verstand nicht zum eignen Nachsinnen gewöhnen und ihn stets nach der Anleitung der Andern stimmen, heißt sein Eigenthum verlassen, um betteln zu können. Seinen Verstand bloß darum verbessern, um damit zu glänzen, ist die Kleiderpracht des Verstandes. Den gesunden richtigen Verstand können alle Menschen durch Unterricht, Umgang und Uebung erhalten; er ist die gangbare Münze der Welt. Der feine und schöne Verstand ist ein Juwel; wenn er allgemein getragen würde, verlöre er sein Ansehen.

Das Gedächtniß gehörig üben, ist auch keine geringe Pflicht. Es vernachläßigen, heißt dem Verstande seinen Unterhalt entziehen, und ihn nöthigen, Wahrheiten und Beweise immer von neuem aufzusuchen. Es mehr üben, als den Verstand, heißt immerdar aussäen, ohne die Früchte einzuerndten. So oft wir Worte ohne deutliche Begriffe fassen, treiben wir mit unserm Gedächtnisse den unnatürlichsten Gebrauch; und je mehr sein Reichthum auf diese Weise wächst, desto ärmer wird jedesmal der Verstand.

Die Einbildungskraft giebt den Gedanken des Verstandes gleichsam die eigenthümliche Miene, wodurch sie sich leicht von einander unterscheiden laſſen, und zeigt ſie der Seele in dieſer Geſtalt, daß ſie ſolche deſto lebhafter denke, und leichter im Gedächtniſſe aufbewahre. Sie malet die Gemälde aus, die der Verſtand gezeichnet hat, und giebt ihnen Erhöhung, Licht und Schatten; und ſie malet glücklich, ſo lange ſie unter der Aufſicht des Verſtandes ihre Farben natürlich aufträgt. Man kann alſo dieſe Kraft der Seele eben ſo wenig, als die Kraft des Gedächtniſſes, vernachläſſigen, oder übermäßig anſtrengen, ohne dem Verſtande und alſo der Erkenntniß der Wahrheit zu ſchaden. Wenn ein durchdringender gründlicher Verſtand eine lebhafte Einbildungskraft zur Seite, ein reiches und treues Gedächtniß zur Gehülfinn, und ein edles empfindliches Herz zur Unterſtützung hat: ſo wird er zum hohen Genie und zum Lehrer ganzer Nationen, ſo lange ſie ſeine Sprache verſtehen. Seinen Verſtand zu beſſern, muß man alſo auch dieſe andern Kräfte bilden; und es geht ſehr wohl an, daß man alle drey zugleich bilde; denn es iſt Eine Kraft mit verſchiednen Wirkungen. Je ſpäter wir dieſe Arbeit anfangen, deſto mühſamer wird ſie. Je früher wir ſie anfangen, deſto mehr Fortgang gewinnt ſie. Nur in der erſten Jugend ſeinen Verſtand anbauen und die Fortſetzung im Alter unterlaſſen, macht ſechzig- und achtzigjährige Jünglinge. Die Methode der Schulen, nach der wir in den erſten Jahren denken lernen, als die Kraft zu denken beybehalten, heißt, wie ein gewiſſer Schriftſteller ſagt, das Gerüſte ſtehen laſſen, wenn das Gebäude vollendet iſt. Da die Empfindungen des Herzens in dem zarten Alter ſich eher entwickeln, als der Verſtand, und ſchon verderbt ſind, ehe der Verſtand erwacht, und ihm ſeine Herrſchaft in der Folge unendlich ſchwer machen: ſo ſollte man auch den Geſchmack oder die Empfindung zuerſt bilden.

Doch die Kräfte ſeines Geiſtes üben und verſtärken, iſt nicht allein die höchſte Nothwendigkeit; nein, es iſt ſelbſt das

reizendste Vergnügen. Welche Freuden gewähret uns nicht
die Erkenntniß der Natur, der schönen Wissenschaften und Künste!
Welche Vortheile verschafft sie nicht unserm Herzen, und welche
Zierde unsern Sitten!

Die wahren Regeln der schönen Künste, der Beredsamkeit,
Poesie, Malerey, Bildhauerkunst, Baukunst und Musik, sind
Vorschriften der Natur. Sie erfreuen den Verstand, wenn wir
sie schön, und mit einander verbunden vorgetragen finden. Er
hört seine eigne Stimme in den Vorschriften der Kunst, und vergnügt sich, daß in den Gesetzen der Künste, wie in den Gesetzen
der Natur, alles unter einander zu Einer Hauptabsicht übereinstimmt. Das Herz vergnügt sich, daß es diese Regeln in seiner
eignen Empfindung des Schönen und Anständigen gegründet fühlet; und die Regeln der Beredsamkeit, von einem Cicero oder
Fenelon vorgetragen, liest man, ohne ein Redner werden zu wollen, mit Vergnügen und Nutzen.

Allein so angenehm und nützlich die Kenntniß der Regeln in
den schönen Künsten ist: so ist sie doch gegen das Vergnügen,
das uns die Werke der schönen Wissenschaften und Künste selbst
gewähren können, und gegen die Vortheile, die aus ihnen auf
unsern Verstand und unser Herz einfließen, sehr geringe.

Stellen Sie sich die einzige Geschichte zum Beyspiele auf.
Welche mannichfaltige Bewegungen fühlt unser Geist, wenn er
sich an ihrer Hand in die Auftritte verfloßner Jahrhunderte ver-
setzet, und das Vergangne gegenwärtig sieht; wenn er überall einen Zuschauer der Menschen, ihrer Handlungen und ihrer Triebfedern, ihrer Absichten und Leidenschaften, gleichsam im Verborgenen abgeben kann; wenn er bald Hohe, bald Niedrige, bald
Weise, bald Thoren, bald Rechtschaffne, bald Lasterhafte vor
seinen Augen denken und handeln sieht, überall den Menschen,
den bessern oder schlimmern, den glücklichern oder unglücklichern,
überall eben dasselbe Geschöpf, nur mit mannichfaltigen Abän-

berungen erblickt; überall ein Geschöpf, das sich liebt, das sein
Glück sucht, aber auf tausend verschiednen Wegen; überall einer=
ley Verstand, aber unzählige gute oder falsche Anwendungen des=
selben; überall Wahrheit und noch mehr Irrthümer, überall Tu=
gend und unzählige Laster, und selbst das Laster oft in der Ge=
stalt der Tugend; überall Begriffe von einer Gottheit und schreck=
liche Verderbnisse dieser Begriffe! Welcher lehrreiche und rüh=
rende Anblick für den Verstand! Hier entstehen Gesetze, Ordnung
und gute Sitten; und die Staaten blühen und befestigen sich
durch Fleiß und Tapferkeit. Dort erliegen Gesetze und Ordnung
unter dem Uebergewichte der Laster; die Herrschsucht entspinnet
Zerrüttungen und blutige Kriege; der Ueberfluß zeugt Schwel=
gerey, Weichlichkeit und Müßiggang; und die Wohlfahrt der Na=
tion stürzt ein. Dort steigen Künste und Wissenschaften, und die
Einsichten und Sitten des Volks verschönern sich. Hier lebt eine
Nation, fern von den schönen Künsten und Wissenschaften; ihre
Sitten sind rauh und wild, und ihre Weisheit ist Tapferkeit und
Geiz nach Siegen. Itzt wird Fleiß und Tugend belohnet, und
bald wird das Laster gekrönet. Hier ein tragischer, dort ein
glücklicher Erfolg, den keine menschliche Weisheit voraus sah!
Hier eine Begebenheit, zu der die Anlage schon in verfloßnen
Jahrhunderten veranstaltet lag; hier ein Erfolg, der nach aller
Wahrscheinlichkeit nicht hätte erscheinen sollen! Alle diese so ver=
schiednen Schauspiele erhalten unsern Geist in derjenigen Ge=
schäfftigkeit, die gleichsam sein Element ist. Er schließt, ver=
gleicht, urtheilet, bewundert, haßt und liebt, gönnt das Glück
den Guten, mißgönnt es den Bösen, erfreut sich, leidet mit der
Unschuld, hilft das Laster bestrafen, erstaunt und zittert, ist
überall in Erwartung, wird oft in derselben hintergangen, sieht
die Sitten so vieler Nationen und ihre Gebräuche, ihr Genie
und ihre Fehler, ihre Gesetze und Gottesdienste, ihre Helden und
ihre Belohnungen, ihre Weisen und ihre Anstalten, alles dieses

ſieht er; und überall (welche hohe Ausſicht!) erblickt er die Spu=
ren einer weiſen und allmächtigen Vorſehung, welche die Schick=
ſale der Sterblichen im Verborgnen regieret, und ſie durch dieſe
Regierung aufmerkſam auf ihren Willen machen will.

So viel Freude kann uns ſchon allein die Geſchichte verſchaf=
fen; und man muß die guten und böſen Beyſpiele, die ſie uns
aufſtellt, ſehr nachläſſig betrachten, wenn ſie keine Liebe zur Tu=
gend und keinen Abſcheu des Böſen in uns erwecken ſollen; ja
man kann ſie kaum flüchtig betrachten, ohne daß ſie uns die
nützlichſten Regeln des Verhaltens im bürgerlichen Leben anbie=
ten ſollten.

Die Meiſterſtücke der Beredſamkeit und Poeſie ergötzen den
Geiſt eben ſo ſehr, als ſie ihn bilden. Die Poeſie wird oft lehr=
reicher, als die Geſchichte. Sie bildet ihre Beyſpiele nach dem
Begriffe des Schönen, und unterrichtet um deſto mehr, je mehr
ſie gefällt. Ihre Wahrheit wird von dem Gedächtniſſe willig
aufgenommen, von dem Verſtande geliebt, und von dem Herzen
gefühlt; und die ſchön vorgetragne Wahrheit des Redners wirkt
ebenfalls zugleich auf den Verſtand und das Herz.

Setzen Sie von den ſchönen Künſten eine der andern an die
Seite. Jede hat ihr eigenthümliches Schönes, und alle gefallen,
als Nachahmerinnen der Natur, und ſelbſt ihr Nützliches nimmt
die Geſtalt der Anmuth an.

Des Malers Kunſt erſchafft den Menſchen noch einmal,
Verewigt die Geſtalt, giebt durch der Farben Wahl
Dem Lächeln, jenem Ernſt, dem Alter, jenem Jugend,
Entblößt uns jenes Herz, und malt uns ſeine Tugend.
Der itzt lebt, den ſieht einſt die Nachwelt vor ſich ſtehn,
Und ſieht ihn ſo genau, als wir ihn ſelbſt geſehn.
Der Maler läßt den Greis am Stecken kraftlos ſchleichen,
Uns iſt, als hörten wir den Greis vernehmlich keichen.

Wenn der, den Unglück quält, im Bilde trostlos weint,
Fühlt unser Mitleid das, was er zu fühlen scheint.
Ein fröhlich lächelnd Bild zwingt uns, daß wir uns freuen.
Wen rührt nicht diese Kunst durch ihre Zaubereyen?

Wenn wir mit den besten Werken der Künste oft und gehörig umgehen, so verbessern wir unsern Geschmack, indem wir ihn vergnügen, und der Geschmack an den Meisterstücken macht uns ihre Schönheiten noch sichtbarer, und den Verstand noch begieriger, sie aufzusuchen. Die guten und nützlichen Werke der Poesie, Beredsamkeit, Malerey, Bildhauerkunst erfüllen unsern Geist mit dem Begriffe des Schönen, der Ordnung, der Uebereinstimmung und des Anstandes. Unser Geist lernt diesen unvermerkt auf die Sitten und das äußerliche Betragen anwenden, vermöge der allgemeinen Regel der Natur, alles zu entfernen, was uns mißfällt, und alles das anzunehmen, was gefällt. So wird der Mann vom Geschmacke in den Künsten, ein Mann von Lebensart mit einer gehörigen Anwendung desselben auf die Gesellschaft; und sein Geschmack, der durch die Künste feiner und sichrer geworden, wird es auch in der Lebensart. Sollte nichts von den edlen, liebreichen und großmüthigen Empfindungen, welche die Werke der Künste ausdrücken, in unser Herz übergehen? Sollten wir immer die Stralen der Sonne fühlen und nicht erwärmet werden?

Allein wenn auch die schönen Künste uns nichts als unschuldige Zeitverkürzungen darböten: so blieben sie doch schätzbar genug. Sie füllen unsre leeren Stunden aus, die uns unser Stand oder Beruf frey läßt. Wir können nicht immer arbeiten; und ist der Dienst der Künste nicht vortrefflich, wenn er uns Erholung und neue Kräfte zu Geschäfften giebt? Ihr Vergnügen hält vom trägen Müßiggange und uneblen Zeitvertreibe ab. Mancher Jüngling, der seine leere Stunde der Freude der Musik bringt, hätte sie vielleicht sonst der Ausschweifung gebracht. Das Vergnügen der Künste ist ferner ein gesellschaftliches Vergnügen. Wir können Andre unterhalten, indem wir uns damit unterhalten; und die Betrachtung oder das Lesen eines Meisterstücks kann zugleich einen ganzen Zirkel ergötzen. Die Künste machen uns in Gesellschaften, wo Andre verstummen, angenehm beredt. Sie entziehen mancher verdrüßlichen Stunde des Lebens ihre Beschwerlichkeit; und der Lobspruch ist nicht zu groß, den ihnen einer der größten Kenner derselben gemacht hat*).

Weil aber die schönen Künste zu einem nützlichen und unschuldigen Vergnügen bestimmt sind: so werden auch diejenigen große Verbrecher, welche die Künste anwenden, schändliche und dem Herzen gefährliche Vorstellungen und Leidenschaften zu erwecken. Ein großer und unzüchtiger Maler, ein geistreicher und doch wollüstiger Dichter, schaden ganze Jahrhunderte hindurch und versündigen sich an ganzen Nationen. Sich einen Geschmack für solche Werke erlauben, heißt sein Herz durch den Geschmack vergiften. — Wir können die Zeit, die uns unsre Pflichten übrig lassen, mit Gewissen zu dem Vergnügen des Geschmacks anwenden. Allein seinen Geschäfften Zeit und Fleiß rauben, oder sein ganzes Leben auf die Künste und das Vergnügen, das sie gewähren, verwenden, ohne daß sie unser Beruf sind, dieser Fehler kann von der Vernunft nicht entschuldiget werden. Wir sind ja nicht auf der Welt, um angenehm zu träumen. Seiner Wißbegierde und seinem Geschmacke zum Dienste, sich einsam und unthätig in seine Bibliothek, in sein Kunstcabinet verschließen

---

*) Haec studia adolescentiam alunt, senectutem oblectant; secundas res ornant, adversis perfugium ac solatium praebent; delectant domi, non impediunt foris; pernoctant nobiscum, peregrinantur, rusticantur. Quod si ipsi haec neque attingere, neque sensu nostro gustare possemus, tamen ea mirari deberemus, etiam cum in aliis videremus. *Cic.* pro Arch.

und seine Tage durch fleißiges Lesen und achtsames Beschauen daselbst auch noch so angenehm verbringen, ist ein ungeselliges, ein müßiges und üppiges Leben, wenn wir auch unsern Verstand dabey anstrengen. Denn strengen wir ihn nicht auch im Schach=spiele an? Und wer wird gleichwohl dieser Anstrengung im Spiele sein Leben ohne Unverstand widmen können? Nein, alle Anwendung und Uebung der Kräfte des Geistes muß auf die Ab=sicht gerichtet seyn, uns weiser, besser und zum Dienste der Welt brauchbarer zu machen; außerdem ist unser Studiren, unser Le=sen und Denken nichts, als ein üppiges Gastmahl, die Wollust unsers Geistes dadurch zu unterhalten. Nein,

> Der Fleiß in nützlichen Geschäfften,
> Der edle Wucher mit den Kräften
> Bestimmt das menschliche Geschick.
> Des Menschen Glück nicht einzuschränken,
> Verlieh ihm Gott die Kraft zu denken,
> Und sprach: Mensch, schaffe dein und deiner Brüder Glück.

Siebenzehnte Vorlesung.

Fortsetzung des Vorigen; besonders von der Anwendung unsers Verstandes auf die Erkenntniß und Betrachtung der Natur.

Meine Herren, da die Natur die Quelle so vieler wichtigen Wahrheiten und nützlichen Einsichten ist: so sind wir zu der Erkenntniß und Betrachtung derselben, in so weit sie unsern Verstand oder unser Herz nicht nur rühmlich und angenehm beschäfftiget, sondern auch bessert, alle auf gewisse Weise verbunden, jeder nach seinen besondern Umständen. Die meisten Menschen bemerken die Zeugnisse von der Herrlichkeit und Größe Gottes nicht, ob sie ihnen gleich in der Natur vor Augen stehen; theils weil man sie nie gelehret hat, darauf zu achten, theils weil sie dieselben allezeit von Jugend an gesehen haben. Dieser Unachtsamkeit sollte eine sorgfältige und vernünftige Erziehung zuvor kommen. Wer die Natur einer jeden Sache von Jugend auf, so weit sein Verstand es verstattet, hat kennen, und die Weisheit, Kunst und Macht, die sich in allen natürlichen Dingen zeiget, bemerken lernen, der wird immer fähiger und geschickter, die Wege des Herrn auf dem Erdboden zu entdecken,

und aus den Fußtapfen deſſelben, die er allenthalben eingedrückt
finden wird, zu ſchließen, daß er groß, mächtig, liebreich und
heilig ſey. Ein Menſch, der ſo unterrichtet und gebildet iſt,
wird an allen Orten, wo er hinſieht, eine ſtille Erinnerung finden, daß Gott gegenwärtig ſey, und auf die Wege der Menſchen ſehe; und wird oft mitten in der Unordnung an denjenigen
zu denken genöthiget werden, der die Erde mit ſeiner Güte erfüllet, und die Menſchen nach ſeiner Weisheit ſo gebildet hat,
daß ſie der Gaben ſeiner Gnade mit Ergözung genießen können.*) Aber ſelten werden wir ſo erzogen; wir müſſen daher
dieſen Mangel mit dem Anwachſe unſers Verſtandes zu erſetzen
ſuchen. Dieß wird am beſten geſchehen, theils wenn wir uns
gewöhnen, die Natur ſorgfältig zu betrachten, theils wenn wir
die Einſicht der Andern als Anleitungen zu Hülfe nehmen, um
deſto leichter fortzukommen. Durch den täglichen Anblick der
Werke der Natur werden wir ihre Wunder ſo gewohnt, daß ſie
uns wenig rühren. Aus dieſer Trägheit oder Unempfindlichkeit
müſſen wir uns durch eine lehrbegierige Erforſchung der Natur
heraus reißen und den flüchtigen Anblick der Schöpfung in einen
bedachtſamen verwandeln, nicht allein die äußere Schaale des
Geſchöpfs, ſondern ſeine Abſicht, ſeinen Nutzen und das Vergnügen, das es uns gewährt, die wunderbare Art ſeiner Zu-
ſammenſetzung, die Regelmäßigkeit, Schönheit und Mannichfaltigkeit ſeiner Theile bemerken, um davon gerührt zu werden.
Zu dieſer Beſchäfftiguug beut ſich jedem denkenden Menſchen an
allen Orten des Erdbodens die reichſte Gelegenheit dar. Ein
Blatt, das wir mit ſo vieler Gleichgültigkeit vor unſern Augen
entſtehen ſehen, eine Blume des Feldes, die wir gegen ihre
Schönheit unempfindlich niedertreten, ein Inſekt, das wir kaum
unſers Anſchauens würdigen; welche weisheitsvolle Einrichtung,

---

*) Siehe Mosheims Sittenlehre I. Th. 465. S.

welche wunderbare Kunst des Gewebes und der Verknüpfung der
Theile spricht nicht aus ihnen, wenn wir uns nicht selbst hindern, diese Sprache der Natur zu hören! Man zergliedere nur
ein Blatt oder das Gebäude einer Blume, und vergesse nicht,
bey dem Geruche, den sie so süße ausduftet, an das Wunder des
Wohlriechens zu denken! Warum riecht diese Blume so balsa-
misch? Und die andre und die hundertste, warum riecht sie nicht
eben so, wie diese; und doch immer erquickend? Wie entzückend
ist die Mischung der Farbe! Würde die Blume so schön seyn,
wenn sie anders schattiret, anders gezeichnet wäre? Ihre Blätter sind abgemessen, nach einerley Maaßstabe verfertiget, zu einem regelmäßigen Ganzen in Ordnung gestellet; wenn Eins
fehlte, würde es an genugsamer Ordnung und Symmetrie fehlen. Und jedes dieser Blätter, wie so viel kleine Theile enthält
es nicht! Wie so viel Fäser und Röhrchen! Und ein jedes dieser Theilchen ist wieder ein kleineres Ganze, dem nichts hinzuge-
setzt noch abgenommen werden kann; ein vollkommnes Ganze
für sich, mit seiner eignen Bildung, und doch übereinstimmend
mit der Absicht und dem Baue der Blume! Man betrachte ihren Kelch, in den die Blätter eingeschlossen waren, und daraus
sie sich nach und nach und doch zugleich hervor arbeiten; welche
wunderbare Oekonomie! Und diese Blume zieht ihren Nahrungssaft in geheimen Röhren des Stengels aus ihrer Zwiebel an sich;
und diese fußt mit ihren durchhöhlten Wurzeln in dem Erdreiche,
hält den Stengel und die Blume, und schickt ihnen die nähren-
den Säfte des Bodens zu. Nur Eine solche Betrachtung einer
einzigen Blume (und wie zahlreich ist nicht das Geschlecht der
Blumen!) läßt unsern Verstand so vieles wahrnehmen und giebt
ihm so vielfache Aussichten, daß er sie kaum zu übersehen vermag. Welcher Verstand aber kann nicht dergleichen Betrachtungen mit einer geringen Mühe anstellen? Wer die Natur so aufmerksam ansieht, vervielfältiget für sich ihre Reizungen und das

Vergnügen, das sie uns verschaffen*). Laffen Sie uns einige
lehrreiche und angenehme Betrachtungen anführen, die sich aus
dem Anblicke der Natur gleichsam freywillig darbieten. Alles in
der körperlichen Natur zeigt dem forschenden Verstande Weisheit
und Ordnung und endlich die doppelte Absicht des Nutzens und
Vergnügens. — Man kann das weitläuftige und prächtige
Reich der Pflanzen kaum flüchtig betrachten, ohne von der Ord=
nung der Zeit gerühret zu werden, in der sie vor unsern Augen
entstehen. Ein Geschlecht tritt nach dem andern auf die Schau=
bühne, damit sie niemals leer für den Menschen werde, damit
er das ganze Jahr Blüthen und Früchte habe. Das Pflanzen=
reich dienet dem Menschen und dem Thiere zum Bedürfnisse und
zum Vergnügen. Kämen die Früchte alle zu einer Zeit hervor,
wie könnten wir sie einsammeln, aufbewahren und genießen, da
sehr viele nur kurze Zeit schmackhaft sind? Die heißesten Mo=
nate zeugen kühlungsvolle Früchte, den ermatteten Menschen zu
laben, und mit frischen Säften zu stärken. Gelangte die Traube
im heißen Sommer zu ihrer Reife, so würde der erquickende
Trank des Weins leicht in Essig ausarten, und wenn alle Blu=
men auf einmal hervorbrächen, wie kurz und ermüdend würde
das Vergnügen des Menschen seyn! Ist die Zeit der Blumen
vorüber, von denen sich so viele Insekten im Sommer nähren:
so läßt die Weisheit der Natur diese den langen Winter hindurch
in einen tiefen Schlaf verfallen, damit sie keiner Nahrung be=
dürfen. Man erstaunet über die Mannichfaltigkeit der Pflan=
zen, deren man schon über dreißig tausend entdeckt; und wie viel
tausend sind deren auf dem Boden des Meeres, die dem Auge
unentdeckt bleiben! Man kann ferner die Natur kaum flüchtig
betrachten, ohne wahrzunehmen, daß sich ihre Werke durch sehr

---

*) Cicero hat in seinem Buche de natura Deor. vom 46. — 66.
Capitel verschiedne solcher Anmerkungen über die Gestirne, Pflan=
zen, Thiere und den Menschen mit Beredsamkeit vorgetragen.

enge Grenzen von einander unterſcheiden. — Man fange von den
lebloſen Gegenſtänden an und ſehe, wie immer zwo nächſt auf
einander folgende Arten von ſehr geringem Abſtande ſind. Endlich ſteigen ſie auf ſo vielen Staffeln immer höher, daß die ober-
ſten lebloſen Werke den geringſten unter den organiſchen Körpern
faſt gleich kommen. Das Pflanzenreich grenzt an das Steinreich.
Man hat die Corallen, als Seegeſchöpfe, für wahre Pflanzen
gehalten; und die neuern Entdeckungen lehren, daß ihre ſo ge-
nannte Blume ein wirkliches Thier ſey. Von den Thieren ſteigt
die Vollkommenheit auf unzähligen Stufen bis zum Menſchen,
und von ihm, nach den Lehren der Offenbarung, bis zu den
höchſten Ordnungen der Geiſter, der Engel und Erzengel.

Es giebt tauſend ſonderbare Beyſpiele der Weisheit in den
Werken der Natur, die auch von einem ungeübten Verſtande ſich
faſſen und bewundern laſſen.

Was ſind die Weltmeere und Seen, was ſind ſie anders, als
unermeßliche Höhlen und Behältniſſe der Waſſer, die gleichſam
durch den Arm der Allmacht nach einer unendlichen Weisheit
ausgegraben ſind, daß ſie Dünſte und Wolken, Brunnen und
Flüſſe zeugen, und dadurch das friſche Grün, die Schönheit
des Erdbodens, die Verbindung, den Unterhalt und die Erquickung aller Creaturen auf demſelben zu Wege bringen müſſen?

Die Berge ſind weſentliche Schönheiten der Natur, wenn
wir ihre verſchiednen Beſtimmungen betrachten, Dünſte zu ſammeln und dadurch den Quellen und Flüſſen ihren Vorrath zu
liefern, Metalle zu zeugen, vor ſchädlichen Winden und rauhen
Jahreszeiten zu ſchützen, die Ausſicht angenehmer zu machen,
die ohne ſie allzu einförmig ſeyn würde. Wozu Berge mit ewi-
gem Schnee und Eiſe bedeckt? Zum Nutzen und Vergnügen des
Ganzen! Von ihnen treufeln gutthätige Waſſer, und der Schnee,
der nach und nach zerſchmilzt, läßt die Quellen im Sommer nie
verſiegen. Mit einem male aufgelöſet, würde er alles über-

schwemmen. — Auch in den anscheinenden Unordnungen in der Natur findet der sorgfältige Zuschauer Weisheit und eine Güte, die dabey für unsern Nutzen und unser Vergnügen gesorgt hat. Durch eine überall gleich ausgetheilte Wärme des Erdbodens, die einer kurzsichtigen Vernunft vielleicht bequemer schiene, würde die erstaunliche Verschiedenheit der natürlichen Werke und die größte Schönheit der Erde verloren gehen. Auch die Winde würden dadurch verhindert werden. Und was könnte die Folge davon anders seyn, als daß die unbewegte Luft Menschen und Thieren, deren Kräfte sie doch erfrischen soll, zur Pestilenz würde? — Pflanzen und Thiere, die auf der einen Seite schäd= lich sind, sind auf der andern Seite ein Reichthum medicinischer Kräfte, viele Krankheiten und Gebrechen des Menschen zu heilen, oder doch zu lindern. Und so wie schädliche und giftige Pflan= zen selten unter den eigentlichen Früchten zur Nahrung wachsen: so sind die wilden Thiere gemeiniglich in Wüsteneyen und an solche Oerter verbannt, wo selten Menschen hinkommen; eine weise Veranstaltung, die uns leicht in die Augen fällt! Man kann selbst die Geographie zum nützlichen Studio der Weisheit, Güte und Macht Gottes, die in der verschiednen Austheilung der Güter der Erde in allen Ländern so sichtbar sind, anwenden, und die Kenntniß von dem Reichthume und Segen, den Gott in den Erdboden geleget hat, eben so wohl zu seiner Erbauung, als zur Erlernung der Geschichte nützen.

Wer kann die Thiere betrachten, ohne über ihre wundervollen Instincte oder eingepflanzten Triebe zu erstaunen, durch die sie in den meisten Fällen die mühsamste mechanische Kunst und Ge= schicklichkeit der Menschen übertreffen und so gar ihre Lehrmeister werden! Man stelle sich nur die geometrische Bauart der Bie= nen und der Biber vor. — Die den Thieren eingepflanzte Vor= sicht, welche sie bey der Wahl ihres Futters, in der besondern Architectur ihrer Wohnungen und Nester blicken lassen; die ängst=

liche Fürsorge für ihre Jungen, die doch nicht länger dauert, als bis sie sich selbst erhalten können; die Stärke und der Muth auch bey den furchtsamsten und schwächsten unter ihnen, so bald es die Erhaltung und Fortpflanzung ihrer Gattung betrifft; die proportionirliche Anzahl von beiderley Geschlechtern, und tausend solche Merkmale der Weisheit; wer kann sie nicht erkennen? Warum nähren sich einige von ihnen nur von dem Fleische der andern, einige nur von den Pflanzen, andre von Steinen? Ein einziger alter Eichbaum ist eine Welt für ganze Heere verschiedner Thiere, die sich theils von seinen Blättern, theils von der Frucht, theils von dem Stamme, theils von der Wurzel nähren.

Wie leicht läßt es sich begreifen, daß ohne die tägliche Bewegung der Erde der eine Theil dieser Kugel in beständige und undurchdringliche Schatten der Finsterniß verhüllet und durch einen ewigen Frost verwüstet, der andre aber, von Dürre und Hitze ausgezehret, eine verbrannte unfruchtbare Wüste und das Grab aller lebendigen Geschöpfe seyn würde! — Auch die Wunder der Himmelskörper und ihre Systeme, in die das gemeine Auge nicht eindringen kann, werden ihm faßliche Weisheit, wenn sie ihm von einem Fontenelle gezeigt werden. Alsdann begreift selbst der niedrigste Verstand, daß in allen Planeten, die zu unserm Sonnensystem gehören, noch zwölfhundertmal so viel Platz ist, als auf unsrer Erde, und daß wir also nicht den tausenden Theil des bevölkerten Sonnengebäudes ausmachen; daß, wenn jeder Firstern nur so groß, als unsre Sonne ist, und wieder seine Planeten gleich unsrer Sonne hat, und diese Planeten nur so viel Raum für ihre Einwohner haben, als unser System, daß, sage ich, eine unendliche Menge von Geschöpfen vorhanden seyn müsse; und diese schafft, kennt und erhält der Herr der Natur alle! Wie sehr erweitern diese Vorstellungen den Verstand des Menschen, und wie sehr verherrlichen sie die Allmacht, Weisheit und Güte des Schöpfers! Sind in dem Himmelsstriche, den

man die Milchstraße nennet, allein über vierzig tausend Sterne;
sind diese alle mit lebendigen Geschöpfen bevölkert; großer Gott,
welche Myriaden von Nationen preisen beine schaffende und er=
haltende Hand, die den Himmel wie einen Teppich aus=
gebreitet, und es oben mit Wasser gewölbet; die
das Erdreich auf seinen Boden gegründet, und es
mit der Tiefe gedecket, wie mit einem Kleide! Was=
ser stunden über den Bergen; aber vor seinem Schel=
ten flohen sie, vor seinem Donner fuhren sie dahin.
Er ließ Brunnen quellen in den Gründen, baß die
Wasser zwischen den Bergen hinflossen, baß alle
Thiere auf dem Felde trinken — an denselben sitzen
die Vögel des Himmels und singen unter den Zwei=
gen. Von oben her feuchtet er die Berge und machet
das Land voll Früchte; er läßt Gras wachsen für
das Vieh und Saat zu Nuße dem Menschen, daß du
Brodt aus der Erde bringest, und baß der Wein er=
freue des Menschen Herz — baß die Bäume des
Herrn voll Safts stehen, daselbst nisten die Vögel
und die Reiger wohnen auf den Tannen. — Das
Meer, das so groß ist, da wimmelts ohne Zahl beide
große und kleine Thiere — daselbst gehen Schiffe,
da sind Wallfische, die er gemacht hat, baß sie dar=
inne scherzen. Es wartet alles auf ihn, baß er ih=
nen Speise gebe zu seiner Zeit. — Die Ehre des Schö=
pfers ist ewig, der Herr hat Wohlgefallen an seinen
Werken. — Herr, ruft enblich der heilige und entzückte Dich=
ter aus, wie sind beine Werke so groß und viel! Du
hast sie alle weislich geordnet und die Erde ist voll
beiner Güte!*) —

*) Pf. 104. Man kann sich aus den Psalmen, Propheten, den
letzten Capiteln des Hiobs die trefflichsten Gemälde von der

Der menschliche Körper.

Wie der Mensch das Meisterstück der Schöpfung ist: so ist er auch für den Menschen das wichtigste und lehrreichste Studium. Schon die Wohnung seines Geistes, sein Körper ist eine ganze Welt im Kleinen, eine Welt voll Weisheit und Harmonie. Alle seine Theile sind von der richtigsten und manche von der zartesten und feinsten Zusammenfügung; jedes ist zu seiner Bestimmung, die oft so vielfach ist, besonders eingerichtet; und alle Werkzeuge aller Sinnen, die unter einander so verschieden sind, kommen doch in dem großen Endzwecke der Erhaltung des Lebens, der Brauchbarkeit zu Geschäfften, und des Dienstes, den sie den höhern Kräften der Seele leisten, zusammen. — Eben der Mund, durch welchen wir die nöthige Nahrung empfangen, eben die Zunge, welche uns hierzu behülflich ist, dienen uns auch die Gedanken unsers Herzen zu offenbaren. Das einzige Werkzeug der Zunge, welcher Innbegriff von Wundern ist es für uns

> O Zunge, was nur Geister fassen,
> Kannst du den Sinn doch fühlen lassen,
> Durch dich wird der Gedank ein Schall;
> Durch süße Töne kannst du siegen;
> In einem Geist herrscht das Vergnügen,
> Du sprichst: so herrscht es überall.

Größe und Weisheit der Werke der Natur sammeln, die alle Beredsamkeit der größten Geister unter den Profanscribenten übertreffen. In den Cramerischen Predigten finden sich verschiedne, die beweisen, daß man die Wunder und Schönheiten der Natur so vortragen kann, daß sie auch von dem gemeinsten Verstande können erkannt und bewundert werden. Man habe nur Kenntniß, Verstand zur Wahl, und Anwendung, und Beredsamkeit zur Ausbildung. Hieher gehört auch der I. Theil der Cramerischen Andachten.

Geheimniß, das kein Witz ergründet,
Wer hat auf deine Wunder Acht,
Der dich nicht bald, vom Dank entzündet,
Zum Herold deines Schöpfers macht?

Der Mensch hat an seinem Gesichte, diesem zartesten Sinne, den wachsamsten Hüter wider die Gefahren des Lebens; und in der aufgerichteten Bildung seines Leibes hat er Würde und Vorzug vor den Thieren. — Was von seinen Sinnen oder Gliedmaßen am nothwendigsten ist, hat ihm die Vorsehung doppelt geschenkt, damit der Verlust des einen ihn nicht so gleich ganz hülflos und zu den Geschäfften und Vergnügungen des gesellschaftlichen Lebens unfähig mache. Die Schärfe, Stärke und Fertigkeit seiner Sinne ist genau abgemessen. Wäre sein Gesicht stumpfer und sein Gehör schwächer: so würden die äußerlichen Theile der Natur mit ihren Schönheiten größten Theils für ihn verhüllt seyn, und der gesellschaftliche Umgang würde dadurch viel verlieren. Ein mikroskopisches Auge würde einige Theile der Natur ekelhaft und andre fürchterlich machen. Ein teleskopisches Auge würde die kleinen sanften Erhöhungen in Berge, die Berge in ungeheure Höhen, und die anmuthigsten Thäler in scheußliche Abgründe verwandeln. Sollte der Sinn des Gehörs in gleichem Grade stärker werden, so würde der Schall des Donners uns betäuben, die menschliche Stimme unserm Ohre das werden, was ihm itzt der Donner ist, und ein beständiges Geräusch und Getöse würde die Stille des Schlafs unterbrechen und alle Ruhe des menschlichen Lebens stören. Wäre das Gefühl feiner und zarter, so würde uns das, was uns itzt sanft dünkt, die empfindlichsten Schmerzen verursachen.

Die Bewegungen der innern Theile unsers Körpers, von welchen die Dauer des Lebens zunächst abhängt, geschehen fast alle ohne Wirkung unsers Willens, und wir können sie unmittelbar

durch unſer Wollen weder geſchwinder noch langſamer machen.
Die Aufſicht über die Bewegungen des Blutes, der Lebensgeiſter
und Nerven, welche unaufhörlich nothwendig ſind, würde die
Seele beſtändig beunruhigen nnd ſie zu allen andern Beſchäffti=
gungen unfähig machen. So erregt auch nicht jede Bewegung,
noch jeder Eindruck auf die Theile des Körpers, Empfindungen
in der Seele. Die ſinnlichen Empfindungen zeigen uns nur ſolche
Veränderungen, Begebenheiten, oder Gegenſtände an, von wel=
chen wir unterrichtet zu ſeyn nöthig haben. Daher iſt die Be=
wegung des Hauptes, der Augen, des Mundes, der Zunge, der
Füße, und des ſo unſchätzbaren mit der größten Kunſt gebildeten
Werkzeugs, der Hand, unſerm Willen unterworfen. Alles dieſes
ſind für jeden deutliche Beweiſe der weiſen und gütigen Einrich=
tung und Fürſorge unſers Schöpfers.

Der Menſch kömmt ſchwächer und hülfloſer auf die Welt,
als alle andre beſeelte Geſchöpfe, und gelangt kaum in zehn oder
zwölf Jahren zu dem Gebrauche der Kräfte, ſich ſelbſt zu er=
halten; alle andre belebte Weſen rücken hingegen zu dieſem Ziele
in wenig Monaten; und nur wenig haben vier oder fünf Jahre
zu ihrer völligen Reife nöthig. Gleichwohl iſt dieſes ſo wenig
eine Unvollkommenheit des Menſchen, daß es vielmehr den Be=
weis einer weiſen und gütigen Einrichtung abgiebt. Das Ge=
genmittel aber wider dieſe langwierige Schwachheit unſrer jün=
gern Jahre finden wir in der zärtlichen Zuneigung der Aeltern
zubereitet; und die Urſachen dieſes langſamen Wachsthums ſind
in den verſchiednen Verbeſſerungen unſrer Kräfte enthalten, deren
wir fähig ſind. Die Mittel unſrer Erhaltung erfodern viel Mühe
und Geſchicklichkeit; wir ſind verſchiedner edlen Vergnügungen
fähig, die andern beſeelten Geſchöpfen unbekannt ſind, und die
in den nützlichen und angenehmen Künſten ihren Grund haben,
welche wir ohne eine lange Erziehung, ohne vielen Unterricht
und ohne die Nachahmung Andrer, nicht erlernen könnten. Wie

viel Zeit haben wir nöthig, unsre Muttersprache zu erlernen! Wie viel Geschicklichkeit wird selbst zu den geringsten Künsten des Ackerbaues oder andrer zur Wirthschaft gehörigen Berrichtungen erfordert! Ein Körper, früh mit voller Stärke ausgerüstet, ohne eine Seele, die weder Künste noch Wissenschaften noch gemeinnützige Fähigkeiten besäße, würde uns unbändig und unbiegsam machen. Wir würden uns gegen unsre Aeltern und Lehrmeister auflehnen. Da wir also nöthig haben, unterwürfig zu bleiben: so haben wir nicht so zeitig die Kräfte haben sollen, uns von diesem nothwendigen nnd heilsamen Joche losmachen zu können *).

Die Seele des Menschen.

Auch in der menschlichen Seele stimmt alles zu weisen Absichten zusammen, wir mögen ihre Kräfte der Vernunft oder ihre eingepflanzten moralischen Fähigkeiten und Neigungen betrachten. — Die Menschen haben alle einerley Verstand, und sind doch den Graden der Einsicht und Erkenntniß nach sehr verschieden; und selbst diese Verschiedenheit, die ein Mangel zu seyn scheint, befördert die Vollkommenheit. Stünden wir alle auf Einer Stufe der Scharfsinnigkeit, und hätte jeder alle Hülfsmittel der Erkenntniß und des Vergnügens, das Einsichten geben, in sich selbst: so würde der gemeinschaftliche Umgang, der doch den Fortgang der Erkenntniß befördert; so würde Leutseligkeit und Freundschaft, die dadurch aufgeweckt werden, und die rühmliche Nacheiferung, die allezeit einen Abstand der Kräfte voraussetzet, dadurch gehindert werden. — Die langsamen Wirkungen der Vernunft stärken die Fähigkeiten selbst. Bey einem jeden Schritte erlangt sie eine neue Lebhaftigkeit, und aus der überwundnen Schwierigkeit schöpft sie Muth und Geduld zur

*) S. Hutchesons Moral, I. Th. 57 S.

neuen Arbeit. Die Nothwendigkeit eines mühsamen Unterrichts
in unsern jüngern Jahren erweckt das edle Mißtrauen gegen
unsre eigne Einsicht, und zugleich eine aufmerksame und gelehr-
rige Gemüthsart, welche eine Quelle der menschlichen Erkenntniß und das beste Mittel wider die Irrthümer der Einbildung
und wider die Gewalt des Stolzes ist. — Das Vermögen, sich
durch Uebung Fertigkeit zu erwerben, das unsre Seele besitzt,
wird in Ansehung seiner Folgen bald eine augenscheinliche Belohnung der Tugend, bald eine offenbare Strafe des Lasters.
Das letzte Verbrechen bringt immer eine größre Unfähigkeit zu
reinern und erhabnern Vergnügungen und einen neuen Zuwachs
von Elende mit sich; hingegen die letzte tugendhafte Handlung
eine größere Leichtigkeit und Lust zu der Rechtschaffenheit.
Die allgemeine moralische Empfindung des Guten und Bösen
ist ein herrlicher Beweis des hohen Ursprungs unsrer Seele.
Denn so gewiß es ist, daß Recht und Pflicht, Tugend und Laster von der Vernunft erkannt und auf die strengste Art bewiesen
werden können: so würde doch diese Methode der Erkenntniß für
den größten Theil der Menschen, der so sinnlich und zum Nachdenken so träg ist, fruchtlos seyn, wenn Gott dem Herzen nicht
einen moralischen Instinkt eingedrückt hätte, ein Gewissen, das
so leicht und stark auf uns wirket, weil es sich fühlen läßt. —
Man nehme den Hang zur Geselligkeit aus dem Systeme unsrer
Neigungen heraus: so hört das menschliche Geschlecht auf, eine
natürliche Gesellschaft zu seyn, die durch allgemeine Angelegenheiten und Neigungen auf das genaueste verbunden ist. — Aus der
Verschiedenheit unsrer Talente, Kräfte und Geschicklichkeiten entspringen die mannichfaltigen Obliegenheiten und Unterwürfigkei-
ten im menschlichen Leben; und der gegenseitige Mangel so vieler
Bedürfnisse unterstützet und stärket die gegenseitigen und unveränderlichen Pflichten.

Wenn jenem nicht die Gabe fehlte,
Die die Natur für mich erwählte:
So würd er nur für sich allein,
Und nicht für mich bekümmert seyn.

Die Unwissenheit in Ansehung der zukünftigen Begebenheiten scheint ein Mangel unsers Geistes zu seyn, und sie ist sein Glück. Sie bewahret ihn in glücklichen Umständen vor Uebermuth und Sicherheit, und in widerwärtigen vor Unthätigkeit und Verzweifelung.

Man kann das Verzeichniß dieser Bemerkungen über die physikalische und moralische Natur, die ich hier gesammelt habe*), mit tausend eignen Betrachtungen vermehren, wenn man aufmerksam ist, und den flüchtigen Anblick der Natur, dessen man gewohnt ist, durch Nachsinnen in einen bedachtsamen verwandelt. Auf diese Weise lernet der Mensch an sich selbst und an der Welt die Vollkommenheiten seines allmächtigen Urhebers am lebhaftesten erkennen. Und kann dieses Erkenntniß wachsen, ohne daß mit ihm die Empfindungen der Bewunderung, Dankbarkeit und Anbetung wachsen oder erneuert werden sollten? Kann man überall Weisheit und Ordnung in der Einrichtung der Natur bemerken, und kein Verlangen fühlen, in seinem eignen Verhalten auch Weisheit, auch Ordnung zu beobachten? Der denkt am erhabensten, wer überall Gott in seiner Güte, Macht, und Weisheit und Heiligkeit denken kann; und diese Gedanken werden ihm ein Antrieb zur Tugend werden.

Die Fähigkeiten seines Verstandes auf diese Weise erweitern, ist Glück für uns, und Vortheil für Andre, und also unsre Pflicht. Unser Verstand ist ein kostbares Pfund, das uns der Allmächtige zum Wucher anvertrauet hat. Können wir ihm ge-

---

*) Sie sind größtentheils aus Sulzers Betrachtungen über die Schönheiten der Natur und aus dem Derham ausgezogen. Besonders empfehle ich einem wißbegierigen Schüler der Natur des Herrn Bonnets Betrachtung über die Natur.

fallen, ohne in diese Absicht zu willigen? Können wir es miß=
brauchen, oder ungebraucht lassen, ohne daß der Geber desselben
Rechenschaft von uns fordern sollte? Hat er die Natur nicht da=
zu erschaffen, daß wir ihn in seinen Werken erkennen und an=
beten sollen; nicht dazu, daß sie ein täglicher Beweis seines Da=
seyns, seiner immer waltenden Vorsehung und des Gehorsams,
den wir ihm schuldig sind, seyn soll? „Er offenbaret sich uns
„nicht unmittelbar. Er hat aber dem Himmel und der Erde
„anbefohlen, uns zu verkündigen, was er ist. Er hat unsre
„Einsichten nach dieser göttlichen Sprache eingerichtet, und er=
„habne Geister erwecket, welche die Schönheiten derselben erforsch=
„ten, und ihre Ausleger würden. Wir sind eine Zeit lang auf
„einen kleinen ziemlich dunkeln Planeten gesetzet, und haben nur
„den Theil vom Lichte, der sich für unsern gegenwärtigen Zustand
„schicket. Lassen Sie uns alle Stralen dieses Lichtes aufs sorg=
„fältigste sammeln und bey dessen Klarheit fortwandeln. Es
„kömmt ein Tag, da wir aus der ewigen Quelle alles Lichtes
„schöpfen; und da wir, anstatt den Werkmeister in seinem Werke
„zu betrachten, das Werk in dem Werkmeister erkennen werden.
„Itzt sehen wir in einem dunkeln Spiegel, dann
„aber von Angesicht zu Angesicht.*)“**) Und diesen ob=
gleich dunkeln Siegel wolltest du, o Mensch, geringschätzen?

Du Liebling deines Herrn, du Bürger einer Welt,
Die Gott aus Lieb erschuf und nicht zum Weh erhält,
Vergeblich waffnet dich dein Schöpfer mit Verstande;
Klug nur zu deiner Quaal, und zu des Weltbaus Schande,
Hältst du das für zu schlecht, daß es dein Aug' ergötzt,
Was doch der Ewige der Schöpfung werth geschätzt.
Schau, was du siehst, ist Glück. Im ganzen Weltgebäude
Zielt alles nur für dich auf Nutzen, und auf Freude.

*) 1 Kor. 13, 12. **) Siehe Bonnet zu Ende seines Werkes.

Achtzehnte Vorlesung.

Von den Pflichten in Absicht auf die Güter des
Herzens; und zwar insbesondre von der Herr=
schaft über seine Begierden und Leidenschaften.

Wir haben, meine Herren, in der letzten Stunde von den
Gütern des Verstandes gesprochen, und gehen nunmehr zu den
Gütern und guten Eigenschaften des Herzens fort.

Der richtigste und beste Verstand, für sich allein betrachtet,
und ohne Beziehung und Anwendung auf das Herz, ist ein
Schatz, der seinen Besitzer darben läßt, ja der ihn noch unglück=
licher macht, als er ohne denselben gewesen seyn würde. Man
besitze die weitläuftigste Erkenntniß der Wahrheit, man habe die
Geheimnisse der Künste und Wissenschaften erforscht, man kenne
die Erde und den Himmel und die Vollkommenheit ihres Urhe=
bers, man kenne den Menschen und sein Innerstes, man habe
die schärfste Urtheilskraft, den reichsten Witz, den feinsten Ge=
schmack: man kann mit allen diesen Eigenschaften noch elend,
noch der Dürftigste an Glückseligkeit seyn. Nicht bloß der Besitz
der Einsicht und Wahrheit macht uns glücklich, sondern die Aus=

ung und richtige Anwendung derselben zu ihrer Absicht. nichts gewissers, als dieser Satz, und vielleicht auch nichts gewissers, als daß wir ihn zu wenig glauben. Wir schmeicheln uns, wenn wir Wahrheit suchen und fassen, daß wir unsre Pflicht thun; und indem wir fühlen, daß wir ihre Wissenschaft besitzen, und daß sie so vortrefflich und nützlich ist, vergessen wir nicht selten das noch Vortrefflichere, sie auf uns und unsre Neigungen anzuwenden. Man kann den tiefsinnigsten Verstand, und doch ein Herz ohne Menschenliebe und Furcht Gottes haben; mit Engelzungen reden und doch ein tönendes Erz oder eine klingende Schelle seyn. Man kann der gründlichste Kenner der Religion dem Verstande nach, und nach dem Herzen ein ungebesserter Atheist seyn; man kann weissagen und alle Geheimnisse wissen und alle Erkenntniß haben*), und doch nichts, ja gar ein Uebelthäter seyn. Man kann für die Welt ganze Bände vortrefflicher Tugendregeln beredt geschrieben, und keine davon empfunden haben. Ein Verstand, der der Tugend des Herzens nicht aufhilft, ist kein Gut, er ist vielmehr ein Gift der Seele, und führt zum Unglauben. Alle Mühe, die wir auf gute Kenntnisse anwenden, alle unsre Einsicht und Kraft zu ertheilen, die wir uns erwerben, und dadurch wir der Welt in der That nützen, ist dennoch wenigstens für uns verloren, wenn sie bloß das Geschäffte des Verstandes und der Eigenliebe ist, und nicht in unser Herz als eine Pflicht einfließt, zu der uns der Urheber unsers Verstandes erschaffen hat. Die Gaben und Bemühungen des Verstandes werden erst durch die Absicht geheiliget sie zur Regierung unsers Willens und zur Verbesserung unsers Herzens und zum Glücke der Welt anzuwenden; und alle Einsichten sind nichts, wenn sie nur um ihrer selbst, um ihres Vergnügens willen gesucht, und geschätzt, und besessen werden.

*) 1 Korinth. 13, 1.

find, so hoch sie auf den Stufen der Güter der Seele stehen mögen, doch nicht die letzte Stufe, doch kein letzter Zweck, bey dessen Besitze wir uns beruhigen könnten. Auch die Kenntnisse des Verstandes, die am entferntesten von dem Herzen zu seyn scheinen, können doch dadurch auf das Herz angewandt werden, wenn wir sie aus einer edlen Neigung, Gutes zu thun, und unsre Kräfte nach der Absicht ihres weisen Gebers würdig zu gebrauchen, erwerben, verstärken oder anwenden.

Die Kenntniß der moralischen Wahrheiten, die einen unmittelbaren Einfluß auf das Herz haben, wird um desto schimpflicher und schädlicher, je weniger wir uns bemühen, sie auf unsre Neigungen und Handlungen einfließen zu lassen. Alles, was der Verstand von Pflicht und Tugend gegen uns, Andre und unser höchstes allmächtiges Oberhaupt, erkennet, und es nicht so erkennet, daß es das Herz billiget und liebt, und daß es geneigter dazu gemacht wird, ist eine müßige Erkenntniß. Diese Weisheit in einem hohen Maaße besitzen, sie nicht ausüben, oder gar in ihr Gegentheil durch seine Begierden willigen; welchen Namen soll man dieser Verfassung der Seele geben? Eine geringe, aber hinlängliche Erkenntniß der Wahrheit, die uns zu guten und tugendhaften Menschen machen soll, besitzen, und sie aufrichtig und sorgfältig und in allen Umständen auszuüben sich bestreben; dieses ist göttliche Weisheit, und jenes, mit dem gelindesten Namen, die weiseste Thorheit. Eben derjenige, der die Erkenntniß der Weisheit vorzüglich besitzt, und ihr zuwider handelt, ist dadurch unglücklicher, als der Unwissende. Dieser kann durch Unterricht, wenn er ihn erhält, gebessert werden; aber was soll den Einsichtsvollen, der sein Herz gegen die Wahrheit dadurch unempfindlich macht, daß er sie nicht ausübt, was soll ihn ändern? Der mit einem hohen Verstande begabte Engel fällt, ohne die gute Anwendung desselben, zum Elende des bösen Geistes herab. Der Mensch von gro-

und trefflichen Einsichten, ohne den richtigen Gebrauch ders
lben, oder mit einer bösen Anwendung, sinket zum Thoren
der Bösewichte hernieder. Es giebt keinen Zwischenraum.
Möchten wir doch diese so schreckliche Wahrheit bey unsrer Be=
gierde nach Weisheit nie vergessen! Wir können reich an Wis=
senschaft und arm an Tugend seyn; arm an hohen Talenten des
Verstandes, und reich an edelmüthigen Gesinnungen des Her=
zens; Männer an Einsicht, und Kinder an der Ausübung; Kin=
der an gelehrten Einsichten, und doch weise Männer an tugend=
haften Neigungen und Handlungen. Wir können mit unsern
Einsichten und Grundsätzen in der Welt herrschen, Großmuth
und Standhaftigkeit predigen, und doch im Unglücke verzagt, im
Glücke übermüthig, bey der geringsten Verachtung trostlos, und
bey dem kleinsten Unfalle ein bebendes Laub seyn. Alsdann ist
der einfältige und in seinen Unfällen gelaßne Handarbeiter ein
Held gegen uns. Wir können unser ganzes Leben gelehrten Er=
forschungen unter dem Beyfalle aller Sterblichen gewidmet ha=
ben; und unser Sterbebette, mit Ehrenkränzen geschmückt, kan
dennoch eine Folter des Gewissens, und unser Tod heidnis
Verzweiflung seyn.

Das Herz hat, wie bereits erinnert worden*), eigentlich
Ein Gut, nur Eine Tugend, nämlich den von Vernunft und
wissen erzeugten lebendigen Vorsatz, überall ohne Ausnahm
göttlichen Bestimmung gemäß zu handeln. Aus dieser
tugend entspringen viele besondere Tugenden und
Diese besondern Tugenden sind, denn ich muß sie, da
ihrer Erklärung näher trete, hier nochmals namhaft
Ehrfurcht und Liebe zu Gott, Mäßigung u
herrschung seiner Begierden, Gerechtigke
Liebe gegen die Menschen unsre Brüder, Fl

*) Man sehe die erste Vorlesung auf der 15. S.

Arbeitsamkeit in seinem Berufe, Gelassenheit und Geduld, Demuth, Vertrauen auf die göttliche Vorsehung und Ergebung in ihre Schicksale.

Daß aber diese Tugenden allerdings Güter der Seele vom höchsten Werthe, und also unsre höchste Pflicht sind, das habe ich ebenfalls schon in dem Eingange der Moral gezeigt. Itzt wollen wir uns mit der Erklärung dieser Eigenschaften und Tugenden beschäfftigen; und, da ich von den unmittelbaren Pflichten gegen Gott zu seiner Zeit besonders handeln werde, so will ich hier zuerst von der Mäßigung und Beherrschung unsrer Begierden reden.

Mäßigung und Beherrschung seiner Begierden.

Diese Herrschaft besteht in dem Vermögen der Seele, unsre natürlichen Begierden, ihren Absichten und Gegenständen gemäß, vorsichtig und weise zu regieren und anzuwenden; sie zu schwächen, wenn sie stärker und dauerhafter sind, als es ihr Gegenstand befiehlt; sie zu erwecken, wenn sie schwächer sind, als es die Absicht verlanget, die sie erreichen sollen; kurz, jede dieser Neigungen so einzurichten, daß sie dem Systeme unsrer übrigen Triebe, die sich auf unsre und Andrer Wohlfahrt beziehen, nicht schade, sondern freundschaftlich aufhelfe. Daß dieses Vermögen ein Gut sey, dessen unser Herz nicht entbehren kann, erhellet daraus, weil zu heftig oder zu wenig begehren und verabscheuen, ein innerlicher Krieg unsers Willens mit dem Verstande und dem Gewissen ist, und der Ordnung der übrigen Neigungen zuwider läuft. Ohne diese Herrschaft arten die natürlichen Triebe, die sich auf die Erhaltung unsers Lebens und der äußerlichen Wohlfahrt beziehen, in verderbliche Leidenschaften aus. Die Liebe zum Leben und zur Gesundheit artet in ängstliche Zaghaftigkeit aus, das Verlangen nach sinnlichen Vergnügungen in Weichlichkeit und Wollust, das Verlangen nach Mitteln der Erhaltung

3*

und nach Reichthume in Eigennuß und Geiz, das Verlangen
nach Ansehen und Hoheit in Ehrgeiz, Stolz und Herrschsucht,
und das Verlangen nach Ruhe und Bequemlichkeit in Trägheit
und Müßiggang. Diese Neigungen in die angewiesenen Grenzen
der Vernunft und des Gewissens einzuschließen, das ist das Amt
der Weisheit; und die Mäßigung seiner Begierden aus Ehrfurcht
gegen den göttlichen Willen und vermittelst eines kräftigen Vor-
saßes zu behaupten suchen, das ist die Herrschaft des Herzens,
die deswegen ein beständiges Gut und eine heilige Pflicht bleibt,
weil ohne dieselbe weder unser Glück, noch die Wohlfahrt der
Andern bestehen kann. — Lassen Sie uns dieses, statt tiefsinniger Beweise, durch einige Beyspiele dieser natürlichen Neigungen
erklären.

1) Die Liebe zum Leben und zur Gesundheit,
wenn wir sie nicht tugendhaft mäßigen und regieren, wird zu einer knechtischen Zaghaftigkeit und
zu unserm Unglücke.

Sarkast liebt sein Leben so sehr, als wäre er deswegen da,
um es nie zu verlieren, nur deswegen da, um es auf einige
Jahre zu verlängern. Nichts ist ihm schrecklicher, als Krankheit
und Tod. Er sinnt auf tausend Mittel, sie abzuwenden und zu
entfernen. Er giebt auf jede kleine Unordnung seines Körpers,
auf jeden entfernten Feind seiner Gesundheit mit einer kindischen
Vorsichtigkeit Acht. Er hört die Nachricht von einem verstorbenen Freunde, und schon entfärbt er sich. Er erblickt einen Sarg,
und schon erstarret er.

Aber sucht er denn ein Leben voll Furcht und Angst? Ist
nicht seine beständige Furcht schon Pein? Er zernichtet also die
Absicht des Lebens; und eben die große Liebe zum Leben, oder
die Furcht vor einem frühen Tode, die ihn quält, wird ihm das
Leben kürzen. Er ist nie von Gefahren frey; und so bald eine
erscheint, wird er eher darinnen umkommen, als ein Andrer,

weil ihm die Furcht Muth und Entschluß raubt, die dienlichsten
Mittel zu ergreifen.

Zu welchen niederträchtigen Handlungen verleitet ihn seine
ausschweifende Liebe zum Leben! Das Leben ist ihm Pflicht,
Ehre, Freund, Familie, Vaterland, besser zu reden, mehr als
alles dieses. — Um sein größtes Gut, Leben und Gesundheit, zu
erhalten, wird er aufhören, dienstfertig, mitleidig, nützlich zu
seyn. Ob wir Andern leben, ob wir gesund oder krank, glücklich oder unglücklich sind, das wird den Sarkast nicht beunruhigen. Er ist sich mit seinem Leben die ganze Welt. Das Mitleiden kann nicht zu seinem Herzen kommen. Es ist kein Theil
mehr leer; alles ist von der Eigenliebe besetzet. Sich um uns
verdient zu machen, das sollte ihn rühren? Und er könnte seiner Gesundheit schaden, seinen Körper entkräften, seine Lebensgeister schwächen? Man setze nur sein Leben in Sicherheit, so
sieht er ohne Bewegung seine Familie sterben, seine Freunde darben und sein Vaterland verderben. Man setze hingegen seine
Gesundheit, sein Leben in Gefahr, so wird er keinen Augenblick
anstehen, sich durch Niederträchtigkeiten zu entehren; und Meyneid und Verrätherey, wenn es Mittel sind, ihn bey dem Leben
zu erhalten, werden ihm unschuldige Mittel zu seyn scheinen.

In solcher Uebermaaß wird die Liebe zum Leben Leidenschaft,
und kann daher dem Menschen nicht anders, als zum Unglücke
gereichen. Sie raubt dem, der sich ihr überläßt, die Ruhe und
Freyheit des Geistes; sie schwächt den Körper und stürzt selbst in
Gefahren. Sie erstickt die edlen Neigungen der Menschenliebe,
und noch mehr alle Freuden und allen Trost auch der natürlichen Religion; denn ein Sarkast sieht sein Leben gar nicht als
ein Geschenk an, das ihm die gütige Vorsehung so lange erhalten wird, als es ihrer Weisheit gefällt, sondern er handelt so, als ob seine Erhaltung lediglich von ihm selber ab-
hange.

Setzen Sie demjenigen, der bey der Sorge für sein Leben das Maaß überschreitet, nur den entgegen, welcher die natürliche Liebe zum Leben zu beherrschen weis; um zu erkennen, daß diese Herrschaft ein schätzbares Gut des Herzens ist.

Amynt liebt sein Leben, weil ers als ein Geschenke der Vorsehung ansieht, das er genießen und nützen soll. Er flieht die Unmäßigkeit und alle stürmische Leidenschaften, als Feindinnen der Gesundheit und des Lebens. Er beschäfftiget sich nützlich, und stärkt dadurch seine Kräfte. Die Gelassenheit, welche die Arzney seines Geistes ist, wird auch die Arzney seines Körpers. Er wünschet den Tod nicht, und fürchtet ihn nicht zitternd. Er hält sein Leben für rühmlich angewendet, wenn ers nach dem Befehle der Pflicht, das ist, Gottes anwendet. Der Fleiß und Eifer, Gutes zu thun, belohnet ihn mit einem innern Beyfalle, der ihn über allen Verlust des Lebens erhebt. Verliert er daßelbe in guten Absichten, in edlen und gemeinnützigen Thaten, in Sorgen und Bemühungen für die Seinigen, seine Freunde, sein Vaterland, und die Nachwelt: so hat ers in seiner Bestimmung glücklich verloren.

Eben weil er das Leben nicht ängstlich sucht, verliert er nie jene Freyheit des Geistes, die zu Entschließungen in Gefahren und zu seiner eignen Sicherheit erfordert wird. Der Gedanke von einer wachenden und beschützenden Vorsehung giebt ihm da Muth und Stärke, wo Andre aus Furcht des Todes zittern; und er freut sich seines Lebens um desto mehr, weil seine Erhaltung nicht auf seine Sorgfalt allein ankömmt. Zeigen sich Fälle, wo er für sein Vaterland, wo er aus Religion sein Leben für die Tugend und für die Wohlfahrt seiner Brüder aufopfern soll: so wird er, obgleich nicht unempfindlich gegen diesen Verlust, dennoch den Trieb der Natur besiegen, und ehe er wider sein Gewissen, wider ein höheres Gesetz der Ehrfurcht gegen Gott und der Wohlfahrt Andrer handeln sollte, wird er lieber sein Leben

verlieren, das heißt, dem es gelaſſen zurück geben, von dem er
es erhielt, und der es ihm ewig aufbewahret. Auf dieſe Weiſe
iſt die Herrſchaft über dieſen natürlichen Trieb ein Gut des Herzens und führet ihre eigne Belohnung mit ſich.

2) Das Verlangen nach dem Vergnügen der Sinne
und derjenigen Liebe, welche nach der göttlichen
Anordnung beide Geschlechter für einander fühlen,
iſt in gewiſſen Schranken unschuldig. Die beſtändige Beſtrebung, dieſes natürliche Verlangen, ſeiner Abſicht gemäß, in die von der Vernunft und
dem Gewiſſen, das iſt, von Gott ihm angewieſenen
Grenzen einzuschließen, und darinnen zu erhalten,
iſt die Beherrſchung deſſelben. Ueber dieſe Schranken hinaus, wird es zu einer entehrenden, wüten-
den und thieriſchen Leidenſchaft, und darum wird
die Herrſchaft darüber ein Gut von großem Werthe, und eine beſtändige Pflicht des Menſchen.

Kleanth ſucht das Vergnügen der Zunge. Er ißt und
trinkt, nicht um das natürliche Verlangen nach Speiſe und
Trank zu ſeiner eignen Erhaltung zu ſtillen, ſondern mehr, um
es zu verlangern, um den Kützel des Geſchmacks zu empfinden
und zu vervielfältigen. Er befriediget ſeinen Wunſch; und die
beſte Mahlzeit läßt ihm in der Vorſtellung kein Vergnügen eines
innern Beyfalls, keinen Troſt, als den zurück, ſie wiederholen
zu können. Aber er muß warten. Die natürliche Reigung kömmt
nur nach einem langen Zwiſchenraume wieder, und gleichwohl
möchte er ihren Kützel immer fühlen. Aus Weichlichkeit flieht er
Arbeit und Geſchäffte; aber eben dadurch entzieht ſich der Thor
das größte Vergnügen, mit Hunger, der eine Frucht der Arbeit
und Mäßigkeit iſt, zu eſſen. Man laſſe ihm die Freyheit, täglich die ausgeſuchteſten Speiſen und die beſten Getränke zu wählen. Er wird einige Zeit die Zunge kützeln; aber er nutzt eben

durch den öftern und unmäßigen Gebrauch die Werkzeuge des Geschmacks ab, und fühlt weniger, weil er stets Zunge, stets Geschmack seyn will. Indessen wächst doch sein Verlangen darnach. Er würde nichts thun, als beständig essen und trinken, wenn es die Natur erlaubte. Thierischer Zug in dem Gemälde eines Menschen! Er würde endlich entfernt von allen Menschen, verschlossen in seinem Speisesaale, ohne Gäste, ohne Freunde, bloß für seinen Geschmack, für seine Zunge leben, wenn er dadurch für sein epikurisches Leben etwas zu gewinnen hoffte.

Kleanth hat Vermögen, und aus Liebe zur Sinnlichkeit opfert er es auf. Für seinen Geschmack ist ihm nichts zu kostbar. Aber einen geringen Theil seines Vermögens zu löblichen Anstalten anzuwenden, wenn ihn nicht die Furcht der öffentlichen Schande zwingt, dazu ist er zu sehr Sinn. — Erzählen Sie ihm edle Thaten, nützliche Anstalten, großmüthige Handlungen der Menschenliebe; er wird gähnen. Er glaubt einen langweiligen Roman zu hören; denn in seinem Herzen ist nichts von diesen Reizungen wahr. — Erzählen Sie ihm das Vergnügen, das Ihnen ein einziges ungekünsteltes Gericht an der Seite Ihres Freundes macht. Er entsetzt sich darüber, und zittert schon vor dem bloßen Gedanken einer ähnlichen Mahlzeit. Sie trinken den Wein des Vaterlandes selten, mäßig, und freuen sich bey diesem Genusse. Das ist ihm eine Fabel. — Sagen Sie ihm, daß Sie oft einen Theil Ihrer Speise, die Sie wohl noch essen möchten, einem Armen mittheilen, der sie selten hätte, und daß Sie sich freuten, wenn es diesem Hungrigen so wohl schmeckte; und er wird über Ihre Gutherzigkeit, die ihm sehr thöricht dünket, lachen. — Eben dieser Kleanth wird durch die Zeit so gierig, daß er nicht mit dem ordentlichen Maße von Leckereyen mehr zufrieden ist. Er muß sich überfüllen, um sich aus seiner Unempfindlichkeit zu reißen, in der ihn das Gewöhnliche erhält. — Er leeret itzt Becher aus, da er sonst nur Gläser trank, und leeret sie von zehn Weinen aus, da er erst mit zwo Arten zufrieden war. Sich nicht berauschen, das heißt er gar nicht trinken. Er will zwar nicht betrunken seyn, aber doch so lange den Geschmack des Weines fühlen, als ihn der Gaumen fühlen kann. Kleanth wird ein Säufer, aber ein ordentlicher Säufer. Er trinkt des Mittags und schläft sich etliche Stunden nüchtern. Er trinkt des Abends und schläft sich die Nacht wieder zum Menschen. Die Zeit sieht er als die Ordnung an, nach der er seinen Geschmack befriedigen soll, und die Menschen als Diener seiner Schwelgerey und Werkzeuge seiner Bequemlichkeit.

So erstickt die Sinnlichkeit in seinem Herzen alle gute Neigungen und in seiner Vernunft alle Grundsätze der Pflicht. Er schwächt seine Gesundheit, und richtet sein Leben, sein Vermögen, seine Ehre und die Kraft zu denken zu Grunde.

Sein ungestümer Trieb selbst ist das, was ihn nie ruhig werden läßt, so bald er ihn nicht befriedigen kann; er ist es, der ihn in gewissen Umständen zum niederträchtigsten Schmeichler, zum Räuber und Bösewichte machen wird. Sollte Kleanth ein guter Vater, ein angenehmer Ehemann, ein Freund, ein Bürger, ein Patriot, ein Held seyn können? Er ist der nächste zum gefräßigsten Thiere, weil er seine Sinnlichkeit nicht mäßigen will.

Damis, das Gegentheil vom Kleanth, ist mäßig in diesen Vergnügungen des Geschmacks, behauptet seine Herrschaft darüber, und erhöht eben dadurch dieses Vergnügen. Die einfältigsten Speisen, sorgfältig zubereitet, schmecken ihm nach vollbrachter Arbeit, durch den Hunger gewürzt, an der Seite seines Freundes, oder seiner Gattinn und Kinder, eben so süße und noch süßer, als dem Kleanth seine kostbaren Schüsseln. Er fühlt neue Kräfte bey ihrem Genusse, ist gesättiget, und könnte noch mehr genießen; hat sich mit einem frischen Trunke gelabet, und fühlet neue Lebensgeister. Er würde noch mehr Wein vertragen können; aber er trinkt nicht seinen Geist zu erstiden, sondern ihn geschickter zu seinen Berrichtungen zu machen. Seine Mäßigkeit bewahret ihn vor allzu vielen und schädlichen Säften. Er fühlt die Leichtigkeit des Körpers und des Umlaufs seines Blutes. Er ist glücklicher in seiner Arbeit, schläft ruhiger, steht heitrer auf, fühlt weniger von den Anfällen der Laster, die ihren Sitz in dem Blute, im dicken oder überflüssigen Blute haben. Sein Geist wird selten von einem mürrischen Wesen überfallen. Seine Enthaltsamkeit belohnet ihn also, ohne daß er bloß mäßig ist, um gesund zu seyn. Er würde vielmehr niemals unmäßig seyn, wenn er auch seiner Gesundheit nicht dadurch schadete. Er ist mäßig in Rücksicht auf eine göttliche Anordnung, und ist sich bewußt, daß er diese bey dem Gebrauche der Nahrungsmittel beobachtet. — Entbehret er ja gewisse Freuden des Geschmacks, so entbehret er sie, weil er sie nicht bedarf. Er könnte sie vielleicht haben; allein der Aufwand, den sie verursachen würden, ist in seinen Umständen, und nach seinen Gesinnungen, edler zu gebrauchen. Er theilet ihn denen mit, für die das Blut, oder das Berdienst, oder das Bedürfniß bey ihm spricht. Sie sollen sich auch erquicken gleich ihm; und, wenn sie des Labsals mehr, als er, bedürfen, auch mehr noch, als er. So hat seine Mäßigung einen glücklichen Einfluß in seine Gutthätigkeit und in das Bergnügen der Andern. Welcher von beiden ist glücklicher, der enthaltsame Damis, oder der unmäßige Kleanth?

Mit der Sinnlichkeit des Geschmacks ist die Sinnlichkeit der Liebe verwandt. Dieser natürliche Trieb, den uns der Schöpfer zur Erhaltung des Geschlechts der Menschen eingepflanzet, und aus Weisheit und Güte mit dem empfindlichsten Reize verknüpft hat, wird, wenn er sich von seinem Ziele entfernet und seine Befriedigung außer dem Bande einer keuschen Ehe sucht, zu der verworfensten Leidenschaft, die man kaum beschreiben darf, ohne die guten Sitten zu beleidigen.

Nichts ist unbändiger, als dieser Trieb, wenn ihn die Pflicht nicht einschränket. Nichts verderbet das Herz und verkürzet das Leben des Menschen früher und gewisser, als diese zügellose Leidenschaft. Sie wird zur Brunst, die den Menschen tief unter das Thier erniedriget; und die Natur hat die Ausschweifung derselben mit den empfindlichsten Strafen belegt; so wie ihr die Religion den Zorn und das besondre Gerichte Gottes droht.

Diese Leidenschaft, die für sich ein verzehrendes Feuer ist, erstickt zugleich die besten Neigungen der Seele. Sie entkräftet das Herz, und öffnet es der Weichlichkeit und Trägheit, der Ueppigkeit und Schwelgerey. Kein Laster ist ohne die Gesellschaft eines andern, am wenigsten die Wollust. Sie duldet keinen Fleiß in Geschäfften, keinen Eifer zu löblichen und rühmlichen Unternehmungen. Sie verwandelt sich, um zu ihrem Ziele zu gelangen, in List, in Bestechungen, in Meyneide. Sie verführt und läßt sich verführen. Sie wird niederträchtig und töbtet alle Schamhaftigkeit. Was ist die freche Stirn einer unkeuschen Person für ein widriger Anblick!

Die Schlachtopfer der Wollust, welch Unglück sind sie für die Gesellschaft! Eine geschändete Unschuld, welcher Gram für ihre Familie, und welche Pein für sie selbst! — Entheiligte Bande der Ehe — Aber lassen Sie uns einen Vorhang vor die Greuel dieser Leidenschaft ziehen, und aus ihrer Schändlichkeit erkennen, welch Glück hingegen die Beherrschung des natürlichen Triebes, welch Glück Schamhaftigkeit und Keuschheit für unser Herz sey! Diese Tugenden lehren und stärken uns, allen unrechtmäßigen Gebrauch der Liebe zum andern Geschlechte zu vermeiden, alle Reizungen dieser Neigung bey uns und Andern zu verhindern, und alle Mittel anzuwenden, durch die wir diesen Naturtrieb regieren und nach den Vorschriften der Tugend bezähmen können; und dieses alles aus Gehorsam gegen

Gott und aus Ehrfurcht gegen seine weise Absicht, zu der er ihn uns eingepflanzet hat.

Cleon regierte in den Jünglingsjahren durch die Stärke der Vernunft und Religion diese natürliche und der Tugend gefährliche Neigung, und behauptete die Rechte und Freuden der Unschuld und eines unverletzten Gewissens. Die Schamhaftigkeit war seine Gefährtinn. Gute Beyspiele waren seine Lehrer, ein ermahnender liebreicher Freund sein Stab, und der Gedanke eines allsehenden Auges sein Schild wider unerlaubte Wünsche. Er ward früh mit einer liebenswürdigen Person des andern Geschlechts bekannt, und ihre Freundschaft und Tugend machte seine Neigung nur edler und unschuldiger. Willst du bereinst das Glück genießen, ihr Herz zu besitzen, sagte er oft zu sich, so verdiene es durch Rechtschaffenheit auf dem Wege des Fleißes und der Verdienste eines Mannes, den seine Gattinn ewig lieben soll. Die Neigung, die itzt die unerlaubteste seyn würde, ersticke tief in deiner Seele. Du würdest dich nicht lieben und sie nicht, wenn du unedel lieben könntest. Beschäfftige dich im rühmlichen Fleiße, in Geschicklichkeiten, Künsten und Wissenschaften, und traue deinem günstigen Schicksale. Es wird dich durch sie beglücken, wenn sie dein Glück ist. Mache dich ihrer und sie deiner durch einen unschuldigen Umgang nur besto mehr werth; und bist du nicht stark genug dazu, so sey weise und fliehe!

Itzt genießt dieser Cleon in seinen männlichen Jahren an der Seite dieser liebenswürdigen Person die Freuden des glücklichsten Mannes und Vaters; und den Gedanken seiner behaupteten Unschuld, auf die er itzt im Triumphe eines guten Gewissens herab sieht; diesen Gedanken gäbe er für keine Welt.

So, Jüngling, schmück auch du mit Unschuld deine Jugend;
Sieh auf die Weisheit stets, doch mehr noch auf die Tugend,
Und werd als Mann beglückt durch keusche Lieb und Tugend.

Und rührt dich die Stimme der Vernunft und des Gewissens nicht: so laß dich die Stimme der Religion rühren: Wer den Tempel Gottes verderbt, den wird Gott verderben; und dieser Tempel bist du. Darum preise Gott beides an dem Leibe und Geiste; denn sie sind Gottes und nicht dein. *)

*) 1 Kor. 3, 17. 6, 20.

Neunzehnte Vorlesung.

Fortsetzung von der nöthigen Herrschaft über die Begierden; desgleichen von der Gelassenheit und Geduld.

Ich habe zu Ihnen, meine Herren, in der letzten Vorlesung von der Mäßigung und Beherrschung unsrer natürlichen Begierden gesprochen, und Ihnen durch einige Beyspiele gezeigt, wie nöthig es sey, die Liebe zum Leben und zur Gesundheit, das Verlangen nach sinnlichen Vergnügungen, und den Trieb der Liebe zu beherrschen. Noch ist, ehe ich mich von dieser Tugend zur nähern Betrachtung der Gelassenheit wende, übrig, daß ich in Ansehung der Begierde nach Ehre und Reichthum ein gleiches thue.

3) Lassen Sie mich also Ihnen in einem doppelten Gemälde zuvörderst zeigen, wie die Begierde nach Ehre, wenn sie ausschweifet, unglücklich mache; und wie hingegen eine vernünftige Einschränkung derselben unser und Andrer Glück werde.

Die Gegenstände der Ehrsucht sind unzählig. Einige sind ihrer Natur, oder ihrer Anwendung nach besser; doch auch bey

den beffern gewinnt das Herz nichts. Diese Neigung, wenn wir
ihr nachhängen, erfüllt uns mit Unruhen, reizt uns zu ängſtli-
chen und kindiſchen Unternehmungen, erzeugt Stolz, Neid, Ei-
ferſucht, Kaltſinn gegen fremde Verdienſte, Geringſchätzung derſelben, und ſo bald ſie gekränkt wird, Rache und Verleumdung.
Was aber das meiſte iſt; ſie wendet das Herz von Gott ab.

Es ſey Stand, Geburt, Titel, Reichthum, Schönheit, Kunſt,
Wiſſenſchaft, Tapferkeit, Macht, Tugend, oder ſonſt ein andrer
Gegenſtand die Triebfeder unſrer Ehrſucht; ſie bleibt allezeit für
uns Unglück. Keine Leidenſchaft verfehlt ſo leicht ihres Zieles,
als Eitelkeit, keine iſt beſchwerlicher für die Geſellſchaft; ſo wie
keine Eigenſchaft der Welt ſchätzbarer iſt als Beſcheidenheit und
Demuth.

Euklio, beherrſcht von der Ruhmſucht für einen der gröſ-
ten Gelehrten gehalten zu werden, welche Martern thut er ſich
an! Er ſtudiret nicht, um weiſe und nützlich zu ſeyn. Er will
gelehrt ſeyn, um berühmt und groß, um die Bewundrung der
Welt zu werden. — Was keinen Einfluß in den Namen hat,
ſey noch ſo gut, noch ſo nützlich; er ſucht es nicht. Was wun-
derſam iſt, ſey noch ſo unnöthig; er treibt es. — Jeder Lobſpruch, oft der Lobſpruch der Thoren, läßt ein Feuer in ihm zurück, das ihn entzündet, nach neuen Lobſprüchen zu ſtreben. Er
ſchreibt ein gelehrtes Werk, verwacht Nächte, verzehrt die Geſundheit, vergißt der Geſchäffte des Hauſes, verſäumet die Pflichten der Geſelligkeit; alles, um bewundert zu werden. Man
rühmt ihn, und was hat er für ſeine Mühe? Ehre! Und
was iſt dieſe Ehre? Sind denn Worte, Töne, Mienen, Geberden, womit ihm Andre ihre Achtung zu erkennen geben, ſichre
Beweiſe einer innerlichen Hochachtung? Wie viel Unwiſſende,
Schmeichler und Boshafte mengen ſich unter die Zahl ſeiner Lobredner! Doch, Euklio, laß es die wahren Meynungen der Andern von deinen Verdienſten ſeyn, die ſie dir entdecken; laß ſie

wahre Kenner und Richter seyn! Bist du darum glücklicher, weil dich Andre für ein Wunder der Gelehrsamkeit achten; darum weise und tugendhaft, weil dich Andre für weise und tugendhaft halten? Wird dich die Krankheit weniger schrecken, wenn sie dich über dem zehnten Bande deiner unsterblichen Werke befällt? Wirst du das Unglück gelaßner ertragen, weil du den Ruhm der Gelehrsamkeit hast? Und wird dir dein Name Standhaftigkeit im Tode geben? Ist das Ziel, nach dem du ringst, nicht sehr unsicher? — Euklio wird bescheiden getadelt. Er tobt über diesen Tadel. Damon, ein Mann von Verdiensten, wird mehr gelobt, als er. Die Ehrsucht des Euklio wacht auf. Er will keinen Nebenbuhler leiden. Damon muß weniger Verdienste haben, als Euklio. Er verkleinert den Damon. Dieser verantwortet sich bescheiden; und schon stürmet Euklio mit Beleidigungen und schrecklichen Vorwürfen auf die Ehre seines Widersachers, und wird des Andern Hasser, bloß weil er sein eigner Anbeter, und so klein ist, daß er die Größe eines Andern nicht ohne Mißgunst ansehen kann.

Euklio, dieser Stolze, wird uns verachten, wenn wir ihn loben; denn er ist unendlich besser, als wir. Er wird uns verachten, wenn wir ihn nicht loben, weil wir nach seiner Meynung so einfältig oder so boshaft sind, seine Verdienste nicht einsehen zu wollen. Wenigstens wird er uns nicht weiter suchen, als in so fern wir blinde Verehrer seiner Meynungen und gleichsam seine Götzendiener werden, die den Weihrauch ohne Maaß an ihn verschwenden. Wem wird er dienen, es wäre denn, um Ruhm zu haben? Sey klein, unbekannt, verdienstvoll und seines Schutzes bedürftig, er vertauscht dich gegen den, der ihm mehr schmeichelt, ihm mehr Ruf verspricht. Er hat eigentlich kein Gefühl in seinem Herzen, als das Gefühl seines Ruhms. Vergraben unter seinen Büchern, ist es für ihn, als ob die Welt rings um ihn her ausgestorben wäre. Die Sorge für sein An-

en läßt keine andere edlere Sorgfalt in seinem Herzen auf=
nmen. Und wenn nicht sein Fleiß zufälliger Weise der Welt
tlich wäre: so würde dieser Gelehrte ein müßiger stolzer Ein=
ler seyn, der weiter keine Absicht hätte, als daß ihm die Welt
ihrung und Opfer in seine Einöde bringen sollte, damit der
if von seinem beschwerlichen Leben überall erschallen möchte.
: würde jenen bezauberten Drachen in den Romanen gleichen,
lche Schätze bewachen, die sie nicht kennen, und zu denen sie
h den Menschen den Zutritt verwehren. — Euklio wird unge=
ht seyn, so bald es seine Ehrsucht befiehlt. Er wird ein nach=
siger Vater, ein gebieterischer Freund, ein beschwerlicher Amts=
roffe, und überall sein eigner Feind seyn; denn eben der Stolz
rd am ersten mit Gegenstolze, oder Verachtung, oder bösen
chreden, von Andern bestrafet. — Gesetzt, Euklio wäre ein
ohrner Regent, und seine Ehrsucht fiele auf Heldenthaten: so
rbe er Schlachten liefern, wie er itzt in Streitschriften kam=
t, Ströme von Blut vergießen, um gesiegt zu haben, sich in
. Gefahren des Todes wagen, um den Lorbeer des Helden zu
euten, die Thränen ganzer Nationen gleichgültig ansehen, um
ne Eifersucht oder seinen Neid zu befriedigen, eine fremde
acht mit Krieg überziehen, weil sie sich nicht vor ihm gebeugt,
b ein Land verheeren, weil er ein andres sonst nicht erreichen
nnte. Ehrsucht ist Marter und Unglück.

> Wenn auch sich einst ein Liebling fände,
> Mit dem das Glück sich fest verbände,
> Blieb ihm kein Wunsch gleich unerfüllt;
> Er ist von Sorgen drum nicht freyer;
> Die Ehrsucht ist ein ewig Feuer,
> Das weder Zeit noch Ehre stillt.

Wie glücklich ist dagegen Krates! Er sucht Tugend und
rdienste und freut sich, daß er sie mit Beyfalle beehrt findet.

Gellert VII.   4

Die Beobachtung seiner Pflicht, die Anwendung seiner Vorzüge und Gaben, die ihm die Vorsehung gegönnt, ist sein Ruhm. Er kennt, liebt und schätzt fremde Verdienste; denn das ist Pflicht und Tugend. Er suchet die seinigen zu vermehren; denn das verlanget seine Bestimmung. Er fühlet die Mühe des Fleißes, und stärkt sich dazu durch den Gedanken, daß er nichts edlers thun kann, als daß er sich und Andern nützlich ist, nicht dankbarer gegen die Vorsehung wegen seines Vorzugs seyn kann, als daß ers erkennet, daß es ein unverdienter Vorzug sey, den sie auch einem Andern hätte ertheilen können. Er ist bescheiden, weil er sieht, wie viel ihm noch fehlet; weil er sieht, daß nicht Alle seiner Gaben bedürfen, daß Andrer Geschicklichkeiten auch nothwendig sind; weil er sieht, daß der ein Thor ist, der ein fremdes Gut als sein eignes betrachtet. Er strebt nach dem höchsten Beyfalle des Himmels; darum kann er nicht stolz seyn. Er trägt die Mängel und Fehler der Andern liebreich, sucht sie zu verbessern, und denkt an die seinigen. — Man will seine Verdienste nicht ehren; und dennoch fährt er fort, verdienstvoll zu seyn. Er sucht nicht mehr Beyfall, als er werth ist, darum ist sein Ruhm desto dauerhafter; und den Fleiß, die Sorge und die Zeit, die Andre darauf verwenden, etwas zu scheinen, das sie nicht sind, wendet er an, gemeinnützig zu seyn. Er wird von den Klugen und Rechtschaffnen geliebt; welch ein Glück! Er hat den Beyfall seines Herzens, und darf sich mit einem höhern trösten. Er ist frey von der Pein der Ehrsucht, und hat doch die wahre Ehre. Und wer wird ihm die erlaubten Vortheile des Fleißes und der vorzüglichen Gaben so leicht mißgönnen, da er sie verdienet? Wie glücklich ist Krates!

4) Vermögen begehren, lieben und suchen, um es zu haben, und das Mittel selbst in einen Zweck verkehren, ist wider die Vernunft; es ist Ausschweifung der Begierde und die niedrigste Art des Geizes.

Wer das Vermögen in der Absicht sucht, oder anwendet, weil es ein Mittel ist, seine Sinnlichkeit, seine Eitelkeit und die Träume seiner Einbildung zu vergnügen, der sucht und wendet es widernatürlich an, bestraft sich selber, und wird gegen Andre ungerecht.

Strephon ringt nach Vermögen, nicht um es einzuschließen; so thöricht ist er nicht. Nein, er sieht es als ein Mittel an, gewisse andre Absichten zu erreichen. Er besitzt viel; aber seine Eitelkeit verlangt auch vielen Aufwand. Heute diese, morgen jene Anforderung der Sinne und der Einbildung! Kann Strephon jemals Vermögen genug haben? Er ersparet es, wo er es nicht ersparen sollte, und ist geizig, um eitel und sinnlich zu seyn. Das Vermögen ist ein Mittel, sich und Andern zu nützen. Strephon dagegen sieht es für ein Mittel an, seinen Leidenschaften und Einbildungen genug zu thun. Kann er dabey weise verfahren? Er will heute eine Eitelkeit vergnügen. Sie kostet so und so viel, und er findet ein Mittel, gegen ein geringes Darlehn ein hohes Procent zu erhalten. Er stillet also seine Habsucht, um der Eitelkeit zu dienen. Eben dieser Strephon besoldet seine Bedienten mit einem elenden und kümmerlichen Lohne; aber er giebt ihnen reiche Livereyen. Er will prächtig seyn; darum ist er geizig. Ein reicheres Kutschgeschirr, ein kostbareres Haus, ein beßres Landgut, kömmt seiner Einbildung als gar zu wünschenswerth und nothwendig vor. Er würde niemals Geschenke genommen haben; aber itzt nimmt er eine große Summe an, und unterstützet dafür durch sein Ansehen die verdächtige Bitte eines Clienten. Und warum? Er will sein Vermögen nicht vermindern, und doch gern der Welt in die Augen fallen. — Man lasse seinen Geiz in noch so verschiedenen Canälen fortgehen, er kömmt immer in das Meer, aus dem er ausfloß, mit neuem Unrathe zurück.

4*

Dieser Strephon ist stets sein eigner Verderber. Er verkehrt die Bestimmung des Vermögens, und seine Neigung muß sein Herz verkehren. Er ernährt für sein Geld unordentliche oder thörichte, strafbare oder lächerliche Neigungen. Er bemüht sich zwischen dem Geize und der Verschwendung, zwischen der Habsucht und der Eitelkeit einen thörichten Frieden zu stiften.

Noch niederträchtiger und verderblicher ist die Leidenschaft des Sejus, der das Geld des Geldes wegen liebt. Er will es nicht genießen, er will es nur besitzen, vermehren und verschließen. Es ist ihm genug, daß er weis, daß er reich ist, und daß seine Nachkommen auch reich seyn werden, oder, wenn es hoch kömmt, daß ihn die Welt für reich hält.

Er fühlt einen Kützel, wenn sein Vermögen wächst, und dieser entzündet sein Verlangen nach größerm Reichthume, ohne es zu stillen. — Die Furcht, es zu verlieren, sollte ihn bloß behutsam machen, und sie quält ihn mit einem nagenden Kummer. — Sejus darbt, wenn er nur reich seyn kann. Ist er ein Feind seines eignen Vergnügens: so wird er dieses auch den Seinigen entziehen. — Er gestattet sich keine Ruhe, bis er genug haben wird. Und wenn hat er genug? Nie, so lange er noch mehr haben kann. Wenn wird er also ruhig seyn? Dienen Sorgen, Kunstgriffe, Niederträchtigkeiten, Härte, Unbilligkeit, Lieblosigkeit, unmäßige Arbeit, zu Mitteln sein Vermögen zu vermehren, oder zu erhalten; wenn kann er unterlassen, diese Mittel anzuwenden?

Es kann keine gute Neigung in einem Herzen wohnen, wo diese unmäßige Begierde herrschet. Sejus macht sein Gold zum Gott; und was ist Gold? Er opfert seine Ruhe einem Gute auf, das er nicht braucht; und entzieht durch seine Gierigkeit Andern die Mittel der Nahrung, oder der Bequemlichkeit. Strafet dieses nicht die Vernunft? Sein Verlangen nach Reichthume erstickt das Licht seines Verstandes auf allen Seiten, die einzige

Seite der Habsucht ausgenommen. — Eben so erstickt auch sein Verlangen nach Reichthume alle Reigungen der Rechtschaffenheit und Menschlichkeit. Braucht man noch zu fragen, ob Sejus nicht unglücklich ist?

Setzen wir aber dieser Reigung nach Vermögen und dem Gebrauche desselbigen ihre gehörigen Schranken: so werden wir finden, daß sie sich mit der Ruhe des Herzens verträgt, so bald sie sich nur mit der Weisheit verträgt.

Damon strebt nach Vermögen, sich und die Seinigen zu erhalten. Er wendet seinen Fleiß an, es zu vermehren oder zu behaupten. Er ist sparsam, und so hat er weniger Aufwand, weniger Sorgen. Er genießt, was er bedarf; und so genießt er die Frucht seines Fleißes oder seines Glücks. Er sieht sein Vermögen als ein anvertrautes Gut an; und so ist er gütig und hülfreich gegen Andre, je mehr er Mittel dazu hat.

> Er sieht den Menschen an, und nicht den Gegendienst,
> Macht Arbeit sich zur Lust, und Helfen zum Gewinnst.

Er schmeckt die Freude des Wohlthuns, und diese nährt seine Menschenliebe. Er kann Andern nützen, und nützet sich zugleich selbst. Er sieht, man kann die größten Reichthümer besitzen, und dabey noch tausend Uebeln des Lebens, noch den Krankheiten, den Unfällen seines Hauses, den Verleumdungen des Neides, den Nachstellungen der Boshaften, den Unruhen seiner eignen Seele, der Gewaltthätigkeit seiner Feinde ausgesetzet seyn; sollte er glauben können, daß das Verlangen nach äußerlichen Gütern die Summe der Wünsche eines Menschen ausmachen könnte? Er ist nie sicher, daß ihm sein Vermögen nicht ganz oder zum Theil, daß ihm die Mittel, sich zu erhalten, nicht auf einige Zeit könnten entrissen werden. Daher ist er vorsichtig, um nicht die Schuld dieses Unglücks zu tragen; und indem er der Stimme

der Pflicht bey seinem Vermögen gehorchet: so überläßt er das
Uebrige der Vorsehung, die nicht alles in seine Gewalt hat ge=
ben wollen. Er scheut die verschuldete Armuth, und wappnet
sich im voraus, eine unverschuldete gelassen zu ertragen, wenn
sie über ihn verhängt seyn sollte. — Damon wird geliebt und
verehret, trägt in sich einen stillen Beyfall, genießt sein Vermö=
gen, ist frey vom Geize, ist voll von Güte und Leutseligkeit,
dankt der Vorsehung, verläßt sich auf ihren Schutz, und findet
sein Glück in der weisen Anwendung seines Vermögens und in
der Mäßigung der Begierde nach diesen Gütern.

Diese Mäßigung derjenigen Begierden, die auf die Gegen=
stände des äußerlichen Glücks gerichtet sind, schaffet uns aber
nicht nur den Vortheil, daß sie uns wegen des vernünftigen Ge=
brauches dieser Güter, ohne welchen sie vielmehr Unglück, als
Glück seyn würden, in Sicherheit setzet, und uns vor der Thor=
heit, ihnen einen übermäßigen Werth beyzulegen, bewahret.
Nein; sie stärket uns auch, sie gelassen zu entbehren, wenn wir
ihren Besitz nicht rechtmäßig erlangen können, und sie, gegen
das innere Glück der Seele, großmüthig zu verachten. Diese
Gemüthsverfassung, so sehr sie Pflicht und Tugend ist, so sehr
ist sie auch Glück für ihren Besitzer. Die äußerlichen Güter ha=
ben allerdings einen großen Einfluß auf unsre Ruhe. Es ist
mehr Freude, die Güte des Herzens und zugleich das Glück der
Gesundheit zu fühlen, mehr Freude, reich an Tugend und reich
an Gütern des Lebens zu seyn, mehr Freude, den Beyfall sei=
nes Gewissens und zugleich den Beyfall der Menschen zu haben.
Es ist mehr, frey von Lastern, und zugleich frey von Schmer=
zen des Körpers, von den Uebeln der Dürftigkeit und den Krän=
kungen unsers guten Namens zu seyn. Allein wir leben in einer
Welt, deren Zustand unvollkommen und der Abwechselung unter=
worfen ist. Es ist weder stets unsrer Macht überlassen, die äu=
ßerliche Wohlfahrt zu erreichen, noch, wenn wir sie besitzen, ihren

Beſitz ſtets zu behaupten. Der Gegenſtände, die zum äußern
Glücke gehören, giebt es eine große Anzahl, und uns fehlen öf=
ters viele davon. Kein Leben iſt ſo glücklich, es hat ſeine Män=
gel; und das glücklichſte Loos des Reichthums, der Hoheit, der
Ehre, der Geſundheit iſt unbeſtändig: denn wie bald ſind uns
nicht dieſe Güter, oft ohne unſer Verſehen, oft aber auch durch
unſre Schuld entriſſen! Ein Herz, das in der Verfaſſung ſteht,
ſich wegen des Mangels dieſer Güter zu beruhigen, oder das Ue=
bel des Lebens, das uns droht und nicht zu entfernen ſteht, ge=
laſſen zu erdulden, muß nothwendig ein großes Glück des Men=
ſchen ſeyn, deſſen Umſtände ſtets der Veränderung unterworfen
ſind. Dieſe Gemüthsverfaſſung, ſich über die Beſchwerlichkeiten
und Leiden der Natur durch höhere Betrachtungen und Hoffnun=
gen hinaus zu ſetzen, der unvermeidlichen Gefahr getroſt entge=
gen zu gehen, und gleichſam dem Uebel ſeine beſchwerliche Na=
tur durch ein Wunder der Weisheit zu entziehen, beruht auf den
liebenswürdigen Eigenſchaften des Herzens, die wir Gelaſſen=
heit und Gebuld, Großmuth, Demuth und Ergebung
in die Rathſchlüſſe der Vorſehung nennen. Wer kann
zweifeln, daß wir zu dieſen Tugenden um ſo viel mehr verbun=
den ſind, je mehr ſie das Ungemach des Lebens erleichtern helfen?

Gelaſſenheit und Gebuld.

Gelaſſenheit und Gebuld ſind unentbehrliche und ſchätzbare
Eigenſchaften der Seele. Durch ihren Dienſt ſchwächen wir das
Mißvergnügen und die Schmerzen, die aus dem Mangel und den
Unfällen des Lebens auf uns eindringen. Es giebt Uebel, die
keine Vorſicht und Klugheit verhüten, Uebel, die kein Verſtand,
keine Macht, wenn ſie uns begegnen, aufhalten kann, Uebel, die
aus unſrer eignen Unvollkommenheit entſtehen, und welche die
größte Tugend nicht ganz verhüten kann, weil die beſte Tugend
ihre Schwachheiten und Gebrechen hat. Wider alle dieſe Uebel

rüften uns Gelaſſenheit und Gebuld aus, um ſie, wenn
ſie uns von ferne brohen, nicht ſklaviſch zu fürchten, noch ihnen
durch die Furcht ein größeres Gewicht zu geben; und, wenn ſie
uns wirklich befallen, unſern Unmuth unter ihrem Drucke zu mäßigen, und dem Gefühle des Mißvergnügens ein größeres Ge-
gengefühl der beſſern Freuden entgegen zu ſetzen. Die Gelaſſenheit iſt von einer natürlichen Härte eben ſo weit unterſchieden,
als von der phantaſtiſchen Unempfindlichkeit des Stoikers. Sie
iſt eine Frucht der Weisheit und der Herrſchaft über
unſre Leidenſchaften. Es kann dem Herzen nie gleichgültig ſeyn, Mangel und Schmerzen zu fühlen, und ſein Trieb nach
Glückſeligkeit gebeut ihm, ſie von ſich zu entfernen; aber ein ge-
laßnes Herz zieht die Nahrung ſeiner Gelaſſenheit aus der Weisheit und einer richtigen Einſicht in die Natur des wahren Guten und des wahren Uebels. Es unterſtützt ſich durch die Betrachtungen der Pflicht, daß wir verbunden ſind, die von der
Natur unzertrennlichen Beſchwerden oder Uebel, weil wir Menſchen und keine Engel ſind, zu tragen. Sind ſie nicht unſre
Schuld: ſo ſtärkt es ſich mit dem Gedanken, daß ſie von der höhern Macht weiſe veranſtaltet oder zu unſerm Beſten zugelaſſen
ſind. Sind ſie die traurige Bürde, die wir durch Verſehen, oder
Vergehungen uns ſelbſt aufgelegt haben: ſo mindert die Gelaſſenheit den gerechten Widerwillen gegen uns ſelbſt durch eine
weiſe Reue, die wir über unſre Fehler fühlen, und die der Bürge
künftiger Vorſichtigkeit und größrer Mäßigung iſt. Sie wehret
Traurigkeit und Verzweiflung dadurch von uns ab, daß ſie uns
ermuntert, ſelbſt das verſchuldete Uebel durch Weisheit in unſer
Glück, und den Schmerz in Gebuld und Hoffnung auf die Hülfe
der Vorſehung zu verwandeln. Viele Leiden ſind zu entfernen
oder zu mindern, wenn wir ſo viel Heiterkeit des Geiſtes beſitzen, die Mittel wider ſie zu ſuchen, und ſo viel Stärke, dieſelben gehörig und fortgeſetzt anzuwenden. Die Gelaſſenheit hilft

zu dieser Heiterkeit und Stärke; und eben dadurch befreyt
ns von vielen Uebeln, oder schwächt ihre natürliche Kraft.
: Uebel erhalten ihr niederschlagendes Uebergewichte von der
alt der Einbildung. Die Gelassenheit, eine Frucht der Weis=
entzieht dem gegenwärtigen Uebel die fürchterliche Gestalt,
ie es die Einbildung verhüllet. Sie wehret einer kindischen
)aftigkeit. Der Mangel der Schätze, die wir weise gebrau=
könnten, so lehrt uns die Gelassenheit denken, ist ein Uebel;
Schätze verachten, weil sie zu unserm Glücke nicht noth=
ig sind, ist Ruhe und Größe der Seele. Die Besten unter
Sterblichen haben sie entbehren können und sind bey Weni=
zufrieden gewesen. Du hast sie besessen, und verlierst sie
deine Schuld. Trost genug! Ihr Anwachs hätte vielleicht
Güte deiner Seele erstickt und böse Neigungen in dir aufge=
:. Dir mangeln die Bequemlichkeiten, die du sonst genoss=
aber du bist unter ihnen nicht weichlich geworden, und die
)enbigen Bedürfnisse des Lebens versagt dir die Vorsehung
Diese Hoffnung fühlest du. Trost genug!
)ie Gelassenheit, eine Frucht der Weisheit, setzt dem unan=
)men Eindrucke des Elends den stärkern und angenehmern
ruck des größern Gutes entgegen. Die Ehre nicht erlangen,
nan verdienet, den guten Ruf durch Verleumbungen und
der Menschen verlieren, den man sich durch Verdienste er=
en, sich dem Spotte und der Verachtung ausgesetzt sehen,
)em man das Vergnügen der Hochachtung genossen; wie em=
lich ist dieses Schicksal! Aber wie viel entzieht ihm nicht
Gelassenheit von seiner Schwere! Du hast, sagt sie zu die=
Unglücklichen, viel verloren; aber doch nur ein äußerliches
nur das Echo der Ehre, nicht die Stimme der Ehre selbst,
lus deinem Gewissen spricht. Du bist noch gut, weil du
deiner Pflicht zu handeln gesucht, wenn auch die ganze
das Gegentheil von dir glaubt. Der Beyfall der Men=

schen erhöht deine wahre Würde nicht und ihr Tadel verringert sie nicht. „Du stehest auf der Höhe der Pflicht. Siehe, die „matten Pfeile, aus dem Thale der Verleumbung auf dich ab= „geschossen, fallen zu deinen Füßen nieder. Tritt herzhaft dar= „auf und steige auf ihnen noch höher empor." Dem Recht= schaffnen bleibt dein Verdienst, oder deine Unschuld nicht verbor= gen, und das Auge des Himmels sieht und entscheidet deinen Werth, wenn ihn auch die Erde nicht bemerkt. Die Edelsten unter den Menschen haben den Beyfall der Thoren verachtet und entbehret; und die größten Seelen haben den Spott der Thoren gehöret, und sind ruhig auf der Bahn des Guten fortgegangen. Gehe du auch fort, und fühle die Freude, recht gethan zu ha= ben, und achte der unverdienten Schande nicht; das ist Hoheit der Seele. Wolltest du der Elende seyn, der den Ruhm hat und nicht verdienet, ihn niederträchtig sucht und mit kriechender Angst behauptet? Was ist der äußerliche Ruhm? Ein zwey= deutiger Laut, und ein Traum der Eitelkeit! Was ist die wahre Schande? Das Laster! Wodurch kannst du alle Menschenfurcht besiegen? Durch die Furcht des Allmächtigen! So sey getrost und laß deine Pflicht deinen Muth seyn, und begegne dem Ver= leumder, dem Spötter, dem Beleidiger nicht mit Hasse, sondern weiche ihm durch Klugheit aus, suche ihn durch Güte zu ermü= den und durch eine weise Aufführung zu beschämen. Vergieb ihm die Kränkungen, die er dir anthut, und kannst du ihnen nicht anders, als durch die Hand der obrigkeitlichen Gewalt wehren: so suche dein Recht mit Bescheidenheit und ohne Bitterkeit gegen den Beleidiger.

So hält uns die Gelassenheit, die Frucht eines guten und edlen Herzens, auch unter der Last der widrigsten Begebenhei= ten aufrecht. Es ist wahr, sie ist sich nicht immer gleich; aber sie sammelt doch bald wieder neue Kräfte, wenn ihr die Größe des Unglücks einige entzogen hat. Sie klagt, aber sie tobt nicht. Sie mäßiget die gerechtesten Klagen durch die Hülfe der Weisheit und Tugend.

Diese gesetzte Verfassung des Gemüths wird in großen und langwierigen Uebeln zur Geduld, die uns durch die Aussicht in ein höheres und unaufhörliches Glück auch unter den heftigsten Leiden noch stärket, daß wir sie ohne Murren tragen, und, anstatt einen feindseligen Unmuth gegen Menschen oder Gott zu fühlen, vielmehr den Rath der Vorsehung billigen, und ihr auch für das zugeschickte Elend, als für eine Wohlthat, danken. Sie wird zur Herzhaftigkeit, wenn wir der Gefahr entgegen gehen müssen; zur Großmuth, wenn wir die Uebel des Lebens, um des höhern Guts der Seele willen, freywillig zu übernehmen berufen werden; und endlich zum Heldenmuthe, durch den wir die gewöhnlichen Schrecken der Natur und zuletzt die Furcht des mächtigsten Feindes, des Todes, besiegen. Diese Verfassung des Gemüths, meine Herren, wie vortrefflich ist sie nicht, und wer kann sie entbehren? Welcher Thron steht so hoch, den kein Unfall erschüttern oder umstürzen könnte? Der Glücklichste, heute noch der Glücklichste, ist vielleicht morgen schon ein Elender! Sind unsere Schätze nicht oft ein Raub der List und der Macht? Können sie uns nicht durch unzählige Zufälle, die wir weder vorher sehen, noch verhüten können, entrissen werden? Ein König sey noch so mächtig, wird er darum wohl sicher seyn? Ist es nicht auch mächtigen Königen schon begegnet, daß sie im Elende gestorben, nachdem sie lange mit ihm gerungen hatten? Die Blüthe der Gesundheit; wie bald verwelkt sie in Kraftlosigkeit und Krankheit! Nichts von den Freuden der äußern Umstände ist ganz unser. Nichts von den Uebeln des Lebens ist ganz fern, oder auf immer fern von uns. Lassen Sie sich diese Tugend von mir empfohlen seyn, der ich die Schicksale der Menschen länger kenne, länger ihre Bürde trage, als Sie, und machen Sie die Anlage zu derselben weis-

lich schon in den erften Auftritten Ihres Lebens. Lernen Sie an
den kleinen Widerwärtigkeiten, die Ihnen in der Jugend begeg=
nen, die größern ertragen, die Ihnen vielleicht, ja ich mag fa=
gen, gewiß, bevorstehen; an der gegenwärtigen Mühe des Stu=
direns die Laft eines künftigen Amtes, an dem Mangel jugend=
licher Bequemlichkeiten den Verluft der männlichen Freuden, an
der Niedrigkeit einer unverschulbeten Armuth die künftige Ge=
ringschätzung reicher Thoren, an einem bittern Vorwurfe, den
Ihnen ein erzürnter Freund auf der Stube macht, den öffentli=
chen unverdienten Vorwurf, den man Ihnen künftig in dem An=
gesichte der Welt machen möchte. Lernen Sie an kleinen Be=
schwerungen Ihrer Gesundheit den vielleicht langwierigen Verluft
derselben auf Ihre künftigen Tage schon itzt erdulden. Wer bürgt
Ihnen für die Beständigkeit Ihrer blühenden Kräfte? Lernen
Sie an der fehlgeschlagenen Hoffnung einer Belohnung Ihres ge=
genwärtigen Fleißes die vielleicht künftig verfehlte Hoffnung ei=
nes Amtes erdulden. Werden alle verdiente Männer bald und
glücklich befördert? Legen Sie durch Ueberwindung der Hinder=
niffe, die Sie itzt in dem Laufe Ihrer Pflichten aufhalten und
von dem Wege des Fleißes und der Tugend abführen wollen, le=
gen Sie durch Verachtung des Spottes, der Ihnen bey einer
strengen Beobachtung Ihrer Pflicht begegnen kann, durch Ver=
achtung des Beyfalls, den Sie erhalten würden, wenn Sie den
verführerischen Beyspielen und Lockungen der Angesehnen und
Ungesitteten folgen wollten; legen Sie, sage ich, dadurch schon
itzt den Grund zu dem Muthe, künftig, wenn Sie, als Män=
ner, die Sache des Amts, der Wahrheit und Religion führen,
durch keine Menschenfurcht, durch keine Lobsprüche, durch keine
Drohungen der Fürften und Könige sich beugen zu laffen, und
durch den Gedanken an Ihre Pflicht über alle Schrecken des Le=
bens zu siegen. Geht es Ihnen vielleicht in Ihren erften Jah=
ren nicht nach dem billigen Wunsche Ihres Herzens: so seyn

Sie darum unverzagt. Es ist ein köstlich Ding einem Manne, sagt die Schrift, daß er das Joch in seiner Jugend trage, und der Hoffnung erwarte*). Die Gelassenheit überhebt uns so vieler Schmerzen und entzieht so vielen Uebeln des Lebens ihr tödtliches Gift; aber, meine Herren, sie ist eine Frucht der Betrachtung und des ernsthaften Nachdenkens. Wir müssen uns oft den geringen Werth der Güter des Körpers und des Glückes vorgestellet und unsre Einbildung von ihren Träumen und falschen Urtheilen gereiniget haben. Sie ist eine Frucht der Mäßigung unsrer Begierden und Leidenschaften. Wir müssen uns früh gewöhnen, unsre Reigungen nach unsern wahren Bedürfnissen einzuschränken, sie nach den Absichten, zu denen sie uns eingepflanzt sind, wohl zu regieren, und auch erlaubte und unschuldige Vergnügungen uns zu versagen. Die Gelassenheit und die Geduld sind Früchte der Uebung. Wir müssen sie oft gewollt, oft und täglich durch rühmliche Entschließungen gesucht haben. Wir müssen oft bey der ersten Empfindlichkeit über Unfälle an uns gehalten, oft den erneuerten Unmuth durch Waffen der Weisheit gedämpft haben. Die Gelassenheit zieht ihre Stärke aus dem Bewußtseyn höherer Güter, als die sind, die wir entbehren, aus der Vorstellung eines höhern Schutzes in allen unsern Unfällen. Wir müssen also beständig nach dem Besitze guter Reigungen, nach der Erfüllung aller unsrer Pflichten und nach dem edlen Vertrauen auf eine allmächtige Vorsehung und ihren Beystand streben, um uns zu der gesetzten Erwartung unvermeidlicher Uebel gefaßt, wenn sie kommen, zur männlichen Ertragung derselben geschickt, und wenn sie lange und heftig anhalten, zu einer heroischen Geduld bewehrt zu machen. So wie uns die Religion diese Tugenden am meisten empfiehlt: so enthält sie auch allein die höchsten Bewegungsgründe zu denselben

*) Klagelied. 3, 27. 29.

durch die Verheißungen einer unendlichen Glückseligkeit in jenem
Leben. Wer sich im Glauben mit göttlicher Ueberzeugung unendlich glücklich sieht und fühlt, dem sind die Leiden dieser Zeit,
verglichen mit den ewigen Freuden, nur geringe Uebel.

Wir müssen uns endlich auch oft erinnern, daß die Beschwerlichkeiten und Uebel des Lebens einen heilsamen Einfluß auf unsre
Weisheit und Tugend haben; daß die im Unglück geübten Menschen gemeiniglich die brauchbarsten und hülfreichsten sind; daß
der Wohlstand oft schwerer zu tragen ist, als der Unfall; daß
wir durch große Mühseligkeiten nicht selten zu einem dauerhaften Glücke geführet werden, welches wir ohne jene nie auf eine
rühmliche Art würden haben tragen lernen. Wir müssen uns
oft an den Unbestand und den geringen Werth der äußerlichen
Güter erinnern, und die kleinen, aber dauerhaften Freuden, die
jeder Zustand der Menschen noch verstattet, aufsuchen, um unsre
Gelassenheit dadurch zu stärken. Viele Menschen haben deswegen zu wenig Nahrung für sie, weil sie das geringere Gute,
das vor ihnen liegt, und das sie oft genießen könnten, nicht
weise genießen wollen; weil sie die allgemeinen Freuden der Natur nicht achten und aufsuchen, auf welche alle Menschen an allen Orten den Anspruch haben, und deren Genuß das Herz gegen tausend geringe Uebel noch schadlos halten kann.

> Genieße, was dir Gott beschieden,
> Entbehre gern, was du nicht hast.
> Ein jeder Stand hat seinen Frieden,
> Ein jeder Stand auch seine Last.

> Willst du zu denken dich erkühnen,
> Daß seine Liebe dich vergißt?
> Er giebt uns mehr, als wir verdienen,
> Und niemals, was uns schädlich ist.

Zwanzigste Vorlesung.

Von der Demuth.

Wenn es möglich wäre, daß unser Herz alle gute Eigen=
schaften besäße, die Demuth ausgenommen: so würde es ohne
diese Tugend kein wahres Verdienst, und einen steten Mangel
der Beruhigung haben; so groß ist ihr Werth, und so unent=
behrlich diese Tugend für den Menschen. Ohne die Demuth ist
keine Wahrheit in unserm Herzen; denn diese Tugend gründet
sich auf eine richtige Kenntniß unsrer selbst, andrer Menschen,
und der unendlichen Quelle der Vollkommenheit, aus der unser
Daseyn geflossen ist, und seine stete Nahrung alle Augenblicke
empfängt. Die Demuth wird zuerst dem Stolze, ihrem größten
Feinde, entgegen gesetzt, der sie für Niederträchtigkeit und für
eine Feindinn der Ehrliebe schilt, sie mit Spöttereyen verhöhnet,
und in der That doch an Andern begehrt, oft ohne es selbst zu
merken. Denn so sehr der Stolze sich in seinem eignen Hoch=
muthe gefällt, so haßt er ihn doch an Andern; und alles des
Spottes ohnerachtet, den er auf Demuth und Bescheidenheit
fallen läßt, wird er doch nicht selten den Bescheidnen lieben, und
sich in seinem Umgange wohl befinden. Ein sichrer Beweis, daß

die Demuth etwas vortreffliches seyn müsse, weil sie von ihrem
eignen Feinde gesucht wird; und daß der Stolz etwas Unnatür=
liches seyn müsse, weil selber sein Beschützer nichts weniger an
Andern als ihn ertragen kann. Eben diese Anmerkung ent=
hält zugleich die Ursache, warum die meisten Menschen stolz, und
die wenigsten demüthig sind. Man schmeichelt sich, weil man
fühlet, daß man die Demuth an Andern liebet, als besäße man
diese Tugend, und weil man den Stolz an Andern hasset, als
haßte man ihn auch an sich selber. Man kann es seiner eignen
Empfindung nach nicht leugnen, daß die Demuth die Seele aller
Tugenden ist; man wünschet sie zu besitzen, und opfert ihr statt
des Herzens nur den Beyfall des Verstandes. Man kann es
nicht leugnen, daß der Stolz eine phantastische Neigung ist;
man eifert wider ihn an Andern, hält seine äußerlichen Aus=
brüche in Worten und Geberdungen klüglich in seiner Aufführung
zurück, und meynet, daß man ihn besiegt habe.

Aber, was ist die Demuth, diese so liebenswürdige Tugend?
Vielleicht das Gefühl seiner eignen Schwäche? Vielleicht
das geringe Urtheil von seinen eignen Verdiensten
und Vorzügen? Vielleicht die aufrichtige Hochschätzung
der Gaben, die wir an Andern erblicken? Wenn sie
nichts mehr ist, so kann sie ein Werk des Temperaments, oder
ein verkleideter Stolz, oder höchstens nur eine Frucht des Ver=
standes, aber nicht die Seele des guten Herzens seyn. Man
kann seinen geringen Werth fühlen, weil man zu träge ist, sich
Verdienste zu erwerben. Dieses ist Niederträchtigkeit und
nicht Demuth. Man kann von seinen Gaben geringe, und von
den Eigenschaften der Andern rühmlich urtheilen, weil man we=
der jene noch diese recht kennt. Dieses ist Irrthum und keine
Demuth. Man kann richtig von seinen Verdiensten und Män=
geln urtheilen, sich keinen Werth beylegen, den man nicht be=
sitzt, seine Fehler und Gebrechen gestehen und verbessern, und

doch zugleich stolz auf seine guten Eigenschaften seyn. Man kann sich mit Andern richtig vergleichen, ihre Gaben und Vorzüge gegen die unsrigen genau abwägen, erkennen und gestehen, worinnen sie uns übertreffen, ihnen Hochachtung und Ehrerbietung bezeugen, und doch stolz im Herzen auf seinen Vorzug von einer andern Seite seyn. Wir haben so verschiedne Gaben, und diese Gaben haben so viel verschiedne Stufen, daß wir dem Andern bald sein Vorrecht lassen und doch seinem Verdienste ein andres der unsrigen entgegen setzen, oder ihm seine höhere Stufe des Guten willig einräumen, und uns doch auf der unsrigen, nach unsern besondern Umständen, für eben so würdig halten können. Damon urtheilet richtig, daß Kleon einen tiefsinnigen Verstand hat, und ehret diesen Verstand an ihm: aber der Mann, so denkt Damon, hat doch deinen lebhaften Witz nicht; hier übertrifft du ihn, und die Welt bewundert deinen Witz. Damon hat Recht, dieses zu sagen; und er ist stolz auf seinen Witz, indem er demüthig gegen Kleons Verstand gesinnet ist. Damon kennet auch die Seite seines Witzes genau. Er weis, daß Amynt eine lebhafte und feurige Einbildungskraft hat, die er hingegen nicht besitzt. Er läßt ihm Gerechtigkeit wiederfahren und ehrt sich nur wegen seines naiven und feinen Witzes. Noch mehr. Man kann seine Gaben, Vorzüge und Tugenden, die man richtig abgemessen hat, als Geschenke der Vorsehung betrachten, und doch stolz darauf seyn. Niemand ist leicht so unsinnig, daß er sich für den Urheber seiner Kräfte ansieht. Dorant gesteht es, daß die große Gabe seiner Beredsamkeit ein Geschenk der Vorsehung sey; aber, so denkt er bey sich, aber weil dir Gott dieses vortreffliche Geschenk verliehen und dem Andern nicht, bist du nicht eben darum besser? Hat Gott nicht voraus gesehen, daß du dieses herrliche Vermögen rühmlich anwenden würdest? Schenkte er dirs nicht deswegen? Er denkt es als ein göttliches Geschenke, und denkt zugleich allen den Fleiß, den er der Ausübung seiner

Beredsamkeit gewidmet, alle die Regeln, die er mühsam gefaßt, alle die Beyspiele der Alten und Neuen, deren Geist er in den seinigen durch Lesen und Nachsinnen übergetragen, alle die Versuche, die er in so vielen Nachtwachen mit so großer Aufopferung der Bequemlichkeit und der Freuden des Lebens gewagt, alle das Gute, das er durch seine Beredsamkeit bis itzt gestiftet, alle die Vortheile, die sie der Tugend und dem Geschmacke noch in ganzen Jahrhunderten bringen wird. Er betet also in seiner Beredsamkeit sein eignes Geschöpf an; und indem er bekennt, daß er seine große Fähigkeit dem Schöpfer schuldig ist, bekennt er sich selber, daß er sie vor Andern verdienet habe. Er ist nicht demüthig, er ist vielmehr vollkommen stolz.

Wir können endlich aus Uebereilung oder Fehlern des Verstandes unrichtig von unsern guten Eigenschaften und den Tugenden der Andern urtheilen, und doch darum nicht stolz seyn.

Diese Anmerkungen werden zureichen, uns die Natur der Demuth und ihre liebenswürdigen Eigenschaften zu erklären. Derjenige ist demüthig, der alle seine Gaben, sie mögen groß oder geringe seyn, als freywillige und unverdiente Geschenke aus der Hand Gottes betrachtet, als solche sie anwendet und verbessert, und sich seiner eignen Mängel und Fehler bewußt zu seyn bestrebet.

Aus diesem Gesichtspunkte betrachtet, bekömmt die Demuth einen Reiz in den Augen des Himmels und der Erde; und den ersten Platz unter den Tugenden. Sie ist eine stetsfortdauernde Dankbarkeit gegen den Allmächtigen. Sie ist mit dem Bewußtseyn unsrer Fehler und Mängel verknüpft, und wirkt Eifer und Mühe, sie zu verbessern, so wie Nachsicht, Geduld und Herablassung gegen die Fehler der Andern. Sie wendet ihre Gaben eben darum, weil sie solche als das Eigenthum des Schöpfers ansieht, desto rühmlicher an. Als göttliche

Geschenke schätzt sie sie hoch an sich und Andern; aber sie wehrt
dadurch aller Eigenliebe, daß sie sie für unverdiente Geschenke
erkennt; und nicht weniger allem Stolze über die gute Anwen=
dung dieser Geschenke dadurch, daß sie erkennt, wie mangelhaft
immer noch auch die beste Anwendung bleibet. Wer würde ich,
so denkt der demüthige Weise und Tugendhafte, auch wenn er
auf der höchsten Staffel steht, der demüthige Glückliche, auch
wenn er es durch die angestrengtesten Bemühungen geworden:
wer würde ich seyn, wenn ich die großen Fähigkeiten nicht em=
pfangen hätte? Und wie viel bleibt von der Verbesserung der=
selben mein, wenn ich von meinen Einsichten das abziehe, was
ich dem Unterrichte, dem Beyspiele, den vortheilhaften Umstän=
den der Zeit, und dem Hause, darinnen ich gebohren ward, den
Freunden, die sich zu mir gefunden, der dauerhaften Gesundheit,
und allen den äußerlichen Gelegenheiten, die nicht in meiner
Gewalt gestanden, zu danken habe? Und von wem kamen alle
diese Veranstaltungen und Hülfsmittel? Wer gab mir Kraft
zum Fleiße, Lust zu Unternehmungen; wer erhielt mir das Ver=
mögen, das Beste zu wollen und zu wählen? War ichs?

Was ist mein Stand, mein Glück und jede gute Gabe?
    Ein unverdientes Gut!
Bewahre mich, o Gott, von dem ich alles habe,
    Vor Stolz und Uebermuth.

Die Demuth kann nicht ohne Vertrauen auf die Vorsehung,
nicht ohne Gefühl der Liebe des Schöpfers Statt finden, darum
ist sie eine freudige Tugend und doch zugleich die ernsthaf=
teste. Die Schamröthe, die bey dem Anblicke unsrer mannich=
faltigen Fehler und der größern Vorzüge der Andern auf dem
Gesichte der Demuth aufsteigt, wird durch die Heiterkeit eines
guten Gewissens gemildert. Eben die Demuth, die uns unsern
geringen Werth fühlen läßt, bestimmt zugleich denjenigen, über

5 *

beu wir uns mit Recht erfreuen können. Sie verwehrt uns nicht,
auf unsre guten Gaben zu blicken, sondern sie verhütet nur eine
thörichte Eigenliebe. Je mehr sie uns erinnert, wer wir
sind und wie viel uns noch mangelt, desto mehr ermuntert sie
uns, an unsrer Verbeßrung zu arbeiten und noch würdiger zu
werden. Sie erhöht uns, indem sie uns erniedriget; und der
Stolz erniedriget uns, indem er uns fälschlich erhöht. Daburch,
daß uns die Demuth in Gott die allgemeine Quelle aller guten
Eigenschaften der Menschen zeigt, zeigt sie uns zugleich die Bosheit des Neides, der in nichts, als in Unzufriedenheit über die
göttliche Austheilung besteht. Dadurch, daß uns die Demuth
die schmeichelhafte Einbildung von unsern Vorzügen benimmt,
verwahrt sie uns vor einer Menge von Schmerzen, die aus dem
Mangel der Hochachtung und Bewunderung zu entstehen pflegen,
welche von dem Stolze aus einer hohen Meynung von unsern
Verdiensten gefordert, und ihm am ersten verweigert werden.
Der Stolz ist ein unverschämter Bettler um das Almosen der
Ehrenbezeugungen, der oft abgewiesen wird und über Ungerechtigkeit schreyt, und wenn er etwas erhält, nicht so viel erhalten
zu haben glaubt, als er verdient. Die Demuth ist eine bescheidne Schöne, sie erhält stets mehr Beyfall, als sie werth zu
seyn glaubt, und also stets mehr, als sie gehofft hat. Sie hat
selten Ursache unzufrieden zu seyn, weil sie nicht begehrlich ist.
  Der größte Theil unsrer Unzufriedenheit entspringt aus dem
stolzen Wahne, daß wir nicht so glücklich sind, als wir es zu
seyn verdienen. Wie vieler Unruhen und Martern überhebt uns
nicht die Demuth, indem sie diesen falschen Wahn zernichtet!
Eben so wie man sagt, daß die Sparsamkeit in Absicht auf unser Vermögen das größte Einkommen sey: so kann man auch sagen, daß es die Demuth für unsre Gemüthsruhe sey. Sie lehrt
uns mit Wenigem zufrieden seyn, weil wir auch das Wenige
nicht ganz verdienen; und sie erfreut sich des Ueberflusses um

befto mehr, je weniger fie ihn als eine fchulbige Belohnung ih=
res eignen Werths anfieht. Der Stolz erfchafft fich taufend felbft
erfonnene Bedürfniffe, die er nicht befriedigen kann. Er ift nie=
mals fo geehrt, fo begütert, fo gefund, fo beliebt, als er zu
feyn verdienet. Die Demuth verhindert die thörichten Wünfche,
die aus einer abgöttifchen Meynung von uns felbft ihre Nahrung
ziehen, und deswegen ift ein demüthiges Herz ruhiger und
glücklicher.

Eben diefe Tugend hat einen vortrefflichen Einfluß auf das
gefellfchaftliche Leben. Sie tritt in diefes mit Gefällig=
keit und Leutfeligkeit ein; fo wie der Stolz mit Selbftliebe und
Geringfchätzung Andrer auf dem Schauplatze erfcheint. Sie läßt
fich gegen Geringere ohne Zwang herab, fchätzt das kleine Ver=
dienft an Andern, und macht Andre auf gewiffe Weife fich felbft
gleich, indem fie ihres eignen Vorzugs vergißt, oder durch Be=
fcheidenheit feinen Glanz fo milbert, daß er Niemanden blendet.
Sie braucht ihren hohen Verftand, mit Dankbarkeit gegen Gott
als ein Gefchenk von ihm, ohne damit zu pralen, und der Ge=
ringere am Geifte fühlt in ihrem Umgange feine Schwäche nicht.
Sie leiht ihm den ihrigen, und er verwundert fich, daß er fo
richtig denkt. Sie überfieht die Fehler des Nächften, indem fie
die ihrigen vor Augen hat, und ehrt auch in dem niedrigften
Menfchen die kleinen Gaben, weil fie die Hand der Vorfehung
ausgetheilet hat. Sie findet an jedem noch einen Vorzug, den
fie nicht befitzt, weil fie aufrichtig urtheilet, und zieht ihn her=
vor, weil fie nicht durch Eigenliebe abgehalten wird. Sie will
in Gefellfchaft nicht mehr fcheinen, als fie ift. Unbekümmert
um ihren eignen Vorzug, handelt fie freymüthig, und denkt an
Andre, weil fie wenig an fich denkt. Der Stolze ift der be=
fchwerlichfte Gefellfchafter. Er wird alle Augenblicke beleibiget,
und theilet feinen Verdruß und Unmuth aus Rache der Gefell=
fchaft mit. Der Befcheidne giebt Andern keine Gelegenheit zum

Der Menschenfreund gönnt dem Andern sein Eigenthum; wie könnte er ihm also davon etwas vorenthalten oder veruntreuen? Wie könnte er den bewilligten Lohn, oder das anvertraute Gut, oder das gefundene Eigenthum des Andern, oder den Beytrag, der dem gemeinen Wesen gehöret, treulos zurück halten? Wie könnte er sich in dem gemeinen Leben, in den Geschäfften und Verträgen mit Andern der List, auch der feinsten, bedienen? Er, der schon den Gedanken davon verabscheut; er, der stets mit andern verfährt, wie er wünscht, daß sie in seinen Umständen mit ihm verfahren möchten.

Er sorgt für die Ehre und den guten Namen des Andern. Er selber bezeugt ihm die gebührende Achtung durch die äuserlichen Merkmale. Er bemerkt die Verdienste und sucht sie auf, er macht sie bekannt, und schätzt sie, wo er sie findet, und giebt dem Nächsten Gelegenheit, seine Talente, Geschicklichkeiten, Tugenden zu erhöhen und dadurch seinen guten Namen noch mehr zu befestigen. Er widersteht den Verleumdungen, und verbirgt diejenigen Fehler der Andern, die zu offenbaren er keine Pflicht vor sich sieht. Wo er in seinen Urtheilen von Andern geirret oder aus Uebereilung ihren guten Namen in Gesellschaft gekränket hat: da ersetzt er diesen Schaden eben so wohl, als den Schaden des Eigenthums. Wie er allen ungegründeten Argwohn vermeidet: so nöthiget ihn auch seine Menschenliebe, das Beste von jedermann so lange zu hoffen und zu glauben, als ihm nicht das Gegentheil in die Augen leuchtet. Wie er in dem gesellschaftlichen Umgange nie der äußerlichen Hochachtung und Bescheidenheit gegen den Andern vergißt: so beobachtet er sie auch in der Abwesenheit desselben, wenn er von ihm spricht, und vertritt die Stelle des unschuldig verleumdeten Abwesenden durch eine bescheidne und herzhafte Widerlegung.

Weil er die Menschen insgesammt als Glieder der großen Familie Gottes ansieht, so bestrebt er sich, überall aufrichtig,

Die Demuth ist der sicherste Weg zur Hochachtung der Klugen, zur Liebe der Rechtschaffnen und, wie schon erinnert worden, selbst zum Beyfalle der Stolzen. Ist unser Vorzug geringe, so zernichtet ihn der Stolze; die Bescheidenheit dagegen giebt ihm einen Werth in den Augen der Welt. Ist unser Vorzug groß, so schändet ihn der Stolz, aber die Demuth vermehrt die Hochachtung gegen denselben und verwandelt sie in Bewundrung.

Meine Herren, welcher Schatz des Geistes muß nicht die Demuth seyn, wenn diese Betrachtungen ihre Richtigkeit haben! Alles vereinet sich zur Empfehlung und Liebe dieser Tugend. Sie ist dem Himmel und der Erde angenehm. Sie wird von Vernunft und Religion gebilliget und befohlen. Sie beruhiget das Herz und verschönet seine Tugenden. Sie erweckt uns, immer besser zu werden, indem sie uns keinen erdichteten Werth verstattet. Sie hat die glücklichsten Einflüsse auf das Vergnügen und Beste der Welt. Sie macht unsre Verdienste schätzbarer und unsre Fehler verzeihlicher, unsre guten Eigenschaften nützlicher und brauchbarer für Andre, und Andrer gute Eigenschaften liebenswerther und nützlicher für uns. Sie belohnet uns, über ihren eigenthümlichen Werth für das Herz, noch mit Beyfalle und Liebe, mit Hochachtung und Bewundrung.

Alles hingegen ist wider den Stolz. Der Himmel und die Erde, die Vernunft und die Religion. Alles erklärt ihn für Lügen und Diebstahl, für Unsinn und Plage. Er verderbt unser Herz, und blendet unsern Verstand. Er schadet unsrer Ruhe und der Ruhe der Welt. Er vereitelt die Geschicklichkeit, die wir haben, und hindert uns, die zu erlangen, die wir haben sollten. Er ist nach der Vernunft ein Abfall von der Wahrheit, und nach der Religion ein Abfall von Gott. Wenn nichts das Verderbniß der Menschen bewiese, so würde es der Stolz allein beweisen. Wie ist er in ein Geschöpf eingedrungen, das sich nicht

selbst gemacht hat, und nicht selbst erhält? das sich eben so wenig rühmen kann, aus eigner Kraft eine Hand zu bewegen, als
den Lauf des Himmels zu regieren? Sollte diese Leidenschaft
nicht ein Unkraut seyn, das von einem Feinde der menschlichen
Natur auf unser Herz gesäet worden? Der Stolz ist die schändlichste Leidenschaft, und die Demuth die nützlichste Tugend; und
gleichwohl, warum sind wir so ungern demüthig und so gern
hochmüthig? Rochefaucault hat einen Ausspruch, der widerspre-
chend scheint, und doch wahr ist: „Viele, sagt er, wollen fromm
„seyn und Niemand will bemüthig seyn.“ — Sich schämen, von
Gott in allen Kräften und in ihrer Erhaltung abzuhängen, und
doch nicht leugnen können, daß man durch Gott ist, läßt sich
gar nicht erklären. Eben der Stolz der Natur, der so viele
Menschen aufbläht, ist unstreitig eine von den mächtigsten Ursachen, warum viele die christliche Religion verachten oder hassen.
Sie nimmt uns unser eignes Verdienst, unsre Würdigkeit und
Gerechtigkeit, die wir uns durch eigne Kräfte erschaffen wollen,
und lehret uns, daß wir des Ruhms mangeln, den wir so gern
haben wollen, daß wir Sünder sind, die sich aus eigner Kraft
nicht bessern und heiligen können, daß wir einer göttlichen Gerechtigkeit bedürfen, daß wir aus Gnaden selig werden. Aber
der Mensch möchte sich gern selbst selig durch seine Werke machen, und lieber stolz durch die beschwerlichsten äußerlichen Pflichten sich von Gott den Himmel verdienen, als in Demuth die
Gerechtigkeit des Glaubens und die Seligkeit, als ein freyes und
unverdientes Geschenke der Gnade Gottes, annehmen. Man
frage nur sein Herz, wie sehr sich der Stolz oft durch die christliche Religion beleidiget findet. — Der Stolze würde oft lieber
das Leben verlieren, als zugeben, daß die Welt seine Irrthümer
und begangnen Thorheiten, seine Fehler, seine uneblen und kin-
bischen Neigungen, seine kriechenden Absichten und seine heimlichen Laster erführe; und gleichwohl vergöttert sich dieser Mensch

selbst? Er würde trostlos seyn, wenn die Welt nur einen Theil seiner Mängel und das leere Schattenspiel seines Hochmuthes sähe; und gleichwohl fordert er von der Welt den Tribut der Ehre und Bewundrung? Er würde, wenn er die Vernunft auch nur wenig brauchte, erkennen, daß der gemeine Stolz auf Geburt, Reichthum, Schönheit, Stärke und geerbte Macht, die unförmlichste Mißgeburt der Ehrbegierde sey; und gleichwohl ernährt er sie in seinem Herzen? Doch der Stolz ist nicht etwa nur ein Antheil unverständiger Seelen und kleiner Geister. Er schleicht sich in die besten und edelsten Gemüther ein. Er entspringt oft auf dem Grunde und Boden der eifrigsten Tugend, und wir fangen an, auf den frömmsten Gedanken, auf den heiligsten Sieg über eine böse Leidenschaft, auf den besten Dienst, den wir der Welt geleistet, ingeheim stolz zu werden, und diese Geschöpfe der Tugend in Götter unsers Herzens zu verwandeln, und uns in ihnen anzubeten. Ein gewisser sehr frommer Mann sagte: „Ich fürchte mich mehr vor meinen Tugenden, als vor „meinen Fehlern und Vergehungen. Jene verleiten mich leicht „zum Stolze, diese lehren mich Demuth.“ Lassen Sie uns insonderheit auf diesen Tugendstolz Acht haben. Wer zu Grunde gehen will, dieses gilt auch von der Tugend, der wird zuvor stolz.*) Wenn wir alles gethan haben, seliges Gebot der Schrift! so laßt uns bedenken, wir sind unwürdige Knechte, wir haben gethan, was wir schuldig waren.**) Wenn wir uns durch den Stolz dafür belohnen, warum sollte uns Gott belohnen? Wer hat dich vorgezogen? So du es aber empfangen hast, was rühmest du dich, als hättest du es nicht empfangen?***) Wenn hat ein Weltweiser so gründlich den Stolz widerlegt, als ein bemüthiger Apostel? Aber darum verlieren unsre guten Thaten ihren Werth nicht, auch

*) Sprüche Sal. 16, 18. **) Luc. 17, 10. ***) 1 Korinth. 4, 7.

nach der Religion nicht, wenn sie uns gleich vor Gott kein Verdienst
ertheilen — — „Daß darum, sagt der vortreffliche Luther, gute
„Werke nichts seyn sollten, wer hat es je gelehret, oder gehö-
„ret? Ich wollte meiner Predigten eine, meiner Lectionen eine,
„meiner Schriften eine, meiner Vater unser eins, ja wie klein
„Werk ich immer gethan habe, oder noch thue, nicht für der
„ganzen Welt Güter geben, ja ich achte es theurer, denn mei-
„nes Leibes Leben, das doch einem jeden lieber seyn soll, als die
„ganze Welt. Denn ists ein gut Werk, so hats Gott durch
„mich und in mir gethan. — Ob ich nun wohl durch solch
„Werk nicht fromm werde (welches allein durch Christi Erlö-
„sung und Gnade ohne Werk geschehen muß), dennoch ists Gott
„zu Lob und Ehren geschehen, und dem Nächsten zu Nutz und
„Heil, welches keines man mit der Welt Gut bezahlen oder ver-
„gleichen kann.‟

Was ist also des Menschen wahre Hoheit? Die Demuth.

Was ist des Menschen Ruhm, des Klugen wahre Größe?
Die Kenntniß seiner selbst, die Kenntniß seiner Blöße;
Ein redendes Gefühl, das laut im Herzen spricht:
So viel ich hab und bin, hab ichs von mir doch nicht;
So wenig ich empfieng, will ichs mit Dank besitzen,
Mich seiner täglich freun, und unverdient es nützen.
Und ist dein Ohr, o Freund, vor dieser Stimme taub:
So schleiche tiefgebückt, und krümme dich im Staub,
Und predige das Nichts der äußerlichen Ehren;
Du wirst den gröbsten Stolz doch noch im Staub ernähren.

Ein und zwanzigste Vorlesung.

Von der Menschenliebe, dem Vertrauen auf Gott, und der Ergebung in seine Schickungen.

Wir beschließen heute, meine Herren, unsre Betrachtungen über die Güter der Seele, die zu unsrer Zufriedenheit nothwendig sind, und reden zuerst noch von der Menschenliebe, und dann von dem Vertrauen auf Gott und der Ergebung in seine Schickungen, als von solchen Eigenschaften des Herzens, ohne die kein wahres Glück Statt finden kann.

Menschenliebe.

Die Menschenliebe ist eigentlich nichts als das aufrichtige und kräftige Verlangen, die Wohlfahrt aller vernünftigen Geschöpfe der Erde nach unsern Kräften zu befördern, weil sie mit uns einerley göttlichen Ursprung haben, und mit uns ein Gegenstand der allgemeinen Liebe des Schöpfers sind.

Obgleich dieser Trieb in der menschlichen Natur sehr erloschen ist, so ist er doch noch vorhanden. Wir fühlen in uns ein Vermögen, Andern ohne Eigennutz zu dienen. Wir billigen und ehren gütige und edelmüthige Gesinnungen und Handlungen an

Andern, wenn sie gleich nicht unsern eignen Vortheil betreffen. Wir fühlen uns beruhiget und mit einem stillen Beyfalle des Herzens belohnet, wenn wir Andrer Glück, auch mit Aufopferung unserer Bequemlichkeit, beförbert, sie ihrer Gefahr mit unsrer eignen entrissen, und ihr Elend durch unsre Sorgen, Bemühungen und selbst durch einen Theil unsers Glücks abgewendet oder gemildert haben. Je weniger Eigennutz wir an ben allgemeinen Wohlthätern der Welt erblicken, je mehr Kräfte des Geistes, des Körpers und des Glücks ihnen ihre willigen Dienstleistungen kosten; je mehr wir wahrnehmen, daß sie keine andre Absicht, als das Beste der Andern, gehabt, und je größer die Anzahl derer ist, um die sie sich verdient gemacht haben; besto mehr schätzen wir diese Wohlthäter. Und eben so sehr verachten wir eine Seele, der die Neigung der Menschliebe zu fehlen scheint, und die, nur für sich besorgt, weder durch das Glück noch durch das Elend der Andern gerühret wird, wenn wir auch nicht zu ihrer Nation oder in ihr Zeitalter gehören. Alles dieses beweist, daß der Trieb der Menschenliebe ein wesentlicher und von der Hand des Schöpfers selbst eingepflanzter Trieb unsers Herzens sey.

Wir können diese moralische Empfindung durch die Kraft der Vernunft verstärken und durch die Ausübung erhöhen. Wir können uns überführen, wie heilsam diese Tugend der Ruhe der Welt und wie angenehm sie dem Schöpfer seyn müsse: und das ist unsre Pflicht. Wir können diese moralische Neigung auf die allgemeinen und besondern Bedürfnisse der Menschen, mit denen wir itzt oder künftig leben, und nach den verschiednen Verhältnissen, in benen sie mit uns durch die Geburt und Gesellschaft stehen, und nach den übrigen besondern Umständen, in benen wir uns auf dem Schauplatze des Lebens mit ihnen befinden, vorsichtig und vernünftig anwenden; und das ist die Weisheit und Klugheit, zu der uns die Menschenliebe durch ihre Absicht verbindet.

Der Mensch, der mit uns glücklich werden soll, ist, seiner Hauptanlage nach, eben das Geschöpfe, das wir sind. Er hat Güter der Seele, Güter des Körpers und des Lebens, der Ehre, des Eigenthums. Unsre Liebe für sein Glück muß sich auf diese Güter verhältnißmäßig beziehen; sie muß ein aufrichtiges Bestreben seyn, ihn nach dem Maaße, nach welchem er ihrer fähig oder bedürftig ist, in den Besitz derselben zu setzen, oder ihn darinnen zu erhalten und ihr Wachsthum zu vermehren.

Diese Neigung für sein Glück kann sich auf tausendfache Art äußern, sich dem Andern bald durch Weisheit, Rath und Ermunterungen, bald durch hülfreiche Handleistungen, bald durch den Beystand unsers Vermögens, bald durch Fürspruch, bald durch stille Beyspiele, bald auch, in den Fällen des allgemeinen Besten, durch Aufopferung unsrer Gesundheit und unsers Lebens, mittheilen.

Die wahre Menschenliebe muß also eine aufrichtige Neigung gegen das Glück der Andern seyn, nicht bloß von dem Eigennutze und der Selbstliebe oder Ehrbegierde, sondern, wie bey jeder Tugend von neuem erinnert werden muß, von der Ehrfurcht und Liebe gegen den allgemeinen Vater der Menschen erzeugt werden. Sie muß eine lebendige Neigung seyn, die uns zu Bemühungen und Thaten für das Beste der Menschen immerzu ermuntert, und die bey ihren Hindernissen durch die Belohnungen des göttlichen Wohlgefallens in dieser und in einer künftigen Welt unterstützet wird. Sie muß keine bloße Aufwallung des Affects seyn, sondern durch Weisheit und Klugheit, in Rücksicht auf unsre Kräfte und die Bedürfnisse der Andern, die bald größer bald geringer sind, regieret werden.

Diese allgemeinen Betrachtungen werden zureichen, den Charakter oder die verschiednen Pflichten der Menschenliebe zu entwerfen.

In bem Menschenfreunde lebt ein gütiges Verlangen, das in seiner Art gegen Andre zu seyn, was Gott gegen Alle ist, seine Stelle, so oft er kann, durch die ihm anvertrauten Kräfte und Gaben auf Erden zu vertreten, und Andrer Glück so aufrichtig, als sein eignes zu suchen. Erfüllt von Ehrfurcht und Dankbarkeit gegen Gott, wünschet er Alle glücklich, in so fern sie es nach der göttlichen Anordnung werden können. Er bestrebt sich nicht nur, Andern das zu leisten, was das Gesetz buchstäblich befiehlt, und also gerecht zu seyn, sondern auch dann gern zu dienen, wenn der Andre kein deutlich bestimmtes Recht auf unsre Dienstleistungen hätte; und also nicht bloß gerecht, sondern auch billig zu seyn. Damit seine allgemeine Güte und Gefälligkeit nicht übertrieben werde, und selbst in einen Fehler des Herzens ausarte: so schränkt er sie durch die angewiesenen besondern Pflichten gegen gewisse Personen und gegen sich selbst, und durch die höhere Liebe gegen Gott ein, und ist, indem er gütig ist, mit Weisheit und Klugheit gütig. Er sieht, daß er nicht allen auf gleiche Art wohlthun kann, sondern daß seine Pflicht durch das verschiedne Maaß der besondern Bedürfnisse, Umstände und Verdienste der Andern bestimmt wird. Er wünscht und sucht nicht nur das Beste der Andern überhaupt, sondern ist auch bereit, es mit seiner eignen Beschwerde zu befördern; und so ist der Menschenfreund ein dienstfertiger Mann, der sich gewöhnt, nicht zufallsweise, sondern aus der erforderlichen Absicht zu nützen, und so sehr und so vielen zu nützen, als es die Umstände, seine Kräfte uud die übrigen Pflichten erlauben. Er wartet nicht, bis er ausdrücklich aufgefordert wird, Gutes zu thun; nein, er ergreift von selbst jede Gelegenheit, die sich ihm darbietet, ja er sucht sie selbst auf. — Wie er das Glück des Menschen aufrichtig begehrt, so rührt ihn auch das Elend desselben und erfüllt ihn mit der hülfreichen Empfindung des Mitleidens, das ihn bereitwillig macht, zu retten, wenn er

kann, und das Elend der Andern durch Liebe und Tröstungen
zu versüßen; auch selbst wenn es verschuldetes Elend ist, so wie
Gott noch der Lasterhaften sich erbarmet.

Da Weisheit und Tugend das größte Glück der Menschen ist: so sorget auch der Menschenfreund vornehmlich für die
Ausbreitung und Erhaltung derselben. Er begleitet seinen
Unterricht mit Klugheit und Bescheidenheit, läßt sich in seinen Erinnerungen gütig und weise herab, mildert seine Warnungen
und Befehle durch Bitten, und bestrebt sich, überall, in seinem
ganzen Verhalten und in seinem besondern Umgange, durch sein
Beyspiel, ohne Stolz und stillschweigend, zu lehren, und sein
Leben zu einer sichtbaren Auslegung der Weisheit und Tugend
zu machen. Wie er es für ein Verbrechen hält, jemanden, wer
es auch sey, um sein Vermögen zu bringen: so hält er es für
einen weit größern Diebstahl, dem Verstande des Andern Wahrheit, oder seinem Herzen Tugend und Unschuld durch sein Verhalten zu rauben.

Er nimmt Theil an dem Leben und an der Gesundheit
des Andern. Er verhütet nicht nur alles in seinem Betragen,
was die Gesundheit der Andern schwächen und ihr Leben verkürzen kann. Er hilft ihnen auch durch Rath und Dienste zu den
Mitteln der Erhaltung; thut Vorschub von seinem eignen Ueberflusse, wehrt der Sorglosigkeit, dem Müßiggange, den Leidenschaften und Lastern des Menschen, als den gefährlichsten
Feinden der Gesundheit und des Lebens, nimmt sich des Andern
in Lebensgefahr durch Hülfe an, stärkt und erquickt die Kranken
und wird des Blinden Auge und des Lahmen Fuß, oder sorgt,
daß sie weniger hülflos seyn, weniger ihr Elend fühlen und
stets auf die göttliche Vorsehung, als auf das mächtigste Schild der Gelassenheit, blicken, und nicht durch Murren und Unmuth ihrem Uebel selber ein größres Gewicht zu-
legen.

Der Menschenfreund gönnt dem Andern sein Eigenthum;
wie könnte er ihm also davon etwas vorenthalten oder veruntreuen? Wie könnte er den bewilligten Lohn, oder das anvertraute Gut, oder das gefundene Eigenthum des Andern, oder
den Beytrag, der dem gemeinen Wesen gehöret, treulos zurück
halten? Wie könnte er sich in dem gemeinen Leben, in den Geschäfften und Verträgen mit Andern der List, auch der feinsten,
bedienen? Er, der schon den Gedanken davon verabscheut; er,
der stets mit andern verfährt, wie er wünscht, daß sie in seinen
Umständen mit ihm verfahren möchten.

Er sorgt für die Ehre und den guten Namen des Andern.
Er selber bezeugt ihm die gebührende Achtung durch die äußerlichen Merkmale. Er bemerkt die Verdienste und sucht sie auf,
er macht sie bekannt, und schätzt sie, wo er sie findet, und giebt
dem Nächsten Gelegenheit, seine Talente, Geschicklichkeiten, Tugenden zu erhöhen und dadurch seinen guten Namen noch mehr
zu befestigen. Er widersteht den Verleumdungen, und verbirgt
diejenigen Fehler der Andern, die zu offenbaren er keine Pflicht
vor sich sieht. Wo er in seinen Urtheilen von Andern geirret
oder aus Uebereilung ihren guten Namen in Gesellschaft gekränket hat: da ersetzt er diesen Schaden eben so wohl, als den Schaden des Eigenthums. Wie er allen ungegründeten Argwohn
vermeidet: so nöthiget ihn auch seine Menschenliebe, das Beste
von jedermann so lange zu hoffen und zu glauben, als ihm nicht
das Gegentheil in die Augen leuchtet. Wie er in dem gesellschaftlichen Umgange nie der äußerlichen Hochachtung und Bescheidenheit gegen den Andern vergißt: so beobachtet er sie auch
in der Abwesenheit desselben, wenn er von ihm spricht, und vertritt die Stelle des unschuldig verleumdeten Abwesenden durch
eine bescheidne und herzhafte Widerlegung.

Weil er die Menschen insgesammt als Glieder der großen
Familie Gottes ansieht, so bestrebt er sich, überall aufrichtig,

wahrhaftig, verschwiegen, bescheiden, freundlich, züchtig, leutse=
lig, und friedfertig mit ihnen zu verfahren, und auch gegen seine
Feinde noch liebreich zu handeln.

Daß diese menschenfreundlichen Neigungen eine süße Nahrung
edler Herzen und ein hohes göttliches Gut sind, dieß läßt sich em=
pfinden. Daß ihre Ausübungen durch Thaten ein großer Theil
unsers Amtes auf Erden sind, dieß läßt sich offenbar daraus be=
weisen, daß sie unser und Andrer Glück befördern, unsre Ruhe
und unsre Zufriedenheit mit uns selbst vermehren, und den Au=
gen des allwissenden Zeugen darum angenehm seyn müssen, weil sie
schon in den Augen des Verständigen so viel Reiz und Würde haben.

Meine Herren, ich muß hier wiederum eine Anmerkung zur
Ehre der Religion machen. Zu eben dem Menschenfreunde, den
die Vernunft durch ihren Beyfall ehrt und schätzet, den das Herz
suchet und zu finden wünschet, den die Wohlfahrt der Menschen
fordert, und den man in der Moral der Alten so sehr vermißt,
zu dem erhebt den Menschen die Weisheit und göttliche Kraft
der Religion, die in ihm den Glauben und die Liebe zu Gott,
und durch beide die Menschenliebe bildet. Der vollkommene
Christ würde zugleich der liebreichste, dienstfertigste, bescheidenste,
leutseligste, mitleidigste, friedlichste, und durch alle diese Eigen=
schaften des Herzens der angenehmste Gefährte des Lebens seyn.
Er würde das seyn, was die feinere Welt nur zu scheinen sich
bemüht. Er würde den Menschen, den Engeln und Gott ge=
fallen; und seine besondern Gaben der Natur, oder der Weis=
heit, Kunst und Geschicklichkeit, würden durch diesen Charakter
unendlich erhöhet und verschönert werden. Ist dieses gewiß; und
es ist von der unstreitigsten Gewißheit: o wie schätzbar sollte uns
die Religion seyn, die nicht nur in ihren Geboten überall Liebe
und Güte prediget, sondern unser Herz selbst mit dem Geiste der
Liebe beseelet; die uns das vollkommenste Beyspiel der Liebe an
einem liebreichen göttlichen Erlöser aufstellt; und die uns zur

Liebe gegen die Menschen durch Bewegungsgründe antreibt, die über alle Bewegungsgründe der Vernunft hinausreichen! Denn versichert sie uns nicht, daß Gott, der Allmächtige, auch die geringsten Werke der wahren Liebe, die wir den Elenden und insonderheit den tugendhaften Elenden erweisen, als Wohlthaten, die wir ihm erweisen, annehmen will? Gegen Gott gutthätig seyn können, welche Ehre des Menschen! Und welche Ermunterung zur Liebe!

Vertrauen auf Gott, und Ergebung in seine Wege.

Die Mäßigung und Beherrschung unserer Begierden, die Gelassenheit und Geduld in Unfällen, die Demuth des Herzens bey unserer Rechtschaffenheit, und die Menschenliebe, befördern die Zufriedenheit sehr, nach der wir ein so unauslöschliches Verlangen fühlen. Allein diese Zufriedenheit bleibt wankend und unvollkommen. Was ist der beste Mensch, der auf der Bahn dieses Lebens noch so vorsichtig wandelt? Ein schwacher und ohnmächtiger Mensch, der dabey mit vielen Hindernissen seiner Ruhe zu streiten hat. Seine besten Absichten mißlingen oft und gewinnen einen traurigen Ausgang. Sein Verstand führt ihn fehl, und verläßt ihn zu eben der Zeit, wo er seines Lichtes am meisten bedarf. Die besten Hoffnungen verschwinden, und neue Hindernisse setzen sich seinen gerechten Wünschen entgegen. Er besiegt den heutigen Unfall; und der morgende Tag bedroht ihn mit einem neuen Ungewitter. Seine Gelassenheit ermüdet oft unter der Länge der Zeit; seine Geduld unter der Heftigkeit der Schmerzen. Er streitet itzt glücklich mit dem Mangel. Seine Umstände verbessern sich, und er wird ruhiger. Aber bald erschrickt er wieder, daß er mit einem größern Feinde, den er nicht gefürchtet, und nicht verdienet hat, mit der Schande kämpfen soll. Selbst seine Tugenden setzen ihn oft manchen Widerwärtigkeiten aus. Er ist hülfreich, und wird mit Undanke bestraft. Er ist aufrichtig, und seine Wahrheitsliebe stürzt ihn. Er verachtet die niedrigen Wege zum Glücke, und bleibt deswegen in der Dunkelheit; man hält ihn des Glücks für unwürdig, weil er es nicht erkriechen will. Er ist vertragsam, und der Thor beleidiget ihn, eben weil er keine Rache von ihm befürchten darf. Er eifert über die Unordnungen seines Hauses oder des gemeinen Wesens, und das geahndete Laster rächet sich an ihm mit zehnfachem Verdrusse, den es ihm erweckt.

Seine eignen Fehler beunruhigen ihn. Er sieht, daß er auf der Tugend bald mit langsamen, bald mit strauchelnden Tritten einhergeht. Er bereut, wird vorsichtiger, fällt wieder. Er faßt rühmliche Entschließungen am Morgen, und sieht am Abende kaum einen Theil derselben ausgeführet. Er ist weise auf seiner Kammer, wo ihn nichts störte; und in dem Geräusche der Welt wird er oft von seiner Weisheit verlassen. Er glaubte, diese Begierde besiegt zu haben, und sie schlief nur; itzt wacht sie wieder auf. Er glaubte diese Einbildung gänzlich gestört zu haben; und itzt hintergeht sie ihn unter einer andern Gestalt. Er herrscht über seine Sinnen; aber wie oft entziehen sie sich seiner Herrschaft, und erregen ein Feuer der Leidenschaft schneller, als es die Vernunft dämpfen kann! Eben den edlen Gedanken, die lebendige Ueberzeugung, die rühmliche Empfindung, die er vor der Mahlzeit gehabt, vermißt er oft schon nach derselben. Ein Wort, ein Blick, ein Nichts; wie oft ändert es seine Gesinnungen und schwächt in ihm die Ueberzeugung von der Pflicht, und von der Vortrefflichkeit der Tugend! Er ist sich freylich seiner guten Absichten bewußt, aber auch des versäumten Guten. Er schützt sich durch Demuth vor den Anfällen des Stolzes, und sieht doch oft, daß er der Anbeter seiner eignen Demuth geworden. Er mäßiget seinen Eigennutz; und dennoch fließt derselbe oft in seine rühmlichsten Handlungen ein, und verunstaltet sie. Er mäßiget seine Liebe zum Leben, und doch fesseln ihn die angenehmen Bande der ehelichen,

6 *

väterlichen, freundschaftlichen Liebe oft zu sehr an das Leben,
und die Furcht des Todes beunruhiget ihn.

Gleicht so gar der beste Mensch diesem Gemälde, so hat er
bey allen den genannten Gütern des Herzens noch ein Gut nöthig, worauf er seine Ruhe und Sicherheit fester gründen kann,
ich meyne das **lebendige Vertrauen auf die göttliche
Vorsehung und Regierung, und die Ergebung in alle
ihre Schickungen.** Ohne diese Tugend sind Gelassenheit, Geduld, und Muth in den Unfällen des Lebens erzwungne Früchte
der Klugheit. Sie fallen bald ab, oder gelangen nur halb zur
Reife. Sie müssen ihren Nahrungssaft aus der Quelle des Vertrauens auf die Vorsehung und aus der rühmlichen Entschließung,
unser Schicksal ihrer Regierung ohne Ausnahme zu überlassen,
ziehen. Der Glaube an den großen Gedanken: Gott
regieret und ordnet die allgemeinen und besondern Schicksale der
Menschen, seine Rathschlüsse sind Rathschlüsse einer unendlichen
Weisheit, und Güte und Heiligkeit, sind nichts als das Glück
der Menschen, auch wenn sie nicht mit unsern Wünschen übereinstimmen; dieser großer Gedanke, oft in Ueberzeugung und
Empfindung verwandelt, ist göttliche Beruhigung des Herzens
in Unfällen und Leiden, so wohl als im Glücke. Sey glücklich,
o Mensch, und vergiß diesen Gedanken: so wird dich dein Glück
übermüthig, und die Furcht, es verlieren zu können, trostlos
machen! Steht dein Glück nur unter deiner Aufsicht, Macht
und Weisheit: so zittre vor den Unfällen, denen du nicht entgehen, und vor den Kränkungen und Gewaltthätigkeiten der Menschen, die du nicht verhüten kannst!

Was kann mich also meines Wohlseyns, dessen ich mich erfreue, Trotz aller Zufälle, denen ich als Mensch ausgesetzt bin,
versichern? Der Glaube: Es steht unter der allmächtigen Hand
des Herrn. Er wird es schützen, so lange es seiner Weisheit
gefällt, und ich es nicht selbst zu Grunde richte. Er ist Gott! —

Aber diesem Glücke droht wirklich Gefahr. Was soll meinen Muth stärken? Der Gedanke: Gott regiert die Welt. Er lenket alles mit Weisheit und Güte. Soll ich ein Theil meines Glückes verlieren: so geschehe sein Wille! Er ist Gott, ich bin sein Geschöpf. — Mein Glück wechselt endlich mit Elend ab. Ich leide; die Schmerzen häufen sich mit den Unfällen; meine Gelassenheit wird erschüttert, und was soll sie befestigen? Die Ueberzeugung, der Glaube: Gott ist der Allwissende, der kennt mein Elend, und verhängt es aus Weisheit. Er ist der Allmächtige! Was zage ich? Er ist die Liebe! Ueberlaß dich ihm. Er zählte dein Glück und Unglück, ehe du noch warest. — — Aber die Länge der Zeit schwächt meine Geduld. Woburch stärke ich ihr Leben? Durch Vertrauen auf den Vater aller Geister. Er kann den Tugendhaften nicht verlassen. Er ist Gott, und du bist sein geliebtes Geschöpf. — Doch meine Tugend; wie unvollkommen und mangelhaft ist sie! Kann ich mich bey derselben des Wohlgefallens Gottes getrösten? Ja, Gott ist die Güte, wie er die Heiligkeit ist. Er verzeiht dir als ein Vater; dieses hoffe. Er sieht auf dein Herz, auf die Redlichkeit und Einfalt deiner Absichten, auf den Widerstand, den du aus Gehorsam gegen ihn zu überwinden trachtest. Beruhige dich und sey demüthig. Gott liebt die Tugend, und unterstützet sie. Aber du stehst in Gefahr, sie zu verlieren; so oft in Gefahr! Sey wachsam und traue auf die Hülfe des Unendlichen, und rufe sie an. Er ist allenthalben, und ist auch mit deiner Seele. Wer Gott zur Hülfe hat, darf vor keiner Versuchung verzagen.

Das Vertrauen auf Gott befreyt uns von tausend ängstlichen Sorgen. Sey rechtschaffen und fromm, so benkt das gute Herz, und das Uebrige stelle der Vorsehung anheim! Es entzieht unsern Kümmernissen die schreckende Gestalt, und giebt ihnen eine tröstliche. Die Uebel, die du nicht wissentlich verschuldet hast, entspringen aus einer göttlichen Anordnung. Harre, und du wirst sehen, daß sie zu deinem größern Glücke dienen. Sie sind heilsame, obgleich bittre, Arzeneyen, welche die Gesundheit deiner Seele befördern helfen. Thue das Deine, als ein vorsichtiger Mensch, und die Zeit und die Art der Hülfe überlaß Gott.

> Schau über dich, wer trägt der Himmel Heere?
> Merk auf, wer spricht: Bis hieher! zu dem Meere?
> Ist er nicht auch dein Helfer und Berather,   -
>   Ewig dein Vater?

Es sey Krankheit, es sey Verlust der Güter dieses Lebens und der Personen, die wir lieben, des guten Namens, den wir schätzen; der Gedanke an die göttliche Vorsehung vermindert ihr Schmerzhaftes. Wir werden da ruhig, wo der Atheist verzweiflungsvoll wird. Wir werden durch die Hülfe der Religion oft mitten unter den Unfällen freudig, und rühmen uns der Leiden, die wir standhaft als Schickungen des Allmächtigen erdulden, und danken ihm dafür. Unsre Zaghaftigkeit wird Muth, eine kindliche Furcht Gottes befreyt unser Herz von aller knechtischen Menschenfurcht, und in die Stelle der Sinnlichkeit tritt die Verleugnung unsrer angenehmsten Empfindungen, aus Ergebung in den weisen Plan der Vorsehung. Wer bey seinen Schicksalen auf Gott zurück sieht, der sieht zugleich in die künftige Welt, und ersetzt den Mangel gegenwärtiger Freuden durch diejenigen, die er vor sich jenseits des Grabes entdeckt. Das längste Uebel hört doch mit dem Tode auf; und wer kann die Schrecken des Todes gewisser besiegen, als derjenige, der in Gott die Quelle des Lichts erblickt? Wir sind Staub, durch eine allmächtige Hand beseelet. Der mir das Leben gab, wird es erhalten. Ich bin Nichts, er ist Alles. Fordert er mein Leben zurück, langsam oder schnell; warum sollte ich zagen? Er ruft mich durch den Weg des Grabes zur Unsterblichkeit. Da werde ich die wun-

derbare Harmonie seiner Schickungen, die ich hier nur dunkel
sah, im Lichte erkennen. Sey fromm, und das Ziel deines Le=
bens überlaß Gott. Genieße die Freuden, die er dir giebt, danke
ihm selbst für die Trübsale, die er dir auflegt, und stehe uner=
schüttert.

Aber ich sehe Leiden, deren Urheber ich vielleicht selbst bin.
Diese zu tragen, welche schwere Pflicht! Ja! Aber du bereust
deine Thorheiten und Verschuldungen; und ihre Folgen, wenn
sie Gott nicht aufheben will, sind, so schmerzhaft sie auch seyn
mögen, durch seine Veranstaltung noch Mittel zu deinem Glücke.
Siehe diese Folgen aus diesem Gesichtspunkte an, wo das Böse
durch Gottes weise Regierung zum Guten für dich werden kann,
und erwäge, daß Gott gerecht seyn muß, sonst wäre er nicht
Gott. Diese Absicht Gottes wird dich beruhigen, indem sie dich
weiser, demüthiger und vorsichtiger macht.

Die Mittel, zu dieser vertrauensvollen Ergebung zu gelan=
gen, lassen sich leicht entdecken. Wir erwecken und erhalten die=
selbe durch sorgfältige und öftere Betrachtungen der Vollkom=
menheiten des Unendlichen. So wenig wir von seinem Wesen
erkennen: so erkennen wir doch aus allen seinen Werken, und
aus unserm Gewissen, daß er Macht, Weisheit, Güte und Hei=
ligkeit besitzt. Das ist für unsern Verstand und für unser Herz
Licht und Trost genug. Alle seine Wege in ihrem Umfange und
Zusammenhange wissen, alle besondre Absichten seiner Rathschlüsse
und Verhängnisse einsehen wollen, ist unsinnige Begehrlichkeit;
aber aus den Betrachtungen seiner Vollkommenheiten sich über=
zeugen, daß er nichts geringers wollen und wirken kann, als
das Beste seiner Geschöpfe, und bey Fleiß und Pflicht ihm seine
Schicksale in Demuth und Anbetung überlassen, dieß ist Weis=
heit und wahre Beruhigung. Eben darum, weil wir den Zu=
sammenhang der Dinge nicht überall einsehen, ist uns das Ver=
trauen auf Gott unentbehrlich. Dieses Vertrauen dadurch stär=

ten und beleben, daß wir auf die besondern Spuren seiner Vor=
sehung in dem Leben der Menschen Acht haben, dieß ist unsre
Pflicht, und sollte zugleich eine unsrer feyerlichsten Beschäfftigun=
gen seyn. Jeder, d.r sein Leben bedachtsam überschauen will,
kann in seinen freudigen und traurigen Begebenheiten die wun=
derbare Anlage der Vorsehung finden; kann aus dem Erfolge
oft die weise und wohlthätige Absicht des Uebels, und in den be=
sondern Umständen seines glücklichen Schicksals die Regierung ei=
ner göttlichen Hand erkennen. Wunderbare Führungen und Er=
rettungen; was predigen sie anders, als eine über alles wachende
Vorsehung? Welches Leben, auch das niedrigste und dunkelste,
hat nicht seine Geheimnisse und seine Wunder? Man suche sie
auf, und sie werden uns zu einer Quelle der Weisheit und des
Vertrauens auf Gott werden. Die großen Begebenheiten ganzer
Staaten und Völker lehren uns, daß eine unsichtbare Hand das
Schicksal derselben weise, und gerecht, und gütig regiert; eben
dieses lehren die kleinern Begebenheiten des Privatlebens einen
jeden, der sie aufmerksam betrachtet. Ein geringer Vorfall un=
sers Lebens, der Anfangs ein Nichts zu seyn schien, wie merk=
würdig ist er oft nach dem Verlaufe etlicher Jahre, und nach
der Vereinigung mit andern Umständen, die nicht in unsrer
Macht stunden, nicht durch unsre Weisheit vorhergesehen, nicht
durch unsern Fleiß unterstützet wurden! Warum erkennen wir
hierinnen nicht die göttliche Vorsehung und stärken unsern Muth
dadurch? Das Schicksal unsers aufrichtigen Freundes, das er
uns getreu schildert, kann uns eben diese heilsamen Aussichten
öffnen, und unser Herz mit Trost und Vertrauen erfüllen. Wenn
wir viel aufrichtige und sorgfältig geschriebne Lebensbeschreibun=
gen von niedern und hohen Personen hätten, in denen die klei=
nen Umstände ihres Lebens richtig bezeichnet und ihr Charakter
genau bestimmt wäre: so würden wir oft mit Erstaunen sehen,
wie die Hand der Vorsehung da arbeitete, wo der Mensch nichts

that, ihn da im Verborgenen lenkte, wo er selbst alles zu thun schien, ihn da glücklich werden ließ, wo er nach dem Wunsche und Entwurfe seiner Feinde unglücklich hätte werden sollen.

Wenn wir also oft an den Unfällen und glücklichen Begebenheiten die Spuren der Vorsehung entdecken und verehren lernen (und dieses können wir täglich bey unsern eignen Schicksalen thun); so werden wir immer neue Nahrung zum Vertrauen auf sie einsammeln. Je mehr wir aber bey unserm Schicksale die Unzulänglichkeit oder das Nichts unsrer Kräfte einsehen, desto mehr wird unsre Demuth wachsen. Nicht weniger wird durch diese Betrachtungen der göttlichen Weisheit und Güte, bey einer getreuen Beobachtung unsrer Pflichten, auch unsre Ergebung in die Rathschlüsse des Allmächtigen zunehmen, die willige Ergebung ohne geheime Ausnahmen; denn wir werden stets finden, daß Gott es besser mit dem Menschen meynet, als es der Mensch mit sich meynen kann.

Auch diese Tugend fehlet, so wohl wie die Demuth und allgemeine Menschenliebe, in der Tugendlehre der Weisen des Alterthums, und, was sie in ihre Stelle setzten, war mehr ein Stolz des Herzens und ein philosophischer Trotz, als ein weises und gegründetes Vertrauen. Sie wird nirgends in ihrer wahren Stärke, als in der geoffenbarten Religion angetroffen. Mit lebendiger und gegründeter Ueberzeugung unter den größten Leiden und Plagen des Lebens denken und sagen können: Herr, wenn ich nur dich habe, so frage ich nichts nach Himmel und Erden; wenn mir gleich Leib und Seele verschmachtet, so bist du doch allezeit meines Herzens Trost und mein Theil!*) — Mit lebendiger und gegründeter Zuversicht unter allen Gefahren des Lebens denken und sagen können: Ob Tausend fallen zu beiner Seite und

---

*) Pf. 73, 25. 26.

Zehntausend zu deiner Rechten: so wirds doch dich
nicht treffen; denn der Höchste ist deine Zuflucht!*)
— Mitten unter allen Schrecknissen der Natur unerschüttert denken und sagen können: Auch wenn die Welt untergienge,
und die Berge mitten ins Meer sänken, fürchte ich
nichts**); — auch wenn der Herr mich tödten wollte,
hoffe ich dennoch auf ihn!***) Welche Hoheit der Seele!
Wenn hat der Weise, der es bloß durch Vernunft ist, dieses
Vertrauen gelehret, oder durch sein Beyspiel bestätiget? Wenn
hat er bey den Verluste alles seines Glücks großmüthig ausge-
rufen: Der Herr hats gegeben, der Herr hats genommen, der Name des Herrn sey gelobet!†) Wenn hat
er bey allen Hindernissen der Tugend, bey aller der Gewalt,
welche Glück und Unglück, Hoheit und Verachtung, über unser
Herz haben, und woburch sie es so leicht im Guten wankend
machen, wenn hat er da mit einem göttlichen Heldenmuthe gedacht und gesagt: Ich bin gewiß, daß weder Tod noch
Leben, weder Engel noch Fürstenthum, noch Gewalt,
weder Gegenwärtiges noch Zukünftiges, weder Hohes noch Tiefes, noch eine andre Creatur mich schei-
den mag von der Liebe, und also auch nicht von dem Vertrauen zu Gott?††) Nein, zu dieser Größe der Seele erhebt
uns nicht die Philosophie, sondern allein die Religion. Und wir
wollten sie nicht lieben, und nicht durch sie täglich den Geist des
Vertrauens erwecken, der allein unser Herz im Glücke und Elende
wahrhaftig ruhig und getrost macht?

*) Pf. 91, 7. 9. **) Pf. 46, 3. ***) Hiob 13, 15.
†) Hiob 1, 21. ††) Röm. 8, 38. 39.

Zwey und zwanzigste Vorlesung.

Von den Pflichten der Erziehung, besonders in den ersten Jahren der Kinder.

Meine Herren, ich gehe nunmehr zu einigen Hauptpflichten des häuslichen und gesellschaftlichen Lebens fort, als da sind die Pflichten der Erziehung, der ehelichen Liebe, der Verwandtschaft und Freundschaft. Wenn ich Ihnen diese vorgetragen habe, will ich den Beschluß meiner moralischen Vorlesungen mit einem kurzen Abrisse der natürlichen Religion machen.

Wenn wir die Pflichten der Erziehung in ihrem ganzen Umfange überdenken, mit allen den Arbeiten und Sorgen, die sie den Aeltern auferlegen, mit allen den Hindernissen und Beschwerlichkeiten, womit sie umgeben sind, mit aller der Klugheit und Einsicht, die sie erfordern, mit der Länge der Zeit, durch die sie immer erneuert werden müssen, mit den Kosten, die sie verlangen: so scheinen es die beschwerlichsten Pflichten des menschlichen Lebens zu seyn. Allein sie werden durch einen beständigen Einfluß der Liebe so sehr versüßt, von dem Herzen der Aeltern so nachdrücklich anbefohlen, von dem hülflosen Zustande der Kin-

der, die ein Theil von ihnen selbst sind, so sehr verlanget, von
ihrer Dankbarkeit so oft vergütet, von der Freude über das her=
anwachsende Glück der Kinder so sehr belohnet, von den Schmer=
zen über die vernachlässigte Wohlfahrt derselben so sehr gerecht=
fertiget und von der allgemeinen Ruhe des Staats und der Welt
so nachdrücklich angepriesen, daß sie zugleich die natürlichsten und
heiligsten, die mühsamsten, aber auch die angenehmsten Pflichten
genannt werden können. Das Traurigste, was man von ihnen
sagen kann, besteht darinnen, daß sie oft fruchtlos ausgeübt wer=
den und das Unglück der Kinder nicht allezeit verhindern kön=
nen. Doch so ein schreckliches Schicksal dieses auch seyn mag:
so hat es doch seinen Trost bey sich, wenn wir diese Pflichten
redlich erfüllt haben; da es uns hingegen zur doppelten Marter
werden muß, wenn uns unser Gewissen vorwirft, daß wir die
Mittel, durch die wir es hätten verhindern können, gar nicht,
oder nur nachlässig angewandt haben.   -

Von Ihnen, meine Herren, scheint zwar die Pflicht der Er=
ziehung noch sehr entfernt zu seyn; nichts besto weniger fordert
doch die Wichtigkeit derselben Sie auf, ihr schon früh nachzuden=
ken. Die wenigen Jahre zwischen dem Jünglinge und dem
Manne sind bald durchgelebt: und wehe dem Vater, der nicht
eher für die Weisheit, Kinder aufzuziehen, sorgt, als bis er
Vater ist! Ich kenne viele von meinen Zuhörern, seit zehn und
weniger Jahren, die itzt den ehrwürdigen Namen Vater führen.
Sollte nicht den meisten von Ihnen eben dieses Glück und eben
diese Pflicht aufgehoben seyn? Von wem erwartet aber die Welt
die beste Erziehung mehr, als von Männern, die sich den Wis=
senschaften und guten Sitten im genauesten Verstande gewidmet
haben? Ein Gelehrter, der schlechter schreibt, als ein Mann
ohne Wissenschaft; und ein gelehrter Vater, der seine Kinder un=
weiser erzieht, als der Handwerker; welche Schande für die
Weisheit der Schulen! Endlich, wenn wir auch nicht alle zu

Vätern bestimmt sind: so können wir doch bey fremder Erziehung als Aufseher und Rathgeber gebraucht werden. Ja, theuerste Commilitonen, der Staat erwartet Männer von Ihnen, welche die Herzen der Jugend in den Privathäusern, in den Pallästen der Großen, in den Hörsälen der Schulen und in den Gemächern der Höfe zur Weisheit und Tugend sollen bilden helfen. Ihre Anverwandten und Freunde erwarten von Ihnen Einsichten, Licht und Rath, die Erziehung glücklich zu besorgen; und der Herr hat Ihnen die vorzüglichen Gaben des Verstandes und die Gelegenheiten, sie zu verbessern, in keiner geringern Absicht anvertraut, als daß sie hülfreiche Hand leisten sollen, die Weisheit und das Glück der Nachwelt dadurch zu bauen. Entweder legen Ihnen Ihre eignen künftigen Nachkommen alle Pflichten der Erziehung auf; oder der sterbende Vater und das Sie erwartende Amt des Aufsehers und Lehrers, übergiebt Ihnen einen Theil desselben.

Kinder erziehen heißt, ihren Verstand, ihr Herz, ihren Körper und ihre besondern Naturgaben so bilden, daß sie sich und Andern zum Glücke leben und die wichtigen Absichten ihres Daseyns erreichen lernen. Kinder erziehen heißt, sie frühzeitig anweisen, daß sie Gott, sich selbst, die Welt, die Menschen und die Religion kennen, und ihr Verhalten nach diesen Kenntnissen einrichten lernen; daß sie Weisheit, Pflicht und Tugend frühzeitig fassen, und lieben, und ausüben lernen. Wir tragen bey der Erziehung das Licht unsers Verstandes, das Licht der Religion, den Vortheil der Erfahrung und die Güter unsers Herzens in die Seelen der Jugend gleichsam über; allein es kömmt viel auf die Art an, mit der wir dieses thun; und die beste Art in einzelnen Fällen wird von dem Charakter des Kindes selbst bestimmt.

Kinder sind ein Theil von uns selbst; und wie wir ihnen das Leben geben, so geben wir ihnen auch oft mit demselben die

Stärke oder Schwachheit des Körpers, und nicht selten zugleich die Neigungen, die ihren Sitz in unserm Blute haben. Wer kann also zweifeln, daß es eine Pflicht gegen unsre Nachkommenschaft giebt, ehe sie noch das Leben von uns empfängt, und den Schauplatz der Welt erblickt? Unmäßige, ungesunde, bösartige und blöde Aeltern haben wenig Hoffnung zu einer gesunden, verständigen und gutherzigen Nachkommenschaft; wie groß wird also nicht die Pflicht seyn, theils in dem lebigen Stande, theils in der Ehe selbst, alle die Uebel zu verhüten, die sich den Seelen oder den Körpern der Kinder durch die Fortpflanzung mittheilen können! Eine unschuldig verbrachte Jugend und geschonte Gesundheit, eine keusche und liebreiche Ehe, ein Verstand, mit guten Grundsätzen angefüllt, ein Herz, von stürmischen Leidenschaften befreyet, sind Eigenschaften der Aeltern, auf welche die noch nicht gebohrnen Kinder schon Anspruch machen; und die Sorge für diese Eigenschaften ist eine Pflicht für alle Aeltern. Mit einem Worte, die Pflichten der Aeltern setzen die Pflichten des vernünftigen tugendhaften Menschen und Gatten voraus, und werden durch die Geburt der Kinder nur mehr bestimmt. Ein tugendhafter Vater, ich gestehe es, kann seinen Kindern, aus Mangel der Einsicht, vielleicht nicht die glücklichste Erziehung geben; allein der verständigste Vater, ohne Tugend, wird sie ihnen noch weniger geben, und bey aller seiner Sorgfalt aus seinen Kindern vielleicht nichts als künstlich abgerichtete Triebwerke der Ehrbegierde und des Eigennutzes machen. Verständige und fromme Aeltern können sich freylich noch, ohne daß sie es denken, durch die Liebe gegen die Kinder oft zu einer nachtheiligen Erziehung verleiten lassen; allein zum guten Glück ist die Erziehung selten den Aeltern ganz überlassen. Freunde, Anverwandte und Aufseher treten oft früh in ihre Stelle ein; und oft geschieht es, daß der Sohn eines bösen Vaters in die Hände eines rechtschaffenen Hofmeisters, und die Tochter einer thörichten und eiteln Mutter in die Hände einer verständigen Aufseherinn fällt. Selten werden beide Ehegatten einen bösen Charakter haben. Oft wird der Eine Verstand und der Andre Tugend besitzen; oft wird der zu großen Liebe der Mutter durch die Strenge des Vaters das Gleichgewichte gegeben werden. Giebt es endlich viel gutgesinnte Aeltern, die zu wenig Geschicklichkeit besitzen, oder zu sehr durch Stand und Amt verhindert werden, ihre Kinder selbst zu erziehen: so können sie doch einen Theil ihrer Last auf Andre übertragen. Und wer seine Kinder gewissenhaft liebt, wird keine Sorge, keinen Aufwand und keine Herablassung scheuen, um solche Personen zu finden, denen er sie glücklich zur Aufsicht und Bildung anvertrauen kann. Aeltern, die den Aufseher, dem sie ihre Kinder übergeben, als den ersten Bedienten im Hause ansehen, seinen Fleiß und seine Geduld durch ein geringes Jahrgeld für reichlich belohnt halten, und durch ein geringschätziges Bezeigen ihn selbst in den Augen der Kinder herab setzen, sind thöricht, wenn sie glauben, daß sie ihren Kindern eine gute Erziehung geben. Aeltern, die nur nach den Geschicklichkeiten des Lehrers fragen, nicht nach seinen Sitten und nach seinem guten Herzen, haben weder von der Erziehung noch von der Natur des Menschen die gehörige Erkenntniß; und Männer, die solche Personen zu diesem Amte sorglos empfehlen, versündigen sich nicht nur an einzelnen Familien, sondern an dem ganzen gemeinen Wesen *).

*) Ein rechtschaffner Hofmeister, ein Mann von Wissenschaft und gutem Herzen, von dem man verlangt, daß er seine besten Jahre dem Glücke eines jungen Menschen schenke, sollte wegen seines eignen künftigen Glücks nothwendig in Sicherheit gesetzet werden, damit er sich der Bildung desselben ganz und unbekümmert widmen, und dereinst von einer zulänglichen jährlichen Pension, gleich einem verdienten Officiere, der für sein Vaterland mehr als für sich gelebt, seinen Unterhalt haben könnte. Vielleicht würde sich mancher wackre Mann, der itzt zurück tritt,

Wir setzen also bey einer guten Erziehung die günstigen Um=
stände des Hauses und die Geschicklichkeit der Personen, die dazu
nöthig sind, voraus: denn ohne gute Aeltern und tüchtige Lehrer
sind alle Anleitungen vergebliche Vorschläge; und was nützen die
besten Risse der Baukunst, zu deren Ausführung ein geschickter
Werkmeister fehlet? Dieß alles vorausgesetzt, ist es nicht schwer,
die Mittel und die Art und Weise einer guten Erziehung zu be=
stimmen. Von einer solchen sorgfältigen Erziehung, wie sie in
guten Häusern Statt findet und beobachtet werden kann, wollen
wir ist das Vornehmste in Absicht auf die Bildung und
den Unterricht der ersten Jahre bemerken. Wer auf den
Endzweck der Erziehung, auf die Natur der Kinder und auf die
Erfahrung der Verständigen Acht hat, kann überhaupt nicht
leicht unwissend bleiben, welches die besten Regeln der Erziehung
sind. Die besondre Anwendung derselben muß einem jeden das
eigenthümliche Naturell der Kinder und die Beschaffenheit seines
Hauses lehren.

Die erste Pflicht, welche die Geburt des Kindes den Ael=
tern auflegt, ist die Sorgfalt für die Wartung, Pflege
und Gesundheit desselben. Sie scheint am wenigsten vernach=
lässiget zu werden, und wird vielleicht oft sehr unrichtig verstan=
den und ausgeübt.

zu dieser Bedienung verstehen, zu der so wenig Menschen ge=
schickt sind, weil besondre Talente, große Rechtschaffenheit, Klug=
heit, Sorgfalt und Geduld dazu erfordert werden. Vielleicht
wäre es auch für die Erziehung junger Standespersonen ein gro=
ßes Glück, wenn auf Akademien etliche solcher Männer, die
das Amt des Aufsehers oder Anführers bis in ihre höhern Jahre
rühmlich verwaltet hätten, öffentlich unterhalten würden, damit
sie den Jünglingen, die sich dieser Lebensart widmen wollten,
Rath und Unterricht ertheilen, und sie durch ihre Erfahrungen
aufklären könnten. Auf diese Weise würden kleine Pflanzschulen
entstehen, wo man gute Hofmeister suchen könnte.

Alles, was dazu beyträgt, unſern Kindern, von den erſten Jahren an, einen geſunden, dauerhaften und feſten Körper zu geben, muß die beſtändige Sorgfalt der Aeltern ſeyn. Unſer Gemüthscharakter hängt in vielen Stücken von der Beſchaffenheit des Körpers ab, und wird durch ihn von Kindheit auf gebildet. Ein ungeſundes Blut, ein unrichtiger Umlauf der Säfte und Lebensgeiſter, eine zu große Empfindlichkeit oder Reizbarkeit der ſinnlichen Werkzeuge müſſen itzt und künftig einen Einfluß in unſre Seele haben, und ihre Art zu denken und zu begehren beſtimmen helfen. Was unſern Körper träge, oder zu empfindlich macht, wird dem Verſtande, wenn er herrſchen, und den Begierden, wenn ſie gehorchen ſollen, ein Hinderniß werden. Ein ſchwächlicher Leib macht der Seele ihre Bemühungen ſchwer, und ein kränklicher hält ſie in ihren Unternehmungen auf. Ein verzärtelter Leib, der ſtets an den Kützel angenehmer Empfindungen gewöhnet und gegen alle Ungemächlichkeiten unleiblich iſt, beſtimmt die Seele unvermerkt in ihren künftigen Meynungen von dem falſchen Werthe und Unwerthe der Dinge, und in der Heftigkeit zu begehren oder zu verabſcheuen.

Unſtreitig ſollte es in den Fällen, wo keine Krankheiten oder beſondern Umſtände es verbieten, die heiligſte Pflicht der Mütter ſeyn, dem zarten Geſchöpfe, das ſie gebohren, die erſte Nahrung der Bruſt ſelbſt zu reichen. Wenigſtens hat die Natur dieſe Pflicht mit ſo vielem Reize des Vergnügens, wenn ſie von Müttern ausgeübt wird, und öfters mit ſo vielen Schmerzen und Krankheiten, wenn ſie von ihnen unterlaſſen wird, verbunden, daß man an der Gewißheit dieſer Pflicht wohl nicht zweifeln kann*). Die Mutter ſcheint ſich durch dieſelbe nicht allein die

---

*) Gellius erzählet in ſeinem 12ten Buche von dem Philoſophen Phavorinus einen merkwürdigen Ausſpruch. Dieſer Philoſoph war zu einem ſeiner Schüler, deſſen Gattinn itzt mit einem Sohne entbunden worden, ins Haus geeilet, um ihm Glück zu

Liebe des Kindes zu erkaufen, sondern auch ihre Liebe gegen das
Kind zu befestigen. Sie wird eben beswegen mehr Sorgfalt für
die Gesundheit ihres Kindes tragen, und, durch die öftere Gegenwart um dasselbe, die Fehler der Wärterinnen verhindern,
die den Leib der Kinder zu gemächlich und dadurch schwächlich
bilden. Sie wird aus ihrem frommen Herzen gleichsam die Unschuld ihrem Säuglinge mit ihren besten Säften einflößen. Bestätiget es nicht die Erfahrung mehr als zu oft, daß die Ammen
eben so wohl ihre Krankheiten der Seele, als des Blutes, den
Kindern mittheilen? Daß dieselben bald keine, bald eine kindische und blinde Sorgfalt für sie haben, und sie mit tausend Dingen zu besänftigen oder zu gewinnen suchen, die den Grund zu
einem übeln Charakter des Kindes, zum Eigensinne, zur Sinnlichkeit, zur Habsucht, zum Jachzorne und vielleicht nicht selten
zur Wollust legen?

Es ist wundersam, wenn man sieht, wie gesund und fest die
Kinder unter der einfältigen Hand einer Bäuerinn werden. Was
muß wohl die Ursache davon seyn? Nach der Gesundheit der
Aeltern, unstreitig die einfältige, ungekünstelte Nahrung, die gesunde Milch, an die sie das Kind gewöhnen, das frische Wasser,
das sie ihm frühzeitig einflößen, die freye Luft, an die sie es zeitig zur Erfrischung tragen, die wohlthätige Sonne, von der sie
es bescheinen lassen, anstatt daß die Kinder großer Städte in hei-

wünschen Die Mutter der Kindbetterinn behauptete, ihre Tochter könnte wegen der ausgestandenen Geburtsschmerzen das Kind
nicht selbst stillen. O sagte Phavorin: Oro te, mulier, sine
eam totam ac integram esse matrem filii sui. Quod est enim
hoc contra naturam imperfectum ac dimidiatum matris genus,
peperisse ac statim a se abiecisse? Das ist: „Ich bitte Sie,
„liebe Frau, lassen Sie doch Ihre Tochter ganz die Mutter
„ihres Sohnes seyn. Was ist mehr wider die Natur als diese
„halben Mütter, die ihre Kinder von sich stoßen, so bald sie
„sie gebohren haben?“

ßen Zimmern schmachten müssen. Wie bald lernt das bäurische
Kind mit festen Schritten den Armen der Mutter entlaufen, und
sein gesundes und schwarzes Brodt ohne Hülfe der Aerzte vertragen! Ein gesundes Bier wird ihm der beste Wein, ein leichtes
Molken die beste Mandelmilch. Man fesselte, da es noch zart
war, seine weichen Glieder und den Umlauf seines schnellen Blutes nicht durch tyrannische Schnürleiber; und es hat doch gerade
Gliedmaßen und gesunde Nerven. Man ließ es, leicht bedeckt,
auf dem weichen Grase und auf der harten Diele sich muthig
wälzen; und es verrenkte sich kein Glied, es ward vielmehr hart
und fest an seinen Gliedmaßen. Eine sorgfältige Mutter vom
Stande sollte sich bey der ersten Erziehung des Kindes, so viel
es die ihm schon angebohrne Weichlichkeit verstattet, zu den löblichen Sitten des Landvolkes herablassen, um ihm einen gesunden und festen Körper zu geben. Die Pflicht des Vaters wird
seyn, seine Gattinn zur Beobachtung dieser Sorgfalt zu ermuntern, ihr solche durch Liebe zu versüßen, und durch vernünftige
Gehülfen zu erleichtern. Plutarch erzählet von dem ältern
Cato, daß er, nachdem ihm seine Gemahlinn einen Sohn gebohren, sich durch nichts, als durch die öffentlichen Staatsge-
schäffte, habe abhalten lassen, um sie zu seyn, wenn sie das Kind
dem Bade übergeben. Wie mancher Vater würde sich in unsern
Tagen dieses Beyspiels schämen!

Die zweyte und nicht weniger wichtige Pflicht, welche
Aeltern, die ihren Kindern eine gute Erziehung geben wollen, zu
beobachten haben, ist die Sorgfalt für die Bildung der
Seele derselben, auch schon in den ersten und zartesten Jahren. — Das Kind erwacht bald aus dem Schlummer, darinnen es seine ersten Tage hinbringt. Es fängt an
durch seine Neigungen zu leben, ehe es durch den Verstand lebt.
Es hat Empfindungen, ehe es Gedanken hat. Seine Begierden
reden durch Geberden und Töne, ehe sie durch Worte reden.

7 *

Der Eindruck, den die Gegenstände auf seine Sinne machen, ist in den ersten Jahren seine Vernunft. Um also die Empfindungskraft der Kinder und ihre natürlichen Begierden zu bilden, so lange sich ihre Vernunft noch nicht äußert; so entferne man sorgfältig, so weit sich solches bewerkstelligen und eine übertriebene Sorgfalt darinnen nicht schädliche Folgen fürchten läßt, diejenigen Gegenstände, die einen übeln oder zu heftigen Eindruck auf das Herz des Kindes machen können, und rufe alle die herbey, die eine unschuldige und angenehme Neigung in ihm erwecken können. Allein weil das Kind die unerlaubten Neigungen nicht bloß durch die Sinne erhält, sondern, wie uns eine untrügliche Erfahrung lehret, schon in seinem Herzen mit auf die Welt bringet, so unterdrücke man diese Neigungen frühzeitig durch einen klugen Widerstand, durch weise Schmerzen des Körpers, und wenn die Seele des Kindes erwacht, durch Schmerzen der Seele. Solche unartige Neigungen, die schon in den zartesten Jahren des Kindes aufleben und sich anmaßen zu befehlen, sind vornehmlich Eigensinn, Zorn, Habsucht und Rache.

Man erschafft den Kindern frühzeitig eine eigne Welt, eine Welt der Spielwerke. Dieser Gebrauch ist zwar nicht zu tadeln; aber man ist dabey nicht selten zu unvorsichtig, und erweckt, indem man das Kind unterhalten, besänftigen und sich zugleich an den sinnlichen Ausdrücken seiner kindischen Neigungen vergnügen will, oft unordentliche Neigungen in seinem Herzen. Man giebt ihm ein Spielwerk, man streitet sich mit ihm, als wollte man ihm dasselbe nehmen, und lehrt es, wie es sich weigern muß, uns solches abzutreten, wie es das Spielwerk verstecken und sich stellen muß, als hätte es keines. Man lehrt es, wie es unsern Händen eine kleine Ergötzung entreißen muß. Aber heißt dieses nicht, die Kinder eigensinnig und begehrlich machen? Man giebt ihm kein spitziges Messer, wenn es auch noch so sehr darnach schreyt; man sollte ihm eben so wenig ein Spielwerk,

das es durch Schreyen verlanget, gewähren. Man besänftiget
die Kinder, wenn sie sich gestoßen haben, oder wenn sie gefallen
sind, oder wenn ihnen etwas entzogen worden ist, dadurch, daß
man die Person, die es ihnen entziehen mußte, oder das Spielwerk, den Tisch, den Fußboden, woran sie sich stießen, mit drohenden Mienen und Worten schlägt. Aber ermuntert man dadurch nicht das Kind, rachgierig zu seyn, und Beleidigungen zu
ahnden? Man putzt und schmückt das Kind aus, bewundert es,
hält ihm den Spiegel vor, und freut sich, wenn es sich selbst gefällt, und einige Züge des Wohlgefallens an sich durch das Auge
oder die Geberdungen zu erkennen giebt. Man glaubt, es sey
unschuldige Freude für das Kind, und eigentlich ist es eine Auf-
munterung der Eitelkeit und Eigenliebe. Ueberhaupt sind plumpe
Spielwerke, die man Kindern giebt, ein buntscheckigter Anzug,
womit man sie ausputzt, und elende Melodeyen, mit denen man
sie unterhält, sehr geschickt, Kindern einen übeln Geschmack an-
zugewöhnen; und darum sollte man sich ihrer bey einer guten
Erziehung enthalten.

Unter die allgemeinen Fehler, in die man bey der
Erziehung zu verfallen pflegt, und vor denen sich weise
und sorgfältige Aeltern hüten müssen, gehören vornehmlich diese.
Man läßt das Kind zu lange in den Händen ungesitteter Ammen und Wärterinnen; nicht anders, als ob die ersten zwey oder
drey Jahre wenig zu bedeuten, und die Neigungen des Kindes
in diesen Jahren keiner besondern Bildung nöthig hätten, weil
es noch keine Vorstellungen und Sprache verstünde. Aber es versteht doch den Ton, die Miene, und die Bestrafung, und läßt
sich dadurch lenken. Die verständige Mutter, Verwandtinn und
Aufseherinn, die sich der Erziehung dieser Jahre annehmen, sind
von der Natur mit besondern Gaben und Geschicklichkeiten versehen, die sie zum Besten des Kindes sinnreich machen, so wie
sie die Liebe zu den Kindern und der Gedanke der Pflicht sorg-

noch unbekannte Einwohner, lernen und richtige Bilder in seinen Verstand einsammeln muß. Und wie reich ist die Natur an Gegenständen, die das Kind mit Vergnügen beschauen, nennen und denken lernen kann! Warum geht man oft so wenig auf diesem Wege, den es uns durch seine Neugierde selbst anweiset, fort? Beut nicht die Erde und der Himmel, der Garten und das Feld, dem Auge die Originale aller unsrer Kenntnisse, die nur irgend anmuthsvoll und lehrreich sind, an? Der junge Schüler, an der Hand eines verständigen und muntern Führers, kann da vieles und mit Glücke fassen. Er weidet seine Augen, bereichert sein Gedächtniß und übt seine Einbildungskraft. Er will alles wissen, was um ihn herum vorgeht; und alles, was er so gern wahrnimmt, kann zur Uebung seines Verstandes durch geschickte Fragen angewendet werden.

Die Werke der Kunst haben nach den Werken der Natur den ersten Rang, und ersetzen das oft, was der Knabe in der Natur noch nicht bemerken kann. Er läßt sich gern mit Gemälden, Kupferstichen und Münzen beschäfftigen, und freut sich, daß er hier Thiere, Vögel, Fische, Blumen, Bäume, Häuser und Menschen erblickt, die er entweder in der Natur schon bemerkt, oder von denen er doch Aehnlichkeiten wahrgenommen hat. Man gewöhnt ihn, daß er uns von Zeit zu Zeit erzählen muß, was er gesehen und gefaßt hat, und hilft ihm klüglich fort. Man übt schon im fünften und sechsten Jahre die Aufmerksamkeit und das Nachsinnen des Knabens, um ihn zu richtigen Begriffen und Urtheilen zu gewöhnen, an den Gegenständen des Hausgeräthes, an den gemeinen Figuren der Geometrie, und sucht durch leichte Fragen und durch Gegeneinanderhaltung der Figuren ihn dahin zu bringen, daß er ihre Aehnlichkeit und Unähnlichkeit denken und mit Worten angeben lernt. Man läßt ihn selbst grobe Umrisse der geometrischen Figuren wagen, um sie kennen zu lernen, oder schneidet sie ihm in Pappe aus, oder läßt sie ihm von ei=

nem Künstler verfertigen. So kann man ihm auch an kleinen regelmäßigen Gebäuden von Holz, die so verfertiget sind, daß sie sich aus einander nehmen und bequem wieder zusammen setzen lassen, die Namen und Begriffe der Baukunst im Spielen beybringen. Auch die Landkarten sind eine sinnliche und angenehme Beschäfftigung für Kinder. Kennet er eine den Ländern nach, so kann man sie auf Pappe leimen und sauber zerschneiden, damit der Knabe ein Geschäffte habe, die unter einander geworfnen Länder wieder in ihre gehörige Ordnung zu bringen, und sich die Lage derselben desto fester einzudrücken. Man hilft ihm anfangs, oder giebt ihm eine noch ganze Karte zum Muster. Auch dieses Spiel übt das Nachsinnen, wenn der Lehrmeister einige Hülfe dabey leistet, ohne Mühe. Ein kleiner Schriftkasten, daraus man ihn Sylben, Worte und ganze Sinnsprüche zusammen setzen läßt, ist ebenfalls eine gute Uebung für die Aufmerksamkeit und das Gedächtniß des Knaben. So bald er schreiben kann, hält man ihn an, seine kleine Weisheit täglich und wöchentlich in ein Tagebuch einzutragen. — Soll er eine alte Sprache lernen und hat einen guten Lehrmeister, so wird kein beßrer Weg seyn, sie ihm beyzubringen, als daß er sie lerne, wie man die Muttersprache lernet, anfangs ohne alle Regeln der Grammatik, das Decliniren und Conjugiren ausgenommen. Hat er eine Menge Worte, Redensarten und Stellen im Gedächtnisse, so lasse man ihn oft lesen und übersetzen; und wenn er hierinnen einige Jahre geübet worden, so nehme man alsdann eine kurze Grammatik zu Hülfe und wende sie bey dem Lesen und Schreiben an*).

Aller Unterricht durch Beyspiele und Handlungen ist sinnlich, und also ein Unterricht für die ersten Jahre. Durch

---

*) Man sehe diese Methode ausführlich in Gesners kleinen deutschen Schriften.

ihn fängt der Lehrer seine Vernunft= und Tugendlehre früh mit
dem Knaben an, und stellt ihm die faßlichsten Sittensprüche, bald
in kleinen erdichteten Begebenheiten, nach Art einer sinnreichen
Beaumont, bald in Fabeln und Erzählungen eingekleidet, vor.
In Schriften dieser Art lernt der Knabe gern lesen, und sein
Lehrmeister wird ihm seine Gedanken und Empfindungen bey sol=
chen Vorfällen ablocken und sie zu verbessern suchen.

Um das Herz des Knabens frühzeitig zu den frommen
Empfindungen der Menschenliebe, des Mitleidens, der Gutthä=
tigkeit, der Dankbarkeit, Freundschaft, Demuth und des Ver=
trauens auf die göttliche Vorsehung zu bilden, sammelt der Leh=
rer die Beyspiele dieser Tugenden und der entgegenge=
setzten Laster aus der Geschichte, insonderheit der biblischen,
erzählet sie ihm in einer Kindern verständlichen und angenehmen
Sprache, läßt sie ihn selbst lesen, darüber urtheilen und kleine
Anwendungen machen, und nöthiget ihn also, das Vortreffliche
dieser Tugenden mit Beyfall und Bewunderung, und das Schreck=
liche der Laster mit Widerwillen und Abscheu zu empfinden. Wenn
er ihm, zum Exempel, die Demuth eines heiligen Paulus
empfindlich machen will: so wird er ihn zuerst auf seine Größe
aufmerksam machen, auf seine Erkenntniß von Gott, auf seine
Gaben, der Natur zu gebieten, Kranke durch ein Wort gesund,
Blinde sehend, Sehende blind zu machen; und selbst Todten das
Leben wieder zu ertheilen. Er wird ihm seinen Eifer für die
Ehre Gottes, seine Liebe gegen alle Menschen in seinen Thaten
und Arbeiten, seine Großmuth, seine Geduld in seinen Gefahren,
Verfolgungen, Beschimpfungen und Leiden zeigen. Wie uneigen=
nützig und großmüthig ist Paulus, daß er oft mit seinen eignen
Händen sich und seine Gefährten ernährt, um die Gemeinen, die
er stiftet, unterrichtet und zum Reiche Gottes geschickt macht,
nicht zu beschweren! Mit welcher Hoheit der Seele erduldet er
alle Beschwerlichkeiten und Verfolgungen, um den Willen Got=

tes zu thun! Er erhebt sich durch eine christliche Verachtung, durch einen heiligen Heldenmuth über Mangel und Reichthum, über Schande und Ehre, über Gefängniß und Bande, über Leben und Tod, über Engel und Fürstenthum. Und dieser außerordentliche Mann, dieser Gesandte Gottes, dieser Wunderthäter, dieser eifrige und beredte Lehrer, dieser Vater so vieler Gemeinen, dieser Wohlthäter ganzer Völker, schätzt sich selbst geringe, achtet Andre höher, denn sich, sieht alle Menschen als seine Brüder an, giebt in allen seinen Unternehmungen, darinnen er einen so brennenden Eifer, eine so große Klugheit, einen so unermüdeten Fleiß ein ganzes Leben hindurch zeigt, Gott als dem Geber alles Guten, als dem Anfänger und Vollender seines Wollens und seines Vollbringens, allein die Ehre! Wie viel Eindruck auf das Herz muß nicht ein so erhabnes Beyspiel der Demuth machen, wenn es dem Verstande der Jugend auf eine faßliche Art in allem seinem Umfange und seiner Stärke gezeiget wird! Kann das Herz des Knabens nicht empfinden, daß der Charakter eines so bemüthigen und bescheidnen Mannes nicht nur an sich ehrwürdig, sondern auch für Andre liebenswürdig seyn und überall Zuneigung und Vertrauen erwecken müsse? Kann er nicht die sichtbare Auslegung dieser Wahrheit selbst in einer Begebenheit erblicken, die ihn rühren muß, in der Begebenheit aus der Apostelgeschichte: und sie geleiteten Paulum alle mit Weibern und Kindern an das Schiff, und fielen ihm um den Hals, und weinten, und küsseten ihn*)? —

Wie alle die heiligen Männer der Schrift Muster der Demuth sind, so sind sie auch Beyspiele der Liebe zu Gott und den Menschen. Dieses muß der Schüler der Tugend mit eignen Augen sehen und empfinden lernen. Er muß anfangen, den Wunsch

*) Apostelgesch. 20, 37. 38. 21, 5. 6.

zu fühlen, daß er doch auch liebreich, wohlthätig, treu, wahrhaft und freundschaftlich gegen alle Menschen seyn möchte. Er muß an den Beyspielen dieser Tugenden ihre Hauptbegriffe selbst entdecken lernen. Sein Herz muß fühlen lernen, daß Hiob dadurch, daß er sich der Unglücklichen in ihrem Elende hülfreich annahm, oder wie die Schrift es schön ausdrückt, daß er des Lahmen Fuß und des Blinden Auge, daß er ein Vater der Armen war*), viel schätzbarer ist, als durch alle seine Heerden und Reichthümer, durch alle seine Knechte und Güter; daß er unter den schmerzhaftesten Leiden der Natur, unter allen Verspottungen seiner Freunde, in der Asche sitzend, dennoch bey seiner Gottesfurcht und Ergebung in die göttlichen Schickungen weit glücklicher ist, als er unter allen Herrlichkeiten der Erde, auf einem Throne mit Schmeichlern oder Anbetern umringt, unter den Vorwürfen und Anklagen eines bösen Gewissens, und mit sklavischer Furcht vor Gott erfüllt, nicht seyn würde. Dieses kann das jugendliche Herz zu fühlen sich anmaßen, und durch diese zeitig gewagten Empfindungen des Guten, gleich einem jungen Adler, der früh dem Lichte und der Wärme der Sonne entgegen eilt, sich zu der Höhe der Tugend empor heben lernen. Man beschäfftige nur den Verstand des jungen Schülers auf eine lebhafte und geistreiche Art mit den Beyspielen der Menschenliebe, und der Ehrfurcht und Unterwerfung gegen Gott, die sich in der Schrift so häufig darbieten. Man erleichtere ihm das Nachsinnen, und lasse ihm zugleich die Freude selbst zu denken und zu errathen. Man lasse ihm die hohen und liebesvollen Aussprüche der Schrift durch solche Vorstellungen begreiflich werden, und er wird richtigere Begriffe von der Tugend und mehr Neigung für sie bekommen, als durch alle zu trockne oder zu ängstliche Katechisationen. Er wird an dem

*) Hiob 29, 15. 16.

Exempel eines Abrahams, der seinen Sohn auf Befehl Gottes zu opfern bereit ist, leichter die Eigenschaften des Glaubens und der erhabensten Liebe zu Gott, die über die süßeste Liebe der Natur gegen einen Sohn siegt, kennen lernen, als aus den richtigsten Begriffen einer magern Erklärung. Was ist das Bekenntniß eines Erzvaters: Ich bin zu geringe aller der Treue und Barmherzigkeit, die du an deinem Knechte gethan hast*). — Ist es nicht die beste Erklärung der Demuth und Dankbarkeit?

Alle Wunderwerke der Religion sind gleichsam Gemälde der göttlichen Eigenschaften und, wie die Werke der Natur, Abdrücke der Gottheit. Daraus lerne der junge Bürger der Welt seinen Gott kennen und seine Vorsehung, seine Güte und Heiligkeit zugleich empfinden. Was ist das göttliche Leben unsers Erlösers, sein Leiden, sein Tod, seine Auferstehung, seine Himmelfahrt; was ist es, als die sichtbare Geschichte des Himmels und der Erde, der Gottheit und der Menschheit? Was lehret sie, wenn sie in ihrem heiligen Lichte gezeigt wird? Mehr als alle Philosophie, als aller Tiefsinn der Vernunft, unendlich mehr lehrt sie die Seele die Vollkommenheiten des Schöpfers, seine Heiligkeit und seine erbarmende Liebe, und in der Person des Erlösers das vollkommenste und bewundernswürdigste Beyspiel des Gehorsams gegen Gott, der Liebe gegen eine ganze Welt voll unwürdiger Menschen, das größte Exempel der Demuth, Verleugnung und Großmuth in allen Verfolgungen und Leiden, bey aller Unschuld, und selbst in dem peinlichsten Tode. Diese Geschichte, dem Schüler, wenn er gehörig dazu vorbereitet ist, aus ihrem hohen Gesichtspunkte von dem Lehrer mit Ernst und Leben gezeigt, wird auf seinen Verstand und auf sein Herz den tiefsten Eindruck machen, und bey mancher frommen

*) 1 Mos. 32, 10.

Thräne ihn fühlen lassen, was er diesem seinem Gott und Erlöser für Ehrfurcht, Liebe und Gehorsam schuldig sey. Aber wie oft läßt man uns bey dem ersten Unterrichte in der Religion Begriffe auswendig lernen, die wir nicht verstehen, Worte hersagen, deren Laut wir nur denken, Lehrsätze ins Gedächtniß prägen, die für uns mit Finsterniß umgeben sind! Wie oft erweckt man uns in den ersten Jahren durch trockne und langweilige Erklärungen einer Glaubenslehre, oder durch Auswendiglernen eines Catechismi, einen Ekel an der Religion, da doch nichts geschickter ist, unser Herz zu rühren und zur Liebe Gottes zu bewegen, als eben sie! Wie oft lehrt man uns Gebete, und gewöhnet uns diese gedankenlose Andacht auf unsre künftigen Jahre an! Ich fürchte, daß der Ekel gegen die Weisheit und Tugend der Religion bey vielen größten Theils von der elenden Methode, uns dieselbe in der Jugend beyzubringen, herrühre. Ich verweise sie wegen der Art, wie man diesen ersten Unterricht von Gott und der Religion einrichten soll, auf die lehrreichen und trefflichen Blätter in dem Nordischen Aufseher°). Man kann auch diesen Unterricht, von dem wir itzt geredet haben, noch lebhafter machen, wenn man gute Kupferstiche zu Hülfe nimmt, worinnen die merkwürdigsten Beyspiele und Handlungen der Schrift beredt vorgestellet sind. Wir haben von einem Künstler in Augsburg, Philipp Andreas Kilian, gute Kupferstiche solcher Art, nach den Gemälden der besten Maler, erhalten, und die noch dazu nicht hoch zu stehen kommen.

Mit diesen Beyspielen der Schrift verbindet der Lehrer die guten Exempel aus der Profangeschichte des Alterthums, aber mit großer Behutsamkeit, damit sein Schüler die Tugend der Vernunft, der bald eigensinnigen, bald abergläubi-

---

°) Siehe im II. Theile das 88. 89. 90. 91. 92. und 93. St. Ingleichen Schmahlings Ruhe auf dem Lande, im I. Th. a. d. 94. u. f. S.

schen Vernunft, nicht mit der Tugend der Religion, die Tugend des Ehrgeizes und Temperaments nicht mit der Tugend eines erleuchteten Verstandes und Gott geweihten Herzens, oder die Weisheit und Rechtschaffenheit eines Sokrates und Aristides nicht mit der Weisheit und Frömmigkeit eines David oder Paulus vermenge; daß er nicht glaube, als machten etliche einzelne große Handlungen, die ins Auge fallen, schon den tugendhaften Charakter eines Mannes aus. Vergißt man dieses nicht bey den berühmten Beyspielen der Alten: so kann man sie mit Rechte zu Lehrern der bürgerlichen Tugenden aufstellen, und die rühmliche Begierde, sich ihnen zu nähern, in dem Herzen der Jugend erwecken; aber ohne eingestreute Betrachtungen wird das Leben eines tugendhaften Heiden ein sehr dunkler und ungetreuer Spiegel für sie bleiben.

Das Privatleben eines weisen und frommen Mannes ist unstreitig für die Jugend lehrreicher, als das glänzende Leben der Großen. Man suche solche Lebensbeschreibungen nachahmungswürdiger Personen allerley Standes und beiderley Geschlechts auf, die mit Geschmacke und Beredsamkeit, wie das Leben eines Gesners von Ernesti, und das Leben eines jungen Braunschweigischen Prinzen von Jerusalem, oder das Leben Luthers von Schröckh beschrieben sind, und man lese sie mit seinem Untergebenen achtsam durch: so wird man ihm zu gleicher Zeit eine Nahrung für das Herz und für den Geschmack geben und seine Liebe zum Lesen noch mehr erwecken. Giebt es in der Familie des Schülers rühmliche Beyspiele und gute Nachrichten von seinen Vorfahren, oder hat der Lehrer dergleichen in seiner Bekanntschaft: so werden sie seinen Schüler desto mehr reizen, je näher sie ihn angehen. Ueberhaupt sollten bey einer guten Erziehung die täglichen Beyspiele der Aeltern und Verwandten, des Aufsehers, der Bedienten, der jungen Freunde des Knabens, sichtbare Regeln guter Sitten für ihn seyn. Es ist bekannt, daß ein großes Theil der chinesischen Tugend, die man in unsern Tagen so sehr vergöttert hat, in der Erziehung ihrer Kinder und in der Regierung des Hauswesens, besonders aber darinnen besteht, daß sie die Jugend nicht so wohl durch Lehren und Grundsätze, als durch die Beyspiele der Verstorbnen und Lebenden unterrichten, deren Tugenden sie ihnen zu erzählen nicht müde werden. Jeder Hausvater, jede Mutter und jeder älteste Sohn des Hauses ist nach den Gesetzen des Landes verbunden, das Beyspiel der bürgerlichen Tugend zu seyn, wenn er nicht höchst unglücklich werden will. Und die Kinder sind verbunden, diese Beyspiele fast göttlich zu verehren, und ihren Aeltern und bejahrten Verwandten eine ungemeßne und übertriebne Liebe zu erzeigen. Ihr merkwürdigstes Exempel der Tugend ist stets der Kaiser, der für einen Sohn des Himmels gehalten wird, und dessen Wandel, so lange er den Landesgesetzen folgt, eine sichtbare Auslegung der Tugend und der Befehle des Himmels ist, auf die das ganze Volk gewiesen wird. So viel fehlerhaftes in der Anwendung dieses Mittels von den Chinesern begangen wird: so bleibt doch das Mittel und der gute Erfolg derselben ein Beweis der Klugheit und zugleich ein Beweis von der Kraft der Beyspiele bey der Erziehung.

Drey und zwanzigste Vorlesung.

Von den Pflichten der Erziehung in den zunehmenden Jahren der Kinder.

Ich habe Ihnen, meine Herren, in der letzten Vorlesung die Pflichten einer guten Erziehung der Kinder in ihren zartesten Jahren, und die erste Bildung ihres Verstandes und Herzens entworfen. Aber will man die Früchte davon nicht selbst vernichten, so muß man diese Bemühung in den folgenden Jahren um desto eifriger fortsetzen, je mehr mit denselben zugleich die Fähigkeiten der Kinder zunehmen.

Um also die Kenntnisse des schon denkenden Knabens zu erweitern, kehrt der Lehrer wieder mit ihm in die Natur zurück, und unterhält ihn mit ihren Wundern, welche zu fassen, sein Verstand vom zehnten und zwölften Jahre an fähiger wird. Er führt ihn auf unser Himmelssystem, lehrt ihn die Zahl, den Lauf, die unermeßliche Größe der himmlischen Körper, der Sonnen und Planeten, den erstaunenswürdigen Abstand derselben, die Erde mit ihren Verhältnissen gegen die Sonne, die wohlthätigen Einflüsse der Sonne, der Luft, des Wassers, der Jahreszeiten, des Tagewechsels kennen, und überall die

Gellert VII.

8*

Weisheit, Macht und Güte ihres Urhebers in der Schönheit, Ordnung, Pracht und Nutzbarkeit der Natur bewundern. Der Lehrmeister hat auf diesem Pfade treffliche Vorgänger. Er darf nur einem Sulzer, Derham, Hervey und Plüche nachgehen. Die Erde allein mit ihren Schätzen, und der Mensch mit seinem wundervollen Körper ist eine unerschöpfliche Quelle der Erkenntniß und Weisheit, der nützlichsten und anmuthigsten Erkenntniß. Das Gedächtniß des Knabens mit der Naturlehre anfüllen, das ist wenig. Dadurch wird er nicht gebessert. Nein, die ersten Eindrücke der Natur müssen zugleich Eindrücke der Religion und des Vergnügens seyn; und ich fürchte, die Lehrmeister sind größten Theils Schuld, wenn diese Eindrücke ausbleiben.

Aus eben diesem Gesichtspunkte fängt der kluge Anführer nunmehr an, seinen Schüler in das weitere Feld der Geschichte mit dem Geiste eines Bossuet und Cramers zu leiten. Die Geschichte, moralisch betrachtet, was ist sie, als ein Commentarius über den Menschen, über seine Weisheit und Thorheit, über seine Tugenden und Laster, über sein Glück und Unglück? Und ist sie nichts mehr? Ist sie nicht zugleich eine Auslegerinn der göttlichen Vorsehung und ihres besondern Einflusses in die Schicksale ganzer Völker und einzelner Menschen? Was ist lehrreicher für den stolzen Verstand, als in der Geschichte sichtbar unterrichtet zu werden, wie wenig alle Weisen und unter ihnen so große Männer, die das Geschlecht der Menschen bessern wollten, ausgerichtet haben, weil sie ihre Weisheit nicht auf die Furcht Gottes bauten; wie sie zwar schöne Gebote und Lehren gaben, aber Lehren ohne Gewicht, ohne die Bewegungsgründe ewiger Belohnungen und Strafen einer gütigen und heiligen Gottheit; wie sie zwar den Verstand unterrichteten, aber nicht wußten, durch was für Mittel sie den unterrichteten Verstand in seiner Ueberzeugung gegen so viele Anfälle der Sinne

und der Leidenschaften unterhalten sollten; wie sie zwar die Tugend rühmten, aber doch ungeschickt waren, dem Herzen die
Willigkeit und Kraft zu geben, das Gute zu lieben und auszuüben, und das Laster mit seinen für unsre Natur zu reizenden
Annehmlichkeiten zu ersticken; wie sie zwar die Ausbrüche des
schädlichen Lasters verdammten, aber den Sitz der Laster, die
bösen Begierden, unangegriffen ließen? Wie leicht wird es seyn,
den Vorzug, die Hoheit und Göttlichkeit, welche der Weisheit
der Religion vor der Weisheit der Vernunft eigen ist, zu zeigen,
wenn man in der Geschichte aufrichtige Vergleichungen anstellt!
Wie sehr werden endlich die in das Herz eingedrückten Empfindungen von einer gerechten Vorsehung durch die Geschichte erwecket, wenn uns in den Begebenheiten, die sie uns erzählt, die
belohnende oder rächende Hand der Vorsehung so oft sichtbar
wird! Und wie sehr verkündiget selbst das in diesem Leben un-
bestrafte Laster, oder die unbelohnte Tugend, noch eine zweyte
Haushaltung Gottes, wo er jeglichem nach seinen Werken lohnen wird!

So wie die Einsicht des Schülers wächst, so muß auch stufenweise der förmliche Unterricht in der Religion wachsen. Watt und Saurin, und in unsrer Kirche Jacobi und
Schubert und Andre mehr haben diese Stufen des zunehmen-
den Unterrichts in ihren Anleitungen bemerket, so wie der erste
einen doppelten historischen Catechismum beygefüget hat. Der
Lehrer muß zu beurtheilen wissen, wie er sich dieser und Andrer
Arbeiten, z. B. des Jocardi vortrefflichen Catechetischen Unterrichts, nach der Fähigkeit seiner Untergebenen, bedienen kann.
Er muß sich stets erinnern, daß die Religion der Jugend zwar
gründlich, aber darum nicht unverständlich, zwar in einer guten
Ordnung, aber darum nicht in einem trocknen und tiefsinnigen
Lehrgebäude müsse vorgetragen werden. Wir müssen richtige
und würdige Begriffe von den heiligen Lehren des Glaubens und

des Lebens uns machen lernen; aber warum vornehmlich? Damit wir die Religion als göttliche Weisheit verehren, lieben und ihr willig gehorchen, daß wir sie als die größte Wohlthat von Gott und als den einzigen Weg zur wahren Glückseligkeit erkennen lernen. Sollte uns eine solche Wissenschaft in einer dunkeln und verdrüßlichen Lehrart vorgetragen werden?

Die Poesie hat einen besondern Reiz für die Jugend, und darum wird der Lehrer frühzeitig mit seinem Schüler diesem Reize folgen, und auch durch die Poesie sein Herz zu nähren suchen. Er wird ihm die besten Stellen der Dichter bekannt machen, in welchen edle Grundsätze und Empfindungen schön eingekleidet sind. Er wird mit ihm von den Fabeln und Erzählungen zu der Classe der Lehrgedichte fortgehen. Er wird ihm die Schönheiten einer Stelle oder eines kurzen Gedichts durch kleine Anmerkungen empfindlich machen, und ihn unvermerkt durch öfteres Lesen nöthigen, sie sich ins Gedächtniß zu drücken. Gesetzt, sein Schüler verstünde keine als die Muttersprache: so sind unter den Poesien der Haller, Hagedorne, Schlegel, Cramer und andrer großen Dichter Gegenstände genug für ein jugendliches Herz. Warum sollte ein Knabe von neun oder zehn Jahren nicht eine frohe und nützliche Arbeit unter der Aufsicht seines Lehrers unternehmen, wenn er täglich eine Stunde in einem Dichter, oder in dem Zuschauer und Nordischen Aufseher die faßlichsten Blätter läse? Sein Anführer darf nur mit ihm lesen: so wird der Knabe zu gleicher Zeit für den Geschmack, für die Einsicht, und für die Tugend lesen lernen. Man klagt mit Rechte über den Ekel, den junge Leute gegen das Lesen haben; aber man sollte auch über die schlechte Wahl der Bücher klagen, die man ihnen zu lesen giebt. Man klagt, daß sie so flüchtig und ohne Vortheil lesen; aber warum zeigt man ihnen die Vortheile des Lesens nicht früh? Warum erweckt man ihr Gefühl gegen das Schöne und Gute der Schriftsteller nicht mit

größerer Sorgfalt? Das Lesen ist an und für sich keine Tu=
gend; es ist wahr. Aber es ist doch ein sicheres Hülfsmittel zur
Weisheit und Tugend; und also muß bey einer guten Erziehung
vornehmlich darauf gesehen werden, daß junge Leute mit Ge=
schmack und Empfindung lesen lernen. Man muß den Knaben
zur Arbeitsamkeit gewöhnen; aber heißt dieses nur, ihn nöthi=
gen, daß er des Tages vier bis fünf Stunden bey seinen Bü=
chern und Papieren sitzen, und den Verdruß darüber verbergen
lerne? Der wird nie arbeitsam gemacht, der nicht mit Lust und
Verstand arbeiten lernet. Durch das Lesen aber kann man das
Nachdenken des Knaben üben; man kann ihn ermuntern, sich
das Gelesene in sein Diarium stellenweise aufzuzeichnen, und
kleine Anwendungen dazu zu setzen, und sich also Schätze sam=
meln zu lernen, die ihm wirklich Mühe kosten, und doch auch
angenehm sind. Strengt man ihn im Lesen nicht zugleich, seiner
Fähigkeit gemäß, an: so wird er nur aus Wollust lesen, und
nicht mit seinem Verstande arbeiten lernen. Strengt man ihn
an, bloß um ihn zur Arbeitsamkeit zu gewöhnen: so wird man
ihn in einen verdrüßlichen Ekel stürzen.

Der sorgfältige Gebrauch der Zeit ist eine schätzbare Tu=
gend, die der Jugend frühzeitig beygebracht werden muß. Man
muß sie unvermerkt zu einer beständigen Anwendung derselben
zu führen und sie zu gewöhnen suchen, daß sie bey dem Ende
eines jeden Tages Rechenschaft von sich selber fordern, und ihre
getriebnen Beschäfftigungen überdenken lernen. Zu dieser Auf=
richtigkeit und Rechenschaft hält der Lehrer seine Untergebenen
liebreich an; und sie müssen oft schriftlich die Fehler, die sie bey
der Anwendung der Zeit begangen, und auch ihren Fleiß
merken, sich vor sich selbst schämen, und über sich selbst
lernen. Der kluge Lehrer kann viel ausrichten, wenn er
unverdrossen und sorgsam und nicht durch den Eigensinn der
Aeltern gefesselt ist.

An dem Lesen und Schreiben, an der Musik, an der Rechen-
kunst, an dem Zeichnen, an den Leibesübungen muß der Knabe
Aufmerksamkeit und Arbeitsamkeit lernen; an der genauen Eintheilung und Beobachtung dieser Stunden die künftige
Ordnung in seinen Geschäfften, und an der Aufsicht und richtigen Verwahrung seiner Bücher, Papiere, Briefe, Geräthschaf-
ten und Zeitvertreibe, die Sorgfalt der Oekonomie. Es ist ein
großes Unglück, daß man uns von Jugend auf die Kunst nicht
lehret, sich stets nützlich und doch nicht zur Unzeit zu beschäfftigen; und ein Unglück für vornehme Kinder, daß man das zu
sehr durch Andre für sie thun läßt, was sie selbst sollten thun
lernen. Warum überlassen oft so viele Große in ihrem Leben
die Besorgung gewisser Geschäffte, die sie selbst führen sollten,
dem Fleiße und dem Gewissen Anderer? Aus Bequemlichkeit.
Und hat nicht oft diese Bequemlichkeit ihren Hauptgrund in der
ersten Erziehung? Warum können sie keine körperlichen Beschwerden, die doch von ihrem Stande oft unzertrennlich sind,
ausstehen? Warum fliehen sie vor aller Arbeit? Man gehe
nur in ihre ersten Jahre zurück, und man wird die Quelle leicht
finden. Warum hält es der Vornehme für eine unentbehrliche
Glückseligkeit, alle Augenblicke sorgfältig bedienet zu werden; für
ein Glück, dessen Mangel ihn trostlos machen würde? Weil er
in seiner Jugend, sich selbst zu bedienen, nicht weislich gelehret wurde.

Dieser Gemächlichkeit, die den großen Tugenden so hinderlich
ist, diesem Hange zur Bequemlichkeit muß der Lehrer durch die
Arbeitsamkeit wehren, und den Knaben anhalten, solche Bemühungen über sich zu nehmen, die seinem Geiste, seinem Körper, seiner Gesundheit, seinem künftigen Stande dienlich sind.
Da die Weichlichkeit des Körpers ein großes und stets zuneh-
mendes Hinderniß der Seele und der Tugend ist: so muß er um
so viel mehr die Erziehung seines Lehrlings von dieser Seite her

in Sicherheit setzen, ihn die Kostbarkeit der Morgenstunde schätzen lehren, um ihn vor der Wollust des Schlafes und des weichen Bettes zu bewahren, seinen Körper durch Leibesübungen abhärten, ihn vorsichtig an die Erduldung der verschiednen Witterungen und Jahrszeiten von den ersten Jahren her gewöhnen, ihn lehren, das Vergnügen der Mahlzeit nicht in den Speisen allein, sondern in heitern Gesprächen zu suchen, und sich das wohlschmeckende Gericht durch das Andenken der vollendeten Geschäffte und durch die Würze des erarbeiteten Hungers noch mehr zu versüßen.

Die Habsucht ist oft eine frühe Neigung der Jugend, so wohl als die Verschwendung; und Sparsamkeit und Freygebigkeit sind so große Tugenden des Lebens, daß sie in jungen Gemüthern von je her erwecket werden müssen. Der Knabe lerne in der Verwaltung seines kleinen Vermögens unter der Aufsicht seines Führers die Anfangsgründe der Sparsamkeit. Er dürfe kaufen; aber er werde gelenket, das Nothwendige dem bloß Angenehmen, das Bessere dem Geringern vorzuziehen. Er lerne früh von den Ausgaben für sein Vergnügen den Aufwand zu einem guten Buche und das Geld zu einem frohen Almosen ersparen. Man lasse den Elenden und Armen vor ihm erscheinen, und seine Hand gegen ihn willig, wie sein Herz mitleidig, werden. Er sey nie so arm, daß er nicht wenigstens einen Scherf zu einer Gutthat anwenden könne; und das Vergnügen, einen Hungrigen mit einem Bissen Brodte zu stärken, einen Durstigen mit einem frischen Trunke zu laben, müsse seiner jungen Seele Wollust und seinem Auge der herrlichste Anblick werden. Scheint er zur Verschwendung geneigt, so kehre man sie auf die Seite der Freygebigkeit. Und wenn er zu viel und zu unvorsichtig giebt: so ersetze man ihm den Verlust nicht, sondern lasse ihn in die Umstände kommen, daß er angesprochen wird, und nichts geben kann; daß er gern etwas kaufen möchte, und es durch

seine Schuld nicht kaufen kann; daß er gern seinen jungen Freund
bewirthen möchte, und es nicht thun kann; daß er gern seinen
treuen Bedienten für eine Sorgfalt belohnen möchte, und es nicht
kann. So wird man ihm die Sparsamkeit durch sichtbare
Gründe nothwendig und schätzbar machen.

Dankbarkeit, Dienstfertigkeit, Treue, Verschwie=
genheit, Vertragsamkeit, sollen billig auch Tugenden der
ersten Jahre seyn; und die Kunst der Erziehung besteht darin=
nen, daß man sie die Jugend bey allen Gelegenheiten ausüben
lasse, und ihr alsbann so wohl die Schönheit und Wichtigkeit
derselben, als das Häßliche des Gegentheils zeige. Die Wort=
dankbarkeit, zu der man Kinder gegen ihre Aeltern anhält,
bringt sie oft auf einen kindischen Begriff der Dankbarkeit. Man
führe sie dahin, wo sie durch Gehorsam in Fällen, die ihnen
Ueberwindung kosten, ihre Aeltern aus Dankbarkeit vergnügen
können. Auch der Niedrigste, der ihnen einen Dienst gethan,
müsse ihrem Gedächtnisse nicht entfallen. Der Schüler lerne,
daß man allezeit Gelegenheit hat, dienstfertig zu seyn; daß eine
Fürbitte, ein guter Rath, daß Mitleiden, oft mehr Dienst sey,
als das Geld, das man giebt; daß die Art, mit der man die=
net, dem Dienste den größten Werth giebt und nimmt; daß die
Hochachtung, die man Andern nicht versagt, die Höflichkeit, mit
der man den Niedrigsten begegnet, die Güte, mit der man aus
Unvermögen eine Bitte abschlägt, die Aufmerksamkeit, mit der
man das Elend der Bittenden anhört, oder mit der man in der
Gesellschaft zuhört, zuweilen die Stelle des Dienstes vertrete, den
man wirklich zu leisten außer Stande ist; und daß man also
stets Nahrung zur Dienstfertigkeit finde. Eben dieses lasse man
das Kind in den Gelegenheiten, die sich zeigen, oder die wir
klüglich veranstalten, erfahren.

Kann der Knabe nicht schon das Edle und Nützliche der
Treue und Verschwiegenheit in dem Umgange mit seinem jun=

gen Freunde, mit seinen Blutsverwandten, mit seinen Aeltern
und Lehrern schmecken lernen? Eine sorgfältige Anführung, die
fortgesetzet und von guten Beyspielen unterstützet wird, thut
Wunder für das Herz der Jugend; und was kann also die
Pflicht der Aeltern anders seyn, als ihr diese Erziehung selbst
zu geben, oder durch geschickte und gewissenhafte Personen geben
zu lassen, und, wenn es möglich ist, ihren Uebungen des Unterrichts oft beyzuwohnen? Ein Geschäffte, zu dem ein Paul
Emil, ein Augustus, nicht zu groß gewesen sind, und das
viele unsrer alten Fürsten und Fürstinnen für die wichtigste
Pflicht gehalten haben.

Auch weise Belohnungen und Strafen der Kinder
sind bey der Sorgfalt für eine gute Erziehung eben so unentbehrlich als wichtig. Alle die Dinge, welche der Eitelkeit und
Sinnlichkeit des Menschen schmeicheln, sollen nur selten und sehr
vorsichtig zu Belohnungen der Kinder angewandt werden.
Man belohne ihren Fleiß wenig mit Näschereyen, Spielwerken,
neuen Kleidern und Freystunden, und weit mehr mit nützlichen
Dingen, Büchern, Instrumenten und Werkzeugen, und mache
ihnen die Kenntniß dieser oder jener angenehmen und nützlichen
Sache zur Vergeltung ihres Gehorsams. Unter die besten Belohnungen gehören vorzüglich die Merkmale der Liebe und des
Beyfalls. Ein verdienter Beyfall muß die Folgsamkeit des Kindes ermuntern, und es muß sein Wunsch seyn, den vernünftigen
Zuschauern seines Lebens zu gefallen. Dennoch ist die Triebfeder
der Ehrbegierde, durch die man sein Herz zum rühmlichen Verhalten in Bewegung setzen will, eine gefährliche Triebfeder in
den Händen vieler Aeltern und Aufseher. Immer den Kindern
vorsagen, wie schön es sey, Andre zu übertreffen, wie viel Gutes man von diesem Knaben und von seiner Aufführung spreche,
wie jener Mann durch seine Geschicklichkeit zur höchsten Würde,
dieser durch seinen Fleiß zu Reichthümern und zu einem allge-

meinen Ansehen gelanget sey; wie viel Ruhm sich dieser erschrieben, jener erfochten, und ein Andrer sich durch seine Redlichkeit erhandelt habe, heißt junge Herzen nicht gegen das Gute, sondern gegen den Ruhm, gegen Pracht und Ansehen und Wollust empfindlich machen, und die Ehrsucht und den Neid zu Herrschern ihrer Gemüther einsetzen. Ein unseliges Verfahren; denn es erweckt und nährt den Stolz; und dieser, wenn er gleich in rühmliche Thaten ausbricht, ist nichts besser, und vergiftet die Seele eben so wohl, als der Geiz. Hat die Würde der Tugend, und der Himmel, keine größern Ermunterungen für die Liebhaber des Guten? Und folgen denn Ehre, und Ansehen, und Würden so gewiß der Tugend nach, als man uns in unsern jüngern Jahren pralerisch verheißt? Und wenn wir nun die Tugend nicht reich, nicht groß, und uns endlich selbst von diesen Belohnungen verlassen sehen; was wird da aus dem Systeme unsrer Tugend werden? Ist kein belohnender Zeuge alles Guten gegenwärtig, auf den man uns zurück führen könnte, um uns durch göttliche und nicht bloß durch bürgerliche Bewegungsgründe auf der Bahn des Guten zu stärken?

Man muß junge Herzen anfeuern, alles auf die rühmlichste und vollkommenste Art zu thun, folgsam, arbeitsam, wahrhaft, liebreich, bescheiden, mäßig, demüthig, dankbar, klug und verständig zu seyn, das ist wahr; aber nicht um Andre zu übertreffen und sich über sie empor zu schwingen, sondern um in allen seinen Neigungen und Handlungen die ewige Regel zu beobachten, welche der Allmächtige festgesetzet und durch die Vernunft und sein Wort offenbaret hat, und um seines Wohlgefallens und der Liebe der Vernünftigen würdig zu werden. Dieses sey der einzige Ehrgeiz, den man der Jugend einzuflößen nicht müde werde. Daß sie aus Absicht, den Willen Gottes zu thun, in allen Umständen das Beste wähle und sich kein Hinderniß davon abhalten lasse; das sey ihr höchstes System der Ehre und

Nacheiferung! Wer rühmlich handelt, weil er keinen Bessern,
keinen Klügern und Gesittetern über sich sehen will, der ist aus
der bösesten Neigung, aus Neid, gut; der muß heimlich wün=
schen, daß Andre nicht so gut seyn möchten; der muß sich freuen,
wenn er sieht, daß sie es nicht sind, und sich kränken, wenn sie
Vorzüge haben. Welche niederträchtige Gemüthsbeschaffenheit!
Und gleichwohl ist es diejenige, zu der man uns durch die Trieb=
feder der Ehrsucht und des Vorzugsstreites nicht selten in unsrer
Jugend so ämsig aufmuntert! Um Ruhm zu haben, lehrt man
uns weise und tugendhaft zu seyn; das heißt, man macht
uns erst eitel und sinnlich, um uns rechtschaffen zu machen.
Man beseelet uns mit der Begierde, Andre zu übertreffen, und
zugleich mit der Geringschätzung gegen diejenigen, die weniger
Talente und Glück besitzen, als wir. Man lehrt uns die Hoch=
achtung unsrer selbst, nicht anders, als ob es zu befürchten
wäre, daß wir die Tugend der Demuth übertreiben würden.
Man erfüllt unsern Verstand mit guten Grundsätzen, und bläht
das Herz zugleich mit Eitelkeit auf. Man lehrt uns Künste,
Wissenschaften und Gewerbe treiben, damit uns die Welt be=
wundere, und wir der Welt durch Geschicklichkeit und Glanz
immer ins Auge fallen. In der That, eine würdige Absicht,
warum uns Gott mit so edlen Kräften der Seele auf den Schau=
platz des Lebens gestellet hat! Wenn unsre Geschäffte, in denen
der größte Theil unsers Lebens verbracht wird, kein Gegenstand
der Tugend, keine Schule des Gehorsams gegen den Geber un=
sers Lebens seyn sollen; was ist alsdann die Tugend? Und in
der That, ein Hochmüthiger hat gar keine Tugend, wenn der
Stolz keine ist. Man macht durch die Ehrsucht junge Theater=
könige, die ihre Rolle gut spielen, damit sie das Händeklatschen
der Logen und des Parterre erbeuten. Man macht Heuchler und
ewige Lügner aus ihnen, die aus Eitelkeit etwas seyn wollen,
was sie nicht sind, und das scheinen wollen, was sie nicht seyn

können, und oft nicht werden mögen. Sie lernen ihre Schwäche künstlich verbergen, anstatt sie zu verbessern; ihre Fehler leugnen, anstatt sie zu gestehen und abzulegen. Sie lernen die Miene, den Ton, die Stellung des Gesitteten und Höflichen und Dienstfertigen annehmen, und sich einbilden, daß sie dieses sind; sie lernen also sich selbst belügen, indem sie Andre hintergehen. Damit der Andre nicht besser sey, als der ehrgeizige Knabe, wird dieser gar bald jenen verkleinern, ihm Fehler andichten, die wahren aber ausbreiten und vergrößern lernen. Auf solche Art wird er den Grund zu dem hassenswürdigsten Charakter legen, da man das Gute an Riemanden, als an sich schätzet, das Verdienst Riemanden gönnet und es am wenigsten an seines Gleichen oder an den Niedrigern dulden kann. Verträgt sich dieser Charakter mit der Vernunft: so ist die Vernunft eine elende Anführerinn zum Guten. Und gehört es zur guten Erziehung, der Jugend die Ehrsucht beyzubringen und sie durch ihre Belohnungen zu rühmlichen Absichten und Thaten zu bilden: so ist eine niederträchtige Erziehung für das Herz nicht viel gefährlicher, für die Welt aber selbst weniger schädlich, weil sie weniger gemein ist als jene, wie tausend ehrsüchtige Beyspiele in allen Häusern beweisen können. Man irrt, wenn man glaubt, daß dieser Fehler der Erziehung nur in den vornehmen Häusern herrsche. Auch die niedrigste Hütte hat ihren Stolz, der bald zu einer ansteckenden Seuche für die Kinder wird.

Was die S t r a f e n anlanget, deren man sich bedienen soll; so ist es vielleicht genug, wenn sich Aeltern und Führer stets erinnern, was sie bestrafen und w a r u m sie strafen, um die besten Arten und den rechten Grad der Strafen ausfündig zu machen. Man bestrafet die Fehler an Kindern, damit sie solche nicht mehr begehen. Wie sorgfältig sollte man also seyn, den Fehler in seiner ersten Geburt zu bestrafen, ehe er unglückliche Gewohnheit wird! Eine einzige feyerliche Züchtigung würde bey

dem Anfange genug gewesen seyn; und bey dem schon oft wie=
derholten Fehler langt oft eine zehnfache Bestrafung nicht bis
zur Absicht der Strafe. Das Kind, das im zehnten Jahre mit
aller Strenge nicht von der Unwahrhaftigkeit, der Halsstarrig=
keit, der Rachsucht, zurück gehalten werden kann, würde im
vierten und fünften Jahre bey den ersten Ausbrüchen dieser Lei=
benschaften mit geringer Schärfe und vielleicht mit einer einzigen
ernsthaften Züchtigung zu heilen gewesen seyn, wenn man diese
Fehler nicht aus Unvorsichtigkeit oder aus einer barbarischen Liebe
übersehen hätte.

Man mache einen sorgfältigen Unterschied zwischen den Fehlern
des Herzens und den Fehlern der Uebereilung und Thorheit,
zwischen den Fehlern des wesentlichen und des zufälligen Wohl=
standes. Ein Fehler des Herzens erhalte nie Nachsicht und Ver=
gebung, bis man die Kinder nicht das Häßliche desselben hat
fühlen lassen. Haben sie zu wenig Verstand, die Gründe und
Vorstellungen von der Strafbarkeit des Bösen einzusehen, das
sie gethan: so werde die Strafe ihre Lehrmeisterinn, die Ent=
ziehung der Gewogenheit, der kleine Kerker, der Hunger, je
nachdem es die Beschaffenheit des Naturells und der Jahre er=
fordern. Und nie sey die Kränklichkeit des Kindes eine Ursache
zur Nachsicht gegen seine bösen Neigungen. Böse Neigungen
verstärken die Krankheiten des Körpers, und sind selbst die ge=
fährlichste Krankheit. Lieber das schwächliche Kind um seiner
Bosheit willen bis auf das Blut gestraft, als in ihm ein un=
seliges Geschöpf zu seiner und Andrer Marter und zum Mißfal=
len des Höchsten aufwachsen lassen. Die Widersetzlichkeit des
Kindes gegen die Aeltern und Lehrer, der schrecklichste Fehler,
den man dulden kann, wird mit den Jahren Aufruhr und Em=
pörung in allen Verhältnissen des Lebens. Eben der Knabe, der
seinen Aeltern den Gehorsam verweigert, wird ihn dem Obern,
dem Könige versagen, und Gott selbst. Eben der, der in seiner

Jugend nicht gehorchen lernte, wird die Gesetze der Ordnung als Jüngling und Mann unter die Füße treten, und sich durch Ungestüm und Wut die Bahn der Ungebundenheit, es koste Ehre oder Blut, öffnen. Man hüte sich nur, daß man die Fehler der Kinder nicht im Zorne, sondern mehr mit kaltem Blute strafe; man überzeuge sie, daß man sie aus Liebe züchtige; und lasse keine Fürbitte bey einem Fehler der Bosheit, auch in ihren ersten Jahren, gelten. Ein veranstalteter Betrug, den sie begehen, wird oft unsinnig, als Witz des Kindes, bewundert, und er sollte zum erstenmale gleich auf das schärffste bestrafet werden. Ein Fehler des äußerlichen Wohlstandes wird oft hart bestrafet, und dem Knaben ewig vorgehalten; und eine feine Unwahrheit übersieht man ihm. Gleichwohl sollte auf diese die empfindlichste Strafe, und auf den Fehler der ersten Art nur eine geringe Ahndung folgen. Auf diese Weise werden Kinder zu einer unglücklichen und unrichtigen Art zu empfinden und sich zu schämen verwöhnt. Sie lernen vor dem geringern Fehler erschrecken, und bey dem wahren Bösen gleichgültig bleiben. Der Trieb der Schamhaftigkeit, der so göttliche Wächter der Tugend, wird nur auf Kleinigkeiten und auf das Aeußerliche der Handlung, nicht auf das Unerlaubte der Neigungen und der That selbst geleitet. Und so sieht man Kinder, denen das Blut ins Gesichte steigt, wenn sie einen Fehler des Wohlstandes bey der Tafel aus Unvorsichtigkeit begehen, die bey einem Flecken im Kleide zittern; und die doch mit frecher Stirne eine Lüge vorbringen, und einen Fluch zum Beweise hinzusetzen, mit kaltem Blute ein Thier ermorden, ohne Schamröthe eines Gebrechlichen spotten, und den klügern Bedienten die schrecklichsten Namen beylegen. Man sey also aufmerksam bey den Fehlern, und lehre das Kind da vornehmlich erschrecken und sich schämen, wo es die Vernunft am meisten befiehlt. So oft man durch Sorglosigkeit, durch üble Beyspiele, durch unproportionirliche Strafen den natürlichen und

wundervollen Trieb der Schamröthe in den Kindern unrichtig lenket, oder matt werden läßt: so oft handelt man wider ihr Glück,
und also wider die Regeln einer guten Erziehung. Die Regel
der Alten: man habe für den Knaben die größte Ehrerbietung, ist eine der weisesten. Man verfahre nur in Geberden, Worten und Handlungen, in allen erlaubten Dingen,
die man in seiner Gegenwart thut, stets so sorgfältig, als man
im Beyseyn des weisesten, vornehmsten und frömmsten Mannes
thun würde: so hat man diese Regeln der Behutsamkeit und des
äußerlichen Beyspiels erfüllt.

Eine so sorgfältig fortgesetzte Erziehung der Kinder bis in die
Jahre, da sie in die große Welt eintreten, und nun sowohl ihren von uns geprüften Neigungen, als auch ihren Umständen
und dem Stande, darein sie durch die Geburt gesetzet sind, gemäß, eine gewisse Lebensart als ihren Beruf ergreifen, wird zuverlässig auf ihr ganzes Leben ihr Glück fest gründen. Sie werden dadurch nicht nur geschickter zu den Geschäfften des Lebens,
sondern auch in ihrem Innersten glücklicher, in ihrem Herzen
edler, und zur Ewigkeit immer reifer werden. Es ist wahr,
daß diese sorgfältige Erziehung in den meisten Stücken nur in
großen Häusern, und unter den dazu günstigen Umständen Statt
findet. Allein man erschrecke nicht. Wir sehen oft, daß Töchter
in einem niedrigen Hause an der Hand einer Mutter, die nur
gesunden Verstand und ein frommes Herz besitzet, und Söhne
an der Hand eines nicht vornehmen noch gelehrten Vaters, der
aber Einsicht, Erfahrung und Tugend besitzet, weiser und glücklicher erzogen werden, als in dem Hause, wo die beste und
scharfsinnigste Erziehung zu herrschen scheint. Die Kraft des
guten Beyspiels, die natürlichen Gaben der Kinder und der besondre Segen der Vorsehung, der die Bemühungen frommer und
unermüdeter Aeltern begeitet, sind vermuthlich die Hauptursachen dieses Glücks. Aeltern, die ihre Kinder Weisheit und gute

Sitten von den ersten Jahren an, bis sie in die große Welt treten, unverrückt durch ihre Thaten und ihr tägliches Verhalten lehren, lehren sehr beredt, und erwerben sich das ehrwürdige Ansehen, das stillschweigend unterrichtet und auch in der Ferne ermuntert. Sie erwerben sich dadurch die Liebe der Kinder, die zum Gehorsame die beste Triebfeder ist. Solche Aeltern werden endlich durch die Liebe zu ihrem Kinde und zur Pflicht oft da scharfsinnig, wo andre Aeltern nichts sehen, und durch die Liebe zu Gott oft da unermüdet und strenge, wo Andre sorglos oder nachsichtig verfahren. Daher kann oft ihr gutes Herz bey einem gesunden Verstande den Kindern die glücklichste Erziehung geben. Niedrige Aeltern, die ihre Kinder zu vernünftigen Christen und nützlichen Bürgern aufziehen, haben sie auf das glücklichste erzogen. Denn laßt den Menschen in allen andern rühmlichen Erkenntnissen unwissend seyn; laßt ihn in der Dunkelheit bleiben, und seinen Namen nicht unter den Menschen genannt werden; wenn er nur gelernet hat, welcher Weg zum Leben führt, wer sein Erlöser sey, wer ihm seine Sünden vergiebt und die Wunden seines Gewissens heilt; wenn er, durch die Erleuchtung der Religion, Gott über alles und seinen Nächsten als sich zu lieben gelernet hat, und nach diesen Geboten in seinem erwählten Berufe und Stande lebt und handelt: so kann er auf Erden ruhig seyn; so ist er zum Himmelreiche gelehrt, so weis er alles, warum der Mensch da ist, so kann er ewig glücklich werden.

Glückselig, meine Herren, sind wir, die wir einer guten Erziehung genossen; unendlich strafbar, wenn wir sie denen nicht geben, die künftig von uns gebohren oder unsern Händen zur Bildung anvertraut werden. Ist die Erziehung das wichtigste Werk der Aeltern und Aufseher: so müssen sie den Segen der Vorsehung bemüthig suchen, und sich nicht auf ihren Verstand bey derselben verlassen. Sollte Gott wohl diesen Segen bey der Bildung der Seelen, die er zur Tugend geschaffen hat, versagen?

Ist endlich die Erziehung das größte Glück der Kinder: so müs=
sen diese eine willige Folgsamkeit dabey beweisen, und den Saa=
men einer frühen Tugend nicht unter dem Unkraute der falschen
Meynungen, der Lüste und bösen Gesellschaften ersticken lassen.
Dir, noch zarte Jugend, die mich itzt höret, sey es insonderheit
empfohlen: Ehre Vater und Mutter mit der That,
(durch Gehorsam) und mit Worten und Gebuld, auf
daß ihr Segen über dich komme. Denn wer den
Herrn fürchtet, der ehret auch den Vater, und die=
net seinen Aeltern und hält sie für seine Herren, und
über ihn kömmt der von Gott verheißne Seegen:
auf daß dirs wohl gehe und du lange lebest auf Er=
ben.°) Ja, wer sich gern läßt strafen und ziehen, von
seinen Aeltern und Vorgesetzten, der wird klug werden: wer
aber ungestraft seyn will, der bleibt ein Narr.°°)
Ein Vater des Gerechten (des Tugendhaften), freuet
sich und wer einen Weisen gezeuget hat, ist fröhlich
darüber. Laß sich also, o Jugend, deinen Vater freuen,
und über dir fröhlich seyn, die dich gezeuget hat.°°°)
Denn des Vaters Freude und Segen bauet den Kin=
dern Häuser; aber der Mutter Kummer und Fluch rei=
ßet sie nieder.†) ††)

°) Sir. 3, 9. 10. 8, 7. °°) Sprüche Sal. 12, 1.
°°°) Sprüche Sal. 23, 24. 25.   †) Sir. 3, 11.
††) (Die frühern Herausgeber bemerken, daß die Lehren eines
Vaters für seinen Sohn, den er auf die Akademie
schickt, s. Th. V. S. 159, als eine Fortsetzung dieser Ma=
terie angesehn werden können, und von Gellert auch bey den
mündlichen Vorlesungen gemeiniglich dazu gebraucht worden
sind.)

Gellert VII.

Sitten von den erſten Jahren an, bis ſie in die große Welt
treten, unverrückt durch ihre Thaten und ihr tägliches Verhalten
lehren, lehren ſehr beredt, und erwerben ſich das ehrwürdige
Anſehen, das ſtillſchweigend unterrichtet und auch in der Ferne
ermuntert. Sie erwerben ſich dadurch die Liebe der Kinder, die
zum Gehorſame die beſte Triebfeder iſt. Solche Aeltern werden
endlich durch die Liebe zu ihrem Kinde und zur Pflicht oft da
ſcharfſinnig, wo andre Aeltern nichts ſehen, und durch die Liebe
zu Gott oft da unermüdet und ſtrenge, wo Andre ſorglos oder
nachſichtig verfahren. Daher kann oft ihr gutes Herz bey einem
geſunden Verſtande den Kindern die glücklichſte Erziehung geben.
Niedrige Aeltern, die ihre Kinder zu vernünftigen Chriſten und
nützlichen Bürgern aufziehen, haben ſie auf das glücklichſte erzogen. Denn laßt den Menſchen in allen andern rühmlichen
Erkenntniſſen unwiſſend ſeyn; laßt ihn in der Dunkelheit bleiben, und ſeinen Namen nicht unter den Menſchen genannt werden; wenn er nur gelernet hat, welcher Weg zum Leben führt,
wer ſein Erlöſer ſey, wer ihm ſeine Sünden vergiebt und die
Wunden ſeines Gewiſſens heilt; wenn er, durch die Erleuchtung
der Religion, Gott über alles und ſeinen Nächſten als ſich zu lieben gelernet hat, und nach dieſen Geboten in ſeinem erwählten
Berufe und Stande lebt und handelt: ſo kann er auf Erden
ruhig ſeyn; ſo iſt er zum Himmelreiche gelehrt, ſo weis er alles,
warum der Menſch da iſt, ſo kann er ewig glücklich werden.

Glückſelig, meine Herren, ſind wir, die wir einer guten Er-
ziehung genoſſen; unendlich ſtrafbar, wenn wir ſie denen nicht
geben, die künftig von uns gebohren oder unſern Händen zur
Bildung anvertraut werden. Iſt die Erziehung das wichtigſte
Werk der Aeltern und Aufſeher: ſo müſſen ſie den Segen der
Vorſehung demüthig ſuchen, und ſich nicht auf ihren Verſtand
bey derſelben verlaſſen. Sollte Gott wohl dieſen Segen bey der
Bildung der Seelen, die er zur Tugend geſchaffen hat, verſagen?

Ist endlich die Erziehung das größte Glück der Kinder: so müs=
sen diese eine willige Folgsamkeit dabey beweisen, und den Saa=
men einer frühen Tugend nicht unter dem Unkraute der falschen
Meynungen, der Lüste und bösen Gesellschaften ersticken lassen.
Dir, noch zarte Jugend, die mich itzt höret, sey es insonderheit
empfohlen: **Ehre Vater und Mutter mit der That,**
(durch Gehorsam) und mit Worten und Geduld, auf
daß ihr Segen über dich komme. Denn wer den
Herrn fürchtet, der ehret auch den Vater, und die=
net seinen Aeltern und hält sie für seine Herren, und
über ihn kömmt der von Gott verheißne Seegen:
auf daß dirs wohl gehe und du lange lebest auf Er=
ben.°) Ja, wer sich gern läßt strafen und ziehen, von
seinen Aeltern und Vorgesetzten, der wird klug werden: wer
aber ungestraft seyn will, der bleibt ein Narr.**)
Ein Vater des Gerechten (des Tugendhaften), freuet
sich und wer einen Weisen gezeuget hat, ist fröhlich
darüber. Laß sich also, o Jugend, deinen Vater freuen,
und über dir fröhlich seyn, die dich gezeuget hat.***)
Denn des Vaters Freude und Segen bauet den Kin=
dern Häuser; aber der Mutter Kummer und Fluch rei=
ßet sie nieder.†) ††)

°) Sir. 3, 9. 10. 8, 7.   **) Sprüche Sal. 12, 1.
***) Sprüche Sal. 23, 24. 25.   †) Sir. 3, 11.
††) (Die frühern Herausgeber bemerken, daß die Lehren eines
Vaters für seinen Sohn, den er auf die Akademie
schickt, s. Th. V. S. 159, als eine Fortsetzung dieser Ma=
terie angesehn werden können, und von Gellert auch bey den
mündlichen Vorlesungen gemeiniglich dazu gebraucht worden
sind.)

———

Gellert VII.

Vier und zwanzigste Vorlesung.

Von den Pflichten der Verwandtschaft und Freundschaft.

Von der Verwandtschaft.

So wie unser eignes Glück am ersten in unsern Verwandten leidet: so ist die Fürsorge für das ihrige, außer dem Zirkel unsers eignen Hauses, unstreitig die nächste Pflicht, die uns die Vorsehung auf dem großen Schauplatze der Welt anweiset. Weil ferner die Feindschaften unter den Blutsverwandten die unauslöschlichsten und heftigsten zu seyn pflegen, und allein durch Dienstfertigkeit, Vertragsamkeit, Aufrichtigkeit, Bescheidenheit und Güte verhütet werden können: so sind diese Tugenden besonders Pflichten der Blutsverwandten. Der Eigennutz begegnet sich in dieser Sphäre oft am meisten. Die Begehrlichkeit, die einen Schutz in den natürlichen Ansprüchen der Verwandten auf ihre gegenseitige Hülfe zu finden scheint, ist eine giftige Quelle der Mißhelligkeiten; und die unvorsichtige Gemeinschaft des verwandtschaftlichen Umgangs erstickt oft die gegenseitige Hochachtung. Vergebens wird man also bey aller Aufrichtigkeit ein guter Verwandter seyn, wenn man in seinen Ansprüchen auf die Rechte des Bluts nicht billig und bescheiden ist, und den vertrauten Umgang, den die Geburt rechtfertiget, nicht durch Vorsichtigkeit und Hochachtung regieret. Man erwartet von der Natur zu viel, wenn man glaubt, daß sie die Gemüthsarten der Verwandten gleichsam durch das Blut übereinstimmig machen soll; ja es ist nichts gewisser, als daß die Neigungen der Blutsfreunde oft sehr verschieden sind. Wenn wir gleichwohl mit unserm Herzen und mit unsern Diensten an diese Personen zuerst von der Vernunft angewiesen werden, um mit ihnen ein kleineres Ganze in der allgemeinen Welt auszumachen: so müssen uns alle Wege der Pflicht und Klugheit, welche zur Ruhe und dem wechselseitigen Glücke dieser Gesellschaft führen, theuer und ehrwürdig seyn. Wir können, so gutgesinnt wir auch seyn mögen, nicht allemal an dem Glücke Aller oder Vieler zugleich arbeiten; aber um die einzelnen Glieder des Geschlechts, zu dem wir gehören, können wir uns frühzeitig durch Liebe und Mitleiden, durch Gehorsam und Hochachtung, durch Sorgfalt, durch Rath und That, und Beyspiele, und dadurch zugleich um die größre Welt verdient machen, in welche diese einzelnen Personen künftig wieder eintreten, oder schon eingetreten sind. Die besondern Umstände einer solchen Gesellschaft bestimmen die Art und den Grad besondrer Pflichten. Und worinnen sie auch bestehen mögen: so ist doch gewiß, daß sie ein weites Feld für unsre Tugend seyn sollen, und daß wir stets schlechte Anverwandte bleiben werden, wenn wir nicht vernünftig und rechtschaffen zu handeln gelernet haben. Nichts scheint uns von den Pflichten der Verwandtschaft mehr frey zu sprechen, als Undank und Laster; und gleichwohl müssen wir diesen Undank am ersten zu ertragen und das einheimische Laster der Familie am eifrigsten zu verbessern trachten, so lange noch ein Mittel übrig ist, das wir nicht versucht haben. Ich meyne nicht, daß man den Undank des Familiengliedes durch eine furchtsame Güte verhärten, sondern daß man ihn durch eine weise Geduld

und Großmuth in Scham und Reue verwandeln soll, damit die
Liebe wieder aufwache. Was die lasterhaften Personen unserer
Familie anlanget: so dürfen wir uns ihnen mit unsrer Sorgfalt
desto weniger entziehen, je bekannter uns ihre Gemüthsart ist,
und je leichter das Laster die Hülfe und Fürsorge der Fremden
von sich entfernet. Es ist freylich nicht möglich, daß wir einen
lasterhaften Anverwandten, wie einen tugendhaften, lieben können; aber in so weit er ein unglückliches Glied von dem Hause
ist, in welches uns Gott gesetzet hat: so müssen wir die schwere
Pflicht, ihn, der oft nicht gebessert seyn will, zu bessern, als einen Zoll ansehen, den wir der Liebe zu unserm Schöpfer schuldig sind.

Wir können unsern Verwandten nicht stets dienen; aber wir
können sie uns doch durch einen Umgang voll Freundlichkeit und
Leutseligkeit, und durch Nachsicht gegen ihre kleinen Fehler stets
verpflichten. Wenn alle Verwandten so denken, so ist für die
Anmuth ihres gesellschaftlichen Umgangs schon sehr gesorget. Wir
können der Familie, zu der wir gehören, nicht allezeit durch unser Vermögen, oder durch unser Ansehen nützen, aber wir können ihr Vergnügen durch unsre Tugend, auch entfernt von ihr,
befördern, und durch ein gutes Beyspiel uns um sie verdient
machen. Wir können niedrig seyn, und dennoch unsern höhern
Anverwandten in unserm Stande durch ein rühmliches Verhalten
Ehre machen; so wie jene den Glanz, darinnen sie stralen, auch
auf uns Niedere sollen fallen lassen. Sich der Armuth rechtschaffner Verwandten und der niedern Stufe schämen, auf der sie stehen, ist nicht bloß Stolz; es ist zugleich Grausamkeit. Jede Familie hat ferner ihre eignen Vorurtheile, und ihre herrschenden
Laster. Es wird also stets die Pflicht der verständigern Verwandten bleiben, diesen herrschenden Vorurtheilen und Lastern
entgegen zu arbeiten. Dieß ist die größte Ehre, die wir unserm
Hause machen können.

So sehr wir indessen für unsre Blutsfreunde und ihr Glück zu sorgen haben: so muß diese Privatliebe doch allezeit durch die allgemeine Menschenliebe eingeschränkt werden, damit sie nicht in eine eigennützige Partheylichkeit ausarte, und dem gemeinen Besten schade. Seine Verwandten, bey geringen Verdiensten, erheben und würdigern Personen vorziehen, weil diese nicht mit uns aus einerley Geschlechte stammen; seine Verwandten aus Weichherzigkeit bereichern, und Menschen, die eben so gut, oft noch besser, und dabey in weit schlechtern Umständen sind, darben lassen, unter dem Vorwande, seine Familie glücklich zu machen, ist Sünde wider das Publicum, ist doppelte Sünde; denn wir machen nicht nur die Unsrigen durch Würden und Reichthümer, die sie nicht zu tragen wissen, unglücklicher, sondern wir verhindern auch, indem wir zugleich Bessere übergehen, durch unsre Schuld die Ruhe und Ordnung des Publici. Eine partheyische Empfehlung der Blutsfreunde ist, sie mit dem gelindesten Namen zu belegen, ein frommer Betrug; und wer getraut sich, diesen vor der Welt und dem Richterstuhle des Gewissens zu rechtfertigen? Der gute und sorgfältige Verwandte darf bey seiner Liebe eben so wenig, als der vernünftige Freund, die Regeln der allgemeinen Gerechtigkeit beleidigen; ja, da der Fehler dieser Partheylichkeit so sehr gemein ist, so muß er ihn durch sein Beyspiel widerlegen, und selbst den Schein desselben vor der Welt zu vermeiden suchen.

Von der Freundschaft.

Die Bande der Verwandtschaft werden von der Natur geknüpft, und durch die Pflicht und den Umgang fester zusammen gezogen. Die Verbindung durch Freundschaft ist zwar auch von der Natur veranstaltet; allein sie ist doch mehr ein Werk unsrer Wahl und moralisch guter Eigenschaften. Die wahre Freundschaft setzet allezeit gegenseitige Verdienste voraus, wenigstens die Meynung derselben; in meinen Verwandten aber kann ich nicht stets das Verdienst lieben, und ihr Herz, wenn es auch gut ist, ist darum nicht mein Herz. Ich achte es hoch, aber ich fühle im genauen Verstande nicht den Reiz der Liebe. Der Freund kann nicht Freund seyn, ohne sich mit mir zur Tugend zu vereinigen; der Verwandte hingegen, dem ich Liebe schuldig bin, hat darum nicht einerley Neigungen und tugendhafte Absichten mit mir. In diesem Verstande kann man behaupten, daß die Freundschaft die höchste und edelste Verwandtschaft sey, und daß ein treuer Freund oft fester, als ein Bruder, liebe*).

Sieht man die Freundschaft bloß von der Seite der Natur an: so ist sie, in so fern sie sich von der allgemeinen Liebe unterscheidet, weder Tugend, noch Laster. Betrachtet man sie von der Seite des Vergnügens, das sie uns gewähret: so ist sie das kostbarste Geschenke des gesellschaftlichen Lebens. Betrachtet man sie als eine nähere Verbindung edler und gleichgesinnter Seelen, sich und Andre glücklicher zu machen: so ist sie Vergnügen und Tugend zugleich.

Man hat die Lobsprüche der Freundschaft oft auf Kosten der allgemeinen Menschenliebe übertrieben und die heftigen Ausbrüche einer natürlichen Neigung, die Eines für das Andre gefühlt, zu einer heroischen Tugend gemacht. Man hat eine gewisse Verleugnung seiner selbst in der Freundschaft zum Wunder der Tugend erhoben, die doch oft nur ein glücklicher Eigensinn des Naturells, oder ein Befehl des Eigennutzes, oder eine Frucht des Temperaments und der Selbstliebe gewesen ist. Daß ich den liebe, bey dem ich eine gleiche Anlage des Verstandes und des Herzens finde, einen Charakter, der in den Hauptzügen dem meinigen gleicht, eine Gesichtsbildung, die mir vorzüglich gefällt und

*) Sprüche Sal. 18, 24.

eine solche Seele verspricht, als ich zu suchen mich gedrungen
fühle; ist das Tugend, oder Selbstliebe? oder wenigstens natür=
liche Sympathie? Daß ich einer Person von meiner Bekannt=
schaft, die ich so vorzüglich liebe, die mir in ihren Gesinnungen
gefällt, die mich durch Gegenliebe auf das genaueste fesselt und
durch Worte und Handlungen mir ihre Neigung für mein Glück
zu erkennen giebt, daß ich, sage ich, dieser Person biene, mit
meinem Schaden biene, ihr einen Theil meines sonst gewohnten
Vergnügens aufopfere, daß ich ihr meine Zeit, meine Einsicht,
den Gebrauch meines Vermögens schenke; ist dieses mehr freye
Tugend, oder mehr Zug der Natur? mehr Erfüllung einer
Pflicht, oder mehr Befriedigung einer Neigung? Warum liebe
ich diesen Menschen so vorzüglich? Weil er gleiche Neigungen
und Absichten mit mir hat; weil ich in seiner Liebe meine Be=
ruhigung finde. Ist hierbey die Eigenliebe nicht sehr geschäfftig?
Und für einen Pylades sterben wollen, heißt es oft etwas an=
ders, als: ich finde so viel Vergnügen in seiner Freundschaft, daß
mir ohne ihn das Leben eine Last seyn wird, und daß ich, die=
sem Elende zu entgehen, lieber sterben, als ihn sterben sehen
will? Der eifrigste Enthusiasmus in der Freundschaft, der sich
nur auf gleichseitige Neigungen des Temperaments gründet, ist
an und für sich, so sehr er auch den äußerlichen Glanz der
Rechtschaffenheit von sich wirft, keine Tugend; er ist bloßer
Naturtrieb. Ja, noch mehr, er kann zum Verbrechen wer=
den; und die so gerühmten Opfer, die im Alterthume der
Freundschaft gebracht worden, sind oft erst dem Altare der
allgemeinen Menschenliebe und Gerechtigkeit geraubt gewe=
sen. Seine Zeit, sein Vermögen, seinen Verstand und
sein Herz dem Freunde und seinem Umgange durch die
eifrigsten Bestrebungen schenken, kann zur Ungerechtigkeit
gegen sich selbst und gegen die vielen Glieder des Publici
werden.

Man hat der Moral der Religion den Vorwurf gemacht, daß
sie die Freundschaft nicht gebiete, und insonderheit hat sie der
Graf Schaftsbury deswegen der Unvollkommenheit beschuldiget. Man kann auf diesen Vorwurf sehr leicht durch das
antworten, was wir itzt erinnert haben. Betrachtet man nämlich die Freundschaft als ein Werk der Natur und des Umgangs,
das gegenseitige Reigungen und Dienstleistungen in sich schließt:
so kann sie nicht eine allgemeine Pflicht, nicht eine Pflicht aller
Zeiten und Oerter seyn. In so fern sie aber eine natürliche Reigung ist, hat sie da, wo sie ist, nicht erst dürfen, und da, wo
sie nicht angelegt ist, nicht können geboten werden. Sieht man
hingegen die Freundschaft von der Seite der Tugend an: so sind
ihre Pflichten in der Pflicht der allgemeinen Menschenliebe eben
so gewiß enthalten, als die Früchte eines tragbaren Astes in dem
Stamme und seiner Wurzel. Ist es eine Frage, ob ich meinen
Freund treu und aufrichtig lieben soll, wenn ich alle Menschen
also zu lieben verbunden bin? Und kann ich zweifeln, daß ich
dem, für den mein Herz in mir spricht, dessen Tugenden und
Bedürfnisse ich genau kenne, der sich mir mit seinen Gesinnungen, mit seinem Mitleiden, mit seiner Freude über mein Glück
und mit seiner Bemühung dafür, vor Andern, nähert, daß ich
dem insbesondre das leisten soll, was ich mir nach den Regeln
der Billigkeit von ihm wünsche und verspreche? Was ist endlich
die Bruderliebe der Religion, als die edelste und erhabenste
Freundschaft? Was heißen Brüder in der christlichen Religion?
Diejenigen, die einerley heiligen Glauben und Tugend haben.
Und was heißen Freunde nach der Vernunft? Menschen, die in
ihren Meynungen, Reigungen und guten Absichten mit einander übereinstimmen und übereinzustimmen suchen. Also ist die
Bruderliebe eine Art höherer Freundschaft; denn sie setzet gleiche
göttliche Gesinnungen voraus, und schließt die natürliche Gleich-
heit, wo sie zugegen ist, nicht aus. Die Schrift gebeut, die

Wohlthäter insbesondre zu lieben und dankbar gegen sie zu seyn;
und ist nicht der wahre Freund mein beständiger Wohlthäter?
Werde ich ihm also nicht eine besondre Dankbarkeit schuldig seyn?
Liebte nicht unser Erlöser den Johannes wegen seines sanften und
leutseligen Characters vorzüglich, und Paulus den Timotheus,
weil niemand, wie er selbst sagt*), so gar seines Sinnes
war, als er? Das Gebot der Bruderliebe geht so weit, daß
wir verbunden sind, auch das Leben für die Brüder zu lassen,
wenn es ihre geistliche Wohlfahrt befiehlt. Ist dieses nicht die
höchste und schwerste Freundschaft? War es endlich nicht der
Religion anständiger, die allgemeine Menschenliebe, die wir als
eine Pflicht gegen Gott ausüben sollen, und zu der wir uns so
ungern verstehen, zu lehren, als die besondre Liebe der Freundschaft, zu der wir von der Natur eingeladen werden, die so leicht
Partheylichkeit des Herzens und wohl gar Selbstliebe wird, und
die uns oft gegen Andre gleichgültig, oder ungerecht macht?

In so weit also die Freundschaft eine gleichseitige Uebereinstimmung des Characters und eine von der Natur veranstaltete
Aehnlichkeit des Gemüths voraussetzt, in so weit kann sie keine
allgemeine Pflicht seyn; und in so weit wir bloß dieser Stimme
der Natur, die unsre Herzen einander zuführen will, folgen, in
so weit ist es noch keine Tugend.

Aber wie reizend wird die Freundschaft nicht, wenn sie sich
zugleich auf Natur und auf Tugend gründet! Man sondre den
Begriff der Tugend von der Freundschaft ab, so verschwindet ihr
Werth, und ihr heiliger Glanz verliert sich nicht selten in die
Finsterniß des Eigennutzes und der niedrigsten Selbstliebe. Gehört
die Tugend nicht zur Freundschaft: so sind Straßenräuber bey
ihren gleichen Absichten rühmliche Freunde; denn sie befördern ihren beiderseitigen Vortheil oft nach Regeln einer gewissen Billigkeit.

*) Phil. 2, 20.

Die wahre Freundschaft ist die gegenseitige Hochachtung und Neigung tugendhafter Gemüther, welche durch die Uebereinstimmung ihrer Neigungen, Vortheile und Absichten, die in beyden durchgehends aufrichtig und edel seyn sollen, genauer mit einander vereiniget werden. Man kann also in einem gewissen Verstande viele Freundschaften, in einem andern nur eine haben und unterhalten; in so weit sie nämlich die genaueste Uebereinstimmung der Gemüther ist. Und obgleich die Liebe gegen eine Person des andern Geschlechts auch die Freundschaft in sich schließt: so unterscheidet sie sich doch dadurch, daß sie, mit Ausschließung einer dritten Person, nur auf Eine fällt.

Ist die freundschaftliche Liebe zugleich das Bündniß der Weisheit und Tugend, gründet sie sich auf die Güte des Verstandes, des Herzens, und auf angenehme Sitten, befestigt sie sich durch einen überlegten und verpflichtenden Beystand, der sich auf die Grundsätze der Treue und Aufrichtigkeit gründet; ist sie, mit Einem Worte, zugleich die Sympathie der Natur, der Vernunft und der Tugend: so kann für den empfindlichen Menschen nichts schätzbarers und nützlichers gedacht werden. An der Seite eines rechtschaffnen Freundes fühlen, daß man glücklich ist, und dieses Gefühl mit ihm theilen, und wissen, daß unser Glück ein Theil des seinigen ist; an der Seite eines Freundes unsern Kummer mit ihm theilen, und fühlen, daß er mit uns leidet, und daß er uns einen Theil der Last durch Liebe und Mitleiden abnimmt; welche Anmuth im Glücke! und welcher Trost im Elende! Gewinnt nicht unser Vergnügen schon, wenn wirs ihm erzählen? und mindert sich nicht unsre Unruhe schon, indem wir sie ihm klagen?

> Entfernt von ihm wird mir ein Glück zu Theile;
> Und wenn im Geist ichs ihm zu sagen eile:
> Wird mir dieß Glück gedoppelt süß.

Entfernt von ihm drohn mir des Unglücks Pfeile;
Und wenn im Geist ichs ihm zu klagen eile:
So fühl ich minder Kümmerniß.

Die Liebe eines vernünftigen Freundes ist der untrüglichste
Lobspruch für unser Herz, und seine Hochachtung gleichsam das
Siegel unsrer Rechtschaffenheit. Er stärkt durch sein Vertrauen
meine Aufrichtigkeit, verschönert meine Absichten durch die seini=
gen, tritt uneigennützig in meine Umstände, unterstützt mich in
meinen Unternehmungen durch Rath und Beyfall, ruft mich gü=
tig von Irrthume und Fehltritten zurück, ermahnet mich durch
sein edles Beyspiel, erbittet mir Gutes von Gott, ist der Nächste
bey mir in den Unfällen, wie er der Empfindlichste bey meinem
Glücke war: und alles dieses ist er mir auf immer; denn selber,
wenn uns das Schicksal trennt, lebt er für mich noch in der
Ferne. Seiner edlen Seele darf ich mein Geheimniß, mein Ver=
mögen, die Wohlfahrt meines Kindes und meiner Gattinn an=
vertrauen. Seine Aufrichtigkeit, seine Dienstbegierde, sein Ver=
stand wird überall durch Liebe und Klugheit und Geschmack ge=
leitet; und darum entzückt mich mein Freund so sehr, und dar=
um nützt er mir so vorzüglich. Ein tugendhafter und also wah=
rer Freund ist das kostbarste Geschenk des Himmels, für das wir
nie dankbar genug seyn können. Begegnet er uns schon auf der
Bahn der ersten Jugend, geht er mit uns, unter gleichen Be=
mühungen und Belohnungen, in die Wege des männlichen Al=
ters fort, geleitet er endlich unsre Tugend noch auf das Sterbe=
bette: so können wir ihn den sichtbaren Schutzengel nennen, den
Gott unserm Leben zugesellet hat.

Meine Herren, gewährt der Freund so viel Glück, so viel
Freude: so wird es für uns ein hoher Beruf seyn, ihn zu ver=
dienen und zu bewahren. Was wir an ihm schätzen und lieben,
das müssen wir selbst zu seyn trachten, und den Weg sorgfältig

gehen, auf dem wir ihn finden können, den Weg der Verdienste, der Tugend und angenehmer Sitten.

> Um einen Freund von edler Art zu finden,
> Mußt du zuerst das Edle selbst empfinden,
> Das dich der Liebe würdig macht.
> Haft du Verdienst, ein Herz voll wahrer Güte:
> So sorge nichts; ein ähnliches Gemüthe
> Läßt deinen Werth nicht aus der Acht.

Edle Seelen entdecken einander mitten unter dem Gedränge der Welt, die sich nur aus Eitelkeit und Eigennuß zu verbinden pflegt. Oft ist es die gute Miene, in der sich die Seele ab= drückt, wodurch wir zur Freundschaft eingeladen werden, oft ein kleiner Dienst, an dem wir die Güte des Herzens erkennen, oft ein Gespräch, das uns die Art zu denken und zu empfinden, die wir besonders lieben, offenbaret und uns zu dem Herzen des An= dern zieht. Oft ist es das äußerliche gesittete Betragen, das uns zuerst in dem Charakter des Andern unser Glück suchen heißt. Oft gefällt uns zwar der erste Anblick nicht, weil er das nicht zu versprechen scheint, was unser Herz sucht; und dennoch nöthi= get uns ein fortgesetzter Umgang, die Verdienste dieses Charak= ters zu entdecken, der uns Anfangs mißfiel, und der doch für un= ser Herz gebildet war. So vielfach ladet uns die Natur zur Freundschaft ein; bald durch den mächtigen und edlen Zug der Sympathie mit einemmale, bald unvermerkt durch kleine Dienst= leistungen, bald nach und nach vermittelst des Umgangs. Nie= mand hat größre Empfehlung zur Freundschaft, als derjenige, der mit einem guten und empfindlichen Herzen einen feinen und richtigen Verstand verbindet, der mit der Würde der Tugend die Anmuth des Wohlstandes, und mit den Schätzen der Wissen= schaft die Schätze der Religion vereiniget. Ein Herz voll Eitel= keit, voll Habsucht und Eigensinn ist ungeschickt, Freundschaften zu unterhalten, so geschickt es auch seyn mag, uns bis zur Freundschaft durch einen angenommenen Schein zu hintergehen. Wer nicht edel gegen sich gesinnet ist; wie wird es gegen seinen Freund seyn? Aber so aufrichtig unser Herz seyn mag: so wird es doch ohne Geschmack und Sitten wenig Anmuth in die Freundschaft bringen. Der gute Geschmack, meine Herren, den wir uns durch die schönen Wissenschaften erwerben, begleitet uns nicht allein in das große Leben, sondern auch in den engen Zirkel der Freundschaft, entzieht unsrer Aufrichtigkeit das Beleidigende, giebt unsrer Vertraulichkeit das Bescheidne, nimmt unserm Rathe das Gebietrische, und unsern sichtbaren Dienstleistungen die zu verpflichtende Miene. Durch Hülfe des Geschmacks verhüten wir viele Unruhen in der Freundschaft und verschönern die Pflicht der Rechtschaffenheit; und ohne diesen Geschmack wird der beste Freund oft beschwerlich, und hört auf für uns ein angenehmer Freund zu seyn.

Das beste Herz hat seine kleinen Fehler der Erziehung, oder des Temperaments. Wie es Pflicht der Freundschaft ist, sie zu mildern: so ist es auch Pflicht, sie zu dulden, und sie unter den vielen rühmlichen Eigenschaften seines Freundes aus den Augen zu verlieren; denn der Freund ohne Fehler ist nicht mein andres Ich. Nein,

> Dein Freund, ein Mensch, wird seine Fehler haben;
> Du duldest sie bey seinen größern Gaben,
> Und milderst sie mit sanfter Hand.
> Sein gutes Herz bedient sich gleicher Rechte,
> Begeistert deins, wenns minder rühmlich dächte,
> Und sein Verstand wird dein Verstand.

Haben wir einen liebenswürdigen Freund gefunden, so müssen wir durch seinen Umgang immer edler und liebenswürdiger zu werden suchen; denn sonst verlieren wir den wichtigsten Vortheil der Freundschaft, und verwandeln das, was dem Herzen zu einer heilsamen Nahrung dienen soll, in eine Art von üppiger Schwelgerey. Warum treten wir zusammen in Verbindung, wenn wir durch unsern vertrauten Umgang nicht immer unser Glück erhöhen wollen? Kann man je befürchten, zu gut zu werden, und zu weise zu verfahren; und ereignen sich nicht immer neue Umstände, in denen ich Freund, das ist, Helfer, Rathgeber, Beyspiel, Trost und Anmuth seyn soll? Dieß ist eben der größte Nutzen der Freundschaft für uns und die Welt, daß wir immer besser und zu unsrer großen und ewigen Bestimmung geschickter werden. Wer der Freundschaft kein Vorurtheil aufopfern, keinen Fehler, den sie gütig bemerkt, ablegen, keine Ermunterung zur Pflicht, weil sie vielleicht unsern Stolz beugt, von ihr mit Dank annehmen, den Vorzug des Freundes nicht immer gern erblicken und sich zu seinem Lehrer machen kann; der ist nicht edelgesinnt genug zur Freundschaft, und bey allen Verdiensten, die er haben mag, fehlet ihm doch das edle Mißtrauen gegen sich selbst, zu dem uns die Freundschaft mit sanfter Hand führen will.

So manches Herz, das sich verirrte, hat an dem Freunde einen Retter, so manches Herz, das auf der Bahn der Tugend zu wanken anfieng, hat an ihm eine Stütze, und so mancher Jüngling, der sonst langsam zum Ziele seiner Wohlfahrt gelanget wäre, hat an dem Freunde den muthigen und eifrigen Gefährten gefunden, der ihn ohne Umwege dahin geführet. Möchte doch ein jeglicher unter Ihnen, meine Herren, das Glück genießen, einen solchen Freund zu besitzen, oder selbst ein solcher Freund zu seyn! Unsre Jugend braucht eine tugendhafte Freundschaft um desto mehr, je leichter sie zu blenden, und je geneigter sie ist, sich selbst irre zu führen.

Was hilft ohn einen Freund dem Jüngling seine Jugend,
Der auf dem Scheideweg des Lasters und der Tugend

Lang unentſchloſſen ſteht, und, wenn er endlich wählt,
Bald auf der öden Bahn, die er allein geht, fehlt?

Ich wünſche Ihnen viel, wenn ich Ihnen einen weiſen und
rechtſchaffnen Freund wünſche; und keiner iſt unter Ihnen, dem
ich dieſes Glück nicht von Herzen gönne, und der ſich nicht von
der Vorſehung täglich wünſchen ſollte. Auch Ihnen werde eine
ſolche Freundſchaft mit allen ihren Freuden zu Theile, die, durch
dieſes Leben hindurch geführt, ſich über das Grab hinaus bis in
die grenzenloſe Ewigkeit mit ihren Vortheilen verbreitet.

Man hat der Religion, wie ich vorher erinnert, den Vor=
wurf gemacht, daß ihre Moral die Pflichten der Freundſchaft
nicht lehre. Aber wie unbillig! Wer wird der beſte Freund
ſeyn, wenn alles auf beiden Seiten gleich iſt, der chriſtlich ver=
nünftige, oder der bloß vernünftige Freund? Wenn mein Herz
gebildet iſt, gütige Neigungen gegen Alle zu fühlen, wird es
keine gegen den insbeſondre fühlen, der ſich durch ſeine Gemüths=
art der meinigen am meiſten nähert? Xenophon ſagt, daß der
tapferſte und unverzagteſte Soldat derjenige ſey, der die Götter
am meiſten fürchtet. Und wer wird der treuſte und beſte Freund
ſeyn? Nein, meine Herren, der rechtſchaffne Mann ohne Reli=
gion iſt ein verdächtiger Freund; der fromme vernünftige Mann
iſt dagegen der zuverläſſigſte, der beſte Freund, der Freund für
zwo Welten. Die fromme vernünftige Freundinn, die ihre An=
muth mit Unſchuld und Sittſamkeit ſchmückt, dieß iſt die wahre,
die beſte Freundinn, die wir wünſchen und ſuchen ſollen, und
über deren beſtändigen Beſitz, wenn der Himmel ſo günſtig iſt,
uns durch die Ehe denſelben zu ſchenken, unſer Herz ſich glück=
lich preiſen mag. Zählen Sie alſo mit mir den rechtſchaffnen
Freund unter die größten Glückſeligkeiten des Lebens, und lernen
Sie aus der Erfahrung ſagen:

Der Jüngling iſt beglückt, dem ſich ein Freund ergiebt,
Der auch zur Weisheit will, der auch die Tugend liebt,

Und muthig die Gefahr der Reise mit ihm theilet,
Ihn anspornt, wenn er steht, ihm folget, wenn er eilet,
Ihn aufweckt, wenn er schläft, und in Gefahr bedräut,
Und seine Pflicht ihn lehrt, eh er sie noch entweiht.

Endlich, meine Herren, ist es so viel Glück, einen tugend=
haften und liebreichen Menschen zum Freunde zu haben: welch
Glück müßte es für den Menschen seyn, die höhern und edelsten
Geister des Himmels sich zu Freunden zu machen; welch unend=
lich Glück, den Allmächtigen und Allgnädigen zum Freunde zu
haben! Dieses Glück lehret und verschafft uns die Religion.

Fünf und zwanzigste Vorlesung.

Von der Ehe und ihren Verpflichtungen.

———

Der Charakter der ehelichen Freundschaft ist von der Natur so weise und sorgfältig bezeichnet, daß ihn die Vernunft leicht wahrnehmen und ausbilden kann. Man setze die Hauptabsicht des Zugs der gegenseitigen Liebe, den uns die Hand des Schöpfers eingepflanzet hat, in die Erhaltung des menschlichen Geschlechtes und der Privatruhe: so kann man kein vernünftigeres und heiligeres Mittel zu dieser doppelten Absicht denken, als das Band der Ehe.

Ohne sie würde der Trieb der Liebe zügellos ausschweifen und gar bald zur verderblichsten Leidenschaft werden. Er würde die edelsten Neigungen der Seele, Wohlwollen, Freundschaft und Hochachtung, anstatt daß er sie unterstützen sollte, vernichten, ja das menschliche Geschlecht mehr verheeren, als erhalten. Die diesen Naturtrieb nicht durch das eheliche Band fesseln wollen, diese, so hat schon Sirach die Anmerkung gemacht*), diese, die sich lieber an unzüchtige Personen hängen, werden wild und kriegen Motten und Würmer zum Lohne

———

*) Sir. 19, 3. 23, 22.

und verdorren Andern zum merklichen Exempel.
Wer in der Brunst stecket, der ist wie ein verzehrend
Feuer und höret nicht auf, bis er sich selbst ver=
brenne. Und wie sich keine öffentliche Ruhe, keine Erziehung
der hülflosen Geschöpfe, welche von Menschen gezeugt werden,
ohne die genauen und beständigen Bande der Ehe leicht denken
läßt: so kann man auch auf der andern Seite ohne große Scharf=
sichtigkeit sehen, daß die Vielweiberey mehr Beschwerlichkeiten
und weniger Annehmlichkeit des Lebens bey sich führet, als daß
sie von der Vernunft, ohne in sehr besondern Umständen, gebil=
liget werden könnte. Man kann eben so leicht wahrnehmen, daß
die Auflösung der Ehe, wenn sie dem Eigensinne, der Willkühr
und Unbeständigkeit der Menschen jedesmal überlassen wäre, die
schrecklichsten Folgen nach sich ziehen und so wohl das Familien=
glück, als die allgemeine Ruhe umstürzen würde. Würde der
Mensch, der unter dem Vorwande, seine erste Wahl zu verbes=
sern, den Gatten verlassen und einen andern suchen dürfte, nicht
in kurzer Zeit wieder eine andre Ursache finden, seine Ehe noch
einmal und abermal aufzuheben? Und wenn diese Freyheit das
Gesetz der Natur wäre: so würde das Gesetz der Natur alle Ord=
nung des gemeinen Wesens umkehren, und keinen weisen Gott
zum Urheber haben. Alle unsre natürlichen Triebe haben eine
vernünftige Einschränkung nöthig, und der stürmische Trieb der
Liebe bedarf dieser Einschränkung am meisten, wenn er nicht aus=
arten, nicht das Herz, die Sitten, und den Verstand verderben
soll. Er würde aber gewiß, oder doch höchst wahrscheinlich aus=
arten, wenn die Bande der Ehe und ihre Auflösung seiner Will=
kühr überlassen wären. Es ist nicht zu leugnen, daß es für die
Ruhe dieser oder jener Privatperson zuweilen besser seyn würde,
wenn ihre Ehe getrennet werden könnte. Allein das einzelne
Beyspiel würde eine Berechtigung für tausend Andre werden, die
aus eiteln und bösen Absichten eben diese Freyheit verlangen wür=

ben; und nichts würde in diesem Falle leichtsinniger und niederträchtiger geschlossen werden, als die Ehe*).

Die Ehe, indem sie die Liebe von vielen Gegenständen zurück zieht, und sie wechselseitig auf einen einzigen für beständig einschränket, belohnet uns für den Raub der Ungebundenheit, und auf eine sehr wohlthätige Weise. Unser Herz gewinnt, indem es zu verlieren scheint. Es wird an eine Person gefesselt, die man sich wünschet, und die für uns allein leben soll, so wie wir für sie leben. Unser Trieb der Freundschaft und der gegenseitigen Zuneigung, der, wenn er unbestimmt bliebe, ausarten und in den Seelen beider Geschlechter schreckliche Verderbnisse zurück lassen würde, erhält durch die Hand der Ehe einen Gegenstand, in welchem sich die Liebe des Geschlechts mit der Zuneigung der Person glücklich vereiniget.

Durch die Hand der Ehe werden zwo Personen aus der großen Familie der Welt ausgehoben, um eine Welt im Kleinen auszumachen, die, durch gegenseitige Liebe und Treue beseelet, ihre Privatglückseligkeit schaffet, und zu solchen Pflichten berufen wird, welche nicht nur die Liebe erhalten und erneuern, sondern aus deren Beobachtung auch das häusliche Glück wieder zurück in das Beste des Staats und der Welt einfließt.

Was man auch den Fesseln der Ehe für Vorwürfe wegen ihrer Beschwerlichkeit macht: so ist das zur Beantwortung derselben schon genug, daß die Annehmlichkeiten einer vernünftigen Ehe ihre Beschwerlichkeiten überwiegen, und daß selbst die Un-

---

*) Der Vorschlag, den der Graf von Sachsen, von einer fünfjährigen Ehe, in seinen Rêveries gethan, ist, wenn man gelinde reden will, ein Traum, und wenn man an das göttliche Gesetz der Religion denket, so ist er eine Verspottung dieses Gesetzes. Was mit dem Gesetze der Vernunft und Religion streitet, das bringe der Marschall von Frankreich oder der König in Vorschlag, es bleibt, was es ist.

gemächlichkeiten dieses Standes sich in Annehmlichkeiten verwandeln lassen, und der Liebe zur Nahrung dienen. Es ist genug, daß die meisten Klagen, die man wider diesen Stand vorbringt, nicht sowohl ihn, als überhaupt die Unvollkommenheit der Menschen, und insbesondre die Thorheiten und Laster der verehelichten Personen treffen. Eine Verbindung, ohne Verstand und Tugend, ohne Wahl und Vorsichtigkeit, ohne Kenntniß und gegenseitige Neigung der Gemüther geschlossen; darf diese ihr Unglück wohl auf die Fesseln der Ehe schieben? Den Stand der Ehe als die Freystatt des Eigennutzes, der Wollust, der Eitelkeit und des Ehrgeizes ansehen, und dann erfahren, daß die Ehe nicht glücklich mache, mag eine sehr wahre Klage, aber auch eine sehr verdiente Strafe seyn können. Die Liebe einer glücklich angefangnen Ehe nicht mit einem steten Augenmerke auf ihre ehrwürdige Absicht durch Klugheit regieren, nicht durch Hochachtung immer neu beseelen, nicht durch Sorgfalt und treue Dienstleistungen unterstützen, nicht durch Nachsicht gegen die kleinen Fehler des Temperaments von den Feinden der Eintracht befreyen; und ihr doch den Vorwurf machen, daß sie Ekel, Ueberdruß und Uneinigkeit gebäre, heißt nicht die Ehe, sondern die Thorheit der Verehlichten anklagen.

Uns Hochachtung gegen diesen Stand einzuflößen, ist es genug, wenn wir sehen, daß zwo Personen bey einer vernünftigen Zärtlichkeit die Unfälle des Lebens leichter ertragen und ihr Glück einander durch Freundschaft angenehmer machen. Dieses ist der Segen, der sich aus dem Schooße der tugendhaften ehelichen Liebe über das Leben der Menschen verbreitet. Die Ehe ist kein Stand, der Thoren glücklich machen soll; ihr Band soll gutgesinnte Herzen zu einer Freundschaft, die so lange, als das Leben, dauert, und zu einer tugendhaften Ausübung gesellschaftlicher Pflichten vereinigen. Wenn Personen bey ihrer nähern Verbindung diese Absicht vergessen, oder sie zu erfüllen nicht geschickt

sind: so beschimpfen und entheiligen sie die Ehe. Da sich die
Treue der ehelichen Liebe auf das gegenseitige Versprechen und
auf die Natur der Liebe gründet; und da die Ehe das genaueste
Band der Menschen ist: so ist die Verletzung der ehelichen Treue
auch nach der Vernunft ein großes Verbrechen und eine doppelte
Sünde; Sünde der äußersten Wollust, und Sünde der größten
Ungerechtigkeit. Es ist merkwürdig, daß die wildesten Völker
das Recht der Ehe für ein heiliges Recht gehalten haben und
noch halten; und eine der gegenwärtigen Nationen in Afrika,
die, in ihren übrigen Sitten, zunächst an die Thiere grenzet,
hat doch ein Gesetz, das den Bruch der Ehe am Leben bestrafet.
Die Verächter des Naturgesetzes berufen sich immer auf das Bey=
spiel der wilden Nationen, bey benen man das Gegentheil an=
treffen soll. Warum berufen sie sich nicht auch auf dieses Bey=
spiel des ehelichen Rechtes?

Je mehr Glück oder Unglück von dieser genausten Vereinigung
beider Geschlechter abhängt; desto vorsichtiger sollen wir bey uns=
rer Wahl seyn, und desto strafbarer sind diejenigen, die uns wi=
der unsre Neigung, durch gutgemeynte aber tyrannische Bewe=
gungsgründe, zur Ehe zwingen, oder von ihr zurück halten. Je
gewisser es ist, daß keine Liebe ohne wahre Verdienste bestehen
kann; desto mehr Verdienste sollen wir uns, vor dieser Wahl,
und nach ihr, zu erlangen bestreben. Ein Mann, in männli=
chen Künsten und Geschicklichkeiten unerfahren, wird sein Anse=
hen in der Ehe nicht lange behaupten. Und wie soll ihn sein
Weib ehren, wenn sie weder den Verstand, noch den Schutz, bey
ihm findet, den sie sich mit Recht von ihm versprach? Er kann
sich selbst nicht regieren; wie wird er klüglich und sanftmüthig
in seinem Hause zu herrschen wissen? Er beobachtet keine Pflich=
ten des Hausstandes anders als nachlässig; und also verwahrlo=
set er das Glück der Ehe durch sich selbst. Er ist ohne Geschäffte,
und durch seine Trägheit wird er dem besten Weibe zur Last,

und macht ihr seine Fehler sichtbar, die er durch Klugheit und Arbeitsamkeit aus ihrem Auge entfernen würde. Und wenn kann ein solcher Mann, so es ihm an Arbeitsamkeit fehlet, ein Vergnügen mit ihr theilen, das sein Verdienst, und ihr ein Beweis seiner Sorgfalt und Liebe wäre? Er, leer am Verstande und an Tugend, will seinem Hause gute Kinder und der Welt nützliche Bürger erziehen? Wie läßt sich dieses denken? Welche Quelle von Verdruß und Thorheiten wird seine Ehe und welcher Irrgarten sein Haus seyn, wenn nicht seine Gattinn durch seltne Eigenschaften allen diesen Uebeln vorbeuget!

Ein Weib, unerfahren in weiblichen Künsten und Geschicklichkeiten, die nicht mehr Verstand besitzt, als ihr Putz erfordert, und keine andre Tugend kennt, als den Reichthum oder die Schönheit, die sie ihrem Manne stolz entgegen trägt; ein Weib ohne Erziehung, die Sklavinn ihrer Leidenschaften, die noch nie ernsthaft daran gedacht, warum der Mensch auf der Welt ist; ein solches Weib soll den Mann glücklich, die eheliche Liebe dauerhaft, das Haus ruhig und gesegnet, und ihre Kinder weise und tugendhaft machen? Der Mann, der sie kennt und dennoch wählet, ist, so vernünftig er sonst heißen mag, ein Thor, der die Absicht der Ehe vergißt. Der Mann, der sie wählet und nicht kennt, hat auf gut Glück gewählet und bey der wichtigsten Begebenheit als ein Kind gehandelt. Hat er sich von der Einbildung, von der Schönheit, von Freunden hintergehen lassen: so hat er nicht für sein Herz gewählet, und nicht weniger seinen Verstand um Rath zu fragen vergessen. Hat er sie bloß des Reichthums, des Standes und seines künftigen äußerlichen Glücks wegen gewählet: so hat er nicht an die Hauptabsicht der Ehe gedacht, und statt des Bundes der Liebe nur einen elenden Contract des Eigennutzes geschlossen.

Man setze zwo verständige und gesittete Personen von beiden Geschlechtern, die einander kannten und liebten, und auf das Geheiß ihrer Herzen, unter der Billigung der Klugheit und auf den weisen Rath vernünftiger Aeltern und Freunde, dieses heilige und genaue Bündniß schlossen; und alsdann werden ihre Ehe tausend Beschwerlichkeiten nicht treffen. Ihre Liebe wird sich durch den Genuß nicht in Kaltsinn, ihr vernünftiger Umgang nicht in Ekel, sondern beides in eine sanftere Freundschaft und in eine täglich wieder auflebende Zufriedenheit verwandeln. Sie sorgen beide für einander, weil sie einander lieben; die Liebe erleichtert ihnen ihre Pflichten, und die genaue Ausübung ihrer Pflichten erhält und vermehrt die Liebe. Sie befördern, jedes an seinem Theile, die häusliche Wohlfahrt, und beide kommen auf verschiednen Wegen dennoch in Eintracht zu einerley Ziele. Geschäfftig zu seyn, war eine Pflicht, die sie schon außer der Ehe zu erfüllen suchten; in der Ehe erhält diese Pflicht eine genauere Bestimmung, mehr Bewegungsgründe, mehr Leben, und durch die Liebe mehr Anmuth. — Sie unterstützen einander in ihrer gemeinschaftlichen Absicht durch Rath und Beystand, durch Klugheit und Erfahrung, und durch ihr gegenseitiges Beyspiel. Sie leihen einander wechselsweise ihre Einsichten, ohne sich durch Stolz dafür bezahlt zu machen. Die Liebe beseelet ihren Verstand; und bey der Gemeinschaft ihres Glücks, ihrer Sorgen und Arbeiten, und der Bildung ihrer Kinder, denken und leben sie beide, als Eines. Er herrscht, als Haupt der Familie, und doch mit ihr zugleich. Sie liebt ihn als ihren Mann, und ehrt ihn als ihren Schutz. Er liebt sie als seine Gattinn, und ehrt in ihr eine tugendhafte Freundinn und Hausfrau. Die Tugend war schon außer der Ehe der Beruf ihres Gewissens, dem sie treu folgten. Zu diesem Berufe ermuntern sie sich, durch die Bande der Liebe vereiniget, noch mehr. Und wie wäre es möglich, daß sie nicht beide zur Erhöhung ihrer tugendhaften Gesinnungen, die das Glück der Seele und ihr liebenswürdigstes Verdienst sind, gemeinschaftlich arbeiten sollten, da sie einander lieben, und durch

die Ehe neue Gegenstände zur Uebung der Tugend für sich auf=
gestellt sehen? Ihre Herzen, von Religion und Menschenliebe
erfüllt, theilen einander wechselsweise diese Empfindungen mit,
und sie vermehren ihre eigne Zufriedenheit dadurch, daß sie die=
selbe in das Beste der Welt ihren Einfluß haben lassen, und daß
sie ihr beiderseitiges Glück als eine Wohlthat der Vorsehung be=
trachten, als ein Geschenke, das ihnen unter dem Schutze des
Höchsten bewahret wird. Sie finden Trost, wo Andre keinen
finden, weil sie Religion haben. Sie sehen ihren Stand als eine
göttliche Veranstaltung an, und sind in vielen Fällen gelassen,
wo Andre in der Ehe zittern. Du warst, singt Haller von
seiner Elise,

> Du warst mein Rath, und Niemand, als wir Beide,
> Erfuhr, was Gott mir glückliches bescheert.
> Ich freute mich bey deiner treuen Freude;
> Sie war mir mehr, als Glück und Ehre, werth.
> Wenn ein Verdruß dann auch mein Herz geschlagen,
> Warst du mit Trost und sanfter Wehmuth nah.
> Ich fand die Ruh bey deinen holden Klagen,
> Und schalt mein Leid, wenn ich dich trauren sah.

Ihre beiderseitige Treue ist der Schutzengel ihrer Liebe, und
wehrt dem feindseligen Verdachte und der tödtenden Eifersucht.
Sie bleiben Menschen, die Fehlern unterworfen sind, und vergü=
ten sie durch Reue und gegenseitige Nachsicht. Eines verbessert,
durch sanfte Klugheit geleitet und von der Liebe begeistert, die
Uebereilungen des Andern; und ihre Aufrichtigkeit wird nie das
Grab der Hochachtung, weil sie durch Bescheidenheit gemäßiget
wird. Sie entfernen alles, was dem Stolze des Herzens Nah=
rung und zur Geringschätzigkeit Gelegenheit giebt; denn beides
tödtet die Liebe. Und welches Feld von Tugenden öffnet nicht

bloß die gemeinschaftliche Erziehung ihrer Kinder! Und zugleich welche Freuden für das Herz! Freuden, die in der Wohlfahrt ihrer Kinder für sie aufwachsen und alle die Sorgen und Beschwerungen, sie zu erziehen, versüßen!

Welch ein weisheitsvoller Contrast ist nicht die Verschiedenheit des Charakters von beiden Geschlechtern; und mit wie vielen Vortheilen und Annehmlichkeiten des Lebens ist nicht diese Verschiedenheit verbunden!

Der Muth und die Tapferkeit des männlichen Geschlechts, und die Leutseligkeit und Schüchternheit des weiblichen; der große Verstand der Männer zu Erfindungen und mühsamen Unternehmungen in öffentlichen Geschäfften, und der feine Verstand des schönen Geschlechts zu dem, was Ordnung, Wohlanständigkeit und Geschmack im Hauswesen erfordert; wie sehr verlangen und unterstützen sie einander! Der Mann, geneigt zu herrschen, und die Frau, geschickt seine Oberherrschaft durch Sanftmuth zu mildern; er geschickt, sie zu beschützen und zu versorgen; sie geschickt, ihm seine Sorgen zu erleichtern und durch Freundlichkeit zu vergüten: er geschickt, zu erwerben; sie geneigt, das Erworbene zu bewahren und durch Sparsamkeit ihren eignen Antheil dazu beyzulegen; sind nicht Beide für einander geschaffen? Das sanfte Wesen des weiblichen Geschlechtes mildert den muthigen Sinn des Mannes, daß er nicht in Trotz ausarte. Die Munterkeit und Lebhaftigkeit des weiblichen Charakters schickt sich trefflich zu dem Ernste des männlichen, ihn nach langen Anstrengungen wieder aufzuheitern, und seinem Ernste zu wehren, daß er nicht mürrisch werde. Die Empfindungen des schönen Geschlechts sind zarte und flüchtige Empfindungen; die Empfindungen der Männer bringen langsamer ein, und graben sich tiefer. So können beide Geschlechter einander ermuntern und besänftigen, und, wenn sie einander in ihren fehlerhaften Neigungen begegnen, sich klüglich ausweichen.

Alles dieses beweiset, wie sehr jedes Geschlecht den Nutzen und das Vergnügen des Andern zu befördern geschickt ist, und wie viel Anmuth des Lebens sich diejenigen rauben, die sich aus Eigensinn, oder aus andern unerheblichen Ursachen, zu einem ehelosen Stande verdammen. Ohne der Gefahr zu erwähnen, der sie ihre Tugend aussetzen, ist schon dieß Verlust genug, daß sie das süße und unschuldige Vergnügen der zärtlichsten Neigung der Natur nicht schmecken; einer Neigung, die so viel Einfluß in die bürgerliche Tugend hat, und ohne welche das menschliche Herz leicht einen Hang zur Traurigkeit und zum Eigenwillen annimmt. Diejenigen, deren Umstände den Bund der Ehe erlauben und befehlen, und die sich nur durch eine übel verstandne Gemächlichkeit, oder durch Furchtsamkeit, nicht glücklich genug zu wählen, von der Ehe zurück halten lassen, verstehen ihren wahren Vortheil sehr schlecht, indem sie die weise Stimme der Natur verhören. Sie sollten sich an die Lobsprüche erinnern, mit welchen Sirach das Glück eines Mannes preiset, der eine rechtschaffne Gattinn besitzt. Wohl dem, sagt er, der ein tugendsam Weib hat, des lebt er noch eins so lange. Ein häuslich Weib ist ihrem Manne eine Freude, und macht ihm ein fein ruhig Leben. Ein tugendsam Weib ist eine edle Gabe, und wird dem gegeben, der Gott fürchtet. Er sey reich oder arm: so ists ihm ein Trost, und machet ihn allezeit fröhlich. — Ein freundlich Weib erfreuet den Mann, und, wenn sie vernünftig mit ihm umgeht, erfrischet sie ihm sein Herz. Es ist nichts liebers auf Erden, denn ein züchtig Weib, und ist nichts köstlichers, denn ein keusches Weib. Wie die Sonne, wenn sie aufgegangen ist, im hohen Himmel des Herrn eine Zierde ist: also ist ein tugendsam Weib eine Zierde in ihrem Hause*).

*) Sir. 26, 1—4. 16—21.

Die Freundschaft, so vortrefflich sie auch ist, hält uns doch nie wegen der Liebe schadlos. Nie ist sie dieselbe genaue Verbindung der Gemüther, die durch die Ehe errichtet wird. Nie vereinigen sich unsre Absichten, Wünsche und Arbeiten bey der Freundschaft so, wie bey der Liebe. Wem lebt der Mann? Wem lebt die Gattinn? Für wen sorgen und arbeiten Beide? Sind des Freundes Kinder die meinigen? Seine Ehre; ist sie mein? Sein Vermögen; ist es das, für welches ich arbeite? Mein Ruhm wird meiner Gattinn Ehre, und ihre Ehre wird mein Ruhm. Der Freund wird durch tausend Zufälle von meiner Seite getrennet; aber die Gattinn raubt mir nur der Tod. Wenn darf ich das Vermögen meines Freundes, als das meinige, ansehen? Kann der Freund, wenn er noch so gut gesinnt ist, immer für meine Ruhe besorgt seyn? Dieß kann der Gatte. Viel anders, sagt Haller, der so glücklich geliebt hat:

Viel anders ist ein Weib, das unter allen Wesen
Zu unserm Eigenthum sich selbst hat auserlesen,
In dessen treuer Schooß das Herz entladen ruht
Und auch das Innerste der Sorgen von sich thut;
Die mit uns wünscht und traurt, mit unsrer Ehre pranget,
Nichts anders hat, als uns, nichts für sich selbst verlanget.
Ihr Leben ist für uns; der Jugend Frühlingszeit,
Der reifen Jahre Frucht ist alles uns geweiht;
Auch Fehler straft sie nicht, und sucht die irren Sinnen
Mit zärtlicher Geduld sich wieder zu gewinnen.
Ein stärkrer Eigennutz, des Glückes Unbestand,
Raubt nie den sichern Freund, trennt nie das enge Band;
Bequemlichkeit und Zier wächst unter ihren Wegen,
Und jedem Blick von ihr wallt unser Herz entgegen.
Wenn die Natur sie noch mit äußerm Schmuck begabt,
Und unser irdisch Herz mit Reiz und Schönheit labt:

Gewiß so können sich die unverklärten Seelen,
Zum Himmel noch nicht reif, zum Glücke nichts mehr wählen.

Die Freude, welche Aeltern über ihre Kinder empfinden, ist ohne Widerrede die lebhafteste in dem Umkreise aller irdischen Vergnügungen. Diese Freude belohnet sie für das mühsame Amt der Auferziehung bis in die letzten Augenblicke des Lebens. Der Vater liebt sein wohlgerathnes Kind, das er auf dem Todbette segnet, mit eben der Zufriedenheit noch, mit welcher er es zuerst von dem Arme der Mutter empfieng. Der süße Name, Vater, zu welcher Ehre und Belohnung ward er nicht bey den Alten erhoben! Ich lalle nur unberedt von einer Entzückung des Herzens, die ich nicht weiter als aus den Beschreibungen, oder aus den Wirkungen kenne, die sie bey meinen Freunden hervor gebracht. Sich in wohlgezognen Kindern leben sehen, in ihrem Glücke die Erfüllung seiner Wünsche und die Vergeltung seiner Arbeiten, in ihrer Freude seine eigne, in ihrem Ruhme den seinigen erblicken; welche Wollust muß dieses seyn! Welche Wollust, der Erde nützliche Bürger und dem Himmel selige Bewohner gegeben zu haben! Diesen Freuden entreißen sich alle die, welche die leichte Last der Ehe muthwillig von sich werfen*).

*) Vielleicht ist das Kinderspiel, zu dem sich zuweilen ein Vater aus Liebe mit seinen Kindern herabläßt, mehr wahre Freude für das Herz, als die prächtigste Oper. Der jüngere Racine erzählet von seinem Vater: il étoit de tous nos jeux: je me souviens de processions dans lesquelles mes soeurs étoient le Clergé, j'étois le Curé et l'auteur d'Athalie, chantaut avec nous, portoit la croix. Wie groß ist mir Racine in diesem Spiele; und wie viel mehr mag er da empfunden haben, als wenn er im Louvre die Auftritte des Hofs sah; er, der einst das Gastgebot eines großen Ministers mit den Worten ausschlug: er müßte heute mit seinen Kindern einen großen Karpfen verzehren. Der Vater der Gelehrsamkeit unter den Deutschen, ein großer

Es wird wenig Fälle geben, wo man ehelos der Welt nütz=
licher seyn könnte, als in der Ehe. Man schmeichelt sich mei=
stens vergebens, den Wissenschaften und Künsten, der Tugend
und seinen Freunden, außer der Ehe, besser zu leben. Die gröβ=
ten Geister, die tugendhaftesten Seelen haben diese anmuthigen
Fesseln getragen, und unendlich mehr gethan, als viele, die sich
diesen Banden bloß aus Wißbegierde, aus Ehrgeiz, oder auch
aus freywilliger Keuschheit entzogen.

Viele, die itzt ihr einsames Leben mürrisch verträumen, wur=
den von der Ehe zu einem geschäfftigen und frohen Leben einge=
laden. Viele, die aus Nahrungssorge den Stand der Ehe über=
gangen, würden in der Ehe gesegneter geworden seyn. Die
Sparsamkeit einer klugen Gattinn bringt oft mehr, oder doch so
viel ein, als sie bedarf. Man hat eine alte Anmerkung: wenn
sich der Aufwand und die Kinder eines Hauses mehren, so ver=
mehrt sich auch der Segen. Und warum nicht? Sollten Per=
sonen, die, bey einem hinlänglichen Auskommen, sich mit einan=
der aus Liebe und in der heiligen Absicht, die man bey der Ehe
haben soll, auf lebenslang verbunden, nicht auch bey Fleiß und
Tugend sich auf lebenslang den erforderlichen Segen von der Vor=
sehung versprechen können? Gehören ihre Kinder nicht zugleich
Gott? Müssen sie ihnen nothwendig Schätze hinterlassen? Ist
eine gute Erziehung nicht Erbtheil genug? Und sind arme Kin=
der rechtschaffner Aeltern wohl jemals ohne Versorgung geblie=

Melanchthon, ward oft angetroffen, daß er in der einen
Hand sein Buch hielt und las, und mit der andern seine Toch=
ter wiegte. — Mit ihrer Erlaubniß, sagte einst der selige und
vortreffliche Hausen zu seinen Zuhörern, als er in einem Ma=
thematischen Collegio, bey einer tiefsinnigen Aufgabe, eines sei=
ner Kinder auf dem Saale weinen hörte, mein Kind wei=
net. Er eilte auf den Saal, nahm es in seine Arme, kehrte
in sein Auditorium zurück, und las, sein Kind auf dem Schooße
habend, ungestört und freudig fort.

ben; oder beffer, find sie nicht oft bey aller Armuth durch eine
unsichtbare Hand zum größten Glücke geleitet worden? Man
muß freylich der Vorsehung den Segen nicht durch die Ehe toll=
kühn abzwingen wollen; aber man muß bey einer klugen und
tugendhaften Wahl sich auch durch die Hoffnung ihres Segens
ermuntern. Die bloße Furcht, unglücklich zu wählen, ist kein
Bewegungsgrund, der uns von der Ehe zurück halten kann. Die
unglücklichen Beyspiele sollen uns nur behutsam, nicht aber zag=
haft, machen. Ist es ein Stand, den Gott verordnet hat, (und
wer kann daran zweifeln?) so müssen wir, indem wir die Re=
geln menschlicher Klugheit beobachten, nicht vor einer göttlichen
Anordnung zittern. Und gesetzt, daß, nach aller gebrauchten
Vorsichtigkeit, der Erfolg unsrer Wahl nicht mit unsern
Wünschen übereinstimmte: so müssen wir das Beschwerliche des=
selben als ein Theil unsers Schicksals ansehen, das Gott aus wei=
sen Ursachen über uns verhängt, das wir mit Geduld zu tragen
und durch Klugheit und Güte zu verbessern suchen sollen. Die
vernünftige Frau, hat sie nicht oft den bösen Charakter ihres
Mannes durch Liebe, durch weise Bescheidenheit und Nachsicht,
durch anhaltende Geduld glücklich umgebildet? Der vernünftige
Mann, hat er nicht oft die Sitten und Neigungen seiner nicht
sorgfältig genug erzogenen Gattinn durch Liebe und Klugheit und
durch sein lehrreiches Beyspiel gebessert*)? Sehen wir endlich
einen Freund als ein kostbares Geschenke aus der Hand der Vor=

---

*) Der Graf Halifax hat in seinem Neujahrsgeschenke für seine
Tochter, das in den vermischten Schriften (s. des II. B.
3. St. a. d. 163. u. f. S.) übersetzt steht, dieser seiner Toch=
ter viel weise Anschläge gegeben, wie sie künftig, wenn sie nicht
mit dem besten Manne sollte verbunden werden, ihn zu gewin=
nen suchen sollte; und manches junge Frauenzimmer würde wohl
thun, wenn sie solche Regeln schon vor der Ehe wohl über=
dächte und die Romanenliebe nicht zum Bilde ihrer künftigen
Ehe machte.

sehung an, und bitten darum; sollten wir denn das liebreiche und eble Herz des Gatten nicht auch, als ein solches Geschenke, erwarten, und um dasselbe, als um das größte irdische Glück, zu Gott beten?

Der sicherste Weg zu einer glücklichen Ehe ist dieser: Man verbringe seine Jugend in Unschuld. Man erwerbe sich liebenswürdige Eigenschaften der Seele und nützliche Geschicklichkeiten, und vernachlässige die Anmuth und Gesundheit seines Körpers nicht. Man befleißige sich leutseliger und gefälliger Sitten. Man verbessere die eigenthümlichen Fehler seines Temperaments, oder seiner ersten Erziehung. Man höre bey seiner achtsamen Wahl zuerst auf die Stimme des Herzens; dann frage man seine Vernunft, und höre zugleich den Verstand derer an, die wir hochachten. Das Auge darf ermuntern; aber es soll die Wahl nie entscheiden. Tugend ist das, was ein edles Herz am meisten wünscht; und es kann keine wahre Tugend ohne einen gesunden Verstand seyn; sie selbst, die Tugend, giebt Verstand. Ein Frauenzimmer aber, die Tugend und Verstand besitzt, besitzt gewiß auch häusliche Geschicklichkeiten. Und wenn ich weiß, daß ihr Herz für mich fühlt, und in meine Wünsche williget; was kann uns wohl bey unsrer Liebe die Wahl verdächtig machen? Die Liebe wird unsre kleinern Fehler bald bedecken, bald verbessern. Die Liebe wird uns aus den Ungemächlichkeiten der Ehe selbst eine Nahrung der Zufriedenheit zubereiten, und Klugheit und Tugend wird alles entfernen, was die Liebe aufhalten oder tödten könnte. Salomo entwirft den Charakter eines tugendsamen und vernünftigen Weibes folgendergestalt: — Ihres Mannes Herz, sagt er, darf sich auf sie verlassen, und Nahrung wird ihm nicht mangeln. Sie thut ihm Liebes, und kein Leides sein Lebelang. — Ihr Schmuck ist, daß sie reinlich und fleißig ist, und wird hernach lachen. Sie thut ihren Mund auf mit

Weisheit, und auf ihrer Zunge ist holdselige Lehre.
Sie schauet, wie es in ihrem Hause zugehet, und
isset ihr Brodt nicht mit Faulheit. Ihre Söhne
kommen auf, und preisen sie selig, und ihr Mann
lobet sie. Viel Töchter bringen Reichthum; du aber
(dieses Weib) übertrifft sie alle. Lieblich und schön
seyn ist nichts: ein Weib, das den Herrn fürchtet,
soll man loben*). Ist dieses Gemälde nicht das vollstän-
digste und angenehmste Bild einer liebenswürdigen Gattinn?
Und welch ein Verdienst sollten sich Mütter daraus machen, solche
Töchter zu erziehen! Gesegnet sey die Hand, welche dieselben
für Sie, meine Herren, erzieht; es sey in den Pallästen, oder
in den Hütten! Ja theuerste Freunde, der gesittete, unschulds-
volle und arbeitsame Jüngling hat das größte Recht, sich die
Freuden einer glücklichen Ehe zu versprechen.

*) Sprüche Sal. 31, 11. 12. 25—30.

Sechs und zwanzigste Vorlesung.

Von den Pflichten gegen Gott, als den Quellen aller andern Pflichten.

Meine Herren, ich beschließe meine Vorlesungen mit einem kurzen Abrisse der Pflichten gegen Gott, wie sie uns die natürliche Religion lehret; denn wie viel würde der Moral ohne diese mangeln? Sie würde ein Gemälde ohne Leben, ein schöner Körper ohne Seele seyn.

Alle Pflichten, wie wir im Eingange der Moral gezeiget haben, alle Pflichten gegen uns selbst und gegen die Menschen, unsre Brüder, müssen ihr Leben und ihre Nahrung aus den Begriffen eines allerhöchsten und heiligen Wesens, aus einer willigen und ehrerbietigen Unterwerfung gegen die Vorschriften der Vernunft und des Gewissens, als gegen seine Befehle, ziehen, wofern sie ihren gehörigen Werth, als wahre Tugenden, haben sollen. Man betrachte die Erfüllung der gesellschaftlichen Pflichten außer der Verbindung mit den göttlichen Absichten und Befehlen, was sind sie alsdann? Ein künstliches Uhrwerk, das durch die Triebfeder des Eigennutzes, der Eigenliebe und des Stolzes so lange bewegt wird, als unser Vortheil es befiehlt.

Gellert VII.   11

Ift kein Gott, oder kein gerechter und heiliger Gott, und
keine Unfterblichkeit der Seele, so ift die Tugend ein Gewäsch.
Ich sage noch mehr; ift kein Gott, der das Herz und die Handlungen der Menschen achtet: so ift die Tugend Thorheit und das
glückliche Lafter Weisheit; und lange die Wünsche seiner Begierden ungeftraft erfüllen, lange unmenschlich leben, ift die befte
Moral, der man folgen kann.

Der schrecklichste Charakter eines Menschen ift keinen Gott
erkennen, oder doch keinen heiligen Gott erkennen und anbeten
wollen. Ift es möglich, daß man den Himmel und die Erde,
die Wunder der Weisheit, Macht und Güte, die sie unsern
Augen darstellen, daß man ihre Ordnung und Schönheit,
ihre Anmuth und ihren Nutzen betrachten und doch keinen
Gott erkennen kann? Ift es möglich, daß man sein eignes
Daseyn glauben, einen denkenden Geift, ein nach Glück
entbranntes Herz, ein redendes Gewissen in sich fühlen, einen
wundervollen Körper mit sich herum tragen, und Millionen Ge-
genftände für seine Bedürfnisse eingerichtet sehen, und doch keinen
weisen und allmächtigen und heiligen Urheber der Welt glauben,
und dafür ein Ohngefehr, eine blinde Rothwendigkeit, an seine
Stelle setzen kann?

> Von dir zeugt alles, Quell des Lebens,
> Doch sucht der Freygeift dich vergebens
> Und denket trutzig: Gott ift nicht!
> Und denkt, (o Frechheit seiner Stirne!)
> Und denket dieß mit dem Gehirne,
> Das ihm, dieß denkend, widerspricht.
> Die Zunge selbft, mit der ers waget
> Und ausspricht, was er frech gedacht,
> Beweift in dem, da sie es saget,
> Wie blind er sich mit Vorsatz macht.

. Wen das Daseyn der Welt und seiner selbst, sein eigenes Bewußtseyn, seine Empfindung des Guten und Bösen, die Hoffnung und Furcht des Zukünftigen, die seinem Herzen eingeprägt ist, nicht von einem höchsten Wesen überzeugen kann, für den sind alle andre Beweise verloren.

Einen Gott annehmen, in ihm alle Vollkommenheiten vereinigen, und doch dabey das Leben seiner Seele nur auf wenige Augenblicke, nur auf die kurzen Stunden seines Daseyns auf der Erde einschränken, heißt den anbetenswürdigen Innbegriff aller Vollkommenheit entehren und verkleinerlich von ihm denken. Ob meine Seele unsterblich ist? Diese Frage verhülle der Zweifler in noch so viele Dunkelheiten, und ein schulgelehrter Philosoph löse sie mit Tießsinn auf; Gott hat sie für das Herz, durch den unbezwinglichen Wunsch nach Unsterblichkeit, mit einer Deutlichkeit und Gewißheit entschieden, die sich empfinden läßt. Ja, meine Herren, der Schulbeweis von der Unsterblichkeit der Seele, den man aus ihrer Natur herleitet, hat seinen Werth, den wir ihm nicht rauben wollen. Er kann einige, die zum Nachdenken geschickt und geneigt sind, überzeugen, und doch bey denen nichts ausrichten, die ihren Verstand wenig gebrauchen können; und sind nicht dieß die meisten Menschen? Aber wie? Ist die Beantwortung einer Frage, die für das ganze menschliche Geschlecht die wichtigste ist, an den Tießsinn der Philosophie gebunden? Ob deine Seele unsterblich ist? Du fragst und zweifelst? Meide das Laster aufrichtig, und denke Gott nur so gütig, als du deinen edelsten Freund denkest; und du wirst nicht mehr zweifeln. Sey tugendhaft, und denke Gott, wie du einen gerechten und gütigen Vater denkest, der die Macht hat, seinen Sohn zu beglücken und zu bestrafen: und du wirst es gewiß wissen, ob deine Seele unsterblich ist. Sey fromm! und dann frage dich, ob du aufhören willst, zu seyn? Das Laster scheut die Ewigkeit, weil es genöthiget ist, einen Gott knechtisch zu fürchten; und es denkt

darum klein von Gott, weil es keinen Anspruch auf seine unendliche Güte wagen darf. Sey fromm! und denke die unendliche Macht deines Schöpfers; dann laß das Wesen deiner Seele
theilbar, oder untheilbar seyn; du bist dessen gewiß, daß
es die Allmacht ewig zu erhalten vermag. Sey fromm! und es
wird dir unbegreiflich werden, wie der unendlich Gütige deine
Seele vernichten könne.

Ein aufrichtiges und rechtschaffenes Herz hat an dem Bewußtseyn seiner Empfindungen und Wünsche starke Beweise für die
Unsterblichkeit; es hat gleichsam seine Logik der Empfindungen;
und es ist ihm ein viel zu reizender Gedanke, unendlich glücklich
zu seyn, als daß es sich Zweifel dawider erschaffen oder erlauben sollte. Wollte man aus Bescheidenheit zweifeln, ob man
verdiente, unendlich zu leben: so frage man sich, wodurch man
es verdienet hat, hier auf der Erde zu leben. Daß ich itzt bin,
ist unverdiente Wohlthat des gütigen Schöpfers; daß ich fortdauern werde, ohne Aufhören, ist eben so unverdiente Wohlthat
des Allgütigen, der nie befürchten darf, die Schätze seiner Glückseligkeit zu erschöpfen, wenn er sie mich ewig genießen läßt. Die
Unbegreiflichkeit der Fortdauer unserer Seele nach der Trennung
von ihrem Körper darf uns am wenigsten beunruhigen. Begreifen wir wohl die Art und Weise, wie Gott die Seele mit
dem Körper so genau hat vereinigen können? Getraut sich jemand, zu behaupten, daß es ihm zu schwer fallen wird, sich
auch außer dem Leibe mit eben der Macht thätig zu erhalten,
mit der er sie geschaffen und mit einem Leibe verbunden hat?
Wir finden in Gott und in uns Gründe genug, uns zu überzeugen, daß er nicht das Aufhören unsres Daseyns nach einem
kurzen Leben, sondern unsre Unsterblichkeit wolle; und eine gereinigte Vernunft läßt sich durch diese Gründe willig zu einem
Glauben bewegen, der ihr und Gott Ehre bringt. Wäre unsre
Unsterblichkeit ein Irrthum und die Vernichtung unsrer Seele

eine Wahrheit: so wäre dieses der einzige wunderbare Fall, wo
der Irrthum vernünftiger, als die Wahrheit wäre, und wo es
für die Ruhe eines guten Herzens unendlich besser seyn würde,
zu irren, als die Wahrheit anzunehmen. Ist es bloß möglich,
oder wahrscheinlich, daß die Seele fortdauern wird, daß sie unaufhörlich glücklich oder unglücklich seyn wird, und ist das Gegentheil eben so möglich und wahrscheinlich: so erforderts doch
unser Vortheil, so zu leben, als wenn das erste wahr und das
andre ganz falsch wäre. Falle ich nach dem Tode in mein erstes
Nichts (schrecklicher Gedanke!) zurück: so werde ich alsdann nicht
wissen, daß ich geirret habe. Daure ich fort: so bin ich unendlich glücklich, daß ich auf der Erde für die Ewigkeit gelebt
habe. In Wahrheit, die Unsterblichkeit leugnen, ist für das
Herz so verderblich, als Gott selbst leugnen; und im Tode aufhören sollen, auf Gott zu hoffen, scheint ein Befehl zu seyn,
daß wir seiner in diesem Leben nicht achten sollen. Bin ich nur
für diese Welt geschaffen, ist mein Glück und Unglück, meine
Belohnung und Strafe nur in dieses Leben eingeschlossen: so
glaube ich (wenn sich das ohne Sünde sagen läßt), bey einem
behutsamen Laster mehr Freude zu empfinden, als bey einer sehr
strengen Tugend.*)

*) Der klärste und kürzeste Beweis von der Unsterblichkeit der Seele
ist bloß in der Religion enthalten. Gott hat es in seinem
Worte gesagt. Er kann nicht trügen; er kann es allein wissen:
dieß begreift auch der einfältigste Verstand. Und was können
gegen das göttliche Ansehen seines Wortes, das ich glaube, alle
Zweifel und Einwürfe ausrichten? Darum ist auch der Glaube
der Religion die heiligste Pflicht, weil er der Gehorsam ist,
den ich Gott mit der Vernunft erzeige. Darum ist hingegen der Unglaube die größte Sünde, weil er eine Schän-
dung der göttlichen Majestät, die Quelle unzähliger Laster
und die Frucht der Widerspenstigkeit und eines bösen Herzens ist.

Unsere Empfindungen richten sich nach den Vorstellungen unsers Verstandes. Je richtiger und lebhafter
also unsre Begriffe von der Vollkommenheit und Majestät Gottes seyn werden; desto reiner und brünstiger wird die Anbetung
unsers Herzens seyn. Gott für das mächtigste, heiligste, gütigste, weiseste und vollkommenste Wesen, für den unendlichen Schöpfer der Welt, für den Vater und Erhalter aller Geister und
alles Fleisches erkennen, ihn als den höchsten Regierer aller Begebenheiten verehren, in ihm einen stets gegenwärtigen Zeugen
unsrer Handlungen, ja selbst der verborgensten Regungen unsers
Herzens um sich wissen, ihn als den Geber alles Guten, als den
ewigen Freund aller Tugend und den ewigen heiligen Richter
des Lasters ansehen, mit Ueberzeugung ansehen; und dennoch gegen ihn keine Unterwerfung, keine Regungen der Dankbarkeit
und Ehrfurcht, der Liebe und des Vertrauens, kein Verlangen
ihm zu gefallen, keine Scheu, ihm zu mißfallen, empfinden, dieses widerspricht sich; und der Mensch, der seinen Schöpfer zu
kennen vorgiebt, und doch nichts gegen ihn fühlt, verdient den
Namen des Menschen nicht.

Der gewisseste Weg also zu den tugendhaften und seligen Empfindungen des Herzens gegen Gott zu gelangen, ist der Weg
der Erkenntniß Gottes und seines Willens. Die göttlichen Vollkommenheiten so erhaben denken, als man nur vermag, dieß erhabenste Bild der göttlichen Vollkommenheiten in seinem Verstande täglich erneuern und die seiner würdigen Begriffe sich immer gegenwärtig zu erhalten suchen, das ist die Quelle aller heiligen Empfindungen gegen Gott und zugleich, wie wir vorher
gesagt haben, die Seele aller gesellschaftlichen Tugenden. Gott
erkennen, das muß die erste Pflicht, und die beständige Fortsetzung dieser Pflicht die höchste Glückseligkeit seyn. Wir können
Gott nie zu groß, nie zu liebenswürdig denken. In dem Begriffe von ihm muß alles zusammengefaßt werden, was nur voll-

kommen heißt, alles, was uns die Vernunft als liebenswürdig
anpreiset, was uns die Schöpfung und Erhaltung der Welt
Großes und Gutes darstellt. Denn Himmel und Erde verkün=
digen uns seine Größe und Güte. Von ihnen zeugt jedes Ge=
stirn am Himmel, jede Pflanze auf dem Erdboden, jeder Tro=
pfen im Meere, jeder Pulsschlag unsers Herzens, jede Empfin=
dung, jeder Gedanke unsrer Seele, jeder heimliche Vorwurf des
Gewissens, jede innerliche Freude eines vollbrachten Guten, seine
Größe und Güte zu erkennen, fordert uns jede wunderbare Spur
seiner weisen Regierung, jeder Beweis seiner unermeßlichen Liebe,
jedes Merkmal seiner gerechten Haushaltung auf. Nicht alles
dieses Große und Gute, was sich nur zusammen denken läßt, in
dem Begriffe von Gott vereinigen, nicht alle Vollkommenheiten
ihm beylegen und alle Vollkommenheiten nicht in gleicher Un=
endlichkeit, das heißt, nicht würdig von Gott denken. Ihn mehr
gütig als gerecht, oder mehr strenge als gütig, ihn weniger
mächtig als weise, ihn ewig und seinen Willen doch nicht un=
veränderlich denken, ist das nicht eben so viel, als Gott enteh=
ren, ihn mit sich selbst uneins machen, ihn bis zum Menschen
herab erniedrigen? Diesen unseligen Fehler, Gott die Eigen=
schaften eines menschlichen Charakters anzudichten, ihn unter dem
unvollkommnen Bilde eines zwar mächtigen, weisen und güti=
gen, aber doch irdischen Regenten zu denken und zu verehren,
begehen vielleicht nur zu viele Sterbliche und oft selbst guther=
zige Seelen.

Aus der Betrachtung, aus der achtsamen Beschauung seiner
unzähligen und weisheitsvollen Werke und unser selbst, muß na=
türlicher Weise Ehrfurcht und Bewunderung entstehen.
Wen, so denkt der vernünftige Mensch, wen soll ich anbeten und
verehren und über alles verehren, als den Herrn über alles?
Ich, ein Geschöpf von gestern her, der ich vor kurzem nicht
war, ich Bewohner dieser nicht von mir erbauten Erde, ich Zu=

schauer so vieler Wunder, die überall vor mir aufgestellt sind,
ich lebender Staub, ich denkende und wollende Seele; wer schuf
mich? Warum liebe ich? Warum hasse ich? Warum hoffe
und fürchte ich? Wer hat mich so bereitet, daß ich unzähliger
froher Empfindungen fähig bin? Wer erhält mich, und, wie
mich, alle Gegenstände meiner Seele und Sinne? Wer ist es?
Der Allmächtige! Er, mein Gott, mein Herr, mein Regierer,
mein täglicher Wohlthäter und Freund, mein Vater, er, der
mich nicht bedarf, und mich so sorgfältig pflegt, als wäre ich
sein Kind allein! Und ihn sollte ich nicht verehren; ihn, den
Heiligen, nicht fürchten; seinen Willen nicht erforschen und zu
dem meinigen machen, da sein Wille der seligste seyn muß?
Er, das Meer der Seligkeiten, der Güte und Weisheit! Und
ihn sollte ich nicht bewundern, nicht lieben, nicht über alles lieben, da er nichts wollen kann, als meine Wohlfahrt; da er,
fern von eigennützigen Gutthaten, über die Absicht, meine Bemühungen dadurch zu erkaufen, unendlich erhaben ist? Er kennt
mich, und das Innerste meiner Seele, und alle meine Angelegenheiten von Ewigkeit her. Er sieht, ob ich ihm zu gefallen
wünsche und suche; er sieht meine aufrichtigen, obgleich schwachen, Bemühungen in der Tugend. Er weis, was mir nützet;
er weis, was mein Glück stöhret; er lenket das Böse zur Wohlfahrt. Er herrschet als Gott, als der Weise, Heilige und Gütige. Wem sollte ich mein Schicksal sicherer anvertrauen, als
ihm? Von wem sollte ich meine Ruhe, mein Heil zuversichtlicher erwarten, als von seiner Hand? Was er mir zuschickt,
hätte es auch die Gestalt des Elends, wird Wohlfahrt seyn.
Was er über mich verhängt, und wenn es auch noch so sehr mit
meinen Wünschen stritte, wird in der Folge Glück für mich werden, wie es bey ihm Liebe ist. Es sey Ungemach! Es sey Verlust! Verlust, der ins Herz bringt, Verlust der angenehmsten
Gegenstände, Verlust des Lebens! Ich traue auf ihn, und un-

terwerfe mich in Demuth seinen gnädigen Schickungen und allen Rathschlüssen seiner Weisheit. Er ist der Herr, und dieser Herr ist Gott, ist der Allervollkommenste! In seiner allmächtigen Hand bin ich sicher, und seine Güte ist auf die Ewigkeit hinaus mein Muth. So lange ich ihn fürchte, darf ich sonst nichts fürchten; in meinem Grabe reise ich zu meiner zweyten Geburt; und wo auch mein Geist nach dem Tode seyn wird, so weis ich doch, daß er allezeit bey Gott seyn wird; denn Gott ist überall.

Die Frömmigkeit des Herzens setzet also einen richtigen und heiligen Glauben an Gott aus der Vernunft voraus; so wie dieser Glaube richtige und würdige Vorstellungen von Gott, von seinem Daseyn, von seinen Vollkommenheiten und von seinem Willen, den er, diesen Vollkommenheiten zufolge, von uns vollbracht wissen will, voraussetzet. Man verfälsche die Begriffe von Gott: so wird unser Herz auf der Bahn der Tugend sehr bald auf Irrwege gerathen, so wird der Aberglaube sich in unsre Frömmigkeit einmischen, so wird die Religion das Gewand unsrer Leidenschaften werden. Man lösche aber die Empfindung der Liebe, der Dankbarkeit und des Vertrauens auf Gott in dem Herzen des Menschen ganz aus: so wird seine Tugend ein leeres Schattenbild, so fehlet unsrer Seele das, was ihr ihre wahre und größte Würde giebt; so fehlet unserm unendlichen Verlangen, glücklich zu seyn, der Hauptgegenstand, so fehlet zu unserm Glücke nichts weniger als alles, weil dem Herzen das höchste Gut, der Unendliche, fehlet. Noch nicht genug. Man lösche die Liebe Gottes in der Seele aus: so wird die edle Menschenliebe zugleich verlöschen, und der größte Antrieb zu dieser Tugend wird Eigenliebe und Eitelkeit seyn, und unsre ganze Würde von dieser Seite wird in der Kunst bestehen, besser zu scheinen, als wir sind, und in der Fertigkeit, Andere zu unserm Eigennutze bereitwillig zu machen.

1. Der Glaube an ein unendliches vollkommnes Wesen ist also die erste Pflicht eines denkenden Geschöpfes, weil es höchst unvernünftig ist, den großen Beweis seines Daseyns, den ganzen Reichthum der Natur, vor sich ausgebreitet zu sehen, und den Schöpfer doch nicht zu erkennen. Er ist die erste Pflicht auch ferner darum, weil nichts so sehr unser Herz beunruhigen und unser Glück befestigen kann, als die Gewißheit, daß wir unter dem Schutze und der Regierung einer göttlichen Vorsehung stehen. Er ist es nicht weniger auch deswegen, weil alle Wahrheit der Vernunft und alle Heiligkeit des Herzens auf diesem Grunde der Erkenntniß beruhet. So lange wir diesen Gott rein und lebendig als die Güte, die Weisheit und Allwissenheit, die Heiligkeit, die Macht, als die Quelle unsers Daseyns und unsrer Glückseligkeit denken, so lange wir uns in den verschiedenen Verhältnissen denken, in denen wir gegen seine Vollkommenheiten stehen: so lange müssen wir den Wunsch fühlen, ihm zu gefallen, und seiner werth zu seyn, so lange müssen wir ein Verlangen empfinden, seinen Willen zu erforschen und zu beobachten, und das, was wir von ihm empfangen haben, es sey Kraft der Seele, Kraft des Körpers oder die Anwendung der äußerlichen Güter, mit denen er uns beglückt hat, nach seiner ewigen Absicht zu gebrauchen.

Diese Vorstellung ist also der Grund alles Gehorsams; und die Liebe zu Gott, die aus der Betrachtung seiner Güte und seiner Macht zu unserm Glücke entsteht, ist die Seele eines willigen, aufrichtigen und dauerhaften Gehorsams. Wer eine richtige und lebendige Erkenntniß von Gott hat, der wird ihn auch verehren und lieben und überwiegend über alles lieben. Aber Gott lieben, und darum seinen Willen als den seligsten erkennen; erkennen, daß alle Menschen die große Familie des Allmächtigen sind; einsehen, daß diese Menschen mit uns von ihm zu einer gleichen Absicht, nämlich zum Glücke, bestimmt sind;

und diese Menschen nicht lieben, nicht an ihrem Glücke Theil nehmen, nicht ihr Elend mindern, und doch ihr Glück für den Willen Gottes halten, dieses läßt sich nicht denken. Die wahre tugendhafte Menschenliebe ist also eine nothwendige und heilige Frucht der Ehrfurcht und Liebe Gottes. Gott über alles ehren und lieben, und doch die Neigungen gegen sich selbst dem göttlichen Willen, den man erkannt hat, nicht unterwerfen, sie nicht nach der Regel seiner Vorschrift einrichten und mäßigen, das, was uns Vernunft und Gewissen als recht und gut ankündigen, nicht thun, was sie für unrecht und böse erklären, nicht unterlassen mögen; das widerspricht sich. Wenn also unser Herz Gott wirklich liebt, so wird es sich nicht unmäßig lieben, so wird es sein eignes Glück nach dem Plane der Gottheit zu befördern trachten, und mit ihm völlig übereinstimmen. Es wird in der Wohlfahrt der Andern die Nahrung seiner Freude finden; und in diesen Gesinnungen und Empfindungen sich glückselig schätzen, weil es von der Hand Gottes dazu gebildet, und sich dessen bewußt ist, daß es dazu gebildet sey.

Wenn wir also das wären, was wir nach den Verhältnissen, in welchen wir mit dem Unendlichen stehen, seyn sollen: so müßte die tiefste Unterwerfung und der kindlichste Gehorsam stets in unserm Herzen sich finden. Dieses folgt aus dem Begriffe von Gott und uns. Eine heilige Furcht müßte in uns entstehen und uns von allen unedlen Absichten und Handlungen zurück halten, so oft wir die Heiligkeit des Herrn aller Herren betrachteten. So oft wir seine Güte dächten, müßte ein lebendiges Verlangen in uns entstehen, ihn, da wir durch unsre Bemühungen nie etwas zu seinem Glücke beytragen können, wenigstens durch unser Erstaunen und unsre Freude über seine Güte zu verherrlichen, und nebst diesem Verlangen, zugleich eine Empfindung unsrer Unwürdigkeit, das ist Dankbarkeit und Demuth. So oft wir seine Güte, in der Verbindung mit der

Almacht und Allwissenheit dächten, müßte in uns die Tugend
des Vertrauens und der Ergebung in alle seine
Schickungen ohne Ausnahme entstehen; in den Gefahren des
Lebens und der Tugend der getroste und beherzte Muth;
in den Leiden und Uebeln des Lebens die Gelassenheit und
Geduld, oder die Bemühung der Seele, dem natürlichen
Unmuthe zu wehren und in den Verhängnissen des Unendlichen
sich zu beruhigen, weil er Gott und unser Vater ist. So oft
wir die Liebe Gottes empfänden, müßten wir auch die Regung der Menschenliebe, Freude über das Glück der Andern, Mitleiden mit ihrem Elende, und das Verlangen, daß
nach dem Willen des Ewigen alle Menschen glücklich seyn möchten, empfinden. So oft der Fall käme, wo die Liebe gegen den
Nächsten unsre Selbstliebe einschränken sollte: so müßten wir
durch die Betrachtungen der göttlichen Vollkommenheiten, und
insbesondre seiner großmüthigen und verzeihenden Liebe gegen die
Menschen, den Sieg über unsre Selbstliebe erhalten. So oft
der Fall käme, daß unsre natürliche Liebe der Liebe zu Gott
weichen müßte: so müßten wir durch einen Blick auf die unendliche Größe und Liebenswürdigkeit Gottes die Kraft zu diesem
Siege erhalten.

Aber wer kann sich eines solchen Systems der Neigungen,
oder einer so vollkommenen Tugend, rühmen? Wer kann sich
rühmen, eine solche Tugend stets in allen Fällen zu beweisen?
Wer erblickt nicht, wenn er auf sein Herz und seine Handlungen
sieht, tausend offenbare und geheime Abweichungen von der Regel des Gewissens und von jenem Systeme der Neigungen, das
sich auf die Erkenntniß Gottes gründet? Und wie können wir
denn also bey unsern Mängeln, Fehlern und Thorheiten dem
heiligen Auge Gottes gefallen? Wie können wir, wenn wir in
ein Laster, in viele, in fortgesetzte Laster gesunken sind, diese
Flecken der Seele vor dem Angesichte Gottes verbergen? Dieses

ist eine schwere und höchstwichtige Frage. Denn, so schön die Tugend in dem Lehrgebäude der Vernunft stralet, so wenig hat sie diesen Glanz in unserm Herzen oder in unserm Wandel; und es ist ein großer Unterschied, die Tugend richtig denken, und die Tugend selbst besitzen; die Tugend im Gemälde bewundern, und in der That ausüben; die Tugend lieben, so lange unsre Leidenschaften ruhig sind, und die Tugend lieben, wenn wir ihr angenehme Empfindungen, oft die süßesten, welche die Natur kennt, aufopfern sollen. Es ist ein großer Unterschied, einzelne tugendhafte Handlungen verrichten, und hingegen eine Geneigtheit, einen willigen lebhaften Vorsatz fühlen, immer, überall, in allen Verhältnissen seine Pflicht zu beobachten, wenigstens eine überwiegende Liebe gegen das erkannte Gute zu fühlen, und zu behaupten.

Die sich selbst überlaßne Vernunft hat, wenn sie der Verzweiflung bey ihrem begangnen Ungehorsame ausweichen will, kein Mittel, als die Buße der Natur, das ist, die Zuflucht zu der Güte Gottes durch Reue und Besserung. Wenn uns Gott durch keine besondre Offenbarung einen andern Weg angezeiget hat: so ist es wahrscheinlich, daß er die Buße der Vernunft befiehlt und annimmt, weil es gewiß ist, daß Niemand zu allen Zeiten und in allen Umständen, in allen Gedanken und Neigungen seinen Willen so erfüllt, nicht bloß wie er sollte, sondern wie er auch könnte, wenn er stets über sich wachen wollte.

Aber wo bekommen wir die **Stärke** und die **Lust** her, die **Vorstellungen von Gott und unsrer Pflicht** immer gegenwärtig zu erhalten, zu erneuern und auf unser Herz anzuwenden? Sind wir nicht oft sehr ungeneigt dazu? Fühlen wir nicht oft ein Unvermögen, sie unserm Verstande einzudrücken, und bleibt unser Herz, indem unser Verstand in diesen Betrachtungen arbeitet, nicht oft kalt? Diese Erfahrungen sind unleugbar, sie sind traurig und bemüthigend für

uns, und f
führen, un-
pfers und
sagt uns a
ben wir v
nicht verfa
Sie fordert
Verlangen
langen, d
wecken foll
oder mit L
die Quelle
sagen, daß
und weil
lange oder
liche Gebet
zur Hülfe t
Liebe und b
Gott die L
Mißfallen h
lohnungen
weil sie ihre
fen in einer
trieb zur L
auslöschliche
glückselig bi
gende Antri
ausgeschloss.
welcher An:
gend übern
Dieses,
tischen Th.

Zuhörer, Fremde und Einheimische, Hohe und Niedere von Geburt, zu einer Dankbarkeit auf, die Sie mir nicht versagen werden. Und worinnen besteht sie denn? Darinnen:

Daß Sie sich des Hauptinnhalts meiner Vorlesungen oft erinnern, sich dieser Wahrheit oft und täglich erinnern mögen: daß der einige sichre Weg zu einem ruhigen, glücklichen und zufriednen Leben, zu einem getrosten und seligen Tode, Weisheit und Tugend, Religion und Gewissen sey; — daß der Mensch nicht anders glücklich werden könne, als wenn er die heilsamen Lehren der natürlichen und geoffenbarten Religion zur täglichen Nahrung seines Geistes macht und ihre Gebote sorgfältig ausübt; daß, je früher er anfängt, den Pfad der Tugend zu betreten, desto leichter und anmuthsvoller er ihm werde; daß er unser Glück sey, was uns Gott zur Pflicht gemacht hat. —

Erinnern Sie sich also stets, daß der Jüngling, so wie der Mann, nur alsdann seinen Weg unsträflich und gewiß wandeln könne, wenn er sich hält nach dem Befehle Gottes*). Lassen Sie Ihr ganzes Leben, das jugendliche und männliche, eine sichtbare, thätige, christlich schöne Moral seyn. — Darum bemühen sie sich täglich mit dem größten Ernst und Eifer.

Allein so nöthig unsre Bemühungen sind, so können wir doch nie durch die Kräfte der Vernunft und Natur wahrhaftig weise und tugendhaft werden. Auf diesen Grundsatz der Religion und Erfahrung habe ich Sie überall zurück geführet. Lassen Sie ihn nie aus Ihren Gedanken, meine Freunde. Der Mensch ist von Natur krank und verderbt und kann seine Seele nicht selbst heilen und glücklich machen. Wir müssen die Kraft, von Herzen tugendhaft zu werden, als Menschen und als Christen von dem

*) Pf. 119, 9.

uns, und sollen uns eben von dem Vertrauen auf uns selbst abführen, und zur Hoffnung auf die allmächtige Hülfe unsers Schöpfers und Vaters leiten. Dieses sagt uns die Vernunft. Sie
sagt uns also, daß wir den Beystand, der uns nöthig ist, und
den wir vermissen, von dem erwarten sollen, welcher ihn uns
nicht versagen kann, weil er Gott ist und unser Glück liebt.
Sie fordert uns auf, daß wir ein aufrichtiges und demüthiges
Verlangen nach seiner hülfreichen Hand, ein zuversichtliches Verlangen, durch den Glauben an seine Güte gestärkt, in uns erwecken sollen. Wenn wir dieses Verlangen, es sey in Gedanken
oder mit Worten, an Gott selbst richten, so beten wir ihn, als
die Quelle aller Vollkommenheiten, an. In so weit kann man
sagen, daß der Glaube an Gott auch das Gebet des Herzens,
und weil unsre Vorstellungen ohne die Zeichen der Worte nicht
lange oder nicht lebhaft erhalten werden können, auch das wört-
liche Gebet befiehlt; nicht, als ob Gott durch unser Gebet erst
zur Hülfe bewegt würde, sondern weil uns das Gebet von der
Liebe und dem Vertrauen zu ihm eingegeben wird. Da endlich
Gott die Tugend liebt und gegen das Laster ein unwandelbares
Mißfallen hat: so muß die Seele, die dieses glaubt, auch Belohnungen und Strafen der Gottheit hier in diesem Leben, und
weil sie ihre Unsterblichkeit glaubt, auch Belohnungen und Strafen in einer andern ewigen Welt glauben. Ein mächtiger Antrieb zur Tugend für ein Geschöpf, das von Gott mit einer unauslöschlichen Furcht vor allem Elende beseelet ist! Unendlich
glückselig durch den Beyfall Gottes werden können; welcher siegende Antrieb zum Gehorsame! Von seinem Wohlgefallen ganz
ausgeschlossen, unendlich elend und bestraft seyn und bleiben;
welcher Antrieb, den Reiz alles Lasters zu verachten und die Tugend überwiegend zu lieben!

Dieses, meine Herren, ist ein kurzer Auszug von der prak-
tischen Theologie der Vernunft. Sie führt uns zur Theologie

der geoffenbarten Religion. Darum ist sie schätzbar, darum ists eine ewige Wahrheit der christlichen Religion: Wer zu Gott kommen, oder den Weg des Christen erkennen und antreten will, muß (zuvor) glauben, daß Gott sey, und denen, die ihn suchen, ein Vergelter seyn werde*); und daß in allerley Volk, wer Gott fürchtet und recht thut, ihm angenehm**), ihm, wenn er nach der Stimme der Vernunft und des Gewissens ihn verehrt und die Tugend ausübt, auf solchem Wege so lange angenehm sey, als er ihm durch eine nähere göttlich bezeichnete Offenbarung keine hellern Befehle ertheilet**); und daß Gott die, die ohne geoffenbartes Gesetz gesündiget haben, auch ohne das geoffenbarte Gesetz richten, das heißt, nach dem Gesetze der Vernunft und des Gewissens richten werde***). Die natürliche Religion soll uns also zur Religion des Christenthums leiten. Und worinnen besteht denn die Ehre und der Vorzug dieser Religion? „Darinnen (wie Squire saget)†), daß uns die heilige Schrift „und insonderheit das Evangelium von den verschiednen Verhältnissen, in welchen wir gegen Gott, als unsern Schöpfer, „Erhalter, Erlöser und beständigen Beystand in unserm Laufe „nach der Vollkommenheit und Glückseligkeit, stehen, vollkom„men unterrichtet — darinnen, daß uns in derselben unsre ganze „Pflicht deutlich vorgestellt wird, und daß wir allezeit wissen „können, welches der gute und wohlgefällige Wille unsers obers„ten Herrn und Gebieters sey;" darinnen, daß sie ferner durch Buße und Glauben unser Herz ändert, heiliget, und mit Lust und Kraft zum Guten ausrüstet; „darinnen, daß wir durch die„selbe die stärksten Bewegungsgründe der Dankbarkeit und des „eignen Vortheils haben, nach dem Gesetze der Natur und den

---

*) Hebr. 11, 6. **) Apostelgesch. 10, 35. ***) Röm. 2, 12.
†) S. D. Sam. Squire strafbare Gleichgültigkeit in der Religion, von Hrn. Zollikofer übersetzt, a. d. 227. und 228. S.

„Geboten des Evangelii zu leben; und endlich darinnen, daß
„wir die tröstliche Versicherung haben, daß unser barmherziger
„und gnädiger Vater unsre aufrichtigen, obschon unvollkomme=
„nen Bemühungen, ihm zu dienen und zu gefallen, in und
„durch den Tod, die Erlösung und die Vermittelung seines Soh=
„nes Jesu Christi annehmen und um desselben willen uns ewig
„selig machen will. Der beste Christ muß also auch der beste
„Mensch, und folglich, im Ganzen betrachtet, der glücklichste
„Mensch itzt und in Ewigkeit seyn." Dieses ist der hohe Vor=
zug des Christenthums vor der Religion der Vernunft.

———————

Beschluß.

Meine Herren, ich beschließe also heute meine moralischen
Vorlesungen; und womit kann ich sie anders beschließen, als mit
dem verbundensten Danke für Ihre zeitherige Aufmerksamkeit und
mit dem aufrichtigsten Wunsche, daß sie Ihnen auf Ihr ganzes
Leben heilsam seyn mögen? Möchte ich doch stets in dieser edlen
Absicht, stets mit eigner lebendigen Ueberzeugung von der Wahr=
heit, stets zur Beförderung und Ehre der Religion und Tugend
zu Ihnen geredet, und mit glücklichem Erfolge geredet haben.

Aber, theuerste Freunde, wenn ich Sie nun bey dem Schlusse
meiner Vorlesungen noch um eine Dankbarkeit bäte, die in Ih=
rer Gewalt stünde; um eine Dankbarkeit, die mit Ihrem eignen
Glücke verbunden wäre; um eine Dankbarkeit, die ich als die
größte Wohlthat von Ihnen, und als einen Trost meines Le=
bens ansehen würde: könnten Sie mir dieselbe wohl versagen?
Gewiß nicht. — — So fordre ich Sie denn heute alle, beste

Zuhörer, Fremde und Einheimische, Hohe und Niedere von Ge=
burt, zu einer Dankbarkeit auf, die Sie mir nicht versagen
werden. Und worinnen besteht sie denn? Darinnen:

Daß Sie sich des Hauptinnhalts meiner Vorlesungen oft er=
innern, sich dieser Wahrheit oft und täglich erinnern mögen:
daß der einige sichre Weg zu einem ruhigen, glücklichen und
zufriednen Leben, zu einem getrosten und seligen Tode, Weis=
heit und Tugend, Religion und Gewissen sey; — daß der
Mensch nicht anders glücklich werden könne, als wenn er die
heilsamen Lehren der natürlichen und geoffenbarten Religion
zur täglichen Nahrung seines Geistes macht und ihre Gebote
sorgfältig ausübt; daß, je früher er anfängt, den Pfad der
Tugend zu betreten, desto leichter und anmuthsvoller er ihm
werde; daß er unser Glück sey, was uns Gott zur Pflicht ge=
macht hat. —

Erinnern Sie sich also stets, daß der Jüngling, so wie der
Mann, nur alsdann seinen Weg unsträflich und gewiß
wandeln könne, wenn er sich hält nach dem Befehle
Gottes*). Lassen Sie Ihr ganzes Leben, das jugendliche und
männliche, eine sichtbare, thätige, christlich schöne Moral seyn.
— Darum bemühen sie sich täglich mit dem größten Ernst
und Eifer.

Allein so nöthig unsre Bemühungen sind, so können wir doch
nie durch die Kräfte der Vernunft und Natur wahrhaftig weise
und tugendhaft werden. Auf diesen Grundsatz der Religion und
Erfahrung habe ich Sie überall zurück geführet. Lassen Sie ihn
nie aus Ihren Gedanken, meine Freunde. Der Mensch ist von
Natur krank und verderbt und kann seine Seele nicht selbst hei=
len und glücklich machen. Wir müssen die Kraft, von Herzen
tugendhaft zu werden, als Menschen und als Christen von dem

---

*) Pf. 119, 9.

Der Mann mit Einem Laster und, mit vielen Tugenden.

Die Menschen sind selten so verderbt, daß sie sich vielen Lastern zugleich ergeben sollten; und selten so schlimm, daß sie ein Laster, dem sie sich überlassen, nicht durch gewisse Tugenden gleichsam vergüten wollten. Dorant gehöret unter diese Classe. Er dienet der Wollust, obgleich nicht ohne alle Mäßigung, und ist so offenherzig, daß er diesen Fehler selbst gesteht: aber eben dieser Dorant ist gerecht, gutthätig, dienstfertig, aufrichtig. Er kennt und gebraucht alle Künste, das Herz einer Unschuldigen, die seine Neigung gereizet hat, zu verführen; und doch kann er keinen Unglücklichen ohne Mitleiden sehen, und ohne Hülfe von sich lassen. Man liebt ihn wegen seiner Gutthätigkeit selbst in den Gesellschaften, wo man seinen Fehler kennet. Er verabscheut die berüchtigten Häuser der Wollust, und würde sie zerstören, wenn es auf ihn ankäme; aber eine Beyschläferinn zu halten, die er in kurzer Zeit mit einer andern vertauscht; dieses scheint ihm nichts Böses und nichts Gutes zu seyn. Er belohnet sie mit etlichen hundert Thalern; denn dieses, sagt er, wäre ungerecht, wenn sie hülflos bleiben sollte. Er verhilft ihr so gar mit seinem Schaden zu einer Heirath, um sie zu versorgen, und man lobt diese Sorgfalt an ihm. Dorant, spricht die große Welt, hat doch im Grunde ein gutes Herz. Dieser Dorant, der, durch seine gesittete Lebensart und seinen Stand den Zutritt in die besten Häuser hat, ist also ein gefährlicher Feind der Unschuld, und

und diese Menschen nicht lieben, nicht an ihrem Glücke Theil
nehmen, nicht ihr Elend mindern, und doch ihr Glück für den
Willen Gottes halten, dieses läßt sich nicht denken. Die wahre
tugendhafte Menschenliebe ist also eine nothwendige und
heilige Frucht der Ehrfurcht und Liebe Gottes. Gott über alles
ehren und lieben, und doch die Neigungen gegen sich selbst dem
göttlichen Willen, den man erkannt hat, nicht unterwerfen; sie
nicht nach der Regel seiner Vorschrift einrichten und mäßigen,
das, was uns Vernunft und Gewissen als recht und gut ankündigen, nicht thun, was sie für unrecht und böse erklären, nicht
unterlassen mögen; das widerspricht sich. Wenn also unser Herz
Gott wirklich liebt, so wird es sich nicht unmäßig lieben, so
wird es sein eignes Glück nach dem Plane der Gottheit zu befördern trachten, und mit ihm völlig übereinstimmen. Es wird
in der Wohlfahrt der Andern die Nahrung seiner Freude finden,
und in diesen Gesinnungen und Empfindungen sich glückselig
schätzen, weil es von der Hand Gottes dazu gebildet, und sich
dessen bewußt ist, daß es dazu gebildet sey.

Wenn wir also das wären, was wir nach den Verhältnissen,
in welchen wir mit dem Unendlichen stehen, seyn sollen: so müßte
die tiefste Unterwerfung und der kindlichste Gehorsam stets in unserm Herzen sich finden. Dieses folgt aus dem
Begriffe von Gott und uns. Eine heilige Furcht müßte in
uns entstehen und uns von allen unedlen Absichten und Handlungen zurück halten, so oft wir die Heiligkeit des Herrn aller
Herren betrachteten. So oft wir seine Güte dächten, müßte ein
lebendiges Verlangen in uns entstehen, ihn, da wir durch unsre
Bemühungen nie etwas zu seinem Glücke beytragen können, wenigstens durch unser Erstaunen und unsre Freude über seine Güte
zu verherrlichen, und nebst diesem Verlangen, zugleich eine Empfindung unsrer Unwürdigkeit, das ist Dankbarkeit und Demuth. So oft wir seine Güte, in der Verbindung mit der

Allmacht und Allwissenheit dächten, müßte in uns die Tugend des Vertrauens und der Ergebung in alle seine Schickungen ohne Ausnahme entstehen; in den Gefahren des Lebens und der Tugend der getroste und beherzte Muth; in den Leiden und Uebeln des Lebens die Gelassenheit und Geduld, oder die Bemühung der Seele, dem natürlichen Unmuthe zu wehren und in den Verhängnissen des Unendlichen sich zu beruhigen, weil er Gott und unser Vater ist. So oft wir die Liebe Gottes empfänden, müßten wir auch die Regung der Menschenliebe, Freude über das Glück der Andern, Mitleiden mit ihrem Elende, und das Verlangen, daß nach dem Willen des Ewigen alle Menschen glücklich seyn möchten, empfinden. So oft der Fall käme, wo die Liebe gegen den Nächsten unsre Selbstliebe einschränken sollte: so müßten wir durch die Betrachtungen der göttlichen Vollkommenheiten, und insbesondre seiner großmüthigen und verzeihenden Liebe gegen die Menschen, den Sieg über unsre Selbstliebe erhalten. So oft der Fall käme, daß unsre natürliche Liebe der Liebe zu Gott weichen müßte: so müßten wir durch einen Blick auf die unendliche Größe und Liebenswürdigkeit Gottes die Kraft zu diesem Siege erhalten.

Aber wer kann sich eines solchen Systems der Neigungen, oder einer so vollkommenen Tugend, rühmen? Wer kann sich rühmen, eine solche Tugend stets in allen Fällen zu beweisen? Wer erblickt nicht, wenn er auf sein Herz und seine Handlungen sieht, tausend offenbare und geheime Abweichungen von der Regel des Gewissens und von jenem Systeme der Neigungen, das sich auf die Erkenntniß Gottes gründet? Und wie können wir denn also bey unsern Mängeln, Fehlern und Thorheiten dem heiligen Auge Gottes gefallen? Wie können wir, wenn wir in ein Laster, in viele, in fortgesetzte Laster gesunken sind, diese Flecken der Seele vor dem Angesichte Gottes verbergen? Dieses ist eine schwere und höchstwichtige Frage. Denn, so schön die Tugend in dem Lehrgebäude der Vernunft stralet, so wenig hat sie diesen Glanz in unserm Herzen oder in unserm Wandel; und es ist ein großer Unterschied, die Tugend richtig denken, und die Tugend selbst besitzen; die Tugend im Gemälde bewundern, und in der That ausüben; die Tugend lieben, so lange unsre Leidenschaften ruhig sind, und die Tugend lieben, wenn wir ihr angenehme Empfindungen, oft die süßesten, welche die Natur kennt, aufopfern sollen. Es ist ein großer Unterschied, einzelne tugendhafte Handlungen verrichten, und hingegen eine Geneigtheit, einen willigen lebhaften Vorsatz fühlen, immer, überall, in allen Verhältnissen seine Pflicht zu beobachten, wenigstens eine überwiegende Liebe gegen das erkannte Gute zu fühlen, und zu behaupten.

Die sich selbst überlaßne Vernunft hat, wenn sie der Verzweiflung bey ihrem begangnen Ungehorsame ausweichen will, kein Mittel, als die Buße der Natur, das ist, die Zuflucht zu der Güte Gottes durch Reue und Besserung. Wenn uns Gott durch keine besondre Offenbarung einen andern Weg angezeiget hat: so ist es wahrscheinlich, daß er die Buße der Vernunft befiehlt und annimmt, weil es gewiß ist, daß Niemand zu allen Zeiten und in allen Umständen, in allen Gedanken und Neigungen seinen Willen so erfüllt, nicht bloß wie er sollte, sondern wie er auch könnte, wenn er stets über sich wachen wollte.

Aber wo bekommen wir die Stärke und die Lust her, die Vorstellungen von Gott und unsrer Pflicht immer gegenwärtig zu erhalten, zu erneuern und auf unser Herz anzuwenden? Sind wir nicht oft sehr ungeneigt dazu? Fühlen wir nicht oft ein Unvermögen, sie unserm Verstande einzudrücken, und bleibt unser Herz, indem unser Verstand in diesen Betrachtungen arbeitet, nicht oft kalt? Diese Erfahrungen sind unleugbar, sie sind traurig und demüthigend für

uns, und sollen uns eben von dem Vertrauen auf uns selbst ab=
führen, und zur Hoffnung auf die allmächtige Hülfe unsers Schö=
pfers und Vaters leiten. Dieses sagt uns die Vernunft. Sie
sagt uns also, daß wir den Beystand, der uns nöthig ist, und
den wir vermissen, von dem erwarten sollen, welcher ihn uns
nicht versagen kann, weil er Gott ist und unser Glück liebt.
Sie fordert uns auf, daß wir ein aufrichtiges und demüthiges
Verlangen nach seiner hülfreichen Hand, ein zuversichtliches Ver=
langen, durch den Glauben an seine Güte gestärkt, in uns er=
wecken sollen. Wenn wir dieses Verlangen, es sey in Gedanken
oder mit Worten, an Gott selbst richten, so beten wir ihn, als
die Quelle aller Vollkommenheiten, an. In so weit kann man
sagen, daß der Glaube an Gott auch das Gebet des Herzens,
und weil unsre Vorstellungen ohne die Zeichen der Worte nicht
lange oder nicht lebhaft erhalten werden können, auch das wört=
liche Gebet befiehlt; nicht, als ob Gott durch unser Gebet erst
zur Hülfe bewegt würde, sondern weil uns das Gebet von der
Liebe und dem Vertrauen zu ihm eingegeben wird. Da endlich
Gott die Tugend liebt und gegen das Laster ein unwandelbares
Mißfallen hat: so muß die Seele, die dieses glaubt, auch Be=
lohnungen und Strafen der Gottheit hier in diesem Leben, und
weil sie ihre Unsterblichkeit glaubt, auch Belohnungen und Stra=
fen in einer andern ewigen Welt glauben. Ein mächtiger An=
trieb zur Tugend für ein Geschöpf, das von Gott mit einer un=
auslöschlichen Furcht vor allem Elende beseelet ist! Unendlich
glückselig durch den Beyfall Gottes werden können; welcher sie=
gende Antrieb zum Gehorsame! Von seinem Wohlgefallen ganz
ausgeschlossen, unendlich elend und bestraft seyn und bleiben;
welcher Antrieb, den Reiz alles Lasters zu verachten und die Tu=
gend überwiegend zu lieben!

Dieses, meine Herren, ist ein kurzer Auszug von der prak=
tischen Theologie der Vernunft. Sie führt uns zur Theologie

der geoffenbarten Religion. Darum ist sie schätzbar, darum ists
eine ewige Wahrheit der christlichen Religion: Wer zu Gott
kommen, oder den Weg des Christen erkennen und antreten
will, muß (zuvor) glauben, daß Gott sey, und denen,
die ihn suchen, ein Vergelter seyn werde°); und daß
in allerley Volk, wer Gott fürchtet und recht thut,
ihm angenehm°°), ihm, wenn er nach der Stimme der Vernunft und des Gewissens ihn verehrt und die Tugend ausübt,
auf solchem Wege so lange angenehm sey, als er ihm durch eine
nähere göttlich bezeichnete Offenbarung keine hellern Befehle er-
theilet°°); und daß Gott die, die ohne geoffenbartes
Gesetz gesündiget haben, auch ohne das geoffenbarte
Gesetz richten, das heißt, nach dem Gesetze der Vernunft und
des Gewissens richten werde°°°). Die natürliche Religion soll
uns also zur Religion des Christenthums leiten. Und worinnen
besteht denn die Ehre und der Vorzug dieser Religion? „Dar-
„innen (wie Squire saget)†), daß uns die heilige Schrift
„und insonderheit das Evangelium von den verschiednen Ver-
„hältnissen, in welchen wir gegen Gott, als unsern Schöpfer,
„Erhalter, Erlöser und beständigen Beystand in unserm Laufe
„nach der Vollkommenheit und Glückseligkeit, stehen, vollkom-
„men unterrichtet — darinnen, daß uns in derselben unsre ganze
„Pflicht deutlich vorgestellt wird, und daß wir allezeit wissen
„können, welches der gute und wohlgefällige Wille unsers ober-
„sten Herrn und Gebieters sey;" darinnen, daß sie ferner durch
Buße und Glauben unser Herz ändert, heiliget, und mit Lust
und Kraft zum Guten ausrüstet; „darinnen, daß wir durch die-
„selbe die stärksten Bewegungsgründe der Dankbarkeit und des
„eignen Vortheils haben, nach dem Gesetze der Natur und den

°) Hebr. 11, 6. °°) Apostelgesch. 10, 35. °°°) Röm. 2, 12.
†) S. D. Sam. Squire strafbare Gleichgültigkeit in der Religion,
von Hrn. Zollikofer übersetzt, a. d. 227. und 228. S.

„Geboten des Evangelii zu leben; und endlich darinnen, daß
„wir die tröstliche Versicherung haben, daß unser barmherziger
„und gnädiger Vater, unsre aufrichtigen, obschon unvollkomme=
„nen Bemühungen, ihm zu dienen und zu gefallen, in und
„durch den Tod, die Erlösung und die Vermittelung seines Soh=
„nes Jesu Christi annehmen und um desselben willen uns ewig
„selig machen will. Der beste Christ muß also auch der beste
„Mensch, und folglich, im Ganzen betrachtet, der glücklichste
„Mensch itzt und in Ewigkeit seyn.“ Dieses ist der hohe Vor=
zug des Christenthums vor der Religion der Vernunft.

Beschluß.

Meine Herren, ich beschließe also heute meine moralischen
Vorlesungen; und womit kann ich sie anders beschließen, als mit
dem verbundensten Danke für Ihre zeitherige Aufmerksamkeit und
mit dem aufrichtigsten Wunsche, daß sie Ihnen auf Ihr ganzes
Leben heilsam seyn mögen? Möchte ich doch stets in dieser edlen
Absicht, stets mit eigner lebendigen Ueberzeugung von der Wahr=
heit, stets zur Beförderung und Ehre der Religion und Tugend
zu Ihnen geredet, und mit glücklichem Erfolge geredet haben.

Aber, theuerste Freunde, wenn ich Sie nun bey dem Schlusse
meiner Vorlesungen noch um eine Dankbarkeit bäte, die in Ih=
rer Gewalt stünde; um eine Dankbarkeit, die mit Ihrem eignen
Glücke verbunden wäre; um eine Dankbarkeit, die ich als die
größte Wohlthat von Ihnen, und als einen Trost meines Le=
bens ansehen würde: könnten Sie mir dieselbe wohl versagen?
Gewiß nicht. — — So fordre ich Sie denn heute alle, beste

Zuhörer, Fremde und Einheimische, Hohe und Niedere von Geburt, zu einer Dankbarkeit auf, die Sie mir nicht versagen werden. Und worinnen besteht sie denn? Darinnen:

Daß Sie sich des Hauptinnhalts meiner Vorlesungen oft erinnern, sich dieser Wahrheit oft und täglich erinnern mögen: daß der einige sichre Weg zu einem ruhigen, glücklichen und zufriednen Leben, zu einem getrosten und seligen Tode, Weisheit und Tugend, Religion und Gewissen sey; — daß der Mensch nicht anders glücklich werden könne, als wenn er die heilsamen Lehren der natürlichen und geoffenbarten Religion zur täglichen Nahrung seines Geistes macht und ihre Gebote sorgfältig ausübt; daß, je früher er anfängt, den Pfad der Tugend zu betreten, desto leichter und anmuthsvoller er ihm werde; daß er unser Glück sey, was uns Gott zur Pflicht gemacht hat. —

Erinnern Sie sich also stets, daß der Jüngling, so wie der Mann, nur alsdann seinen Weg unsträflich und gewiß wandeln könne, wenn er sich hält nach dem Befehle Gottes*). Lassen Sie Ihr ganzes Leben, das jugendliche und männliche, eine sichtbare, thätige, christlich schöne Moral seyn. — Darum bemühen sie sich täglich mit dem größten Ernst und Eifer.

Allein so nöthig unsre Bemühungen sind, so können wir doch nie durch die Kräfte der Vernunft und Natur wahrhaftig weise und tugendhaft werden. Auf diesen Grundsatz der Religion und Erfahrung habe ich Sie überall zurück geführet. Lassen Sie ihn nie aus Ihren Gedanken, meine Freunde. Der Mensch ist von Natur krank und verderbt und kann seine Seele nicht selbst heilen und glücklich machen. Wir müssen die Kraft, von Herzen tugendhaft zu werden, als Menschen und als Christen von dem

---

*) Pf. 119, 9.

Allmächtigen auf dem Wege suchen, den er uns dazu angewiesen
hat. Dieß ist eine Hauptpflicht des Gehorsams und Glaubens
gegen unsern Herrn und Schöpfer, und der erste Schritt zu un=
serm Glücke. Durch ihn leitet uns der Schimmer der Vernunft
zu dem Lichte der Offenbarung. Wir können durch die Ver=
nunft viel gute äußerliche Handlungen ausüben; uns vor vielen
Lastern hüten; aber unser Herz selbst können wir durch die Na=
tur nicht umbilden. Lassen Sie uns daher alle falsche und aber=
gläubische Begriffe von der Tugend verbannen. Sie wohnet nicht
bloß im Verstande, nicht in einzelnen guten Handlungen, nicht
auf den Lippen, nicht in Geberden. Sie ist nicht äußerliche
Ehrbarkeit, wie sie vor der Welt gilt, nicht gleißnerische Schein=
heiligkeit, nicht einsiedlerische Schwermuth, nicht glückliches Na=
turell: sie ist eine Frucht der Weisheit und der sorgfältigen An=
wendung derselben; sie ist die höchste Wohlthat, die uns Gott
giebt, aber stufenweise, aber nicht wider unsern Willen, nicht
ohne den vernünftigen Gebrauch der verordneten Mittel.

Laß daher, o Jüngling, dein Ohr auf die höhere gött=
liche Weisheit Acht haben, und neige dein Herz mit
Fleiß dazu. Denn so du mit Fleiß darnach rufest
und darum betest; so du sie suchest, wie Silber, und
forschest sie, wie die Schätze: alsdann wirst du die
Furcht des Herrn vernehmen, und Gottes Erkennt=
niß finden. Denn der Herr giebt Weisheit, und aus
seinem Munde kömmt Erkenntniß und Verstand*).
Die wahre lebendige Erkenntniß der Weisheit, die den Verstand
erleuchtet und das Herz bessert und der Tugend fähig macht, die
eine überwiegende Neigung zum Guten, einen lebendigen und
beständigen Vorsatz in uns wirket, allen unsern Pflichten, weil sie
der beste, heiligste und seligste Wille Gottes sind, zu allen Zeiten

---

*) Sprüche Sal. 2, 2—6.

zu gehorchen; diese höhere Weisheit giebt Gott in unsre Seelen durch die göttliche Kraft seiner uns geoffenbarten Wahrheiten; und dieß ist die wahre Tugend.

Ist es schwer bey so vielen Versuchungen der Leidenschaften, bey den mannichfaltigen Reizungen des Lasters, bey den bösen Beyspielen und Grundsätzen der Welt, die Befehle der Tugend auszuüben; finden wir immer neue Hindernisse zu übersteigen, neue Fehler, Mängel und Gebrechen des Verstandes und des Herzens zu verbessern: so lassen Sie uns bey aller unsrer Unvollkommenheit (und unvollkommen bleibt auch der beste Mensch) dennoch nicht zagen. Lassen Sie uns immerdar an den mächtigen Beystand denken, der uns versprochen ist, an die hohen Bewegungsgründe der Tugend, an die herrlichen und unendlichen Belohnungen derselben, an die schrecklichen und unendlichen Strafen der Bösen, an Tod, Gericht und Ewigkeit. Die wahre Tugend und Frömmigkeit hat die Verheißung dieses und des künftigen Lebens*). Und was wünscht, was sucht unser Herz, als Ruhe und Frieden itzt und in alle Ewigkeit hinaus? Nun, diese Ruhe, diesen Frieden gewährt uns die Religion und Tugend. Was sollten wir also eifriger suchen, als sie? Was sollte uns schätzbarer seyn, als Tugend und gutes Gewissen? Ja, die göttliche Weisheit ist keine Feindinn unsers Vergnügens. Nein, die Religion ist eben dadurch, daß sie uns demüthiget, unsre Herzen umbildet, unsre Begierden einschränkt, uns zu Gott durch den Weg der Buße und des Glaubens führet, eben dadurch ist sie die Wegweiserinn zur wahren Ruhe und Hoheit der Seele. Sie macht uns zu Freunden unsrer selbst, zu Freunden der Menschen, zu Freunden des Allmächtigen, Allweisen und Allgütigen. Können wir noch mehr begehren? Mehr als die Zufriedenheit dieses Lebens und die Freuden einer ganzen Ewigkeit?

*) 1. Tim. 4, 8.

Es sey also nicht leicht, die Pflichten, die Gebote der Tugend auszuüben; genug, sie sind zu unserm Glücke der einzige sichre und offne Weg.

Gott will, wir sollen glücklich seyn,
Drum gab er uns Gesetze.
Sie sind es, die das Herz erfreun,
Sie sind des Lebens Schätze.
Er redt in uns durch den Verstand,
Und spricht durch das Gewissen,
Was wir, Geschöpfe seiner Hand,
Fliehn oder wählen müssen.

Ihn fürchten, das ist Weisheit nur,
Und Freyheit ifts, sie wählen.
Ein Thier folgt Fesseln der Natur,
Ein Mensch dem Licht der Seelen.
Was ist des Geistes Eigenthum?
Was sein Beruf auf Erden?
Die Tugend! Was ihr Lohn, ihr Ruhm?
Gott ewig ähnlich werden!

Diese Glückseligkeit verleihe Gott uns allen! Ihm sey Ehre und Anbetung in Ewigkeit!

Moralische

Charaktere.

Moralische
Charaktere.

neuer Altar, eine neue Glocke, eine beßre Orgel, ist ihm nicht
zu viel. — Kriton ist gastfrey. Wer ihn besucht, und ein Lieb=
haber der Oekonomie ist, der ist ihm bey seiner Tafel willkom=
men. Sie ist wohl eingerichtet, nicht karg, nicht verschwende=
risch, und seinem Stande gemäß. — Er erlaubt sich selten das
Vergnügen der Jagd. Sie raubt die kostbare Zeit, und diese
kann er besser anwenden. Er schließt Contracte, durchsieht seine
Rechnungen, strengt die Arbeiter an, und läßt, wie er sagt, für
die Nachwelt bauen. — Hier macht er einen unbrauchbaren Acker
durch seine Sorgfalt zum Walde. Dort findet er einen Stein=
bruch, der seinem Gute einträglich und der Gegend nützlich ist.
Stets beschäfftiget, so erblickt ihn der Morgen, und so schläfert
ihn der Abend ein; und alle Nachbarn lieben ihn wegen seiner
Verträglichkeit, und preisen ihn, als einen glücklichen Mann.
Und was hat man auch an diesem Leben des Kriton auszusetzen?
Nicht viel, wie es scheint. Alles stimmt ja unter sich und mit
einer gewissen Hauptabsicht überein. Aber was ist seine Haupt=
absicht? Warum lebt er? Warum sorgt, und denkt, und ar=
beitet er so übereinstimmend?

Vielleicht weis er es selbst nicht. Ein dunkles Gefühl der
Glückseligkeit leitet ihn. Es scheint ihm rühmlich, stets beschäff=
tiget zu seyn; mehr zu thun, als Andre seines Standes; immer
mehr Hufen und Güter zu gewinnen, und zu wissen, daß er sie
gewonnen hat. Ist dieses sein Glück und die Absicht, warum er
auf der Welt war?

Um zu wissen, ob Kriton wirklich für sein Glück gelebt habe,
so betrachtet ihn in diesem seinem scheinbaren Glücke mit den Au=
gen der Vernunft, und zwar betrachtet ihn auf seinem Sterbe=
bette. Er stirbt, als Herr von sechs Rittergütern. Konnte es
sein Beruf seyn, zu leben und zu arbeiten, um reicher, als
Andre, zu sterben? — War er leutselig, ein Schutz und Rath
seiner Unterthanen, ein liebreicher Versorger treuer Bedienten,

ein williger und kluger Geber von seinem Ueberfluffe? —— Er
war arbeitsam, um reich zu seyn; sorgfältig und ordentlich, um
bequem zu wohnen, und standesmäßig zu essen und zu trinken;
mäßig, um gesund und zu Geschäfften geschickt zu seyn. Er lebte
bey allen seinen Anstalten eigentlich für sich, und nie, mit Ab=
sicht, für das Beste der Welt; er lebte für seinen Eigennutz, und
nicht für die Tugend. Er lebte regelmäßig sinnlich; und so le=
ben die meisten Menschen.

Hätte Kriton, wenn er vernünftig seyn wollen, wohl die
Hauptabsicht seines Lebens vergessen können? Konnte er nicht
wissen, daß seine Seele edler wäre, als sein Körper, daß die gu=
ten Eigenschaften des Herzens etwas wichtigers wären, als Rit=
tersitze, als eine gute Tafel und die Bewunderung der Nachbarn?
Daß es weiser wäre, Güter zu erwerben, die uns im Tode blei=
ben, als solche, die wir in wenig Jahren verlassen müssen?
Daß es mehr Würde sey, ein weiser, gutthätiger, gemeinnützi=
ger und gottseliger Mann zu seyn, als der Reichste im Lande?
Daß die Uebungen der Pflichten gegen die Menschen und den
Schöpfer unendlich mehr Werth haben, als die strengste Aus=
übung der Regeln der Wirthschaft?

Euphemon, das Gegentheil des Kriton.

Euphemon ist beynahe in Kritons Glücksumständen. Er
erhält durch Sorgfalt sein Vermögen, und nützt es. Er ist ar=
beitsam in seinem Stande, und sieht die Arbeitsamkeit als einen
göttlichen Beruf an, sich und Andre zu erhalten, sich und Andre
weiser, ruhiger und glücklicher zu machen. Dieses ist die Haupt=
absicht, die in alle seine Geschäffte einfließt; und er verstattet
sich die Begierde, reich zu werden, nicht weiter, als in so weit
sie mit den Pflichten gegen Gott und Menschen bestehen kann.
Er steht früh auf, und sein erstes Geschäffte ist Andacht.) Da=

durch wird seine erste Stunde der Segen für sein Herz und für seine Beschäfftigungen, die er alsdann überdenkt und ordnet. Er ist des Tags über eifrig in guten Anstalten; allein was sein Verwalter besser ausführen kann, das thut er nicht aus zu großer Geschäfftigkeit, wie Kriton, selbst. Er sorgt für das Beste seiner Unterthanen, unterstützt den arbeitsamen Dürftigen, und sucht den Trägen in Arbeit zu setzen. Er läßt sich herab, und behauptet zugleich das Ansehen, das ein Herr haben muß, der aus Pflicht über Ordnung und Gehorsam hält. Seine Unterthanen lieben ihn, indem sie ihn ehren. Kriton schmückt die Kirchen, und Euphemon sorgt für die Schulen in seinen Gemeinden. Jener läßt Altäre bauen, und dieser läßt die Kinder von einem geschickten Manne sorgfältig unterrichten. Er belohnet seine saure Arbeit, und ermuntert den Geistlichen in seinem Fleiße durch Bücher, durch Bequemlichkeiten, die ihm sein Amt nicht gewähret, und durch einen leutseligen Umgang. — Euphemon ist auch gastfrey; aber außer den Freunden, die er speiset und vergnügt in seiner Gesellschaft unterhält, essen treue und abgelebte Diener, Greise, die keine Versorgung mehr haben, und Kranke, die eines Labsals bedürfen, von seinem Tische. Er hält einen redlichen Bedienten, der sich nach verborgnen Elenden und Unglücklichen erkundigen und ihnen durch die dritte Hand helfen muß. — Euphemon baut nützlich, bequem und zugleich in der Absicht, Müßige und Arbeitlose zu beschäfftigen und zu ernähren. Er will nicht immer gutthätig seyn, um nicht diejenigen, welche es bequem finden, sich von Wohlthaten zu nähren, zu Trägen und Unverschämten zu machen. Er ist vorsichtig bey seiner Freygebigkeit, und aus Güte zuweilen strenge. — Er sieht die beschwerlichen Frohndienste seiner Unterthanen; die Klugheit wehret ihm, sie ihnen ganz zu erlassen, und doch weiß er sie zu mäßigen; sie dem durch Geld, jenem durch Getreide, oder, durch des Erlo 'nes Zinses, von Zeit zu Zeit zu vergüten und sein

Recht in Billigkeit zu verwandeln. — Er ist der Herr, und das Beyspiel, und die Seele seines Hauses; und es immer gut zu seyn, dieses ist seine Sorge und Arbeit. Er hat keine Kinder; aber er läßt Anverwandte bey sich erziehen. Er sorgt für die Sitten seiner Bedienten mit Klugheit, Ernst und Güte, hält sie vom Müßiggange und vom Laster zurück, und erweckt sie durch sein Beyspiel zu den Uebungen in der Religion. — Diese Lebensart hat Euphemon zwanzig Jahre getrieben, keine neuen Güter erworben, und manches Jahr so gar sein Vermögen verringert; und hat er gleichwohl nicht unendlich mehr gethan, als Kriton? Er hat nicht bloß seine Haushaltung nützlich geführt; er hat auch sein Vermögen und sein Ansehen nach seinem Gewissen, zu seinem und Andrer Glücke verwandt. Wie ehrwürdig, aber wie selten ist ein Euphemon!

Der schwermüthige Tugendhafte.

Die Fehler unsers Temperaments mischen sich beständig in unsre Tugend, und geben ihr in unserm Verstande die Gestalt, die mit unsrer eigenthümlichen Neigung am meisten überein= stimmt. Aus dieser Quelle entspringen unzählige Irrthümer, die wir für Wahrheiten annehmen; und keine Irrthümer sind schwe= rer zu heben, als die ihren Schutz in dem natürlichen Charakter unsers Geistes und in der besondern Einrichtung unsers Körpers finden und dabey mit einem guten Herzen sich vertragen.

Aret meynt es aufrichtig mit der Tugend; und seine Strenge ist weder Heucheley, noch stolze Frömmigkeit. Nein, aber er ist von Natur schwermüthig und furchtsam, und darum liebt er die Schwermuth und Furchtsamkeit auch in seiner Tu= gend, oder bildet diese nach seiner Gemüthsart. Er flieht die unschuldigen Freuden des Lebens, weil er sie für strafbar hält. Aber warum hält er sie dafür? Hat er nicht so viel Verstand, seinen Irrthum einzusehen? Ja, er hätte ihn; aber sein dickes schwarzes Blut benebelt und verfinstert seinen Verstand. Traurig seyn ist ihm natürlich; und diejenigen Begriffe von Tugend, die zur Traurigkeit am besten passen, sind deswegen schon seiner Art zu denken auch natürlicher, als das Gegentheil. Aret wird

mehr, als eine Provinz dem Eroberer; und der zehnendichte Hirsch, der in seiner Holzung steht, ist sein täglicher Stolz. Er legt sich ein kleines Jagdhaus an, und sättiget sich, wenn er nicht jagen kann, mit der Beschauung und Verbesserung seines Jagdgeräthes und seiner Gewehrkammer, kauft einen neuen Hund, und verschenkt ein Pferd, das ihm nicht mehr neu ist, damit er die Freude haben könne, ein neues zu kaufen. — So lebt er ein Jahr, zwey Jahre, wird gleichgültig gegen die Jagd, und lacht endlich über dieses beschwerliche Vergnügen.

Er wird weiser, und sucht sein Vergnügen im Bauen. O dieses ist eine weit anständigere und nützlichere Beschäfftigung, sagt Chryses! Er baut nicht, weil er bequemer wohnen will; sondern, um nach seinem Geschmacke zu bauen, reißt er hier ein, und führt dort auf, baut itzt ein kostbares Gartenhaus, und dann, weil ihm der Pferdestall nicht mehr gefällt, einen prächtigen Stall; morgen einen Salon, und mit eben der Hitze fällt er auf den Ehrgeiz, das beste Taubenhaus zu haben. Er wagt Risse, kauft Bücher von der Baukunst, die er nicht versteht, pralet damit, quälet seine Arbeitsleute, verschwendet einen großen Theil seines Geldes, und findet seine Wolluft im Bauen. — Aber seine Anstalten wollen ihm nicht mehr glücken. Man baut ihm viel zu langsam; nicht nach seinem Sinne. Er wird verdrießlich, und giebt diese Beschäfftigung auf.

Er wählt eine neue Lebensart, wird gesellschaftlich, und sucht den Ruhm der Gastfreyheit. Er öffnet sein Haus, wie er sagt, gesitteten und angenehmen Leuten, aber in der That meistens den Schmeichlern und Schmarozern. Er sinnt auf eine gute Tafel, auf Reinlichkeit und Pracht in seinen Zimmern, auf Vergnügungen für seine Gäste, und wird reichlich mit Beyfall, Freundschaft und Bewunderung belohnet. Er lebt ein Jahr lang für seine Gäste und Bewunderer, und fühlt nunmehr den Zwang und das Leere dieser Lebensart.

Der Schmeichler Brut, die frech des Chryses Tafel hütet,
Die seiner Gnade Stral erwärmt und ausgebrütet,
    Schwärmt summend um sein Ohr.
Der Thor ist ihr Gespött, selbst da er sie ernähret,
Verlassen, wenn sie ihm sein Gut vertraut verzehret,
    Und arm, und noch ein Thor.

Er wird verdrießlich und kränklich, stellt seine Gastfreyheit ein, will durch Einsamkeit seiner Gesundheit wieder aufhelfen, und wird ein stiller Gartenfreund.

Nun hat er die unschuldigsten Freuden, nach seiner Meynung, die Freuden der Natur, gefunden. Er wendet sein Geld auf Blumen und seine Sorgen auf die Wartung und Verbesserung derselben, verschreibt mit großen Kosten Blumenzwiebeln, läßt Blumenkenner kommen, hält die Gärtner für die klügsten Sterblichen, und wundert sich, wie er diese anmuthige Beschäfftigung, die ihn einen ganzen Sommer unterhält, nicht eher gewählet. Aber schon vertilgt der nächste starke Winter viele Geschlechter seiner Blumen, erweckt ihm einen Ekel gegen die Gärten, und zugleich eine Liebe für die Bücher.

Chryses wird also gelehrt, schafft sich eine kostbare Bibliothek, liest und studiret. Diesen Monat ist die Geographie seine Weisheit; und diese Woche scheint ihm die Wappenkunst die wahre Gelehrsamkeit zu seyn. Er will sie studiren, und ermüdet bald, wählt die Geschichte, und geht schnell zur Poesie über, hört auf zu lesen, läßt seine Bücher vortrefflich einbinden, bringt sie in Ordnung, widmet ihnen das beste Zimmer, kauft mathematische Instrumente, verläßt seinen gelehrten Hausrath und das Landleben plötzlich, zieht in die Stadt, wird ein Mann nach der großen Welt, und verlacht das Landleben. Der Hof scheint ihm nunmehr der Sitz der wahren Vergnügungen zu seyn; die Comödie übertrifft alle Gartenlust, die Oper alle Jagden und alle

Freuden des Baues. — Die Antichambern sind ihm die Schulen der Weisheit, und, o wie lacht er über seine Bibliothek! — Er beobachtet die Moden mit Scharffinnigkeit, als die Gesetze der guten Sitten, erfreut sich seines guten Geschmacks in der Kleidung. und Equipage, und kehrt endlich, von seinem abnehmenden Vermögen gerufen, wieder auf sein Landgut, und lernt einsehen, daß er, um glücklich zu seyn, beynahe zwanzig Jahre, ein Verschwender seines Vermögens, seiner Zeit und seines Verstandes gewesen.

Der Mann mit Einem Laster und mit vielen Tugenden.

Die Menschen sind selten so verderbt, daß sie sich vielen Lastern zugleich ergeben sollten; und selten so schlimm, daß sie ein Laster, dem sie sich überlassen, nicht durch gewisse Tugenden gleichsam vergüten wollten. Dorant gehöret unter diese Classe. Er dienet der Wollust, obgleich nicht ohne alle Mäßigung, und ist so offenherzig, daß er diesen Fehler selbst gesteht: aber eben dieser Dorant ist gerecht, gutthätig, dienstfertig, aufrichtig. Er kennt und gebraucht alle Künste, das Herz einer Unschuldigen, die seine Neigung gereizet hat, zu verführen; und doch kann er keinen Unglücklichen ohne Mitleiden sehen, und ohne Hülfe von sich lassen. Man liebt ihn wegen seiner Gutthätigkeit selbst in den Gesellschaften, wo man seinen Fehler kennet. Er verabscheut die berüchtigten Häuser der Wollust, und würde sie zerstören, wenn es auf ihn ankäme; aber eine Beyschläferinn zu halten, die er in kurzer Zeit mit einer andern vertauscht; dieses scheint ihm nichts Böses und nichts Gutes zu seyn. Er belohnet sie mit etlichen hundert Thalern; denn dieses, sagt er, wäre ungerecht, wenn sie hülflos bleiben sollte. Er verhilft ihr so gar mit seinem Schaden zu einer Heirath, um sie zu versorgen, und man lobt diese Sorgfalt an ihm. Dorant, spricht die große Welt, hat doch im Grunde ein gutes Herz. Dieser Dorant, der, durch seine gesittete Lebensart und seinen Stand den Zutritt in die besten Häuser hat, ist also ein gefährlicher Feind der Unschuld, und

doch ist er ein Mann von Treu und Glauben. Er giebt mir sein Wort, daß er mir durch seinen Fürspruch dienen will; und er thut es, ohne meinen Dank zu erwarten. Er thut es mit Vergnügen. Man spricht von einem Bekannten oder auch von einem Fremden Böses; und er geräth darüber in eine edle Hitze, daß man die Ehre des Andern kränkt, und nicht lieber das Beste vermuthet. — Dorant konnte von seiner Anverwandtinn, wenn er ihr hätte schmeicheln wollen, eine reiche Erbschaft erlangen. Nein, sagte er, das wäre ungerecht; sie hat nähere Erben, die es mehr bedürfen. Soll ich reicher werden, um Andere arm zu machen? — Dorant ist gelinde gegen seine Untergebenen, und der gütigste Herr gegen seine Bedienten, wenn sie sich wohl aufführen. — In Gesellschaften ist er bescheiden, und hält es für ein Verbrechen jemanden zu beleidigen, und sein Vergnügen zu stören. — Er haßt das Spiel, den Trunk, und die Verschwendung. Was soll man also von Doranten urtheilen? Nach der Sprache der Welt hat er nur Einen Fehler und viele Tugenden; nach der Sprache der Wahrheit hat er eigentlich keine Tugend, und nur ein gutes Temperament, oder eine natürliche Anlage zur Tugend. Er hat zu viel Verstand, um die Laster alle zu billigen, und zu wenig, um einzusehen, daß Ein Laster, dem man sich wissentlich ergiebt, das ganze Herz verderbt. Er hat zu viel Gewissen, um ruhig zu sündigen, und will einen Vergleich zwischen dem Bösen und Guten treffen, und seine Fehler der Wollust durch die Beobachtung äußerlicher Pflichten der Geselligkeit ersetzen. Er wählt diejenigen Tugenden, die einem weichlichen Herzen die leichtesten und ihm natürlich sind: Güte, Billigkeit, Gelindigkeit, Dienstfertigkeit. Er wählt diejenigen Tugenden, die in Gesellschaften am beliebtesten sind, und sich am ersten durch Beyfall oder Gegendienste belohnen. Seine Tugenden sind also Temperament und Wohlstand; und sein Abscheu, den er vor gewissen Lastern hat, ist die

Frucht des Beyspiels und der guten Erziehung, die er in seiner Jugend genossen. Die Exempel zu diesem Charakter sind in dem gemeinen Leben sehr häufig, und den guten Sitten sehr gefährlich. Das Laster, das sich mit den Farben von zehn Tugenden schmückt, gefällt zur Nachahmung gar zu sehr, und auch ein gutartiger Jüngling wird sich von ihm blenden lassen. Das Schlimmste dabey ist noch dieses, daß solche Charaktere mit Hochachtung in der Welt beehret werden, und daß man von ihrer schlimmen Seite in Gesellschaften gemeiniglich nur scherzhaft und mit einer witzigen Spötterey spricht, und die Ausschweifung höchstens von der lächerlichen Seite tadelt. Gleichwohl sollte man über die Unzucht eben so wenig spotten, als man über Mord und Diebstahl spottet; und folget nicht oft Beides aus dem ersten? Dorant, der den Personen des andern Geschlechts Unschuld und Tugend rauben kann, hat, so lange er diese strafbare Neigung nicht unterdrückt, kein tugendhaftes Herz nach dem Ausspruche der Moral; und seine guten Thaten, so glänzend sie auch sind, gehören seinem Blute, seiner Erziehung, und seiner Eigenliebe zu, oder sind Früchte des bösen Gewissens, das sich beruhigen will. Die Tugend ist der aufrichtige und lebendige Wille, allen Gesetzen der Vernunft und Offenbarung zu gehorchen. Ist ein solcher Wille aufrichtig, wenn er Ausnahmen macht? Ist nicht Dorant, selbst des Beyspiels wegen, schuldig, seiner Neigung zu widerstehen; und schwächet er nicht durch sein Exempel bey Andern das Ansehen eines göttlichen Gesetzes? Es ist wahr, daß man es in allen Tugenden nicht gleich hoch bringen kann; aber der Vorsatz muß zu keiner mangeln. Es ist wahr, daß die besten Herzen fehlen können, und wirklich fehlen; aber in dem Fehler beharren, oder ihn nicht erkennen wollen, weil man ihn nicht ablegen will; das ist keine Schwachheit; das ist Verderben des Herzens.

Der regelmäßige Müßiggänger,

oder der Mann ohne Laster und ohne Tugend.

Er ist, mehr einsiedlerisch, als gesellschaftlich, lebt für sich, und theilet sein Vermögen so ein, daß er ehrlich und ruhig leben kann. Er ist ohne Familie, hat keine Haussorgen, ist Herr seiner Zeit, und sorgt, daß er Niemanden zur Last falle. Er lebt seit zehn Jahren einen Tag so regelmäßig als den andern; ist gesund, und mit seinem Schicksale zufrieden. Um acht Uhr erwacht er; der Thee, die Zeitung und das Fenster beschäfftigen ihn bis zehn Uhr. Um diese Zeit besorgt er seine Geschäffte, das heißt, er trägt die gestrigen Ausgaben in sein Tagebuch ein, besieht seinen gestrigen Anzug, ob etwas mangelhaft daran geworden, wählt den heutigen, schreibt einen Brief, wenn ihm der Wohlstand einen abfordert, blättert in einem neuen Buche, das ihm aus dem Laden ist zugeschickt worden, oder zeichnet eine halbe Stunde zu seinem Vergnügen, oder tritt an seinen Flügel. Ehe es zwölf Uhr schlägt, ist er angekleidet. Er speist gut, aber mäßig, und weis seit dreyßig Jahren nicht, was ein Rausch ist. Seine Zeit von zwey Uhr nach Tische bis Abends um zehn Uhr ist ebenfalls eingetheilet. Eine Stunde schenkt er dem Billiard, eine dem Besuche, den er giebt oder annimmt, eine halbe Stunde dem Schlafe, eine Stunde dem Lesen einer anmuthigen Schrift, eine dem Spaziergange, wenn es das Wetter erlaubt, eine der Abendmahlzeit, und um zehn Uhr überläßt er sich regelmäßig dem Schlafe. Von dieser Ordnung weicht er nicht ab, außer des

Sonntags, da er die Kirche besucht. Dieser Mann hat den
Ruhm der Eingezogenheit und einer ordentlichen Lebensart.
Sein Bedienter rühmt, daß sein Herr alle Morgen bete und alle
Abende singe. Und in der That, Erast ist mäßig und haushäl=
terisch; kein Freund der Wollust und tobender Vergnügungen.
Er spricht von Niemanden Böses; läßt jeden in seinen Würden;
bezahlt, was er zu geben schuldig ist, richtig; und lebt stille für
sich. Gleichwohl, wer ist Erast, wenn man ihn in seinem gan=
zen Betragen untersucht? Ist er mehr, als ein regelmäßiger
Müßiggänger? Was ist die Hauptabsicht seines Plans? Be=
quemlichkeit und methodisirte Trägheit. Er lebt mäßig, um ge=
sund zu seyn; wirthschaftlich, um nicht zu barben; und ordent=
lich, um die beschwerlichen Folgen der Unordnung zu vermeiden.
Er lebt für sich, und nicht für Andre. Ist er beswegen in die
große Gesellschaft der Menschen gesetzet worden? Er befördert
sein Vergnügen; aber ist es das, welches von der Vernunft ge=
billiget wird? Er geht mit seinem Vermögen sorgfältig um,
weil es die Pflicht eines Vernünftigen ist. Aber ist nur der Ge=
brauch des Vermögens, nicht auch der nützliche Gebrauch der
Zeit, eine Pflicht, eine beständige Pflicht? Er wendet die Zeit
bloß zur Pflege und Erhaltung seines Körpers an; und also lebt
er, um künftig so lange gelebt zu haben, als er nur gekonnt.
Er hat eine Seele bloß für seine Sinne, und einen Verstand,
bloß um die Gegenstände zu entdecken, die seiner Bequemlichkeit
schmeicheln. Er glaubt, er thue nichts Böses, weil er sich vor
Lastern hütet, die sich selbst bestrafen; allein sein ganzer Plan
des Lebens ist böse, weil ihn die Vernunft und die göttliche Be=
stimmung verwirft. Er beweist selbst durch seine Einrichtung,
daß die Seele des Menschen ein geschäfftiges Wesen ist, weil er
ihr in jeder Stunde eine Art der Unterhaltung giebt. Warum
kann er nicht einsehen, daß es besser ist, ein nützlicher und ar=
beitsamer Mann zu seyn, als ein geschäfftiger Müßiggänger?

Hofft er, daß ihn Gott einst ewig für die Mühe belohnen soll, die er auf das Vergnügen seiner Sinne so ordentlich verwandt hat? Könnte er so oft schlafen, als er wollte, so würde er wahrscheinlich den größten Theil seines Lebens verschlafen. Er habe noch so wenig Gaben von der Natur empfangen: so hat er doch mit allen Menschen die Pflicht der Vernunft und der Religion gemein, seine geringen Talente zum Besten der Welt aufrichtig anzuwenden. Hierinnen besteht seine Tugend und Ruhe. Er soll zufrieden leben, als ein Mitbürger, nicht als ein träumerischer Einsiedler. Er darf seine Bequemlichkeit suchen, aber er lebt nicht für sich allein, sonst würde ihn der Schöpfer in eine Höhle eingeschlossen und mit den nöthigen Lebensmitteln umringt haben. Endlich ist es falsch, daß ein bequemes Leben ein zufriednes Leben ist. Wenn Erast nachdenkt (und er kann doch nicht alle ernsthafte Gedanken durch Trägheit ersticken), macht ihm sein Herz wegen seiner sinnlichen Lebensart gar keine Vorwürfe? Fühlt er nichts Leeres in seiner Seele? keine Besorgniß, daß Andre, für die er nichts nützliches thut, ihn verachten werden? keine Beschämung, daß er vierzig oder funfzig Jahre gelebt hat, ohne ein besserer Mensch geworden zu seyn? Kann er sich auf die schützende Hand der Vorsehung verlassen, und sich, wenn sein Vermögen, das er itzt nur zu seiner Bequemlichkeit gebraucht, sich in Mangel verwandeln sollte, mit ihrem Beystande trösten? Kann er auf Hoffnung sterben, wenn er an den Tod denkt? Hat er diese Vortheile des Geistes nicht, so ist er nicht zufrieden, sondern nur von seiner Bequemlichkeit, der er dienet, mit einem angenehmen Kützel auf einige Jahre für seine Dienstbarkeit belohnet, und zugleich bestrafet.

Der schwermüthige Tugendhafte.

Die Fehler unsers Temperaments mischen sich beständig in unsre Tugend, und geben ihr in unserm Verstande die Gestalt, die mit unsrer eigenthümlichen Neigung am meisten übereinstimmt. Aus dieser Quelle entspringen unzählige Irrthümer, die wir für Wahrheiten annehmen; und keine Irrthümer sind schwerer zu heben, als die ihren Schutz in dem natürlichen Charakter unsers Geistes und in der besondern Einrichtung unsers Körpers finden und dabey mit einem guten Herzen sich vertragen.

Aret meynt es aufrichtig mit der Tugend; und seine Strenge ist weder Heucheley, noch stolze Frömmigkeit. Nein, aber er ist von Natur schwermüthig und furchtsam, und darum liebt er die Schwermuth und Furchtsamkeit auch in seiner Tugend, oder bildet diese nach seiner Gemüthsart. Er flieht die unschuldigen Freuden des Lebens, weil er sie für strafbar hält. Aber warum hält er sie dafür? Hat er nicht so viel Verstand, seinen Irrthum einzusehen? Ja, er hätte ihn; aber sein dickes schwarzes Blut benebelt und verfinstert seinen Verstand. Traurig seyn ist ihm natürlich; und diejenigen Begriffe von Tugend, die zur Traurigkeit am besten passen, sind deswegen schon seiner Art zu denken auch natürlicher, als das Gegentheil. Aret wird

selten lachen; denn seine Tugend hat eine finstre Stirne, und
eine frohe Miene hält er für Leichtsinn. Man muß dem Andern stets ein gutes Beyspiel geben; dieses ist sein richtiger
Grundsatz. Aber wie falsch legt er ihn aus! Dieß darf uns
nicht befremden, denn er sucht die Auslegung dazu in seinem
Charakter. Er verbannet alles Freye aus seinem äußerlichen
Betragen, grüßt mit eben der Miene, mit der er betet, fragt
mit eben dem Tone: wie befinden sie sich? mit dem er von
einer Feuersbrunst redt, und seufzet im ganzen Ernste, daß wir
einen erlaubten Scherz sagen, nicht immer die Tugend im
Munde führen, nicht seine Selbsprache reden. Um uns ein gutes
Beyspiel zu geben, klagt er stets über die bösen Sitten, streut
in die gleichgültigsten Gespräche erzwungne Tugendlehren ein;
und um überall nützlich zu werden, wird er so gar aus den Zeitungen in dem Tone eines Strafpredigers erzählen, und, gesetzt
daß er es auch bey der Tafel thäte, nichts weniger glauben, als
daß er zur Unzeit eifere; denn er mißt unsre Empfindung nach
der seinigen ab. — Man muntert ihn zu einem Spiele auf.
Aret kann es nicht wohl abschlagen; und seht, er spielt mit eben
der feyerlichen Miene, mit der er einen Kranken besucht. Man
muß, denkt er, sich überall gleich seyn, das heißt, überall einen
finstern Ernst zeigen. — Ihr geht mit ihm spazieren und
freuet euch über die Schönheiten der Natur; aber sein Herz läßt
diese Freuden nicht ein. Er prediget euch aus guter Meynung
die Wunder der Natur; denn das ist ihm leichter als die Freude.
— Ein über eine melancholische Höhle herabhangender Felsen
wird seine Blicke weit eher und länger an sich ziehen, als das
anmuthigste Thal; denn in jenem findet er Nahrung zu finstern
traurigen Betrachtungen. Er ist nicht karg; aber ein geringes
Geld für eine Spazierfahrt oder gute Musik auszugeben, das
hält er für Sünde. Mich, sagt er, macht die Musik sinnlich;
und wie gut wäre es nicht, wenn er sich zuweilen sinnlich ma-

chen ließe! Sie stört ihn in seiner Traurigkeit, darum hält er
sie für gefährlich, und beklagt Andre, die sie lieben. Weil er
die Einsamkeit liebt, so zittert er vor allen großen Gesellschaften, hält sie für Schulen der Thorheiten, und ermahnet alle
zur Eingezogenheit, das heißt, zur einsiedlerischen Traurigkeit.
Aret ist wirklich dienstfertig, aber mit so vielem schwerfälli-
gen Ernste, daß man glaubt, er sey es nicht, oder seine Dienstfertigkeit koste ihm viel Ueberwindung. Er liebt die Seinigen, sorgt aufrichtig für ihre Wohlfahrt, und doch so mürrisch,
daß seine Sorgfalt wenig fruchtet und oft verspottet wird. Unter seinen beiden Söhnen ist der eine lebhaft und flüchtig, der
andre träge und langsam. Er will den ersten in seinem zwölften Jahre zum gesetzten Manne machen, und kränkt sich, daß er
ihm seinen Geschmack an der Ernsthaftigkeit nicht beybringen
kann. Den andern will er in seinem gesetzten Charakter befestigen, und freut sich, daß er ihn täglich unempfindlicher werden
sieht. Von dem ersten hofft er wenig, von dem letzten alles;
und durch seine traurige Erziehung verderbt er mit dem besten
väterlichen Herzen alle beide. — Aret ist mitleidig und nimmt
an dem geringsten Elende der Andern Theil, aber selten an ihrer Freude. Er läßt ingeheim Arzeneyen und Stärkungen für
Kranke zubereiten, und sich doch oft vergebens bitten, ehe er
seine Verwandten, die sich in seinem Garten vergnügen wollen,
mit einer Abendmahlzeit bewirthet. Das Geld, sagt er, dauert
mich nicht; aber könnte ich meine Zeit nicht noch nützlicher zubringen? Ja, Aret, bringe sie nur diesen Abend aus Pflicht
mit deinen Verwandten zu, unterhalte sie mit Freundlichkeit,
und beförbre dadurch ihr Vergnügen und das Vertrauen, das
sie dir und deinen guten Lehren schuldig sind: so hast du die
Zeit nützlicher zugebracht, als du denkest. Eine seiner Nichten
heirathet einen Landgeistlichen; er stattet sie reichlich aus, und
wünscht ihr Glück zur Einsamkeit des Landlebens. Die andre,

die eben so vernünftig und gesittet ist, heirathet einen rechtschaffnen Officier; er giebt ihr nicht so viel, und sagt ihr mit Thränen, daß er sie bedaure. Er erzieht Waisen. Der eine will ein
Bergmann werden; ja, sagt Aret, das ist eine nothwendige Beschäfftigung. Gott hat die Metalle in die Erde gelegt, daß sie
durch den Fleiß der Menschen sollen gesucht und genützt werden;
ich will euch beystehen. Von dem andern erzählet man ihm,
daß er eine treffliche Fähigkeit zur Malerey habe. Aret denkt
an die verführerischen Werke dieser Kunst, ohne an ihre guten
zu denken, und hört auf, für seinen Waisen zu sorgen. Nein,
spricht er, die Malerey, die Bildhauerkunst, die Musik — ich
table sie nicht; aber ich habe meine Ursachen, ich lasse diese
Künste Niemanden auf meine Kosten lernen.

Welcher liebenswürdige und der Welt nützliche Mann würde
Aret seyn, wenn er seine Tugend nicht durch seinen traurigen
Charakter entehrte, und die Anforderungen seiner Gemüthsart
nicht mit den Pflichten der Tugend vermengte; wenn er lernen
wollte, daß man sein Temperament durch die Tugend verbessern,
nicht aber dieser zumuthen müsse, sich nach jenem zu bequemen!
Vielleicht erkennt Aret seinen Fehler und die Nothwendigkeit, ihn
abzulegen, wenn er auf die Uebel sehen will, die daraus in
der Gesellschaft entstehen. Er macht bey seinem guten Herzen
und bey seinen edlen Absichten die Tugend verdächtig und oft
verächtlich. Er raubt sich tausend Gelegenheiten, Gutes zu
thun, weil er Andre durch seinen kläglichen Ernst von sich entfernt, oder aus Einsiedlerey sich ihnen selbst entzieht. Er wird
ungerecht und grausam, wo er rechtschaffen seyn will, und verdrießlich und widerwärtig, weil er zur Unzeit eifrig ist. Kann
er glauben, daß wir darum fromm seyn sollen, um uns und
Andern die unschuldigen Freuden, die uns der Schöpfer angewiesen, zu entziehen, und nie zu fühlen, daß wir glücklich sind,
und daß dieses die selige Absicht Gottes gegen seine Geschöpfe

Der Mann mit Einem Laster und mit vielen Tugenden.

Die Menschen sind selten so verderbt, daß sie sich vielen Lastern zugleich ergeben sollten; und selten so schlimm, daß sie ein Laster, dem sie sich überlassen, nicht durch gewisse Tugenden gleichsam vergüten wollten. Dorant gehöret unter diese Classe. Er dienet der Wollust, obgleich nicht ohne alle Mäßigung, und ist so offenherzig, daß er diesen Fehler selbst gesteht: aber eben dieser Dorant ist gerecht, gutthätig, dienstfertig, aufrichtig. Er kennt und gebraucht alle Künste, das Herz einer Unschuldigen, die seine Neigung gereizet hat, zu verführen; und doch kann er keinen Unglücklichen ohne Mitleiden sehen, und ohne Hülfe von sich lassen. Man liebt ihn wegen seiner Gutthätigkeit selbst in den Gesellschaften, wo man seinen Fehler kennet. Er verabscheut die berüchtigten Häuser der Wollust, und würde sie zerstören, wenn es auf ihn ankäme; aber eine Beyschläferinn zu halten, die er in kurzer Zeit mit einer andern vertauscht; dieses scheint ihm nichts Böses und nichts Gutes zu seyn. Er belohnet sie mit etlichen hundert Thalern; denn dieses, sagt er, wäre ungerecht, wenn sie hülflos bleiben sollte. Er verhilft ihr so gar mit seinem Schaden zu einer Heirath, um sie zu versorgen, und man lobt diese Sorgfalt an ihm. Dorant, spricht die große Welt, hat doch im Grunde ein gutes Herz. Dieser Dorant, der, durch seine gesittete Lebensart und seinen Stand den Zutritt in die besten Häuser hat, ist also ein gefährlicher Feind der Unschuld, und

doch iſt er ein Mann von Treu und Glauben. Er giebt mir
ſein Wort, daß er mir durch ſeinen Fürſpruch dienen will; und
er thut es, ohne meinen Dank zu erwarten. Er thut es mit
Vergnügen. Man ſpricht von einem Bekannten oder auch von
einem Fremden Böſes; und er geräth darüber in eine eble Hitze,
daß man die Ehre des Andern kränkt, und nicht lieber das
Beſte vermuthet. — Dorant konnte von ſeiner Anverwandtinn,
wenn er ihr hätte ſchmeicheln wollen, eine reiche Erbſchaft erlangen. Nein, ſagte er, das wäre ungerecht; ſie hat nähere
Erben, die es mehr bedürfen. Soll ich reicher werden, um Andere arm zu machen? — Dorant iſt gelinde gegen ſeine Untergebenen, und der gütigſte Herr gegen ſeine Bedienten, wenn ſie
ſich wohl aufführen. — In Geſellſchaften iſt er beſcheiden, und
hält es für ein Verbrechen jemanden zu beleidigen, und ſein Vergnügen zu ſtören. — Er haßt das Spiel, den Trunk, und die
Verſchwendung. Was ſoll man alſo von Doranten urtheilen?
Nach der Sprache der Welt hat er nur Einen Fehler und
viele Tugenden; nach der Sprache der Wahrheit hat er eigentlich keine Tugend, und nur ein gutes Temperament, oder
eine natürliche Anlage zur Tugend. Er hat zu viel Verſtand,
um die Laſter alle zu billigen, und zu wenig, um einzuſehen,
daß Ein Laſter, dem man ſich wiſſentlich ergiebt, das ganze
Herz verderbt. Er hat zu viel Gewiſſen, um ruhig zu ſündi-
gen, und will einen Vergleich zwiſchen dem Böſen und Guten
treffen, und ſeine Fehler der Wolluſt durch die Beobachtung äußerlicher Pflichten der Geſelligkeit erſetzen. Er wählt diejenigen
Tugenden, die einem weichlichen Herzen die leichteſten und ihm
natürlich ſind: Güte, Billigkeit, Gelindigkeit, Dienſtfertigkeit.
Er wählt diejenigen Tugenden, die in Geſellſchaften am belieb-
teſten ſind, und ſich am erſten durch Beyfall oder Gegendienſte
belohnen. Seine Tugenden ſind alſo Temperament und Wohlſtand; und ſein Abſcheu, den er vor gewiſſen Laſtern hat, iſt die

Gellert VII. 13

Frucht des Beyspiels und der guten Erziehung, die er in seiner Jugend genossen. Die Exempel zu diesem Charakter sind in dem gemeinen Leben sehr häufig, und den guten Sitten sehr gefährlich. Das Laster, das sich mit den Farben von zehn Tugenden schmückt, gefällt zur Nachahmung gar zu sehr, und auch ein gutartiger Jüngling wird sich von ihm blenden lassen. Das Schlimmste dabey ist noch dieses, daß solche Charaktere mit Hochachtung in der Welt beehret werden, und daß man von ihrer schlimmen Seite in Gesellschaften gemeiniglich nur scherzhaft und mit einer witzigen Spötterey spricht, und die Ausschweifung höchstens von der lächerlichen Seite tadelt. Gleichwohl sollte man über die Unzucht eben so wenig spotten, als man über Mord und Diebstahl spottet; und folget nicht oft Beides aus dem ersten? Dorant, der den Personen des andern Geschlechts Unschuld und Tugend rauben kann, hat, so lange er diese strafbare Neigung nicht unterdrückt, kein tugendhaftes Herz nach dem Ausspruche der Moral; und seine guten Thaten, so glänzend sie auch sind, gehören seinem Blute, seiner Erziehung, und seiner Eigenliebe zu, oder sind Früchte des bösen Gewissens, das sich beruhigen will. Die Tugend ist der aufrichtige und lebendige Wille, allen Gesetzen der Vernunft und Offenbarung zu gehorchen. Ist ein solcher Wille aufrichtig, wenn er Ausnahmen macht? Ist nicht Dorant, selbst des Beyspiels wegen, schuldig, seiner Neigung zu widerstehen; und schwächet er nicht durch sein Exempel bey Andern das Ansehen eines göttlichen Gesetzes? Es ist wahr, daß man es in allen Tugenden nicht gleich hoch bringen kann; aber der Vorsatz muß zu keiner mangeln. Es ist wahr, daß die besten Herzen fehlen können, und wirklich fehlen; aber in dem Fehler beharren, oder ihn nicht erkennen wollen, weil man ihn nicht ablegen will; das ist keine Schwachheit; das ist Verderben des Herzens.

lich gegen die Bitte einer liebreichen Mutter? Ihn erschreckt der weise Tadel eines gütigen Vaters; und die sanfte Erinnerung eines Freundes wird oft für ihn eine eindringende Sittenlehre.

Der Jüngling ist leichtgläubig, und diese Eigenschaft stürzt ihn in viele Fehler; aber er glaubt auch das Gute leicht, und am leichtesten glaubt er es denen, die seine Hochachtung und Liebe zu verdienen wissen. Auf solche Weise wird an der Seite vernünftiger Menschen seine Leichtgläubigkeit Glück für ihn; und durch ihren Unterricht, durch ihre Erfahrung, zu der noch seine eigene Erfahrung hinzukömmt, wie oft ihn seine Leichtgläubigkeit betrogen, wird sie mit der Vorsichtigkeit verwandt. — Der Jüngling, der itzt seine Fehler gern verbirgt, ist doch zu andrer Zeit offenherzig genug, sie selbst zu verrathen, und geschwätzig genug, sich selbst zu beschämen. Er giebt Andern dadurch Gelegenheit, sie zu verbessern; und so werden Andre immer das für ihn, was er sich selbst noch nicht ist. —

Der Jüngling ist begierig nach Beyfalle und Bewunderung, und geht mit großen Gedanken von sich und seinen künftigen Unternehmungen einher; eine Leidenschaft, die, von der Hand der Weisheit umgebildet und regieret, zum feurigen Antriebe des Fleißes und der Bestrebung im Guten für ihn wird. Aber sucht der Jüngling nicht auch aus dieser Ruhmbegierde seine Ehre in Gegenständen, die oft nur seine Verachtung oder seinen Haß verdienen sollten? Ja, aber meistentheils aus Mangel der Einsicht und guter Beyspiele. Seine Erziehung sey noch so mangelhaft, so ist doch oft ein einziges rühmliches Beyspiel genug, seine Begierde nach Ehre auf gute Sitten und edle Neigungen und Unternehmungen zu richten. Ein unglücklich gewagtes Unternehmen giebt ihm Erfahrung, und diese wird ihm, so oft sie ihn an seinen Fehler erinnert, auch das Gesetz einschärfen, daß er weiser und bey der Wahl seiner Ehrbegierde vorsichtiger seyn soll. Fällt seine falsche Ruhmsucht gar auf das Laster: so straft ihn

Sonntags, da er die Kirche besucht. Dieser Mann hat den
Ruhm der Eingezogenheit und einer ordentlichen Lebensart.
Sein Bedienter rühmt, daß sein Herr alle Morgen bete und alle
Abende singe. Und in der That, Erast ist mäßig und haushäl-
terisch; kein Freund der Wollust und tobender Vergnügungen.
Er spricht von Niemanden Böses; läßt jeden in seinen Würden;
bezahlt, was er zu geben schuldig ist, richtig; und lebt stille für
sich. Gleichwohl, wer ist Erast, wenn man ihn in seinem ganzen Betragen untersucht? Ist er mehr, als ein regelmäßiger
Müßiggänger? Was ist die Hauptabsicht seines Plans? Bequemlichkeit und methodisirte Trägheit. Er lebt mäßig, um gesund zu seyn; wirthschaftlich, um nicht zu barben; und ordentlich, um die beschwerlichen Folgen der Unordnung zu vermeiden.
Er lebt für sich, und nicht für Andre. Ist er deswegen in die
große Gesellschaft der Menschen gesetzet worden? Er befördert
sein Vergnügen; aber ist es das, welches von der Vernunft gebilliget wird? Er geht mit seinem Vermögen sorgfältig um,
weil es die Pflicht eines Vernünftigen ist. Aber ist nur der Gebrauch des Vermögens, nicht auch der nützliche Gebrauch der
Zeit, eine Pflicht, eine beständige Pflicht? Er wendet die Zeit
bloß zur Pflege und Erhaltung seines Körpers an; und also lebt
er, um künftig so lange gelebt zu haben, als er nur gekonnt.
Er hat eine Seele bloß für seine Sinne, und einen Verstand,
bloß um die Gegenstände zu entdecken, die seiner Bequemlichkeit
schmeicheln. Er glaubt, er thue nichts Böses, weil er sich vor
Lastern hütet, die sich selbst bestrafen; allein sein ganzer Plan
des Lebens ist böse, weil ihn die Vernunft und die göttliche Bestimmung verwirft. Er beweist selbst durch seine Einrichtung,
daß die Seele des Menschen ein geschäfftiges Wesen ist, weil er
ihr in jeder Stunde eine Art der Unterhaltung giebt. Warum
kann er nicht einsehen, daß es besser ist, ein nützlicher und arbeitsamer Mann zu seyn, als ein geschäfftiger Müßiggänger?

Hofft er, daß ihn Gott einst ewig für die Mühe belohnen soll, die er auf das Vergnügen seiner Sinne so ordentlich verwandt hat? Könnte er so oft schlafen, als er wollte, so würde er wahrscheinlich den größten Theil seines Lebens verschlafen. Er habe noch so wenig Gaben von der Natur empfangen: so hat er doch mit allen Menschen die Pflicht der Vernunft und der Religion gemein, seine geringen Talente zum Besten der Welt aufrichtig anzuwenden. Hierinnen besteht seine Tugend und Ruhe. Er soll zufrieden leben, als ein Mitbürger, nicht als ein träumerischer Einsiedler. Er darf seine Bequemlichkeit suchen, aber er lebt nicht für sich allein, sonst würde ihn der Schöpfer in eine Höhle eingeschlossen und mit den nöthigen Lebensmitteln umringt haben. Endlich ist es falsch, daß ein bequemes Leben ein zufriednes Leben ist. Wenn Erast nachdenkt (und er kann doch nicht alle ernsthafte Gedanken durch Trägheit ersticken), macht ihm sein Herz wegen seiner sinnlichen Lebensart gar keine Vorwürfe? Fühlt er nichts Leeres in seiner Seele? keine Besorgniß, daß Andre, für die er nichts nützliches thut, ihn verachten werden? keine Beschämung, daß er vierzig oder funfzig Jahre gelebt hat, ohne ein besserer Mensch geworden zu seyn? Kann er sich auf die schützende Hand der Vorsehung verlassen, und sich, wenn sein Vermögen, das er itzt nur zu seiner Bequemlichkeit gebraucht, sich in Mangel verwandeln sollte, mit ihrem Beystande trösten? Kann er auf Hoffnung sterben, wenn er an den Tod denkt? Hat er diese Vortheile des Geistes nicht, so ist er nicht zufrieden, sondern nur von seiner Bequemlichkeit, der er dienet, mit einem angenehmen Kützel auf einige Jahre für seine Dienstbarkeit belohnet, und zugleich bestrafet.

ſchätzt, macht ihn zum gefälligen und arbeitſamen Jünglinge;
und die ſüße Hoffnung mit einer liebenswürbigen Perſon des andern Geſchlechts die Freuden des Lebens und einer unauflösli-
chen Freundſchaft künftig zu genießen, ermuntert ihn zu vielen
Tugenden, die vorausgeſetzt werden, wenn er ein glücklicher
Mann ſoll werden können. —

Seine geringe Liebe zum Gelde, die leicht in Verſchwendung
ausarten kann, bewahret ihn vor einem großen Feinde der Tugend in ſeiner Seele, vor dem kriechenden Eigennutze, der ihn
außerdem in ſeinem männlichen Alter zu gebieteriſch regieren
würde. Eben der Jüngling, der itzt das Geld nicht achtet, ſoll
früh die Neigung der Gutthätigkeit und Freygebigkeit, aus der
ſo viel geſellſchaftliche Tugenden entſprießen, in ſich wurzeln
laſſen. —

Seine heftige Begierde, Andre nachzuahmen, iſt eine Quelle
vieler Thorheiten und gefährlicher Verſuche; aber dieſe Begierde,
durch Klugheit eingeſchränket, macht ihn zum nützlichen Bürger
der Welt. Sein den Sorgen verſchloßnes Gemüth erhält ihn in
der Heiterkeit, dem Geſchäffte, das er erwählet, ganz zu leben;
und ſeine Wißbegierde, ob ſie ſich gleich Anfangs mehr mit den
Gegenſtänden der Sinne und des Gedächtniſſes beſchäfftiget,
ſammelt doch eben dadurch Reichthümer zum Gebrauche des Verſtandes ein. Sein Charakter iſt der fruchtbare Baum im Frühlinge; er treibt ſtarke Zweige, treibt Blätter, Knospen und Blüthen. Ohne die erſten können die letzten nicht hervor kommen;
aber wenn alle Blüthen Früchte würden, würde ſie der Baum
nicht tragen können. Die heftige Neubegierde des Jünglings
wehrt dem trägen Müßiggange; und endlich, ſo ſinnlich er iſt,
ſo iſt er doch zugleich das Geſchöpf, das ſeinen Hunger am leichteſten und mit den einfältigſten Speiſen ſtillen kann, ohne ſich
zu beklagen. Unbekannt mit den Gemächlichkeiten, die das Alter fordert und liebet, übernimmt er eine harte Lebensart gedul-

big, wenn sie mit dem Wunsche seiner Neigung übereinkömmt, und von der Pflicht ihm empfohlen wird.

Das jugendliche Herz hat also freylich gefährliche Leidenschaften; aber sie stimmen doch unter einander, wenn sie gut gebildet und regieret werden, dienstfertig zu seinem Glücke überein. Selten ist Geiz, Neid, Tücke, Betrug, Trotz und Grausamkeit der Antheil jugendlicher Neigungen; ein großes Glück für den Charakter des Jünglings. Geselligkeit, Begierde zu gefallen, nachzuahmen und Freunde zu haben, Kühnheit, Ehrliebe, Mittelden, Dienstfertigkeit sind meistens die kleinen Bäche, die das Herz des Jünglings durchwässern, damit es die Früchte seiner Privatglückseligkeit und des allgemeinen Besten tragen kann. Seiner Fehler sind viel; und doch kömmt es auf die Erziehung, die er genießt, und auf ihn selber an, sie immer mehr zu unterdrücken, immer weiser, vorsichtiger, mäßiger und besser zu werden, und wenn er früh sein Herz der Religion übergiebt, sich vor wissentlichen Lastern zu bewahren.

So bild, o Jüngling, denn dein Herz schon in der Jugend;
Sieh auf die Weisheit stets, doch mehr noch auf die Tugend!
Denk, daß nichts glücklich macht, als die Gewissensruh,
Und daß zu deinem Glück dir Niemand fehlt, als du.

————————

Charakter eines feinen Verleumders.

Orgon giebt sich die Miene, daß er Gaben und Verdienste schätze, wo er sie finde, und Fehler lieber verdecke, als offenbare. In der That kann er Verdienste an Niemanden dulden, und er würde fremde Tugenden nicht bemerken, wenn er nicht durch Eifersucht und Stolz auf sie aufmerksam gemacht würde. Er hat das Verlangen, besser zu seyn, als Andre; aber sein Herz ist verderbt, sie durch wahre Vorzüge übertreffen zu wollen, und beswegen erniedriget er Andre durch wahre oder erdichtete Fehler, um alsdann über sie hinwegzuragen. Ein niederträchtiges Geschäffte! und doch ein Geschäffte, worauf Orgon seinen Verstand und seine Wissenschaft verwendet, und wodurch er sich in Gesellschaften den Namen des Scharfsinnigen, des Sittenrichters, des klugen Mannes erwirbt.

Die Form, die er seiner Verleumbung giebt, ist gemeiniglich der Lobspruch. Er flieht die ehrenrührigen Worte, und wählet aus der Sprache des Tadels die gelindesten; aber es sind auch nicht bloß die Worte, durch die er seine Gesinnungen ausdrückt. Nein, durch den Ton, mit dem er sie ausspricht, sagt er das, was er dabey denket. Eine Miene, ein nachsinnender Blick, ein niedergeschlagnes Auge, eine sich faltende Stirne, eine künstliche

Bewegung der Hand, alles dieses verleumdet an ihm, mehr als die Sprache.

Die Gesellschaft lobt heute Damons Geschicklichkeit, und Niemand ist beredter, als Orgon. Er beclamiret von Damons Verdiensten, um zu zeigen, daß er das Verdienst kenne, und die seltne Tugend besitze, den Vorzug des Andern ohne Neid zu schätzen und zu bewundern. Ich, fährt Orgon fort, bin ihm und seiner Einsicht sehr viel schuldig; ich kenne ihn, und es kränkt mich um besto mehr, wenn die Welt diesem rechtschaffnen Manne von der Seite des guten Herzens Vorwürfe macht. Hier schweigt er. Ernst und Widerwille auf seiner Stirne machen die Vorwürfe wahrscheinlich, und ein gewisses Zurückwerfen des Kopfs, das sie zu entschuldigen scheint, befestiget den Verdacht in den Augen der Anwesenden. Orgon hat genug gewonnen. Er fährt fort, den Verstand, die Geschicklichkeit, die Höflichkeit des Damons zu bewundern, und sagt kein Wort weiter von seinem guten Herzen.

Ja, hören wir ihn ein andermal reden, Amynt ist wirklich ein dienstfertiger, aufrichtiger Mann; von dieser Seite kenne ich ihn. Wenn er nicht der witzigste Mann ist, so ist Rechtschaffenheit doch immer mehr, als Witz; und wenn er seinem Amte, wie man sagt, nicht gewachsen ist, so ist das doch nicht der Fehler seines Herzens. Es ist wahr, der Bär in der Fabel, der seinem Freunde, dem Menschen, einen Dienst der Liebe erweisen will, und ihm unvorsichtig den Kopf einschlägt, ist ein gefährlicher Freund; aber Aufrichtigkeit bleibt doch eine große Tugend. Der gute Amynt! Diesen Ausruf spricht er mit einem geschwinden zweydeutigen Tone aus. Man fragt ihn, was Amynts Fehler eigentlich sey? Er sieht den Fragenden an, thut als hörte er die Frage nicht, und beantwortet sie dadurch am boshaftesten, daß er sie nicht beantwortet. Orgon weis, daß man in der Einbildung mehr hinzu setzen wird, als er thun dürfte.

Es ist gewiß, spricht Orgon, da man ihm die Beredsamkeit eines Geistlichen rühmt, er prediget vortrefflich, und er verdienet es, daß man ihm dieses ansehnliche Amt der Kirche ertheilet hat. Er ist beynahe ein zweyter Bossuet oder Saurin. Nach einer kleinen Vergleichung zwischen diesem Redner und dem Saurin, wo er seine eigne Beredsamkeit zeigt, fährt er mit einem Aber fort, und stocket. Nun, Herr Orgon, was haben Sie, was stocken Sie? — Nichts. Haben doch Bossuet und Saurin selbst den Vorwurf der Herrschsucht und des Geizes dulden müssen; denn wer kann es leiden, daß große Männer keine Fehler haben? — Man redt morgen nicht zum Besten in einer großen Gesellschaft von der Tugend einer verheiratheten Dame. Orgon fürchtet sich, zu reden, aber seine bedenkliche Miene saget mehr, als nöthig ist, den Verdacht gegen ihre Tugend zu bestärken. — Seine Sittensprüche, die er so oft einstreut: „Wer wird immer „das Böse von Andern glauben?" — „Es ist menschlich, Andre „so lange für gut zu halten, als uns keine traurige Nothwen„digkeit das Gegentheil lehret." — „Es ist leichter, Andrer „Fehler, als ihre Tugenden zu bemerken." — „Jeder hat „seine Mängel; und der ist der beste, der die wenigsten hat." — „Man muß die Fehler der Menschen bedecken und dulden; „was wäre sonst Nachsicht und Menschenliebe?" — „Die Nach„rede vergrößert, oft ohne daß sie es will; man glaube die „Hälfte." — Alle diese seine Grundsätze, die er künstlich einzuflechten weis, sind Brustwehren, hinter welchen seine verzagte Verleumbung sicher zu seyn hofft.

Kleanth, ein Autor, hat den Beyfall der Welt, und hat ihn mit Recht. Orgon weis wider diesen Ruhm im Herzen nichts einzuwenden, außer daß er ihm denselben nicht gönnt. Dieser Autor, spricht er, ist auch mein Liebling, und wer wollte ihn nicht lesen? Er schreibt für den Verstand, für den Witz und für das Herz zugleich, und schreibt so sorgfältig, daß er sich, wie

man sagt, beynahe um die Gesundheit geschrieben hat. Es ist
ungerecht, daß man diesem Manne kein hinlängliches Auskom=
men verschafft. Große Genies sollten nie genöthiget seyn, für
Geld zu schreiben und des Gewinns halber sich aufzuopfern.
Welcher Schimpf für unser Jahrhundert! — Mit dieser patrio=
tischen Klage macht er also seinen Liebling, den Autor, zum ge=
winnsüchtigen Schriftsteller, und seine gelobten Werke zu Früch=
ten eines hungrigen Magens.

Orgon, dieser Meister in seiner Profession, besitzt noch fei=
nere Kunstgriffe, als die, welche bereits erwähnt worden. Er
läßt sein verleumderisches Aber nicht stets unmittelbar auf sein
Lob folgen. Nein, er macht heute und morgen die heimliche
Anlage zur Verkleinerung des Montans durch verschwenderische
Lobsprüche, und die Entwickelung folgt erst, wenn er die Gesell=
schaften zum Vortheile seiner Aufrichtigkeit und Wahrheitsliebe
gewonnen hat; sie folgt oft erst nach Wochen und Monaten.
Montan, der die Hand eines liebenswürdigen Frauenzimmers
sucht, war zeither in Orgons Munde der beste Mann. Heute
fällt die Rede auf die Person, die er sich wünscht, und die ihm
Orgon nicht gönnt. Er langt ein zärtliches Gedicht hervor, das
Montan vor langer Zeit an ein Frauenzimmer aufgesetzt, und
liest es herzhaft ab. Man klopft in die Hände. Aber wie, Herr
Orgon, ist das Gedicht auf die Doris, deren Ja Montan sucht?
Es paßt ja nicht alles auf sie. So? fährt er lächelnd und scherz=
haft fort, als ob man nicht an zween Orten sein Glück versu=
chen dürfte? Das ist das Privilegium der Poesie. Fragen Sie
den Montan, an wen es ist? genug, daß es schön ist. Die an=
dern Fragen gehören nicht vor uns, sondern vor den Richterstul
der Liebe. — Mit diesem frostigen Scherze hat er seine Absicht
erreicht. Man hält den Montan für unbeständig und hinterli=
stig. Kaum sieht Orgon diese gute Wirkung, so versiegelt er
den Verdacht durch ein: „Aber verrathen Sie mich nicht, meine

„ſchönen Damen!" Oft lenket er das Geſpräch auf gewiſſe
Perſonen, deren Fehler zum Theil bekannt ſind, und ſchweigt,
ſo bald die Andern das Amt der Verleumdung über ſich genom=
men haben. Indeſſen redt er durch Lächeln, durch Beſchäfftigun=
gen mit dem Stocke, den er bald an den Mund drückt, bald
nachdenkend beſieht, durch ein einſylbiges So? Wie? Was? Er
redt, ſage ich, ſtillſchweigend alles Böſe von dem Andern, das
jene kaum laut ſagen; und ſo erwirbt er ſich bey den Meiſten
das Verdienſt eines ſcharfſichtigen und billigen Mannes; er, der
ein neidiſcher Verleumder iſt, ein Geſchöpf, das Sirach in der
Rangordnung noch über die Räuber ſetzet.

Der falsche Schamhafte,

der die wesentliche Wohlanständigkeit der eingebildeten aufopfert.

Abrast, ein ehrbegieriger Jüngling, sucht sich in dem Umgange mit der großen Welt zu bilden, und sich Freunde und Beförderer zu erwerben. Seine gute Miene empfiehlt ihn, und seine Lebhaftigkeit, mit einer gewissen Bescheidenheit begleitet, öffnet ihm so wohl als sein Stand den Eintritt in angesehene Gesellschaften. Er erröthet über den geringsten Fehler der Uebereilung, oder der Unwissenheit, der ihm in Absicht auf den Wohlstand entwischt. Aber allzubegierig, Beyfall zu haben, und allzu schwach, ein Mißfallen zu ertragen, verkennt er oft die wahre Ehre, und opfert sie einer falschen Schamhaftigkeit auf. Er liebt die Wahrheit und wird nie mit kaltem Blute eine Unwahrheit sagen; dennoch, so bald er in Gesellschaften erzählt, erzählt er ungetreu, vergrößert, verkleinert, läßt Umstände weg, versetzt sie, aus großer Begierde, nichts alltägliches zu erzählen; und beleidiget die Wahrheit, um das Lob eines angenehmen und beredten Gesellschafters zu erbeuten. Er wirft sich oft, wenn er zurück in die Stille kömmt, diesen Fehler vor, und begeht ihn in dem Geräusche der Gesellschaften bald vom neuen. — Er hat

viel zu viel Religion, als baß er das Gebet verachten sollte;
aber er sieht, baß die meisten, die itzt von der Tafel aufstehen,
zu vornehm sind, die Hände zum Gebete zu falten. Er höbe
sie gern auf; aber, denkt er, was wird man von deiner Anbacht
urtheilen? Man wird dich für einen Sonderling, für einen Heuchler, oder für einen Menschen ohne Welt halten; und schon läßt
er sie mit Wohlstand unempfindlich sinken. Er ist ein Feind von
groben Ausschweifungen, und haßt den Trunk. Der Vornehme,
mit dem Glase in der Hand, muntert ihn durch Bitten und Ge-
sundheiten auf. Er schämt sich, diesem Manne zu widerstehen;
es würde unhöflich seyn; und um nicht unhöflich zu seyn, ent-
ehrt er seine Vernunft durch einen abgenöthigten Rausch, und
setzt sich in die Gefahr der Krankheit, oder des dem Weine be-
nachbarten Lasters. — — Man sagt in der Gesellschaft eine ekle
Zweydeutigkeit. Sie gefällt Abrasten nicht; aber er zwingt
sich, sie mit zu belachen, um nicht von einem unverschämten Auge den Vorwurf zu dulden, baß er so einfältig wäre, sie
nicht verstanden zu haben. — Er begeht einen Fehler im Tanze.
O wie kränkt es ihn! Aber um seinen Fehler zu vergüten, sagt
er in der Hitze einem Frauenzimmer eine witzige Unverschämt-
heit; und so setzet er sich wieder in sein voriges Ansehen. — Er
begeht einen Fehler der Unachtsamkeit im Spiele, schämt sich, erkauft ihn durch einen Fluch: und schämt sich nicht. — — Abrast
scheut den Namen eines Widersprechers, der in Gesellschaften so
verhaßt ist. Man spottet unbarmherzig über Amynts Fehler, die
man noch dazu ihm bloß andichtet; und es kränkt Abrasten, baß
er sie nicht widerlegen soll. Aber die vornehme Verleumderinn
sieht ihn achtsam an, und schon giebt er seinen Beyfall durch
Mienen, so sehr ihm auch sein Herz widerspricht; und kaum fragt
ihn Clelia laut: Abrast, haben Sie es nicht auch gehört? so
wird er aus falscher Schamhaftigkeit ein Verleumber, und sagt
Ja. — Abrast ist kein Praler, aber aus Besorgniß, sich nicht so

reich als Indre zu tragen, wird er heute ein Verschwender in
Kleidern, legt morgen durch eine ehrsüchtige Freygebigkeit den
Grund zu einer übeln Oekonomie. — Was hindert Abrasten, sich
von dieser widerrechtlichen Schamhaftigkeit, die eine Feindinn
seiner Tugend ist, zu befreyen? Wenn er aufrichtig seyn will,
so kann er leicht sehen, daß er nicht so wohl nach guten Sitten,
als nach dem Ruhme derselben, strebt. Aus dieser Quelle fließt
der Fehler seines Charakters, und diese muß er zuerst verstopfen.
Er läßt sich in seinem Betragen von den Meynungen der Welt
regieren; und er weis doch, daß die wahre Würde oder das wahre
Schändliche einer Handlung nicht von den Meynungen abhängt.
Wird seine sinnreiche Zweydeutigkeit, sein glücklich angebrachter
Fluch, sein vernunftloser Rausch durch allen Beyfall erlaubt, oder
schön? Welches ist edler? Der Vorschrift glänzender Gewohnheiten, welche die große Welt beschützt, oder dem Gesetze seines
Gewissens zu folgen? Aber ich verliere den Beyfall der Andern,
der Angesehenen? — So verliere ihn denn! Es ist Ehre und
Glück für dich; denn der Beyfall, der eine Thorheit krönet, er
komme aus dem Munde eines Königes oder einer Fürstinn, eines Helden oder eines Gelehrten, ist allezeit Schande. Willst du
die Probe davon machen, Abrast? Du hast aus falscher Schamhaftigkeit heute wider die Warnung deines Gewissens und deiner
Ueberzeugung gehandelt. Eine ganze Gesellschaft hat dich mit
ihrer Achtung dafür belohnet. Wohlan, wirf dich auf den Abend
denkend auf dein Lager, und stelle dir deinen Tod vor, der in
dieser Nacht erfolgen kann. Denke die Vorwürfe, die dir dein
eignes Herz macht; denke die Stimmen des Beyfalls, mit
denen dich die Gesellschaft beehrte. Hört die Anklage deines Innersten durch den Gedanken auf: Ich bin bewundert und mit
Lächeln und Danksagungen für meine Gefälligkeit aus der Gesellschaft begleitet worden? Gesetzt, ein höherer Geist wäre um
dein Lager sichtbar, und du fragtest ihn, was er von deinem Zu-

ftanbe dächte; so höre, was er dir wahrscheinlich antworten
würde: Armer, ehrgeiziger und betrogner Adraft! Du schämeſt
dich, Menschen zu mißfallen, und mißfällſt lieber dir ſelbſt? Du
ſuchſt Ehre bey den Menſchen, und verachteſt die Ehre bey dem
Schöpfer der Menſchen? Du machſt dich gegen das Unerlaubte
unempfindlich; das iſt deine Schande. Du gehorchſt dem Bey=
falle der Elenden und Thoren; aber den Anordnungen einer gött=
lichen Weisheit widerſteheſt du? Iſt das deine Ehre? Du haſt
ein ſehr kriechendes Herz, ehrgieriger Jüngling! und wenn du
es nicht achteſt, weiſer zu werden, ſo wirſt du bald ein ſehr bö=
ſes Herz haben. Suche den Beyfall der Vernünftigen, aber nie
wider die Stimme deiner Pflicht; denn der wahre Wohlſtand im
Umgange kann nie mit den Geſetzen der Vernunft und der Re=
ligion ſtreiten. Der Große, nach deſſen Beyfalle du itzt ſtrebſt,
wird in kurzer Zeit eben der Staub ſeyn, der du werden wirſt.
Ehre ſeinen Stand, in den ihn die Vorſehung geſetzet hat; aber
verehre nicht ſeine Thorheiten und Laſter, und wiſſe, daß der
erhabenſte Beyfall der Welt, durch eine wiſſentliche Vergehung
erkauft, im Himmel ein Brandmal der tiefſten Niederträchtig=
keit iſt.

Der stolze Demüthige.

Es ist kein Fehler, der uns an Andern beschwerlicher fällt,
als der Stolz; und keiner, den wir uns selbst leichter erlauben,
aber weniger an uns gewahr werden, als eben derselbe. So
giebt es auch beynahe keine Tugend, die von uns an verdienten
Personen so sehr bewundert wird, und die doch unserm Herzen
schwerer ankömmt, als die Demuth. Aus diesen Ursachen verwehren sich wohlgezogne Menschen die der Welt beschwerlichen
Ausbrüche des Stolzes, und ernähren ihn doch, oft unwissend,
in sich; und aus eben diesen Ursachen nehmen sie die Lineamen-
ten der Demuth an, ohne ihren Geist anzunehmen. Wir können es nämlich vor uns selbst nicht leugnen, daß die Demuth
für so mangelhafte Geschöpfe, als wir sind, etwas sehr anstän-
diges und eine nothwendige Tugend sey; aber genug, sie erniedriget uns. Wir können es, wenn wir nachdenken, nicht leugnen, daß der Stolz für so fehlerhafte Geschöpfe, als wir sind,
etwas sehr unanständiges und eine Mißgeburt des Herzens sey;
aber genug, er schmeichelt uns, und darum mögen wir ihn so
ungern aus unserm Herzen entfernen; und darum betrügen wir
uns so oft, wenn wir glauben, daß wir ihn entfernet haben. —
Antenor, ein verständiger Mann, hasset den Stolz, und hält
sich für demüthig. Er ist vom Stande, und nie brüstet er sich

mit seiner Geburt. Es ist thöricht, sagt er, auf einen Vorzug stolz seyn, den wir uns nicht selbst gegeben haben. Soll der Adel unsrer Väter ein Vorrecht für uns werden: so müssen wir es durch Verdienste zu unserm Eigenthume machen. Er ist in seinem Betragen herablassend und gütig gegen Niedre, bescheiden und ehrerbietig gegen Höhere, und doch zugleich heimlich darauf stolz, daß er alles dieses ist. Man bemerke und ehre seine Herablassung nicht: so wird er verdrießlich und kaltsinnig; und wiederum wird er desto bescheidner und leutseliger, je mehr man seine Leutseligkeit bewundert. Seine Kleidung ist nichts weniger, als blendend. Das Kleid, sagt er, ist unter allen falschen Verdiensten das lächerlichste; und da ich nicht bey Hofe lebe, so ist der beste Staat für mich Reinlichkeit. Er kleidet sich also sehr bürgerlich; und er könnte doch, seinem Vermögen nach, sich fürstlich kleiden. Er erweiset dem Verdienste im geringen Kleide eben die Achtung, als dem Verdienste im reichen. Indessen sieht er es gern, wenn man diese seine Kleiderdemuth bemerket, und er kömmt selten in das Haus, wo man ihm einst den Vorwurf gemacht, daß seine geringe Kleidung ein heimlicher Stolz sey. — Antenor achtet die Titel sehr gering und verschmäht die rednerischen Lobsprüche; beides aufrichtig. Aber eben dieser Antenor, der die Titel, die ihm zukommen, nicht gern anhört, der eine offenbare Schmeicheley verabscheut, ein übertriebnes Lob nie annimmt, eine sklavische Verbeugung mit Verdruß ansieht, ist doch im Herzen nach einem feinen, mit Verstande und Bescheidenheit angebrachten, Lobspruche sehr lüstern. Eine geistreiche und verdeckte Bewunderung entzückt ihn; und sein Entzücken darüber, so sehr er es zu verbergen sucht, verräth sich doch deutlich genug, wenn er dieselbe bald dankbar annimmt, bald huldreich ablehnet. Auch weis er an Andern schon eine achtsame und ehrerbietige Miene sehr hochzuschätzen. Ich kann, spricht er oft, diesen Mann, der mich so sehr zu verehren scheint, nicht anhören,

weil weder in seinem Tone noch in seinen Mienen Verstand ist.
Antenor setzt also seine Demuth darein, daß er nicht von Thoren und Gecken, nicht von Schmeichlern, bewundert seyn will.
Aber bewundert will er dennoch seyn; und ist das Demuth? Die
äußerlichen beschwerlichen und zweydeutigen Kennzeichen der Ehrerbietung thun ihm keine Genüge; er verlangt die feinern und
zuverläßigern. Wer mag das tadeln? Aber verdient auch dieß
keinen Tadel, daß er diesen Erweisungen der Hochachtung in seinem Herzen einen viel größern Werth beylegt, als ihnen gebührt; daß er sie zum letzten Ziele seiner Handlungen macht, und
alles bloß in der Absicht thut, sich derselben zu versichern; daß
er denjenigen, der sie ihm versagt, heimlich zu verachten anfängt, und den Umgang eines rechtschaffnen und verdienstvollen
Mannes darum flieht, weil er ihn nur selten oder gar nicht lobet? Was also Antenorn Bescheidenheit und Demuth zu seyn
scheint, das ist im Grunde wahrer Stolz; es ist nur ein feine-
rer Geschmack desselben. — Er kennt seine Fehler; er gesteht sie
so gar; aber nur um sich heimlich das Zeugniß geben zu können,
daß er besser als Andre sey; Andre aber zu reizen, daß sie besto
mehr Gutes von ihm sagen oder denken sollen. Doch thun wir
ihm nicht Unrecht? Ich denke nicht. Warum redt er so oft
von seinen Fehlern, und warum giebt er sich gleichwohl so viel
Mühe, sie den Augen der Zuschauer zu entfernen? Er ist in
seinem Zimmer jähzornig, und alsdann hart gegen seine Bedienten, auch wegen eines geringen Fehlers; aber wenn er Gesellschaft hat, läßt er sich so gar durch den größten Fehler eines
Bedienten nicht in Hitze bringen. — Antenor kann den Tadel
vertragen. Man setze an seiner Kleidung, seinen Zimmern, an
seinen Gärten dieses und jenes aus. Er hört es mit einem gelaßnen Lächeln an, und bestätiget des Andern Kritiken, wenn sie
gegründet sind, ob er gleich die Fehler sehr selten verbessert. —
Man table hingegen etwas an seiner Bibliothek, und lobe alle

15

seine Gebäude und Gärten; und Antenor wird schon stiller und
ernsthafter. — Man bewundre seine Bibliothek und die treffliche
Wahl der Bücher; und er ist der leutseligste Gelehrte. Man bewundre die Erziehung, die Antenor seinen Kindern giebt, nicht
genug; und er wird tiefsinnig. — Seine Gemahlinn ist nicht
schön, auch nicht angenehm, sondern mehr das Gegentheil. Gleichwohl erscheint er selten ohne sie in Gesellschaft, und ist der ge-
fälligste und liebreichste Ehemann gegen sie. Sie betet ihn an;
und er erträgt ihre Fehler, ohne seine Liebe zu mindern. Wir
müssen, sagt er, mit denen Geduld haben, von denen wir ebenfalls Nachsicht verlangen. Ich liebe meine Frau nicht des Verstandes, sondern der Tugend wegen. Ja, Antenor, auch vielleicht deswegen, weil sie deine Anbeterinn vor den Augen der
ganzen Welt und die Lobrednerinn deiner großmüthigen Liebe
ist. — Antenor besitzt Wissenschaften; und er pralet so wenig damit, als mit seinen Reichthümern. Man muß auf seine Weisheit, spricht er, nie stolz seyn, und nie Andre durch seine Einsichten erniedrigen; sondern, ohne daß sie ihre Mängel fühlen,
ihnen in Gesellschaft denken und empfinden helfen. Antenor, wenn
es die Gelegenheit befiehlt, sagt seine Meynung; aber mit sorgfältiger Bescheidenheit. Gleichwohl, wie hitzig wird er nicht
durch den ersten Widerspruch! Sollte er nur wissen, wie sein
Gesicht sich entfärbt, wie gebietrisch sein Ton wird, wie hastig
und drohend er die Formeln ausspricht: wenn ich nicht sehr
irre: ja, ich kann fehlen; aber — Nein, ich will
nichts entscheiden. — Ein andermal bricht er ab, so bald
man ihm widerspricht, bleibt lange tiefsinnig, und widerlegt oder
verachtet durch Stillschweigen. Indessen kann er doch allen Tadel bald vergessen. Man zweifle an seiner Einsicht; er kömmt
zurück, und überwindet den Vorwurf. Man zweifle hingegen
an seiner Bescheidenheit und Demuth; nein, sagt er, das gute
Herz muß man mir nicht rauben. Ich hasse den Stolz an An-

bern, sollte ich mir ihn selbst erlauben? Ein Mann mit Ver=
diensten, und zugleich ein stolzer Mann seyn, heißt das größte
Verdienst nicht haben. — Und ich fürchte, Antenor, du hast die=
ses Verdienst nicht, sondern willst nur dich und Andre bereden,
daß du es besitzest, weil die Demuth so liebenswürdig und der
Stolz so hassenswürdig sind, und du sehr ehrgeizig bist. Du
darfst es wissen, daß du Vorzüge vor Andern hast, und darfst
darnach streben; und die gebührende Achtung von Andern an=
nehmen; dieses verwehret die Demuth nicht. Aber du mußt auch
wissen, daß die Demuth ihren Sitz im Herzen und nicht im äu=
ßerlichen Betragen hat, und daß es einerley Stolz ist, ob du
dich wegen deines Verstandes und deiner Tugenden, oder wegen
deiner Naturgaben und Glücksgüter anbetest. Hältst du das
Gute, was du an dir hast, nicht für unverdiente Geschenke der
Vorsehung, und erkennest du deine mannichfaltigen Mängel nicht:
so verleugne äußerlich deinen Werth noch so sehr, du bist doch
weder gegen Gott noch Menschen demüthig, du bist eine Mißge=
burt der Moral, ein stolzer Demüthiger.

Ein Mann, der seinen Beruf beob= achtet, ohne daß er seinem Berufe ganz lebt.

Eusebius, ein Geistlicher auf dem Lande, bem es nicht an Wissenschaft, noch an natürlichen Gaben mangelt, verwaltet, nach bem öffentlichen Rufe, sein Amt genau, lebt unanstößig und steht seinem Hause wohl vor. Um zu erfahren, ob seine Le= bensart mit dem Charakter eines Geistlichen übereinstimme; wol= len wir sie von ihren verschiednen Seiten und in ihren einzelnen Zügen betrachten. Eusebius läßt selten jemanden für sich predi= gen; nein, sagt er, ich bin dazu berufen, meine Gemeine selbst zu unterrichten und zur Gottesfurcht zu erwecken. Ich entwerfe bes Sonnabends in einer ober zwo Stunden ben größten Theil meiner Predigt, und behalte, indem ich sie niederschreibe, zu= gleich das Meiste bes Ausbrucks im Gebächtnisse. Ich brauche nicht gelehrt zu predigen. In ber That hören ihn seine Zuhö= rer gern. Auf bas Kirchenexamen, sagt er, barf ich mich nicht vorbereiten. Welch Unglück für mich und mein Amt, wenn ich die Grundsätze ber Religion mit ihren Beweisen nicht inne hätte! Die Arbeit seines Beichtstuhls ist wegen seiner kleinen Gemeine geringe, und selten ruft ihn sein Amt vor bas Bette eines Kran=

ten. Geschieht es, so ist er eben so ungesäumt da, als er des Sonntags zum Gottesdienste zugegen ist. Eusebius hat nicht das einträglichste Amt, und zieht seine meisten Einkünfte aus dem Feldbau, den er selbst besorgt. Indessen würden sie, auch wenn er ihn verpachtete, zureichen, seine Familie von vier Personen zu erhalten. Dennoch führt er diesen Theil seiner Haushaltung selbst, und giebt vor, daß er den Vortheil, den der Pachter billig ziehen würde, selbst nöthig habe; und daß es also ein Theil seiner Pflicht sey, ein Oekonom zu seyn. Die ganze Gegend lobt auch seinen Feldbau, seine Viehzucht und seine kleine Schäferey. Er hat in der Nachbarschaft ein kleines Bauergut, das seiner Gattinn erblich zugefallen ist. Dieses besorgt er durch einen Verwalter und durch sich selbst. Wenn ichs gekauft hätte, sagt er, so würde ich mir einen Vorwurf daraus machen. Aber es gehört meiner Frau und meinen Kindern. Diesen kann ich dafür einen Informator halten, und meine älteste Tochter, die ich zu meiner Anverwandtinn gethan, in den Sitten der Stadt erziehen lassen. — Seine Kirchkinder haben ihn gern bey Schließung eines Contracts, und fragen ihn in ihren häuslichen Angelegenheiten oft um Rath. Er dient ihnen mit seiner Erfahrung und seinen Einsichten, streckt ihnen gegen einen mäßigen Zins kleine Summen vor, verkauft sein Getreide, wenn es guten Preises ist, führt die Rechnung des Hauswesens; denn wer sollte sie sonst führen? und auf diese Weise beschäfftiget er sich gemeiniglich die Woche über. Lebt Eusebius nach dieser Beschreibung wirklich seinem Amte, oder führt er mehr sein Amt, um zu leben? Ist die Sorge für die geistliche Wohlfahrt seiner Gemeinde in dem ganzen Plane sein Hauptwerk? Er schenkt der Haushaltung so viel Tage, und dem Amte so wenige Stunden; ist dieses nicht verdächtig? Wäre es nicht anständiger, er verpachtete sie, und ersparte dafür den Aufwand eines Informators, indem er seine Kinder selbst unterrichtete? Ein Geschäffte, das ihm

viel zu viel Religion, als daß er das Gebet verachten sollte;
aber er sieht, daß die meisten, die itzt von der Tafel aufstehen,
zu vornehm sind, die Hände zum Gebete zu falten. Er häbe
sie gern auf; aber, denkt er, was wird man von deiner Andacht
urtheilen? Man wird dich für einen Sonderling, für einen Heuchler, oder für einen Menschen ohne Welt halten; und schon läßt
er sie mit Wohlstand unempfindlich sinken. Er ist ein Feind von
groben Ausschweifungen, und haßt den Trunk. Der Vornehme,
mit dem Glase in der Hand, muntert ihn durch Bitten und Ge-
sundheiten auf. Er schämt sich, diesem Manne zu widerstehen;
es würde unhöflich seyn; und um nicht unhöflich zu seyn, ent-
ehrt er seine Vernunft durch einen abgenöthigten Rausch, und
setzt sich in die Gefahr der Krankheit, oder des dem Weine be-
nachbarten Lasters. — Man sagt in der Gesellschaft eine ekle
Zweydeutigkeit. Sie gefällt Abrasten nicht; aber er zwingt
sich, sie mit zu belachen, um nicht von einem unverschämten Auge den Vorwurf zu dulden, daß er so einfältig wäre, sie
nicht verstanden zu haben. — Er begeht einen Fehler im Tanze.
O wie kränkt es ihn! Aber um seinen Fehler zu vergüten, sagt
er in der Hitze einem Frauenzimmer eine witzige Unverschämt-
heit; und so setzet er sich wieder in sein voriges Ansehen. — Er
begeht einen Fehler der Unachtsamkeit im Spiele, schämt sich, er
kauft ihn durch einen Fluch: und schämt sich nicht. — Abrast
scheut den Namen eines Widersprechers, der in Gesellschaften so
verhaßt ist. Man spottet unbarmherzig über Amynts Fehler, die
man noch dazu ihm bloß andichtet; und es kränkt Abrasten, daß
er sie nicht widerlegen soll. Aber die vornehme Verleumderinn
sieht ihn achtsam an, und schon giebt er seinen Beyfall durch
Mienen, so sehr ihm auch sein Herz widerspricht; und kaum fragt
ihn Clelia laut: Abrast, haben Sie es nicht auch gehört? so
wird er aus falscher Schamhaftigkeit ein Verleumder, und sagt
Ja. — Abrast ist kein Praler, aber aus Besorgniß, sich nicht so

reich als Andre zu tragen, wird er heute ein Verschwender in
Kleidern, legt morgen durch eine ehrsüchtige Freygebigkeit den
Grund zu einer übeln Oekonomie. — Was hindert Abrasten, sich
von dieser widerrechtlichen Schamhaftigkeit, die eine Feindinn
seiner Tugend ist, zu befreyen? Wenn er aufrichtig seyn will,
so kann er leicht sehen, daß er nicht so wohl nach guten Sitten,
als nach dem Ruhme derselben, strebt. Aus dieser Quelle fließt
der Fehler seines Charakters, und diese muß er zuerst verstopfen.
Er läßt sich in seinem Betragen von den Meynungen der Welt
regieren; und er weis doch, daß die wahre Würde oder das wahre
Schändliche einer Handlung nicht von den Meynungen abhängt.
Wird seine sinnreiche Zweydeutigkeit, sein glücklich angebrachter
Fluch, sein vernunftloser Rausch durch allen Beyfall erlaubt, oder
schön? Welches ist edler? Der Vorschrift glänzender Gewohnheiten, welche die große Welt beschützt, oder dem Gesetze seines
Gewissens zu folgen? Aber ich verliere den Beyfall der Andern,
der Angesehenen? — So verliere ihn denn! Es ist Ehre und
Glück für dich; denn der Beyfall, der eine Thorheit krönet, er
komme aus dem Munde eines Königes oder einer Fürstinn, eines Helden oder eines Gelehrten, ist allezeit Schande. Willst du
die Probe davon machen, Abrast? Du hast aus falscher Schamhaftigkeit heute wider die Warnung deines Gewissens und deiner
Ueberzeugung gehandelt. Eine ganze Gesellschaft hat dich mit
ihrer Achtung dafür belohnet. Wohlan, wirf dich auf den Abend
denkend auf dein Lager, und stelle dir deinen Tod vor, der in
dieser Nacht erfolgen kann. Denke die Vorwürfe, die dir dein
eignes Herz macht; denke die Stimmen des Beyfalls, mit
denen dich die Gesellschaft beehrte. Hört die Anklage deines Innersten durch den Gedanken auf: Ich bin bewundert und mit
Lächeln und Danksagungen für meine Gefälligkeit aus der Gesellschaft begleitet worden? Gesetzt, ein höherer Geist wäre um
dein Lager sichtbar, und du fragtest ihn, was er von deinem Zu-

C. F. Gellerts

sämmtliche Schriften.

Neue rechtmäßige Ausgabe.

Achter Theil.

Leipzig,
Weidmann'sche Buchhandlung
und
Hahn'sche Verlagsbuchhandlung.
1839.

Briefe.

1742—1760.

1. *)

An Gottsched.

Hochedelgebohrner

Hochzuehrender Herr Profeſſor,

Es iſt mir heute unmöglich, Ihnen in Perſon aufzuwarten, weil ich von meinem Hypochonder gemartert werde, und Arzeney zu gebrauchen genöthiget bin. Ich habe indeſſen Ihro Magniſizenz gehorcht und das befohlne Gedicht aufgeſetzt. Ich bin der erſte, der es ſchlecht nennt; allein ich habe mir nicht zu helfen gewuſt. Die Vorſchrift war etwas unpoetiſch, und ich habe ſchon ſo vielmal bey der Bahre klagen müſſen, daß ich, ohne mich auszuſchreiben, oft nicht weis, was ich ſagen ſoll. Vielleicht gefällt es dem leidtragenden Hn. Lieutenant, weil es nicht ſchön iſt, und weil ich ſo künſtlich an ſein Stubiren und an ſeine Feldzüge gedacht habe. Vielleicht lieſt er es auch wohl nicht ganz durch, wenn er ſo begierig iſt, der ſeel. Frau Mutter ihren Willen in

---

*) (Aus dem Original, das ſich in der Univerſitätsbibliothek zu Leipzig befindet. Nicht ganz genau abgedruckt in: Briefw. Gellerts mit Dem. Lucius. herausgeg. v. Ebert. 1823. Anhang S. 638.)

Ansehung der Enkel zu vollziehen. Sollte das Gedicht noch
erträglich seyn, so werden mir Ihro Magnifizenz erlauben, daß
ich nicht dem Herrn Lieutenant, sondern Ihnen selbst zu Befehle
gestanden habe. In diesem Falle ist es mir unmöglich, eine Belohnung anzunehmen. Und Ihro Magnifizenz werden mir die
kleine Mühe nicht besser vergelten können, als wenn Sie mir
ferner Gelegenheit geben, Ihnen die Ehrfurcht zu zeigen, mit
der ich unaufhörlich bin

Ihro Magnifizenz

gehorsamster Diener
Gellert.

2.

An Fr. v. Hageborn.*)

16. Febr. 1744.

Wenn es nach meinem Verlangen gegangen wäre, so würde
ich Ihnen schon längstens die besondre Hochachtung zu erkennen
gegeben haben, die ich seit vielen Jahren gegen Ew. Hochwohlgebohren trage; allein, aufrichtig zu reden, so hat mich die Furcht,
bey Ihnen in den Verdacht einer gewissen Eitelkeit zu fallen,
von diesem Vergnügen abgehalten. Es ist mir immer vorgekommen, als ob die Leute, die ohne alle gegebne Gelegenheit
anfangen uns von ihrer Hochschätzung zu versichern, nichts Anders damit sagen wollen, als daß wir erkenntlich seyn und sie
wieder hochhalten sollen. So begehrlich bin ich zwar nicht; doch
kann ich nicht leugnen, daß ich zu gleicher Zeit, indem ich Ihnen

---

*) (v. Hageborns poet. Werke herausgeg. v. Eschenburg. 1800.
Th. 5, S. 220.)

meine Ehrerbietung entdecke, ein Verlangen fühle, Sie unter der kleinen Anzahl meiner Gönner zu wissen. Vielleicht erfüllen Ew. diese Sehnsucht; und vielleicht setzen Sie dem Gönner mit der Zeit noch den Freund an die Seite. Ich würde mir um diese Ehre alle Mühe geben, wenn es nicht ein Geschenk wäre, das man mehr erwarten als suchen muß. Herr Ebert mag das Uebrige hinzusetzen, was ich mit Bedacht auslasse. Man kann an Ihre Poesie ohne Lobeserhebungen nicht denken; und gleichwohl bin ich zu verschämt, einem Manne meinen Beyfall aufzubringen, den nur die Kenner rühmen dürfen. Es wird also am besten seyn, wenn ich weiter nichts sage, als daß ich mit der vollkommensten Hochachtung bin ꝛc.

Gellert.

3.

An Christiane Eleonore Gellert. *)

L. d. 14. Jan. 1746.

Meine liebe Jungfer Braut,

Unter meinen annehmlichen und sinnreichen Denksprüchen, die ich immer im Munde zu führen pflege, ist dieser einer der vornehmsten:

Ehestand

Weheständ.

Daburch will ich den angehenden Eheleuten zu verstehen geben, daß die beste Ehe nicht ohne Kreuz, und die zufriedenste nicht

---

*) (Gellerts jüngere Schwester, die schon 1747 starb; der an sie gerichtete Brief, ebenso wie der folgende an ihren Bräutigam, M. Hochmuth, Pfarrer in Thalheim bei Stollberg, aus: Gellerts Familienbriefe herausg. von Leuchte. Freiberg. 1819.)

1 *

ohne Mißvergnügen ist. Wenn ich ihnen nun das Herz ein bißchen schwer gemacht habe, so male ich ihnen ein Paar Tauben, die sich bey einem Sturmwinde unter das Dach verbergen und sich zärtlich umarmt haben, mit der Ueberschrift:

> Durch Eintracht und durch Zärtlichkeit
> Verringert sich das schwere Leid.

Den Sturmwind lasse ich von Norden her wehen in Gestalt eines großen Blasebalgs.

Einst wurde ich von einer Braut gefragt, wer in der Ehe zu den meisten Verdrießlichkeiten Anlaß gäbe, ob der Mann, oder die Frau? Ich legte meinen Finger an die Nase und sann lange nach, endlich brach ich in diesen Denkspruch aus:

> Oft liegt die Ursach an dem Mann,
> Oft ist die Frau auch Schuld daran.

Ich wurde, weil sie hörte, daß ich so nachdenklich antworten konnte, ferner gefragt, worüber wohl die meiste Uneinigkeit in der Ehe herkäme? Da sollte man nun denken, ich würde wieder lange nachgesonnen haben; allein mit der größten Geschwindigkeit fieng ich an:

> Der meiste Krieg, der meiste Streit
> Entsteht durch eine Kleinigkeit,
> Die wird durch Unbescheidenheit
> Ein Krieg von vieler Wichtigkeit.

Weil ich sahe, daß meine Aussprüche gefielen: so fuhr ich poetisch fort:

> Ein Ehstand ist alsdann beglückt,
> Wenn eins sich in das andre schickt,
> Wenn eins das andre liebt und scheut;
> Er nicht befiehlt, Sie nicht gebeut;

Wenn eins dem andern, reich an Zucht,
Stets mehr noch zu gefallen sucht,
Und beid' noch so behutsam seyn,
Als wollten sie erst einander freyn,
Und keins die Fehler sehen läßt,
Als wärs noch vor dem Hochzeitfest,
Wo man die gute Seite zeigt,
Und eins das andre fein betreugt:
In Wahrheit, solcher Betrug ist gut,
Und stärkt die Lieb, die fallen thut,
Wenn man aus viel Vertraulichkeit
Unachtsam wird und sich nicht scheut
Zu thun, als wär der Ehestand
Ein Freybrief für den Unverstand.
Wer diese Regeln nimmt in Acht,
Und täglich sich noch mehre macht,
Und hat ein tugendhaft Gemüth,
Das Geiz und auch Verschwendung flieht,
Des Eh wird frey von Noth und Pein
Und reich an Lieb und Segen seyn.

) habe solcher Zuchtsprüche noch viel mehr gemacht; allein ich
I sie nicht alle hieher setzen, Ihr möchtet sonst glauben, daß
damit prahlen wollte. Kurz und gut, und im Ernste zu
en: Ich wünsche Euch zu Eurer Ehe viel Glück und habe
größte Hoffnung, daß Euer Mann nicht übel und Ihr nicht
echt gewählet habt. Macht ihm mein ergebenstes Compliment
sagt ihm, daß er einen Herrn Bruder an mir kriegte, den
nicht besser wünschen könnte. Denn meinen Ruhm und alle
ine übrigen Verdienste ungeachtet: so ist das schon sehr gut
ihn und alle meine Anverwandten, daß ich niemals heirathen
rde. Folglich fällt mein ganzes Vermögen auf mein liebes

Geschwister. Die Hochzeit soll sehr klein seyn, und dieses ist sehr vernünftig. Sie soll auf Lichtmesse seyn und ich soll dabey seyn — da ließe sich noch etwas einwenden: doch wenn ich gesund bin, so müßte endlich wohl zu acht Tagen Zeit Rath werden. Wenn ich nur das Tanzen nicht vergessen habe; denn ohne zu tanzen wollte ich nicht einen Fuß vor die Thüre setzen. Ach was würden der Papa und die Mama sagen, wenn sie meine Hochzeit zugleich mit begehen könnten! Ja ich glaube es wohl. Die Mama würde vor Freuden weinen und ich vor Betrübniß, daß ich eine Frau hätte. Zur Hypochondrie auch noch eine Frau; das wäre zu viel Kreuz. Ich kann das eine allein kaum ertragen. Grüßt den lieben Papa und die liebe Mama gehorsamst.

Gellert.

4.

An M. Christian Nathanael Hochmuth.

L. d. 24. Jan. 1746.

Hochwohlehrwürdiger Herr Pastor,

Hochzuverehrender Herr Bruder,

Sie haben mir Ihre Freundschaft und Ergebenheit auf eine so liebreiche und edle Art zu erkennen gegeben, daß ich kaum weis, wie ich Ihnen dafür danken soll. So viele Zeilen so viele Beweise sehe ich von einem ausnehmenden Wohlwollen und Vertrauen gegen mich. Ich nehme beides als ein Geschenke an, das ich noch verdienen soll; und ich werde mich mit dem größten Fleiße bemühen, Sie durch die aufrichtigste Freundschaft in der guten Meynung zu bestärken, die Sie, ohne mich zu kennen, von mir gefaßt haben.

Ich wünsche mir und meiner Schwester Glück, daß sie an Ew. Hochwohlehrwürden einen so liebenswürdigen Ehemann, und ich an Ihnen einen so rechtschaffenen und gelehrten Freund erhalten habe. Gott lasse Ihre Ehe vergnügt und dauerhaft seyn, und den Segen meiner lieben Eltern und meine Hoffnung an Ihrer Frau wahr werden.

Das Vergnügen, bey Ihrem Hochzeitfeste gegenwärtig zu seyn, werde ich leider nicht haben können. Meine Verrichtungen, die Jahreszeit und meine Leibesbeschaffenheit sind Hindernisse, die sich gar nicht heben lassen. Doch auf Ostern, wenn Gott will, werde ich Sie gewiß besuchen und einen Zeugen von dem vergnügten Fortgange Ihrer Ehe abgeben, da ich bey dem Anfange derselben nicht habe zugegen seyn können. Ich freue mich recht auf diese Zeit. Ich habe mir vier Wochen ausgesetzet, um mich in der Gesellschaft der Meinigen von den mühsamen Verrichtungen zu erholen, in die mich meine Lebensart gesetzet hat. Ich will den lächerlichen Sorgen der Ehre und des Ruhms auf einige Zeit entfliehen, und das unschuldige Vergnügen schmecken, das man in dem Umgange und dem Beyfalls der Seinigen weit lebhafter, als in der Gesellschaft derjenigen findet, die mit uns nach einem Ziele laufen. Von diesen vier Wochen werde ich wenigstens einige Tage bey Ihnen zubringen, und mir in Ihren Gesprächen und in dem Vergnügen Ihrer Ehe die Munterkeit verschaffen, die ich suche. Ich habe die Ehre, nebst einem ergebensten Grusse an die werthen Ihrigen, mit der größten Hochachtung zu seyn

    Ew. Hochwohlehrwürden.

                ergebenster Diener und Schwager

                Christ. Fürchteg. Gellert.

Briefe.

1742—1760.

Briefe.

1742—1760.

Ansehung der Enkel zu vollziehen. Sollte das Gedicht noch erträglich seyn, so werden mir Ihro Magnifizenz erlauben, daß ich nicht dem Herrn Lieutenant, sondern Ihnen selbst zu Befehle gestanden habe. In diesem Falle ist es mir unmöglich, eine Belohnung anzunehmen. Und Ihro Magnifizenz werden mir die kleine Mühe nicht besser vergelten können, als wenn Sie mir ferner Gelegenheit geben, Ihnen die Ehrfurcht zu zeigen, mit der ich unaufhörlich bin

Ihro Magnifizenz

gehorsamster Diener

Gellert.

2.

An Fr. v. Hageborn.*)

16. Febr. 1744.

Wenn es nach meinem Verlangen gegangen wäre, so würde ich Ihnen schon längstens die besondre Hochachtung zu erkennen gegeben haben, die ich seit vielen Jahren gegen Ew. Hochwohlgebohren trage; allein, aufrichtig zu reden, so hat mich die Furcht, bey Ihnen in den Verdacht einer gewissen Eitelkeit zu fallen, von diesem Vergnügen abgehalten. Es ist mir immer vorgekommen, als ob die Leute, die ohne alle gegebne Gelegenheit anfangen uns von ihrer Hochschätzung zu versichern, nichts Anders damit sagen wollen, als daß wir erkenntlich seyn und sie wieder hochhalten sollen. So begehrlich bin ich zwar nicht; doch kann ich nicht leugnen, daß ich zu gleicher Zeit, indem ich Ihnen

*) (v. Hageborns poet. Werke herausgeg. v. Eschenburg. 1800. Th. 5, S. 220.)

meine Ehrerbietung entdecke, ein Verlangen fühle, Sie unter der kleinen Anzahl meiner Gönner zu wissen. Vielleicht erfüllen Ew. diese Sehnsucht; und vielleicht setzen Sie dem Gönner mit der Zeit noch den Freund an die Seite. Ich würde mir um diese Ehre alle Mühe geben, wenn es nicht ein Geschenk wäre, das man mehr erwarten als suchen muß. Herr Ebert mag das Uebrige hinzusetzen, was ich mit Bedacht auslasse. Man kann an Ihre Poesie ohne Lobeserhebungen nicht denken; und gleichwohl bin ich zu verschämt, einem Manne meinen Beyfall aufzubringen, den nur die Kenner rühmen dürfen. Es wird also am besten seyn, wenn ich weiter nichts sage, als daß ich mit der vollkommensten Hochachtung bin 2c.

Gellert.

3.

An Christiane Eleonore Gellert. *)

L. d. 14. Jan. 1746.

Meine liebe Jungfer Braut,

Unter meinen annehmlichen und sinnreichen Denksprüchen, die ich immer im Munde zu führen pflege, ist dieser einer der vornehmsten:

Ehestand

Wehestand.

Dadurch will ich den angehenden Eheleuten zu verstehen geben, daß die beste Ehe nicht ohne Kreuz, und die zufriedenste nicht

*) (Gellerts jüngere Schwester, die schon 1747 starb; der an sie gerichtete Brief, ebenso wie der folgende an ihren Bräutigam, M. Hochmuth, Pfarrer in Thalheim bei Stollberg, aus: Gellerts Familienbriefe herausg. von Leuchs. Freiberg. 1819.)

1 *

Ansehung der Enkel zu vollziehen. Sollte das Gedicht noch
erträglich seyn, so werden mir Ihro Magnifizenz erlauben, daß
ich nicht dem Herrn Lieutenant, sondern Ihnen selbst zu Befehle
gestanden habe. In diesem Falle ist es mir unmöglich, eine Belohnung anzunehmen. Und Ihro Magnifizenz werden mir die
kleine Mühe nicht besser vergelten können, als wenn Sie mir
ferner Gelegenheit geben, Ihnen die Ehrfurcht zu zeigen, mit
der ich unaufhörlich bin

     Ihro Magnifizenz

              gehorsamster Diener

                 Gellert.

2.
An Fr. v. Hageborn. *)

                  16. Febr. 1744.

    Wenn es nach meinem Verlangen gegangen wäre, so würde
ich Ihnen schon längstens die besondre Hochachtung zu erkennen
gegeben haben, die ich seit vielen Jahren gegen Ew. Hochwohlgebohren trage; allein, aufrichtig zu reden, so hat mich die Furcht,
bey Ihnen in den Verdacht einer gewissen Eitelkeit zu fallen,
von diesem Vergnügen abgehalten. Es ist mir immer vorgekommen, als ob die Leute, die ohne alle gegebne Gelegenheit
anfangen uns von ihrer Hochschätzung zu versichern, nichts Anders damit sagen wollen, als daß wir erkenntlich seyn und sie
wieder hochhalten sollen. So begehrlich bin ich zwar nicht; doch
kann ich nicht leugnen, daß ich zu gleicher Zeit, indem ich Ihnen

---

  *) (v. Hageborns poet. Werke herausgeg. v. Eschenburg. 1800.
    Th. 5, S. 220.)

meine Ehrerbietung entdecke, ein Verlangen fühle, Sie unter der
kleinen Anzahl meiner Gönner zu wissen. Vielleicht erfüllen Ew.
diese Sehnsucht; und vielleicht setzen Sie dem Gönner mit der
Zeit noch den Freund an die Seite. Ich würde mir um diese
Ehre alle Mühe geben, wenn es nicht ein Geschenk wäre, das
man mehr erwarten als suchen muß. Herr Ebert mag das
Uebrige hinzusetzen, was ich mit Bedacht auslasse. Man kann
an Ihre Poesie ohne Lobeserhebungen nicht denken; und gleich=
wohl bin ich zu verschämt, einem Manne meinen Beyfall auf=
zubringen, den nur die Kenner rühmen dürfen. Es wird also
am besten seyn, wenn ich weiter nichts sage, als daß ich mit der
vollkommensten Hochachtung bin ꝛc.

Gellert.

3.

An Christiane Eleonore Gellert. *)

L. d. 14. Jan. 1746.

Meine liebe Jungfer Braut,

Unter meinen annehmlichen und sinnreichen Denksprüchen, die
ich immer im Munde zu führen pflege, ist dieser einer der vor=
nehmsten:

Ehestand
Wehestand.

Dadurch will ich den angehenden Eheleuten zu verstehen geben,
daß die beste Ehe nicht ohne Kreuz, und die zufriedenste nicht

*) (Gellerts jüngere Schwester, die schon 1747 starb; der an sie
gerichtete Brief, ebenso wie der folgende an ihren Bräutigam,
M. Hochmuth, Pfarrer in Thalheim bei Stollberg, aus:
Gellerts Familienbriefe herausg. von Leuchte. Freiberg. 1819.)

1 *

ohne Mißvergnügen ist. Wenn ich ihnen nun das Herz ein bißs
chen schwer gemacht habe, so male ich ihnen ein Paar Tauben,
die sich bey einem Sturmwinde unter das Dach verbergen und
sich zärtlich umarmt haben, mit der Ueberschrift:

> Durch Eintracht und durch Zärtlichkeit
> Verringert sich das schwere Leid.

Den Sturmwind lasse ich von Norden her wehen in Gestalt
eines großen Blasebalgs.

Einst wurde ich von einer Braut gefragt, wer in der Ehe
zu den meisten Verdrießlichkeiten Anlaß gäbe, ob der Mann, oder
die Frau? Ich legte meinen Finger an die Nase und sann lange
nach, endlich brach ich in diesen Denkspruch aus:

> Oft liegt die Ursach an dem Mann,
> Oft ist die Frau auch Schuld daran.

Ich wurde, weil sie hörte, daß ich so nachdenklich antworten
konnte, ferner gefragt, worüber wohl die meiste Uneinigkeit in
der Ehe herkäme? Da sollte man nun denken, ich würde wies
der lange nachgesonnen haben; allein mit der größten Geschwins
digkeit fieng ich an:

> Der meiste Krieg, der meiste Streit
> Entsteht durch eine Kleinigkeit,
> Die wird durch Unbescheidenheit
> Ein Krieg von vieler Wichtigkeit.

Weil ich sahe, daß meine Aussprüche gefielen: so fuhr ich poes
tisch fort:

> Ein Ehstand ist alsdann beglückt,
> Wenn eins sich in das andre schickt,
> Wenn eins das andre liebt und scheut;
> Er nicht befiehlt, Sie nicht gebeut;

Borwurf nicht mehr machen bürfen, baß ich zu gleichgültig gegen eine öffentliche Bedienung wäre. Gott gebe, baß mein Unternehmen, unb bie Borforge meiner Gönner, weber mich, noch fie, jemals reue! Ich habe nicht geglaubt, baß man an mich benke, auch nie geglaubt, baß man Urfache bazu habe, vor anbern an mich zu benken. So balb biefe Sache kein Geheimniß mehr ift, werbe ich bie Ehre haben, fie Ihnen zu beftätigen. Indeffen bitte ich um bie Fortfetzung Ihrer mir fchätzbaren Gewogenheit, unb verharre mit aller erfinnlichen Hochachtung unb Ehrerbietung 2c.

G.

Empfehlen Sie mich allen Ihren Freunben gehorfamft, wenn ich bitten barf.

11.*)

An den Secretair Kersten.

L. b. 22. Jan. 1751.

Mein lieber Kerften,

Enblich können Sie mein Patron werben, wenn es Ihnen zu verächtlich ift, länger mein Freunb zu feyn. Sie follen mich nämlich zum extraorbinairen Profeffor mit Penfion machen. Das ift für Sie was Kleines, unb für Ihren Herrn Grafen, beucht mich, noch was Kleiners. Er hat mir burch meinen Bruder

---

*) (Gellerts Familienbriefe. Anhang. No. 3. Die dafelbft unter No. 1. unb 2. abgebrudten Briefe an Kerften aus b. J. 1748 waren mit einigen Aenberungen — No. 2. in zwei Briefe vertheilt — von Gellert unter bie von ihm felbft herausgegebenen Briefe aufgenommen worben. Vgl. Th. 5, S. 150 f.; S. 101 ff. u. 116 ff.)

Geschwister. Die Hochzeit soll sehr klein seyn, und dieses ist sehr vernünftig. Sie soll auf Lichtmesse seyn und ich soll dabey seyn — da ließe sich noch etwas einwenden: doch wenn ich gesund bin, so müßte endlich wohl zu acht Tagen Zeit Rath werden. Wenn ich nur das Tanzen nicht vergessen habe; denn ohne zu tanzen wollte ich nicht einen Fuß vor die Thüre setzen. Ach was würden der Papa und die Mama sagen, wenn sie meine Hochzeit zugleich mit begehen könnten! Ja ich glaube es wohl. Die Mama würde vor Freuden weinen und ich vor Betrübniß, daß ich eine Frau hätte. Zur Hypochondrie auch noch eine Frau; das wäre zu viel Kreuz. Ich kann das eine allein kaum ertragen. Grüßt den lieben Papa und die liebe Mama gehorsamst.

Gellert.

4.

An M. Christian Nathanael Hochmuth.

L. d. 24. Jan. 1746.

Hochwohlehrwürdiger Herr Pastor,

Hochzuverehrender Herr Bruder,

Sie haben mir Ihre Freundschaft und Ergebenheit auf eine so liebreiche und edle Art zu erkennen gegeben, daß ich kaum weiß, wie ich Ihnen dafür danken soll. So viele Zeilen so viele Beweise sehe ich von einem ausnehmenden Wohlwollen und Vertrauen gegen mich. Ich nehme beides als ein Geschenke an, das ich noch verdienen soll; und ich werde mich mit dem größten Fleiße bemühen, Sie durch die aufrichtigste Freundschaft in der guten Meynung zu bestärken, die Sie, ohne mich zu kennen, von mir gefaßt haben.

Ich wünsche mir und meiner Schwester Glück, daß sie an Ew. Hochwohlehrwürden einen so liebenswürdigen Ehemann, und ich an Ihnen einen so rechtschaffenen und gelehrten Freund erhalten habe. Gott laſſe Ihre Ehe vergnügt und dauerhaft ſeyn, und den Segen meiner lieben Eltern und meine Hoffnung an Ihrer Frau wahr werden.

Das Vergnügen, bey Ihrem Hochzeitfeſte gegenwärtig zu ſeyn, werde ich leider nicht haben können. Meine Verrichtungen, die Jahreszeit und meine Leibesbeſchaffenheit ſind Hinderniſſe, die ſich gar nicht heben laſſen. Doch auf Oſtern, wenn Gott will, werde ich Sie gewiß beſuchen und einen Zeugen von dem vergnügten Fortgange Ihrer Ehe abgeben, da ich bey dem Anfange derſelben nicht habe zugegen ſeyn können. Ich freue mich recht auf dieſe Zeit. Ich habe mir vier Wochen ausgeſetzet, um mich in der Geſellſchaft der Meinigen von den mühſamen Verrichtungen zu erholen, in die mich meine Lebensart geſetzet hat. Ich will den lächerlichen Sorgen der Ehre und des Ruhms auf einige Zeit entfliehen, und das unſchuldige Vergnügen ſchmecken, das man in dem Umgange und dem Beyfalls der Seinigen weit lebhafter, als in der Geſellſchaft derjenigen findet, die mit uns nach einem Ziele laufen. Von dieſen vier Wochen werde ich wenigſtens einige Tage bey Ihnen zubringen, und mir in Ihren Geſprächen und in dem Vergnügen Ihrer Ehe die Munterkeit verſchaffen, die ich ſuche. Ich habe die Ehre, nebſt einem ergebenſten Gruſſe an die werthen Ihrigen, mit der größten Hochachtung zu ſeyn

Ew. Hochwohlehrwürden

ergebenſter Diener und Schwager
Chriſt. Fürchteg. Gellert.

5.

An Bodmer.*)

L. d. 13. März 1748.

Erlauben Sie mir die Ehre, daß ich Ihnen den zweiten Theil meiner Fabeln und Erzählungen überreichen darf. Ich bin stolz genug, mir Ihren Beifall zu wünschen, aber nicht so eitel, daß ich mir ihn ganz versprechen sollte. Vielleicht würde ich niemals wieder gewagt haben, Fabeln zu dichten, wenn Sie mich durch Ihren kräftigen Lobspruch nicht beherzt gemacht hätten, eben diese Belohnung noch einmal zu verdienen zu suchen. Gefällt Ihnen, und denen, die Ihnen unter Ihren Landsleuten gleichen, dieser wiederholte Versuch, so sehen Sie ihn als eine Frucht Ihres Beifalls und meiner Dankbarkeit für diesen Beifall an. Wie gern fragte ich Sie, ob Sie auch mit meinen Komödien zufrieden wären, wenn ich anders ohne Fehler länger von mir selber reden könnte.

Christian Fürchtegott Gellert.

6.

An Borchward.**)

L. d. 9. Dec. 1748.

Ich bin eitel genug, mir alle die Ehre zu wünschen und zu gönnen, die Sie und Ihre liebenswürdige Gesellschaft mir erwei=

*) (Briefe berühmter und edler Deutschen an Bodmer. Herausgeg. v. G. Fr. Stäudlin. Stuttg. 1794 S. 55.)

**) (Ernst Samuel Jacob Borchward, königl. Preuß. Hofrath und Markgräfl. Ansbach-Baireuthischer Resident, nachher Legations= rath in Berlin; geb. 1717, gest. 1776. Die Briefe an ihn sind abgedruckt aus: Nachtrag zu Gellerts freundschaftlichen Briefen herausgeg. v. J. P. Bamberger. Berlin 1780.)

sen; allein ich gestehe Ihnen mit eben der Aufrichtigkeit, daß ich sie kaum halb verdiene. Was für ein stolzer und unerträglicher Autor würde ich seyn, wenn ich mir eben so schön vorkäme, als ich Ihnen zu seyn scheine! Nein, mein lieber Herr Hofrath, ich bin das Gemählde nicht, das Sie in Ihrem Briefe so vortheil= haft entworfen haben; und gleichwohl loben Sie auf eine so feine und edle Art, daß ich alles darum geben wollte, wenn ich Ihr ganzes Lob verdiente. Ich bin eben so mißtrauisch gegen mich selber, als ich ehrbegierig bin, und der kluge Lobspruch, der anfangs mein ganzes Herz in die Höhe hebt, macht mich gemeiniglich am Ende bemüthig und verzagt. Bald sehe ich, daß ich mir ihn nicht gänz anmaßen kann, und bald fühle ich die Mühe und die Gefahr, ihn künftig zu behaupten, und fange oft an zu wünschen, daß ich nirgends, als in dem kleinen gebür= gischen Flecken, in dem ich geboren bin, und bloß unter dem Namen eines ehrlichen Mannes, bekannt seyn möchte.

Sobald ich in Ihrem Briefe sah, daß Sie mich zu einer neuen Schrift ermunterten, so ward mir schon so bange, als ob ich eine schlechte gemacht hätte. Ich zweifelte, ob ich Ihre Hoff= nung und das Vertrauen Ihrer liebreichen Gesellschaft würde erfüllen können: und gleichwohl schämte ich mich auch, Ihnen eine Bitte abzuschlagen, die Sie mit so viel Gründen vortragen, daß sie stärker, als ein Befehl ist.

Beydes geht noch heute in mir vor. Ich zweifle, ob ich zu dieser Arbeit geschickt bin, und schäme mich, daß ichs nicht seyn soll. Was soll ich thun? Soll ich aus Begierde, Ihnen zu gehorchen, eine Sache versprechen, die ich vielleicht nie werde hal= ten können? Nein, ich will lieber den andern Fehler begehen, und Ihren Antrag ausschlagen. Kann ich ihn demungeachtet mit der Zeit erfüllen: so wird meine itzige Unhöflichkeit nur ein Beweiß seyn, daß ich Sie, Herr Hofrath, und Ihre Freunde, zu hoch geachtet habe, als daß ich Ihnen eine Schrift hätte ver=

sprechen sollen, ehe ich wußte, ob sie mir glücken würde. Aber wo weiß ichs, ob sie mir glücken wird? Muß ichs nicht versuchen? Ja, ich würde es gleich thun, wenn ich von andern Arbeiten frey wäre. Ich würde der Sache nachdenken, ich würde die Blätter und Bücher durchlesen, die von den Pflichten der Bedienten reden, ich würde nach Ihrer Vorschrift einen kleinen Plan aufsetzen, und Ihnen denselben zur Beurtheilung zuschicken; allein dieß ist mir zwischen hier und Ostern nicht möglich. Ich bin nicht mein, nicht frey genug in mir. Ich habe etliche practische Collegia, die mir des Tags über vier bis fünf Stunden wegnehmen. Die übrige Zeit muß ich einem nahen Anverwandten von mir schenken, der künftigen Sommer von der Universität gehen soll, und noch nicht weit gekommen ist. Sein Glück befiehlt mir diese Pflicht. Kurz, wenn ich Ihnen, ohne eine Prahlerey zu begehn, alle meine kleinen Beschäftigungen erzählen könnte, wenn ich Ihnen sagen dürfte, daß mir die kleinste Arbeit, ich weiß nicht, ob aus Schwachheit des Körpers, oder des Geistes, erstaunend sauer wird: so würden Sie sehen, daß ich in den itzigen Umständen keiner neuen Arbeit fähig bin. Indessen werde ichs nie vergessen, daß man die Wünsche rechtschaffener und patriotischer Seelen als Befehle ansehn soll. Ich werde, sobald ich kann, mich an die Schrift wagen, und vielleicht werde ich nicht eher ruhig, bis ich einen so löblichen Anschlag gewagt habe.

Empfehlen Sie mich der Gesellschaft gehorsamst, die mich ihres Andenkens würdiget, insonderheit Ihrem vortrefflichen und liebenswürdigen Gottesgelehrten, dem Herrn Sack, denn dieser ists unstreitig, der die Schwedische Gräfin, zu deren Verfasser ich mich nie bekennen werde, mit seiner mehr als zu wahren Critik beehret hat.

Schenken Sie mir, nebst Ihren lieben Freunden, Ihre Gemit Doktor Jöchern bekannter ist, mir das Buch zu verschaffen, oder nur zu hören, was er hätte.

Kurz, ich erfahre, daß er und Herr Professor Gottsched es gehabt, und daß mir Herr Kästner selbst auf das Ansuchen des Herrn von Hagedorn in der Gelegenheit Ihnen zu dienen vorgegriffen hat. Nunmehr will ich meine kleine Schande gern ertragen, denn ich bin überzeugt, daß Ihnen die Nachricht des Herrn Professor Kästners nutzbarer seyn wird, als meine gewesen seyn würde. —

Wegen der Handschrift, aus welcher Opitz den „Lobgesang auf den Erzbischof Anno" genommen, habe ich an Herrn Strauben nach Breslau geschrieben; allein er ist ein so unfleißiger Correspondent, daß ich seit der Michaelismesse keine Zeile von ihm gesehen habe. Doch ich will nicht auf ihn schmälen. Vielleicht hat er sich das Vergnügen gemacht, Ihnen die erlangte Nachricht selbst zu überschreiben, ohne sich erst wieder an mich zu wenden. Wenigstens will ichs zu meiner Ruhe wünschen.

Für den Beifall, mit welchem Sie in Ihrem Briefe meine Schriften beehren, danke ich Ihnen mit der aufrichtigsten Ergebenheit, und freue mich mit Ihnen über die Ehre, welche der Verfasser des „Messias" unsrer Nazion macht. Er hat mir schon in der Michaelismesse das vierte fünfte und sechste Buch zugeschickt, und ich habe überall den großen Verfasser der ersten Bücher angetroffen.

Itzt warte ich mit Ungeduld ihn diese Messe auf einige Tage zu sehen und mich auf ganze Jahre mit ihm satt zu reden. Er hat mir verschiedenes von Ihrer großmüthigen Vorsorge für ihn gemeldet und ich müßte sein Freund nicht seyn, wenn ich dieses erwähnen könnte, ohne Ihnen von Herzen dafür zu danken. Die Proben der „alten schwäbischen Poesie" haben gemacht, daß ich heimlich wünsche, daß das ganze Werk in den Händen, wo es itzt ist, bleiben mag, anstatt, daß Sie gütig genug sind, die Auf[Ab]=

Ansehung der Enkel zu vollziehen. Sollte das Gedicht noch erträglich seyn, so werden mir Ihro Magnifizenz erlauben, daß ich nicht dem Herrn Lieutenant, sondern Ihnen selbst zu Befehle gestanden habe. In diesem Falle ist es mir unmöglich, eine Belohnung anzunehmen. Und Ihro Magnifizenz werden mir die kleine Mühe nicht besser vergelten können, als wenn Sie mir ferner Gelegenheit geben, Ihnen die Ehrfurcht zu zeigen, mit der ich unaufhörlich bin

Ihro Magnifizenz

gehorsamster Diener

Gellert.

_____

2.

An Fr. v. Hageborn. *)

16. Febr. 1744.

Wenn es nach meinem Verlangen gegangen wäre, so würde ich Ihnen schon längstens die besondre Hochachtung zu erkennen gegeben haben, die ich seit vielen Jahren gegen Ew. Hochwohlgebohren trage; allein, aufrichtig zu reden, so hat mich die Furcht, bey Ihnen in den Verdacht einer gewissen Eitelkeit zu fallen, von diesem Vergnügen abgehalten. Es ist mir immer vorgekommen, als ob die Leute, die ohne alle gegebne Gelegenheit anfangen uns von ihrer Hochschätzung zu versichern, nichts Anders damit sagen wollen, als daß wir erkenntlich seyn und sie wieder hochhalten sollen. So begehrlich bin ich zwar nicht; doch kann ich nicht leugnen, daß ich zu gleicher Zeit, indem ich Ihnen

*) (v. Hageborns poet. Werke herausgeg. v. Eschenburg. 1800. Th. 5, S. 220.)

meine Ehrerbietung entdecke, ein Verlangen fühle, Sie unter der
kleinen Anzahl meiner Gönner zu wissen. Vielleicht erfüllen Ew.
diese Sehnsucht; und vielleicht setzen Sie dem Gönner mit der
Zeit noch den Freund an die Seite. Ich würde mir um diese
Ehre alle Mühe geben, wenn es nicht ein Geschenk wäre, das
man mehr erwarten als suchen muß. Herr Ebert mag das
Uebrige hinzusetzen, was ich mit Bedacht auslasse. Man kann
an Ihre Poesie ohne Lobeserhebungen nicht denken; und gleich=
wohl bin ich zu verschämt, einem Manne meinen Beyfall auf=
zubringen, den nur die Kenner rühmen dürfen. Es wird also
am besten seyn, wenn ich weiter nichts sage, als daß ich mit der
vollkommensten Hochachtung bin ꝛc.

Gellert.

3.

An Christiane Eleonore Gellert. *)

L. b. 14. Jan. 1746.

Meine liebe Jungfer Braut,

Unter meinen annehmlichen und sinnreichen Denksprüchen, die
ich immer im Munde zu führen pflege, ist dieser einer der vor=
nehmsten:

Ehestand

Wehestand.

Dadurch will ich den angehenden Eheleuten zu verstehen geben,
daß die beste Ehe nicht ohne Kreuz, und die zufriedenste nicht

---

*) (Gellerts jüngere Schwester, die schon 1747 starb; der an sie
gerichtete Brief, ebenso wie der folgende an ihren Bräutigam,
M. Hochmuth, Pfarrer in Thalheim bei Stollberg, aus:
Gellerts Familienbriefe herausg. von Leuchte. Freiberg. 1819.)

1*

firmamus itaque tibi, Lector, laudatum **Gellertum**
A. CIƆIƆCCXLII. ab Ordine nostro Magistrum Philosophiae
renunciatum, A. CIƆIƆCCXLIV. jura et privilegia ejus dis-
putatione docta de poesi Apologorum et eorum scriptoribus
cum laude sibi vindicasse et ab eo tempore singulis annis
nonnullos juvenes, et inter hos varios illustri sanguine pro-
gnatos, exteros etiam, et ex Italia et Anglia ad nos studio-
rum gratia profectos, linguam, eloquentiam et poesin teuto-
nicam non sine plausu et fructu docuisse. Quemadmodum
autem clarissimus **Gellertus** his recitationibus privatis per
complures annos de studiosa juventute egregie est promeri-
tus et adhuc bene promeretur: ita non minus rempublicam
litterariam variis libris, et prosa et vorsa oratione conscrip-
tis, insigniter ornavit, qui et ingenium ejus venustum et
reconditam doctrinam satis superque produnt, nec sine utili-
tate et delectatione a popularibus nostris avidissime legun-
tur. Manavit etiam praestantia et elegantia scriptorum cla-
rissimi **Gellerti** ad exteros populos, ita ut et Galli et
Dani varia ejus opuscula in suas linguas convertere coepe-
rint et in pluribus convertendis adhuc versentur. Qui qui-
dem popularium nostrorum et externarum gentium in scripta
Cl. **Gellerti** amor, uti non potest non cum ejus laude ac
gloria conjunctus esse: ita nos, qui ejus probitatem, dili-
gentiam, modestiam, aliasque virtutes propius intuemur et
adhuc melius perspectas habemus, non modo in societatem
hujus laudis lubentes venimus, sed etiam ex animo optamus,
ut alia praemia, ejus ingenio venusto et praeclara eruditione
digna, brevi interjecto tempore consequatur.

Scriptum et signatum Lipsiae d. XXIII. Jan. A. R. G.
CIƆIƆCCLL

(L. S.)   *Joannes Erhardus Kappius,*
                        Prof. Publ. et Facult. Philos. h. t. Decanus.

12.

L. d. 24. Mai 1751.

Sie haben mir durch Ihren schönen und langen Brief ein außerordentliches Vergnügen verursachet. Jede Zeile ist voll Freundschaft und Liebe gegen mich, und alles ist die Sprache eines gütigen und edlen Herzens. Wollte Gott, daß ich Ihrer Gewogenheit in ihrem ganzen Umfange werth wäre! Ich will mich bemühen, sie zu behaupten, und Sie durch Erkenntlichkeit nöthigen, der Freund gegen mich zu bleiben, der Sie aus einem geheimen Zuge der Natur geworden sind. In Wahrheit, Herr Hofrath, ich bin ein glücklicher Mensch. Die vortrefflichsten Männer schenken mir von vielen Orten her ihre Freundschaft und ihren Beyfall auf eine Art, die mich über alles entzücket. Aber wie werde ich mich dieses Glücks würdig genug machen! Und womit werde ich mich trösten, wenn ichs in der Fortsetzung meines Lebens durch diesen oder jenen Zufall verlieren sollte.

Sie wünschen, mich von Person zu kennen, und eben dieses, geehrtester Freund, wünsche ich mir auf meiner Seite mit der größten Sehnsucht. Ja, so wenig ich zu weiten Reisen gemacht bin: so fehlt mir doch nichts als eine bequeme und geschwinde Gelegenheit, in einer Woche, in der ich abkommen kann, um eine Reise nach Berlin vorzunehmen; eine blos freundschaftliche und keine gelehrte Reise. Ich möchte Sie gern überfallen; aber wie, wenn Sie gleich zu der Zeit nicht in Berlin wären, da ich mirs einfallen ließe, zu Ihnen zu kommen? Wäre das nicht entsetzlich für mich? Melden Sie mir also, liebster Herr Hofrath, zu welcher Zeit Sie sich in Berlin sicher aufhalten. Ich will beten, daß mich nichts an diesem Vergnügen hindern mag.

Mit meiner extraordinairen Profeßion und einer kleinen Pension hat es nunmehr, Gott sey Dank! seine Richtigkeit, und ich werde dieses ungehoffte Amt gegen Johannis mit einer gewöhnlichen Rede antreten.

Daß Ihnen meine Briefe so wohl gefallen haben, daß mich alles bis auf den Bedienten im Hause liebt; dieß ist mir lieber, als eine Pension. Leben Sie wohl mit Ihrer liebenswürdigen Frau und der jungen Freundin, und schmecken Sie das Vergnügen der Liebe und des menschlichen Lebens nach meinem Wunsche gedoppelt. Ich bin rc.

G.

_____

13.

An den Freiherrn von Crauſſen.*)

L. d. 5. Oct. 1751.

Hochgebohrner Freyherr,

Gnädiger Herr,

Sie erweisen mir zu viel Ehre, daß Sie Ihre Manuscripte meiner Critik unterwerfen. Ich bin ein furchtsamer Scribent, und ein eben so furchtsamer Richter. Nichts ist mir schön genug, so lange ich noch etwas schöners denken kann; daher zittere ich bey allen Kleinigkeiten; und so sehr ich auch die Verdienste verehre, die Sie, gnädiger Herr, um die Wissenschaften haben:

_____

*) (Carl Wilhelm Christian Freiherr von Crauſſen, Erb= Lehn= und Gerichtsherr auf Schönwald und Sechskiefer, im Deſſ= Bernſtädtiſchen geboren 1714; seit 1745 Oberhofmeiſter der verwittweten Herzogin zu Bernſtadt; 1757 Sachſen=Coburg=Meiningenſcher Geheimerath, geſt. 1772. Gellerts Briefe an ihn zuerſt gedruckt im Wittenbergiſchen Magazin, 1781, St. 1., ſodann in: Zweiter Nachtrag zu Gellerts freundſchaftlichen Briefen. Berl. 1781. Danach ſind die hier mitgetheilten abgedruckt.)

so bin ich doch zugleich Ihrer Meinung, daß Ihre Werke, so, wie sie jetzt sind, noch zu flüchtig gearbeitet sind, als daß sie sich im Drucke einen allgemeinen Beyfall sollten erwerben können. Sie kennen die Strenge und die Spöttereyen der Kunstrichter, und auch, ohne mich, das Mittel ihnen zu entgehn:

Craignez-vous pour vos vers la censure publique?
Soyez-vous à vous-même un sévère Critique.
Faites-vous des Amis promts à vous censurer.

Hâtez-vous lentement, et sans perdre courage,
Vingt fois sur le métier remettez votre ouvrage.
Polissez-le sans cesse, et le repolissez.
Ajoutez quelquefois, et souvent effacez.

Diese Regeln des Boileau und Horazes haben mir bey meinen geringen Versuchen vortreffliche Dienste gethan. Genug, so wenig ich Ihnen zu einer schleunigen Ausgabe Ihrer Manuscripte rathe, so sehr verehre ich Ihre Gelehrsamkeit, Ihren Eifer für die Wissenschaften, und Ihren großen Fleiß; dieses ist alles, was ich zu sagen weiß.

Für Ihr großmüthiges Anerbieten sage ich Ihnen unterthänigen Dank; ich verdiene es nicht, und ich würde unruhig seyn, wenn ichs nicht verdienen könnte. Indessen will ich die kleinen Familien=Fragen, die Ewr. Hochgeb. an mich gethan, kurz beantworten. Mein Einkommen, wenn ichs nach dem rechne, was ich jährlich brauche, beläuft sich ungefähr auf fünf bis sechshundert Thaler; und ich danke Gott, wenn ich durch Collegia und andre Arbeiten so viel gewinne. Ich habe seit Ostern eine Pension vom Hofe; diese beträgt nur Hundert Thaler. Ich bin fünf und dreyßig Jahr alt, unverheyrathet, und habe für niemanden sehr zu sorgen, außer für meine fromme und alte Mutter. Sie ist hoch in siebenzig; ich liebe sie unendlich und es ist

mein Vergnügen, und meine Schuldigkeit, alles, was ich nur
kann, zu ihrer Bequemlichkeit und Zufriedenheit bey zu tragen.
Sie hat kein Vermögen; und wie sollte eine Mutter Vermögen
haben, von der fünf Söhne studirt haben? Eine Schwester von
mir, die schon seit vielen Jahren Wittwe ist, wartet und pflegt
sie in ihrem Alter — — Ich breche ab, damit ich nicht in den
Fehler verfalle, den man gemeiniglich begeht, wenn man von
seinen eigenen Umständen, oder von seiner Familie reden soll.
Ja, ich würde Ihre Fragen gar nicht beantwortet haben, wenn
ich sie nicht als Befehle angesehen hätte. Die Beschreibung, die
der Herr von Reck von mir gemacht, ist viel zu vortheilhaft; ich
wünsche das blos zu seyn, was er glaubt, daß ich bin.

Uebrigens danke ich Ewr. Hochgeb. für die Mittheilung Ih‑
rer Manuscripte, und für das Vertrauen, dessen Sie mich haben
würdigen wollen, mit der größten Erkenntlichkeit, und erwarte
den Befehl von Ihnen, wohin ich Ihre Schriften schicken soll.
Ich bin zu wenig, als daß ich etwas zur Verschönerung dersel‑
ben sollte beytragen können; ich bin auch zu weit von Ihnen
entfernet, und Sie werden in der Nähe schon scharfsichtige und
aufrichtige Freunde und Kenner haben, deren Urtheile Sie trauen
können. Würde ich diese Sprache wohl reden, wenn ich weni‑
ger Ehrerbietung für die Verdienste Ewr. Hochgeb. und weniger
Aufrichtigkeit besäße? Ich bin mit der vollkommensten Hoch‑
achtung und Ergebenheit

Ewr. Hochgebohren

gehorsamster Diener
C. F. Gellert.

14.

An Borchward.

L. b. 15. Oct. 1751.

Bin ich nicht mehr Ihr Freund, seitdem Sie mich von Person haben kennen lernen, oder was ist die Ursache, daß ich seit einem halben Jahre keine Zeile von Ihnen gesehn habe? Ich weiß wohl, daß ich hätte schreiben sollen; allein ich habe doch das Verdienst auf meiner Seite, daß ich in Berlin gewesen bin, daß ich, beynahe bloß aus Freundschaft für Sie, eine weite Reise gethan habe; und mit diesem Gedanken läßt sich eine Nachläßigkeit im Schreiben schon entschuldigen. Genug, ich sehne mich gar zu sehr nach einer Nachricht von Ihnen, und Sie können mir sie ohne Ungerechtigkeit nicht wohl versagen. Schreiben Sie mir nur, daß Sie mit Ihrer lieben Frau noch so leben, wie ich Sie in Berlin gefunden habe, daß Sie mich noch lieben: so ist alles gut, wo nicht, so komme ich noch einmal nach Berlin, und trete gar bey Ihnen ab. In Wahrheit, lieber Herr Hofrath, es ist mir in Ihrer Stadt so viel Ehre wiederfahren, daß ich leicht zu entschuldigen wäre, wenn ich wieder käme; und ich glaube sicher, daß ich an keinem Orte in ganz Deutschland so viel Freunde und Gönner habe, als eben in Berlin. Wie komme ich zu diesem Glücke, und wodurch werde ichs beständig machen können? Tragen Sie, wenn ich bitten darf, das Ihrige dazu bey, und empfehlen Sie mich allen den Herren, die ich durch Ihre Vermittelung habe kennen lernen, auf das verbindlichste. Ich weiß zwar ihre Namen nicht, aber desto sicherer ihre Verdienste und Charaktere. Nichts kränkt mich mehr, als daß ich den Herrn Geheimbenrath Buchholz, von dem alle Welt so viel Gutes erzählt, nicht habe sehn sollen. Bezeigen Sie ihm in meinem Namen alle die Hochachtung, die ich einem so großen Manne schuldig bin. Ihrer Frau Liebste können Sie nicht genug sagen, wie hoch ich sie schätze. Sie sind ein glücklicher Mann, das sage ich allen Leuten, und bin mit dem größten Vergnügen zeitlebens ꝛc.

C. F. G.

15.

An den Freiherrn von Crauffen.

L. d. 2. Dec. 1751.

Hochgebohrner Freiherr,

Ihr sehr schöner Brief hat mich um desto mehr vergnügt, je mehr ich gefürchtet, ich möchte Sie durch meine gar zu große Offenherzigkeit beleidiget haben. Allein warum habe ich dieses gefürchtet? Hätte ich nicht wissen können, daß derjenige den Tadel am ersten verträgt, der das Lob verdienet?

Fear not (spricht Pope) the anger of the wise to raise,
Those best can bear reproach, who merit praise.

Ja ich habe dieses gewußt; allein ich habe nicht gewußt, ob ich meine Critik mit aller der Bescheidenheit vorgebracht, mit der man seine Urtheile allemahl begleiten soll. Man muß auch da noch mit einem anscheinenden Mißtrauen in sich selbst sprechen, wenn man gleich gewiß ist; damit man nicht in die stolze Sprache eines Kunstrichters verfalle, welche, troz aller Wahrheit, eine Beleidigung bleibt. Ich war Ihrem Stande, Ihrer Gelehrsamkeit, den edlen Absichten, die ich in Ihren Schriften fand, Ihrem Vertrauen, und Ihrer besondern Gewogenheit zu mir, mehr Behutsamkeit, und auch mehr sanfte Aufrichtigkeit schuldig, als ich gebraucht haben würde, wenn ich einem meiner Freunde mein Urtheil über seine Schriften hätte eröfnen sollen. Dieses hat mir bange gemacht. Ich wußte auch, was man dem Heldengedichte Ewr. Hochgeb. für einen Lobspruch ertheilet, das Verdienste genug hat, wenn es nur einen andern Nahmen führte. La France d'après Nature ꝛc. bin ich begierig zu lesen. Mich deucht, Sie schreiben stärker und gefälliger in dieser Sprache, als in der deutschen; und wie selten findet man einen Scribenten, der in verschiedenen Sprachen gleich richtig, genau und schön sich ausdrückt! Ihre kleine Satyre auf meine gar zu große Autorbescheidenheit will ich verdient haben; weil sie in Versen ist. Ich bin nichts weniger als unempfindlich gegen den Beifall der Klugen, und alsdenn gegen der Welt ihren; ich fühle ihn nur gar zu sehr; allein ich weis auch, wie schwer er zu verdienen, und noch mehr, wie schwer er in die Länge zu behaupten ist; dieses macht mich mitten in dem Kützel des Lobes bescheiden, demüthig, oft gar verzagt. Darum, daß dieses Werk gut gerathen ist, weis ich noch nicht, ob das folgende auch glücken wird; denn ein jedes verlanget seine besondern Regeln, und diese Regeln lehrt uns mehr die Empfindung, als der Verstand; und was haben wir weniger in der Gewalt als unsre Empfindung? Ich sage oft zu mir, um mich zu demüthigen:

Gesezt, daß tausend sich im Ernst für dich erklären;
Gesezt, dein Ruhm ist groß, wie lange wird er währen?
Ein Herz, das diesen Tag bey deinem Nahmen wallt,
Wird oft den folgenden bey deinem Nahmen kalt.
Man wird es endlich satt, dich immer hoch zu achten,
Und hört schon denen zu, die dich zu stürzen trachten.
Entgeht ein Sterblicher wohl je der Tadelsucht?
Ist nicht des andern Neid selbst deines Ruhmes Frucht?
Der Kluge wird an dir bald wahre Fehler merken,
Und mit erdichteten wird sie der Neid verstärken.
Man hört den Spötter an und liebt ihn noch dazu;
Denn daß du Fehler hast, gehört zu unsrer Ruh.

Ich will Ihre Manuscripte behalten, bis ich eine Gelegenheit
finde sie dem Hrn. v. Reck zu übersenden. In den Augen eines
Freundes, der weis, daß wir in der Eil zu unserm Vergnügen
bey der Menge anderer Geschäfte gearbeitet haben, ist ein Aufsatz, eine Schrift, immer noch schön und lesenswerth, wenn sie
gleich für die Kunstrichter in der großen Welt nicht vollkommen
genug ist. Wenn ich Ihre übrigen Verdienste um die Wissenschaften und den Staat hätte, gnädiger Freyherr, wie wenig
würde ich mich um den ungewissen Ruhm eines Autors bekümmern! Ich würde die Ehre, ein Gönner, ein Beförderer, ein
Beschützer, ein Kenner der schönen Wissenschaften und des Geschmacks zu seyn, höher schätzen, als den Ruhm eines Autors,
eines Geschöpfs, dergleichen die Welt nur wenige braucht, und
die das, was sie sind, zumal in der Beredsamkeit und Poesie,
mehr durch eine Freygebigkeit der Natur, und durch gewisse zufällige Umstände, als durch ihre eignen Verdienste sind. Haben
Sie nicht den ersten Ruhm? Und wollen Sie denn den andern
in allen Arten der Beredsamkeit und Dichtkunst haben? Ist das
nicht zu viel gefordert? Verlangt nicht jede Kunst, und oft in
jeder Kunst eine besondere Gattung derselben, einen Mann allein?
War la Fontaine, Molière, Racine, und tausend andere, waren
sie in allen Gattungen der Gedichte, Schöpfer, und Autors?
Vergeben Sie mir meine beredte Aufrichtigkeit. Ihr Ansehn,
Ihre Verdienste sind mir zu kostbar, als daß ich in die Ausgabe
Ihrer Manuscripte, so wie sie sind, willigen sollte. Ich schätze
Ihre Freundschaft unendlich hoch; allein ich will sie lieber verlieren, als wider meine Empfindung Ihre Manuscripte von gewissen Fehlern frey sprechen. Endlich komme ich zu einer Stelle
in Ihrem Briefe, die mein ganzes Herz bewegt. Sie wollen
meiner alten Mutter eine kleine jährliche Pension ertheilen. Gott
welche Freude wird sie über diese seltne Grosmuth haben! Wie
wird sie die göttliche Vorsehung preisen und für ihren Wohlthä-

ter mit zitternden Händen beten! Aber wer weis, wird diese Freude nicht selbst ihrer Gesundheit schädlich seyn? Sie wird fragen, wie sie zu diesem Glück kömmt. Sie wird es mir nicht glauben, daß ein Frembder freywillig so grosmüthig seyn kann; sie wird weinen — — Ich liebe meine Mutter zu sehr, als daß ich ihr Alter nicht auf alle Art möchte erleichtert und versüßt wissen; aber wenn ich nun Ihr Anerbieten annehme, wodurch werde ich dankbar seyn können? Dieß ist mein Kummer! — Nicht viel, liebster Herr Baron, das bitte ich; und wünsche Ihnen alle das Vergnügen einer guten That, das immermehr eble Herzen schmecken können. Meine Mutter wird nicht lange mehr leben — — Ich werde unruhig, je mehr ich vergnügt seyn sollte. Warum soll ich Sie nicht von Person kennen? Ich bin mit der vollkommensten Hochachtung und Erkenntlichkeit, u. s. f.

Chr. Fürchtegott Gellert.

16.

An Borchward.

L. d. 21. Dec. 1751.

Ihr Unfall hat mich nicht sehr gerührt; aber den habe ich bedauert, der so niederträchtig hat seyn können, sich sein Glück durch den Verlust des Ihrigen zu erkaufen, und weder den Vorwurf des Vernünftigen, noch seines eignen Herzens zu scheuen. Wie Sie unglücklich seyn, ist in einem gewissen Verstande ein Glück, und den Unfall, wie Sie, ertragen, ist eine Ehre, und eine sichere Anwartschaft auf ein größer Glück. Freylich muß es sehr weh thun, sich verleumdet, und eben dadurch sich eines Amtes entsetzet zu sehn; aber die Unschuld ist doch allezeit ein heim-

licher Trost, auch ehe sie gerettet wird, und Sie haben nunmehr
schon die Belohnung, sie gerettet zu sehen. Wie freue ich mich
darüber! Ja, Herr Hofrath, Sie haben Recht, es giebt eine
gewisse Weisheit, die uns alle Schulen nicht lehren können, eine
Stärke des Geistes, die wir selten in freudigen Tagen, und bey=
nahe allein in Ungewittern, erhalten. Kurz, es giebt gewisse
traurige Begebenheiten in dem System unsers Lebens; anfangs
sind sie schreckliche Räthsel, und nach und nach klären sie sich in
lauter helle Beweise der göttlichen Vorsehung auf, machen unsern
Verstand heitrer und unser Herz fester. Eines solchen Unglücks
waren Sie werth, Sie und Ihre liebe Frau. Warum kann ich
doch nicht in dem Augenblicke bey Ihnen Beyden seyn, und mit
Ihnen über Ihr Unglück und über Ihren Feind triumphiren?
Doch was? noch einmal bey Ihnen zu seyn? So gut wird mirs
wohl in meinem Leben nicht mehr werden, so wenig ich Sie
auch bey meinem kurzen Aufenthalte in Berlin genossen habe.
Aber warum beschweren Sie sich so sehr über meine finstre Miene?
Wie, wenn ich mich über Ihre damals traurige beschwerte? Es
ist wahr, ich bin in Berlin nicht sehr zufrieden gewesen; aber
mein Körper, die weite Reise, und die zu kurz angesetzte Zeit
zur Reise waren Ursache und nicht der Ort. Ich war unzufrie=
den mit mir, und war es um desto mehr, je mehr ich sah, daß
es meine Freunde bemerkten. Vergeben Sie mir den Fehler, ich
habe am meisten dabey verlohren. Ueberhaupt, Herr Hofrath,
bin ich auf meinen Reisen unglücklich. Ein gewisser Begriff,
eine vortheilhafte Meynung, die meine Schriften von mir erwe=
cken, geht voran. Man hofft, den scherzhaften, den muntern
Mann zu sehn, den man in dieser oder jener Stelle angetroffen
hat; man glaubt etwas zu sehn, das man sich selbst entworfen
hat, und man sieht das Gegentheil, man sieht eine ernsthaft
finstre Stirn, man hört einen Mann, der wenig redt, und man
glaubt, er würde viel reden, und lauter Sachen, des Druckes

werth, reben. Diefes bemerke ich, ich fühle es, und fehe, daß ich meinem Namen felber im Wege bin, oder wenigftens fehe ich, daß der Name eine gewiffe Laft ift, die ich zu der Zeit am wenigften tragen mag.

Ich foll den Winter wieder fchreiben? Nein, diefen Winter und vielleicht viele Winter und Sommer nicht. Warum hat man mir ein öffentlich Amt gegeben? Ich habe es zum voraus gewußt, daß das Amt den Autor verdrängen würde; denn ich bin ein Genie, das durch eine einzige gemeßne Befchäftigung zu den andern ungefchickt gemacht wird. Unglück genug für mich, oder doch Demüthigung genug! Der Gedanke, morgen werden dir wieder hundert Perfonen (denn mehr gehn nicht in meine Stuben) zuhören, und wie willft du fie unterhalten, und was wird das Befte, das Nöthigfte von den Dingen feyn, die du ihnen fagen könnteft? der Gedanke, du mußt dir Mühe geben, fitzen, ftudiren, mühfam lefen, fchon der Gedanke, ohne die Ausführung deffelben, raubt mir die Munterkeit, die Leutfeligkeit, die zu den Schriften des Gefchmacks, wo die Natur herrfchen foll, fo nöthig ift. Nunmehr mögen die witzigen Köpfe fchreiben, die jünger und kühner find, als ich. Ich will fie lefen, und die Welt ihre Verdienfte fchätzen lehren. Aber was fchwatze ich fo viel von mir? Leben Sie wohl. Ich wiederhole alle meine Empfehlungen aus dem vorigen Briefe, infonderheit an den Herrn Geh. R. Buchholz, Herrn Sack ꝛc. und über beyde an Ihre liebenswürdige Frau, und bin ꝛc.

G....

17. *)

[L. vermuthlich Dec. 1751.]

Liebe Mutter,

Freuen Sie Sich, ich habe Ihnen eine gute Nachricht zu melden; aber ich werde Ihnen nicht gleich sagen, wen sie angeht. Nein, ich will den Ausgang wie die Romanschreiber verbergen, und Sie erst durch den Eingang meiner kleinen Geschichte neugierig machen. Vor einigen Wochen schrieb der Baron Crausen in Schlesien, den ich nicht kenne, einen Französischen Brief an mich, und bat mich, unter vielen Lobsprüchen, um mein Urtheil über gewisse Schriften von seiner Arbeit, die er wollte drucken lassen. Ich sah die Werke an, und fand sie des Druckes nicht werth. Dieses schrieb ich ihm, und sagte mit großer Bescheidenheit, daß sie mir nicht gefielen. Die andere Hälfte seines Briefs bestand aus Anerbietungen. Er versicherte mich, daß er mir gar zu gewogen wäre, daß er mir gar zu gerne dienen wollte, und daß ich ihm eine Freude machen würde, wenn ich ihm eine Gelegenheit dazu gäbe. Er wollte sich deswegen die Freyheit nehmen und einige vertraute Fragen an mich thun: — ob ich verheirathet wäre, ob ich Kinder hätte, wie hoch sich meine Einnahme beliefe, ob ich jemanden zu versorgen hätte. Ich beantwortete diese Familienfragen sehr kurz, bedankte mich für seine Großmuth, und bat, daß er sie in Freundschaft verwandeln möchte. Ich glaubte, er wollte durch seine Gefälligkeit nur meinen Beyfall und meine Erlaubniß, sich drucken zu sehen, erkaufen; ich schlug also alles aus; denn ich hätte zu seiner Autorhitze nicht ja gesagt, und wenn er mir ein ganzes Ritterguth angeboten hätte. Ich konnte natürlicher Weise keine gute Wirkung von meiner Antwort vermuthen; dennoch ist sie erfolgt.

*) (Gellerts Familienbriefe.)

Der Herr Baron schrieb mir, und war über meine grausame Aufrichtigkeit beschämt und entzückt zugleich. Kurz er glaubte, daß ich recht hätte, und daß ihn die Schmeichler zur Unzeit gelobt hätten. Er kränkte sich, daß ich seine Anerbietungen ausgeschlagen hatte, und fragte mich, ob ich ihm nicht erlauben wollte, daß er Ihnen, liebe Mama, jährlich eine kleine Pension bis an Ihr Ende aussetzen dürfte. Diese Erlaubniß habe ich ihm gegeben, weil sie für mich rühmlich ist. Ja, liebe Mama, ich freue mich, daß ein Fremder, der mich nicht anders als den Schriften und dem Rufe nach kennt, mir dadurch seine Achtung und seine Liebe zu erkennen geben will, daß er gegen Sie aufmerksam und gütig ist. So hat der Ruhm, der beschwerliche, mir oft entsetzliche Ruhm, doch endlich etwas ausgerichtet, das mir lieb seyn muß. Der Herr Baron Crausen hat Ihnen jährlich 50 Gulden ausgesetzt, und mich an ein Paar Breslauer Kaufleute gewiesen, bey denen ich in der Leipziger Oster= und Michaelis=Messe das Geld gegen einen Schein heben lassen soll. Damit Sie nun seine Freygebigkeit gleich genießen, so schicke ich Ihnen die Hälfte der Pension, welche zu Ostern gefällig ist, nämlich 25 Gulden, zum voraus. Ich kann den Verlag sehr leicht über mich nehmen, weil ich meine Pension aus Meißen auf ein halbes Jahr unlängst erhalten habe; und noch dazu einen Termin, der älter ist, als der Befehl, auf den ich nicht habe hoffen können, weil ich nicht wußte, von welcher Zeit an meine Pension, die vor mir ein Professor in Wittenberg gehabt hat, erledigt worden; denn es stand im Befehle: Von der Zeit an, da die Pension offen worden. Gott sey für alles gepriesen! Er gebe Ihnen ruhige Feyertage, und ein gesundes und zufriedenes neues Jahr! Dieses wünsche ich von Herzen und bin

Ihr   lieber Sohn

C. F. Gellert.

18.

An den Freyherrn von Crausser.

L. den 12. Jan. 1752.

Hochgebohrner Freyherr,

Sie thun mir Unrecht, wenn Sie glauben, daß ich über Ihren Brief empfindlich geworden wäre. Nein, nicht einen Augenblick. Gleichwohl muß ich Ihnen durch meine Antwort Gelegenheit zu diesem Verdachte gegeben haben, und es ist meine Schuldigkeit, Ihnen diesen Fehler abzubitten; er mag nun aus der Eilfertigkeit, mit der ich den Brief geschrieben, oder aus einer unzufriednen Stunde hergekommen seyn. Aber vielleicht haben Sie auch meine Bescheidenheit und den Kummer, daß Ihnen Ihre Großmuth gegen meine Mutter in die Länge beschwerlich fallen könnte, für Unzufriedenheit angesehn. Glauben Sie nicht, daß es schmerzt, wenn man eine Frergebigkeit von einem rechtschaffenen Manne annehmen soll, ohne ein Mittel zu haben, ihm seine Erkenntlichkeit zu zeigen? Aber, werden Sie sagen, ich habe es Ihnen ja freywillig, und ohne Gegendienste zu hoffen, angeboten. Gut, liebster Herr Baron, wenn ich Ihnen dadurch einen Beweis von meinem Vergnügen über Ihre außerordentliche Vorsorge gegen meine Mutter geben kann, daß ich in Ihre großmüthigen Gesinnungen willige, und die von Ihnen bestimmte jährliche Pension von 50 Gulden annehme: so will ichs diesen Augenblick mit der größten Dankbarkeit thun. Glauben Sie nur, daß Sie diese Wohlthat der dankbarsten Frau erweisen, die nicht aufhören wird, Ihnen die Belohnungen von Gott zu erbitten, die man der Großmuth gönnt. Ich kann es nunmehr kaum erwarten, ihr diese erfreuliche Nachricht zu geben, die ihr doppelt lieb seyn muß, da sie solche von mir erhält.

Ja, der Autor der metallurgischen Chymie ist mein Bruder, und ein paar Jahr älter, als ich. Er ist ehemals Professor Ad-

junctus in Petersburg zehn Jahr gewesen, und seit fünf oder
sechs Jahren mit dem Professor Heinsius wieder zurück gekommen. Er lebt in Freyberg bey dem Bergwerke, welches seine
Sache ist, und genießt eine kleine Pension vom Hofe. Er ist
nicht zufrieden, daß man ihm keine ordentliche Stelle im Bergs
collegio giebt, die man ihm versprochen hat; und da er einige
gute Vorschläge nach Neapolis zu gehen, bekommen hat: so weiß
ich nicht, ob er sie nicht annehmen dürfte. Er hat mir schon
lange befohlen, Sie von seiner Hochachtung und Ergebenheit auf
das feyerlichste zu versichern. Mein Bruder, der Fechtmeister,
dankt Ihnen gehorsamst für den rednerischen Glückwunsch, und
empfielt sich Ihrem gnädigen Wohlwollen.

Aber was haben Sie in Ihrem neuen Werke Gutes von mir
gesagt? Nur nicht zu viel. Unterdrücken Sie lieber Ihren Lobspruch, als daß Sie mich dem Neide aussetzen. Glauben Sie
nicht, daß ich so begehrlich gewesen bin, dieses Werk im Manuscripte zu lesen; nein, ich bat nur um ein gedrucktes Exemplar,
und dieses werden Sie mir zu seiner Zeit nicht versagen. Ich
verspreche Ihnen eben diese Autorfreygebigkeit, so bald ich wieder
etwas heraus gebe; doch fürchten Sie sich nicht, es wird nicht
so bald geschehn, ich bin des Autors ziemlich müde. Ich sehe
unter Ihren Manuscripten eine poetische Erzählung von dem
Cosackischen Mädchen; ich schließe daraus, daß Ihnen das Leben
der schwedischen Gräfin nicht mißfallen hat. Darf ich Ihnen
sagen, daß ichs geschrieben habe? Sie haben Recht, wir machen
die Posten reich, wenn wir unsern Briefwechsel so fleißig fortsetzen. Ich will Ihnen also versprechen, nicht eher wieder zu
schreiben, bis Sie es ausdrücklich verlangen. Vielleicht reise ich
auf einige Tage nach Hause, um meine liebe Mutter mit der
freudigen Nachricht selbst zu überfallen. Wie schön wird sie
erschrecken! Leben Sie wohl, liebster Herr Baron, glücklich bis
zum Neide! Gönnen Sie mir ferner Ihre Gewogenheit.

R *

Ich bin mit der vollkommenſten Hochachtung und Freundſchaft,

Ihr

ergebenſter

Gellert.

19.

An denſelben.

L. 16. Febr. 1752.

Hochgebohrner Freyherr,

Sie beſchämen mich durch die edelſte Art des Wohlwollens,
mit der Sie fortfahren, mich zu beehren; und ich bin unruhiger,
als jemals, daß ich kein Mittel weis, Ihnen meine Ergebenheit
und Dankbarkeit zu beweiſen. Ich weis zwar, daß Sie zu groß
ſind, die lezte von mir zu verlangen oder zu erwarten; aber
darum hört weder das Verlangen, noch meine Verbindlichkeit
auf, ſie Ihnen zu zeigen. Doch was beunruhige ich mich? Sie
wiſſen es gewiß, daß ich ein Herz habe, welches gegen Rechtſchaffenheit und Großmuth empfindlich iſt; Sie würden außerdem
weder mein Freund noch Gönner ſeyn. . . . .

Wer iſt der Gelehrte, der ſolche beträchtliche Critiken über
Ihr Manuſcript angeſtellt hat? Wohl dem Buche, in dem man
nichts tadeln kann, als daß der Verfaſſer nehmlich und nicht
nämlich ſchreibt! Ich will es gern glauben, daß Ihr Richter
aufrichtig geurtheilt und gelobet hat; aber eben deswegen hätte
er nicht an ſo unausgemachte Kleinigkeiten denken, ſondern lieber nichts tadeln ſollen. Die Gewiſſensfreyheit in der Recht-

schreibung müssen wir gelehrten Männern allemal lassen. Ihre Sprache kann immer schön und richtig seyn, wenn gleich die Buchstaben nicht in allen Worten den unsern gleichen. Darf ich fragen, hochzuehrender Herr Baron, wie stark dieses Werk ungefähr werden dürfte; was sein genauester Inhalt ist; und was Sie dem Verleger für Bedingungen vorschreiben? Doch was frage ich? Es wird Ihnen nicht an Verlegern fehlen. Für die Druckfehler wollte ich beynahe stehen, wenn ich einen Verleger hier in Leipzig wüßte. Allein dieses Geschlecht sucht nicht bloß gute Schriften, sondern Schriften, die sie bald reich machen. Und wo sie dieses nicht vermuthen, so fehlt dem Manuscripte alles.

Ihr Urtheil über die schwedische Gräfin bemüthiget mich, und doch danke ich Ihnen unendlich dafür. Einem Manne, der seinen Tadel nicht zurück hält, dem kann ich bey solchem Lobe desto zuversichtlicher trauen. Den ersten Theil habe ich in meinem Herzen, und auch gegen meine Freunde oft verklagt. Den andern kann ich leiden und lesen.

Ich bin mit der ersinnlichsten Hochachtung

Ewr. Hochgebohren

gehorsamster Diener

C. Fürchtegott Gellert.

20.

An denselben.

L. d. 15. März 1752.

Sie wollen mir Ihre Politik zuschicken, Herr Baron? Wie sehr gefalle ich mir bey dem Vertraun, das Sie in mich setzen!

und wollte doch der Himmel, daß ichs nach meinem Wunsche,
und vollkommen, erfüllen könnte! Ja, gütiger Gönner und
Freund, schicken Sie mir Ihr Manuscript, ich will die Durchsicht
über mich nehmen, den Druck und alles das besorgen, was mir
Ihre Ehre, Ihr Vertrauen, der Geschmack, Hochachtung und
Ergebenheit befehlen. Ich will stolz seyn, wenn Ihr Werk den
Beyfall der Kenner erhält, und in Ihrem Ruhme eine Wollust
fühlen, die mir mein eigener nicht gewähren kann. Es soll nach
Ihrer Ausrechnung dreyßig gedruckte Bogen betragen? Wird
dieses nicht schon ein sehr starker Octavband seyn? wird sich nicht
mancher Verleger an die Stärke des Werkes stoßen? Und wie,
wenn ich eben deswegen nicht so glücklich bin, einen zu finden?
Doch ich mag diesen Gedanken nicht wissen, der meiner Begierde,
Ihnen zu dienen, so sehr zuwider ist. Ich will keinen Groschen
für das Manuscript fordern, wenn ich nur einen guten Verleger
auftreibe. Haben Sie Varrentrappen den Titel des Buchs gemeldet? Wenn dieses ist: so wird Ihr Name nicht verschwiegen
bleiben. Ich kenne Herrn Varrentrappen. Politik für die Prinzen, scheint mir kein guter Titel zu seyn; der andere scheint mir
zu poetisch. Vielleicht finden Sie einen Titel, der eben so viel
in andern Worten sagt. Ich bin unruhiger, als wenn ich selbst
ein Autor werden wollte; und meine Unruhe ist nichts, als Hochachtung und Liebe. Dieses sage ich Ihnen auf mein Gewissen.
Ich weiß es gewiß, daß Gründlichkeit und Gelehrsamkeit in Ihrer
Schrift herrschen werden; und wie froh will ich seyn, wenn die
Schreibart, der Vortrag, eben so lebhaft, so schön, so natürlich
neu sind, als die Sachen gründlich sind! Auf diese Weise muß
das Buch (lectorem delectando pariterque monendo) nothwendig gefallen. Möchte es doch an Ihrer Schrift wahr werden, was
unser Horaz von einem vortrefflichen Werke überhaupt prophezeyht:

Hic meret aera liber Sosiis, hic et mare transit
Et longum noto scriptori prorogat aevum.

)ch es ist wohl nicht allemal gewiß, daß ein gutes Buch ben
rleger reich machet, und über das Meer, oder zu ben Auslän=
n, geht. Indessen erlebe ich diese Freude, diese vielleicht un=
:biente Ehre, an meinen kleinen Werken, und ich wollte sie
:n mit Ihnen theilen, allein mit Ihnen, Herr Baron. Eben
t, erfahre ich durch eine Nachricht von dem Herrn Professor
irtner in Braunschweig, daß die schwedische Gräfin in Conben
bas Englische übersetzt wird, und zwar durch die Besorgung
f Verfassers der Clarissa, des Herrn Richardsons. In bem
:rcure de France habe ich unlängst gelesen, daß der größte
:eil meiner Fabeln und Erzählungen in Frankreich durch ben
rrn von Riverie, einem Mitgliebe der Akademie zu Amiens,
:rsetzt und nachgeahmt ist. Die erste Fabel war eingerückt
b ungleich besser, als die Straßburger französische Uebersetzung.
rr Klopstock, der Verfasser des Messias, hat mir schon im vo=
ten Jahre gemeldet, daß meine Fabeln recht gut in bas Dä=
:che übersetzt seyn sollten, nebst etlichen Comödien; von welchen
ch zwo zu Paris im vorigen Jahre übersetzt seyn sollen; allein
habe sie noch nicht gesehn. Vielleicht verschönern mich meine
bersetzer, vielleicht verschlimmern sie mich. Beschwerlicher Ge=
nke der Eitelkeit! Wie oft wünsche ich heimlich unbekannt zu
n! Aber so hätte ich ja Ihre und vieler andern wackern
änner Gewogenheit nicht erlangt — — Ich bin mit der
innlichsten Hochachtung

Ewr. Hochgebohren

gehorsamster Diener
Gellert.

8. Für den überschickten Wein banke ich Ihnen gehorsamst.
Woburch verdiene ich boch Ihre Vorsorge in einem so
hohen Grade; und woburch werde ich sie künftig verdie=
nen können? Gott gebe, daß mich diese Arzney gesund
mache, und baß es der Hand wohl gehe, aus der ich sie
erhalten habe!

31.

An denselben.

L. d. 2. März 1752.

. . . .

Ich habe diese Feyertage meine gute Mutter in Haynchen, denn so heißt meine Vaterstadt, besuchen, und mich oft, mit ihr von Ihnen, liebster Herr Baron, unterhalten wollen; allein das ganze System meiner eingebildeten Freude ist seit etlichen Wochen zerstöret worden. Mein Hypochonder quälet mich in diesem unglücklichen Monate außerordentlich, und am meisten in der Nacht. Nunmehr darf ich keine Reise von acht Meilen bey einer so üblen Jahrszeit wagen; und gleichwohl ist der Mangel der Bewegung keine geringe Ursache meiner Beschwerung. Ich bitte Gott, daß er Sie das Uebel, das Sie ehedem ebenfalls gedrückt hat, nie wieder wolle fühlen lassen, und daß mich die Arzney, die Ihnen geholfen hat, und die ich von Ihrer Hand empfangen habe, wenn es möglich ist, wieder herstellen mag. Ich danke Ihnen so oft dafur, als ich davon trinke. Vielleicht gehe ich diesen Sommer in ein Bad; denn was ist das Leben der Menschen ohne die Gesundheit?

Auf Ihr Manuscript freue ich mich, und Ihre Gewogenheit ist auch in meinen traurigsten Stunden noch eine Art der Beruhigung für mich. Ja, sie wird dereinst in meinem Leben, wenn es meine Freunde der Welt erzählen, die merkwürdigste und rühmlichste Begebenheit seyn. Ich bin mit der vollkommensten Hochachtung und Ergebenheit

Ewr. Hochgebohren

verbundenster Diener und Freund

C. F. Gellert.

22.

An denselben.

L. d. 19. März 1752.

Hochgebohrner Freyherr,

Die Unruhen der Messe, und eine Reise, die ich zu meiner Gesundheit nach Dresden gethan, haben mich verhindert, Ihnen eher, als heute, zu antworten. Und was soll ich Ihnen, theuerster Freund und Gönner, auf alle die schönen Briefe sagen, die ich seit etlichen Wochen von Ihnen erhalten habe, insonderheit auf den letzten, in welchem Ihr edles und großgesinntes Herz so nachdrücklich gesprochen hat? Ein Mann, der im Unfalle so denkt, wie Sie, ist es werth, daß man ihn verehrt und nachahmt. — — Sie haben in eben diesem Briefe mich durch allerhand vortreffliche Regeln angewiesen, die Hypochondrie zu ersticken, und ich bin sehr von dem Werthe Ihrer Vorschriften überzeugt, je mehr ich sie aus eigner zwölfjähriger Erfahrung habe kennen lernen. Demungeachtet will es mein Schicksal seit neun Wochen haben, daß ich diese Plage gedoppelt und durch Geduld ein Uebel verehren soll, das ich durch die gewöhnlichen Hülfsmittel nicht dämpfen kann. Meine Reise ist elend gewesen, und alles Vergnügen des Frühlings, der Freundschaft, des Umgangs, dem ich entgegen geeilet, ist mir unter einer steten Beklemmung der Brust ohne Reiz und ohne Geschmack vorgekommen. Ich bin erst seit gestern zurück und bereue meine Reise, die ich doch in der besten Absicht unternommen. — . . . . . .

Für die überschickte Pension danke ich Ihnen im Namen meiner guten Mutter unterthänig, und mit aller der Empfindung, die man einem großmüthigen Freunde und Wohlthäter schuldig ist. O warum kann ich Ihnen doch meine Dankbarkeit und

meine Hochachtung nicht auf die vollkommenste Art sehen lassen!
Ich glaubte, ich würde Ihnen, liebster Herr Baron, wenigstens
bey Ihrer Prinzenpolitik einen kleinen Dienst erweisen können;
aber ich sehe, ich soll die Wollust nicht haben, dem zu dienen,
dem ich vor tausend andern gern dienen wollte. Die Buchhänd=
ler, mit denen ich gesprochen, und von denen ich es am ersten
erwartet, daß sie mir das Werk drucken würden, haben mir das
Manuscript mit ausstudirten Entschuldigungen wieder zurück
gegeben. Vermuthlich haben diejenigen Aufseher, die sie bey
ihren Manuscripten allezeit um Rath fragen, kein günstig Ur=
theil davon gefällt. Ich will noch etliche Versuche wagen, um
alles gethan zu haben, was meine eigene Beruhigung fodert.
Das Werk selbst habe ich durchgelesen, und mir sogar die Frey=
heit genommen, in der Einleitung hier und da etwas auszustrei=
chen, oder ein Wort einzuschieben. Allein meine freundschaftliche
Verwegenheit hat mich schon oft gereut. Wird auch der Herr
Baron, dachte ich, mit deinem Geschmacke zufrieden seyn? Bist
du nicht zu stolz, daß du ein Wort von seiner Hand verbessern
willst? wird nicht die Schreibart ungleich werden? wird er diese
oder jene Stelle wohl verlieren wollen? — — Kurz ich habe
die Feder bey dem Ende der Einleitung niedergelegt, und ich bin
zu furchtsam, als daß ich Aenderungen machen sollte, ohne sie
Ihnen erst zu zeigen, und Ihren Ausspruch zu erwarten. Nein,
Ihre Freundschaft ist mir zu schätzbar, als daß ich das geringste
ohne Ihre Einwilligung wagen sollte. Die Sachen Ihrer Politik
sind alle schön, und der Vortrag als ein mühblicher Unterricht,
für einen jungen Prinzen, sehr bequem, nur weiß ich nicht, ob
er zum Lesen für die Welt angenehm und gefällig genug seyn
wird. Sie verdienen der Lehrmeister des besten Prinzen zu wer=
den, und ich weiß gewiß, daß Sie sein Herz und seinen Verstand
nach der abgefaßten Vorschrift vortreflich ausbilden würden, wenn
auch diese Vorschrift der Welt im Drucke nicht merkwürdig genug

scheinen sollte. Ich in meinem Herzen wünschte tausendmal lieber, Ihr Schicksal möchte Sie zu dem Aufseher über die größten Prinzen bestimmt haben, und nicht blos zu einem Scribenten von der Erziehung derselben. Beehren Sie mich bald wieder mit einer Antwort, und entziehn Sie mir nichts von dem Vertrauen und der Gewogenheit, die Sie mir geschenket, und die ich noch so wenig verdienet habe. Ich werde mein ganzes Leben hindurch Sie verehren, und vor tausend andern seyn

Ewr. Hochgebohren

gehorsamster Diener
Gellert.

23.

An denselben.

L. d. 15. Juli 1752.

Hochgebohrner Freyherr,

Ich will Ihren letzten vortreflichen Brief nicht beantworten; ich will mich vielmehr für das Vergnügen bedanken, das Sie mir durch ihn gemacht haben. Könnte meine Hochachtung gegen Sie noch vermehret werden: so würde sie gewiß durch diesen Brief vermehret worden seyn; so schön war er.

Jetzt habe ich die Ehre, mit Ihnen von Ihrem Manuscripte zu sprechen. Ich schicke es Ihnen mit zitternden Händen wieder zurück; denn werden Sie die Freyheit wohl gut heißen, die ich mir genommen habe, hin und wieder etwas auszustreichen, da und dort etwas an der Sprache zu ändern? und gesetzt, Sie ließen sich diese Dreistigkeit gefallen, wird Ihr Werk deswegen etwas gewonnen haben; werde ich die gute Absicht, Ihnen zu dienen, erreicht haben? Nein, gütigster Herr und Freund, ich habe nichts gethan, als meinen Willen befriediget. Ihr Werk ist durch alle meine Mühe, die ich auf die Durchsicht verwandt, nicht schöner geworden, als es vorher war, und ich kränke mich, daß ich nicht so geschickt bin, mich um Sie so verdient zu machen, als ichs schuldig bin, und als ichs wünsche. Ich habe mich bemüht, die vielfältigen Fehler Ihres Abschreibers, und seine ungewisse und sich ungleiche Orthographie zu verbessern; aber werden sich in der neuen Abschrift nicht auch wieder neue Fehler eingeschlichen haben? Ich muß Sie also bitten, die Mühe des Durchlesens noch einmal über sich zu nehmen. Ich thue noch mehr, ich ersuche Sie sogar, wenn Sie bey meinen Aenderungen die geringste Schwierigkeit antreffen, daß Sie dieselben vergessen, und Ihr erstes Manuscript ungeändert dem Drucke überlassen mögen. Hier in Leipzig ist mirs unmöglich, einen Verleger aufzutreiben, und wenn ich tausend Thaler daran wagen wollte. Ja ich bin fest überzeugt, daß Sie weder in den sächsischen noch auch in Ihren eignen Landen die Erlaubniß des Druckes jemals erhalten werden. Die Aufrichtigkeit, mit der Sie die Wahrheit sagen; die Freymüthigkeit, mit der Sie insbesondre von dem französischen Hofe sprechen; die vielen Gemälde, die Sie von den Fehlern der Regenten machen, und die sich vielleicht auf viele noch lebende Herren schicken; alle diese Wahrheit wird so leicht keinen Schutz finden; es wäre denn in einer holländischen oder englischen Provinz. Denken Sie nur an die einzige Stelle, wo Sie von den Rechtshändeln und der List und Ungerechtigkeit reden, die Sie in Ihren eignen Processen erfahren haben. Werden solche Wahrheiten in der Censur gebilligt werden?

Kurz; Holland wird wohl der beste Ort für Ihr Manuscript seyn. Ich will mich von Herzen erfreuen, wenn Ihr Werk in den Händen junger Prinzen seinen Ruhm erhält, und den Verstand und das Herz solcher Herren ausbilden hilft, die gebohre sind, andre glücklich zu machen. Der Titel: Politik! scheint mir in Ansehung der ersten Capitel, etwas zu enge zu seyn? Es ist mehr, als die blosse Politik; es ist ein allgemeiner Unterricht für junge Prinzen.

Ich wiederhole meine Bitte noch einmal, liebster Herr Baron: wenn Sie das geringste Bedenken bey meinen Aenderungen finden: so behalten Sie Ihr erstes Manuscript bey, das Sie vermuthlich doppelt haben werden, und lassen Sie Ihre Gewogenheit gegen mich durch die dreiste und vielleicht unglücklich erfüllte Begierde, Ihnen zu dienen, nicht vermindert werden. Endlich vergeben Sie mir die Langsamkeit, mit der ich Ihr Manuscript zurück schicke. Ich habe es keinem Fremden in die Hände geben wollen. Ein Freund von mir, ein junger Student, hat es abgeschrieben, und länger damit zugebracht als ich gedacht habe.

Sie sind doch von Ihrem Unfalle völlig wieder hergestellt? Ich hoffe es, ich wünsche es, und freue mich im voraus auf die Gewißheit meiner Hoffnung. Wegen der Copialien nehme ich nicht die geringste Ersetzung an. Sind nicht ich, und meine Mutter Ihre großen Schuldner? Meine Gesundheit ist noch sehr mittelmäßig; doch danke ich Gott, daß ich noch im Stande bin, allemal über den andern Tag auszureiten, und mir eine Bewegung zu machen. Ich habe die Ehre, mit der ersinnlichsten Hochachtung zu seyn

Ewr. Hochgebohren

gehorsamster Freund und
Diener

Gellert.

84.

An denselben.

L. d. 14. Oct. 1752.

Hochgebohrner Herr,

Wie lange ist es, daß ich Ihnen nicht geschrieben habe! Werden Sie mir auch diese Saumseligkeit vergeben? Ja gewiß, so bald ich Ihnen werde gesagt haben, daß ich das Bad in Lauchstädt vier Wochen gebraucht. Diese Cur ist die Ursache, die mich zeither an vielen Pflichten der Freundschaft, und Gefälligkeit gehindert hat; und wie gern bedient sich nicht ein Patient des allgemeinen Privilegii, sich wenig bei der Cur zu beschäftigen! Bey der Zurückkunft hat mich die Krankheit von meines Bruders Frau und endlich ihr Tod von neuem ungeschickt gemacht, auch die nöthigsten Geschäffte zu besorgen. Ich weine noch, indem ich dieses schreibe, und ich kann mich von dem mächtigen Gedanken des Grabes kaum so lange frey machen, um mit Ihnen zu reden; und gleichwohl wünsche ich das letzte recht sehnsüchtig.

Sie sind wieder von Ihrem Unfalle hergestellt? das sey Gott gedankt! was kann ich lieber hören, als die Nachricht von Ihrer Gesundheit und Zufriedenheit? Ja ich glaube, daß ich Ihnen aus Liebe mehr Gutes gönne, als Sie sich selbst wünschen; und einem Manne von Ihrem Herzen alles zu gönnen, was glücklich macht, dazu gehört sehr wenig Tugend. Möchte ich doch so glücklich seyn, jemals etwas zu Ihrem wahren Vergnügen beytragen zu können! Mein letzter Dienst ist mehr ein Wille zu dienen, als ein Dienst selbst gewesen, und ich bin also immer noch ein Schuldner des großmüthigsten Freundes, den ich und meine Mutter jemals gehabt. Ich erzählte einem meiner besten Freunde, dem Herrn Rittmeister von Bülzingslöwen, bei mit mir im Bade gewesen, und der meine Mutter kennt, die edelmüthige Vorsorge, die Sie für sie gehabt. Ist es möglich, fieng er mit Thränen an, daß es solche Menschenfreunde giebt? Den Mann möchte ich kennen, noch lieber möcht ich der Mann selbst seyn.

Warum haben Sie so viel für die Copialien ausgesetzt? Sollen denn alle meine Freunde Sie als ihren Wohlthäter verehren? Der junge Mensch dankt Ihnen unterthänig, und sieht die funfzehen Gulden als ein Geschenk an, das er zu seinem Studiren anwenden soll. Er kränkt sich, daß er die Schreibfehler nicht genug vermieden; doch Sie sind ja selbst so gnädig gewesen, ihn zu entschuldigen.

„Sollen wir uns in dieser Welt nicht sehn: so werden wir einander gewiß in der Ewigkeit glücklich begegnen;" so schließt sich Ihr letzter Brief. Mit welcher Empfindung habe ich diesen Schluß gelesen und wieder gelesen! Nein, in diesem Leben werde ich wohl so glücklich nicht, Sie zu sehn: aber in einem seligern Aufenthalte umarme ich Sie schon im Geiste mit Entzücken und Frohlocken, mein theurester Freund! Die Vorsicht erhalte Sie der Welt noch lange und beglücke Ihre edlen Unternehmungen. Ich verehre Sie, Ihr Herz, Ihre Wissenschaft und Ihre Gewogenheit gegen mich, und halte es für mein Glück zeitlebens zu bleiben

Ewr. Hochgebohren

gehorsamster Freund und Diener
Gellert.

24.

L. d. 14. Oct. 1752.

Hochgebohrner Herr,

Wie lange ist es, daß ich Ihnen nicht geschrieben habe!
Werden Sie mir auch diese Saumseligkeit vergeben? Ja gewiß,
so bald ich Ihnen werde gesagt haben, daß ich das Bad in
Lauchstädt vier Wochen gebraucht. Diese Cur ist die Ursache,
die mich zeither an vielen Pflichten der Freundschaft, und Gefälligkeit gehindert hat; und wie gern bedient sich nicht ein
Patient des allgemeinen Privilegii, sich wenig bei der Cur zu
beschäftigen! Bey der Zurückkunft hat mich die Krankheit von
meines Bruders Frau und endlich ihr Tod von neuem ungeschickt gemacht, auch die nöthigsten Geschäffte zu besorgen. Ich
weine noch, indem ich dieses schreibe, und ich kann mich von
dem mächtigen Gedanken des Grabes kaum so lange frey machen, um mit Ihnen zu reden; und gleichwohl wünsche ich das
letzte recht sehnsüchtig.

Sie sind wieder von Ihrem Unfalle hergestellt? das sey Gott
gedankt! was kann ich lieber hören, als die Nachricht von
Ihrer Gesundheit und Zufriedenheit? Ja ich glaube, daß ich
Ihnen aus Liebe mehr Gutes gönne, als Sie sich selbst wünschen; und einem Manne von Ihrem Herzen alles zu gönnen,
was glücklich macht, dazu gehört sehr wenig Tugend. Möchte
ich doch so glücklich seyn, jemals etwas zu Ihrem wahren Vergnügen beytragen zu können! Mein letzter Dienst ist mehr ein
Wille zu dienen, als ein Dienst selbst gewesen, und ich bin also
immer noch ein Schuldner des großmüthigsten Freundes, den ich
und meine Mutter jemals gehabt. Ich erzählte einem meiner
besten Freunde, dem Herrn Rittmeister von Bälzingslöwen, der

ganz und gar. Ja, mein lieber Freund, Ihr Brief ward mir eine der stärksten Ursachen, eine Reise zu meiner Mutter nach Haynchen, und von dar nach Dresden, in der Gesellschaft eines Bruders vorzunehmen, der mich sehr lieb hat. Diese Reise ist mir wohl bekommen. Ich bin wenigstens gesünder, und nicht so niedergeschlagen gewesen, als zuvor. Was kann ich von einer Reise von zwanzig Meilen mehr verlangen? Genug, ich preise Gott, daß mein Uebel sich gemindert hat. Ich fühle freylich seine Gegenwart noch; aber ich habe doch mehr heitre Stunden, und selbst die schrecklichen sind weniger schrecklich. Wie gütig ist die Vorsehung! und warum ist nicht meine ganze Seele Dankbarkeit und Liebe? Ich will getrost seyn, und sein harren; der Herr über alles wirds wohl machen.

Herr Sulzer hat mich gebethen, künftigen Frühling bey ihm in Berlin zuzubringen, und ich habe in meinem Herzen so darein gewilliget, wie man in eine Sache williget, die man wünscht, und die bey der Zukunft steht. Sollte ichs thun: so werde ich Sie oft aufsuchen und meine Ruhe und meinen Kummer mit Ihnen theilen; denn ich weiß, Sie lieben mich auch noch, wenn ich klage.

Grüßen Sie die liebreiche Gefährtin Ihres Lebens mit tausend guten Wünschen von mir, und nehmen Sie zugleich für die ertheilte Nachricht, im Namen meines Freundes, den verbindlichsten Dank von mir an. Es hat allerdings eine Null in der Summe gefehlt. Ich bin der Ihrige

G.

27.

An den Freiherrn von Craussen.

L. d. 3. Febr. 1755.

Hochgebohrner Freyherr,

Die Aufrichtigkeit, mit der Sie in dem letzten Briefe Ihren Charakter entworfen, macht ihn nur liebenswürdiger. Sich so kennen, wie Sie sich kennen, und das Herz haben, seine eignen Fehler nicht zu verschweigen, bleibt allemal eine große Eigenschaft. Warum soll ich endlich nicht glauben, daß Sie zu strenge gegen sich sind, und das zum Exempel als eine Hartnäckigkeit in Ansehung Ihres freundschaftlichen Charakters betrachten, was doch vielmehr eine edle Freymüthigkeit ist? Aus Liebe seinem Freunde die Wahrheit trocken sagen, ist eine seltne Beredsamkeit; und wenn sie gleich nicht allen angenehm ist: so werden sie doch diejenigen hochachten, die zur Freundschaft geboren sind. Genug, mein Verlangen, Ihres nähern Umgangs zu genießen, ist durch die Strenge, mit der Sie sich in der Freundschaft abschildern, nicht gemindert, sondern nur vermehret geworden; und ich würde den Wunsch, Sie, theurester Freund, in Leipzig zu wissen, nie aufgeben, wenn ich wüßte, daß er Ihr Vergnügen eben so sehr befördern könnte; als ich weis, daß er das meinige vergrößern würde. Doch würde ich auch in meinen jetzigen Umständen dies Glück genug schmecken können? Leider bin ich immer noch mit der Hypochondrie seit dem Gebrauche des Lauchstädter Bades außerordentlich beschweret, und meine Seele leidet mit meinem Körper zugleich. Ohne Munterkeit, ohne Lebhaftigkeit des Geistes arbeite ich mit vieler Mühe und wenigem Glücke, und weis kaum durch die Nebel hindurch zu bringen, die ihn umgeben. Ehe ichs denke, ermüdet mein Körper, und drückt die Seele mit sich nieder. Ich fürchte, weil ich seit einigen Wochen in der linken Hand, und dem linken Fuße zu verschiedenenmalen in den Junkturen anhaltende Schmerzen gefühlt habe, daß vielleicht mein Uebel gar in eine Gliederkrankheit ausarten dürfte. Schrecklicher Gedanke! Doch der Herr, der unser Schicksal regieret und verhängt, wird es machen, wie mirs gut ist, und die Ergebung in seinen Willen, so schwer sie der Natur in harten Fällen wird, ist doch allezeit die Pflicht und die Ehre eines Geschöpfes. Ich habe viel Glück in der Welt, das ich nicht verdiene; und viel Unglück nicht, das ich vielleicht verdient habe; warum will ich zagen? Ich will mir Ihre Standhaftigkeit in Unfällen, ein beständiges Beispiel und einen geheimen Trost seyn lassen.

Für die beyden schönen Gedichte, die Sie mir überschicket, danke ich Ihnen ergebenst, und wünsche Ihnen vor tausend andern, nicht nur in diesem angefangenen Jahre, sondern in Ihrem ganzen Leben, alle die Zufriedenheit, die wir in dieser Welt genießen können, und die, wo nicht immer, doch oft die Belohnung rechtschaffener Männer zu seyn pflegt. Versüßen Sie mir ferner mein Schicksal durch Ihre Gewogenheit. Ich bin zeitlebens mit der empfindlichsten Hochachtung der Ihrige

Gellert.

Hochgebohrner Freyherr!

Dieser Brief vom 3. Februar ist durch meine Unpäßlichkeit und Nachläßigkeit so lange liegen geblieben, daß ich den 1. Merz noch ein Postscript dazu machen kann.

Die überschickten Verse von Ihrer liebenswürdigen Schwester haben mir ganz außerordentlich gefallen. Ich will nicht sagen, daß eine strenge Kritik nichts zu erinnern fände, dazu bin ich zu aufrichtig; aber das ist gewiß, daß ein vortrefliches Feuer in diesen Zeilen herrscht. Die Dichterin weis ihrem Gedanken einen

4 *

sehr feinen Schwung zu geben, und den Nachdruck mit der Frey=
heit zu verbinden. Was kann man mehr begehren? Genug,
nach meiner Empfindung ist in diesem kleinen Stücke mehr poe=
tische Sprache, als in manchem Heldengedichte, das unsre Zei=
ten hervorbringen. Die lieben Kinder hätte ich meine Sylvia
mögen vorstellen sehen; sie würden gemacht haben, daß ich we=
nigstens einen frohen Tag meines Lebens mehr gehabt hätte.
Da sie Ihren Beyfall verdient haben: so weis ich gewiß, daß
sie das Stück besser agirt haben, als ichs hier auf der Schau=
bühne aufführen sehe.

Leider trinke ich auch Caffee und rauche auch Toback. So
viel Gewalt ich mir anthue, beides mäßig zu gebrauchen: so ist
mirs doch beynahe unmöglich, es ganz zu lassen, weil ich dabey
studire. Es ist mein täglicher Kummer; denn weder das eine
noch das andere kann unserm Körper ganz unschädlich seyn. Aber
was für Gewalt hat nicht eine schreckliche Gewohnheit über uns?

Ein Hällisches Apothekchen will ich gewiß, und zwar noch
diese Woche aus Halle verschreiben. Ich kenne den Hofrath
Madai, der die Arzneien selbst besorget. Das kleinste kostet
Sechs Thaler, und wenn man kein Buch dazu nimmt, das Sie
vielleicht schon haben, achtzehn Groschen weniger. Aber für
Sechs Thaler ist es nicht verschlossen, ich werde also wohl eines
für Acht Thaler ohne Buch verschreiben. Wollen Sie die Ar=
zeneien gern vor der Messe haben: so will ich sehn, daß sie mein
Verleger, wenn er Bücher an Hr. Korn schicket, mit einschlagen
und bequem fortschaffen kann. In diesem letzten Falle erwarte
ich Ihre Antwort. Außerdem soll die Apotheke bis zur Messe
hier bleiben. Ich empfehle mich der Frau von Ophern zu Gna=
ben und bin der Ihrige

b. 1. März 1753.

Gellert.

39. (3.)

I. F. Freiherr v. Cronegk an Gellert.

Hohentrübingen d. 16. Juni 1758.

Verehrungswürdiger Freund,

Ich habe Leipzig verlassen müssen, ohne Sie zu sehen; ohne von Ihnen Abschied nehmen zu können; ohne Ihnen bey unsern letzten Umarmungen wenigstens durch Thränen sagen zu können, wie sehr ich Sie liebe. Ich bin von Ihnen getrennt, und soll die großen Vorzüge Ihres Geistes, und die noch größern Vorzüge Ihres Herzens künftig nur aus der Ferne verehren. O wenn ich Ihnen schreiben könnte, wie empfindlich mir dieses alles fällt! wie sehr ich Sie hochschätze. —

Ich bin auf dem Lande bey meinen Aeltern, und wenn ich an den Plan vom Landleben denke, den wir einmal zusammen machten, so seufze ich so sehr, daß man mir Schuld giebt, ich hätte eine Geliebte in Leipzig zurückgelassen. Aber alsbann fange ich an von Ihnen zu reden, und da bin ich so unerschöpflich, daß sogar die Bedienten, die bey der Tafel aufwarten, untereinander sprechen, sie möchten doch den Mann gern kennen, von dem der junge Herr so viel sage, und bey dessen Erinnerung ihm immer die Thränen in die Augen kämen.

Ich bin zeither durch Reisen nach Anspach so zerstreuet worden, daß ich kaum Zeit zum Denken gehabt; sonst hätte ich Ihnen schon eher geschrieben. Keine gereimte Zeile, seit ich Leipzig verlassen.

Es hängt die früh begriffne Leyer
An schwachen Aesten blasser Cypressen.
Benetzt von stillen zärtlichen Thränen,
Ertönen die schlummernden Saiten nicht mehr.

Ich schicke Ihnen meinen Scipio und einige andre Kleinigkeiten. Vertreten Sie auch noch entfernt das Amt meines Lehrers, und sagen Sie mir die Fehler dieser Stücke, wenn sie
nicht zu viel Fehler haben, als daß sie sich verbessern ließen.
Auf diesen Fall aber schicken Sie mir sie wieder, und ich verspreche Ihnen, sie augenblicklich zu verbrennen. Ich setze noch
immer mein Vertrauen auf Sie, und hoffe, Sie sollen mich
nicht ganz vergessen. Vielleicht verdiene ich Ihre Freundschaft
sonst durch keine gute Eigenschaft: aber mein Herz ist so voll
von Zärtlichkeit und Dankbarkeit gegen Sie, daß ich noch dadurch einen Platz in Ihrem Andenken verdiene.

Empfehlen Sie mich dem Herrn Grafen von Brühl, Ihrem
Herrn Bruder und dem schalkhaftesten und liebenswürdigsten
aller Steuerrevisoren. Ich weis, daß Sie nicht gern Briefe schreiben, und ich will nicht so unbescheiden seyn, auf fleißige Antworten zu bringen. Erlauben Sie mir nur, bisweilen Ihnen
zu schreiben. Leben Sie wohl. Ich bin zeitlebens

Ihr

aufrichtigster Freund und Verehrer,
von Cronegk.

———

29.

An Borchward.

L. d. 22. Juni 1753.

Ich fange diesen Brief mit der Versicherung an, daß ich
Sie unendlich liebe; dies will mein Herz; und nunmehr will ich
Ihnen gleich die Ursache sagen, warum Sie diese Messe weder
einen Brief noch die verlangten Bücher erhalten haben. Ich

reiste den vierten May mit Doctor Tillingen, der Bademe=
dicus im Carlsbade und mein Freund ist, dahin, ob er mir
gleich nicht sehr dazu rieth. Ich reiste (denn was wagt ein
Elender nicht, den bald sein Geist, bald sein Körper martert),
ich reiste ins Carlsbad, und vorgestern, den zwanzigsten d. M.,
bin ich wieder in Leipzig angekommen, nachdem ich drey Wo=
chen in Annaberg, sowohl wegen der kalten Witterung, als
wegen des Mangels der Kräfte, stille gelegen habe, und alsdenn
drey Wochen im Bade gewesen bin. Von dem Erfolge der Cur
kann ich Ihnen zur Zeit nichts sagen, als daß ich sehr matt
und etwas schlaflos bin. Ich verlange keine Herstellung der
Gesundheit; nein, nur eine kleine Linderung. Möchte es doch
dem Vater der Menschen gefallen, nur meinen Geist zu stärken,
das Leiden des Leibes will ich gern bis in mein Grab tragen!
Ach, mein liebster Freund, welche Veränderung ist mit mir seit=
dem vorgegangen, daß ich Sie nicht gesehen habe! und welche
wird mit mir bald vorgehen, wenn sichs nicht im kurzen bessert!
Es scheint, daß ich Sie in diesem Leben wohl nicht wieder sehn
werde; aber in jener Welt will ich Sie unter den Freuden der
Glückseligen triumphirend umarmen, und Ihnen brüderlich dan=
ken, daß Sie mich geliebet haben.

Bey dieser Vorstellung fällt mir Ihr Young und der gute
Hervey ein, an die ich in dem letzten Briefe nicht gedacht
habe. Können Sie wohl zweifeln, daß ich Youngen nicht so
hochachten sollte, als Sie ihn achten? daß er mich nicht mehr
erbauen sollte, als der Dichter des Meßias? Nein, ich verehre
Youngen, auch wenn ich ihn nicht verstehe; denn ich schließe aus
dem, was leicht ist, daß er auch schön und vortreflich denkt,
wenn er schwer ist. Er hat mich vielmal bis zum Zittern mit
seinen kühnen Gedanken fortgerissen, und mitten in der Angst
mich erquickt. Sein Uebersetzer, Ebert, ein vortreflicher Kopf
(ist Prinzeninformator in Braunschweig), ist einer meiner ge=

24.

An denselben.

Hochgebohrner Herr,

Wie lange ist es, daß ich Ihnen nicht geschrieben habe! Werden Sie mir auch diese Saumseligkeit vergeben? Ja gewiß, so bald ich Ihnen werde gesagt haben, daß ich das Bad in Lauchstädt vier Wochen gebraucht. Diese Cur ist die Ursache, die mich zeither an vielen Pflichten der Freundschaft, und Gefälligkeit gehindert hat; und wie gern bedient sich nicht ein Patient des allgemeinen Privilegii, sich wenig bei der Cur zu beschäftigen! Bey der Zurückkunft hat mich die Krankheit von meines Bruders Frau und endlich ihr Tod von neuem ungeschickt gemacht, auch die nöthigsten Geschäffte zu besorgen. Ich weine noch, indem ich dieses schreibe, und ich kann mich von dem mächtigen Gedanken des Grabes kaum so lange frey machen, um mit Ihnen zu reden; und gleichwohl wünsche ich das letzte recht sehnsüchtig.

Sie sind wieder von Ihrem Unfalle hergestellt? das sey Gott gedankt! was kann ich lieber hören, als die Nachricht von Ihrer Gesundheit und Zufriedenheit? Ja ich glaube, daß ich Ihnen aus Liebe mehr Gutes gönne, als Sie sich selbst wünschen; und einem Manne von Ihrem Herzen alles zu gönnen, was glücklich macht, dazu gehört sehr wenig Tugend. Möchte ich doch so glücklich seyn, jemals etwas zu Ihrem wahren Vergnügen beytragen zu können! Mein letzter Dienst ist mehr ein Wille zu dienen, als ein Dienst selbst gewesen, und ich bin also immer noch ein Schuldner des großmüthigsten Freundes, den ich und meine Mutter jemals gehabt. Ich erzählte einem meiner besten Freunde, dem Herrn Rittmeister von Bälzingslöwen, der mit mir im Bade gewesen, und der meine Mutter kennt, die edelmüthige Vorsorge, die Sie für sie gehabt. Ist es möglich, fieng er mit Thränen an, daß es solche Menschenfreunde giebt? Den Mann möchte ich kennen, noch lieber möcht ich der Mann selbst seyn.

Warum haben Sie so viel für die Copialien ausgesetzt? Sollen denn alle meine Freunde Sie als ihren Wohlthäter verehren? Der junge Mensch dankt Ihnen unterthänig, und sieht die funfzehen Gulden als ein Geschenk an, das er zu seinem Studiren anwenden soll. Er kränkt sich, daß er die Schreib= fehler nicht genug vermieden; doch Sie sind ja selbst so gnädig gewesen, ihn zu entschuldigen.

„Sollen wir uns in dieser Welt nicht sehn: so werden wir einander gewiß in der Ewigkeit glücklich begegnen;" so schließt sich Ihr letzter Brief. Mit welcher Empfindung habe ich diesen Schluß gelesen und wieder gelesen! Nein, in diesem Leben werde ich wohl so glücklich nicht, Sie zu sehn: aber in einem seligern Aufenthalte umarme ich Sie schon im Geiste mit Entzücken und Frohlocken, mein theurester Freund! Die Vorsicht erhalte Sie der Welt noch lange und beglücke Ihre edlen Unternehmungen. Ich verehre Sie, Ihr Herz, Ihre Wissenschaft und Ihre Ge= wogenheit gegen mich, und halte es für mein Glück zeitlebens zu bleiben

     Ewr. Hochgebohren

         gehorsamster Freund und Diener
              Gellert.

24.

L. d. 14. Oct. 1752.

Hochgebohrner Herr,

Wie lange ist es, daß ich Ihnen nicht geschrieben habe! Werden Sie mir auch diese Saumseligkeit vergeben? Ja gewiß, so bald ich Ihnen werde gesagt haben, daß ich das Bad in Lauchstädt vier Wochen gebraucht. Diese Cur ist die Ursache, die mich zeither an vielen Pflichten der Freundschaft, und Gefälligkeit gehindert hat; und wie gern bedient sich nicht ein Patient des allgemeinen Privilegii, sich wenig bei der Cur zu beschäftigen! Bey der Zurückkunft hat mich die Krankheit von meines Bruders Frau und endlich ihr Tod von neuem ungeschickt gemacht, auch die nöthigsten Geschäffte zu besorgen. Ich weine noch, indem ich dieses schreibe, und ich kann mich von dem mächtigen Gedanken des Grabes kaum so lange frey machen, um mit Ihnen zu reden; und gleichwohl wünsche ich das letzte recht sehnsüchtig.

Sie sind wieder von Ihrem Unfalle hergestellt? das sey Gott gedankt! was kann ich lieber hören, als die Nachricht von Ihrer Gesundheit und Zufriedenheit? Ja ich glaube, daß ich Ihnen aus Liebe mehr Gutes gönne, als Sie sich selbst wünschen; und einem Manne von Ihrem Herzen alles zu gönnen, was glücklich macht, dazu gehört sehr wenig Tugend. Möchte ich doch so glücklich seyn, jemals etwas zu Ihrem wahren Vergnügen beytragen zu können! Mein letzter Dienst ist mehr ein Wille zu dienen, als ein Dienst selbst gewesen, und ich bin also immer noch ein Schuldner des großmüthigsten Freundes, den ich und meine Mutter jemals gehabt. Ich erzählte einem meiner besten Freunde, dem Herrn Rittmeister von Bälzingslöwen, der

ganz und gar. Ja, mein lieber Freund, Ihr Brief ward mir
eine der stärksten Ursachen, eine Reise zu meiner Mutter nach
Haynchen, und von dar nach Dresden, in der Gesellschaft eines
Bruders vorzunehmen, der mich sehr lieb hat. Diese Reise ist
mir wohl bekommen. Ich bin wenigstens gesünder, und nicht
so niedergeschlagen gewesen, als zuvor. Was kann ich von einer
Reise von zwanzig Meilen mehr verlangen? Genug, ich preise
Gott, daß mein Uebel sich gemindert hat. Ich fühle freylich
seine Gegenwart noch; aber ich habe doch mehr heitre Stunden,
und selbst die schrecklichen sind weniger schrecklich. Wie gütig ist
die Vorsehung! und warum ist nicht meine ganze Seele Dankbarkeit und Liebe? Ich will getrost seyn, und sein harren; der
Herr über alles wirds wohl machen.

Herr Sulzer hat mich gebethen, künftigen Frühling bey
ihm in Berlin zuzubringen, und ich habe in meinem Herzen so
darein gewilliget, wie man in eine Sache williget, die man
wünscht, und die bey der Zukunft steht. Sollte ichs thun: so
werde ich Sie oft aufsuchen und meine Ruhe und meinen Kummer mit Ihnen theilen; denn ich weiß, Sie lieben mich auch
noch, wenn ich klage.

Grüßen Sie die liebreiche Gefährtin Ihres Lebens mit tausend guten Wünschen von mir, und nehmen Sie zugleich für die
ertheilte Nachricht, im Namen meines Freundes, den verbindlichsten Dank von mir an. Es hat allerdings eine Null in der
Summe gefehlt. Ich bin der Ihrige

G.

27.

An den Freiherrn von Cranssen.

L. d. 3. Febr. 1755.

Hochgebohrner Freyherr,

Die Aufrichtigkeit, mit der Sie in dem letzten Briefe Ihren Charakter entworfen, macht ihn nur liebenswürdiger. Sich so kennen, wie Sie sich kennen, und das Herz haben, seine eignen Fehler nicht zu verschweigen, bleibt allemal eine große Eigenschaft. Warum soll ich endlich nicht glauben, daß Sie zu strenge gegen sich sind, und das zum Exempel als eine Hartnäckigkeit in Ansehung Ihres freundschaftlichen Charakters betrachten, was doch vielmehr eine edle Freymüthigkeit ist? Aus Liebe seinem Freunde die Wahrheit trocken sagen, ist eine seltne Beredsamkeit; und wenn sie gleich nicht allen angenehm ist: so werden sie doch diejenigen hochachten, die zur Freundschaft geboren sind. Genug, mein Verlangen, Ihres nähern Umgangs zu genießen, ist durch die Strenge, mit der Sie sich in der Freundschaft abschildern, nicht gemindert, sondern nur vermehret geworden; und ich würde den Wunsch, Sie, theurester Freund, in Leipzig zu wissen, nie aufgeben, wenn ich wüßte, daß er Ihr Vergnügen eben so sehr befördern könnte; als ich weis, daß er das meinige vergrößern würde. Doch würde ich auch in meinen jetzigen Umständen dies Glück genug schmecken können? Leider bin ich immer noch mit der Hypochondrie seit dem Gebrauche des Lauchstädter Bades außerordentlich beschweret, und meine Seele leidet mit meinem Körper zugleich. Ohne Munterkeit, ohne Lebhaftigkeit des Geistes arbeite ich mit vieler Mühe und wenigem Glücke, und weis kaum durch die Nebel hindurch zu bringen, die ihn umgeben. Ehe ichs denke, ermüdet mein Körper, und drückt die Seele mit sich nieder. Ich fürchte, weil ich seit einigen Wochen in der

linken Hand, und dem linken Fuße zu verschiedenenmalen in den
Junkturen anhaltende Schmerzen gefühlt habe, daß vielleicht
mein Uebel gar in eine Gliederkrankheit ausarten dürfte.
Schrecklicher Gedanke! Doch der Herr, der unser Schicksal regieret und verhängt, wird es machen, wie mirs gut ist, und
die Ergebung in seinen Willen, so schwer sie der Natur in harten Fällen wird, ist doch allezeit die Pflicht und die Ehre eines
Geschöpfes. Ich habe viel Glück in der Welt, das ich nicht
verdiene; und viel Unglück nicht, das ich vielleicht verdient habe;
warum will ich zagen? Ich will mir Ihre Standhaftigkeit in
Unfällen, ein beständiges Beispiel und einen geheimen Trost
seyn lassen.

Für die beyden schönen Gedichte, die Sie mir überschicket,
danke ich Ihnen ergebenst, und wünsche Ihnen vor tausend andern, nicht nur in diesem angefangenen Jahre, sondern in Ihrem
ganzen Leben, alle die Zufriedenheit, die wir in dieser Welt
genießen können, und die, wo nicht immer, doch oft die Belohnung rechtschaffener Männer zu seyn pflegt. Versüßen Sie mir
ferner mein Schicksal durch Ihre Gewogenheit. Ich bin zeitlebens mit der empfindlichsten Hochachtung der Ihrige

Gellert.

Hochgebohrner Freyherr!

Dieser Brief vom 8. Februar ist durch meine Unpäßlichkeit
und Nachläßigkeit so lange liegen geblieben, daß ich den 1. Merz
noch ein Postscript dazu machen kann.

Die überschickten Verse von Ihrer liebenswürdigen Schwester
haben mir ganz außerordentlich gefallen. Ich will nicht sagen,
daß eine strenge Kritik nichts zu erinnern fände, dazu bin ich
zu aufrichtig; aber das ist gewiß, daß ein vortrefliches Feuer in
diesen Zeilen herrscht. Die Dichterin weis ihrem Gedanken einen

4 *

sehr feinen Schwung zu geben, und den Nachdruck mit der Freyheit zu verbinden. Was kann man mehr begehren? Genug,
nach meiner Empfindung ist in diesem kleinen Stücke mehr poetische Sprache, als in manchem Heldengedichte, das unsre Zeiten hervorbringen. Die lieben Kinder hätte ich meine Sylvia
mögen vorstellen sehen; sie würden gemacht haben, daß ich wenigstens einen frohen Tag meines Lebens mehr gehabt hätte.
Da sie Ihren Beyfall verdient haben: so weis ich gewiß, daß
sie das Stück besser agirt haben, als ichs hier auf der Schau-
bühne aufführen sehe.

Leider trinke ich auch Caffee und rauche auch Toback. So
viel Gewalt ich mir anthue, beides mäßig zu gebrauchen: so ist
mirs doch beynahe unmöglich, es ganz zu lassen, weil ich dabey
studire. Es ist mein täglicher Kummer; denn weder das eine
noch das andere kann unserm Körper ganz unschädlich seyn. Aber
was für Gewalt hat nicht eine schreckliche Gewohnheit über uns?

Ein Hällisches Apothekchen will ich gewiß, und zwar noch
diese Woche aus Halle verschreiben. Ich kenne den Hofrath
Madai, der die Arzneien selbst besorget. Das kleinste kostet
Sechs Thaler, und wenn man kein Buch dazu nimmt, das Sie
vielleicht schon haben, achtzehn Groschen weniger. Aber für
Sechs Thaler ist es nicht verschlossen, ich werde also wohl eines
für Acht Thaler ohne Buch verschreiben. Wollen Sie die Ar-
zeneien gern vor der Messe haben: so will ich sehn, daß sie mein
Verleger, wenn er Bücher an Hr. Korn schicket, mit einschlagen
und bequem fortschaffen kann. In diesem letzten Falle erwarte
ich Ihre Antwort. Außerdem soll die Apotheke bis zur Messe
hier bleiben. Ich empfehle mich der Frau von Dyhern zu Gnaden und bin der Ihrige

b. 1. März 1753.

Gellert.

28. (3.)

J. F. Freiherr v. Cronegk an Gellert.

Hohentrübingen d. 16. Juni 1758.

Verehrungswürdiger Freund,

Ich habe Leipzig verlaffen müffen, ohne Sie zu fehen; ohne von Ihnen Abfchied nehmen zu können; ohne Ihnen bey unfern letzten Umarmungen wenigftens durch Thränen fagen zu können, wie fehr ich Sie liebe. Ich bin von Ihnen getrennt, und foll die großen Vorzüge Ihres Geiftes, und die noch größern Vorzüge Ihres Herzens künftig nur aus der Ferne verehren. O wenn ich Ihnen fchreiben könnte, wie empfinblich mir diefes alles fällt! wie fehr ich Sie hochfchätze. —

Ich bin auf dem Lande bey meinen Aeltern, und wenn ich an den Plan vom Landleben denke, den wir einmal zufammen machten, fo feufze ich fo fehr, daß man mir Schuld giebt, ich hätte eine Geliebte in Leipzig zurückgelaffen. Aber alsbann fange ich an von Ihnen zu reden, und da bin ich fo unerfchöpflich, baß fogar die Bedienten, die bey der Tafel aufwarten, untereinander fprechen, fie möchten doch den Mann gern kennen, von dem der junge Herr fo viel fage, und bey beffen Erinnerung ihm immer die Thränen in die Augen kämen.

Ich bin zeither durch Reifen nach Anfpach fo zerftreuet worben, baß ich kaum Zeit zum Denken gehabt; fonft hätte ich Ihnen fchon eher gefchrieben. Keine gereimte Zeile, feit ich Leipzig verlaffen.

Es hängt die früh begriffne Leyer
An fchwachen Aeften blaffer Cypreffen.
Benetzt von ftillen zärtlichen Thränen,
Ertönen die fchlummernden Saiten nicht mehr.

sehr seinen Schwung zu geben, und den Nachdruck mit der Frey=
heit zu verbinden. Was kann man mehr begehren? Genug,
nach meiner Empfindung ist in diesem kleinen Stücke mehr poe=
tische Sprache, als in manchem Heldengedichte, das unsre Zei=
ten hervorbringen. Die lieben Kinder hätte ich meine Sylvia
mögen vorstellen sehen; sie würden gemacht haben, daß ich we=
nigstens einen frohen Tag meines Lebens mehr gehabt hätte.
Da sie Ihren Beyfall verdient haben: so weis ich gewiß, daß
sie das Stück besser agirt haben, als ichs hier auf der Schau=
bühne aufführen sehe.

Leider trinke ich auch Caffee und rauche auch Toback. So
viel Gewalt ich mir anthue, beides mäßig zu gebrauchen: so ist
mirs doch beynahe unmöglich, es ganz zu lassen, weil ich dabey
studire. Es ist mein täglicher Kummer; denn weder das eine
noch das andere kann unserm Körper ganz unschädlich seyn. Aber
was für Gewalt hat nicht eine schreckliche Gewohnheit über uns?

Ein Hällisches Apothekchen will ich gewiß, und zwar noch
diese Woche aus Halle verschreiben. Ich kenne den Hofrath
Madai, der die Arzneien selbst besorget. Das kleinste kostet
Sechs Thaler, und wenn man kein Buch dazu nimmt, das Sie
vielleicht schon haben, achtzehn Groschen weniger. Aber für
Sechs Thaler ist es nicht verschlossen, ich werde also wohl eines
für Acht Thaler ohne Buch verschreiben. Wollen Sie die Ar=
zeneien gern vor der Messe haben: so will ich sehn, daß sie mein
Verleger, wenn er Bücher an Hr. Korn schicket, mit einschlagen
und bequem fortschaffen kann. In diesem letzten Falle erwarte
ich Ihre Antwort. Außerdem soll die Apotheke bis zur Messe
hier bleiben. Ich empfehle mich der Frau von Dyhern zu Gna=
ben und bin der Ihrige

b. 1. März 1753.

Gellert.

reiste den vierten May mit Doctor Tillingen, der Bademe=
dicus im Carlsbade und mein Freund ist, dahin, ob er mir
gleich nicht sehr dazu rieth. Ich reiste (denn was wagt ein
Elender nicht, den bald sein Geist, bald sein Körper martert),
ich reiste ins Carlsbad, und vorgestern, den zwanzigsten d. M.,
bin ich wieder in Leipzig angekommen, nachdem ich drey Wo=
chen in Annaberg, sowohl wegen der kalten Witterung, als
wegen des Mangels der Kräfte, stille gelegen habe, und alsbenn
drey Wochen im Bade gewesen bin. Von dem Erfolge der Cur
kann ich Ihnen zur Zeit nichts sagen, als daß ich sehr matt
und etwas schlaflos bin. Ich verlange keine Herstellung der
Gesundheit; nein, nur eine kleine Lindrung. Möchte es doch
dem Vater der Menschen gefallen, nur meinen Geist zu stärken,
das Leiden des Leibes will ich gern bis in mein Grab tragen!
Ach, mein liebster Freund, welche Veränderung ist mit mir seit=
dem vorgegangen, daß ich Sie nicht gesehen habe! und welche
wird mit mir bald vorgehen, wenn sichs nicht im kurzen bessert!
Es scheint, daß ich Sie in diesem Leben wohl nicht wieder sehn
werde; aber in jener Welt will ich Sie unter den Freuden der
Glückseligen triumphirend umarmen, und Ihnen brüderlich dan=
ken, daß Sie mich geliebet haben.

Bey dieser Vorstellung fällt mir Ihr Young und der gute
Hervey ein, an die ich in dem letzten Briefe nicht gedacht
habe. Können Sie wohl zweifeln, daß ich Youngen nicht so
hochachten sollte, als Sie ihn achten? daß er mich nicht mehr
erbauen sollte, als der Dichter des Meßias? Nein, ich verehre
Youngen, auch wenn ich ihn nicht verstehe; denn ich schließe aus
dem, was leicht ist, daß er auch schön und vortreflich denkt,
wenn er schwer ist. Er hat mich vielmal bis zum Zittern mit
seinen kühnen Gedanken fortgerissen, und mitten in der Angst
mich erquickt. Sein Uebersetzer, Ebert, ein vortreflicher Kopf
(ist Prinzeninformator in Braunschweig), ist einer meiner ge=

schickteſten Freunde. Er hat mich, als er vor acht Jahren in
Leipzig ſtudirte, das Engliſche gelehret; und aus den erſten
Büchern, die er mit mir las, waren Youngs Satyren: die
Liebe zum Ruhme. Hervey iſt unendlich weit unter Youngs
Geiſt. Er hat ein frommes liebes Herz; aber ſeine ſchematiſche
und allegoriſche Art mich zu erbauen, läßt meine Empfindung
kalt, und heißt mich zu dem nächſten Blatte eilen. Indeſſen
habe ich ihn einmal ganz durchgeleſen. Zu dieſen Critiken, welche
die Ihrigen und die meinigen ſind (ſo gewiß als ich lebe), will
ich mein Urtheil über Ihre beyden Erzählungen hinzuſetzen.
Sie ſind in vielen Theilen ſehr naif und ſchön; in manchen
ſcheinen ſie mir etwas weitläuftig. Kurz, in den Augen guter
Freunde, und in den Händen guter Freundinnen, ſind ſie des
größten Beyfalls werth. Dennoch behaupte ich, daß Ihre Poeſie
nicht ſo viel gefallendes hat, als Ihre Proſa; vermuthlich iſt
die Schwierigkeit des Verſes, die Sie zu überſteigen ſuchen
müſſen, die Urſache dieſes Mangels. — — Den Plato und
Xenophon, denke ich Ihnen mit dieſem Briefe zu ſchicken.
Mehr kann ich nicht ſchreiben; denn ach wie kraftlos bin
ich! — — Gott laſſe es Ihnen und Ihrer wackern Frau und
allen Ihren Freunden wohl gehn! Wie gern möchte ich Sie in
Ihrem Hauſe umarmen! Ich bin ꝛc.

G.

30.

An den Freiherrn von Crauſſen.

L. d. 28. Juni 1753.

Hochgebohrner Freyherr!

Ich bin, wie Sie vielleicht ſchon wiſſen werden, im Carls
bade geweſen; denn wie könnte ich ſonſt eine Meſſe vorbey la/

sen, ohne Ihnen zu schreiben. Von meiner Cur will ich Ihnen
nicht viel sagen. Wissen Sie nicht schon genug, wenn Sie wissen, daß ich nicht kränker und auch nicht viel gesünder bin, als
ehedem? Und warum wollte ich auch alle meine Briefe an Sie
zu Verzeichnissen von meinen Zufällen und Curen machen? Ich
habe diesen Fehler schon oft genug begangen. Genug, daß ich
Ihnen mein Glück nicht verschweigen werde, wenn wir Gott
nach dem Bade einige Linderung schenken sollte. Vielleicht gefällt es ihm; doch nicht, wie ich will.

Sie sind wieder Poet geworden, theurester Freund. Wie sehr
bewundere ich Ihre Liebe zur Dichtkunst, und Ihren erstaunenden Fleiß! Mich beucht, daß sich Ihre poetische Sprache gut
zu einem Lehrgedichte schickt, und ich bitte Sie sehr, wenn Sie
fortarbeiten, daß Sie sich vor den gar zu prosaischen und gewöhnlichen Ausdrücken hüten. Ihr Plan, so wie Sie mir ihn
entworfen haben, ist sehr gut, er ist systematisch; aber für ein
Gedicht zu philosophisch. Wenn der Dichter einer so strengen
Ordnung folgen will: so muß er, indem er lehret, nothwendig
matt und prosaisch werden, und darüber vergessen, daß man in
der Poesie lehrt, um zu vergnügen; denn außerdem, wenn der
Unterricht nur die Absicht wäre: so würden wir sie in Prosa
weit besser, gewisser und leichter erreichen können, als in der
Poesie. Nehmen sie nur z. E. des jüngern Racine beyden Lehr-
gedichte von der Religion und Gnade, und sehn Sie, ob er eine
so strenge Methode blicken läßt? Er beobachtet die natürliche
Ordnung; außerdem überläßt er sich der Freyheit der Poesie,
nicht alles, sondern nur das, was das vorzüglichste ist, und was
sich schön sagen läßt, zu sagen. Sie werden eben das bey dem
Horaz, dem Vida, dem Boileau in ihren Lehrgedichten von der
Poesie, bey Popen in seinem Kriticism, und bey zehen andern
Dichtern finden. Ich wünschte also, daß Sie das System in
Ihrem Gedichte etwas verbergen, und die philosophische Gründ-

lichkeit durch die Anmuth der Poesie versüßen könnten. Ich sehe aus den überschickten Bogen, daß Sie zu genau sind. Sie sagen mehr, als man fordert, um nichts wegzulassen. Wollen Sie in dieser Arbeit fortfahren: so will ich Ihnen von Herzen Glück dazu wünschen. Käme es blos auf meine Freundschaft an, Sie würden das vortreflichste Meisterstück zuwege bringen, und ich würde, als Ihr Freund und Verehrer, erst der Welt bekannt werden.

Ihre Schäfergedichte habe ich nicht gesehen, und ich kränke mich, daß ich mich nicht wenigstens durch die Korrektur um dieses Gedicht habe verdient machen sollen. Vielleicht kann ich bey Breitkopfen ein Exemplar finden. — —

Für Ihren langen, schönen und freundschaftlichen Brief und für Ihre abermalige Vorsorge für meine Mutter, danke ich Ihnen gehorsamst, und bitte um Ihre Gewogenheit gegen mich bis in mein Grab. Sie wissen es gewiß, wie hoch ich Sie schätze, und wie herzlich ich der Ihrige bin.

Gellert.

P. S. Liebster Herr Baron!

Muß ich denn immer traurige Nachrichten von Ihnen erfahren? Sie sind so gefährlich, so lange krank gewesen? Gebe doch Gott, daß diese Ihre Krankheit die Ursache einer langwierigen Gesundheit werde! was für eine Freude würde ich gehabt haben, wenn ich Sie in dem Carlsbade angetroffen hätte; wenn ich Ihnen an diesem Orte, wo man den Vergnügungen des Herzens nachhängen muß, alles das hätte sagen und zeigen können, was ich von Hochachtung und Liebe gegen Sie empfinde und zeitlebens empfinden werde. Aber es hat mir nicht so gut werden sollen. Für Ihr schönes Gedicht danke ich Ihnen ergebenst, und melde Ihnen zugleich, daß das Buch zu der Hallischen Arzney Hr. Kornen gewiß übergeben worden ist. Er muß et verlegt haben. Ich habe an ihn geschrieben. Wann ers nicht findet: so will ich Ihnen bald ein ander Exemplar schicken. Ich bin mit der vollkommensten Ergebenheit Ihr Freund und Diener

Gellert.

31.

An denselben.

L. d. 8. Oct. 1753.

Hochgebohrner Freyherr,

Hochzuehrender Herr und Freund!

Wenn Sie von der gelehrten Welt, wie Sie schreiben, Abschied nehmen wollen; so habe ich noch weit mehr Ursache dazu. Ich vermisse alle Lebhaftigkeit, die zu einem Autor erfordert wird, und ich erfahre es insonderheit, wie wahr es ist, daß man nicht in jedem Alter Verse machen kann. Ich mag die Ursachen nicht aufsuchen, genug daß es meine Pflicht ist, nicht wider mich selbst zu handeln, und den Beyfall, den ich mir ehedem erworben, nicht durch unglückliche Arbeiten zu verderben. Ich begnüge mich, junge Leute zu unterrichten, welche Genie haben, und setze meine Ehre darinnen, wenn ich andere Arbeiten schätzen, befördern, und bekannt machen kann. Sie, theuerster Freund, haben so viel Verdienste um die Welt, daß Sie die Mühe eines andern nicht erst zu Hülfe nehmen dürfen, um sich zu verewigen; und wenn Ihre Freunde Sie um Gedichte ersuchen, so weis ich daß Sie allezeit Ihre Wünsche übertreffen werden. Schonen Sie Ihre so schätzbare Gesundheit, und überhäufen Sie sich nicht mit Arbeiten; Sie sollen noch lange gesund und vollkommen zufrieden leben. Dieses wünsche ich nebst tausend andern und insonderheit nebst meiner alten Mutter, die Ihnen unendlich für Ihre besondere Gnade dankt.

Ich verharre mit der ersinnlichsten Hochachtung

Ewr. Hochgebohren

gehorsamster
Gellert.

32.

An Borchward.

L. d. 19. Dec. 1753.

Auch ein Brief an meine Freunde ist mir in meinen itzigen Umständen eine Arbeit. Sie müssen mir es also vergeben, daß ich Ihnen so selten schreibe, und mich bedauren, daß ich unglücklich genug bin, in dem Vergnügen eine Arbeit zu finden. Dieser Eingang verräth, daß ich Lust zu klagen habe, und wer ist meiner Klagen würdiger, als Sie, mein liebster Borchward? Aber um mich selbst zu bestrafen, will ich diese Reigung itzt nicht befriedigen. Ich will Ihnen vielmehr sagen, daß ich Ursach habe, zufriedner mit meinem Schicksale zu seyn, als ich es vor dem Jahre in eben diesem Monate seyn konnte. Meine Seele ist noch nicht heiter, noch nicht stark; aber sie ist auch nicht so verfinstert, so entkräftet, als sie damals war. Ich kränke mich indessen weit mehr, daß ich so unempfindlich bin, das Glück, das ich habe, zu erkennen und zu fühlen, als ich über das, was mir mangelt, betrübt bin. Wo kömmt diese Kälte, diese undankbare Härte her, von der ich sonst nichts gewußt habe? Ich stehe mit der Trägheit auf, mit der ich mich niederlegte: und der Gedanke, du hast die ganze Nacht ruhig geschlafen, ist des Morgens meiner Seelen eine gleichgültige Zeitung. Mein Gott, wie wenig

vermag der Mensch über sich selbst, und wie viel glaubt er sich
doch heimlich zu seyn! Ich esse, ich trinke, ich schlafe, und fühle
doch keine Kräfte. Freylich habe ich itzt wenig Bewegung, und
des Tags drey Collegia; aber unter fast gleichen Umständen war
ich doch vor wenig Jahren ein ganz anderer und besserer Mensch.
Noch mehr, ich hatte mehr Beschwerungen des Leibes, weniger
Schlaf, mehr Beklemmungen der Brust, und dennoch war ich
weit munterer. Hätte ich, wie Sie, eine liebenswürdige Frau,
so glaubte ich der bangen Stunden an ihrer Seite weniger zu
haben. Würde nicht ein Wort, ein Blick von ihr oft meinen
Geist aus seinem traurigen Schlummer reißen? Doch, wo weiß
ich das? Würde es nicht meine Unruhe eben so leicht vermeh=
ren, wenn ich die ihrige durch mich wachsen sähe? Genug, die=
ses Glück hat nicht in den Plan meines Schicksals gehört; und
was wäre die Gelassenheit für eine Tugend, wenn sie uns nicht
wirkliche Uebel ertragen lehrte, indem sie uns auf die weise und
gütige Hand der Vorsehung sehen heißt. Was verdienen wir vor
Gott? Nein, ich will den Vorsatz, den ich tausendmal gefaßt
habe, noch einmal vor Ihren Augen fassen, ich will nicht un=
leidlich seyn, sondern des Herrn harren, und sorgen, wie ich den
geringen Rest meiner Kräfte mir und andern zum Besten an=
wenden kann. Könnte ich dieses nur, so würde ein großes Theil
meiner Unzufriedenheit wegfallen.

Ach, wie wollte ich zu Ihnen eilen, wenn Sie nicht weiter
als acht oder zehn Meilen von mir entfernt wären! denn nun=
mehr geben mir die Feyertage einige Freyheit. Nun, ich um=
arme Sie in Gedanken mit einem recht brüderlichen Herzen; ich
danke Ihnen für Ihren letzten vortreflichen Brief, und sage
Ihnen, daß Ihre Ermunterungen eine recht siegende Beredsam=
keit für mich haben. Ich grüße Ihre Frau Gemahlin, und
wünsche Ihnen und Ihr die zufriedensten Feyertage.

G.

33. (1.)

Meine liebe Freundinn,

Warum sagt mich doch die Welt so oft todt? Bin ich wichtig genug, daß sie etwas gewinnen sollte, wenn ich stürbe? Große Herren sterben in den öffentlichen Nachrichten immer etlichemal, aber warum soll ich diese Ehre haben? Ich bekomme sehr oft Briefe von meinen auswärtigen Correspondenten, in welchen sie mir die ungegründete Furcht melden, worein sie durch eine falsche Nachricht von meinem Tode wären gesetzt worden. In einem gewissen Verstande mögen diese Nachrichten auch wohl wahr seyn. Wenigstens haben tausend Dinge, welche die Lebendigen vergnügen, für mich keinen Reiz und keine Kraft mehr, so wie ich zu vielen Dingen, welche für die Lebenden gehören, weder Lust noch Vermögen habe. Traurige Scene meines Lebens, die ich mir vor drey oder vier Jahren, als die unglaublichste würde vorgestellet haben! Aber so wenig kennen wir uns selbst und unser Schicksal. Nichts schmerzet mich mehr, als wenn ich bedenke, daß ich auf diese Weise fast alle die Eigenschaften verliere, wodurch ich die Liebe meiner Freunde erworben und Andern zu dienen gesucht habe. So wenig ich endlich abergläubisch bin, so denke ich doch nicht zu irren, wenn ich die öftern Nachrichten von meinem Tode als Erinnerungen ansehe, die mir nöthig sind, weil ich mir sie vielleicht selbst nicht ernstlich genug mache. Mit Ihnen kann ich so reden, meine Freundinn. Sie wissen, wie gern wir die Augen von diesem letzten Auftritte unsers Lebens abwenden. Möchte mich doch Gott so glücklich werden lassen, daß ich, über die Furcht des Todes erhaben, ihn mehr mit Freuden als mit Zittern mir täglich vorstellen könnte! Ich bin 2c.

G.

34. (L.)

An den Herrn Professor S**. *)

Liebster Freund,

) habe mich des traurigen Privilegii, stumm zu seyn, nur
lange gegen Sie bedienet, und ich will mir das Jahr
nter dem Vorwurfe verstreichen lassen, daß ich einem meis
chzbarsten Freunde die Antwort schuldig geblieben bin, die
t auf einen Brief, der von nichts als Freuden voll ist,
n mir in B [erlin] zubereitet hatte, und bis ich hätte ge=
können, wenn ich die Kunst verstünde, weniger hypochon=
zu seyn, und dem Aengstlichen eines Bades die Anmuth
andhauses, mitten in einer Residenz, vorzuziehen. Aber
es mein Schicksal: ich beziehe die Bäder, ringe nach Ge=
t und verseufze die Zeit, die ich in den Armen der recht=
sten Freunde süß verweinen könnte. Es ist wahr, ich bin
:m Carlsbade weniger beängstiget gewesen, als nach dem
ädter; allein die Ruhe, die Heiterkeit, die ich suche, habe
h, da nicht gefunden. Indessen harre ich, und sammle den
einer Kräfte, diejenige Geduld auszuüben, die nicht allein
:ne vornehmste Pflicht, sondern auch meine einzige Arzney
rreiche ich diesen Winter nur einige von den Stufen der
:keit, von denen ich zurück gefallen bin; so beantworte ich
hre freundschaftlichen Einladungen, Ihre Liebe und das
en Ihrer Wilhelmine künftigen Frühling persönlich. Gebe
, Gott, daß ich diese Freude noch schmecken mag! Ihres
abe ich nicht gesehen, ich bin vermuthlich verreiset gewesen.
arum habe ich nun auch dieß Glück nicht genießen sollen,
en Mann zum Freunde zu machen, der Ihr bester Freund

An Sulzer; vergl. N. 26, S. 49.)

sehr feinen Schwung zu geben, und den Nachdruck mit der Freyheit zu verbinden. Was kann man mehr begehren? Genug,
nach meiner Empfindung ist in diesem kleinen Stücke mehr poetische Sprache, als in manchem Heldengedichte, das unsre Zeiten hervorbringen. Die lieben Kinder hätte ich meine Sylvia
mögen vorstellen sehen; sie würden gemacht haben, daß ich wenigstens einen frohen Tag meines Lebens mehr gehabt hätte.
Da sie Ihren Beyfall verdient haben: so weis ich gewiß, daß
sie das Stück besser agirt haben, als ichs hier auf der Schau-
bühne aufführen sehe.

Leider trinke ich auch Caffee und rauche auch Toback. So
viel Gewalt ich mir anthue, beides mäßig zu gebrauchen: so ist
mirs doch beynahe unmöglich, es ganz zu lassen, weil ich dabey
studire. Es ist mein täglicher Kummer; denn weder das eine
noch das andere kann unserm Körper ganz unschädlich seyn. Aber
was für Gewalt hat nicht eine schreckliche Gewohnheit über uns?

Ein Hällisches Apothekchen will ich gewiß, und zwar noch
diese Woche aus Halle verschreiben. Ich kenne den Hofrath
Madai, der die Arzneien selbst besorget. Das kleinste kostet
Sechs Thaler, und wenn man kein Buch dazu nimmt, das Sie
vielleicht schon haben, achtzehn Groschen weniger. Aber für
Sechs Thaler ist es nicht verschlossen, ich werde also wohl eines
für Acht Thaler ohne Buch verschreiben. Wollen Sie die Ar-
zeneien gern vor der Messe haben: so will ich sehn, daß sie mein
Verleger, wenn er Bücher an Hr. Korn schicket, mit einschlagen
und bequem fortschaffen kann. In diesem letzten Falle erwarte
ich Ihre Antwort. Außerdem soll die Apothek bis zur Messe
hier bleiben. Ich empfehle mich der Frau von Dyhern zu Gnaden und bin der Ihrige

b. 1. März 1753.

Gellert.

28. (3.)

J. F. Freiherr v. Cronegk an Gellert.

Hohentrübingen d. 16. Juni 1758.

Verehrungswürdiger Freund,

Ich habe Leipzig verlaffen müffen, ohne Sie zu fehen; ohne von Ihnen Abfchied nehmen zu können; ohne Ihnen bey unfern letzten Umarmungen wenigftens durch Thränen fagen zu können, wie fehr ich Sie liebe. Ich bin von Ihnen getrennt, und foll die großen Vorzüge Ihres Geiftes, und die noch größern Vorzüge Ihres Herzens künftig nur aus der Ferne verehren. O wenn ich Ihnen fchreiben könnte, wie empfindlich mir diefes alles fällt! wie fehr ich Sie hochfchätze. —

Ich bin auf dem Lande bey meinen Aeltern, und wenn ich an den Plan vom Landleben denke, den wir einmal zufammen machten, fo feufze ich fo fehr, daß man mir Schuld giebt, ich hätte eine Geliebte in Leipzig zurückgelaffen. Aber alsdann fange ich an von Ihnen zu reden, und da bin ich fo unerfchöpflich, daß fogar die Bedienten, die bey der Tafel aufwarten, untereinander fprechen, fie möchten doch den Mann gern kennen, von dem der junge Herr fo viel fage, und bey deffen Erinnerung ihm immer die Thränen in die Augen kämen.

Ich bin zeither durch Reifen nach Anfpach fo zerftreuet worden, daß ich kaum Zeit zum Denken gehabt; fonft hätte ich Ihnen fchon eher gefchrieben. Keine gereimte Zeile, feit ich Leipzig verlaffen.

Es hängt die früh begriffne Leyer
An fchwachen Aeften blaffer Cypreffen.
Benetzt von ftillen zärtlichen Thränen,
Ertönen die fchlummernden Saiten nicht mehr.

Ich schicke Ihnen meinen Scipio und einige andre Kleinigkeiten. Vertreten Sie auch noch entfernt das Amt meines Lehrers, und sagen Sie mir die Fehler dieser Stücke, wenn sie
nicht zu viel Fehler haben, als daß sie sich verbessern ließen.
Auf diesen Fall aber schicken Sie mir sie wieder, und ich verspreche Ihnen, sie augenblicklich zu verbrennen. Ich setze noch
immer mein Vertrauen auf Sie, und hoffe, Sie sollen mich
nicht ganz vergessen. Vielleicht verdiene ich Ihre Freundschaft
sonst durch keine gute Eigenschaft: aber mein Herz ist so voll
von Zärtlichkeit und Dankbarkeit gegen Sie, daß ich noch dadurch einen Platz in Ihrem Andenken verdiene.

Empfehlen Sie mich dem Herrn Grafen von Brühl, Ihrem
Herrn Bruder und dem schalkhaftesten und liebenswürdigsten
aller Steuerrevisoren. Ich weis, daß Sie nicht gern Briefe schreiben, und ich will nicht so unbescheiden seyn, auf fleißige Antworten zu bringen. Erlauben Sie mir nur, bisweilen Ihnen
zu schreiben. Leben Sie wohl. Ich bin zeitlebens

Ihr

aufrichtigster Freund und Verehrer,
von Cronegk.

29.

An Borchward.

L. d. 22. Juni 1753.

Ich fange diesen Brief mit der Versicherung an, daß ich
Sie unendlich liebe; dies will mein Herz; und nunmehr will ich
Ihnen gleich die Ursache sagen, warum Sie diese Messe weder
einen Brief noch die verlangten Bücher erhalten haben. Ich

reiste den vierten May mit Doctor Tillingen, der Bademe=
dicus im Carlsbade und mein Freund ist, dahin, ob er mir
gleich nicht sehr dazu rieth. Ich reiste (denn was wagt ein
Elender nicht, den bald sein Geist, bald sein Körper martert),
ich reiste ins Carlsbad, und vorgestern, den zwanzigsten b. M.,
bin ich wieder in Leipzig angekommen, nachdem ich drey Wo=
chen in Annaberg, sowohl wegen der kalten Witterung, als
wegen des Mangels der Kräfte, stille gelegen habe, und alsdenn
drey Wochen im Bade gewesen bin. Von dem Erfolge der Cur
kann ich Ihnen zur Zeit nichts sagen, als daß ich sehr matt
und etwas schlaflos bin. Ich verlange keine Herstellung der
Gesundheit; nein, nur eine kleine Linderung. Möchte es doch
dem Vater der Menschen gefallen, nur meinen Geist zu stärken,
das Leiden des Leibes will ich gern bis in mein Grab tragen!
Ach, mein liebster Freund, welche Veränderung ist mit mir seit=
dem vorgegangen, daß ich Sie nicht gesehen habe! und welche
wird mit mir bald vorgehen, wenn sichs nicht im kurzen beßert!
Es scheint, daß ich Sie in diesem Leben wohl nicht wieder sehn
werde; aber in jener Welt will ich Sie unter den Freuden der
Glückseligen triumphirend umarmen, und Ihnen brüderlich dan=
ken, daß Sie mich geliebet haben.

Bey dieser Vorstellung fällt mir Ihr Young und der gute
Hervey ein, an die ich in dem letzten Briefe nicht gedacht
habe. Können Sie wohl zweifeln, daß ich Youngen nicht so
hochachten sollte, als Sie ihn achten? daß er mich nicht mehr
erbauen sollte, als der Dichter des Meßias? Nein, ich verehre
Youngen, auch wenn ich ihn nicht verstehe; denn ich schließe aus
dem, was leicht ist, daß er auch schön und vortreflich denkt,
wenn er schwer ist. Er hat mich vielmal bis zum Zittern mit
seinen kühnen Gedanken fortgerissen, und mitten in der Angst
mich erquickt. Sein Uebersetzer, Ebert, ein vortreflicher Kopf
(ißt Prinzeninformator in Braunschweig), ist einer meiner ge=

schickteſten Freunde. Er hat mich, als er vor acht Jahren in Leipzig ſtudirte, das Engliſche gelehret; und aus den erſten Büchern, die er mit mir las, waren Youngs Satyren: die Liebe zum Ruhme. Hervey iſt unendlich weit unter Youngs Geiſt. Er hat ein frommes liebes Herz; aber ſeine ſchematiſche und allegoriſche Art mich zu erbauen, läßt meine Empfindung kalt, und heißt mich zu dem nächſten Blatte eilen. Indeſſen habe ich ihn einmal ganz durchgeleſen. Zu dieſen Critiken, welche die Ihrigen und die meinigen ſind (ſo gewiß als ich lebe), will ich mein Urtheil über Ihre beyden Erzählungen hinzuſetzen. Sie ſind in vielen Theilen ſehr naif und ſchön; in manchen ſcheinen ſie mir etwas weitläuftig. Kurz, in den Augen guter Freunde, und in den Händen guter Freundinnen, ſind ſie des größten Beyfalls werth. Dennoch behaupte ich, daß Ihre Poeſie nicht ſo viel gefallendes hat, als Ihre Proſa; vermuthlich iſt die Schwierigkeit des Verſes, die Sie zu überſteigen ſuchen müſſen, die Urſache dieſes Mangels. — — Den Plato und Xenophon, denke ich Ihnen mit dieſem Briefe zu ſchicken. Mehr kann ich nicht ſchreiben; denn ach wie kraftlos bin ich! — — Gott laſſe es Ihnen und Ihrer wackern Frau und allen Ihren Freunden wohl gehn! Wie gern möchte ich Sie in Ihrem Hauſe umarmen! Ich bin ꝛc.

G.

30.

An den Freiherrn von Crauſſen.

L. d. 28. Juni 1753.

Hochgebohrner Freyherr!

Ich bin, wie Sie vielleicht ſchon wiſſen werden, im Carlsbade geweſen; denn wie könnte ich ſonſt eine Meſſe vorbey laſ sen, ohne Ihnen zu schreiben. Von meiner Cur will ich Ihnen nicht viel sagen. Wissen Sie nicht schon genug, wenn Sie wissen, daß ich nicht kränker und auch nicht viel gesünder bin, als ehedem? Und warum wollte ich auch alle meine Briefe an Sie zu Verzeichnissen von meinen Zufällen und Curen machen? Ich habe diesen Fehler schon oft genug begangen. Genug, daß ich Ihnen mein Glück nicht verschweigen werde, wenn wir Gott nach dem Bade einige Linderung schenken sollte. Vielleicht gefällt es ihm; doch nicht, wie ich will.

Sie sind wieder Poet geworden, theurester Freund. Wie sehr bewundere ich Ihre Liebe zur Dichtkunst, und Ihren erstaunenden Fleiß! Mich deucht, daß sich Ihre poetische Sprache gut zu einem Lehrgedichte schickt, und ich bitte Sie sehr, wenn Sie fortarbeiten, daß Sie sich vor den gar zu prosaischen und gewöhnlichen Ausdrücken hüten. Ihr Plan, so wie Sie mir ihn entworfen haben, ist sehr gut, er ist systematisch; aber für ein Gedicht zu philosophisch. Wenn der Dichter einer so strengen Ordnung folgen will: so muß er, indem er lehret, nothwendig matt und prosaisch werden, und darüber vergessen, daß man in der Poesie lehrt, um zu vergnügen; denn außerdem, wenn der Unterricht nur die Absicht wäre: so würden wir sie in Prosa weit besser, gewisser und leichter erreichen können, als in der Poesie. Nehmen sie nur z. E. des jüngern Racine beyden Lehrgedichte von der Religion und Gnade, und sehn Sie, ob er eine so strenge Methode blicken läßt? Er beobachtet die natürliche Ordnung; außerdem überläßt er sich der Freyheit der Poesie, nicht alles, sondern nur das, was das vorzüglichste ist, und was sich schön sagen läßt, zu sagen. Sie werden eben das bey dem Horaz, dem Vida, dem Boileau in ihren Lehrgedichten von der Poesie, bey Popen in seinem Kriticism, und bey zehen andern Dichtern finden. Ich wünschte also, daß Sie das System in Ihrem Gedichte etwas verbergen, und die philosophische Gründlichkeit durch die Anmuth der Poesie verfassen könnten. Ich sehe aus den überschickten Bogen, daß Sie zu genau sind. Sie sagen mehr, als man fordert, um nichts wegzulassen. Wollen Sie in dieser Arbeit fortfahren: so will ich Ihnen von Herzen Glück dazu wünschen. Käme es blos auf meine Freundschaft an, Sie würden das vortreflichste Meisterstück zuwege bringen, und ich würde, als Ihr Freund und Verehrer, erst der Welt bekannt werden.

Ihre Schäfergedichte habe ich nicht gesehen, und ich kränke mich, daß ich mich nicht wenigstens durch die Korrektur um dieses Gedicht habe verdient machen sollen. Vielleicht kann ich bey Breitkopfen ein Exemplar finden. — —

Für Ihren langen, schönen und freundschaftlichen Brief und für Ihre abermalige Vorsorge für meine Mutter, danke ich Ihnen gehorsamst, und bitte um Ihre Gewogenheit gegen mich bis in mein Grab. Sie wissen es gewiß, wie hoch ich Sie schätze, und wie herzlich ich der Ihrige bin.

Gellert.

P. S. Liebster Herr Baron!

Muß ich denn immer traurige Nachrichten von Ihnen erfahren? Sie sind so gefährlich, so lange krank gewesen? Gebe doch Gott, daß diese Ihre Krankheit die Ursache einer langwierigen Gesundheit werde! was für eine Freude würde ich gehabt haben, wenn ich Sie in dem Carlsbade angetroffen hätte; wenn ich Ihnen an diesem Orte, wo man den Vergnügungen des Herzens nachhängen muß, alles das hätte sagen und zeigen können, was ich von Hochachtung und Liebe gegen Sie empfinde und zeitlebens empfinden werde. Aber es hat mir nicht so gut werden sollen. Für Ihr schönes Gedicht danke ich Ihnen ergebenst, und melde Ihnen zugleich, daß das Buch zu der Hallischen Arzney Hr. Kornen gewiß übergeben worden ist. Er muß

es verlegt haben. Ich habe an ihn geschrieben. Wann ers nicht
findet: so will ich Ihnen bald ein anber Exemplar schicken. Ich
bin mit der vollkommenſten Ergebenheit Ihr Freund und Diener

Gellert.

31.

An denſelben.

L. d. 8. Oct. 1753.

Hochgebohrner Freyherr,
Hochzuehrender Herr und Freund!

Wenn Sie von der gelehrten Welt, wie Sie ſchreiben, Abſchied nehmen wollen; ſo habe ich noch weit mehr Urſache dazu.
Ich vermiſſe alle Lebhaftigkeit, die zu einem Autor erfordert
wird, und ich erfahre es insonderheit, wie wahr es iſt, daß man
nicht in jedem Alter Verſe machen kann. Ich mag die Urſachen
nicht aufſuchen, genug daß es meine Pflicht iſt, nicht wider mich
ſelbſt zu handeln, und den Beyfall, den ich mir ehedem erworben,
nicht durch unglückliche Arbeiten zu verderben. Ich begnüge
mich, junge Leute zu unterrichten, welche Genie haben, und
ſuche meine Ehre darinnen, wenn ich andere Arbeiten ſchätzen,
bewundern, und bekannt machen kann. Sie, theuerſter Freund,
haben ſo viel Verdienſte um die Welt, daß Sie die Mühe eines
Poeten nicht erſt zu Hülfe nehmen dürfen, um ſich zu verewigen;
und wenn Ihre Freunde Sie um Gedichte erſuchen, ſo weis ich
gewiß, daß Sie allezeit Ihre Wünſche übertreffen werden. Schonen Sie Ihre ſo ſchätzbare Geſundheit, und überhäufen Sie ſich
nicht mit Arbeiten; Sie ſollen noch lange geſund und vollkommen zufrieden leben. Dieſes wünſche ich nebſt tauſend andern

unb infonberheit nebſt meiner alten Mutter, bie Ihnen unenblich
für Ihre befonbere Gnabe bankt.

Ich verharre mit ber erfinnlichſten Hochachtung

Ewr. Hochgebohren

gehorſamſter
Gellert.

32.

An Borchwarb.

L. b. 19. Dec. 1753.

Auch ein Brief an meine Freunbe iſt mir in meinen itzigen
Umſtänben eine Arbeit. Sie müſſen mir es alſo vergeben, baß
ich Ihnen ſo ſelten ſchreibe, unb mich bebauren, baß ich unglücklich genug bin, in bem Vergnügen eine Arbeit zu finben. Dieſer Eingang verräth, baß ich Luſt zu klagen habe, unb wer iſt
meiner Klagen würbiger, als Sie, mein liebſter Borchwarb?
Aber um mich ſelbſt zu beſtrafen, will ich dieſe Reigung itzt nicht
befriedigen. Ich will Ihnen vielmehr ſagen, baß ich Urſach
habe, zufriebner mit meinem Schickſale zu ſeyn, als ich es vor
bem Jahre in eben dieſem Monate ſeyn konnte. Meine Seele
iſt noch nicht heiter, noch nicht ſtark; aber ſie iſt auch nicht ſo
verfinſtert, ſo entkräftet, als ſie bamals war. Ich kränke mich
indeſſen weit mehr, baß ich ſo unempfinblich bin, bas Glück, bas
ich habe, zu erkennen unb zu fühlen, als ich über bas, was mir
mangelt, betrübt bin. Wo kömmt dieſe Kälte, biefe unbankbare
Härte her, von ber ich ſonſt nichts gewußt habe? Ich ſtehe mit
ber Trägheit auf, mit ber ich mich nieberlegte: unb ber Gebanke,
bu haſt bie ganze Nacht ruhig geſchlafen, iſt bes Morgens meiner Seelen eine gleichgültige Zeitung. Mein Gott, wie wenig

vermag der Mensch über sich selbst, und wie viel glaubt er sich doch heimlich zu seyn! Ich esse, ich trinke, ich schlafe, und fühle doch keine Kräfte. Freylich habe ich izt wenig Bewegung, und des Tags drey Collegia; aber unter fast gleichen Umständen war ich doch vor wenig Jahren ein ganz anderer und besserer Mensch. Noch mehr, ich hatte mehr Beschwerungen des Leibes, weniger Schlaf, mehr Beklemmungen der Brust, und dennoch war ich weit munterer. Hätte ich, wie Sie, eine liebenswürdige Frau, so glaubte ich der bangen Stunden an ihrer Seite weniger zu haben. Würde nicht ein Wort, ein Blick von ihr oft meinen Geist aus seinem traurigen Schlummer reißen? Doch, wo weiß ich das? Würde es nicht meine Unruhe eben so leicht vermehren, wenn ich die ihrige durch mich wachsen sähe? Genug, dieses Glück hat nicht in den Plan meines Schicksals gehört; und was wäre die Gelassenheit für eine Tugend, wenn sie uns nicht wirkliche Uebel ertragen lehrte, indem sie uns auf die weise und gütige Hand der Vorsehung sehen heißt. Was verdienen wir vor Gott? Nein, ich will den Vorsatz, den ich tausendmal gefaßt habe, noch einmal vor Ihren Augen fassen, ich will nicht unleiblich seyn, sondern des Herrn harren, und sorgen, wie ich den geringen Rest meiner Kräfte mir und andern zum Besten anwenden kann. Könnte ich dieses nur, so würde ein großes Theil meiner Unzufriedenheit wegfallen.

Ach, wie wollte ich zu Ihnen eilen, wenn Sie nicht weiter als acht oder zehn Meilen von mir entfernt wären! denn nunmehr geben mir die Feyertage einige Freyheit. Nun, ich umarme Sie in Gedanken mit einem recht brüderlichen Herzen; ich danke Ihnen für Ihren letzten vortreflichen Brief, und sage Ihnen, daß Ihre Ermunterungen eine recht siegende Beredsamkeit für mich haben. Ich grüße Ihre Frau Gemahlin, und wünsche Ihnen und Ihr die zufriedensten Feyertage.

G.

33. (1.)

Meine liebe Freundinn,

Warum sagt mich doch die Welt so oft todt? Bin ich wichtig genug, daß sie etwas gewinnen sollte, wenn ich stürbe? Große Herren sterben in den öffentlichen Nachrichten immer etlichemal, aber warum soll ich diese Ehre haben?. Ich bekomme sehr oft Briefe von meinen auswärtigen Correspondenten, in welchen sie mir die ungegründete Furcht melden, worein sie durch eine falsche Nachricht von meinem Tode wären gesetzt worden. In einem gewissen Verstande mögen diese Nachrichten auch wohl wahr seyn. Wenigstens haben tausend Dinge, welche die Lebendigen vergnügen, für mich keinen Reiz und keine Kraft mehr, so wie ich zu vielen Dingen, welche für die Lebenden gehören, weder Lust noch Vermögen habe. Traurige Scene meines Lebens, die ich mir vor drey oder vier Jahren, als die unglaublichste würde vorgestellet haben! Aber so wenig kennen wir uns selbst und unser Schicksal. Nichts schmerzet mich mehr, als wenn ich bedenke, daß ich auf diese Weise fast alle die Eigenschaften verliere, wodurch ich die Liebe meiner Freunde erworben und Andern zu dienen gesucht habe. So wenig ich endlich abergläubisch bin, so denke ich doch nicht zu irren, wenn ich die öftern Nachrichten von meinem Tode als Erinnerungen ansehe, die mir nöthig sind, weil ich mir sie vielleicht selbst nicht ernstlich genug mache. Mit Ihnen kann ich so reden, meine Freundinn. Sie wissen, wie gern wir die Augen von diesem letzten Auftritte unsers Lebens abwenden. Möchte mich doch Gott so glücklich werden lassen, daß ich, über die Furcht des Todes erhaben, ihn mehr mit Freuden als mit Zittern mir täglich vorstellen könnte! Ich bin 2c.   G.

34. (2.)

An den Herrn Professor S**. *)

1753.

Liebster Freund,

Ich habe mich des traurigen Privilegii, stumm zu seyn, nur gar zu lange gegen Sie bedienet, und ich will mir das Jahr nicht unter dem Vorwurfe verstreichen lassen, daß ich einem meiner schätzbarsten Freunde die Antwort schuldig geblieben bin, die Antwort auf einen Brief, der von nichts als Freuden voll ist, die man mir in B [erlin] zubereitet hatte, und die ich hätte genießen können, wenn ich die Kunst verstünde, weniger hypochondrisch zu seyn, und dem Aengstlichen eines Bades die Anmuth eines Landhauses, mitten in einer Residenz, vorzuziehen. Aber so will es mein Schicksal: ich beziehe die Bäder, ringe nach Gesundheit und verseufze die Zeit, die ich in den Armen der rechtschaffensten Freunde süß verweinen könnte. Es ist wahr, ich bin nach dem Carlsbade weniger beängstiget gewesen, als nach dem Lauchstädter; allein die Ruhe, die Heiterkeit, die ich suche, habe ich auch, da nicht gefunden. Indessen harre ich, und sammle den Rest meiner Kräfte, diejenige Geduld auszuüben, die nicht allein jetzt meine vornehmste Pflicht, sondern auch meine einzige Arzney ist. Erreiche ich diesen Winter nur einige von den Stufen der Munterkeit, von denen ich zurück gefallen bin; so beantworte ich alle Ihre freundschaftlichen Einladungen, Ihre Liebe und das Mitleiden Ihrer Wilhelmine künftigen Frühling persönlich. Gebe es doch Gott, daß ich diese Freude noch schmecken mag! Ihren L,. habe ich nicht gesehen, ich bin vermuthlich verreiset gewesen. Aber warum habe ich nun auch dieß Glück nicht genießen sollen, mir einen Mann zum Freunde zu machen, der Ihr bester Freund

*) (An Sulzer; vergl. N. 26, S. 49.)

ift? Wo ich hinsehe, entzieht mir die Hypochondrie den rechtmäßigen Antheil an dem geselligen Leben. Würde ich verreiset
gewesen seyn, wenn ichs nicht gethan hätte, um nicht krank zu
seyn? Aber ich wollte ja nicht murren? Nein, ich will es auch
nicht thun. Tausend wackre Leute, die unendlich mehr Verdienste
haben als ich, sind eben nicht glücklicher, und werden vielleicht
weniger bedauert, als ich. Leben Sie wohl, liebster S.., und
tragen Sie ferner durch Ihre Liebe einen Theil meiner Last.
Ich küsse Sie und Ihre liebe, gute, fromme Wilhelmine. Es
müsse Ihnen nicht nur in dem künftigen Jahre, es müsse Ihnen
zeitlebens so wohl gehen, als ich und tausend Andre Ihnen wünschen, und als Sie Beide vor so vielen Andern verdienen. Ich
bin zeitlebens der Ihrige,

G.

35.*)

Rabener an Gellert.

[Dresden, 1753.]

.: Liebster Professor,

Wie unvermuthet sind wir von einander gerissen worden, und
wie sehr vermisse ich Sie, so stumm Sie auch sind! Wir wollen uns unverändert lieben; wir werden beyde glauben können,
daß wir uns lieben, wenn wir es auch einander nicht sagen,
denn wir sind bis itzt nicht sehr gewohnt gewesen, davon zu reden.
Wie ist Ihnen das Bad, oder vielmehr die Reise ins Bad bekommen? Sie müssen vollkommen gesund seyn, wenn die Wün-

*) (G. W. Rabeners Briefe, herausgeg. v. C. F. Weiße. 1772.
S. 248 ff.)

sche Ihrer Freunde nur einigermaßen erfüllt sind. Wie ich mich eingerichtet habe, und wie es mir hier gefällt, will ich Ihnen auf Michael sagen. Viel Arbeit, sehr viel Arbeit habe ich; aber ich bin ihrer gewohnt. Ich nehme meine Freunde aus, sonst vermisse ich hier kein Vergnügen. Bald werde ich hier einge= wohnt seyn, und Leipzig zwar niemals vergessen, aber auch nicht lange mehr vermissen. Lesen Sie denn auch mannigmal meine Schriften? Machen Sie Sich gefaßt, mir auf Michael die schwe= dische Gräfinn eingebunden zu schenken. Ja freylich eingebun= den; denn der Band ist das beste, und mein Exemplar haben itzt die Princeßinnen *** und ***, von denen ich es schwer zurück bekommen möchte, wenigstens kann ich es ihnen nicht wieder abfordern. Die guten Princeßinnen haben beyde Theile durchgelesen, und sie haben ihnen recht wohl gefallen, vermuth= lich, weil alles so fein leserlich gedruckt ist. Je ja! das Buch ist ganz gut, es steht auch nichts ärgerliches brinne, daß es also eine Princeßinn ganz wohl lesen mag. Wie befindet sich denn unser Graf B° mit seinem Mentor? Ich würde den Herrn Grafen selbst gefragt haben, aber es ist bey mir noch so viel Ge= wirre, als daß ich so viel Zeit gewinnen könnte. An alle Freunde und Bekannte, die ich genannt habe, die ich noch nennen werde, und die ich nicht nenne, machen Sie meinen verbindlichsten Em= pfehl. Vornehmlich geht das auf den Herrn Grafen von G***, seinen liebenswürdigen Hofmeister und deren hochfreyherrlichen Nachbar. Fragen Sie diesen einmal, wie ihm die Rückreise be= kommen sey, sehen Sie ihm steif zwischen die Augen, und wenn er roth wird, so geben Sie noch nicht alle Hoffnung verloren. Er hat mir gesagt, daß auf der Rammischen Gasse, wo ich wohne, viele verdächtige Häuser wären. Woher muß er wohl diese Nachricht haben? —

Nun kömmt ein Punkt, auf den ich binnen acht Tagen Ant= wort haben möchte. Für einen jungen Grafen, der auf eine

auswärtige Universität gehen soll, und etwan funfzehn Jahr alt
ist, wird ein Hofmeister gesucht. Was von ihm verlangt wird,
werden Sie wohl wissen; ich weis es nicht. Vermuthlich wird,
außer einem äußerlichen guten Ansehn, auch französisch und Geduld verlangt. Den Gehalt weis ich auch nicht; so viel hat
man mir aber gesagt, daß es nicht darauf ankommen würde,
hundert Thaler mehr oder weniger zu geben. — Meine Mägdchen grüßen Sie nicht, darum will ich sehr bitten. Antworten
Sie mir bald, und recht viel; wenn Sie schreiben, so haben Sie
ja nicht nöthig zu reden. Lieben Sie mich unverändert, und
denken Sie an mich. Wenigstens werden Sie an mich denken,
wenn Ihnen ein Accisgroschen zum Merseburger fehlt. Leben
Sie wohl, mein lieber Stummer!

Rabener.

36. *)

An Joh. Andr. Cramer.

L. d. 7. Jan. 1754.

Lieber Bruder,

Mein ganzes Verdienst besteht itzt darinne, daß ich Dich bewundre und lobe.

Der Einfall wegen der Psalme ist vortrefflich; aber die Ausführung noch vortrefflicher. Ich habe nichts zu tadeln, als daß
sie noch nicht gedruckt und von der Welt gelesen und auswendig
gelernt sind. Der Welt wegen wünschte ich, daß Du hin und
wieder etwas leichter seyn möchtest. Was Dir leicht ist in Dei-

---

*) (Klopstock. Er; und über ihn, herausgeg. v. C. F. Cramer.
1792. Th. 5, S. 173 ff.)

ner poetischen Höhe, das ist der Welt nicht stets leicht: und für die Welt dichtest Du itzt. Mache, daß bald der erste Theil herauskömmt; doch ich wollte, daß alle drey Theile zugleich da wären — — Wegen Deiner Oden und Lehrgedichte sey von mir auch im neuen Jahre ermahnet. Du mußt sie zusammen drucken lassen und Deinen Namen vorsetzen, so gut, als vor die Psalmen; denn die große Welt kennet Dich gar nicht als einen Dichter. Wer liest die Beyträge; und wer weis, daß Du dieses oder jenes darinnen gedichtet hast? Die Franzosen würden Dich lesen, wenn sie Dich hätten; sie würden Dich übersetzen, so wie mich ein Herr von Riverie, ein Mitglied der Academie, itzt in Paris übersetzt, nämlich meine Fabeln. Der erste Theil soll zu Ostern daselbst gedruckt seyn.

Ich liebe Dich, als ein Bruder; ich umarme Dich, Deine Frau und Kinder, und bin ewig der Eurige,

Gellert.

David gefällt mir vortrefflich, bis auf die zweyte Strophe; diese ließ ich weg. — Die Welten unter seinen Füßen — ist dunkel, wenigstens für die Welt; und an diese müßen Sie bey Ihren Psalmen so sehr denken, und noch mehr, als an die Poeten, Ihre Brüder. — Ps. 1. Der Sünder ist — ist steht falsch — dennoch gefällt mir die Aendrung beßer, als das Erste. Dieser Psalm ist schön zum Singen, und das wünsche ich. — Ps. 2. wild ihr arm — mir gefällt hier das wild nicht. Der Sterblichen im blinden Grimme — im blinden Grimme, möchte ich voran und Stimme zur andern Zeile haben. Den ich zu meinem König weihte — ist etwas dunkel. gern — man hört den Reim sehr; aber er soll wegen des Sohns des Herrn doch bleiben. — Ps. 3. Gott — ich wollte, daß es o Gott! hieße. Hasser ist mir etwas anstößig: aber bey Dir vertrag ichs. — Ps. 6. Schwellen meine Lager

voll, scheint mir verwegen active gesagt. Beter 2c. Ich
freue mich, daß Du dieß Wort in der Poesie wagst. Der mich
wagt zu hassen 2c. wider die Grammatik. — Psf. 7. Ein
leicht zerrißner Raub — das versteht die Welt nicht ge=
nug. — Psf. 10. Ihr Laster machet sie zu Freunden:
dunkel, sie, anstatt einander. Dieser Psalm ist sehr schön. —
Psf. 11. Hier kömmt das Wort Frevler so vielmal vor. —
Psf. 13. vortrefflich. — Psf. 14. — ihm zu flehn — wenn
der noch fernen Rache Stimme — klingt mir hart. Ich
dächte, die Aendrung könntest Du behalten. — Psf. 23. ist
schön, zum Singen schön, und das ists, was ich im Namen der
Welt wünsche. Alles was Empfindung ist, läßt sich besser sin=
gen, als die erhabenste Poesie der Gemälde. — Psf. 29. mit
hingeworfnen Leibern — nicht gut. Sie macht sie hüp=
fen; diese Strophe würde ich wegen der verworrnen Construction
tadeln: aber Cramern kann ich sie nicht tadeln, bey ihm gefällt
sie mir. — Psf. 37. Vertheidigt euer Herz — lieber be=
wahret, oder so ein Wort; denn vertheidigen ist der Welt zwey=
deutig. Der ganze Psalm gefällt mir vortrefflich, bis auf die
Strophe: Ein Frevler stieg empor 2c. — Psf. 39. Als ob sie
bleiben müßten; bleiben ist zweydeutig; ein ander Wort. —
Psf. 41. Die Aendrung soll bleiben. — Psf. 46. Entstürz=
ten — lieber stürzen allein. — Psf. 47. Singt auch gern—
lieber ihm gern. — Psf. 57. vortrefflich; nur die Winter=
wolke gefällt mir nicht. — Psf. 70. Ein Lied in die Kirche;
das ist vortrefflich. Ich küsse Dich. Aber dafür mußt Du auch
das zerstreu wegthun. — Psf. 93. Ich muß Dich wieder küs=
sen; nur kann ich die aufgewiegelten Ströme nicht leiden.
Mein poetisches Herz ist zu verzagt bey solchen Worten. —
Psf. 96. Die Aendrung am Ende bleibt, wenn Du keine besser
findest. — Psf. 100. Ich singe Dich schon mit in der Dresdner
Hofkirche; da soll dieß Lied gesungen werden, ehe Du noch Säch=

ſiſcher Oberhofprediger wirſt. Du biſt wirklich zehnmal klüger als ich; und ich bin nur ein poetiſcher Hänfling gegen Dich Nachtigalle. — Pſ. 118. Um und um, — gefällt mir nicht, ſonſt aber alles. Ich änderte es in Gedanken: Das Feſt mit Meien; ſchmückts mit Ruhm. Da ichs geändert hatte, fand ich in dem um und um etwas nachdrückliches, eine Art einfältiger Malerey, die mir natürlicher war, als der Ruhm. Alſo laß Dich ſtehn. — Pſ. 119. Ich treibe meinen Fuß zu dir hin; ich ſetzte, ich kehre ꝛc. Nachdem ich den 119. Pſalm geleſen habe; ſo ſchäme ich mich, Dich weiter zu tabeln, und auch Dich getabelt zu haben. Du warſt gebohren, die Pſalme der Welt vom neuen ſchätzbar zu machen.

---

37. (59.)

L. d. 30. Jan. 1754.

Lieber Herr C***,

Unter den vielen Urſachen, warum ich ſeit etlichen Tagen böſe auf mich bin, iſt dieſes keine der geringſten, daß ich einen Brief von Ihnen ſeit langer Zeit unbeantwortet gelaſſen; einen Brief, der mit Liebe und Achtung gegen mich angefüllt iſt. Und wodurch ſoll ich meinen Fehler wieder gut machen? Durch einen langen Brief? Durch Verſprechungen, daß ich oft an Sie ſchreiben, daß ich mich weder durch den Geiſt der Hypochondrie, noch des Katheders, noch des Autors von dem Vergnügen will abhalten laſſen, mit Ihnen zu reden, mit Ihnen über Ihr gelehrtes Exilium zu klagen, und Sie mit den Beyſpielen großer Männer zu tröſten, deren erſtes Schickſal auch Prüfung geweſen iſt? Leibnitz fällt mir den Augenblick ein, und nach ihm Mosheim. Sie mögen es nun denken, oder nicht: ſo iſt doch Ihre

Leben Sie wohl, und vergessen Sie niemals, daß ich es mein größtes Vergnügen seyn lasse, Sie zu lieben und zu verehren. O! wie glücklich macht mich schon itzt Ihre Freundschaft, und wie viel glücklicher wird sie mich nicht einst machen, wenn ich sie mehr werde verdient haben!

Ihr

Brühl.

---

53. (15.)

An den Grafen Moritz von Brühl.

L. d. 18. Oct. 1754.

Verdiene ich nicht Ihr Lob? Ich reise sechs und zwanzig Meilen, um Sie zu sehen, und Ihnen zu sagen, wie hoch ich Sie schätze. Das soll mir ein andrer Hypochondrist nachthun, wenn er kann. Indessen darf ich auf das gute Werk meiner Reise eben nicht stolz seyn; denn so beschwerlich sie auch gewesen ist, so bin ich doch reichlich dafür belohnet. Ich habe meinen Grafen Moritz wieder gesehen, und ihn so liebenswürdig gefunden, als ich wünschte. Dieses Vergnügen hat die Natur der Tugend, die uns nicht nur bey der Anstalt und bey der Ausübung, sondern am meisten durch eine stille Erinnerung belohnet. Ja, theuerster Graf, so lange Sie fortfahren, die große Hoffnung zu erfüllen, die ich mir von Ihrem Verstande und dem, ihm gleichen Herzen mache: so werde ich bey aller meiner Unruhe immer noch eine Nahrung zur Zufriedenheit haben, und nicht glauben, daß ich ganz vergebens gelebet. Mein letzter Wunsch, wenn ich sterbe, soll noch Ihre Wohlfahrt seyn; und meinen Freunden will ich als Vermächtniß die Pflicht hinterlassen, Ihr rühmliches Leben der Nachwelt zu erzählen. „Und alles mit

„Einem Worte zu sagen, wird Ihr künftiger Biograph Ihren
„Lobspruch beschließen: Er fürchtete Gott, darum war
„er so groß!"

So wenig Sie diese Stelle aus Ihrer künftigen Lobrede in
diesem Briefe vermuthet haben werden: so habe ich Sie doch
damit lieber als mit einer ermüdenden Erzählung meiner Reise
unterhalten wollen. Genug, ich bin wieder in Leipzig, und ein
Posamentirer aus Dresden ist mein getreuer Gefährte gewesen.
Er hat mir den Tod seiner Kinder mit tausend Thränen, die
Liebe zu seiner krank zurückgelaßnen Frau recht poetisch schön,
und seine Unfälle, seine Armuth, sein Vertrauen auf die Vorsehung während seines zwölfjährigen Aufenthalts in der Fremde,
das harte Herz seiner geizigen Schwiegermutter recht erbaulich
beschrieben. So bin ich von einer Postsäule zur andern gekommen, weniger langsam, als ohne diesen Mann geschehen seyn
würde. Leben Sie wohl.

G.

54.

An Borchward

L. d. 6. Nov. 1754.

Ja wohl, Sir Carl, das ist ein Mann, der möchte ich lieber seyn, als König der Helden. O wenn ich nur sein Herz
ganz hätte, so wäre ich der glücklichste Sterbliche. Und der
Vater, der Schöpfer, dieses Sir Carls, den beneide ich, indem
ich ihn verehre, bewundre und liebe. Warum ward ich nicht
auch in England geboren? Ob ich ihn lieber habe als den Fiel-
ding? Tausendmal lieber, ob ich gleich diesem in seiner Art
seine Verdienste gern zugestehe.

Wie mirs geht? Erträglich; beſſer, als vor Jahren um
dieſe Zeit; nicht ſo gut, als ich wünſchte; weit beſſer, als ich
verdiene. Bis hieher hat mir der Herr geholfen, und ich bete
ihn in dieſem Augenblicke für alle ſeine Barmherzigkeit an, und
ermuntere Sie, indem Sie dieſes leſen, ihm mit mir zu danken.
Ich habe heute mehr Muth als ſonſten, und durch wen habe
ich ihn? Er begehret mein, ſo will ich ihm aushelfen. — Ich
bin bey ihm in der Noth — Göttliche Worte! Und o was iſt
die Freude der Seelen für ein Guth. Wäre ich doch jetzt bey
Ihnen, daß ich, durch Ihr Beyſpiel geſtärkt und belebt, alle
das Glück des Lebens und der Freundſchaft, der Ruhe, ganz in
mein Herz ſammeln könnte! Oder wäre ich doch ein Gefährte
Ihres Vergnügens auf dem Lande bey Ihrem lieben Halbbruder
geweſen! Ich gönne Ihnen den glücklichen Monat, den Sie in
Sauen zugebracht. Aber Sie melden mir nicht, ob Sie ihn
in der Geſellſchaft Ihrer lieben Frau genoſſen; doch das iſt keine
Frage; ſonſt würde er Ihnen nicht ſo ſchön geweſen ſeyn. Sie
iſt mir doch noch gewogen? Antworten Sie immer: Das iſt
auch keine Frage!

Dem Herrn von Formey bin ich ſehr viel Dank für ſeine
ſchöne Ueberſetzung ſchuldig. Einer meiner Zuhörer überſetzet,
oder hat den 3ten Theil ſeines Chriſtlichen Philoſophen über=
ſetzet; ich wollte wünſchen, daß die erſten beyden Theile auch
ihm vorbehalten geweſen wären. — Der Herr von Riverie
iſt noch nicht hier, und ſeine Fabeln ſehe ich auch nicht. — Die
Einlage iſt beſtellt; und ich weiß nichts weiter zu ſagen, als
was ich Ihnen ſchon tauſendmal geſagt habe, daß ich ewig der
Ihrige bin

G.

55.

L. d. 4. Dec. 1754.

Herr Reich, der Buchhändler aus der Weidmannischen Handlung, reiset nach Berlin. O wie gern reiste ich mit, um meinen lieben, theuren Borchward brüderlich zu umarmen, und an seiner Seite die Last meiner Hypochondrie einige Tage zu verreden! Aber der Winter, mein Körper, meine Collegia, das sind ja Hindernisse genug. Indessen grüße ich Sie durch diesen Brief mit eben der Liebe und dem Sorgen eines Freundes, der gegenwärtig ist, und sage Ihnen, daß meine Hochachtung und Erkenntlichkeit für Sie nie höher steigen können, wenn wir auch noch einmal so lange leben sollten, als wir schon gelebt haben. Ich weiß es, wie sehr Sie mich lieben. Alle Ihre Briefe sagen mirs auf die durchdringendste und edelste Art, die ich nicht nachahmen, aber desto mehr fühlen kann. Wie mancher Trost, den ich oft gehört, oft gedacht, ist mir in Ihren Briefen neu und doppelt kräftig geworden; denn Sie, Sie sagten mir ihn! Möchte ich Ihnen doch bald, nicht durch Trost, nein, durch herzliche Theilnehmung an neuen Scenen der Freude Ihres Lebens, alle meine Liebe und Dankbarkeit, mein ganzes gutes Herz beweisen können! Sie wissen schon, was ich für Scenen der Lust meyne.

Der Welt eine Clarissa oder einen Grandison zu geben. Aber was rede ich? Müssen nicht auch unschuldige und fromme Wünsche auf das Wohlgefallen der Vorsehung zurück gesetzt werden, wenn sie nicht aufhören sollen, gut zu seyn? Ich will bey dem Grandison der Erdichtung bleiben. Der vierte Theil ist fertig. Ich glaube, daß ihn Reich schon nach Berlin geschickt hat, außerdem würde ich Ihnen mein Exemplar aufdringen, ob ichs gleich selber im Deutschen noch nicht gelesen habe. Ich bin

durchaus in dies Buch verliebt, und zwinge alle junge Herren,
daß sies auswendig lernen sollen. Ebert, der Uebersetzer, der
glückliche Uebersetzer Youngs, hat einen grotesken, aber doch
schönen Einfall bey der Durchlesung des siebenten Theils gehabt.
Wenn ich, spricht er zu Professor Gärtnern in Braunschweig,
den Grandison geschrieben hätte: so wüßte ich gewiß, daß ich
selig werden müßte. Gott vergebe es ihm! ich muß es ihm vergeben. O hätte doch Ebert den Grandison übersetzt, und
eben er sollte ihn nach meinem Plane übersetzen; aber er konnte,
und wollte nicht.

Die Uebersetzung des Herrn Riverie ist angekommen. Er
hat eine gewisse Anzahl aus meinen und aus des Engländers
Gay seinen Fabeln, den London in das Begräbniß der Könige
gelegt hat, übersetzet. (Ich kann sterben, wenn ich will, man
trägt mich gewiß nicht in das Churfürstliche Begräbniß nach
Freyberg.) Kurz, der Herr von Riverie hat mir viel Ehre,
zumal in der Vorrede, die ziemlich französisch ist, erwiesen; und
da ich das Original bin, so darf ich nicht Richter seyn. Wenn
ich wüßte daß ich keine Eitelkeit begienge: so ließ ich Ihnen ein
Exemplar von Arkstee holen. So lange habe ich geredt, ohne
an das Klagen zu denken? Und könnte ich nicht klagen? Leben
Sie wohl! liebster Borchward. Grüßen Sie Ihre Frau,
meine Freundin; grüßen Sie Ihren Bergius. Ich bin ewig
Ihr Freund und Diener

G.

56. *)

An Johann Andreas Cramer.

L. d. 6. Dec. 1754.

Theuerster Cramer!

So wie ich vielleicht der erste Leser Deiner Predigten gewesen bin, so will ich auch — nicht der erste Richter, das kann ich nicht — nein, der erste und aufrichtigste Lobredner seyn. Ich bewundere Dich. Wo ich Dich sehe, in welcher Scene der Wissenschaft und der Beredsamkeit es auch sey, da sehe ich meinen ganzen Cramer, Dich ganz mit Deinem großen Genie, mit Deinem durchdringenden Verstande, mit Deiner fruchtbaren und freywillig gehorchenden Einbildungskraft, mit Deinem seligen Gedächtnisse. Vergieb mir meinen Lobspruch; er quillt aus dem Innersten meines Herzens. Vergieb mir ihn und glaube ihn; Du mußt ihn glauben; Du bist es werth, ihn nach dem Buchstaben glauben zu dürfen. Habe Dank, guter trefflicher Cramer, für Deine Reden. Sie haben mich schon eben so sehr erbaut, als vergnügt, und meine Zuhörer in der Beredsamkeit hören schon Stellen aus ihnen, ehe sie noch fertig sind; denn ich habe nicht mehr als zehn oder zwölf Bogen, da ich dieses schreibe, gelesen, und diese Bogen habe ich mir von Breitkopfen selber geholet, selber erbettelt, selber geheftet, und itzt schicke ich Herrn B. demüthig an ihn, mir die übrigen, die aus der Presse seyn werden, zukommen zu lassen. O herrlicher Cramer, wie klein werde ich mir, wenn ich Dich lese, und wie groß auf der andern Seite, wenn ich Dich als meinen Freund, als meinen Bruder denke! Gott lasse es Dir und Deiner Charlotte und Deinen Kindern vorzüglich unaufhörlich wohlgehen, und Dein König müsse noch täglich Dich mit neuer Gnade belohnen. Er ist es

---

*) (Briefw. Gellerts mit Dem. Lucius. Anhang S. 139.)

unter allen Prinzen, der es am würdigsten thun kann, obgleich nicht der einzige, der es thun würde. Meinem Grafen Moritz will ich Deine Reden, sobald ich sie habe, schicken. O wie wird er mich lieben! wie werde ich mir ihn zu Danksagungen gegen mich, zu süßen Empfindungen gegen die Religion und gegen ihren Prediger verbinden!

So weit habe ich mit einer wahren Hitze geschrieben. Ich will aufhören, damit ich Dich nicht von Neuem lobe. Lebe wohl, liebster Freund, theurer Cramer, liebe mich unaufhörlich, bete für mich täglich. Ich bin ewig Dein Freund.

Gellert.

---

57. (16.)

An den Grafen Moritz v. Brühl.

L. d. 12. Dec. 1754.

Ihr letzter Brief verdienet zwo Antworten, und mehr als zwo; so schön ist er. Alles lebt darinnen von einer ungekünstelten Anmuth und gefällt wie die natürliche Farbe eines Gesichts, die aus einem heitern Geiste und aus einem gesunden Blute hervor blüht. Nun werden Sie bald ein kleiner Cicero werden, und da werden denn unsre Nachkommen die Briefe des Grafen Moritz v. Brühl an seinen Atticus fleißig in den Schulen lesen, und sorgfältig darüber commentiren. „Doctor Bartlet, wird es heißen, mit dem er ihn in dem und dem Briefe „vergleicht, ist nicht in dem Gelehrten-Lexico zu finden; wir „muthmaßen aber, daß es ein tiefsinniger Gelehrter und großer „Publicist gewesen seyn muß, und zwar aus vielen Ursachen." — Ich wollte diese Ursachen eben ausfindig machen, und eben itzt bekomme ich einen Correkturbogen von der schwedischen Gräfinn,

ber mir die Luft dazu benimmt. Mein Brief soll sich auch gleich
schließen. Wie hat Ihnen Herr Riveri gefallen? Der Ver-
faffer der Briefe über die Engländer ift doch wohl Herr le Blanc?
Haben Sie den Grandison ganz? Bald will ich Ihnen
Cramers Predigten und den erften Theil feiner Pfalmen fchicken. O wie werden Sie mir für diefe Bücher danken! Bald
wäre ich mit nach Dresden gekommen. Ich empfehle Ihnen
den Herrn Cammerjunker von B....., desgleichen die Lotterie meiner Vaterftadt aufs befte. Leben Sie wohl, liebfter
befter Graf.

G.

---

58. (17.)

Graf Moritz v. Brühl an Gellert.

Dresden, d. 14. Dec. 1754.

Liebfter Gellert,

Sehen Sie, wie lieb mich meine Freunde haben! Selbft in
ihrer Gegenwart verlangen fie, daß ich an Sie fchreiben soll,
und wie follte ich der Freundfchaft mein eigen Vergnügen ab-
fchlagen? Wenn Sie uns nur zufammen fähen! Der Herr von
B.... und B.. lefen beide mit einer Stille, die ich bewundere,
und das zwar bloß aus Furcht, mich zu ftören. Sie mögen mir
es nun bald abgemerkt haben, wie fehr ich Sie liebe, und fie
gewinnen felbft durch die Achtung gegen unsere Freundfchaft in
meinem Herzen. Aber wie soll ich Sie für alles Vergnügen belohnen, das mir Ihre Briefe gemacht haben? In was für einem
angenehmen Gefichtspuncte zeigt mich Ihnen Ihre Einbildungskraft! Laffen Sie fich ja nicht von diefer Betrügerinn hintergehen. Indeffen, wenn ich gleich nicht bey unfern Enkeln die

7*

einer der größten Staatsmänner in England war; so wie er
einer der größten Dichter gewesen ist. Ihre Moral in Ihrem
Gedichte ist vortrefflich, und ich umarme Sie mit belohnenden
Küssen. O liebster Graf, lassen Sie das Geräusch des Hofes
diese Stimme der Wahrheit und Tugend nicht betäuben! Ich
weis, wie viel dazu gehöret, unter tausend Verführungen dem
Ehrgeize und der Wollust zu widerstehen; aber ich weis auch,
welch ein edles Herz ich ermuntere. Bedenken Sie den Sieg,
geliebter Graf: „In seinen lebhaftesten Jahren, im Angesichte
„des Hofes, hat er über den falschen Reiz der Wollust und der
„betrüglichen Ehre durch Weisheit und durch den Zuruf eines
„empfindlichen Gewissens triumphirt!“ Wenn Sie diesen Sieg
erkämpfen, dann werden Sie, zufrieden mit sich und der Welt,
in der Stunde der Betrachtung Ihren Freund segnen, der Ihnen
nichts schöners zu sagen wußte, als Ihre Pflicht. Sie werden
sich den Beyfall zu verdienen suchen, und doch in denselben ein
gerechtes Mißtrauen setzen. Es giebt elende Geschöpfe, die unsere
Schmeichler werden, um uns unglücklich zu machen; es giebt
elende Geschöpfe, die es nicht leiden können, daß wir durch wahre
Verdienste weit über sie erhaben sind, und die uns durch tausend
Künste bis zu sich, bis zu ihren Ausschweifungen zu erniedrigen
suchen. Aber was sage ich Ihnen? Vergeben Sie der Liebe, die
mich zu diesen Sittensprüchen begeistert. Ohne Liebe zu Ihnen
würden es Beleidigungen seyn; aber so sind sie Ausflüsse eines
Herzens, das Sie hochachtet und liebet, das Sie gern ewig lieben und bewundern will. Ja, das sind es. Leben Sie wohl
und lieben Sie Ihren

G.

5**2**. (14.)

Morit$ v. Brühl an Gellert.

Dresden, d. 27. Juli 1754.

Liebster Freund,

Bin ich nicht sehr verwegen? Ich wage es, Ihnen zu ant=
worten, statt daß mich die Vortrefflichkeit Ihres Briefs davon
hätte zurückhalten sollen. Allein wie sollte ich nicht von Ihrer
Freundschaft alles erwarten, von der Sie mich so schön versichern?
Ja, liebster Freund, diese macht mich verwegen, und ich müßte
Sie weniger lieben, und wie ist das möglich? wenn sie nicht
diese Wirkung auf mich thun sollte. Eben diese ist es, der ich
schon so viel zu verdanken habe; und ich werde nur so lange
glücklich seyn, so lange ich sie zu erhalten wissen werde. Aber
wie kann ich Ihnen nur den geringsten Theil davon erwiedern?
Mit dem dankbarsten Herzen bleibe ich noch stets unerkenntlich,
und o wie süße ist es nicht, so übertroffen zu werden! Glauben
Sie indessen nicht, liebster Freund, daß mein Herz nur im ge=
ringsten von seiner Dankbegierde dabey verlieret. Nie schlug es
dankbarer für Sie in meiner Brust, und niemals auch war es
zufriedner, als es itzt ist.

Ich danke Ihnen unendlich für die Gütigkeit, mit der Sie
mein Gedicht beurtheilen. Ihr Beyfall ist sowohl die Wirkung
Ihrer Nachsicht als Ihrer Scharffichtigkeit, und er würde mir
weit minder angenehm seyn, wenn Sie in Beurtheilung dessel=
ben nur die erstere gebraucht hätten. Verzeihen Sie mir den
Verlust der Zeit, die es Sie gekostet. Ich erwarte Sie nebst
Ihren Anmerkungen. Das erste, was Sie zu thun haben, ist,
daß Sie Ihre Reise nach Dresden antreten. Alles wartet auf
Sie, und der ganze Hof ist ungeduldig auf Ihre Ankunft. Fünf
Collegia und Eine Correktur können, deucht mich, schon warten.

Leben Sie wohl, und vergessen Sie niemals, daß ich es mein größtes Vergnügen seyn lasse, Sie zu lieben und zu verehren. O! wie glücklich macht mich schon itzt Ihre Freundschaft, und wie viel glücklicher wird sie mich nicht einst machen, wenn ich sie mehr werde verdient haben!

Ihr

Brühl.

---

53. (13.)

An den Grafen Moritz von Brühl.

L. d. 18. Oct. 1754.

Verdiene ich nicht Ihr Lob? Ich reise sechs und zwanzig Meilen, um Sie zu sehen, und Ihnen zu sagen, wie hoch ich Sie schätze. Das soll mir ein andrer Hypochondrist nachthun, wenn er kann. Indessen darf ich auf das gute Werk meiner Reise eben nicht stolz seyn; denn so beschwerlich sie auch gewesen ist, so bin ich doch reichlich dafür belohnet. Ich habe meinen Grafen Moritz wieder gesehen, und ihn so liebenswürdig gefunden, als ich wünschte. Dieses Vergnügen hat die Natur der Tugend, die uns nicht nur bey der Anstalt und bey der Ausübung, sondern am meisten durch eine stille Erinnerung belohnet. Ja, theuerster Graf, so lange Sie fortfahren, die große Hoffnung zu erfüllen, die ich mir von Ihrem Verstande und dem, ihm gleichen Herzen mache: so werde ich bey aller meiner Unruhe immer noch eine Nahrung zur Zufriedenheit haben, und nicht glauben, daß ich ganz vergebens gelebet. Mein letzter Wunsch, wenn ich sterbe, soll noch Ihre Wohlfahrt seyn; und meinen Freunden will ich als Vermächtniß die Pflicht hinterlassen, Ihr rühmliches Leben der Nachwelt zu erzählen. „Und alles mit

38. *)

An J. F. Freiherrn von Cronegk.

L. d. 7. Febr. 1754.

Mein lieber Baron,

Ich bin sehr froh über Ihre Zurückkunft; aber ich würde weit froher seyn, wenn Sie mir zwanzig Meilen näher wohnten. Würde das nicht hübsch seyn, wenn ich, bey einer traurigen Arbeit, zu mir sagen könnte: Sey nicht ungedulbig; morgen sollst Du auch zu deinem lieben Baron Cronegk reisen: es sind nur acht Meilen; in vier Tagen bist du wieder da, und hast dich gesund, munter und poetisch mit ihm geredet. Ja wohl, wäre das schön. Da brächte ich Ihnen Ihre Comödien mit und ließ mir sie von Ihnen vorlesen, und machte Ihnen peinliche Anmerkungen; und wenn ich zurück reiste, nähme ich mir wieder neue Arbeiten von Ihnen mit; und auf diese Weise könnte ich Ihre Liebe und Sie könnten mein Herz genießen. Aber was würde Ihre gn. Fr. Mutter dazu sagen? Würde sie nicht glauben, wenn ich so oft käme, daß ich ein Abgeordneter einer Sächsischen Schöne wäre? Das möchte sie immer sagen. Wenn man studiret und gereiset hat: so ist die erste Belohnung eine liebenswürdige Frau, und die andre ein liebenswürdiger Sohn, dem Vater gleich. Und das ist mein Ernst, bester Baron, Sie müssen heirathen. Ihr Herz soll ein zweytes Herz glücklich machen und von ihm glücklich gemacht werden; dazu sind Sie gebohren. Sie sollen lieben und durch Ihr Beyspiel das wahre Glück der Liebe und der Tugend lehren. Ein Vater, der seine Familie weise regiert und gütig versorgt, ist in meinen Augen ein großer Mann. Lassen Sie den Lenz Ihrer Jahre nicht einsam verstrei-

*) (Aus dem Original, im Besitz des Hrn. D. A. Schulz zu Leipzig.)

chen und glauben Sie, daß mein Leben zufriedner seyn würde, wenn ich diesen Fehler, diesen unersetzlichen Fehler, nicht begangen hätte.

Das ist genug für einen Brief. Wie ist Ihr erster April aufgenommen worden? Ich denke, ich werde Reichthum und Ehre nebst etl. andern Gedichten bald drucken lassen. Wenn wollen Sie mir wieder schreiben? Leben Sie wohl! Ich bin der

Ihrige

Gellert.

39.

An den Freiherrn von Craussen.

L. 13. Febr. 1754.

Hochgebohrner Freyherr,

Endlich habe ich das Vergnügen, Ihnen zu Ihrem poetischen Werke von Herzen Glück zu wünschen. Der edle und fromme Geist, der aus demselben hervorleuchtet, der Eifer für Weisheit und Tugend, und besonders für die Religion, wird manchen redlichen Leser rühren und erbauen, wenn auch die Poesie den Kunstrichtern nicht an allen Orten gefallen sollte. Es ist nicht um die Ehre der Zeitungen, daß Sie gedichtet haben; nein, Ihre Absicht ist größer. Ich würde vielleicht hin und wieder eine kleine Aenderung gewaget haben; doch ohne Ihre ausdrückliche Erlaubniß habe ich nichts thun wollen. Es werden kaum etliche Sylben seyn, die ich bey dem Drucke geändert. Die Correctur habe ich besorgt; aber mit was für Glücke, das weiß ich nicht. Indessen danke ich Ihnen außerordentlich für die kleine Gelegenheit, die Sie mir gegeben, Ihnen meine Erkenntlichkeit und vollkommenste Ergebenheit zu bezeugen. Je mehr Sie dieser Gelegen-

ι machen, deſto ruhiger werde ich werden. Die Exemplare,
ch acht Stücke an Ihro Durchlaucht den Herzog von Sach=
Neinungen, und ſechs Stück nach Gandersheim gehen mor=
.b. Ich habe vier Exemplare ſauber einbinden, und an
von den beyden hohen Häuptern zwey beylegen laſſen. Es
gebräuchlich, daß man einige Exemplare einbinden läßt.
Ind nicht koſtbar, aber ſchön gebunden, in engliſches Leder.
Fehler wegen der zu zeitig abgeſchickten Briefe liegt theils
ʃerr Kornen, theils an Herr B*. Jener ſchicket ſie und
ʃet nichts dazu, und dieſer, da ich ſie abfordern laſſe, hat
.s übereilter Dienſtfertigkeit ſchon fortgeſchicket. Vielleicht
man das erwartete Werk mit deſto größerm Vergnügen.
ʃiederhole die Verſicherungen, die ich Ihnen in allen Brie=
ʃeureſter Freyherr, von meiner Ehrerbietung und Hochſchä=
gebe, und ich fühle allezeit ein neues Vergnügen, ſo oft ich
ʃederholen kann. Die Verdienſte des Dichters, ſo ſehr ich
ʃätze, werden bey Ihnen durch noch weit größere Eigenſchaf=
es Geiſtes überwogen, die tauſend Dichter nicht beſitzen.
ʃerharre mit dem erſinnlichſten Reſpecte

   Ewr. Hochgebohren

       gehorſamſter Diener
        Gellert.

40.*)

An J. F. Freiherrn von Cronegk.

       L. d. 23. März 1754.

Mein lieber Herr Hofrath,

ʃo bekommen Sie auf einmal einen Brief von Ihrem Graf
ʒ, einen von Ihrem Gellert und von eben demſelben auch

(Aus dem Original, das ſich in der Stadtbibliothek zu Leipzig befindet.)

ein Bändchen hübsch gedruckter Gedichte? Das ist viel auf einmal. Werfen Sie alle Ihre Acten bey Seite (es wäre denn, daß Sie ein Todesurtheil, oder eine Sentenz an Witwen und Waysen zum Besten zu sprechen hätten) werfen Sie, sage ich, alle Ihre Acten weg und fallen Sie mit Ihrer ganzen Seele auf meine Gedichte und lesen Sie solche ganz in Ihr Herz hinein. Alsdenn, so bald Sie das letzte Wort gelesen haben, nehmen Sie Ihre beste Feder, und schreiben Sie alle gefühlte Empfindungen, alle Critiken auf. Dieser Ihr künftiger Brief soll meine Belohnung, meine Besserung, ein Befehl mehr zu schreiben, ein Befehl, aufzuhören; kurz, er soll mir alles das seyn, was er seyn kann. Sie loben mich? o wie stolz hebt sich mein hypochondrisches Herz empor! Sie loben mich nicht? O wie bemüthig gehe ich in meine Kammer und hasse mich einsam! Mußte ich noch einmal schreiben? Konnte ich nicht aufhören, da ich fühlte, daß mir die Poesie Arbeit und Kummer ward? Cronecken nicht gerührt zu haben? — So werde ich feindselig zu mir sagen, wenn Ihr Brief ohne Ihren Beyfall kömmt. — Den Christen habe ich in der letzten Neujahrsmesse, mitten in meinen hypochondrischen Beschwerungen, gemacht, und flehentlich gebetet, daß ich ihn aus redlichem und frommen Herzen machen möchte. Der Stolz ist ein Paar Jahre älter. Wenn Sie Ihr Exemplar gelesen haben: so schicken Sie es doch dem Herrn v. Gleichen, nebst dem an den Herrn v. Riveri. Ich habe itzt keins mehr bey der Hand und ich will auch das Porto nicht so unverschämt häufen.

Ich umarme Sie und bin zeitlebens Ihr Freund

Gellert.

41.

An Borchward.

L. d. 23. März 1754.

Wem könnte ich wohl meine Gedichte eher schicken, als Ihnen?
Sie haben erst heute die Presse verlassen, und o wie eile ich,
daß sie bald in Ihre Hände kommen mögen! Der Beyfall der
Borchwarde in der Welt, und der Borchwardinnen, ist
die Belohnung, die ich suche; wenigstens ist dieser Stolz zugleich
ein Beweis eines guten Herzens. Lesen Sie also den Augenblick
die wenigen Bogen durch. Lassen Sie alles liegen, ich bitte Sie,
bis Sie zu Ende sind. Und sobald Sie die letzte Zeile gelesen
haben: so nehmen Sie die Feder, und schreiben Sie mir alle
Empfindungen, die Sie im Lesen gefühlt, auf. Dieses Verzeich=
niß wird entweder der gewisseste Lobspruch, oder der sicherste Ta=
del für mich seyn. Sammlen Sie auch die Empfindungen Ihrer
liebsten Gattin; sie werden gewiß lehrreich für mich seyn. Der
Thrist ist das letzte Gedichte, das ich nur in der verwichnen Neu=
ahrsmesse gemacht, nachdem ich etliche Jahre, durch verschiedne
ergebne Versuche überredet, geglaubt hatte, ich könnte keine
erse mehr machen. Ich mag Ihnen nicht sagen, was meine
esigen Freunde von diesem Gedichte urtheilen, damit Ihr Aus=
uch desto freyer bleibt. Aber ach wie glücklich wollte ich mich
itzen, wenn dieses Gedicht, wegen seines Inhaltes, des Bey=
s der Kenner und der Rechtschaffnen würdig wäre! Ich habe
i Tage, ohne Aufhören, daran gearbeitet, alle Quaal der
ochondrie verläugnet, und wie Gott weiß, oft gebetet, daß
aus der Fülle eines redlichen und absichtsvollen Herzens ma=
möchte. Und eben dieses Gedichte hat mich bestimmt, die
n auszusuchen und herauszugeben; denn diese liegen alle
etliche Jahre, manche fünf Jahre, z. E. die Erzählungen,

manche drey, manche zwey Jahre. Ja, ich war fest entschlossen,
sie nie drucken zu lassen: so sehr fehlte mir der Muth und die
Lust, ein Autor zu werden. Erinnern Sie sich nicht, daß Sie
mich mehr als einmal, aber vergebens, haben verführen wollen,
etwas drucken zu lassen? Wie gut werden Sie mir nunmehr
seyn, daß ich noch menschlich genug bin, verführt zu werden!
Also, werden Sie sagen, ist wohl ihre böse hypochondrische Epoche
vorbey? Wollte Gott, ich könnte dreist Ja sagen! Aber das
kann ich nicht. Indessen preise ich Gott, daß es leidlich, daß es
nicht mehr so schlimm ist, als ehedem. Ich weiß nicht, wie ichs
machen soll, daß ich mit mir selbst zufrieden werde. Ich glaube
oft, daß ich nicht mehr so gut bin, als sonst; ich glaube, daß
die feinen Empfindungen des Herzens sich bey mir verlieren.
Und was glauben? Ich fühle es. Ich bin starr, ich werde weder gegen das Gute, noch das Böse, genug empfindlich. Und
gesetzt, daß diese Beschaffenheit eine Folge der Krankheit und des
Mangels der gehörigen Säfte wäre: so kann ich doch immer die
Ursache der Krankheit gewesen seyn, und noch seyn. Weiter will
ich nicht klagen; aber einen kleinen Anfang zur Klage, den müssen Sie einem einsamen und anachoretischen Herzen vergeben.

Ob ich Sie diesen Sommer nicht in Berlin besuchen will?
Ach ja, den Willen habe ich, so oft ich an Sie denke; und wie
oft denke ich nicht an Sie! Aber die Ausführung hat in meinen Umständen große Schwierigkeiten, und diese werde ich nicht
so leicht überwinden. Ersetzen Sie mir den Genuß der Liebe,
den ich in Ihrem persönlichen Umgange nicht haben soll, durch
Ihre Briefe. Diese haben mich schon oft erquicket; und so lange
ich edle Herzen, wenn sie reden, noch zu schätzen weiß: so lange
will ich glauben, daß meine Hypochondrie noch nicht aufs höchste
gestiegen ist. Wissen Sie, was ich in diesem Augenblicke, da ich
dieses schreibe, wünsche? Ich wünschte, daß Sie einen Sohn
hätten, den ich zu mir nehmen, und in dem ich mich um seinen

Vater und seine Mutter verdient machen könnte. So fromm
dieser Wunsch ist, so muß er doch mit der Absicht der Vorsehung
nicht ganz übereinstimmen. Aber wenn es möglich wäre, daß
Sie die Freuden eines Vaters noch schmecken sollten, wer würde
froher seyn, als ich? Ich wünsche mit ganzer Seele Ihnen
alles das, was wahrhaft glücklich und zufrieden macht, und
bin zeitlebens der Ihrige

G.

43.°)

Rabener an Gellert.

Dresden, d. 24. März 1754.

Lieber Kleiner,**)

Wenn Sie meinen Beyfall aus der geschwinden Antwort
schließen wollen; so hätte ich Ihnen wohl mit einer Staffette
antworten mögen. Sie sind ein allerliebster Schleicher, so schlei-
chend, wie Ihr horchender Apoll auf dem Titelblatte. Da ich
von Ihnen kaum eine gereimte Zeile vermuthet, so überraschen
Sie mich mit einem Bändchen, worinnen ich meinen Gellert
ganz finde. Ich würde mit Ihrer Furchtsamkeit sehr unzufrieden
seyn, wenn Sie im Ernste aufhören wollten, mehr zu schreiben.
Wollen Sie nicht mehr erzählen? — aber warum wollen Sie
das nicht mehr? so geben Sie uns Lehrgedichte, in denen Sie
gewiß glücklich sind. Wissen Sie, daß mir der Stolz am
besten gefällt? Die Gedanken sind neuer, als in Reichthum
und Ehre: doch hat auch dieses Stück, gleich dem Christen,
vorzügliche Schönheiten. In den Erzählungen weis ich beynahe

---

*) (Rabeners Briefe, herausgeg. von Weiße S. 250 ff.)

**) Rabener pflegte Gellerten, in Beziehung auf seinen ältesten Bru-
der, den Oberpostcommissarius in Leipzig, so zu nennen. Weiße.

keine Wahl zu treffen; sie sind alle schön. Die 2. 3. 12te und 13te kommen mir entweder nicht neu genug, oder nicht sorgfältig genug erzählt vor. Der Informator wird wohl confiscirt werden; ob sie den frommen General in die B*** Zeitung einrücken möchten? daran zweifle ich fast. Ich freue mich, daß Sie das auf unsern Grafen mit beydrucken lassen. Er verdient, von Ihnen auf diese Art öffentlich gelobt zu werden; und vielleicht hat es auch künftig seinen großen Nutzen, wenn es ihm einmal, als Excellenz, ungefähr wieder in die Hände fallen sollte. Einen einzigen Punkt haben Sie darinne vergessen. Bey einer neuen Auflage können Sie immer noch eine Strophe nach der zehnten Strophe einrücken. In dem Gedichte auf Cramern ist viel Zärtlichkeit und Weißagung; außerdem würde ich es mehr für ein Gedicht für bekannte Freunde, als für die fremde Welt halten. Die Stelle S. 133. [Th. 2, S. 54]

Da liebe Töchter, liebe Söhne, &c.

müssen Sie schlechterdings Selbst, und mit Ihrer eignen menschenfreundlichen Miene lesen, wenn sie gefallen soll. Inzwischen ist der Gedanke gar christlich, und er bringt mich auf den erbaulichen Kirchengesang:

Schöne
Söhne
Und die Docken,
Die den Rocken
Fein abspinnen,
Und die Zeit mit Kunst gewinnen!

Unser Cramer wird itzt wohl bey Ihnen seyn. Wie beneide ich Sie!

Leben Sie recht wohl, und haben Sie mich recht lieb.

Mein letzter Segen ist:

Sey er ruhig, eß er und trink er 2c.
Schreib er fleißig Bücher, mein Sohn

Oder, welches einerley ist:

Auf! wag' es noch einmal; vergiß den Zeitvertreib,
Schlaf, Freunde, Lieb' und Wein! Verläugne dich, und schreib

Dieses wünscht mit Herr Wendlern

Ihr

redlicher Rabener.

Extract
aus dem dresdnischen Anzeiger.

sub rubr. Allerhand kleine Schriften 2c.

Leipzig. Allhier haben wir aus dem Wendlerischen Ver=
lage abermal ein Werkchen bekommen, welches den Titel führt:
Lehrgedichte und Erzählungen von Gellerten, groß Octav, 9 Bo=
gen. Es ist dieses eine Sammlung gar lehrreicher Denksprüche,
die uns der sel. Mann hinterlassen hat, und die seine Erben
zusammen drucken lassen. Wir hätten gewünscht, daß einige
Nachricht von seinem Leben vorgesetzt wäre. Da er schon vor
zwey Jahren gestorben ist*), so würde es noch Zeit seyn, ver=
schiednes von seiner Person und Umständen zu sammlen. Der
selige Mann gehörte unter die großen Geister, die mehr als eine
Sphäre füllen, und seine tiefe Einsicht in die Berg= und Metal=
lenwissenschaften**) werden ihn in seinem Vaterlande unsterblich
machen. Wir freuen uns, daß der Herr Pastor B** in S**

---

*) Der Ruf hatte ihn dazumal todt gesaget. Weiße.

**) Dieß bezieht sich auf eine Stelle im Journal Etranger, wo man
bey Gelegenheit der Recension der Metallurgie des Herrn Berg=
commissionrath Gellerts in Freyberg, ihn mit dem Dichter ver=

Hoffnung macht, eine ausführliche Beschreibung von seinen Lebensumständen künftige Peterpaulmesse zu liefern. An Druck und Papier hat der Verleger nichts gespart. Wir wollen zur Probe von diesen Gedichten eine anakreontische Obe einrücken:

An

den Herren Grafen

Hanns Moritz von Brühl.

2c. 2c.

Wie gefällt Ihnen dieses Extractchen, mein lieber Kleiner? Ich erstaune, da es mir den Augenblick in die Hände fällt, als ich den Brief schließen will. Sehn Sie, daß wir in Dresden auch Geschmack haben! Am 26. Merz.

43.

An den Freiherrn von Craussen.

L. d. 2. Apr. 1754.

Hochgebohrner Freyherr!

Ich bin unendlich zufrieden, daß Ihr Werk in Gandersheim so gnädig aufgenommen worden ist. Wer kann Ihnen dieses Vergnügen mehr gönnen, und wer muß es Ihnen mehr gönnen, als ich, da ich Dankbarkeit und Liebe zugleich gegen Sie empfinde? Mir haben Sie keine Mühwaltung mit Ihren Poesien verursachet; nein, theuerster Freund und Gönner, nun ist alles Freude für mich, wenn Sie nur ruhig und mit mir zufrieden sind. Aber wie können Sie von Dankbarkeit reden? Was bin

wechselt, und sich verwundert hatte, daß ein Mann in einer so trocknen Wissenschaft zugleich ein so guter Dichter seyn konnte. Weiße.

ich Ihnen im Namen meiner Mutter nicht schuldig? Ich habe nichts gethan, was nicht ein jeder auch nur halb rechtschaffner Freund thun würde. Die Auslage für die vier Bände beträgt zwey Thaler, Sächsisch.

Ich bin beynahe mit Ihnen zugleich Autor geworden, aber nur im Kleinen; und ich würde mir das Vergnügen machen, Ihnen meine Gedichte früher, als allen andern, zu schicken, wenn das Postgeld nicht höher käme, als das Werk selbst. Endlich weiß ich, daß Sie solches von Herr Kornen beynahe eben so geschwind haben können. Möchte Ihnen doch meine gute Absicht so wohl gefallen, als mir Ihre rühmliche Absicht bey Ihren Gedichten hat gefallen müßen.

Sie sind wieder gesund? Gott sey gepreiset! Er erhalte Sie ferner, und erfülle die Wünsche Ihrer Seele! Meine Gesundheit ist nicht die beste; aber auch nicht die schlechteste. Leben Sie wohl, und laßen Sie mir den Ruhm, daß ich Sie vor tausend andern verehre und liebe. Ich bin gewiß zeitlebens der Ihrige

Gellert.

44.

An Borchward.

L. d. 8. Apr. 1754.

Wenn auch kein Mensch weiter meine Gedichte lobte, so würde Ihr Brief allein mich für alle meine Mühe reichlich belohnen. Wie vortrefflich haben Sie mich gelobet! Ich bin oft im Lesen zweifelhaft geworden, was ich lieber seyn möchte, ob der Lobende oder der Gelobte. So lang Ihr Brief ist, so hielt ich mich doch oft im Lesen auf, um ihn noch länger für mein Vergnügen

Gellert VIII.   6

zu machen. Oft las ich etliche Seiten flüchtig, um ein Recht
zu haben, ihn noch einmal zu lesen, und nicht alles auf einmal
zu wissen. Bald erwachte die Eigenliebe, bald eine kleine Bescheidenheit, bald die Dankbarkeit und Liebe gegen Sie, bald ein
gutes Gewissen. Endlich, da ich mit Lesen fertig war, sprang
ich von dem Stuhle auf, und sagte: Gott Lob! Gott Lob! daß
ich so glücklich bin; daß ich solche Freunde habe! Er übertrifft
mich an Güte des Herzens weit, der gute Borchward! —
Ich gieng in der Stube herum, und überdachte das Vergnügen,
das ich haben würde, wenn ich Sie itzt umarmen könnte. Doch
ich will Ihnen nicht alles sagen, was ich empfand, ich möchte
Ihnen zu viel sagen. Und Ihrer liebenswürdigen Frau, wie
viel bin ich dieser Dank schuldig? So ist sie gewiß Ihrer Meynung und Ihrer Empfindung in Ansehung meiner Gedichte?
Was für ein glücklicher Autor bin ich nicht! Und Ihr lieber
Bergius, mein Freund, ist auch mit mir zufrieden?

Was kann ich mehr begehren?
Mit dem ersiegten Ruhm soll still mein Herz sich nähren.

Im guten Verstande! Ich habe heute eine französische Uebersetzung der Schwedischen Gräfin, in Berlin gedruckt, in den
Händen gehabt. Wer muß der Mann seyn, der mir diese Ehre
erwiesen hat? Kennen Sie ihn etwan? Das Französische ist,
deucht mich, ohne Fehler; ob es nach dem Genie der Sprache
frey und beredt genug ist, das muß das Ohr eines Franzosen
ausmachen. Wie herzlich wollte ich wünschen, daß die Uebersetzung recht schön seyn, und mich für die Schmach der übersetzten Fabeln und für eine Englische, aber elende Uebersetzung der
Schwedischen Gräfin, die vor ein paar Jahren in London herausgekommen, schadlos halten möchte. Man hat mir mehr als
einmal französische Uebersetzungen, sowohl von den Comödien,
als den Trostgründen, und der Gräfin, bald aus Halle, bald

aus Magdeburg, balb aus Strasburg, im Manuscripte zuge=
schicket; ich habe aber den Druck allemal verbeten. Diese Messe
werde ich eine Uebersetzung oder vielmehr eine Nachahmung der
neuesten von meinen Fabeln aus Paris erhalten. Der Uebersetzer
ist der Herr von Riverie, ein Mitglied der Academie zu
Amiens, der sich in Paris aufhält. Er ist ein Poet, das ist schon
Trost genug. Er wird, wie er mir durch einen guten Freund
hat schreiben lassen, der ihn in Paris hat kennen lernen, diesen
Sommer nach Leipzig kommen, aus Liebe zu mir; das ist sehr
schmeichelhaft. — —

Die Adresse folget. Ich danke Ihnen noch einmal für Ihren
vortrefflichen Brief, die Copie Ihres Herzens und Ihres Ver=
standes; ich grüße Ihre beste Frau, alle Ihre Freunde, und
bin der Ihrige

G.

---

45. °)

An Formey.

L. d. 9. Apr. 1754.

Hochedelgebohrner, Hochzuverehrender Herr Professor,

Sie haben mir zu viel Ehre erwiesen, als daß ich Ihnen
nicht den verbindlichsten Dank dafür abstatten sollte; eine Ehre,
die ich mir würde gewünschet haben, wenn ich hätte wünschen
dürfen, die ich aber von einem so berühmten Scribenten nicht
erwarten konnte. Ihre Uebersetzung der Schwedischen Gräfin,
wird eher des Fehlers beschuldiget werden, daß sie das Original

°) (Aus dem Original, das sich in der Königl. Bibliothek zu Ber=
lin befindet, mitgetheilt von Hrn. Dr. G. Friedländer.)

6 *

verschönert, als daß sie es geschwächet hätte. Ich bin freylich
kein Kenner der besondern Schönheiten der französischen Sprache;
allein der allgemeine Beyfall, den sich Ew. Hochedelgeb. durch
Ihre beredte Schreibart erworben, kann bey mir wegen der
Güte Ihrer Uebersetzung, die Stelle der Einsicht und des Be-
weises vertreten. Ist etwas gutes in diesem Romane, und dieses
dürfte ich beynahe sicher glauben, da Sie sich die Mühe gegeben
haben, ihn zu übersetzen; so wird Ihnen die Welt weit nach-
drücklicher für Ihre Bemühung danken, als ich es thun kann.
Ich will nicht eifersüchtig werden, wenn man der Uebersetzung
einen Vorzug vor dem Originale giebt; ich will mich vielmehr
glücklich schätzen, daß eine Arbeit von mir durch Ihren Geist
belebter und nützlicher geworden ist. Sollten die Kunstrichter
die Fehler meines Romans, durch die Hülfe Ihrer Uebersetzung,
desto genauer bemerken: so will ich mich damit trösten, daß
durch diese Uebersetzung auch manche gute Empfindung in dem
Herzen eines Ausländers wird erwecket werden. Ich wiederhole
also meine Danksagung und verharre mit der vollkommensten
Hochachtung

   Ew. Hochedelgebohren

         gehorsamster Diener
         C. F. Gellert.

       46.*)

         L. d. 9. Apr. 1754.

Madame!

  Da die Uebersetzung der Schwedischen Gräfin aus so guten
Händen kömmt, und da Sie durch dieselbe den Druck einer

*) (An die Verlegerin von Formeys Uebersetzung der Schwedischen
  Gräfin. Aus: Siebenter bis achtzehnter Brief von Gellert.
  Berlin 1770. No. 18.)

schlechten verhindert haben: so würde ich sehr unbillig handeln, wenn ich Ihre Bemühung nicht mit allem Danke erkennen und Ihnen Glück dazu wünschen wollte. Ich zweifle nicht, daß die Uebersetzung eines so geschickten und berühmten Mannes, als der Herr Professor Formey ist, nicht sollte gesucht und mit Vergnügen gelesen werden.

Daß Sie die schlechten Uebersetzungen nicht in Verlag genommen, dadurch haben Sie mir den größten Dienst von der Welt erwiesen, und ich ersuche Sie inständig, mir diese Wohlthat ferner zu erzeigen.

Zugleich danke ich Ihnen für das überschickte Exemplar ergebenst und verharre mit der schuldigsten Hochachtung

Madame

Ihr verbundenster Diener
C. F. Gellert.

47.

Gellert an feine Schwefter.*)

L. d. 4. Juni 1754.

Liebe Schwester,

Ich bin, Gott sey gepriesen! wieder in Leipzig, und habe das Mühselige der Reise und der Cur zum andernmale überstanden. Ich habe das Wasser nur vierzehn Tage getrunken, und bin überhaupt nur sechzehn Tage in Carlsbad gewesen; aber unruhiger als das erstemal, ich weis nicht warum, vielleicht hat

*) (Gellerts ältere Schwester, die Wittwe des Diaconus Biehle in Hainichen. Die Briefe an sie sind abgedruckt aus: Gellerts Familienbriefe, herausgegb. von Leuchte.)

der Mangel an Gesellschaft etwas, oder wohl das Meiste, bey=
getragen. Es war, außer Dr. Tillingen, niemand zugegen,
mit dem ich umgehen konnte, und dieser gute Mann machte
mich durch seine Furchtsamkeit noch furchtsamer. Gleich nach den
ersten Tagen wünschte ich mich wieder fort, und dieser Wunsch
verließ mich selten. So sind wir kindische Menschen. In Leip=
zig wünschte ich bald ins Carlsbad zu kommen, und schmeichelte
mir, wie gelassen und ruhig ich da seyn, und mein Schicksal
abwarten würde. Kaum war ich daselbst, so sahe ich, daß ich
mich hintergangen hatte, und nun war mir Leipzig der Ort,
den ich wünschte und suchte. Genug, es ist alles vorbey, und
vielleicht läßt mich Gott noch eine gute Wirkung des Brunnens
genießen. Das sehe ich, daß meine Gesundheit sehr unbeständig
ist, und daß ich oft in wenig Augenblicken von allen Kräften
komme, ohne zu wissen wie. So bin ich denn wieder in Leip=
zig; darum bat ich Gott, und ich will getrost seyn. Was macht
die liebe Mama? Was macht Ihr alle? Ich grüsse sie und
Euch, und hoffe bald das Beste von Hause zu hören. — —
Dr. Tilling hat sich wieder als ein wahrer Freund um mich
verdient gemacht. Lebt wohl, Gott gebe es Euch und mir.

G.

━━━━━━

48.

An dieselbe.

L. d. 24. Juni 1754.

Der Zufall der guten Mama hat mich erschreckt; aber Gott
sey Dank, daß er keine schlimmern Folgen gehabt hat. Er wird
ihr helfen bis an das Ende ihrer Tage. Vielleicht sehe ich sie
künftige Feyertage. Denn daß ich verreise, ist in meinen Ge=

banken, wenn Gott will, feft befchloffen; aber ich weis nicht
wohin. Es kann kommen, daß ich die ganze Zeit von Oftern
bis Pfingften zu einer Reife für meine Gefundheit und Ruhe
anwende. Ich habe Urfache, Gott herzlich zu banken wegen
meiner jetzigen Gefundheitsumftände. Sie find nicht mehr fo
ärgftlich, als da ich bey Euch war. Lebt alle wohl, Gott gebe es!

G.

———————

49.

An diefelbe.

L. d. 1. Juli 1754.

Ich habe jetzt des Tages fünf Collegia, fo viel habe ich ihrer
nie gehabt. Vielleicht denke ich weniger an mich, wenn ich mit
Arbeit überhäuft bin. Meine Gefundheit ift noch fehr wandelbar;
aber, Gott fey Dank! in voriger Woche habe ich etliche glück=
felige Tage gehabt. Das Lied, das der Bruder in Freyberg
ehedem von mir erhielt, will ich Euch fchicken, wenn ichs finde.
— — Ich grüffe die liebe Mama, und wünfche ihr Leben und
Gefundheit. Künftigen Donnerftag ift mein Geburtstag. Wünfcht
mir, daß diefer Tag ein Tag der Freude und der Ruhe für
mich feyn möge.

G.

sal ist von einer gütigen Hand angeleget, warten Sie nur, bis es Zeit seyn wird, daß es sich zu Ihrem Vortheile entwickelt. Wir sind so kurzsichtig, darum kömmt uns vieles so fremd und hart vor, das doch in dem Zusammenhange unser Glück ist. Endlich hindert Sie ja nichts, wenn sich Ihnen eine vortheilhaftere Gelegenheit zeigt, solche zu ergreifen, und ich will zu dieser Absicht nichts unterlassen, was Sie von mir wünschen können. Nur getrost! Wer recht thut, darf Niemanden scheuen. Sagen Sie sich dieses täglich vor, und werden Sie ruhig und lieben Sie mich; denn ich bin gewiß Ihr aufrichtiger Freund,

G.

---

63. (9.)

An Herrn **.

1754.

Ohne Ihren beredten und mit Ihrem ganzen Herzen angefüllten Brief würde mich Ihre Zurückkunft aus fremden Ländern nur halb vergnügt haben; so aber erfreut sie mich vollkommen. Ich sehe es in jeder Zeile, daß Sie noch mein Freund sind, und es immer seyn werden. Was soll ich nun auf alle Ihre Liebe antworten? Ich umarme Sie in Gedanken, preise die Vorsehung, die Sie glücklich zurück gebracht hat, und wünsche den Ihrigen und Ihrem Vaterlande Glück. Erfüllen Sie die Hoffnung, lieber Freund, die sich mein Herz beständig von Ihnen gemacht hat, und helfen Sie das Beste der Welt so vorzüglich befördern, als Sie vor Andern die Kräfte und den Willen dazu empfangen haben. Das Amt wird nicht mehr fern seyn, das Ihre Pflichten näher bestimmen soll. Nehmen Sie es an, auch wenn es nicht das größte seyn sollte. Kein Amt ist so geringe, worinne ein geschickter und rechtschaffener Mann nicht tausend

Gelegenheiten finden sollte, nützlich zu seyn und seinen Verstand sowohl als seine Wissenschaften zu zeigen. Wir lassen nicht selten, aus großer Begierde, uns viel Geschicklichkeiten zu erwerben, die besten Jahre vorbeigehen, schon erlangte Geschicklichkeiten zu gebrauchen, und unser Leben verfliegt unter der stolzen Vorbereitung, es recht glücklich anzuwenden. Ist ein Mann, welcher der Republik seine täglichen Pflichten in einem bestimmten, wenn auch schon weniger ansehnlichen Amte mit Rechtschaffenheit abträgt, der seine Familie weise und liebreich regieret und versorgt, und in den Armen einer würdigen Gattinn und an der Seite hoffnungsvoller Kinder das Glück des Lebens mitten unter seiner Bürde zu finden weis; ist der, sage ich, kein nützlicher und glücklicher Mann? Müssen wir erst große Würden erringen, ehe wir glücklich seyn können? Aber verfalle ich nicht in den Fehler des Docirens, daß ich Ihnen alles dieses sage? Ja, es würde ein Fehler seyn, wenn ichs aus einem andern Grunde, als aus Liebe, und zu einem Manne, der weniger mein Freund wäre, gesagt hätte. Eine fortgesetzte Beschäfftigung, mit einem Worte, die Arbeit ist zu unsrer Ruhe unentbehrlich; dieß weis ich aus der Erfahrung. Und daß die Liebe einer vernünftigen Gattinn eine große Belohnung für den arbeitsamen Mann, und ein Schutz vor tausend Anfällen der beschwerlichen Einsamkeit ist, das ist eben so wahr, als jenes, wenn ich es schon nicht aus der Erfahrung weis. Leben Sie wohl, und schreiben Sie mir bald wieder.

G.

---

64. (11.)

An den Herrn Baron von S**.

1754.

Der Dienst, den ich Ihnen geleistet, ist auf meiner Seite sehr geringe, und ich habe mehr Ursache, Ihnen für die Gele-

genheit, die Sie mir zur Ausführung einer guten Absicht gegeben,
selbst zu danken, als den Dank anzunehmen, den Sie mir schriftlich abgestattet, und der mehr ein Beweis eines sorgfältigen und
gütigen Vaters, als eine Belohnung ist, die ich wirklich verdienet hätte. Indessen glaube ich gewiß; daß ich Ihren Herren
Söhnen einen rechtschaffnen und geschickten Mann zum Hofmeister
gewählet habe. Er wird seine Fehler haben; denn wer ist ohne
Fehler? Allein ich glaube, daß es solche seyn werden, die Sie
oder die Frau Gemahlinn durch ihre Aufmerksamkeit bald verbessern werden. Er hat etwas gezwungenes in seiner Stellung,
das mir nicht gefällt; allein es ist doch tausendmal besser, als
das Rohe und Ungesittete, das junge Leute oft mit von der
Universität bringen. Und ich weis gewiß, er wird das Gezwungene in der Gesellschaft, in die er itzt eintritt, unter den freyern
Sitten des Landlebens bald verlieren. Da er einen sanften Charakter und dabey ein gesetztes Wesen hat, so hoffe ich, er soll
sich die Liebe und die Folgsamkeit der jungen Herren bald erwerben. Und da er Geduld hat, gesprächig ist, zeichnen, malen, und in der Baukunst kleine Risse machen kann; so hoffe
ich, er soll die beiden Kinder an sich ziehen und leicht
unterhalten können. Er wird ihnen den Fleiß nicht zur Last,
sondern mehr zu einer angenehmen Nothwendigkeit zu machen
suchen, und übrigens sich nach den besondern Fähigkeiten und
Genies seiner Untergebenen richten: dieß ist nach meinem Erach-
ten die doppelte Regel aller guten Unterweisung. Und was kann
ein Hofmeister, der Geschicklichkeit und guten Willen hat, der
in seiner Pflicht von dem Ansehen und den Vorschriften der Aeltern unterstützet, durch ihr Vertrauen und ihren Beyfall mehr
ermuntert, und durch die Lehrbegierde seiner Schüler angefeuert
wird, nicht in etlichen Jahren bey ihnen ausrichten? Ob Herr
H.. gleich kein Theolog ist, so bin ich doch sicher, daß er den
jungen Herren die Grundsätze der Religion durch Unterricht und

59. (14.)

Moriz v. Brühl an Gellert.

Dresden, d. 27. Juli 1754.

Liebster Freund,

Bin ich nicht sehr verwegen? Ich wage es, Ihnen zu ant=
worten, statt daß mich die Vortrefflichkeit Ihres Briefs davon
hätte zurückhalten sollen. Allein wie sollte ich nicht von Ihrer
Freundschaft alles erwarten, von der Sie mich so schön versichern?
Ja, liebster Freund, diese macht mich verwegen, und ich müßte
Sie weniger lieben, und wie ist das möglich? wenn sie nicht
diese Wirkung auf mich thun sollte. Eben diese ist es, der ich
schon so viel zu verdanken habe; und ich werde nur so lange
glücklich seyn, so lange ich sie zu erhalten wissen werde. Aber
wie kann ich Ihnen nur den geringsten Theil davon erwiedern?
Mit dem dankbarsten Herzen bleibe ich noch stets unerkenntlich,
und o wie süße ist es nicht, so übertroffen zu werden! Glauben
Sie indessen nicht, liebster Freund, daß mein Herz nur im ge=
ringsten von seiner Dankbegierde dabey verlieret. Nie schlug es
dankbarer für Sie in meiner Brust, und niemals auch war es
zufriedner, als es itzt ist.

Ich danke Ihnen unendlich für die Gütigkeit, mit der Sie
mein Gedicht beurtheilen. Ihr Beyfall ist sowohl die Wirkung
Ihrer Nachsicht als Ihrer Scharfsichtigkeit, und er würde mir
weit minder angenehm seyn, wenn Sie in Beurtheilung dessel=
ben nur die erstere gebraucht hätten. Verzeihen Sie mir den
Verlust der Zeit, die es Sie gekostet. Ich erwarte Sie nebst
Ihren Anmerkungen. Das erste, was Sie zu thun haben, ist,
daß Sie Ihre Reise nach Dresden antreten. Alles wartet auf
Sie, und der ganze Hof ist ungedulbig auf Ihre Ankunft. Fünf
Collegia und Eine Correktur können, deucht mich, schon warten.

gewünscht habe, sie Ihnen zu leisten. Alsdann bin ich Ihr Schuldner so gewiß, als Sie nach Ihrem guten Herzen und Ihrem Briefe der meinige sind. Sie werden allezeit junge Leute um sich haben, wo Sie auch sind, und nie wird es Ihnen also an Gelegenheit, meine Dienstfertigkeit zu übertreffen, fehlen. Aller Beyfall der Welt, aller Ruhm der Loblieder ist nichts gegen den stillen Ausspruch des Gewissens, daß wir ein einziges junges Herz für den Himmel gebildet, oder doch zu bilden uns aufrichtig bemühet haben. Das wird Ehre, das wird Wollust, eine unaufhörliche Nahrung der Zufriedenheit seyn, wenn in dem Reiche der künftigen Welt uns eine Seele zujauchzet: Du hast mich geleitet, mich ermuntert, unendlich glücklich zu seyn! Heil sey dir, mein Freund, mein ewiger Wohlthäter, und Ruhm vor Gott! Und wenn auch kein Mensch auf Erden unsere guten Absichten bemerken sollte, würden wir deswegen weniger belohnet seyn? — Ihre ißigen, nicht gar zu günstigen Umstände tragen Sie mit Gelassenheit. Dieß ist der sicherste Weg, besser zu verdienen. Für Ihr Glück seyn Sie nie bange, aber stets besorgt für mehrere Verdienste. Ein Glück, das uns auf dem Wege nach Wissenschaft, auf dem Wege eines klugen, sittsamen Verhaltens begegnet, das wir nie durch kriechende Schmeicheleyen gesucht haben, das ist das Glück, das unser Leben leicht und rühmlich wird machen helfen. Es wird Ihnen nicht an Gönnern fehlen; aber alle Gönner sind Menschen, wie wir. Lassen Sie nie von dem Fleiß in den Sprachen, insonderheit der Schrift, ab. Predigen Sie zuweilen, ohne künstlich predigen zu wollen. Machen Sie nicht zu viel, lieber zu wenig Verse. Schicken Sie mir bey Gelegenheit eine von Ihren letzten Predigten. — — Ich will aufhören, denn was würde ich Ihnen nicht noch sagen, wenn ich mich satt reden wollte? Gott lasse es Ihnen in dem neuen Jahre, in allen Jahren Ihres Lebens, wohl gehen!   G..

66.

An den Freiherrn von Craussen.

L. d. 8. März 1755.

Hochgebohrner Freyherr,

Ja, ich habe die überschickten 12 Ducaten, als die Pension für meine Mutter auf dieses Jahr richtig erhalten, und ich bitte tausendmal um Vergebung, daß ich Ihnen den Empfang nicht eher gemeldet. Ich wollte noch acht Tage warten, bis meine Collegia und andere Arbeiten geschlossen wären, und alsdenn sollte mein erster freyer Nachmittag eine Zeit der Erquickung, eine Zeit zu einem langen Briefe an Sie, theuerster Freyherr, werden. Doch da ich nunmehr von Ihnen erinnert werde: so würde ich mirs nicht vergeben können, wenn ich noch einen Posttag ohne Antwort und ohne Danksagungen vorbey gehen ließe. Meine Mutter erliegt beynahe unter Ihrer Freygebigkeit, und sie weiß nicht, wie sie Ihnen genug für solche Großmuth danken soll, durch die sie ihr gnädiger Gönner erquicket. Empfangen Sie also in ihrem Namen alle die Danksagungen, die sie Ihnen schuldig ist, durch diesen Brief, und auch meine eignen. Ich werde nie aufhören, Sie zu verehren, und Ihnen vor Tausend andern die Belohnungen der Tugend zu wünschen. Jetzt muß ich wegen des Abgangs der Post schließen; aber vor den Feyertagen habe ich gewiß die Ehre noch, Ihnen schriftlich meine Ehrerbietung zu bezeugen, mit der ich stets bin

Ew. Hochgebohren

gehorsamster Diener und Freund
C. F. Gellert.

67.

L. d. 13. März 1755.

Hochgebohrner Freyherr,

Gnädiger Herr und Gönner!

Nunmehr folgt erst die Antwort auf Ihren gütigen und liebreichen Brief vom Anfange des Märzes. Aber was soll ich
Ihnen auf alle die Liebe antworten, die Sie in allen Briefen
gegen mich bezeugen? Beynahe muß ich sagen, daß ich sie nicht
verdiene, so groß ist sie; und doch wünschte ich herzlich, sie ganz
zu verdienen; und wenn sie durch die aufrichtigste Ergebenheit
könnte verdienet werden: so müßte ich ihrer gewiß werth seyn.
Ich halte an mich, Ihnen alles das zu sagen, was Ihr edler
und großmüthiger Charakter mich empfinden heißt, damit ich
Ihre Bescheidenheit nicht beleidige, indem ich Ihren andern
Eigenschaften Gerechtigkeit wiederfahren lasse. — Wenn der be-
wußte Criticus Sie besser kennte: so würde er mehr Achtung in
seiner Critik haben sprechen lassen. Ich habe sie nicht gelesen,
und ich bin zufrieden, daß Sie großmüthig schweigen, und daß
ich an Ihnen Verdienste verehre, die über alle Poesie gehn, und
von denen Boileau spricht, wenn er sagt:

Que la Poesie ne soit pas vôtre éternel employ!
Cultivés vos amis, soyés hommes de foy.
C'est peu d'être — charmant dans un livre,
Il faut savoir encore et converser et vivre.

Die Psalmen von Cramern, nemlich der erste Theil, sind aus
der Presse. Ich will die Posten nicht reich machen, außerdem
schickte ich sie Ihnen gern zu. So verspreche ich Ihnen auch,
nicht eher wieder an Sie zu schreiben, bis Sie es selbst verlangen werden, damit Sie nicht mehr für meine Briefe ausgeben

müssen, als sie werth sind. Indessen bitte ich Ewr. Excellenz unterthänig, mich nicht zu schonen, wenn Sie Commissionen hier in Leipzig haben, da ich höre, daß Sie sich Herrn Korns nicht mehr bedienen werden. Die Danksagung, die ich in dem letzten Briefe im Namen meiner Mutter abgestattet, muß ich hier wiederholen; denn sie befiehlt mir diese Pflicht in allen ihren Briefen. Sollten sich die Umstände derselben durch irgend einen Zufall verbessern: so wird sie sich ein Gewissen daraus machen, Ihre Gnade länger anzunehmen. Aus Dankbarkeit wünscht sie es mehr, als zu oft; denn sie glaubt stets, daß sie Ihre Pension nicht verdienet. Ihnen aber, theuerster Freyherr, wünsche ich zum Beschlusse meines Briefes das, womit sich vielleicht alle meine Briefe schliessen, Gesundheit und Zufriedenheit in reichem Maaße und verharre mit der vollkommensten Hochachtung und Ergebenheit

Ewr. Excellenz

gehorsamster
C. F. Gellert.

68.*)

An J. J. Freiherrn von Cronegk.

L. d. 2. April 1755.

Liebster Croneck,

Wem soll ich wegen Ihrer Tragoedie mehr Glück wünschen, mir, Ihrem Freunde, oder Ihnen? Und womit soll ich Sie belohnen, mit der Byron oder mit der Clementine? Ich habe

*) (Aus dem Original, das sich in der Stadtbibliothek zu Leipzig befindet.)

den ganzen Sonnabend vor den Feyertagen mit Ihrem Codrus
zugebracht, ihn geprüft und gefühlt, und bis des Abends um
sieben Uhr, das ist viel, darinne studirt. Ich hatte so lange
gesessen, daß ich kaum mehr Athem holen konnte. Er ist schön,
sehr schön, und doch kann er und muß er noch schöner werden,
ich ruhe nicht eher. Ich habe viel angestrichen und mich der
Freyheit bedienet zuweilen ein Wort an den Rand zu schreiben.
Das werden Sie mir vergeben. Ich habe die unrichtige Orthographie meistens verbessert, damit das Werk rein abgeschrieben
werden kann. Wenn ich also eine zuweilen nachlässige, gezwungene, bald harte, bald gedehnte Versification, mit einem Worte
nicht genug gearbeitete und durch die Kunst verschönerte Verse,
wenn ich die nicht stets gewählte, oder nicht stets glücklich gewählte Sprache (denn die edle Sprache der Tragoedie, wie
schwer ist diese nicht zu erreichen?) ausnehme: wenn ich die Länge
des Stückes selbst, und einzelner Scenen, theils vom Anfange,
theils in dem letzten Acte: wenn ich die zweymalige Erscheinung
des Medon ausnehme: so glaube und behaupte ich, Ihr Codrus
ist schön. Sein Character ist groß, immer groß und beynahe
christlich groß, welches Letzte ich zuweilen gemässiget wissen
möchte. Medon, seine Mutter, seine Geliebte, alle drey sind
einander werth. Man kann der vielen Zwischenfälle wegen, vielleicht dem Codrus, wie dem Cid, das Belabre, vergeben Sie
mir das Wort, vorwerfen; aber man muß zu gleicher Zeit die
wunderbaren Stellungen und Situationen zum Dienste des
Affects, mit Dankbarkeit loben, und ich küsse Sie dafür. Auf
dem Theater muß das Stück, so viel auch die Critik im Lesen
erinnern mag, dennoch durch die Hülfe eines Eckofs, Kochs,
einer Kochinn oder Kleefelderinn, Wunder thun können. Das
hoffe ich. Wäre Verbessern eine leichte Sache, wären der Verbesserungen nicht so viel, hätten Sie nicht andre Geschäffte,
fehlten Ihnen nicht gewisse kleine Regeln des Körperlichen in der

poeſie, ich meyne des Versbaues, wüßten Sie die Kleinigkeiten
der Sprache und Grammatik genug, wären Sie von Natur
nicht ſo lebhaft und haftig, wüßten Sie ſtets, welches glückliche
Aenderungen wären, ſo würde ich nichts thun, als Ihnen Ihren
Codrus zurückſchicken und Sie inſtändig bitten:

Vingt fois sur le métier remettez vôtre ouvrage etc.

Aber ſo zittre ich, Ihnen dieſes zuzumuthen. Schlegel, der
itzige Paſtor und Profeſſor in Zerbſt, war ehebem ein trefflicher
Verbeßrer. Wenn ich zwanzig oder breyßig Thaler Geld, und
er Zeit übrig hätte; ſo machte ich mir, ohne Ihre Erlaubniß zu
erwarten, die Freude und bäte ihn, das Werk hin und wieder
auszubeſſern und abzukürzen, denn ich benke es iſt für die Acteure
zu lang. Wäre es meine eigne Arbeit: ſo würde ichs gewiß
thun. Das große Schöne wäre und bliebe doch mein, nämlich
der Plan, die Charactere, die Reben, die Leidenſchaften; und
hat Pope nicht auch einem zeitverwandten tragiſchen Dichter
dieſen Dienſt erwieſen? Itzt will ich den Codrus bem Grafen
Moritz ſchicken. Herr Weiſe hat ihn auch geleſen. Der Gräfinn
Benting, die ſich ſeit einigen Monaten hier aufhält, würde ich
ihn auch zeigen, weil ſie eine große Verehrerinn der Tragoedie
iſt, wenn ich meine Striche wegnehmen könnte. Und ſo viel für
dießmal, lieber, guter, trefflicher Croneck! Die übrigen Theile
Ihres Briefs, will ich nicht beantworten. Es kränkt mich, daß
ich Feinde habe. Aber ich Thor, will ich ein Glück haben, das
ſelten ein Menſch bis an ſein Ende gehabt hat? Alles was ich
wünſche iſt Beſcheidenheit. Den Tadel ſelbſt muß jeder Autor
ertragen können. Aber was wäre die Vergebung, wenn Beleidigungen in uns keinen Widerſtand fänden? Haben Sie den
Brief an den Hrn. v. Riveri fortgeſchicket? Und wollen Sie den
an den Baron Croneck [Gleichen?] auch beſtellen? Ja, ſeyn Sie ſo
gut. Grüſſen Sie Herr Utzen, Herr Hirſchen und alle Ihre und

ſal iſt von einer gütigen Hand angeleget, warten Sie nur, bis
es Zeit ſeyn wird, daß es ſich zu Ihrem Vortheile entwickelt.
Wir ſind ſo kurzſichtig, darum kömmt uns vieles ſo fremd und
hart vor, das doch in dem Zuſammenhange unſer Glück iſt.
Endlich hindert Sie ja nichts, wenn ſich Ihnen eine vortheilhaftere Gelegenheit zeigt, ſolche zu ergreifen, und ich will zu
dieſer Abſicht nichts unterlaſſen, was Sie von mir wünſchen
können. Nur getroſt! Wer recht thut, darf Niemanden ſcheuen.
Sagen Sie ſich dieſes täglich vor, und werden Sie ruhig und
lieben Sie mich; denn ich bin gewiß Ihr aufrichtiger Freund,

G.

---

63. (9.)

An Herrn * *.

1754.

Ohne Ihren beredten und mit Ihrem ganzen Herzen angefüllten Brief würde mich Ihre Zurückkunft aus fremden Ländern
nur halb vergnügt haben; ſo aber erfreut ſie mich vollkommen.
Ich ſehe es in jeder Zeile, daß Sie noch mein Freund ſind, und
es immer ſeyn werden. Was ſoll ich nun auf alle Ihre Liebe
antworten? Ich umarme Sie in Gedanken, preiſe die Vorſehung, die Sie glücklich zurück gebracht hat, und wünſche den
Ihrigen und Ihrem Vaterlande Glück. Erfüllen Sie die Hoffnung, lieber Freund, die ſich mein Herz beſtändig von Ihnen
gemacht hat, und helfen Sie das Beſte der Welt ſo vorzüglich
befördern, als Sie vor Andern die Kräfte und den Willen dazu
empfangen haben. Das Amt wird nicht mehr fern ſeyn, das
Ihre Pflichten näher beſtimmen ſoll. Nehmen Sie es an, auch
wenn es nicht das größte ſeyn ſollte. Kein Amt iſt ſo geringe,
worinne ein geſchickter und rechtſchaffener Mann nicht tauſend

Gelegenheiten finden sollte, nützlich zu seyn und seinen Verstand sowohl als seine Wissenschaften zu zeigen. Wir lassen nicht selten, aus großer Begierde, uns viel Geschicklichkeiten zu erwerben, die besten Jahre vorbeigehen, schon erlangte Geschicklichkeiten zu gebrauchen, und unser Leben verfliegt unter der stolzen Vorbereitung, es recht glücklich anzuwenden. Ist ein Mann, welcher der Republik seine täglichen Pflichten in einem bestimmten, wenn auch schon weniger ansehnlichen Amte mit Rechtschaffenheit abträgt, der seine Familie weise und liebreich regieret und versorgt, und in den Armen einer würdigen Gattinn und an der Seite hoffnungsvoller Kinder das Glück des Lebens mitten unter seiner Bürde zu finden weis; ist der, sage ich, kein nützlicher und glücklicher Mann? Müssen wir erst große Würden erringen, ehe wir glücklich seyn können? Aber verfalle ich nicht in den Fehler des Docirens, daß ich Ihnen alles dieses sage? Ja, es würde ein Fehler seyn, wenn ichs aus einem andern Grunde, als aus Liebe, und zu einem Manne, der weniger mein Freund wäre, gesagt hätte. Eine fortgesetzte Beschäfftigung, mit einem Worte, die Arbeit ist zu unsrer Ruhe unentbehrlich; dieß weis ich aus der Erfahrung. Und daß die Liebe einer vernünftigen Gattinn eine große Belohnung für den arbeitsamen Mann, und ein Schutz vor tausend Anfällen der beschwerlichen Einsamkeit ist, das ist eben so wahr, als jenes, wenn ich es schon nicht aus der Erfahrung weis. Leben Sie wohl, und schreiben Sie mir bald wieder.

G.

64. (11.)

An den Herrn Baron von Z**.

1754.

Der Dienst, den ich Ihnen geleistet, ist auf meiner Seite sehr geringe, und ich habe mehr Ursache, Ihnen für die Gele-

Stelle des Cicero vertrete, so werde ich doch vielleicht die Stelle
des Atticus bey ihnen verdienen. Ward nicht Atticus da=
durch berühmt, daß Cicero an ihn schrieb, und könnte ich es
nicht eben sowohl werden, da Sie an mich schreiben? Doch das
wollen wir der Nachwelt überlassen. Itzt muß ich Ihnen für
Ihren Beyfall danken, und Ihnen sagen, daß ich niemals zu=
friedner bin, als wenn ich ihn verdienen kann.

. Wie mir der Herr von Riveri gefallen hat? Ziemlich wohl.
Aber Sie gefallen mir doch unendlich besser. Ich bin immer
noch der Meynung, daß man keinen Poeten, dessen Vorzüge in
dem Ungekünstelten und Leichten, kurz, in dem Naiven bestehen,
nur mittelmäßig gut übersetzen kann. Oft ist es die Art, womit
ein Gedanke gezeigt ist, oft eine Redensart, oft nur ein Wort,
welches uns gefällt, und sobald man Eines davon wegnimmt,
so hört der ganze Gedanke auf, uns zu gefallen. Wie viel hat
Ihre Erzählung der Fliege und der Spinne nicht verloren! Der
Herr le Blanc ist eben auch der Verfasser der Briefe über die
Engländer. Ich erwarte die Werke von Cramern mit der
größten Ungedulb. Wie schön werden sie nicht seyn! Gewiß,
ich werde Ihnen den größten Dank dafür wissen, und ich freue
mich nicht wenig, daß Sie meine Gedanken im voraus erra=
then. — — Ich bin ewig

Ihr

Brühl.

59. *)

An J. F. Freiherrn v. Cronegk.

L. d. 21. Decbr. 1754.

Liebster Baron,

Sind Sie böse, daß ich so lange nicht an Sie geschrieben
habe? Nein, das sind Sie nicht. Und gleichwohl, warum ha=

---

*) (Aus dem Original, das sich in der Stadtbibliothek zu Leipzig befindet.)

ben Sie mich nicht beschämet, warum haben Sie mir mein Stillschweigen nicht vorgeworfen, warum haben Sie seit einem halben Jahre nicht an mich geschrieben? Sie dem das Schreiben
ein Vergnügen, und dessen Briefe mir Wollust sind? Sind Sie
krank? Nein. Das fürchte ich nicht. Sind Sie mit Geschäften
und Arbeiten beschwert. Das glaube ich; und dennoch kann ich
keine Arbeit denken, die Sie so sehr ermüden sollte, daß Sie nicht
an Ihren Gellert dächten. Ist es der Autor, der mich um Ihre
Briefe bringt? Das will ich noch am ersten ertragen. Vielleicht
schicken Sie mir statt eines Briefs eine Racinische Tragoedie;
und diese können Sie gewiß schreiben, gewiß, ganz gewiß, sobald
Sie nur einen guten Plan haben. Ihr Leichtgläubiger übertrifft
alle Ihre vorigen Comoedien. Der Charakter, als ein Gemälde,
ist trefflich, nur weiß ich nicht, ob er genug comische Züge hat.
Er ist schön, aber nicht stets lachend schön. Vielleicht drücke ich
mich dunkel aus; vielleicht habe ich Unrecht. Der rührende Theil
Ihres Stücks hat große Wirkung auf mich gethan. Und die
Sprache dieses Theiles geht beynahe in das Erhabne. Sie ver-
stehn mich. Wie ist die Action des Nachspiels, von dessen baldi-
ger Aufführung Sie in dem letzten Briefe gedacht haben, abge-
laufen? Wo ist denn der Baron Gleichen? Ich bin ihm eine
Antwort schuldig. Grüssen Sie ihn tausendmal in meinem Namen, wenn Sie an ihn schreiben. Melden Sie ihm, daß ich
noch keine Briefe von dem Herrn von Riveri erhalten. Aber
seine Fabeln sind da. Ich will kein Richter seyn, weil ich das
Original bin. Genug der Mann hat mir viel Ehre erwiesen
und verdienet den ersinnlichsten Dank von mir. Seine Nachrichten, die er in der Vorrede giebt, sind sehr mangelhaft. Warum
hat er nicht an Sie oder mich sich gewendet und einen Aufsatz
verlanget? Wie gefällt Ihnen die treffliche Aesthetik? Nicht
wahr, mein lieber Cronegk, diese Begegnung habe ich nicht verdienet? Sie hat mich sehr gekränkt und ich lerne an ihr, mei-

gewünscht habe, sie Ihnen zu leisten. Alsdann bin ich Ihr Schuldner so gewiß, als Sie nach Ihrem guten Herzen und Ihrem Briefe der meinige sind. Sie werden allezeit junge Leute um sich haben, wo Sie auch sind, und nie wird es Ihnen also an Gelegenheit, meine Dienstfertigkeit zu übertreffen, fehlen. Aller Beyfall der Welt, aller Ruhm der Loblieder ist nichts gegen den stillen Ausspruch des Gewissens, daß wir ein einziges junges Herz für den Himmel gebildet, oder doch zu bilden uns aufrichtig bemühet haben. Das wird Ehre, das wird Wollust, eine unaufhörliche Nahrung der Zufriedenheit seyn, wenn in dem Reiche der künftigen Welt uns eine Seele zujauchzet: Du hast mich geleitet, mich ermuntert, unendlich glücklich zu seyn! Heil sey dir, mein Freund, mein ewiger Wohlthäter, und Ruhm vor Gott! Und wenn auch kein Mensch auf Erden unsere guten Absichten bemerken sollte, würden wir deswegen weniger belohnet seyn? — Ihre ißigen, nicht gar zu günstigen Umstände tragen Sie mit Gelassenheit. Dieß ist der sicherste Weg, beßre zu verdienen. Für Ihr Glück seyn Sie nie bange, aber stets besorgt für mehrere Verdienste. Ein Glück, das uns auf dem Wege nach Wissenschaft, auf dem Wege eines klugen, sittsamen Verhaltens begegnet, das wir nie durch kriechende Schmeicheleyen gesucht haben, das ist das Glück, das unser Leben leicht und rühmlich wird machen helfen. Es wird Ihnen nicht an Gönnern fehlen; aber alle Gönner sind Menschen, wie wir. Lassen Sie nie von dem Fleiß in den Sprachen, insonderheit der Schrift, ab. Predigen Sie zuweilen, ohne künstlich predigen zu wollen. Machen Sie nicht zu viel, lieber zu wenig Verse. Schicken Sie mir bey Gelegenheit eine von Ihren letzten Predigten. — — Ich will aufhören, denn was würde ich Ihnen nicht noch sagen, wenn ich mich satt reden wollte? Gott lasse es Ihnen in dem neuen Jahre, in allen Jahren Ihres Lebens, wohl gehen! G.

66.

An den Freiherrn von Craussen.

L. d. 8. März 1755.

Hochgebohrner Freyherr,

Ja, ich habe die überschickten 12 Ducaten, als die Pension für meine Mutter auf dieses Jahr richtig erhalten, und ich bitte tausendmal um Vergebung, daß ich Ihnen den Empfang nicht eher gemeldet. Ich wollte noch acht Tage warten, bis meine Collegia und andere Arbeiten geschlossen wären, und alsbenn sollte mein erster freyer Nachmittag eine Zeit der Erquickung, eine Zeit zu einem langen Briefe an Sie, theuerster Freyherr, werden. Doch da ich nunmehr von Ihnen erinnert werde: so würde ich mirs nicht vergeben können, wenn ich noch einen Posttag ohne Antwort und ohne Danksagungen vorbey gehen ließe. Meine Mutter erliegt beynahe unter Ihrer Freygebigkeit, und sie weiß nicht, wie sie Ihnen genug für solche Großmuth danken soll, durch die sie ihr gnädiger Gönner erquicket. Empfangen Sie also in ihrem Namen alle die Danksagungen, die sie Ihnen schuldig ist, durch diesen Brief, und auch meine eignen. Ich werde nie aufhören, Sie zu verehren, und Ihnen vor Tausend andern die Belohnungen der Tugend zu wünschen. Jetzt muß ich wegen des Abgangs der Post schließen; aber vor den Feyertagen habe ich gewiß die Ehre noch, Ihnen schriftlich meine Ehrerbietung zu bezeugen, mit der ich stets bin

Ew. Hochgebohren
gehorsamster Diener und Freund
C. F. Gellert.

67.

L. d. 13. März 1755.

Hochgebohrner Freyherr,

Gnädiger Herr und Gönner!

Nunmehr folgt erst die Antwort auf Ihren gütigen und lieb=
reichen Brief vom Anfange des Märzes. Aber was soll ich
Ihnen auf alle die Liebe antworten, die Sie in allen Briefen
gegen mich bezeugen? Beynahe muß ich sagen, daß ich sie nicht
verdiene, so groß ist sie; und doch wünschte ich herzlich, sie ganz
zu verdienen; und wenn sie durch die aufrichtigste Ergebenheit
könnte verdienet werden: so müßte ich ihrer gewiß werth seyn.
Ich halte an mich, Ihnen alles das zu sagen, was Ihr edler
und großmüthiger Charakter mich empfinden heißt, damit ich
Ihre Bescheidenheit nicht beleidige, indem ich Ihren andern
Eigenschaften Gerechtigkeit wiederfahren lasse. — Wenn der be=
wußte Critikus Sie besser kennte: so würde er mehr Achtung in
seiner Critik haben sprechen lassen. Ich habe sie nicht gelesen,
und ich bin zufrieden, daß Sie großmüthig schweigen, und daß
ich an Ihnen Verdienste verehre, die über alle Poesie gehn, und
von denen Boileau spricht, wenn er sagt:

> Que la Poesie ne soit pas vôtre éternel employ!
> Cultivés vos amis, soyés hommes de foy.
> C'est peu d'être — charmant dans un livre,
> Il faut savoir encore et converser et vivre.

Die Psalmen von Cramern, nemlich der erste Theil, sind aus
der Presse. Ich will die Posten nicht reich machen, außerdem
schickte ich sie Ihnen gern zu. So verspreche ich Ihnen auch,
nicht eher wieder an Sie zu schreiben, bis Sie es selbst verlan=
gen werden, damit Sie nicht mehr für meine Briefe ausgeben

müssen, als sie werth sind. Indessen bitte ich Ewr. Excellenz unterthänig, mich nicht zu schonen, wenn Sie Commissionen hier in Leipzig haben, da ich höre, daß Sie sich Herrn Korns nicht mehr bedienen werden. Die Danksagung, die ich in dem letzten Briefe im Namen meiner Mutter abgestattet, muß ich hier wiederholen; denn sie befiehlt mir diese Pflicht in allen ihren Briefen. Sollten sich die Umstände derselben durch irgend einen Zufall verbessern: so wird sie sich ein Gewissen daraus machen, Ihre Gnade länger anzunehmen. Aus Dankbarkeit wünscht sie es mehr, als zu oft; denn sie glaubt stets, daß sie Ihre Pension nicht verdienet. Ihnen aber, theuerster Freyherr, wünsche ich zum Beschlusse meines Briefes das, womit sich vielleicht alle meine Briefe schliessen, Gesundheit und Zufriedenheit in reichem Maaße und verharre mit der vollkommensten Hochachtung und Ergebenheit

Ewr. Excellenz

gehorsamster
C. F. Gellert.

68.*)

An J. F. Freiherrn von Cronegk.

L. d. 2. April 1755.

Liebster Croneck,

Wem soll ich wegen Ihrer Tragoedie mehr Glück wünschen, mir, Ihrem Freunde, oder Ihnen? Und womit soll ich Sie belohnen, mit der Byron oder mit der Clementine? Ich habe

*) (Aus dem Original, das sich in der Stadtbibliothek zu Leipzig befindet.)

8 *

den ganzen Sonnabend vor den Feyertagen mit Ihrem Codrus
zugebracht, ihn geprüft und gefühlt, und bis des Abends um
sieben Uhr, das ist viel, darinne studirt. Ich hatte so lange
gesessen, daß ich kaum mehr Athem holen konnte. Er ist schön,
sehr schön, und doch kann er und muß er noch schöner werden,
ich ruhe nicht eher. Ich habe viel angestrichen und mich der
Freyheit bedienet zuweilen ein Wort an den Rand zu schreiben.
Das werden Sie mir vergeben. Ich habe die unrichtige Orthographie meistens verbessert, damit das Werk rein abgeschrieben
werden kann. Wenn ich also eine zuweilen nachlässige, gezwungene, bald harte, bald gedehnte Versification, mit einem Worte
nicht genug gearbeitete und durch die Kunst verschönerte Verse,
wenn ich die nicht stets gewählte, oder nicht stets glücklich gewählte Sprache (denn die edle Sprache der Tragoedie, wie
schwer ist diese nicht zu erreichen?) ausnehme: wenn ich die Länge
des Stückes selbst, und einzelner Scenen, theils vom Anfange,
theils in dem letzten Acte: wenn ich die zweymalige Erscheinung
des Medon ausnehme: so glaube und behaupte ich, Ihr Codrus
ist schön. Sein Character ist groß, immer groß und beynahe
christlich groß, welches Letzte ich zuweilen gemässiget wissen
möchte. Medon, seine Mutter, seine Geliebte, alle drey sind
einander werth. Man kann der vielen Zwischenfälle wegen, vielleicht dem Codrus, wie dem Cid, das Beladne, vergeben Sie
mir das Wort, vorwerfen; aber man muß zu gleicher Zeit die
wunderbaren Stellungen und Situationen zum Dienste des
Affects, mit Dankbarkeit loben, und ich küsse Sie dafür. Auf
dem Theater muß das Stück, so viel auch die Critik im Lesen
erinnern mag, dennoch durch die Hülfe eines Eckofs, Kochs,
einer Kochinn oder Kleefelberinn, Wunder thun können. Das
hoffe ich. Wäre Verbessern eine leichte Sache, wären der Verbesserungen nicht so viel, hätten Sie nicht andre Geschäffte,
fehlten Ihnen nicht gewisse kleine Regeln des Körperlichen in der

Poesie, ich meyne des Versbaues, wüßten Sie die Kleinigkeiten
der Sprache und Grammatik genug, wären Sie von Natur
nicht so lebhaft und haftig, wüßten Sie stets, welches glückliche
Aenderungen wären, so würde ich nichts thun, als Ihnen Ihren
Codrus zurückschicken und Sie inständig bitten:

Vingt fois sur le métier remettez vôtre ouvrage etc.

Aber so zittre ich, Ihnen dieses zuzumuthen. Schlegel, der
itzige Pastor und Professor in Zerbst, war ehedem ein trefflicher
Verbeßrer. Wenn ich zwanzig oder breyßig Thaler Geld, und
er Zeit übrig hätte; so machte ich mir, ohne Ihre Erlaubniß zu
erwarten, die Freude und bäte ihn, das Werk hin und wieder
auszubeffern und abzukürzen, denn ich denke es ist für die Acteure
zu lang. Wäre es meine eigne Arbeit: so würde ichs gewiß
thun. Das große Schöne wäre und bliebe doch mein, nämlich
der Plan, die Charactere, die Reden, die Leidenschaften; und
hat Pope nicht auch einem zeitverwandten tragischen Dichter
diesen Dienst erwiesen? Itzt will ich den Codrus dem Grafen
Moritz schicken. Herr Weise hat ihn auch gelesen. Der Gräfinn
Benting, die sich seit einigen Monaten hier aufhält, würde ich
ihn auch zeigen, weil sie eine große Verehrerinn der Tragoedie
ist, wenn ich meine Striche wegnehmen könnte. Und so viel für
dießmal, lieber, guter, trefflicher Croneck! Die übrigen Theile
Ihres Briefs, will ich nicht beantworten. Es kränkt mich, daß
ich Feinde habe. Aber ich Thor, will ich ein Glück haben, das
selten ein Mensch bis an sein Ende gehabt hat? Alles was ich
wünsche ist Bescheidenheit. Den Tadel selbst muß jeder Autor
ertragen können. Aber was wäre die Vergebung, wenn Beleidigungen in uns keinen Widerstand fänden? Haben Sie den
Brief an den Hrn. v. Riveri fortgeschicket? Und wollen Sie den
an den Baron Croneck [Gleichen?] auch bestellen? Ja, seyn Sie so
gut. Grüßen Sie Herr Utzen, Herr Hirschen und alle Ihre und

meine Freunde ergebenſt von mir und leben Sie recht wohl. Ich
bin ſtets der Ihrige.

Gellert.

Ich muß Ihnen die ganze Stelle des Boileau herſetzen, wenn
Sie ſie gleich auswendig wiſſen:

Hastez-vous lentement, et sans perdre courage,
Vingt fois sur le métier remettez votre ouvrage.
Polissez-le sans cesse, et le repolissez.
Ajoutez quelquefois, et souvent effacez.

69.

An den Grafen ***.*)

L. d. 3. April 1755.

Ich bin außer mir, und ich muß es Ihnen ſagen, daß ich
bin, ob ich gleich erſt geſtern an Sie geſchrieben habe. Geſtern
war ich noch nicht mit dem 5ten Theile des Grandiſon zu Ende.
Ich las zwar bis des Nachts um 12 Uhr — ein Fehler, den
ich ſeit der Clariſſa nicht begangen. Ich ſchlief, wie Sie leicht
denken können, die ganze Nacht wenig — elend. Kaum hatte
ich heute Morgen nach 6 Uhr in der Bibel geleſen, ſo ergriff
ich den Grandiſon, um ihn ſtatt einer Rede aus dem ** zu
leſen. Ich las, ich kam auf den Abſchied des Grandiſon und
der Clementine. — Ach Graf, lieber Graf! Nun habe ich
wieder das größte Vergnügen des Lebens geſchmeckt, das ich
ſchmeckte, als ich den letzten Theil der Clariſſa las. Seit ſo vielen

---

*) (Vermuthlich an den Grafen M. v. Brühl. — Bekannt ge-
macht von Franz Horn in: Wielands Briefe an Sophie v. La
Roche ꝛc. Berlin 1820. Anhang. S. 361. ff.)

,ahren habe ich weder über Natur, noch Nachahmung (einige bittere Thränen der Traurigkeit ausgenommen), weinen kön= nen — nicht weinen können, um alle Wunder der Natur nicht, so hart, so verschloffen ist mein Herz gewesen! und heute, die= sen Morgen den 3. April zwischen 7 und 10 Uhr (gesegneter Tag —) habe ich geweinet, theurer Graf, mein Buch — mein Pult — mein Gesicht — mein Schnupftuch durch — durchge= weinet, lautgeweinet, mit unendlichen Freuden geschluchzet, als wäre ich in Bologna, als wäre ich Er, als wäre ich Sie, als wäre ich das seelige Gemische von Glück und Unglück, von Liebe und Schmerz, von Tugend und Schwachheit gewesen, und kein Mensch hat mich gestöret. — Gott was ist in diesem Buche! Nun begreife ich, wie die Tragödien der Alten haben so gewaltsame und unglückliche [unglaubliche?] Wirkungen thun können. Ja, Graf, in den Augenblicken nicht fort lesen — nicht mehr fühlen sollen — dort auf der Rasenbank — hier in der Clementine Zimmer — lieber hätte ich all mein Vermögen verloren. Kann denn Ri= chardson zaubern? Ja, ihm steht alles, was nur rühren — bestürmen, alles was hinreißen, und zur Trunkenheit entzücken kann, zu Gebote, und seine Landsleute zweifeln noch einen Au= genblick daran? Aber er muß sterben; Er soll sterben! und alsbann wird man ihm Gerechtigkeit wiederfahren lassen. Haben sie den Gay einiger Fabeln wegen in die Gräber der Könige gelegt: so werden sie einen Richardson — unsterblicher Name! Ehre des menschlichen Geschlechts und Fürst der Romanendichter! Glücklicher Tyrann aller unsrer Leidenschaften! — Dich sollten sie nicht in die Gräber der Könige, nicht zur Asche des Milton, und wenn noch ein ehrwürdiger Ort ist, nicht dahin legen? — Schreib, aber das ist über die Kräfte der Menschheit, schreib noch einen Grandison, und dann stirb, seliger als deine Clemen= tine, als dein Grandison den Gedanken nach sterben müssen! Ja, Graf — Gott vergebe mirs! — Ebert hat wohl nicht un=

genheit, die Sie mir zur Ausführung einer guten Absicht gegeben,
selbst zu danken, als den Dank anzunehmen, den Sie mir schriftlich abgestattet, und der mehr ein Beweis eines sorgfältigen und
gütigen Vaters, als eine Belohnung ist, die ich wirklich verdienet hätte. Indessen glaube ich gewiß, daß ich Ihren Herren
Söhnen einen rechtschaffnen und geschickten Mann zum Hofmeister
gewählet habe. Er wird seine Fehler haben; denn wer ist ohne
Fehler? Allein ich glaube, daß es solche seyn werden, die Sie
oder die Frau Gemahlinn durch ihre Aufmerksamkeit bald verbessern werden. Er hat etwas gezwungenes in seiner Stellung,
das mir nicht gefällt; allein es ist doch tausendmal besser, als
das Rohe und Ungesittete, das junge Leute oft mit von der
Universität bringen. Und ich weis gewiß, er wird das Gezwungene in der Gesellschaft, in die er itzt eintritt, unter den freyern
Sitten des Landlebens bald verlieren. Da er einen sanften Charakter und dabey ein gesetztes Wesen hat, so hoffe ich, er soll
sich die Liebe und die Folgsamkeit der jungen Herren bald erwerben. Und da er Geduld hat, gesprächig ist, zeichnen, malen, und in der Baukunst kleine Risse machen kann; so hoffe
ich, er soll die beiden Kinder an sich ziehen und leicht
unterhalten können. Er wird ihnen den Fleiß nicht zur Last,
sondern mehr zu einer angenehmen Nothwendigkeit zu machen
suchen, und übrigens sich nach den besondern Fähigkeiten und
Genies seiner Untergebenen richten: dieß ist nach meinem Erach-
ten die doppelte Regel aller guten Unterweisung. Und was kann
ein Hofmeister, der Geschicklichkeit und guten Willen hat, der
in seiner Pflicht von dem Ansehen und den Vorschriften der Rel-
tern unterstützet, durch ihr Vertrauen und ihren Beyfall mehr
ermuntert, und durch die Lehrbegierde seiner Schüler angefeuert
wird, nicht in etlichen Jahren bey ihnen ausrichten? Ob Herr
R**gleich kein Theolog ist, so bin ich doch sicher, daß er den
jungen Herren die Grundsätze der Religion durch Unterricht und

70. °)

An den Secretair Kersten.

L. d. 7. Mai 1755.

Mein lieber Kersten,

Sie fragten mich letztens, ob Sie mir nicht dienen könnten. Ich ja, Sie können es. Aber es ist nichts Geringers, als ein öffentliches Amt an der Kirche zu Schulpforta, darum ich Sie bitte; ich meyne den Küsterdienst. Eigentlich möchte ichs für mich selbst haben, und ich würde vielleicht ruhiger dabey seyn, als bey einer Profession; dennoch will ich den Dienst lieber meinem Famulo, Herrn Bocken, abtreten, wenn Sie mir dazu verhelfen wollen. Er hat sich schon vor einem halben Jahre und auch wieder diese Messe bey Ihrer Excellenz, dem Herrn Präsidenten gemeldet, und das letztemal eine günstige Antwort erhalten. Der Oberhofprediger und der Consistorialrath Leyser sind auch auf seiner Seite, so wie alle Verdienste, die zu einem Küster gehören. Er ist ein ordentlicher und geschickter Mensch, und seine größten Fehler sind Armuth und Krankheit des Körpers. Er versteht mehr Theologie und hat weit mehr Kenntniß in den humanioribus, als zu seinem Amte nöthig ist. Seine Hand ist freylich nicht die trefflichste; aber er bessert sie und wird sie bessern. Er versteht etwas Mathematik und Baukunst, ist dienstfertig und hat ein ehrliches frommes Herz. Das Amt wird seiner Gesundheit und Zufriedenheit unstreitig mehr nützen, als alle Arzney und alle Philosophie, und Sie werden gewiß eine gute und belohnenswürdige That thun, wenn Sie ihn bey dem Herrn Präsidenten mit Ihrem Vorspruche unterstützen, und ich will den Dienst annehmen, als ob Sie mir ihn selbst erwiesen hätten. ....
Reden Sie also, mein lieber Kersten, ohne Verzug mit dem

°) (Gellerts Familienbriefe. Anhang No. 4.)

gewünscht habe, sie Ihnen zu leisten. Alsdann bin ich Ihr Schuldner so gewiß, als Sie nach Ihrem guten Herzen und Ihrem Briefe der meinige sind. Sie werden allezeit junge Leute um sich haben, wo Sie auch sind, und nie wird es Ihnen also an Gelegenheit, meine Dienstfertigkeit zu übertreffen, fehlen. Aller Beyfall der Welt, aller Ruhm der Loblieder ist nichts gegen den stillen Ausspruch des Gewissens, daß wir ein einziges junges Herz für den Himmel gebildet, oder doch zu bilden uns aufrichtig bemühet haben. Das wird Ehre, das wird Wollust, eine unaufhörliche Nahrung der Zufriedenheit seyn, wenn in dem Reiche der künftigen Welt uns eine Seele zujauchzet: Du hast mich geleitet, mich ermuntert, unendlich glücklich zu seyn! Heil sey dir, mein Freund, mein ewiger Wohlthäter, und Ruhm vor Gott! Und wenn auch kein Mensch auf Erden unsere guten Absichten bemerken sollte, würden wir deswegen weniger belohnet seyn? — Ihre itzigen, nicht gar zu günstigen Umstände tragen Sie mit Gelassenheit. Dieß ist der sicherste Weg, bessere zu verdienen. Für Ihr Glück seyn Sie nie bange, aber stets besorgt für mehrere Verdienste. Ein Glück, das uns auf dem Wege nach Wissenschaft, auf dem Wege eines klugen, sittsamen Verhaltens begegnet, das wir nie durch kriechende Schmeicheleyen gesucht haben, das ist das Glück, das unser Leben leicht und rühmlich wird machen helfen. Es wird Ihnen nicht an Gönnern fehlen; aber alle Gönner sind Menschen, wie wir. Lassen Sie nie von dem Fleiß in den Sprachen, insonderheit der Schrift, ab. Predigen Sie zuweilen, ohne künstlich predigen zu wollen. Machen Sie nicht zu viel, lieber zu wenig Verse. Schicken Sie mir bey Gelegenheit eine von Ihren letzten Predigten. — — Ich will aufhören, denn was würde ich Ihnen nicht noch sagen, wenn ich mich satt reden wollte? Gott lasse es Ihnen in dem neuen Jahre, in allen Jahren Ihres Lebens, wohl gehen!   G.

„lichen Thorheiten ist. Er liest und schreibt gern, dieß wird ihn
„vor den gefährlichen Zerstreuungen des Müßiggangs und der
„Höfe bewahren. Erinnern Sie ihn, wenn er auf Reisen geht,
„daß er sich ein Tagebuch von sich selbst macht; daß er alle
„Abende ein getreues Verzeichniß aller seiner Handlungen auf=
„setzet, als vor den Augen seines besten Freundes, und noch mehr,
„als vor den Augen seines allsehenden und allmächtigen Freun=
„des; daß er sich keine Thorheit, so klein sie ist, ungestraft ver=
„giebt, keine gute That unüberdacht bemerket, und keine edle
„Absicht ungefühlt niederschreibt. Dieß ist eine Art des Gebets,
„und vielleicht eine der vorzüglichsten Arten des Gebets, weil es
„mit unsrer Prüfung und mit unsrer Beßrung verbunden ist.
„Ich habe diese Pflicht neun ganzer Jahre ohne Ausnahme aus=
„geübt, und dieß sind die besten, weisesten und ruhigsten Tage
„meines Lebens gewesen. Sagen Sie ihm, daß ich nie einen
„vortrefflichern Ausspruch gehört hätte, als der ist, den Sie mir
„von seiner Mutter erzählt, daß ohne die sittlichen Tugenden des
„Herzens alle äußerliche Vollkommenheiten ihren Werth und
„auch gewissermaßen selbst ihr Daseyn verlieren müßten; und
„daß ein Mann von Religion doppelt liebenswürdig wäre, auch
„zu der Zeit, wenn er am strengsten handelte. Ich denke, er
„liebt das Geld nicht, und sein ganzer Charakter scheint mir
„für diese Neigung zu groß zu seyn; Güte, Leutseligkeit und
„Freygebigkeit reden aus seinen Augen.“

Alles dieses und noch weit mehr, lieber Graf, hörte ich an,
ohne beynahe ein Wort zu sagen. Das, hub ich endlich an,
will ich dem Grafen alles schreiben. Er wird Sie und meine
Liebe zu ihm, durch die Sorgfalt für seinen Charakter, oder wel=
ches einerley ist, für sein Glück, belohnen. — — — —

Leben Sie wohl.

G.

73. (20.)

An denselben.

L. d. 13. Mai 1755.

Die Freundschaft thut das in Ihren Briefen, was die Kunst, unterstützt von der Natur, in den Werken des Geschmacks thut. Die Kunst, sagt Pope*), wirkt, ohne sich zu zeigen, und herrschet ohne Gepränge. So nährt die verborgne Seele in einem schönen Körper alles mit Lebensgeistern und erfüllt das Ganze mit Stärke. Sie wirkt jede Bewegung und unterstützet jede Nerve; sie selbst ist ungesehn; aber in den Wirkungen zugegen. So, sage ich, wirkt die Freundschaft, unterstützt von dem guten Geschmacke, in Ihren Briefen. Sie herrschet ohne Gepränge, belebt alle Gedanken, macht den Ausdruck beredt; sie kündiget sich nicht an, und ist doch in allem, was Sie mir sagen, zugegen. Welche Freude für mich! Ich weis Ihnen meine Dankbarkeit nicht besser zu zeigen, als daß ich mein Lob zurück halte, und Ihnen öfter schreibe, als meinen übrigen Freunden, und mich bemühe, Ihnen auch in dem, worinne ich Ihnen kein Beyspiel seyn kann, wenigstens ein Gefährte zu seyn. Das weis ich gewiß, daß Sie die Ermunterungen in meinem letzten Briefe nicht vergessen werden, so sehr Sie sich auch selbst die beste Ermunterung sind. Ich habe sie Ihnen niedergeschrieben, wie man Freunden, die glücklich sind, immer noch Glück wünschet. Die Frau von ** meynt es außerordentlich gut mit Ihnen, und ich

---

*) Art — — —
  Works without show, and without pomp presides:
  In some fair body thus the secret soul,
  With spirits feeds, with vigour fills the whole,
  Each motion gives, ev'ry nerve sustains,
  It self unseen, but in th' effects remains.

glaube, daß sie mir Ihrentwegen gewogner ist; denn in der That mag sie denken, daß ich zu Ihrem Besten mehr beygetragen habe, als ich wirklich gethan. Allein, ohne mich zu erniedrigen, muß ich doch bey Ihnen und Cronegken die Anmerkung machen, die man von den größten Malern gemacht, daß sie meistens ohne große Lehrmeister sich selbst gebildet haben. Ich will sie Beide dadurch nicht stolz machen; denn auch das glücklichste Genie, wenn es an seinen Ursprung gedenket, hat mehr Ursache zur Bescheidenheit, als zum Stolze, und der Stolz ist gemeiniglich nur die Ausfüllung des leeren Raums in unsrer vielseynwollenden Seele. Ich fühle es sehr wohl, liebster Graf, daß ichs in meinen Briefen an Sie nicht vergessen kann, daß ich noch einmal so alt bin, als Sie; aber selbst meine Docirsucht ist noch Liebe. Ich denke alle Augenblicke, ich möchte Sie durch mein Lob, davon mein Herz so voll ist, sicher machen; und gleich will mein Verstand das wieder gut machen, was mein Herz versehen zu haben glaubet, und da fange ich denn an, lehrreicher zu seyn, als es Ihr Charakter bedarf. Sie werden mirs leicht vergeben; und wenn auch meine Briefe an Sie einmal Andern in die Hände fallen sollten, so können sie doch nichts weiter davon sagen, als was man gewissen Gesichtern der Frauenzimmer vorwirft, die sich unvermerkt in eine zu gütig erklärende Miene verlieren, es fühlen und diese freywillige Miene durch einen aufgebotnen furchtsamen Ernst widerlegen wollen. Ich bin heute sehr fruchtbar in Gleichnissen und solchen Sachen. Vermuthlich habe ich zu viel Zeit zu diesem Briefe; denn der Regen hat meinen Zuhörer, dem diese Stunde gehört, abgehalten.

In dem Journal des Savans et des Trevoux sind Riveris Fabeln rühmlich genug recensiret; nur ärgre ich mich, daß der Recensent aus toller Uebereilung eine Stelle von Rabenern saget, die Riveri in der Vorrede vom Rabelais oder Swif-

ben ganzen Sonnabend vor den Feyertagen mit Ihrem Cobrus zugebracht, ihn geprüft und gefühlt, und bis des Abends um sieben Uhr, das ist viel, darinne studirt. Ich hatte so lange gesessen, daß ich kaum mehr Athem holen konnte. Er ist schön, sehr schön, und doch kann er und muß er noch schöner werden, ich ruhe nicht eher. Ich habe viel angestrichen und mich der Freyheit bedienet zuweilen ein Wort an den Rand zu schreiben. Das werden Sie mir vergeben. Ich habe die unrichtige Orthographie meistens verbessert, damit das Werk rein abgeschrieben werden kann. Wenn ich also eine zuweilen nachlässige, gezwungene, bald harte, bald gedehnte Versification, mit einem Worte nicht genug gearbeitete und durch die Kunst verschönerte Verse, wenn ich die nicht stets gewählte, oder nicht stets glücklich gewählte Sprache (denn die edle Sprache der Tragoedie, wie schwer ist diese nicht zu erreichen?) ausnehme: wenn ich die Länge des Stückes selbst, und einzelner Scenen, theils vom Anfange, theils in dem letzten Acte: wenn ich die zweymalige Erscheinung des Medon ausnehme: so glaube und behaupte ich, Ihr Cobrus ist schön. Sein Character ist groß, immer groß und beynahe christlich groß, welches Letzte ich zuweilen gemässiget wissen möchte. Medon, seine Mutter, seine Geliebte, alle drey sind einander werth. Man kann der vielen Zwischenfälle wegen, vielleicht dem Cobrus, wie dem Cid, das Beladne, vergeben Sie mir das Wort, vorwerfen; aber man muß zu gleicher Zeit die wunderbaren Stellungen und Situationen zum Dienste des Affects, mit Dankbarkeit loben, und ich küsse Sie dafür. Auf dem Theater muß das Stück, so viel auch die Critik im Lesen erinnern mag, dennoch durch die Hülfe eines Eckofs, Kochs, einer Kochinn oder Kleefelderinn, Wunder thun können. Das hoffe ich. Wäre Verbessern eine leichte Sache, wären der Verbesserungen nicht so viel, hätten Sie nicht andre Geschäffte, fehlten Ihnen nicht gewisse kleine Regeln des Körperlichen in der

Poesie, ich meyne des Versbaues, wüßten Sie die Kleinigkeiten
der Sprache und Grammatik genug, wären Sie von Natur
nicht so lebhaft und hastig, wüßten Sie stets, welches glückliche
Aenderungen wären, so würde ich nichts thun, als Ihnen Ihren
Codrus zurückschicken und Sie inständig bitten:

Vingt fois sur le métier remettez vôtre ouvrage etc.

Aber so zittre ich, Ihnen dieses zuzumuthen. Schlegel, der
itzige Pastor und Professor in Zerbst, war ehedem ein trefflicher
Verbeßrer. Wenn ich zwanzig oder dreyßig Thaler Geld, und
er Zeit übrig hätte; so machte ich mir, ohne Ihre Erlaubniß zu
erwarten, die Freude und bäte ihn, das Werk hin und wieder
auszubessern und abzukürzen, denn ich denke es ist für die Acteure
zu lang. Wäre es meine eigne Arbeit: so würde ichs gewiß
thun. Das große Schöne wäre und bliebe doch mein, nämlich
der Plan, die Charactere, die Reden, die Leidenschaften; und
hat Pope nicht auch einem zeitverwandten tragischen Dichter
diesen Dienst erwiesen? Itzt will ich den Codrus dem Grafen
Moritz schicken. Herr Weise hat ihn auch gelesen. Der Gräfinn
Benting, die sich seit einigen Monaten hier aufhält, würde ich
ihn auch zeigen, weil sie eine große Verehrerinn der Tragoedie
ist, wenn ich meine Striche wegnehmen könnte. Und so viel für
dießmal, lieber, guter, trefflicher Croneck! Die übrigen Theile
Ihres Briefs, will ich nicht beantworten. Es kränkt mich, daß
ich Feinde habe. Aber ich Thor, will ich ein Glück haben, das
selten ein Mensch bis an sein Ende gehabt hat? Alles was ich
wünsche ist Bescheidenheit. Den Tadel selbst muß jeder Autor
ertragen können. Aber was wäre die Vergebung, wenn Beleidigungen in uns keinen Widerstand fänden? Haben Sie den
Brief an den Hrn. v. Riveri fortgeschicket? Und wollen Sie den
an den Baron Croneck [Gleichen?] auch bestellen? Ja, seyn Sie so
gut. Grüssen Sie Herr Utzen, Herr Hirschen und alle Ihre und

kennen möchtest, eben so als seine Gemahlinn) habe ich sie gewiesen; sie haben ihn entzückt, und weil er die meisten bey sich
hat — (sie sind bey ihm so sicher, als bey mir); so kann ich
heute nur über einige Critiken machen. So oft ich aber von
meinem Bossuet Odem hole, will ich fortfahren. — Ueberhaupt
mache ich die Anmerkung: erstlich was die Einrichtung betrifft,
daß Lieder mehr aus Empfindungen, als Betrachtungen bestehen
und keine Lehroden seyn müssen. Diesen Character hat das
Gebet nicht, welches mehr aus schönen Lehrsprüchen, als Empfindungen besteht. Doch bestehen, zu Deiner großen Ehre, die
meisten daraus. Zweytens merke ich, was die Schreibart betrifft,
an, daß ich wünschte, sie möchte sich hier und da mehr von dem
zwar nicht uneblen, aber doch gemeinen Ausdrucke entfernen, und
poetischer werden. Wie stark ist nicht die Schreibart der Psalmen. — Die Geduld. 1. Str. 1. V. in Kreuz und
Leid: das ist einer von den Ausdrücken, die mir für Deine Lieder nicht edel genug sind. 4. V. Künftig, wenn Du in diesem
Genere Lieder machst, so laß lieber diesen kleinen Vers $\cup - \cup - \cup$
so seyn. Es liest und singt sich besser. — 2. Str. 3. St. Bösen Tage: Böses wir erdulden, kömmt zu schnell auf
einander. 3. V. Künftig bitte ich bekommen für erhalten nicht
zu brauchen; das Wort ist zu unpoetisch. — 4. Str. Was ist
des Unmuths Schmerz: soll Unmuth Zorn oder Wehmuth
seyn? — 5. Str. Ist deren Quaal: hier sollte billig die
Anrede an Gott wiederholt seyn. — 6. Str. 2. V. Läßt du:
Besser Lehrst du rc. 3. V. Missethat: Hier sollte Sünde stehen; weil Sünde alle Arten von Unordnungen begreift. —
9 [10] Str. 2. V. Wollen Sie etwa setzen: Doch wenn Gott
schlägt, an Gott voll Demuth denken? Die letzte Strophe muß
ja bleiben, als eine der schönsten. — Bitten. 1. Str. Die vier
ersten Verse gefallen mir nicht, wegen des für u. für, und des
gebeten, das ich nicht für deutsch halte. 2. Str. Wenn der

ders hieße: Gieb mir ꝛc. so wäre der 4te überflüßig. Be=
en Sie den 4ten zu noch einem besondern Gedanken. —
Gebet. 1. Str. verscherzen, nicht edel genug; prüfe
nicht prüf, wenn ein Vocal folgt. — 2. Str. beque=
ein unedles Wort, zumal von Gott gebraucht. — 3. Str.
r Glück, sein Heil; eins ist genug. Wollen Sie unter
die irdische, unter Heil die geistl. und ewige Seligkeit ver=
, so ists nicht deutlich. 3. 4. V. Statt der Frage, ob Be=
icht unsre Seele erhebe, möchte ich lieber gesagt haben, wie
selbe erhebe. — 5. Str. würde ich eine rime riche ma=

> Wer das was einem Christen dienet,
> Im Glauben sucht, der ehret Gott;
> Wer das zu bitten sich erkühnet,
> Was er nicht wünscht, der spottet Gott.

Flehn ist Spott, ist ein wenig zu gezwungen ausge=
. — 7. Str. 4. V. Mächtig u. versüßen sind Ideen,
nicht zusammen bringen möchte: gütig oder liebreich. —
. Schau, beschau statt schaue, beschaue. Sieh an die
der, die er that, (denn satt kann und soll man sich
an Gottes Wundern sehn). Schau auf den Ernst u.
ie Güte, Womit (damit es sich auf Mascul. u. Foem.
h beziehe) statt mit dir ꝛc. — 9. Str. Den 3. V. deut=
zu machen: Und schmecke seiner Himmel Kräfte. —
Str. Bet oft, durchschau mit heilgem Muthe, mit
e, mit Entzücken lieber. Ich mag ewgen, heilgen, künft=
und alle Zusammenziehungen nicht leiden, wo das i her=
worfen wird. — 11. Str. Dein Glaub an ihn ꝛc. ist
als der andre Vers. — 12. Str. Gerecht u. gut: Ge=
und fromm lieber. — Du siehst, mein liebster Gellert, daß
r Kleinigkeiten table; allein bloß, weil ich keine größern
n entdecken kann. Gott erhalte Dich noch lange, lange
. Gieb Deine Lieder ja noch nicht heraus; wir müssen
lett VIII.
9

recht. Wenn er, spricht er, den Grandison gemacht hätte, so
glaube er gewiß, daß er seelig werden müßte. Gott vergebe
mirs! Könnte der Himmel durch Verstand und Kunst, durch
Witz und Herz, durch göttliche Moral verdienet werden, nun,
so hätte ihn Grandison überverdient! Heben Sie diesen Brief
mit aller seiner Enthusiasterei, mit aller meiner aufrichtigen
Albernheit auf! und wenn ich bald sterbe, so lassen Sie, Sie
sollen es thun, ihn mit meinem ganzen Namen, zur Ehre eines
Richardson (denn sobald ich todt bin, bin ich groß genug ihn
zu ehren) und folgende Stelle groß drucken: Zween meiner
vergnügtesten Tage, soll die Nachwelt wissen, sind die
gewesen, da ich den 7. Theil der Clarissa und den
5. des Grandison gelesen. Wenn die Tugend in jenem
Leben eine fortgesetzte ewige Empfindung solcher Freuden ist,
als ich hier gefühlet, so kann kein Mensch, auch in einem zehn-
fachen Leben, zu viel für sie ausstehn. Ich habe noch nie namentlich für den Richardson gebetet, aber bey dem 5. Theile
habe ich das Gebet für seine immerwährende Wohlfahrt gemacht. — . Dürfte ich doch nicht denken, daß es Geschöpfe gebe,
denen dieses Werk nicht gefällt. — Ich will nicht mehr schreiben. — Ich kann auch nicht. Ich bin immer noch außer mir.
Ich habe geweint daß ich noch immer zittere. Und wenn ich itzt
krank werde, so ist Grandison die Ursache, und meine Krankheit das Lobgedicht des Richardson. Ich umarme Sie, liebster Graf. . .

Gellert.

70. *)

An den Secretair Kersten.

L. d. 7. Mai 1755.

Mein lieber Kersten,

Sie fragten mich letztens, ob Sie mir nicht dienen könnten.
Ach ja, Sie können es. Aber es ist nichts Geringers, als ein
öffentliches Amt an der Kirche zu Schulpforta, darum ich Sie
bitte; ich meyne den Küsterdienst. Eigentlich möchte ichs
für mich selbst haben, und ich würde vielleicht ruhiger dabey
seyn, als bey einer Profeſſion; dennoch will ich den Dienst lieber
meinem Famulo, Herrn Bocken, abtreten, wenn Sie mir dazu
verhelfen wollen. Er hat sich schon vor einem halben Jahre und
auch wieder diese Meſſe bey Ihrer Excellenz, dem Herrn Präſi-
denten gemeldet, und das letztemal eine günstige Antwort erhalten. Der Oberhofprediger und der Conſiſtorialrath Leyſer ſind
auch auf seiner Seite, so wie alle Verdienste, die zu einem Küster gehören. Er ist ein ordentlicher und geſchickter Menſch, und
seine größten Fehler sind Armuth und Krankheit des Körpers.
Er versteht mehr Theologie und hat weit mehr Kenntniß in den
humanioribus, als zu seinem Amte nöthig ist. Seine Hand ist
freylich nicht die trefflichste; aber er beſſert sie und wird sie beſſern. Er versteht etwas Mathematik und Baukunst, ist dienſt-
fertig und hat ein ehrliches frommes Herz. Das Amt wird ſeiner Gesundheit und Zufriedenheit unstreitig mehr nützen, als alle
Arzney und alle Philosophie, und Sie werden gewiß eine gute
und belohnenswürdige That thun, wenn Sie ihn bey dem Herrn
Präsidenten mit Ihrem Vorspruche unterstützen, und ich will den
Dienst annehmen, als ob Sie mir ihn selbst erwiesen hätten. ....
Reden Sie also, mein lieber Kersten, ohne Verzug mit dem

---

*) (Gellerts Familienbriefe. Anhang No. 4.)

Herrn Präsidenten, dem ich, so gewiß ich lebe, dreymal, aber allemal vergebens, aufzuwarten gesuchet habe.

Ein jeder Freundschaftsdienst, ein jeder treuer Rath,
So klein die Welt ihn schätzt, ist eine große That.

Gott gebe Ihnen Ihre Gesundheit im Bade wieder. Dieß wünsche ich Ihnen von Herzen und bin stets

Ihr

ergebenster
Gellert.

---

71. (19.)

An den Grafen Moriz v. Brühl.

L. d. 7. Mai 1755.

Wie sehr hat mich nicht Ihr Abschied gerührt! Ich bin mit Thränen den Weg vom äußersten Thore herein gegangen, mein ganzes Herz that mir weh, und ich glaubte den ganzen Nachmittag, es müßte mir etwas ahnden, so betroffen war ich. Vielleicht, dachte ich, siehst du ihn nicht wieder; aber das wolle Gott nicht! dachte ich sogleich dazu. Ich gieng Abends zur Frau von **. „Sie sind traurig, sagte sie, daß Ihr Moriz fort „ist, das gefällt mir an Ihnen. Es ist ein trefflicher Jüngling. „Ich will mit Ihnen weinen, wenn ich Sie dadurch beruhigen „kann, wenigstens wollen wir von ihm reden. Seine Beschei„denheit, da ihn alle Leute loben, ist ein großes Verdienst und „ein sichres Kennzeichen seiner künftigen noch größern Verdienste. „Seine Schamhaftigkeit nimmt ungemein für ihn ein: und wenn „er die erhält: so werden ihm alle Versuchungen nichts abgewin„nen. Er trinkt keinen Wein, der sonst die Quelle vieler jugend-

„lichen Thorheiten ist. Er liest und schreibt gern, dieß wird ihn
„vor den gefährlichen Zerstreuungen des Müßiggangs und der
„Höfe bewahren. Erinnern Sie ihn, wenn er auf Reisen geht,
„daß er sich ein Tagebuch von sich selbst macht; daß er alle
„Abende ein getreues Verzeichniß aller seiner Handlungen auf=
„setzet, als vor den Augen seines besten Freundes, und noch mehr,
„als vor den Augen seines allsehenden und allmächtigen Freun=
„des; daß er sich keine Thorheit, so klein sie ist, ungestraft ver=
„giebt, keine gute That unüberdacht bemerket, und keine edle
„Absicht ungefühlt niederschreibt. Dieß ist eine Art des Gebets,
„und vielleicht eine der vorzüglichsten Arten des Gebets, weil es
„mit unsrer Prüfung und mit unsrer Beßrung verbunden ist.
„Ich habe diese Pflicht neun ganzer Jahre ohne Ausnahme aus=
„geübt, und dieß sind die besten, weisesten und ruhigsten Tage
„meines Lebens gewesen. Sagen Sie ihm, daß ich nie einen
„vortrefflichern Ausspruch gehört hätte, als der ist, den Sie mir
„von seiner Mutter erzählt, daß ohne die sittlichen Tugenden des
„Herzens alle äußerliche Vollkommenheiten ihren Werth und
„auch gewissermaßen selbst ihr Daseyn verlieren müßten; und
„daß ein Mann von Religion doppelt liebenswürdig wäre, auch
„zu der Zeit, wenn er am strengsten handelte. Ich denke, er
„liebt das Geld nicht, und sein ganzer Charakter scheint mir
„für diese Neigung zu groß zu seyn; Güte, Leutseligkeit und
„Freygebigkeit reden aus seinen Augen.“

Alles dieses und noch weit mehr, lieber Graf, hörte ich an,
ohne beynahe ein Wort zu sagen. Das, hub ich endlich an,
will ich dem Grafen alles schreiben. Er wird Sie und meine
Liebe zu ihm, durch die Sorgfalt für seinen Charakter, oder wel=
ches einerley ist, für sein Glück, belohnen. — — — —

Leben Sie wohl.

G.

72. (20.)

An denselben.

L. d. 13. Mai 1755.

Die Freundschaft thut das in Ihren Briefen, was die Kunst, unterstützt von der Natur, in den Werken des Geschmacks thut. Die Kunst, sagt Pope*), wirkt, ohne sich zu zeigen, und herrschet ohne Gepränge. So nährt die verborgne Seele in einem schönen Körper alles mit Lebensgeistern und erfüllt das Ganze mit Stärke. Sie wirkt jede Bewegung und unterstützet jede Nerve; sie selbst ist ungesehn; aber in den Wirkungen zugegen. So, sage ich, wirkt die Freundschaft, unterstützt von dem guten Geschmacke, in Ihren Briefen. Sie herrschet ohne Gepränge, belebt alle Gedanken, macht den Ausdruck beredt; sie kündiget sich nicht an, und ist doch in allem, was Sie mir sagen, zugegen. Welche Freude für mich! Ich weis Ihnen meine Dankbarkeit nicht besser zu zeigen, als daß ich mein Lob zurück halte, und Ihnen öfter schreibe, als meinen übrigen Freunden, und mich bemühe, Ihnen auch in dem, worinne ich Ihnen kein Beyspiel seyn kann, wenigstens ein Gefährte zu seyn. Das weis ich gewiß, daß Sie die Ermunterungen in meinem letzten Briefe nicht vergessen werden, so sehr Sie sich auch selbst die beste Ermunterung sind. Ich habe sie Ihnen niedergeschrieben, wie man Freunden, die glücklich sind, immer noch Glück wünschet. Die Frau von ** meynt es außerordentlich gut mit Ihnen, und ich

---

*) Art — —
Works without show, and without pomp presides:
In some fair body thus the secret soul,
With spirits feeds, with vigour fills the whole,
Each motion gives, ev'ry nerve sustains,
It self unseen, but in th' effects remains.

e, daß sie mir Ihrentwegen gewogner ist; denn in der That
sie denken, daß ich zu Ihrem Besten mehr beygetragen
als ich wirklich gethan. Allein, ohne mich zu erniedrigen,
ich doch bey Ihnen und Croneglen die Anmerkung ma=
die man von den größten Malern gemacht, daß sie meistens
große Lehrmeister sich selbst gebildet haben. Ich will sie
dadurch nicht stolz machen; denn auch das glücklichste Ge=
senn es an seinen Ursprung gedenket, hat mehr Ursache zur
'idenheit, als zum Stolze, und der Stolz ist gemeiniglich
ie Ausfüllung des leeren Raums in unsrer vielseynwollen=
seele. Ich fühle es sehr wohl, liebster Graf, daß ichs in
n Briefen an Sie nicht vergessen kann, daß ich noch ein=
o alt bin, als Sie; aber selbst meine Docirsucht ist noch
Ich denke alle Augenblicke, ich möchte Sie durch mein
davon mein Herz so voll ist, sicher machen; und gleich will
Verstand das wieder gut machen, was mein Herz versehen
ben glaubet, und da fange ich denn an, lehrreicher zu seyn,
Ihr Charakter bedarf. Sie werden mirs leicht vergeben;
venn auch meine Briefe an Sie einmal Andern in die
: fallen sollten, so können sie doch nichts weiter davon sa=
als was man gewissen Gesichtern der Frauenzimmer vor=
die sich unvermerkt in eine zu gütig erklärende Miene ver=
, es fühlen und diese freywillige Miene durch einen aufge=
: furchtsamen Ernst widerlegen wollen. Ich bin heute sehr
dar in Gleichnissen und solchen Sachen. Vermuthlich habe
viel Zeit zu diesem Briefe; denn der Regen hat meinen
er, dem diese Stunde gehört, abgehalten.

: dem Journal des Savans et des Trevoux sind Rive=
abeln rühmlich genug recensiret; nur ärgre ich mich, daß
ecensent aus toller Uebereilung eine Stelle von Rabenern
die Riveri in der Vorrede vom Rabelais oder Swif=

ten gesaget hat. Ich will deswegen an Riveri schreiben. ——
Leben Sie wohl, bester Graf.

G.

---

73. (21.)
Moritz von Brühl an Gellert.

Dresden, d. 18. Mai 1755.

Liebster Professor,

Die Vergleichung, mit der Sie Ihren letzten Brief anfangen,
so wie die Stelle aus dem Pope, sind beide sehr schön. Wie
glücklich wäre ich, wenn ich sie wahr machen könnte! So viel
ist indessen gewiß, daß, wenn anders meine Briefe an Sie einigen Werth haben, sie ihn bloß durch meine Freundschaft gegen
Sie erhalten, und vielleicht ist sie es, die mich bey Ihnen entschuldiget, und meinem Verstande Lobsprüche erwirbt, die meinem
Herzen allein gehören. Sie erfreuen mich unendlich durch den
Vorsatz mir oft zu schreiben, und beschämen mich zugleich, indem
Sie es als ein Mittel ansehen, mir Ihre Dankbarkeit zu bezeigen, da es in der That eins ist, mich noch mehr dazu zu verbinden; mich, der ich Ihnen so viel, der ich Ihnen alles zu
verdanken habe.

Die Frau von ** hat Recht, wenn sie dieses glaubt, und,
sagen, daß ich Sie seit fünf Jahren kenne, heißt nichts anders
sagen, als: Gellert hat ihn gebildet, er hat ihn erzogen. Ihr
Beyspiel, das ich glücklich genug war mir zum Muster zu wählen, hat mir jederzeit mehr genützt, als die trefflichsten Lehren
nicht würden gethan haben, die nicht damit unterstützt gewesen
wären, und man kann von der Erziehung insbesondere behaupten, was in allen Sachen wahr ist, daß stets die Exempel mehr

als die Vermahnungen bessern. Was Sie von dem Stolze sagen, ist vortrefflich, und ich begreife noch immer nicht, wie man bey einem wahren Verdienste stolz seyn könne. Wenigstens sind solche Personen allemal Räthsel; so wie es unmöglich ist, daß ein geschwollner Körper zugleich gesund seyn kann; und was ist der Stolz anders als Geschwulst? Aber es ist Zeit, daß ich meinen Brief schließe. Morgen früh reise ich nach Pohlen, und es ist schon bald Mitternacht. — Leben Sie wohl, ich bin ewig

Ihr

Brühl.

74.*)

Joh. Andr. Cramer an Gellert.

Copenhagen, d. 29. Mai 1755.

Liebster Gellert,

Ich freue mich sehr, daß ich mich einmal von meinen undankbaren Arbeiten losreißen, und Dir sagen kann, daß ich Dich unaussprechlich liebe. Was für Freude und Wollust hast Du mir mit Deinen Liedern gemacht! Sie sind so schön, die meisten so sehr nach meinem Wunsche, so bibelreich und voll Empfindung der Religion, daß ich Dir nicht genug danken kann. Aber eben ihrer Vollkommenheit wegen werde ich sie mit aller Strenge beurtheilen. Solche Lieder verdienen so unfehlerhaft zu seyn, als möglich ist, je länger sie gesungen zu werden verdienen. Meinem lieben Bernstorf (o daß Du diesen großen liebenswürdigen Mann

---

*) (Klopstock. Er; und über ihn herausgeg. v. C. F. Cramer. Th. 5, S. 278 ff.)

kennen möchteft, eben so als seine Gemahlinn) habe ich sie ge=
wiesen; sie haben ihn entzückt, und weil er die meisten bey sich
hat — (sie sind bey ihm so sicher, als bey mir); so kann ich
heute nur über einige Critiken machen. So oft ich aber von
meinem Boffuet Odem hole, will ich fortfahren. — Ueberhaupt
mache ich die Anmerkung: erstlich was die Einrichtung betrifft,
daß Lieder mehr aus Empfindungen, als Betrachtungen bestehen
und keine Lehroden seyn müssen. Diesen Character hat das
Gebet nicht, welches mehr aus schönen Lehrsprüchen, als Em=
pfindungen besteht. Doch bestehen, zu Deiner großen Ehre, die
meisten daraus. Zweytens merke ich, was die Schreibart betrifft,
an, daß ich wünschte, sie möchte sich hier und da mehr von dem
zwar nicht uneblen, aber doch gemeinen Ausdrucke entfernen, und
poetischer werden. Wie stark ist nicht die Schreibart der Psal=
men. — Die Gebuld. 1. Str. 1. V. in Kreuz und
Leid: das ist einer von den Ausbrücken, die mir für Deine Lie=
der nicht edel genug sind. 4. V. Künftig, wenn Du in diesem
Genere Lieder machst, so laß lieber diesen kleinen Vers ◡–◡–◡
so seyn. Es liest und singt sich besser. — 2. Str. 3. St. Bö=
sen Tage: Böses wir erbulden, kömmt zu schnell auf
einander. 3. V. Künftig bitte ich bekommen für erhalten nicht
zu brauchen; das Wort ist zu unpoetisch. — 4. Str. Was ist
des Unmuths Schmerz: soll Unmuth Zorn oder Wehmuth
seyn? — 5. Str. Ist deren Quaal: hier sollte billig die
Anrede an Gott wiederholt seyn. — 6. Str. 2. V. Läßt du:
Besser Lehrst du rc. 3. V. Missethat: hier sollte Sünde ste=
hen; weil Sünde alle Arten von Unordnungen begreift. —
9 [10] Str. 2. V. Wollen Sie etwa setzen: Doch wenn Gott
schlägt, an Gott voll Demuth denken? Die letzte Strophe muß
ja bleiben, als eine der schönsten. — Bitten. 1. Str. Die vier
ersten Verse gefallen mir nicht, wegen des für u. für, und des
gebeten, das ich nicht für deutsch halte. 2. Str. Wenn der

se Vers hieße: Gieb mir zc. so wäre der 4te überflüssig. Bestimmen Sie den 4ten zu noch einem besondern Gedanken. — Das Gebet. 1. Str. verscherzen, nicht edel genug; prüfe und nicht prüf, wenn ein Vocal folgt. — 2. Str. bequemet, ein unedles Wort, zumal von Gott gebraucht. — 3. Str. Sein Glück, sein Heil; eins ist genug. Wollen Sie unter Glück die irdische, unter Heil die geistl. und ewige Seligkeit verstehen, so ists nicht deutlich. 3. 4. V. Statt der Frage, ob Beten nicht unsre Seele erhebe, möchte ich lieber gesagt haben, wie es dieselbe erhebe. — 5. Str. würde ich eine rime riche machen:

> Wer das was einem Christen dienet,
> Im Glauben sucht, der ehret Gott;
> Wer das zu bitten sich erkühnet,
> Was er nicht wünscht, der spottet Gott.

Des Flehn ist Spott, ist ein wenig zu gezwungen ausgedrückt. — 7. Str. 4. V. Mächtig u. versüßen sind Ideen, die ich nicht zusammen bringen möchte: gütig oder liebreich. — 8. Str. Schau, beschau statt schaue, beschaue. Sieh an die Wunder, die er that, (denn satt kann und soll man sich nicht an Gottes Wundern sehn). Schau auf den Ernst u. auf die Güte, Womit (damit es sich auf Mascul. u. Foem. zugleich beziehe) statt mit dir zc. — 9. Str. Den 3. V. deutlicher zu machen: Und schmecke seiner Himmel Kräfte. — 10. Str. Bet oft, durchschau mit heilgem Muthe, mit Freude, mit Entzücken lieber. Ich mag ewgen, heilgen, künftgen, und alle Zusammenziehungen nicht leiden, wo das i herausgeworfen wird. — 11. Str. Dein Glaub an ihn zc. ist besser als der andre Vers. — 12. Str. Gerecht u. gut: Gerecht und fromm lieber. — Du siehst, mein liebster Gellert, daß ich nur Kleinigkeiten table; allein bloß, weil ich keine größern Flecken entdecken kann. Gott erhalte Dich noch lange, lange gesund. Gieb Deine Lieder ja noch nicht heraus; wir müssen

Gellert VIII. 9

sehr viele von Dir haben. Soll ich sie herausgeben? Mache viele kurze. Lieder von vier, sechs, acht Strophen sind die besten; solcher werde ich auch eine kleine Anzahl zu machen suchen. — Ich sende Mscpt. zu meiner Fortsetzung des B. [Bossuet] nach Leipzig; wolltest Du die Barmherzigkeit an mir beweisen, und zum wenigsten von den historischen den letzten Probebogen durchsehen. — Von Deinem Christen sind hier zwo Uebersetzungen gedruckt worden, und beyde sind so glücklich gerathen, daß es schwer zu entscheiden ist, welche man für die beste halten müsse. Wollen wir nicht fleißiger an einander schreiben? Antworte mir bald. Sage meinem lieben Heine, wenn er noch da ist, daß ich ihm göttl. Beystand zu seiner Reise wünsche, und über acht Tage schreiben würde. — Itzt bin ich in Lingbye, wo ich für meine Familie ein Logis für den ganzen Sommer gemiethet habe. Wir sind alle gesund. Ich arbeite fleißig. Lebe wohl, mein theuerster Freund. O wie herzlich liebe ich Dich! Gott belohne Dich für Deine Lieder mit tausend wahren Freuden. Meine Charlotte grüßt Dich.

Dein

Cramer.

Empfiehl mich allen, die mich kennen und lieben.

------

75. *)

An Gleim.

L. d. 7. Juni 1755.

Mein lieber Gleim!

Sehn Sie, daß ich mein Wort besser halte, als Sie? Wer hat nun am ersten geschrieben? Ich! Wer ist also der Ordent-

*) (Deutsches Museum 1779. Bd. 2, S. 351.)

lichste unter uns Beiden? Ich! Wer der Empfindlichste, der
Artigste, der Beste? — Hier will ich, aus Bescheidenheit, Platz
lassen, und Sie sollen selbst, nach Ihrem Gewissen, meinen oder
Ihren Namen hineinsetzen. Ich will mich nicht mit eigner Hand
krönen, so sehr verlasse ich mich auf Ihre Billigkeit und auf
meine gerechte Sache. Nunmehr will ich auch in Ihrem Namen
etliche Fragen aufwerfen, und den ganzen Brief in Frag und
Antwort abfassen; ich denke, es hat es noch niemand vor mir
gewagt. Wer ist also (Gleim fragt) der beste Poet unter uns
beiden? Sie! antworte ich. Wer wird die beste Frau von uns
beiden bekommen? Sie! wenn Sie nur wollen, und den Früh=
ling Ihrer Jahre nicht sorglos verstreichen lassen. Aber wer
verdient die beste Frau von uns beiden? Ja mein lieber Freund,
das ist eine andre Frage, die wollen wir wieder im Herzen aus=
machen. Genug, daß ich sie Ihnen wünsche, und auf Ihre Hoch=
zeit kommen, und, wenn ich gesund bin, auch tanzen will. Das
ist viel gesagt! Aber wer wird am längsten unter uns leben?
Mein Herr, in dieser Frage steckt eine Zweideutigkeit. Meinen
Sie das physikalische oder poetische Leben? In dem ersten Falle
werden Sie am längsten leben. Das bescheide ich mich ganz
gern. Wenn ich gelassen und fromm sterbe: so bin ich herzlich
zufrieden. In dem andern Falle sollten Sie, nach dem ordent=
lichen Laufe der Verdienste, auch am längsten existiren. Geht es
aber nach der Menge der Werke: so werden Sie es nicht ungü=
tig nehmen, daß ich Sie überlebe. Gönnen Sie mir dieses un=
einträgliche Glück. Ich bin Ihr Freund; und nach meinem
Tode ist es Ihre Pflicht, meinen Ruhm zu schützen. Eher sollen
Sie mich nicht vertheidigen. Nun die allerletzte Frage in Ihrem
Namen: Wenn wollen Sie denn nach Halberstadt kommen?
Dem Willen nach, sehr bald. Bis dahin küsse ich Sie in
Gedanken, bitte, daß Sie mich vor andern lieben, und mir
erlauben, meinen Brief zu schliessen. Wenn Sie mit der Beant=

wortung der Fragen zufrieden sind: so verlange ich keine Zeile
Antwort von Ihnen; denn ich bekomme doch so bald keine. Leben Sie nur wohl: so soll alles gut seyn. Empfehlen Sie mich
allen Ihren Freunden und Gönnern!

Gellert.

---

76. (22.)

Moritz v. Brühl an Gellert.

Dresden, d. 3. Juli 1755.

Liebster Professor,

Ich denke noch immer an den Augenblick unsers Abschieds,
und ich denke mit Vergnügen daran. Niemals habe ich lebhafter
als damals empfunden, wie unthätig unser Verstand ist, wenn
unser Herz in Bewegung ist; und ich bin niemals zufriedner,
als wenn ich mich selbst recht lebhaft überzeugen kann, wie sehr
ich Sie liebe. Glauben Sie nicht etwan, daß ich jemals daran
gezweifelt; nein, dazu kenne ich mich zu gut, um so mißtrauisch
gegen mich selbst zu seyn. Aber das Vergnügen, dieses beständig
von meinem Herzen zu erfahren, und dieses Verdienst in ihm zu
erkennen (denn eine seiner besten Eigenschaften ist gewiß die, daß
es Sie liebt), macht, daß ich so genau auf alle seine Bewegungen Achtung gebe, als ob ich ihm gar nicht trauen dürfte. Wie
gefällt Ihnen diese kleine Metaphysik des Herzens? Ich kann
Sie versichern, daß sie eben so gewiß ist, als wenn ich sie auf
lauter Grundsätze gebaut hätte; denn sie gründet sich auf meine
Empfindungen, und diese sind doch gewiß wahr, wenn sie auch
unrichtig wären.

Ich besinne mich in diesem Augenblicke, daß morgen Ihr
Geburtstag ist, ein Tag, der unter den Großen frostigen Com-

menten und unter den Niedern abgeſchmackten Wünſchen ge=
weiht iſt. Unter Freunden aber iſt er der Empfindung und der
Freude gewidmet. Darf ich Ihnen wohl erſt ſagen, wie groß
und wie aufrichtig die meinige darüber iſt? Ich kann hierbey
eine Anmerkung machen, die mir gewiß Ehre bringt, die aber
noch darum nicht minder wahr iſt: nämlich, daß ich die erſten
Verſe, die ich jemals gemacht, der Freundſchaft zu danken habe,
ſo wie Corneille ſeine erſten der Liebe ſchuldig war. Erin=
nern Sie ſich noch an die herzbrechende Ode, die ich vor vier
Jahren auf Ihren Geburtstag gemacht, und die Herr S*** cor=
igirt hat! Habe ich alſo nicht Recht, wenn ich mich mit Cor=
neillen vergleiche? Und vielleicht war mein Trieb noch edler
als jener, der Corneillen beſeelte. — — — — Leben Sie
wohl,   Ihr

                                        Brühl.

---

77. (23.)

An den Grafen Moritz von Brühl.

L. d. 4. Juli 1755.

Liebſter Graf,

Ja heute iſt mein Geburtstag, und ich danke Ihnen für Ihren
lieben, freundſchaftsvollen Brief. Erfreuen Sie ſich mit mir,
daß ich noch lebe! Danken Sie der Vorſehung mit mir, daß ich
ſo viel Urſachen habe, ihr zu danken. Wünſchen Sie mir Ge=
ſundheit, wenn ſie mir gut iſt, und ein frohes Herz. Wünſchen
Sie, daß meine künftigen Tage, es mögen ihrer viel oder wenig
ſeyn, Tage der Weisheit und Gelaſſenheit ſeyn mögen, daß ich
bis an das Ende meines Lebens den Eifer, Gutes zu thun, füh=
len und beweiſen mag; daß ich unter dem Beyfalle der Welt

nicht eitel, unter dem Tadel nicht klein, im Glücke nicht zu
froh, und im Unfalle nicht zu traurig werden, die Liebe meiner
Freunde als ein Glück genießen und als die Ehre des guten Her=
zens verdienen, daß ich Verstand und Tugend über alles schätzen
und bewahren mag. Ja, mein liebster Graf, das gebe Gott!

  Also habe ich schon acht und breyßig Jahre gelebt, weit über
die Hälfte des menschlichen Ziels und wer weis, wie weit über
die Hälfte des meinigen! Und ich sahe an alles, was un=
ter der Sonne war, und siehe, es war alles eitel!
Es soll aber auch eitel und unser Glück hier nie vollkommen
seyn. Ich finde vielleicht in dem verfloßnen Jahre weniger Feh=
ler von mir als in dem vorhergehenden; aber ich finde auch viele
glückselige Empfindungen des Herzens nicht mehr, die ich ehedem
gehabt habe. Doch mein Leben hat tausend Spuren der liebrei=
chen Vorsehung aufzuweisen, die ich verehre und noch weit mehr
zu verehren wünsche. Ich hoffe auch auf die noch übrigen Tage
das Beste von ihr und das Glück eines ruhigen Todes. Ich
will meine übrigen Empfindungen heute noch mit der theilen,
der ich das Leben schuldig bin. Also lassen Sie mich diesen
Brief schließen, mich ihn mit dem Wunsche für Ihr Leben, für
Ihr Glück, für die Erhaltung Ihres besten Ruhms, Ihrer Tu=
gend, lassen Sie mich ihn mit dem Wunsche schließen, daß Sie
das Beyspiel liebenswürdiger Sitten, daß Sie künftig der nütz=
lichste und glücklichste Mann, der beste Väter, daß Sie stets der
würdigste Freund, daß Sie mir noch im Tode Freund und Ehre
seyn mögen!

G.

---

78. *)

An Joh. Andr. Cramer.

L. ben 11. Aug. 1755.

Liebster Cramer,

Dein Brief hat mich außerordentlich gerühret, und wie könn=
ten mich Lobsprüche, die von Dir kommen, die mit aller Deiner
Liebe und Einsicht begleitet sind, weniger rühren, weniger für
eine gute Absicht belohnen? Denn Deinen Brief sehe ich für die
erste und rühmlichste Belohnung meiner Lieder an, so wie er
mir zu gleicher Zeit Regel und Muth seyn soll, wenn ich ihrer
noch mehr verfertige. In der That habe ich, seitdem ich Dir
die letzten geschicket, wieder 18 oder 19 Stück gemacht, daß ihrer
also ungefähr 50 in allen seyn möchten, und über diese Anzahl
habe ich nicht hinaus gehen wollen, um nicht in meinen gewöhn=
lichen Fehler, mich selbst zu copiren, unglücklicherweise zu ver=
fallen. Kurz, meine Lieder sollen nunmehr ruhen. Ich will an
Ausbesserungen benken, und nur dann und wann ein neues wa=
gen, wenn ich mich geschickt dazu glaube. Ich benke an nichts
weniger als an den Druck derselben; und wenn ich sterbe, ehe
sie gedruckt werden: so sollst Du sie herausgeben. Das ist mein
Wille. Du hast Recht, daß viele mehr Lehroben, als Lieder im
eigentlichen Verstande, und also mehr zum Lesen, als zum Sin=
gen sind; und ich wünschte selbst, daß ihrer von der ersten Gat=
tung weniger, und dafür mehr von der andern seyn möchten.
Allein es ist immer leichter, bloße Lehren vortragen, als Lehren
in Empfindungen verwandelt vortragen. Der Titel: Lieder,
könnte also nicht der Titel dieser Gedichte werden. Die Länge
ist der andre Fehler, den ich stets gefühlet, und aus dem Ge=

---

*) (Klopstock. Er; und über ihn, herausgeg. v. C. F. Cramer.
Th. 5, S. 284 ff.)

ten gesaget hat. Ich will deswegen an Riveri schreiben. ——
Leben Sie wohl, bester Graf.

G.

---

73. (21.)

Moritz von Brühl an Gellert.

Dresden, d. 18. Mai 1755.

Liebster Professor,

Die Vergleichung, mit der Sie Ihren letzten Brief anfangen,
so wie die Stelle aus dem Pope, sind beide sehr schön. Wie
glücklich wäre ich, wenn ich sie wahr machen könnte! So viel
ist indessen gewiß, daß, wenn anders meine Briefe an Sie einigen Werth haben, sie ihn bloß durch meine Freundschaft gegen
Sie erhalten, und vielleicht ist sie es, die mich bey Ihnen entschuldiget, und meinem Verstande Lobsprüche erwirbt, die meinem
Herzen allein gehören. Sie erfreuen mich unendlich durch den
Vorsatz mir oft zu schreiben, und beschämen mich zugleich, indem
Sie es als ein Mittel ansehen, mir Ihre Dankbarkeit zu bezeigen, da es in der That eins ist, mich noch mehr dazu zu verbinden; mich, der ich Ihnen so viel, der ich Ihnen alles zu
verdanken habe.

Die Frau von * * hat Recht, wenn sie dieses glaubt, und,
sagen, daß ich Sie seit fünf Jahren kenne, heißt nichts anders
sagen, als: Gellert hat ihn gebildet, er hat ihn erzogen. Ihr
Beyspiel, das ich glücklich genug war mir zum Muster zu wählen, hat mir jederzeit mehr genützt, als die trefflichsten Lehren
nicht würden gethan haben, die nicht damit unterstützt gewesen
wären, und man kann von der Erziehung insbesondere behaupten, was in allen Sachen wahr ist, daß stets die Exempel mehr

: die Vermahnungen beſſern. Was Sie von dem Stolze ſagen,
vortrefflich, und ich begreife noch immer nicht, wie man bey
einem wahren Verdienſte ſtolz ſeyn könne. Wenigſtens ſind ſolche
Perſonen allemal Räthſel; ſo wie es unmöglich iſt, daß ein ge=
ſchwollner Körper zugleich geſund ſeyn kann; und was iſt der
Stolz anders als Geſchwulſt? Aber es iſt Zeit, daß ich meinen
Brief ſchließe. Morgen früh reiſe ich nach Pohlen, und es iſt
ſchon bald Mitternacht. — Leben Sie wohl, ich bin ewig

Ihr

Brühl.

74.*)

Joh. Andr. Cramer an Gellert.

Copenhagen, d. 29. Mai 1755.

Liebſter Gellert,

Ich freue mich ſehr, daß ich mich einmal von meinen un=
dankbaren Arbeiten losreißen, und Dir ſagen kann, daß ich Dich
unausſprechlich liebe. Was für Freude und Wolluſt haſt Du
mir mit Deinen Liedern gemacht! Sie ſind ſo ſchön, die meiſten
ſo ſehr nach meinem Wunſche, ſo bibelreich und voll Empfindung
der Religion, daß ich Dir nicht genug danken kann. Aber eben
ihrer Vollkommenheit wegen werde ich ſie mit aller Strenge be=
urtheilen. Solche Lieder verdienen ſo unfehlerhaft zu ſeyn, als
möglich iſt, je länger ſie geſungen zu werden verdienen. Meinem
lieben Bernſtorf (o daß Du dieſen großen liebenswürdigen Mann

*) (Klopſtock. Er; und über ihn herausgeg. v. C. F. Cramer. Th. 5,
S. 278 ff.)

kennen möchtest, eben so als seine Gemahlinn) habe ich sie gewiesen; sie haben ihn entzückt, und weil er die meisten bey sich
hat — (sie sind bey ihm so sicher, als bey mir); so kann ich
heute nur über einige Critiken machen. So oft ich aber von
meinem Bossuet Odem hole, will ich fortfahren. — Ueberhaupt
mache ich die Anmerkung: erstlich was die Einrichtung betrifft,
daß Lieder mehr aus Empfindungen, als Betrachtungen bestehen
und keine Lehroden seyn müssen. Diesen Character hat das
Gebet nicht, welches mehr aus schönen Lehrsprüchen, als Empfindungen besteht. Doch bestehen, zu Deiner großen Ehre, die
meisten daraus. Zweytens merke ich, was die Schreibart betrifft,
an, daß ich wünschte, sie möchte sich hier und da mehr von dem
zwar nicht unedlen, aber doch gemeinen Ausdrucke entfernen, und
poetischer werden. Wie stark ist nicht die Schreibart der Psalmen. — Die Geduld. 1. Str. 1. V. in Kreuz und
Leid: das ist einer von den Ausdrücken, die mir für Deine Lieder nicht edel genug sind. 4. V. Künftig, wenn Du in diesem
Genere Lieder machst, so laß lieber diesen kleinen Vers ◡—◡—◡
so seyn. Es liest und singt sich besser. — 2. Str. 3. St. Bösen Tage: Böses wir erdulden, kömmt zu schnell auf
einander. 3. V. Künftig bitte ich bekommen für erhalten nicht
zu brauchen; das Wort ist zu unpoetisch. — 4. Str. Was ist
des Unmuths Schmerz: soll Unmuth Zorn oder Wehmuth
seyn? — 5. Str. Ist deren Quaal: hier sollte billig die
Anrede an Gott wiederholt seyn. — 6. Str. 2. V. Läßt du:
Besser Lehrst du rc. 3. V. Missethat: Hier sollte Sünde stehen; weil Sünde alle Arten von Unordnungen begreift. —
9 [10] Str. 2. V. Wollen Sie etwa setzen: Doch wenn Gott
schlägt, an Gott voll Demuth denken? Die letzte Strophe muß
ja bleiben, als eine der schönsten. — Bitten. 1. Str. Die vier
ersten Verse gefallen mir nicht, wegen des für u. für, und des
gebeten, das ich nicht für deutsch halte. 2. Str. Wenn der

ke Vers hieße: Gieb mir ꝛc. so wäre der 4te überflüßig. Bestimmen Sie den 4ten zu noch einem besondern Gedanken. —
Das Gebet. 1. Str. verscherzen, nicht edel genug; prüfe
und nicht prüf, wenn ein Vocal folgt. — 2. Str. bequemet, ein unedles Wort, zumal von Gott gebraucht. — 3. Str.
Sein Glück, sein Heil; eins ist genug. Wollen Sie unter
Glück die irdische, unter Heil die geistl. und ewige Seligkeit verstehen, so ists nicht deutlich. 3. 4. V. Statt der Frage, ob Ve-
er nicht unsre Seele erhebe, möchte ich lieber gesagt haben, wie
s dieselbe erhebe. — 5. Str. würde ich eine rime riche machen:　　Wer das was einem Christen dienet,
　　　　Im Glauben sucht, der ehret Gott;
　　　　Wer das zu bitten sich erkühnet,
　　　　Was er nicht wünscht, der spottet Gott.
Des Flehn ist Spott, ist ein wenig zu gezwungen ausge-
rückt. — 7. Str. 4. V. Mächtig u. versüßen sind Ideen,
die ich nicht zusammen bringen möchte: gütig oder liebreich. —
8. Str. Schau, beschau statt schaue, beschaue. Sieh an die
Wunder, die er that, (denn satt kann und soll man sich
nicht an Gottes Wundern sehn). Schau auf den Ernst u.
auf die Güte, Womit (damit es sich auf Mascul. u. Foem.
zugleich beziehe) statt mit dir ꝛc. — 9. Str. Den 3. V. deutlicher zu machen: Und schmecke seiner Himmel Kräfte. —
10. Str. Bet oft, durchschau mit heilgem Muthe, mit
Freude, mit Entzücken lieber. Ich mag ewgen, heilgen, künftgen, und alle Zusammenziehungen nicht leiden, wo das i herausgeworfen wird. — 11. Str. Dein Glaub an ihn ꝛc. ist
besser als der andre Vers. — 12. Str. Gerecht u. gut: Gerecht und fromm lieber. — Du siehst, mein liebster Gellert, daß
ich nur Kleinigkeiten table; allein bloß, weil ich keine größern
Flecken entdecken kann. Gott erhalte Dich noch lange, lange
gesund. Gieb Deine Lieder ja noch nicht heraus; wir müssen

wortung der Fragen zufrieden sind: so verlange ich keine Zeile Antwort von Ihnen; denn ich bekomme doch so bald keine. Leben Sie nur wohl: so soll alles gut seyn. Empfehlen Sie mich allen Ihren Freunden und Gönnern!

Gellert.

---

76. (22.)

Moritz v. Brühl an Gellert.

Dresden, d. 3. Juli 1755.

Liebster Professor,

Ich denke noch immer an den Augenblick unsers Abschieds, und ich denke mit Vergnügen daran. Niemals habe ich lebhafter als damals empfunden, wie unthätig unser Verstand ist, wenn unser Herz in Bewegung ist; und ich bin niemals zufriedner, als wenn ich mich selbst recht lebhaft überzeugen kann, wie sehr ich Sie liebe. Glauben Sie nicht etwan, daß ich jemals daran gezweifelt; nein, dazu kenne ich mich zu gut, um so mißtrauisch gegen mich selbst zu seyn. Aber das Vergnügen, dieses beständig von meinem Herzen zu erfahren, und dieses Verdienst in ihm zu erkennen (denn eine seiner besten Eigenschaften ist gewiß die, daß es Sie liebt), macht, daß ich so genau auf alle seine Bewegungen Achtung gebe, als ob ich ihm gar nicht trauen dürfte. Wie gefällt Ihnen diese kleine Metaphysik des Herzens? Ich kann Sie versichern, daß sie eben so gewiß ist, als wenn ich sie auf lauter Grundsätze gebaut hätte; denn sie gründet sich auf meine Empfindungen, und diese sind doch gewiß wahr, wenn sie auch unrichtig wären.

Ich besinne mich in diesem Augenblicke, daß morgen Ihr Geburtstag ist, ein Tag, der unter den Großen frostigen Com-

plimenten und unter den Niedern abgeschmackten Wünschen ge=
weiht ist. Unter Freunden aber ist er der Empfindung und der
Freude gewidmet. Darf ich Ihnen wohl erst sagen, wie groß
und wie aufrichtig die meinige darüber ist? Ich kann hierbey
eine Anmerkung machen, die mir gewiß Ehre bringt, die aber
doch darum nicht minder wahr ist: nämlich, daß ich die ersten
Verse, die ich jemals gemacht, der Freundschaft zu danken habe,
so wie Corneille seine ersten der Liebe schuldig war. Erin=
nern Sie sich noch an die herzbrechende Ode, die ich vor vier
Jahren auf Ihren Geburtstag gemacht, und die Herr S*** cor=
rigirt hat! Habe ich also nicht Recht, wenn ich mich mit Cor=
neillen vergleiche? Und vielleicht war mein Trieb noch edler,
als jener, der Corneillen beseelte. — — — — Leben Sie
wohl,   Ihr

Brühl.

---

77. (23.)

An den Grafen Moritz von Brühl.

L. d. 4. Juli 1755.

Liebster Graf,

Ja heute ist mein Geburtstag, und ich danke Ihnen für Ihren
lieben, freundschaftsvollen Brief. Erfreuen Sie sich mit mir,
daß ich noch lebe! Danken Sie der Vorsehung mit mir, daß ich
so viel Ursachen habe, ihr zu danken. Wünschen Sie mir Ge=
sundheit, wenn sie mir gut ist, und ein frohes Herz. Wünschen
Sie, daß meine künftigen Tage, es mögen ihrer viel oder wenig
seyn, Tage der Weisheit und Gelassenheit seyn mögen, daß ich
bis an das Ende meines Lebens den Eifer, Gutes zu thun, füh=
len und beweisen mag; daß ich unter dem Beyfalle der Welt

nicht eitel, unter dem Tadel nicht klein, im Glücke nicht zu
froh, und im Unfalle nicht zu traurig werden, die Liebe meiner
Freunde als ein Glück genießen und als die Ehre des guten Her=
zens verdienen, daß ich Verstand und Tugend über alles schätzen
und bewahren mag. Ja, mein liebster Graf, das gebe Gott!

Also habe ich schon acht und dreyßig Jahre gelebt, weit über
die Hälfte des menschlichen Ziels und wer weis, wie weit über
die Hälfte des meinigen! Und ich sahe an alles, was un=
ter der Sonne war, und siehe, es war alles eitel!
Es soll aber auch eitel und unser Glück hier nie vollkommen
seyn. Ich finde vielleicht in dem verfloßnen Jahre weniger Feh=
ler von mir als in dem vorhergehenden; aber ich finde auch viele
glückselige Empfindungen des Herzens nicht mehr, die ich ehedem
gehabt habe. Doch mein Leben hat tausend Spuren der liebrei=
chen Vorsehung aufzuweisen, die ich verehre und noch weit mehr
zu verehren wünsche. Ich hoffe auch auf die noch übrigen Tage
das Beste von ihr und das Glück eines ruhigen Todes. Ich
will meine übrigen Empfindungen heute noch mit der theilen,
der ich das Leben schuldig bin. Also lassen Sie mich diesen
Brief schließen, mich ihn mit dem Wunsche für Ihr Leben, für
Ihr Glück, für die Erhaltung Ihres besten Ruhms, Ihrer Tu=
gend, lassen Sie mich ihn mit dem Wunsche schließen, daß Sie
das Beyspiel liebenswürdiger Sitten, daß Sie künftig der nütz=
lichste und glücklichste Mann, der beste Vater, daß Sie stets der
würdigste Freund, daß Sie mir noch im Tode Freund und Ehre
seyn mögen!

G.

78. *)

An Joh. Anbr. Cramer.

L. ben 11. Aug. 1755.

Liebster Cramer,

Dein Brief hat mich außerordentlich gerühret, und wie könn=
mich Lobsprüche, die von Dir kommen, die mit aller Deiner
e und Einsicht begleitet sind, weniger rühren, weniger für
gute Absicht belohnen? Denn Deinen Brief sehe ich für die
und rühmlichste Belohnung meiner Lieder an, so wie er
zu gleicher Zeit Regel und Muth seyn soll, wenn ich ihrer
mehr verfertige. In der That habe ich, seitdem ich Dir
letzten geschicket, wieder 18 oder 19 Stück gemacht, daß ihrer
ungefähr 50 in allen seyn möchten, und über diese Anzahl
: ich nicht hinaus gehen wollen, um nicht in meinen gewöhn=
n Fehler, mich selbst zu copiren, unglücklicherweise zu ver=
n. Kurz, meine Lieder sollen nunmehr ruhen. Ich will an
besserungen benken, und nur dann und wann ein neues wa=
, wenn ich mich geschickt dazu glaube. Ich benke an nichts
lger als an den Druck derselben; und wenn ich sterbe, ehe
gebruckt werden: so sollst Du sie herausgeben. Das ist mein
le. Du hast Recht, daß viele mehr Lehroben, als Lieder im
ntlichen Verstanbe, und also mehr zum Lesen, als zum Sin=
sind; und ich wünschte selbst, daß ihrer von der ersten Gat=
weniger, und dafür mehr von der andern seyn möchten.
in es ist immer leichter, bloße Lehren vortragen, als Lehren
Empfindungen verwandelt vortragen. Der Titel: Lieder,
te also nicht der Titel dieser Gedichte werden. Die Länge
er andre Fehler, ben ich stets gefühlet, und aus dem Ge=

) (Klopstock. Er; und über ihn, herausgeg. v. C. F. Cramer.
Th. 5, S. 284 ff.)

fichtspuncte des Lesens und nicht des Singens, mir erlaubt habe.
Unter den neuen, die ich Dir bey Gelegenheit abschreiben will,
find mehr kurze, aber auch einige sehr lange, Lehrgedichte über
Wahrheiten der Religion in Form der Ode, und in der That
also keine Lieder, ob ich wohl glaube, daß sie aufferdem erbaulich
zum Lesen seyn können. — Für Deine kleinen Critiken danke
ich Dir eben so sehr, als für die großen. Ich will sie nützen
und ihrer mehr von Deinem freundschaftlichen Fleiße erwarten.
Gärtner hat mir auch einige niedergeschrieben, die aber nur den
Ausdruck betreffen. Er ist wohl mit mir zufrieden, aber so hat
er nicht gelobet, wie Du, gutes Kind. Außer ihm hat niemand
weiter die Lieder gesehn. Daß Du sie dem Hrn. von Bernstorfen
u. s. Fr. Gemahlinn, der Fr. v. Plessen, und ich weiß nicht wem
noch mehr vorgelesen, das muß ich Dir vergeben, weil mirs sauer
wird, einen so nachdrücklichen Beyfall zu missen. Ich habe den
Hrn. v. Bernstorfen aus Briefen an s. Neveur, die ehedem hier
studirten, kennen lernen. Es waren treffliche Briefe, voller Geist
und Herz. Itzt muß ich ihn lieben, da er Dich liebt. Empfiehl
mich ihm u. s. Gemahlinn und der Fr. von Plessen mit aller
Deiner Beredsamkeit. — Der dritte Band Deiner Predigten
soll die ersten beiden übertreffen? Da wirst Du viel zu thun
haben. Ich wünsche es beynahe nicht; u. doch kann ichs von
Dir hoffen, wenn es zu wünschen ist. Der andre Band ist noch
nicht ganz fertig. Lessing in Berlin hat den ersten, so viel ich
· mich besinne, oder die Psalmen (wenigstens hat er von beyden
zugleich geredet), am beredtsten u. wahrhaftesten recensirt. Er
lobte Dich meisterlich, u. er hat eher das Privilegium dazu als
andre. Eine Deiner großen Leserinnen ist die Fürstinn Fr. Mutter von Zerbst, mit der ich im Briefwechsel seit einigen Monaten stehe. Sie hat von mir auf ihre verstorbne Tante, Deine
liebe Aebtissinn, ein Gedichte in meinem Namen verlanget. Ich
habe es ihr aus vielen Ursachen ab = und Dich und Gisecken

geschlagen. Kurz, ich habe ihr versprochen, Dich zu bitten,
| Du in Deinem Namen eins machen solltest. Es würde, da
t die sel. Aebtißinn in ihrem ganzen Werthe gekannt, da Du
er der besten Poeten und weit mehr Poet wärest, als ich, noth=
ndig ein schönes Gedichte seyn; so wie es in der Geschichte der
btißinn bey der Nachwelt mehr als Ehre seyn würde, daß sie
.nen Bossuet zum Beichtvater gehabt. Dieses waren etwan meine
Worte. Ich dächte, Du erfülltest meine Bitte. Ich hoffe, die
Fürstinn, die, halt ich, Erbinn der Aebtißinn ist, und große Ver=
dienste hat, wird auch das Verdienst der Erkenntlichkeit haben.
Gisecken habe ichs auch geschrieben. — Und Dein Bossuet sollte
auch zu Michaelis wieder fertig seyn? Gebe es der Himmel!
Ich habe etliche Bogen davon gelesen, Du bist allenthalben zu=
gegen. Deine Einleitung in die Glaubens= und Sittenlehre nach
einem neuen Plane kündige ich der Welt schon an, und ich bin
sicher, nicht vergebens. Ich kenne Dich. Du denkst und schreibst
für alle Deine Freunde und Collegen. Du bist ein nützlicher
und großer Mann zugleich. Laß mich Dich immer auch rühmen.—
Deine Commißion bey Steinauern habe ich ausgerichtet, und
mit großem Stolze für Cramern gut gesagt. In wenig Tagen
will er mir einen Löffel von der feinsten Arbeit für das gesetzte
Geld zuschicken; denn um Deinen Preis hatte er keinen fertig.
Ich will Dir alles besorgen, so gut, als wenn ich kein Poet
wäre, und wer weis, unter uns gesagt, ob ichs sehr bin. Deine
Fr. Schwester ist durch die Schwindsucht, wie ich von Behrend
gehört, dem Tode sehr nahe. Die gute Frau wird also Dein
Geschenke nicht lange nützen. — Deyling ist todt. Du solltest
nach meinen Gedanken an seine Stelle kommen; aber es denken
nicht alle Leute so klug, als ich und Du. Deine liebe Charlotte
wird wohl wieder besser seyn, wenn Du folgende Commißion an
sie ausrichten wirst. Erst küsse ihr die Hand; dann sieh sie sehr
freundlich und barmherzig an, als ob Du ihr mit den Augen

die Gesundheit und das Leben geben wolltest; dann küsse sie ein, zwey, dreymal in meinem Namen, und sieh sie noch einmal an. Deine Kinder segne in Deines Gellerts Seele. Gott laß es Dir und der Mutter und ihnen täglich wohl gehen. Ich bin ewig

Dein Freund

Gellert.

---

79. *)

An J. F. Freiherrn von Cronegk.

L. d. 12. Aug. 1755.

Liebster Cronect!

So hypochondrisch ich seit einigen Tagen bin: so fühle ich doch eine heimliche Freude bey Ihrem Namen, und bey der Erinnerung aller der Liebe die Sie für mich haben, von der Ihr letzter, so wie Ihr erster Brief voll ist, bringt ein gewisser Stral des Lichts in meine dunkle Seele. Immer verbessern Sie Ihren Cobrus, guter Baron, und übertreffen Sie alle meine Hoffnung, und wenn es möglich ist, sich selbst. Cramer hat mir unlängst geschrieben. Er ist ganz trunken von meinen Liedern, er will aber auch schwere Verbeßrungen. Ich möchte Ihnen bald den Brief mitschicken, so schön ist er. Sehn Sie also, daß die Last des Ausbesserns so gar bis auf das Lied sich erstreckt? Mein Hauswirth, Dr. Junius ist über den Freund ganz entzückt, und beynahe wäre ich ein Schwätzer geworden. Die Gräfinn, die Sie sehr liebt, vielmal grüßt und mich mit lauter Hochachtung quälet, läßt Sie fragen, ob Sie keinen Hofmeister für Sie wüßten, der bey seinen guten Eigenschaften das Verdienst hätte, mit

*) (Aus dem Original, das sich in der Stadtbibliothek zu Leipzig befindet.)

bie Schweiz gehen zu wollen. Sie giebt 200 Thlr. und bie
ffnung, ihn durch ihre Freunde zu befördern. Moritz steht im
griffe nach Paris zu gehen und ich erwarte ihn alle Tage.
: hat große Luft mich mit zu nehmen; ich aber habe große
st hier zu bleiben. Die Exemplare von Riveris Fabeln, an
lchen abbreffiret, sind noch nicht hier. Wo müssen sie seyn?
h muß also etliche Thaler aus meinem Beutel für gewisse
nte bezahlen, die es eben nicht sehr verdienen. Grüssen Sie
n lieben Riveri und Gleichen so oft von mir, als Sie ihnen
rßben, und mit aller der Beredsamkeit, mit der Sie zu schrei=
s pflegen. Endlich grüssen Sie doch auch Ihre gn. Mama,
ren Hrn. Vater, Ihr ganzes Haus, dem ich Sie schuldig bin,
t der stärksten Versicherung meiner Hochachtung und Ergeben=
t; auch Hr. Utzen und Ihre übrigen Freunde; Hr. Hirschen,
sen Hr. Bruder recht fleißig und ordentlich ist. Das muß ich
n itzt nachrühmen. Ich erwarte die Fortsetzung des Freundes
b bin der Ihrige

Glrt.

---

80. (24.)

Moritz v. Brühl an Gellert.

Dresden, d. 12. Aug. 1755.

Mein liebster Professor,

Sie haben mich so sehr verwöhnt, daß ich es für etwas außer=
ventliches halte, wenn eine Woche vergeht, in der ich keinen
rief von Ihnen bekommen habe. Glauben Sie indessen nicht,
ß diese Gewohnheit ihre ordentliche Gewalt, gleichgültig zu
chen, auch bey mir ausübet, und daß Sie nöthig haben, sie
unterbrechen, damit Sie mein Vergnügen vermehren. Ich

bin nicht so ungerecht, daß ich Ihnen diesen Verdacht Schuld geben sollte, und Sie wissen zu gut, wie schätzbar mir alles ist, was von Ihnen kömmt, als daß ich Sie erst davon versichern dürfte. Ja, was sehr sonderbar ist, meine Gewohnheit selbst vermehrt mein Verlangen nach Ihren Briefen, und ich darf sie niemals in der Anzahl erwarten, in der ich sie mit Ungeduld wünsche. Ich werde Ihnen also nicht sagen, daß ich mich itzt mehr als jemals darnach sehne; aber daß ich unendlich viel vermisse, dieß will ich Ihnen sagen.

Es ist wohl billig, daß ich Ihnen etwas von meiner Reise nach Frankreich melde, weil ich noch immer hoffe, daß Sie mich dahin begleiten werden. Allem Ansehen nach wird sie sehr bald vor sich gehen, und ich hoffe Ihnen morgen den Tag meiner Ankunft in Leipzig zu melden. Es ist mein wahrer Ernst, was ich Ihnen sage; und ich würde sehr betroffen seyn, wenn Sie mich nicht begleiteten. Richten Sie also immer Ihre Vorlesungen so ein, daß Sie in acht Tagen höchstens schließen können. Vielleicht bin ich schon in dieser Zeit bey Ihnen. Schreiben Sie mir aber erst noch einmal. Vielleicht schreiben Sie nicht so bald wieder an mich nach Dresden. Leben Sie wohl.

Ihr

Brühl.

---

81. (25.)

An den Grafen Moriz von Brühl.

L. d. 13. Aug. 1755.

Liebster Graf,

Also wollen Sie noch nach Paris gehen? Ich verliere viel dabey; aber will ich nicht verlieren, wenn Sie gewinnen? Sebe

doch Gott, daß diese Reise alle Ihre guten Eigenschaften in
t noch größer Licht setze, daß Sie mit einer fruchtbaren Kennt-
ß der Menschen und der Geschäffte und mit dem ganzen Adel
)res Herzens und Ihrer Sitten, zu Ihrem Glücke, zu dem
rinigen, zur Freude und Ehre aller Ihrer Freunde zurück kom-
m mögen! Und wann wollen Sie wieder kommen? Ich hoffe,
æ Segen Ihrer Freunde soll Sie allenthalben begleiten. Lassen
Sie mich, so lange Sie auf Reisen sind, im Geiste Ihnen täglich gegenwärtig seyn, und schreiben Sie mir Ihr ganzes Herz,
alle Ihre Begebenheiten von Zeit zu Zeit auf. Hätte ich Gesundheit genug, so würde ich selbst mit Ihnen reisen. Aber so
wird es genug seyn, wenn Sie sich meiner alle Tage erinnern,
und ich alle Tage für Sie bete. In der That wollte ich wünschen, ich könnte einige Monate aus Leipzig gehen. Sie wissen
schon warum. Alle Hochachtung, die man uns erweiset, ersetzet
doch nicht den Verlust einer gewissen Freyheit, zu der ich vor
Andern geneigt, oder gewöhnet bin. Ich umarme Sie für Ihren
letzten Brief, und erwarte bald nur zwo Zeilen von Ihnen, lieber Graf!

G.

---

82. (26.)

Moritz v. Brühl an Gellert.

Dresden, d. 16. Aug. 1755.

Liebster Professor,

Sie werden mich nicht begleiten? Darf ich Ihnen wohl erst
sagen, wie sehr mich diese Nachricht betrübt? Ich werde das
Vergnügen dieser Reise nur halb fühlen, da ich es nicht mit
Ihnen theilen kann, und ich brauche alle Mühe, mich von der

Gewißheit dieser Nachricht zu überreden, so sehr habe ich mich darauf gefreut, daß Sie mein Reisegefährte seyn würden. Ich nehme indessen Ihr Anerbieten an, und ich würde Sie schon darum gebeten haben, wenn ich vermuthet hätte, daß ich es jemals würde anwenden können. Sie sollen der getreue Bewahrer aller meiner Begebenheiten, und meines Herzens selbst seyn. Wem könnte ich es sicherer vertrauen, als einem Freunde, der es schon ganz besitzt? Ich weis gewiß, die Entfernung selbst wird nur ein neues Band unsrer Freundschaft seyn, so wie mir diese zum Schutz und zur Ermunterung dienen soll. — — Ich kann Ihnen noch nicht den Tag meiner Ankunft bey Ihnen melden. Leben Sie wohl.

Brühl.

---

83. (27.)

An den Grafen Moritz von Brühl.

[October 1755.]

Liebster Graf,

Der erste Brief, den ich Ihnen nach Paris schreibe, soll kurz, soll nichts, als der Wunsch seyn, daß es Ihnen wohl gehen mag. Doch wohl gehen, das ist für mein Herz zu wenig gewünschet. Nein, es müsse Ihnen so wohl gehen, als es dem besten Herzen auf Erden gehen kann. Es müsse Ihnen keine von den Freuden fehlen, die der Hof nicht kennt, die der Weise in sich sucht, und in der strengen Herrschaft über sich selbst allein findet. Ja, mein liebster Graf, ein solcher Wunsch ist der würdigste und größte, den ich für Sie weis; und wenn Ihr Herz Freude für Sie hat, so werden tausend Dinge für Sie Anmuth werden, die Andern gleichgültig sind, und hundert Beschwerlichkeiten Ihnen klein

e Andern unerträgliche Laſten ſind. Gott gebe Ihnen,
Reizungen und Verſuchungen des Hofs, Muth und
ie wahre Hoheit der Seele zu behaupten! Und keine
er Freygeiſterey, kein angeſehner Witz, keine falſche
rde mache Sie einen Augenblick in der Weisheit der
ngewiß! Beſter Graf, wer uns dieſe nimmt, der
s Wahrheit und Gott, und mit beiden alles. Ich
gefährlich der Ort iſt, an dem Sie leben, und ich
nicht lieben, ich müßte kein gewiſſenhafter Mann ſeyn,
Sie nicht zur Behutſamkeit ermuntern wollte; ſo ſehr
eis, daß Sie ohne mich alles und mehr thun werden,
end einem Jünglinge von Ihren Jahren zutrauen
i in meinen Augen ſind Sie kein Jüngling, oder doch
eyſpiel der beſten Jugend.
n, theuerſter Graf, will ich Sie fragen, wie es
Paris gefällt, womit Sie ſich vergnügen, womit Sie
tigen? Sie leſen doch über Ihre gewöhnlichen Geſchäffte
a wohl. — — — Auf dieſen kleinen Brief ſoll künf=
ein deſto größer folgen. Dieſes verſpreche ich Ihnen
ehr mir ſelber, und bin der Ihrige,

G.

---

84. (28.)

Moritz v. Brühl an Gellert.

Paris, d. 18. Oct. 1755.

Liebſter Profeſſor,

i ſchon vierzehn Tage hier, vier Wochen von Ihnen
und habe noch nicht Einmal an Sie geſchrieben! Es
unmöglich, und doch iſts leider allzuwahr. Ich hätte

Ihnen gern unterwegens geschrieben, aber da konnte ich nicht;
und da ich nach Paris komme und alle Freyheit habe, meinem
Verlangen zu folgen, warte ich vierzehn Tage, ehe ich es stille.
In der That, ich bin ein sonderbarer Mensch! Sie werden mich
vielleicht mit den Zerstreuungen entschuldigen, die sich überall in
einer so großen Stadt darbieten; Ihre Gütigkeit läßt mich dieses
erwarten. Aber auch diese Rettung bleibt mir nicht übrig; denn
ich bin zu keiner Zeit meines Lebens weniger zerstreut und mehr
in mich selbst zurückgezogen gewesen, als seitdem ich in Paris
bin; und erst heute fange ich wieder ein wenig an, mich und
meinen Geist, an dem ich fast verzweifelte, zu entwickeln. —
Aber woher kömmt das, mein lieber Graf? Paris wird Ihnen
doch nicht mißfallen? — Nein, liebster Professor, es gefällt mir
vielmehr, und mein Urtheil würde zu übereilt seyn, wenn ich es
itzt ganz entscheidend darüber fällen wollte. Vielleicht wird es
mir um desto mehr gefallen, weil ich nicht zu viel erwartet habe.
Ich entdecke indessen schon viel Schönes, viel Vortreffliches, viel
Thörichtes, viel Abgeschmacktes, und bitte täglich den Himmel
um Augen, Beides zu unterscheiden und von einander zu trennen.
Ich besuche fleißig die Frau von Graffigny, und habe Fon-
tenellen, Marivaux und Duclos gesehen. Die erste besitzt
wirklich den liebenswürdigsten Charakter, und man vergißt beständig bey ihr, daß sie eine Schriftstellerinn ist. Ich denke,
ich werde ihr sehr wunderbar vorgekommen seyn; denn ich besinne mich nicht, daß ich nur zwey erträgliche Worte bey ihr
gesagt habe, meistens aber gar nichts. Ich bin fleißig in der
französischen Komödie. Gestern war ich in dem Mahomed des
Voltaire, wo ich wie ein Kind geweinet. Künftige Mitt-
woche wird man eine neue Tragödie von ihm aufführen, l'Or-
phelin de la Chine.

Den 24. Oct. — Es ist heute schon Freytag, und mein
Brief ist noch nicht fertig? Glauben Sie indessen nicht, daß es

wie Voitüren geht, der acht Tage über einem Glückwunsche
b. — Sie haben also vielleicht große Verhinderungen ge-
? — Das kann wohl seyn. Und wenn ich Ihnen sagte, daß
dem Könige vorgestellt worden, der Königinn aufgewartet,
, den ganzen Hof gesehen und besucht habe; sind das nicht
chtige Hindernisse? Ich habe überdieß mein Quartier verän-
t, und ein Gefängniß mit einem andern vertauscht. — Ich
abe die oberwähnte Tragödie gesehen. Sie hat schöne Stellen,
ist gut geschrieben, thut aber wenig Wirkung. — — — O könnten Sie mir nicht mit einer Gelegenheit den folgenden Theil des
Grandison schicken? Ich meyne den siebenten. Ich würde
Ihnen unendlich dafür verbunden seyn. Herr Wächtler läßt
sich Ihnen empfehlen. Ich habe hier einen geschickten Kupfer-
stecher, Ihren großen Verehrer, kennen lernen. Er heißt Wille,
und ist mir Ihrentwegen gut. Was für ein glückliches Vorurtheil ist doch Ihre Freundschaft! Werden Sie mich auch nicht
vergessen? Mir fehlt nichts in Paris als meine Freunde. Wenn
ich auch meinem Vaterlande nichts als diese schuldig wäre, wie
groß wäre nicht schon meine Verbindlichkeit! Grüßen Sie sie
alle in Leipzig, und lieben Sie stets

Ihren

Brühl.

85.

An Borchward.

L. d. 24. Oct. 1755.

Ich sollte Ihnen seit einem Jahre nicht geschrieben haben?
Nein, das ist unmöglich. So viel Bosheit oder Nachläßigkeit
traue ich mir nicht zu. Lieber will ich glauben, daß ein Brief

von mir verloren gegangen, ja daß ihrer zehn verloren gegangen
sind. Allein kann ich mich bey allem Zeugnisse meines Herzens
nicht irren? Ja, und in diesem Fall bitte ich Sie feyerlich um
Vergebung, und hoffe sie von Ihrer Freundschaft, die aus allen
Ihren Briefen redet, und die ich nie zu verdienen weiß. Sie
sind also nebst Ihrer lieben Frau, die ganze Zeit über, da ich
keinen Brief von Ihnen erhalten, gesund und zufrieden gewesen?
Wie glücklich sind Sie, und wie überglücklich, da Sie Ihr Glück
mit so vieler Dankbarkeit fühlen! Gott schenke es Ihnen ferner,
und gebe Ihnen Beyden, was Ihr Herz mit Recht wünschen
kann. Meine Umstände, theuerster Freund, sind erträglich. Ich
fühle freylich die Last eines siechen Körpers und eines schweren
Geistes nicht selten; aber Gott sey Dank, ich liege derselben
niemals ganz unter. Und selbst itzt, da ich meine Klagen zu-
rückhalte, erfreue ich mich über meine kleine Stärke. Indessen
meldet sich der Wunsch nach der Einsamkeit und die Furcht vor
dem Geräusche der Welt alle Tage mehr bey mir; und wenn ich
glaubte, daß ich nicht wider meine Pflicht handelte: so würde
ich das Landleben, das ich jetzt drey Wochen genossen habe, den
Augenblick für meine übrige Tage erwählen. Sie wünschen etwas
von mir zu lesen. Nun wohl gut, mein Freund, Sie sollen mit
diesem Brief mein vertrauter Leser werden. Ich schicke Ihnen
31 geistliche Lieder, die ich zeither verfertiget. Niemanden, als
Cramern und Gärtnern, sind sie von mir zugeschicket worden;
und ich bitte Sie, bey allem, was in der Freundschaft heilig ist,
diese Lieder „nicht abschreiben zu lassen, sie nicht in fremde Hände
„zu geben, und wenn Sie solche einigen Ihrer Freunde lesen
„lassen, meinen Namen zu verschweigen.“ Ich weiß, wen ich
bitte. Sie lieben mich, und glauben mir, daß ich aus gültigen
Ursachen bitte. Lesen Sie also meine Lieder, und schreiben Sie
mir Ihre Critik, und die Meynung Ihrer lieben Frau. Wollte
Gott, daß sie einstens zur Erbauung und zur Ehre der Reli-

etwas beytragen.   Ich schicke Ihnen auch einen Brief von
aern, der diese Lieder angeht, und den Sie niemanden müſ=
leſen laſſen.

Endlich ſage ich Ihnen, wer Ihnen dieſen Brief überbringt;
iſt arm; aber er iſt nicht begehrlich, und wird mit einer ge=
zen Hülfe zu ſeiner Reiſe zufrieden ſeyn.   Können Sie dazu
as beytragen, ſo thun Sie es, als ein gutes Werk.   Der
mn iſt ja ein Unglücklicher, das iſt zu ſeiner Empfehlung .
ug.   Ich umarme Sie, und küſſe Ihre liebe Frau.

G.

---

96. (29.)

An den Grafen Moritz v. Brühl.

L. d. 24. Nov. 1755.

Liebſter Graf,

Alles, was in Ihrem erſten Briefe aus Paris ſteht, hat
h gerührt; alles iſt mir wichtig vorgekommen, entweder weil
Sie angieng, oder weil Sie mirs ſagten, mir von Paris aus
:en, mir nichts ſagen können, was ich nicht mit Vergnügen
ı ſollte.   Alſo, werden Sie fragen, haben Sie es mit Ver=
gen geleſen, daß ich die erſte Zeit über ſo tiefſinnig in Paris
eſen bin?   Ja, das hat mich erfreut.   Ein leeres Herz würde
h eingenommen, gleich entzückt und hingeriſſen worden ſeyn.
r Ihres waffnete ſich erſt mit Ernſt und Nachdenken, um
der Freude deſto ruhiger und ſichrer zu überlaſſen, um ſie zu
ılen und nicht um ſie blindlings zu verfolgen.   Ich glaube,
meiſten jungen Herren, wenn ſie nach Frankreich gehn, glei=
den Schatzgräbern.   Sie nehmen die Begierde, Vergnügen
Wunder zu finden, für die Gewißheit an, daß ſie ſie finden

10*

werden, und betrügen sich einige Zeit durch ihre süßen Vorstellungen.

Sie sprechen die Frau von Graffigny oft. Eine neue Freude! Bey dieser würdigen Frau müssen Sie, wenn Sie anders liebenswürdiger werden können, es gewiß werden. Ihr Umgang wird Ihnen ein sichres Gegengift wider die Gefahr der großen Gesellschaften seyn. Ich trage es Ihnen auf, ihr in meinem Namen die Hand recht feyerlich und ehrerbietig zu küssen; und wem könnte ich es lieber und zuversichtlicher auftragen? Eben diese Commission gebe ich Ihnen noch einmal an Madame Wille. Sie hat mich mit der Cleopatra beschenket, und mir mit Bleystift etwas Angenehmes unter das Kupfer geschrieben. Auch ihren Mann versichern Sie aller meiner Freundschaft. Ich bin sein Bewundrer und Verehrer, und stolz, daß er ein Deutscher ist. — — Herr Wächtlern*) wünsche ich Glück zu Ihrer Bekanntschaft, und überlasse Sie ihm itzt mit der Bedingung, daß er Sie binnen anderthalb Jahren gesund und zufrieden, unter dem Beyfalle der Klugen, wieder zurück bringt, und zuerst zu mir. Das versteht sich. Zu seiner kritischen Nachricht vom Theater habe ich noch Niemanden; denn wenn ich sie ihm nicht gut schaffen kann; so will ich sie ihm lieber gar nicht schaffen. — — Neues aus Sachsen, aus der Welt Ihrer Freunde, liebster Graf, weis ich nichts. — So leben Sie denn wohl, bester Graf, lieben Sie mich, schreiben Sie mir, lieben Sie sich, und bedenken Sie, wie viel Ihre Freunde, wie viel Ihr Vaterland von Ihnen erwartet, und ich mir und der Welt von Ihnen verspreche.

N. S. Wenn ein Auszug aus dem Loose in der Lotterie gemacht werden sollte: so sagen Sie Herr Wächtlern,

*) Dieser verfertigte damals die deutschen Artikel für das Journal Etranger. Anmerk. der Herausgeber. 1774.

ß er die letzten Scenen, wo Caroline ihrem Geliebten das os giebt, wegläßt, und die Handlung da endiget, wo die au Damon ihr das Billet zurück giebt. Man wird sonst gen, daß der Geliebte, der in-dem ganzen Stücke nicht vor: ommt, Deus ex machina, und die Handlung nicht gehörig geschlossen sey.

G.

— · ———— · ———

87. (30.)

Moriz v. Brühl an Gellert.

Paris, d. 18. Dec. 1755.

Mein liebster Professor,

Erst Einen Brief von Ihnen; und es sind schon über zween Monate, daß ich von Ihnen entfernt und weit entfernt bin! Nur dieses ist hier die Ursache meines Kummers und meiner Un= ruhe. Sie sollten mir diese Entfernung wenigstens vernähern, indem Sie mir, so oft als es Ihnen möglich wäre, ich sage nicht, so oft als ich es wünsche, schrieben. Ich bin itzt mit diesem Lande ziemlich zufrieden. Ich habe Freunde, Umgang und Gesellschaft ge= funden. Aber ich bin nicht bey Ihnen! Der erste und letzte meiner Gedanken bey allem Vergnügen, das ich hier genieße, geht stets Sie, Ihre Gütigkeit für mich, die Vortrefflichkeit Ihrer Werke, Ihren persönlichen Charakter an; und ich bin nie zufriedner, als wenn man mir von allem diesen Rechenschaft abfordert. Sie sind hier so sehr bekannt und verehrt, als an keinem Orte, wo man Deutsch redet. Welcher Ruhm für Sie und welche Zufriedenheit für mich! Die Frau von Graffigny, die mir Ihre Stelle ersetzt, in so ferne es eine Person von ihrem Geschlechte thun kann, schätzt Sie unendlich hoch, und fragt mich oft, ob ich keine Nachricht von Ihnen erhalten, und ob Sie sie nicht hätten grüßen laffen. Sie verdient alle Ihre Hochachtung. Sie verbindet mit einem richtigen, aufgeklärten und ungezwungenen Verstande (einer so seltnen Eigenschaft besonders bey dem Frauenzimmer), die Redlichkeit des tugendhaftesten Mannes, die Bescheidenheit des unbekannten Verdienstes, und die Munterkeit und die Heiterkeit einer jungen Person von zwanzig Jahren. Sie steht hier in dem Rufe, den man nur erwirbt, wenn man tugendhaft und weise ist, und stets den Witz zur Beförderung der Tugend anwendet. Sie ist meine wahre Freundinn, und nach Ihnen weis ich Niemanden, den ich mehr liebe und verehre. Sie ist hier die Bewundrung der Vornehmsten, mit denen sie als eine Frau von Stande umgeht, das Vergnügen der Vernünftigen, die sich nach ihrem Umgange sehnen, und das Muster aller, die sie auch nur weitläuftig kennen. Ich habe ihr hier die Bekanntschaft mit einem gewissen Chevalier d' Arc verschafft, dem Verfasser der Lettres d' Osmann. Auch dieser ist einer von denen, die ich wegen ihres Umgangs suche, und wegen ihres Herzens verehre. Er ist ein natürlicher Enkel von Ludwig dem Vierzehnten, ein Mann, der mitten in dem Kriege niemals die Liebe zu den Wissenschaften verloren hat, der durch verschiedene Unfälle kein großes Glück in diesem Stande gemacht, und der sich den Wissenschaften und einigen Freunden itzt ganz gewidmet hat. Unsere Freundschaft hat sich ohngefähr so angefangen, wie die mit Herr Cramern. Er hat mir gesagt, daß er einen Zug gegen mich fühlte, und mir eine ordentliche Liebeserklärung gethan, die ich mit dem größten Verlangen angenommen habe. Es hat uns Niemand als Sie zum Mittler dabey gefehlt. O! wenn Sie wüßten, wie oft ich an Sie denke, wie oft ich Sie wünsche! Sie würden mich vielleicht bedauern, meine Wünsche erfüllen, und Ihren Schüler, Ihren Freund, Ihren Verehrer, in Paris besuchen. Er verdient noch einen Theil von Ihrem Andenken, weil er Sie

ehr liebt. Ich kenne hier viel Gelehrte, viel große Häuser
, noch mehr Thoren. Ich habe das Glück diese vermeiden zu
nnen, in jenen gelitten zu seyn, und die ersten zu unterschei-
n. Dúclos ist ein liebenswürdiger Mann; aber nicht wie
ie. Ich kenne Racinen, Marivaux, Saintfoir, den
:äsident Henault. Ich werde Ihnen bald mehr von diesen
:rren sagen. Heute will ich mich nur nur für Ihren kurzen
rief, den Sie mir durch den Herrn von M.. zugeschickt, be-
:nken. Ich bitte Sie, mir bald wieder zu schreiben. Denn
hre Briefe sind mir so nöthig als einem Durstigen der Trunk.
h lese viel Deutsch, übersetze die Tragödie von Cronegken,
:kürze viel Stellen, verändere manche, und dieß alles für die
:au von Graffigny. Sie sind nicht mit der doppelten Er-
:einung des Medon zufrieden; ich sollte doch meynen, daß sie zu
tschuldigen wäre. Die Entwickelung ist unstreitig schön, aber
ele Unterredungen sind zu lang. Ich habe (werden Sie es
ohl glauben?) hier den Entwurf zu einer Komödie gemacht.
:enn ich ihn jemals ausführe, so sollen Sie sie zuerst sehen.
h sage hier allen Menschen, daß Sie mein Lehrmeister sind,
:b daß ich Ihnen alles schuldig bin, was ich weis, und was
) jemals wissen werde. Ja ich bin Ihnen noch viel mehr schul-
g. Denn auch die Liebe zur Tugend, wenn ich anders glück-
h genug bin, ihr stets zu folgen, ist Ihr Werk. Wenn Sie
it diesem Geständnisse zufrieden sind, so dürfen Sie mich we-
gstens nicht für unerkenntlich halten. Man beneidet mich mei-
:ns, und wünschet mir Glück, so oft ich es thue, und ich thue
oft. Fahren Sie ja fort, mich zu lieben. Ich weis kein
:ößeres Unglück, das mir wiederfahren könnte, als den Verlust
hrer Freundschaft. Leben Sie wohl. Ich bin ewig

Ihr

Brühl.

88. (52.)

L. d. 22. Dec. 1755.

Gnädige Frau,

Und das haben Sie von Ihrem Briefe denken können, daß er in die Gefängnisse der schlechten Briefe kommen würde? Behüte der Himmel! Er liegt, wo dächten Sie wohl? in meiner besten Commode, zwischen den Briefen meiner geistreichsten Correspondenten. Wäre ich so reich wie Alexander der Große: so würde ich Ihren Briefen eben die Ehre erweisen, die er den Gedichten des Homers erwiesen hat; ich würde sie in eine goldne Kapsel, mit Diamanten besetzt, verschließen. Alexander nahm diese Gedichte mit in das Feld; das könnte ich nun freylich nicht thun; aber ich könnte sie dafür mit auf den Katheder, mit auf meine Spaziergänge, und auf meine Reisen nach B[onau] und B[ölkau] nehmen. In Wahrheit, gnädige Frau, Sie haben mir durch Ihren vortrefflichen Brief die größte Freude gemacht, und ich bin ihm vielleicht die erste heitre Miene seit einigen Wochen schuldig. Stünde es bey mir, so würde ich Ihnen persönlich dafür danken. Allein ich habe eine Gelübde gethan, nicht eher an eine Reise zu denken, als bis die Leipziger Lotterie mein Schicksal entschieden haben wird. Dieses geschieht in dem Februar des künftigen Jahres. Gewinne ich nun die gehofften acht tausend Thaler: so habe ich bereits die Einrichtung gemacht, daß ich Leipzig in den ersten acht Tagen verlassen und mit meiner ganzen Habe nach B[onau] eilen kann, meiner Ruhe und endlich meinem Grabe entgegen.

Ob ich sehr gesund bin? Nein, gnädige Frau, ich habe z. E. diese Nacht wenig geschlafen, und ich habe mich an diesem Briefe wieder gesund schreiben wollen, aber diese Medicin will

ir auch nicht helfen. Ich will ihn also nur schließen, so kurz
und leer er auch ist.

G.

89.

An Borchward.

L. d. 22. Dec. 1755.

Ihr Beyfall und Ihre Critik über meine Lieder, beydes ist
Wohlthat und Belohnung, und ich muß Ihnen für das eine
eben so herzlich danken, als für das andre. Die Critiken, davon
die meisten wohl gegründet seyn mögen, will ich nützen, so gut
ich kann, so gar bis auf die Orthodoxie. In den Leibliedern,
das Gebet, die Bitten, stimmen wir sehr überein; nur fürchte
ich, daß Sie gegen das lange Paßionslied zu grausam gewesen
sind. Dem ungeachtet bewundere ich Sie wegen Ihrer kunstrich=
terlichen Anmerkungen. Sie haben beynahe mehr Einsicht in die
Poesie, als der Poet. Ob ich fortfahren werde, mehr Lieder zu
machen, das weis Gott, ich kann es nicht sagen. So viel merke
ich, daß meine Gabe zu dichten und zu schreiben sehr, wo nicht
ganz, verloschen ist. Alles wird mir sauer, blutsauer; und ist
dieses nicht ein Beweis, daß das Feuer fehlet, die Begierde, die
uns beleben, und uns die Last der Arbeit unmerklich machen
muß? Nach Ihrem Briefe zu urtheilen, so haben Sie in Ihrer
Krankheit mehr Lebhaftigkeit gehabt, als ich bey gesunden Ta=
gen spüre. Aber klage ich nicht? Ja, und bis hieher klage ich
mit Recht. Ich verlange nicht von Gott neue Kräfte, ich will
nur darthun, daß ich zum Schreiben nicht mehr geschickt bin.
Indessen muß ich Ihnen sagen, daß ich noch zwanzig Lieder
habe, die Sie ehstens erhalten sollen. Sie werden die Fehler der
ersten gewiß darinnen finden; aber auch die Tugenden? Daran

muß ich zweifeln. An die Ausgabe dieser Lieder denke ich nicht. Sind sie gut, so kommen sie nie zu spät, wenn sie auch nach meinem Tode erst erscheinen. Und vielleicht liest man sie alsdenn desto begieriger, wenn man glaubt, daß der Autor nicht belohnet seyn will. Ihrer vortreflichen Frau zu gefallen, ist ein grosser Lobspruch. Ich küsse Sie und Ihre Freundin, daß Sie Wort gehalten, und nichts abgeschrieben haben. Das Auswendigbehalten ist zwar nichts besser, es ist frommer Betrug, und dennoch kann ich nicht zürnen. Aber auf den Lieutenant bin ich böse. Es ist mein Fehler, daß ich die Leute nicht besser prüfe, und Gutes glaube, wenn ich kein Böses offenbar sehe. Und nun habe ich Ihre Sehnsucht und die meinige gestillt. Nichts ist übrig, als daß ich Ihnen von Grund meiner Seelen das Glück zum neuen Jahre wünsche, das die Welt um diese Zeit aus Gewohnheit zu wünschen pfleget. Gesundheit und Zufriedenheit beglücke Sie nebst Ihrer Gattin in allen noch künftigen Tagen Ihres Lebens. Und auch mir gebe Gott, wenn ich leben soll, ein ruhiges und freudiges Jahr, nach seinem Willen.

G.

90.

Gellert an seine Schwester.

L. d. 31. Dec. 1755.

Ich muß Euch doch noch einmal in dem alten Jahre schreiben. Also ist es wieder glücklich vorbey, bis auf vier und zwanzig Stunden vorbey? Gott sey gelobet, der uns erhalten und beschützt hat, und uns ferner helfen wird nach seinem heiligen

Dillen! Es ist wahr, daß meine Gesundheit nicht die beste ist; Allein sie ist vor drey Jahren weit schlechter gewesen. Ich habe in diesem Jahre viel Sorgen ausgestanden, und bennoch sind sie nie ganz über meine Kräfte gewesen. Ich plage mich mit einem finstern und verdrießlichen Wesen, das mir Arbeit und Vergnügen zur Last macht, und bennoch bin ich noch glücklicher, als hundert andre Menschen. Warum bin ich also nicht dankbarer gegen mein Schicksal. Die Gräfinn, die mich mit ihrer Gnade in diesem Jahre so gemartert und mir so manche Stunde entrissen hat, ist auch fort, und nach Wien ihres Processes wegen gereiset, und ich fürchte nicht, daß sie so bald wieder kommen wird. Auch dieses macht mich noch nicht zufrieden. Man hat in diesem Jahre etliche von meinen Schriften in Paris ins Französische übersetzt und mir große Lobsprüche gemacht. Wie wenig rührt mich dieses! Ich habe beynahe etliche Hundert Thaler weniger in diesem Jahre eingenommen und doch keinen Mangel gespürt. Auch dieses sollte mich rühren. Doch nicht geklaget!

Eine meiner täglichen Sorgen ist G***l; denn da derselbe bey den jetzigen Umständen, bey der Aufsicht, bey den Beyspielen, die er hat, nicht fleißig und klug wurde: so fürchte ich, er wird es nie werden. Es ist wahr, er ist nicht alt; aber wenn ich bey seinem Alter jemanden gehabt hätte, der mir die Wahrheit so aufrichtig, so nachdrücklich und so liebreich zugleich gesaget hatte: so müßte ich früher klug geworden seyn. Mit einem Worte, er begeht keine Ausschweifungen, er hat sich etwas gebessert, er hält seine Stunden; allein er ist nicht aufmerksam, nicht bedachtsam, nicht begierig genug, etwas zu lernen, und auch nicht sparsam genug. Er hätte niemals nach Freyberg kommen und strenger erzogen werden sollen. Doch ich will Geduld haben; denn was ist Erziehung ohne Geduld? Man hat mir vor wenig Wochen einen jungen Herrn von B. aus Z. empfohlen. Er wohnet in meinem Hause, ist erst achtzehn Jahre,

ift Page in Z. gewefen. Diefe Leute pflegen gemeiniglich nichts
zu wiffen und ungezogen zu feyn. Aber wie froh wäre ich,
wenn G＊＊l der Herr von B. wäre. Ich fehe nicht, wie der
arme Vater die Koften in die Länge beftreiten will, wenn G＊＊l
Keinen Tifch im Convictorio erhält. Ich habe ihm ein alt Kleid
gegeben, das er alle Tage trägt, weil fein altes nicht viel mehr
taugte. — — Ich grüffe die liebe Mama von Herzen und
wünfche ihr und allen meinen Freunden taufend Segen und
Wohlergehen zum neuen Jahr. Lebt wohl.

G.

---

91. (50.)

An einen Preußifchen Offieier in Schleffen.

1755.

Ihr gutes Herz fchreibt fich in alle Ihre Briefe, und fo fehr
Sie es der Empfindung nach zuweilen vermiffen mögen: fo fehr
fehe ichs doch in jedem Gedanken. Ich will Sie gar nicht ftolz,
fondern nur muthig machen, an bem guten Erfolge Ihrer frommen Abfichten und Bemühungen nicht zu fehr zu zweifeln. Auch
der Tugendhaftefte bleibt ein Menfch, bleibt fchwach bis an fein
Ende, und die Religion hebt unfere natürlichen Neigungen nicht
auf, fie mäßiget, beffert, und reiniget fie nur. Unfere Schwachheit foll uns zwar zum Fleiße, zur Wachfamkeit über uns felbft,
zur Unterfuchung unfers Herzens antreiben, aber fie foll uns nicht
traurig, niedergefchlagen und furchtfam machen. Mit unferer
Angft ift Gott nicht gedienet, und wenn er Traurigkeit verftattet,
oder befiehlt, fo ift es nur diejenige, die zur Ruhe und zum
wahren Vergnügen unfers Geiftes führet. Sie klagen, daß Sie
fich leicht in Gefellfchaft vergeffen, und den Vergnügungen allzu

n zu sehr nachhängen. Das glaube ich Ihnen sehr leicht. .e oftmalige Erfahrung, auch selbst meine eigene hat mich .ehret, daß Gemüther, die von Natur zur Traurigkeit geneigt nb, die Freude zu gewissen Zeiten so tief in sich einlassen, daß e bis zur Lustigkeit anwächst, und ernsthaftern Gedanken nicht wieder weichen will. Sobald sie endlich weicht, behauptet die Schwermuth wieder ihre Rechte, und stellt uns unsere Fehler, wo nicht zu groß, doch auch gewiß nicht geringe vor. Indessen gebe ich es zu, es sollen Fehler seyn, auch oftmalige Fehler; aber, mein liebster Freund, wer hat am Ende des Tages keine Fehler zu bereuen, und am folgenden keine zu verbessern? Bel= des ist unsere Pflicht. Wenn wir dieses thun, dem Fehler nicht nachhängen, die natürliche Trägheit bekämpfen; so dürfen wir nicht nur, wir sollen uns auch eines höhern Beystandes getrösten. Und da müssen wir nicht zagen. Die Kraft Gottes, die in einem guten Herzen ist, ist größer als die, die in den Reizungen der Welt ist. Müßten wir unser wahres Glück verdienen, durch Vollkommenheit verdienen; so wäre nichts gewisser, als daß wir traurig in die Einöden fliehen und da verzweifeln müßten. Aber unser Glück ist göttliche Wohlthat und Gnade; und Gott be= glückt als ein Gott unter Bedingungen, die wir ihm durch seinen Beystand leisten können. **Freuet euch, und abermal sage ich, freuet euch!** Vergessen Sie diese Ermunterung nicht. Die, an welche sie ergangen ist, waren schwach und fehlerhaft wie wir, und bemühten sich, es nicht zu seyn. **Ein guter Muth ist ein tägliches Wohlleben.** Diesen göttlichen Gedanken sage ich mir oft vor, wenn ich dem Kummer nachge= ben will. Und ich erinnere mich sehr oft der Worte, die ich einen Theologen zu einem seiner traurigen Freunde sagen hörte: Wer einen Gott zum Vater und Erlöser hat, muß nicht trau= rig seyn. — —

Möchte ich doch im Stande seyn, die besondere Gewogenheit

und das außerordentliche Vertrauen, das Sie zu mir haben, zeitlebens zu verdienen und zu erhalten! Ich will es, und werde beständig mit einer wahren Hochachtung und Freundschaft seyn,

G.

---

99. (51.)

An denselben.

1755.

Ehe das alte Jahr vergeht, muß ich nothwendig noch einmal mit Ihnen reden. Ich stelle mir vor, als ob ich bey Ihnen in ** auf Ihrer Stube säße, und nur eine halbe Stunde Zeit hätte, mit Ihnen zu sprechen. Da würde ich in der Geschwindigkeit hundert kleine Fragen an Sie thun, ohne zu warten, bis Sie die ersten beantwortet hätten, schon die andern beantwortet wissen wollen, und die Antworten aus Ihren Mienen, aus jedem Tone der Stimme mir ergänzen. Nun, würde ich hastig sagen, wie haben Sie dieses Jahr zugebracht? War es besser, schlimmer, als das vorige? Haben Sie mehr gesunde als kranke Tage gehabt? — „Mehr gesunde" — Vortrefflich! Mehr heitre, als trübe Stunden? — „Ich glaube, mehr heitre" — Gott sey gedankt! Zählen Sie, welches sind Ihre freudigen Begebenheiten gewesen? Sie sinnen nach, und ich lese indessen in Ihrem Gesichte ihrer viele, und ich hoffe, ich betrüge mich nicht. Aber Ihre traurigen Zufälle? Ja, wie sollten Ihnen keine begegnet seyn? Aber sie sind vorbey, und die Art, mit der Sie solche ertragen haben, oder doch haben ertragen wollen, giebt diesen Unfällen noch eine heitre Aussicht. So erinnert sich der Soldat, wenn er die Gegenden des Treffens wieder erblickt, der überstandnen Gefahren, und freut sich, nach einem kleinen Schauer, seines Muthes, seiner beobachteten Pflicht, und sieht mit einem nden Blicke gen Himmel, preist Gott für die Errettung, belebt dadurch sein Vertrauen auf das Künftige. Immer ...en Sie die beschwerlichen Fälle, die traurigen Stunden durch. ...s Product wirkt, wenn auch nicht allemal Freude, dennoch ...tandhaftigkeit, Geduld, Vertrauen; und aus ihnen entsteht doch letzt Ruhe und Zufriedenheit. — „Das sagen Sie mir sehr ...reift, werden Sie denken; aber sind Sie denn auch immer „heiter und stark genug, diese Rechnung anzustellen? Und wenn „man nun sieht, daß man die Last des Lebens nicht so getragen „hat, wie man sollte?" — Wenn ich das sehe, so verweise ich mirs; so demüthige ich mich im Herzen vor der Vorsehung, unter deren Regierung Glück und Unglück steht, bereue meine Schwachheit, hoffe, und stärke mich durch einen Blick in jene Welt, der ich in dieser entgegen gehe. Der Gedanke: Es sind noch wenige Schritte, die ich zu thun habe; sie sind beschwerlich, aber mit jedem komme ich der Ruhe näher! dieser Gedanke hat, wenn gleich nicht stets, doch oft einen mächtigen Einfluß auf mein Herz. Aber was sehe ich in Ihrem klagenden Auge, liebster Freund? Eine Unzufriedenheit über sich selbst. Sie haben in diesem Jahre nicht so viel Gutes gethan, als Sie gethan zu haben wünschen, und als man thun soll? Ich und tausend Andre auch nicht. Und diese, die dieß fühlen und beklagen, sind doch glücklicher als die, die es gar nicht wissen, oder nicht wissen wollen. So lange wir Menschen sind, so lange werden wir Ursachen, über uns zu klagen, und Ursachen uns zu bessern, aber doch deswegen nicht immer Ursache, an unsrer Aufrichtigkeit und Begierde zur Tugend zu zweifeln, haben. In den Spiegel schauen, seine Fehler bemerken, und keine Lust haben, sie zu bessern, das ist ein böses Kennzeichen. Aber oft in den Spiegel schauen, seine Flecken mit Widerwillen wahrnehmen, sie, obgleich mit langsamer und widerstehender Hand zu entfernen suchen, ist ein Kennzeichen, daß wir durch die Länge der Zeit, durch wiederholte Bemühungen, zu einer gewissen Reinigkeit und Schönheit gelangen werden. So würde ich ungefähr mit Ihnen reden, wenn ich itzt bey Ihnen wäre. Und das Ende meines Gesprächs, würde das nicht ein freundschaftlicher Wunsch zum neuen Jahre seyn? Diesen statte ich Ihnen hiermit aufrichtig ab. Wie wohl wird es Ihnen gehen, wenn er erfüllt wird! Gesundheit und Zufriedenheit wird Ihnen das Leben versüßen, und Sie in den Stand setzen, Andre ruhig und glücklich zu machen. Gott gebe Ihnen und mir, was wir nach seinem Willen wünschen!

S.

93.

An Borchward.

L. d. 3. Jan. 1756.

Der Ueberbringer dieses Briefs, ein Freund von mir, der Sie aus einigen Ihrer Briefe an mich kennet, und Ihre Freundschaft wünschet, wird sich selbst am besten empfehlen. Er ist jetzt Commißionsrath und sonst bey verschiedenen jungen Herren mit Ehren und Gewissen Hofmeister gewesen, und wird sich einige Zeit in Berlin in guten Händen aufhalten. Er ist ein rechtschaffener Mann.

Ich habe Ihre Critiken wieder durchgelesen, und wirklich schon einige Aenderungen versucht. Nichts beunruhiget mich, als daß Sie bey dem Systeme meiner Kirche so oft anstoßen; denn aufrichtig zu reden, ist es nicht meine Kirche, sondern mein Glaube, den ich ausgedrückt habe. Ich will nicht einzelne Worte und Redensarten vertheidigen, die ich vielleicht in Prosa sorgfältiger würde gewählt haben. Aber was die Lehre von dem Opfer es Erlösers betrift, als den Grund aller Hoffnung unserer Gerechtigkeit und Seligkeit: so glaube ich, daß sie so, wie ich sie vorstelle, in der Schrift, und nicht bloß in unsern symbolischen Büchern, steht, daß ich nichts gesagt habe, als was Sack, Bernet, Saurin, und die besten Lehrer der Reformirten Kirche, in ihren Schriften vortragen. Das Wort Gottmessias steht nicht in der Schrift; aber steht die Sache nicht darinne? Geben Sie nicht selbst mit beyden Händen zu, daß, der da sagt, ich und der Vater sind eins 2c. wer mich sieht, sieht den Vater 2c. wer an mich glaubet, wird nicht verloren werden 2c. und tausend solche Stellen mehr 2c. daß der, der dieses sagt, mit Recht Gott genennet werde? In Ansehung der 9ten Strophe des Liebs, die Todeserinnrung, geben Sie sich für einen Ketzer aus, und ich glaube sicher, wir haben einerley Glauben. Wenn die Schrift saget, Gott ist es: der in uns wirket das Wollen und das Vollbringen: schaffet, daß ihr seelig werdet mit Furcht und Zittern! so will sie ohne Zweifel sagen, daß wir durch die Kräfte der Natur uns nicht heiligen können, sondern durch die Kraft, die Gott mit seinem Worte der Offenbarung verknüpfet hat, und daß wir also alle unsere Kräfte des Verstandes und Willens anwenden müssen, dieses Wort zu fassen, mit Aufmerksamkeit, Ehrerbietung und einem feinen guten Herzen, daß wir es bewahren, und Frucht in Standhaftigkeit oder Geduld dadurch bringen müssen. Gott geht mit uns als vernünftigen Geschöpfen um, und die Kräfte, die wir uns nicht geben können, können wir doch verwerfen oder gebrauchen. Anders habe ich nichts sagen wollen, und dieses würde ich auch sagen, wenn ich in Berlin lebte. Ich bin ein fleißiger Leser von Sacks vertheidigtem Glauben, und ich finde, vielleicht den letzten Artikel ausgenommen, immer meine Religion darinne. Dieses gilt auch vom Saurin, welches eines von meinen Leibbüchern ist, so wie Mosheims Sittenlehre. Aber ich will glauben: daß die Un-

11

behutſamkeit meines Ausbrucks Schuld an unſerer Uneinigkeit iſt. Wenigſtens wird es mir unendlich ſchwer werden, zu glauben, daß wir, die wir einander ſo lieben, verſchiedene Grundſätze der Religion, des Glaubens und der Tugend, haben ſollten. Indeſſen wiederhole ich Ihnen, liebſter Freund, meine Dankſagung für die Critiken, die mir allezeit ſchätzbar ſeyn werden. Gönnen ſie den Liedern, die ich Ihnen bald zu ſchicken gedenke, eben die Aufmerkſamkeit. Jetzt aber grüßen Sie Ihre theure Gattin mit aller Ergebenheit von mir, dem Verehrer derſelben und ihrem wahren Freunde.

G.

---

94. (31.)

An den Grafen Moritz von Brühl.

L. b. 14. Jan. 1756.

Liebſter Graf,

Ihr Brief hat mir die erſten heitern Stunden in dem neuen Jahre geſchenket; und wie kann ich erkenntlicher ſeyn, als wenn ich ihn in eben den frohen Stunden beantworte, die ich Ihnen zu banken habe? In der That, Sie lieben mich zu ſehr, und Sie ſagen mir dieſes viel beredter, als ich Ihnen von meiner Seite ſagen kann.

Ich, liebſter Moritz, ſollte Ihnen in Paris Ehre machen? Sie, vielmehr Sie, machen mir, wenn Sie ſo rühmlich fortfahren, ſelbſt noch bey der Nachwelt Ehre. Sie nennen ſich meinen Schüler; vielleicht werde ich mich bald in manchen Dingen den Ihrigen nennen müſſen. Sie ſagen mir, daß ich in Paris nicht ganz unbekannt bin; vielleicht mehr durch Ihre Freundſchaft, die für mich ſpricht, als durch den Werth meiner Schrif-

ten. Die Frau von Graffigny ist mir gewogen; vielleicht
weil Sie vom Ihrem Charakter vortheilhaft auf den meinigen
schließt. Die Gewogenheit dieser weisen und würdigen Dame ist
ein Geschenk, dafür Sie der Vorsehung nicht genug danken können. Ihr Umgang wird Ihnen das berufne Schild der Minerva
werden, das vor allen Gefahren schützet. Eine glückliche Vorbe-
deutung bey Ihrem Eintritte in die Welt, daß Ihre erste Neigung auf eine tugendhafte Frau fällt; und die Liebe einer Gras-
figny auf Sie! Quod vero in C. Marii, suavissimi doctis-
simique hominis familiaritatem venisti, non dici potest, quam
valde gaudeam: qui fac ut te quam maxime diligat. Mihi
crede, nihil ex ista provincia potes, quod iucundius sit, de-
portare. Diese Stelle des Cicero an seinen Trebatius können
Sie, des verschiedenen Geschlechts ungeachtet, sicher auf die Gras-
figny deuten. Da sie so viel Freundschaft für Sie hat, da sie
Ihnen Dienste für das Herz erweisen wird, die unschätzbar sind:
so hat sie mich schon so sehr verpflichtet, daß ich ihr noch ewig
dafür danken will. Was ist ein geistreiches und tugendhaftes
Frauenzimmer für eine Wohlthat für beide Geschlechter! — Auch
Ihren Herrn von Arc versichern Sie aller meiner Hochachtung.—
Ihre Komödie, liebster Graf! Eine Komödie — Ist das
möglich? Eronegken übersetzen und verbessern! Ist das möglich? Mich nach Paris rufen, der ich kaum nach Weißenfels
reisen kann! Ist das Ihr Ernst? Und dennoch, wenn Jemand
in der Welt mich verführen könnte: so wären Sie es und die
Frau von Graffigny. — Wer klopft? Ihr Bedienter öffnet
die Saalthüre, erschrickt, fällt zurück in das Zimmer, schreyt:
Der Herr Professor Gellert! Indessen zittert der Herr Professor in das Zimmer hinein und der Graf — —? Der Graf
in der ersten Bestürzung will seinen Augen nicht trauen, und
doch auch der Erscheinung nicht widersprechen. Er nähert sich
mir — und ich weine ihm Gruß, Segen, Freundschaft, alles

11 *

entgegen. Endlich ziehe ich den siebenten Theil des Grandison aus der Tasche heraus und sage: diesen überbringe ich Ihnen persönlich, persönlich, liebster Graf. O! wie geht es Ihnen in Paris? Hier fordre ich einen Stuhl, weil ich merke, daß mich meine Füße in meinen Freuden nicht mehr halten wollen. — Zärtliche Scene — Beschreibung der ersten Gespräche — Was Paris für einen Eindruck in mich macht — Zusammenkunft mit der Frau von Graffigny — Der Fremde hat alles gesehn, will wieder zurück reisen — Trauriger Abschied u. s. w. Füllen Sie diese Züge aus. — Leben Sie unaufhörlich wohl. Ich umarme Sie, und bin zeitlebens

Ihr

G.

N. S.

Indem ich diesen Brief nach Dresden abschicken will, erhalte ich das Journal Etranger vom November. Die Kritik über die Betschwester hat mich nicht sehr vergnügt. Herr Freron urtheilet, ohne das Stück ganz gelesen zu haben, und ohne Deutsch zu verstehen.

1. Die Betschwester ist nicht scheinheilig, wenn sie auf Pfänder leiht. Es ist ein Zug ihres Geizes, und um ihren Geiz zu verdecken, nennt sie das vor der Gesellschaft einen Liebesdienst, was die Andern nicht wissen sollen.

2. Der Character der Betschwester ist, nach meiner Meynung, so sehr gezeigt, daß er ekelhaft werden würde, wenn er noch mehr gezeigt würde. Und welches sind die Gesichtspuncte, aus denen es noch geschehen könnte? Herr Freron muß wissen, daß in einem Auszuge tausend kleine Striche des Charakters verloren gehn.

3. Der erste Act enthält die Exposition. Aber der Zuschauer ist immer noch begierig gemacht worden, zu erfahren, ob die Betschwester ihre Tochter weggeben wird, die sie aus Geiz, we=

gen der Ausſteuer, nicht gern weggeben will. Sie hat es gezeigt.
Lorchen ſagt es am Ende des erſten Acts. Der Knoten iſt
alſo durch den Act angelegt: weil die Richardinn der Tochter
10,000 Rthlr. mitzugeben verſprochen, und ſie es bereut, und doch
auch den Freyer nicht gern verlieren möchte; was wird ſie thun?
Ferner: was wird Herr Simon thun, dem Chriſtianchen nicht
gefällt? Hat er ſchon einmal ſich entſchließen können, ſie nicht
zu begehren; vielleicht beſtimmt ihn ein Umſtand, daß er gar
von ihr abgeht. Dieß iſt die Anlage zu ſeiner Veränderung im
andern Acte.

4. Chriſtianchens Charakter aus der Mutter ihrem herzulei=
ten, wäre angegangen, und war deswegen doch nicht nöthig.

5. Lorchen hätte ſich freylich ſtellen können, als wollte ſie Si=
monen nehmen, das iſt auch wahr; aber ſo wäre vieles vielleicht
von dem Freundſchaftlichen dieſer beiden Mädchen verloren ge=
gangen, wenigſtens wäre die Entwickelung für die Zuſchauer
nur eine Theaterbeluſtigung geworden, wenn ſie ihre Verſtel=
lung gewußt hätten. Doch dieſen Punkt will ich nicht hart=
näckig behaupten.

6. Das Rachgierige fehlt dem Charakter der Betſchweſter,
deucht mich, nicht ganz. Warum ſchimpft und ſchmäht ſie auf
Simon? auf Lorchen? Warum redt ſie Böſes von ihrer eignen
Tochter? Sollte Herr Freron das Stück geleſen haben? ich
zweifle ſehr. Daß mehr Leben und Feuer darinne ſeyn könnte,
oder ſollte, gebe ich zu. Es iſt mir auf dem Theater ſelbſt ſo
vorgekommen... Indeſſen tadelt Herr Freron doch beſcheiden,
wenn er gleich mit der Flüchtigkeit eines Franzoſen tadelt. Sein
Tadel iſt wahrſcheinlich, wenn er gleich nicht Wahrheit genug
hat. Mir kann er nicht ganz lieb ſeyn, wenn ich ihn gleich
ertragen kann. Er ſcheint einer kleinen Monarchie der Kritik
über die Werke der fremden Nationen ſich anzumaßen. Er ta=
delt alſo, ohne daß ers will und weis, vielleicht aus Stolz und

aus Vorurtheil für seine Nation. Ich wollte, daß ihm Herr Wächtler nichts mehr von meinen Arbeiten gäbe. Er wird in eben dem Tone fortfahren. So bald die Franzosen Deutsch verstehen: so müssen wirs uns gefallen lassen, daß sie von uns urtheilen; aber eher nicht.

————————

95. (32.)

Moritz v. Brühl an Gellert.

Paris, d. 17. Jan. 1756.

Mein liebster Freund,

Endlich bin ich glücklich genug Ihnen zu antworten. Jeden Tag, seitdem ich Ihren zweyten Brief erhalten, habe ich mirs vorgenommen; aber keinmal habe ich meinen Vorsatz ausführen können. Die Commission, die Sie mir an die Frau von Graffigny auftragen, habe ich treulich ausgerichtet. Sie küßte Ihnen gern wieder die Hand, wenn sichs für ein Frauenzimmer schickte. Setzen Sie indessen alles andre an die Stelle des Handküssens, das eben so viel bedeutet, und Sie werden noch nicht genug für ihre Hochachtung gegen Sie thun. Ich sage ihr beständig, daß Sie mein Lehrer und Freund sind, daß ich Ihnen alles zu danken habe, was ich bin und denke; und sie liebt mich nicht wenig, sie heißt mich Ihren Sohn. Viele Menschen in Paris wundern sich, daß ich sie kenne, und daß sie mich leiden kann; die meisten beneiden mich um ihre Bekanntschaft, und die Deutschen, die hier sind, halten mich für einen Sonderling, weil ich, zu meinem Glücke, nicht so bin wie sie. — Ihren Auftrag an Madame Wille habe ich noch nicht ausgerichtet. Ehestens aber soll es geschehn.

Ich habe neulich der ersten Vorstellung einer Tragödie bey=
gewohnt, die keinen Beyfall gefunden hat. — Die drey ersten
Acte über war alles ziemlich ruhig, bey dem letzten aber fieng
der Lärmen an. Doch ist er itzt bey weitem nicht mehr so groß,
als ehemals. Das Stück heißt Astianax. Binnen acht Tagen
hörte man von nichts als davon reden, so wie man vorher be=
ständig von dem Erdbeben zu Lissabon geredet hat.

Ich habe itzt viel Bekanntschaften, und unter allen sind auch
hier die Gesellschaften der Großen die unangenehmsten und lang=
weiligsten. Das Spiel, die große Triebfeder aller ihrer Unter=
haltung, setzt den Thor in gleiches Verhältniß mit dem Klugen,
und oft hat jener noch mehr Verstand bey solchen Gelegenheiten,
als dieser. Die mittlern Gesellschaften, ich meyne die von Leu=
ten, die nicht bloß mit ihrem Stande, ihrem Anzuge, und selbst
mit ihrem Müßiggange beschäfftigt sind (und dieß sind leider die
meisten Großen), diese sind allein die angenehmen und diejeni=
gen, in denen es mir am besten gefällt. Das Frauenzimmer —
ja das weis ich Ihnen nicht zu sagen — Ich habe wenig ver=
nünftige gefunden. Die meisten von denen, die ich kennen ge=
lernet, sind mit ihrer Person beschäfftiget; und wenn sie ja Ver=
stand haben, so haben sie ihn doch selten so, wie gewisse Frauen=
zimmer bey uns. Es rühret wohl daher, daß die wenigsten eine
gute Erziehung bekommen, sondern daß sie meistens die Welt
eher sehen, als sie sie kennen. Die Mannspersonen schmeicheln
ihnen und verachten sie. Die Frau von Graffigny (denn ich
rede immer von ihr, wo ich nur kann) hat einige Anverwand=
tinnen, die sehr liebenswürdig sind. Die eine davon ist an einem
Mann verheyrathet, der einer der richtigsten und witzigsten Köpfe
von Frankreich ist. Er hat noch nie etwas drucken lassen, ob er
es schon längst hätte thun können. — Ich kenne auch Herr
Freron. Er hat nichts als ein Bischen Witz, viel Beißendes
in seiner Art zu denken und sich auszudrücken, und ist sehr wenig

geschickt, einen Richter der Schriftsteller abzugeben. — Es giebt
itzt wenig wahre Genies in Frankreich, und die meisten, die hier
schreiben, machen die Bücher, wie die Frauenzimmer die Knöt=
chen. — Ich dächte, das wäre genug aus der gelehrten Welt. —

Wann, liebster Freund, werde ich von Ihnen wieder einige
Zeilen bekommen? Wenn Sie wüßten, was für ein Trost Ihre
Briefe für mich sind, zumal da ich so entfernt von Ihnen bin,
wie oft würden Sie mir nicht schreiben! — Vergesse ich nicht
mein Deutsch? Meine Schuld ist es nicht; denn ich lese fast
nichts als deutsche Bücher. Ich habe den zweyten Theil von
Cramers Predigten. Sie sind schön. — — — — —
Leben Sie wohl.

Brühl.

96.*)

Rabener an Gellert.

Dresden, d. 19. Jan. 1756.

Liebster Gellert,

Ich habe mit gutem Vorbedachte auf Ihren Brief vom
5ten November nicht eher antworten wollen, um den größten
Theil Ihrer traurigen Monate vorbey gehen zu lassen. Ich be=
fürchtete, zu viel zu verlieren, wenn Sie mein Brief in einer
trüben Stunde finden sollte. Ich bin immer aufgeräumt, aber
nicht immer geschickt, an meine Freunde aufgeräumt zu schreiben.
Ueberhaupt werde ich es bald gar verlernen, an meine Freunde
zu schreiben, da keiner von ihnen an mich schreibt. Cramer hat
mir auf zween Briefe nicht geantwortet. Giseke auch nicht; von

---

*) (Rabeners Briefe, herausgeg. von Weiße S. 254 ff.)

nschweig kann ich keine Briefe verlangen, ohne die Herren
er witzigen Ruhe zu stören, und Graf M[oriz] hat mich
Zweifel, mich armen Deutschen, gar vergessen. Sind Sie
ieser Entschuldigung meiner so lange unterlassenen Ant=
zufrieden? Oder verlangen Sie, daß ich noch mehr Ent=
igungen von meinem Amte hernehmen soll? Ich bitte Sie,
igen Sie das ja nicht, oder es wird Ihnen gewiß Angst,
b ich von meinen Berufsarbeiten zu erzählen anfange. So
ann ich Ihnen wohl sagen, daß ich erst vorgestern mit
Arbeiten zu Stande gekommen bin, die seit der Michaelis=
auf mir gelegen haben. Da sehen Sie Ihren alten ge=
igen Freund, welcher dem ungeachtet mitten unter so vielen
en gesund, vergnügt, und mit der ganzen Welt zufrieden,
erwegen genug gewesen ist, itzt erst englisch zu lernen. Wie
: Ihnen meine Pedanterey? Wahrhaftig englisch, oder
ibisch, wie es heißt, lerne ich, und lerne es seit Michael
Anführer, und kann davon schon so viel, als keiner von
Castraten, und spreche es wirklich bereits fast so gut, wie
jallfisch. Denken Sie aber ja nicht, mein lieber Kleiner,
ich mein Steuerjoch und meine Bücher ganz von meinem
ügen abhalten. Ich gehe fleißig in die Oper, auch wohl
mal auf Bälle, und ich stehe Ihnen nicht dafür, daß ich
heute auf die Redoute komme. Ich besuche meine Freunde,
übsche Mägdchen in Familien, von denen man Ehre hat;
n Sommer sind wenigstens zwo Stunden vom Tage meine,
nen ich in unsern himmlischen Gegenden spazieren gehe.
ch nicht recht glücklich, lieber Gellert? Würde ich es wohl
seyn, wenn ich ein Weib hätte? Erbauen Sie sich durch
Exempel, guter Kleiner, und durchleben Sie das übrige
Theil Ihrer Jahre auch so vergnügt. Der Beyfall
: Landsleute und der Fremden trägt vielleicht zu mei=
eiterkeit etwas bey; aber ich verlasse mich darauf mehr

nicht, als sich ein vernünftiges Frauenzimmer auf ihre Schönheit verläßt, die vielen gleichgültig, vielen zweydeutig, und überhaupt sehr flüchtig und vergänglich ist. Es werden Tage kommen, wo wir beyde vergessen sind, und in denen wir höchstens darum noch genennet werden, weil wir gelebt haben. „Der fließende Herr „Gellert, und der spitzige Herr Rabener (wird es heißen), haben „hier und da ganz artige Gedanken gehabt, und die wenigen „Bogen, die von ihren vermuthlich gar weitläuftigen Werken „noch übrig sind, verrathen einigen Geschmack, so gut man ihn „von den unaufgeklärten Zeiten, in denen sie gelebt haben, erwar= „ten kann ɾc." Wie gefällt Ihnen dieses Stückchen aus der Nachwelt, mein lieber Gellert? Ich bin gelassen dabey, wenn diese Nachwelt nur erfährt, daß Sie mein Freund gewesen sind. Will die undankbare Nachwelt meine Schriften nicht lesen, so soll sie doch meine allergnädigsten Befehle lesen, durch die ich mich als Steuersekretär verewige, so, wie ich mich dadurch, und nicht durch den Witz, ernähre.

Auf welches Dorf werden Sie denn in künftiger Messe flüch= ten? Sie sind ein Spötter, indem Sie sich über das Glück mei= ner Schriften, die in B[onau] immer auf dem Nachttische lie= gen, eifersüchtig stellen. Vermuthlich soll ich Sie, zu Ihrer Be= ruhigung, daran erinnern, daß Kinder von guter Erziehung Ihre Schriften auswendig lernen müssen, und gern auswendig lernen. Der Beyfall des Pfarrers und seiner häuslichen Tochter ist mir so schmeichelhaft, als der Beyfall einer Excellenz und einer Hofdame. Ich habe immer den seltnen Hochmuth gehabt, zu wünschen, daß meine Satiren das Siegel der Orthodoxie erhalten möchten; und es ist mir immer erfreulich, wenn meine Schriften auch denen gefallen, die den Beruf eben nicht haben, witzig zu seyn.

Leben Sie wohl. Ich liebe Sie ewig. Sind Sie mit diesem Briefe zufrieden? Mich dünkt, er ist ein sehr langes freund=

schaftliches Gewäsche. — Schreiben Sie mir noch einmal vor der
Messe: Und in künftiger Messe lassen Sie sich wenigstens einen
Tag lang sehn. Noch einmal leben Sie wohl!

Rabener.

------

87. *)

Derselbe an denselben.

Dresden, b. 31. Jan. 1756.

Mein lieber Gellert,

Hier sende ich Ihnen die Briefe zurück, welche mich sehr vergnügt haben. M[oritz] bleibt doch unser guter Graf, und da
er es in Paris bleibt, so wird er sich auch in Dresden nicht ändern. Nun freue ich mich doppelt darauf, daß er mit der Zeit
hoch steigen wird. — Denn von ihm hoffe ich gewiß, daß er niemals wird schwindelnd werden. Diese Woche geht Ihr Brief an
ihn fort. Da Sie mir Ihre geistlichen Lieder nicht anvertrauet
haben, so erwarte ich die Trinklieder, die Sie, wie mich ein guter Freund von Ihnen noch gestern versichern wollen, unter der
Feder haben. Das schlagen Sie mir doch nicht ab?

Ich bin mit der Entschuldigung vortrefflich zufrieden, die Sie
mir wegen Ihres kleinen eitlen Herzens gemacht haben. Meine
Vorwürfe scheinen nur denen grausam, die mich nicht so, wie
Sie, kennen.

Ich kann es geschehn lassen, daß wir Ernesti und Bachen
verlieren; behalten wir nur den göttlichen Belli und die unsterbliche Pilaja **). Kästnern können wir leicht vergessen; er konnte

------

*) (Rabeners Briefe, herausgeg. v. Weiße. S. 258 f.)

**) Belli, ein großer Sänger, und Pilaja, eine berühmte Sän-
gerin auf dem damaligen dresdner Operntheater. Weiße.

nicht einmal tanzen, und haben Sie wohl, so lange Sie ihn
kennen, eine vernünftige Perücke auf seinem Kopfe gesehn? Wollen die Ausländer etwa Jöchern, Maskoven, Crusius ꝛc. auch
wegnehmen? Gut; wenn nur Sie bey uns bleiben, denn Sie
machen gar zu drollichte Fabelchen. Und geht auch die ganze
Universität ein; was ist es nun mehr? Leipzig wird doch, wegen
der Lerchen, nach wie vor berühmt bleiben! ꝛc. ꝛc.

Rabener.

98. (33.)

An den Grafen Moritz von Brühl.

L. d. 4. Febr. 1756.

Liebster Graf,

Gestern erhalte ich Ihren Brief vom 17. Januar, eben da
ich den Fuß aus dem schwarzen Brete setzen will. Nun, dachte
ich, ob du ihn wohl gleich den Augenblick läsest. Ich suche das
Postgeld, gebe vor Freuden dem Briefträger etliche Groschen
mehr, und berathschlage, ob ich ihn lesen will, ehe ich den Eingang des schwarzen Brets verlasse, denn ich war im Begriffe zu
Tische zu gehn. Ich breche das kleine Siegel auf, lese das Datum, und stecke den Brief hurtig und mit widerstehender Hand
ein. Nein, sprach ich zu mir selbst, wenn du ihn itzt liesest,
was willst du denn bey Tische lesen? Lies ihn nicht, gehe geschwind, so hast du die Freude bey der Mahlzeit, und so wird
dir der Weg nicht halb so lang werden. Nun laufe ich, was
ich kann. Endlich bin ich mit meinem treuen Gefährten, dem
Herrn von Bosen, vor dem Haukischen Hause. Er verläßt
mich. Ich gehe die erste Treppe schnell, schnell hinauf. Bey
der zweyten greife ich schon in die Tasche. „Ein Wenig, nur

tliche Zeilen willst du lesen." Ich las die erste Seite. Es
m ein Hund und zopfte mich bey dem Pelze, ich that ihm
chts. Es kam eine Magd und.sah mir in den Brief, ich that
r auch nichts. Ich las immer herzlich fort, las langsam, als
es unleserlich geschrieben wäre, und konnte doch alles sehr gut
sen. Es kam ein Kaufmann, der im Hause wohnet: „O das
ist gewiß die heutige Lottsrieliste, ist das große Loos heraus?"
ch antwortete ihm nichts, schüttelte den Kopf, gieng im Lesen
ne Treppe höher, und war immer noch auf der ersten Seite,
nd freute mich, daß ich nicht weiter war und überlegte, was
uf den übrigen drey Seiten stehen und wie gut mir das erste
Glas Wein schmecken würde, wenn ichs mit Ihrem Briefe in
er Hand tränke, und Sie in Ihrer heitern, sanften, unschuldi-
en, denkenden Miene dazu dächte. Man setzte sich zu Tische,
h aß die Suppe, erwartete den Wein nicht, sondern las den
anzen Brief durch, ohne zu hören und zu sehen. — Ja, lieber und vortrefflicher Graf, ein Vater, dem sein Sohn nach zehn
ahren das erstemal aus der Fremde schreibt, kann nicht freu-
iger seyn, als ich war. Ich übertreibe es nicht, liebster Moritz,
eine ganze Seele geräth in Bewegung, wenn ich einen Brief
on Ihnen lese. Redt Ihr Herz, so lebt das meinige auf. Redt
hr Verstand, Ihr Witz, so regt sich der meinige. Erzählen
Sie mir, so bin ich gegenwärtig, wo auch die Scene ist. Kurz,
enn Ihnen meine Briefe, wie Sie sagen, Trost sind: so sind
ir die Ihrigen nichts geringers. Ich soll Ihnen oft schreiben?
nd o schreibe ich Ihnen denn nicht oft? Ist dieses nicht seit
rzem der dritte Brief, und sind nicht meine Briefe ihrer Länge
ach Tractate, wenn sie gleich leere Tractate sind? — — —
ie Fürstinn Frau Mutter von Z[erbst] eine Dame von unge-
einem Geiste und Verstande, hat mich auch zu ihrem Corre-
ondenten gemacht. Sie schreibt französisch, ich deutsch. Viel
hre für mich, werden Sie denken. Allerdings, aber ich denke

doch: Bene qui latuit, bene vixit. Keine Ehre, kein Beyfall der Welt, kein Zeitungslob; nichts als das Bewußtseyn seiner Pflicht macht ruhig; nichts als die befolgte Regel der Religion macht glücklich und stärket die Seele. Der alte R**, der in seinem sonst heitern Alter itzt in eine gewisse Schwermuth verfallen ist, und den ich oft besuche und tröste, ist meinem Herzen, wenn es noch so sinnlich krank ist, eine heilsame Arzney. Wenn ich nun, denke ich, König der Welt und der Liebling aller Sterblichen wäre, und meine Seele litte so: was wäre ich? Elender als der, der in der Sklaverey, durch harte Arbeit ermüdet, seinen Hunger mit schwarzem Brodte stillet, und sich tröstet, daß er ohne seine Schuld elend ist, und sich freut, daß er sich noch denken, daß er seinen Tod denken und hoffen kann. — — — Leben Sie wohl.

G.

---

99. (34.)

Morih v. Brühl an Gellert.

Paris, d. 3. Febr. 1756.

Mein liebster Freund,

Ich bleibe allen Leuten die Antwort schuldig; und Ihnen antworte ich mit der größten Genauigkeit. Nicht bey Ihnen will ich mir das zum Verdienste anrechnen, aber doch bey mir selber mache ich mir eines daraus. Dieses müssen Sie mir erlauben, und ich darf ja wohl mit mir selbst zufrieden seyn, wenn ich Sie mehr als meine andern Correspondenten liebe. O! warum sind Sie doch in Leipzig, wenn ich in Paris bin! So glücklich mein Schicksal auch ist, Ihre Freundschaft zu besitzen: so bitter ist es auch zugleich, so weit entfernt von Ihnen zu seyn!

Was ist das Andenken für ein schwacher Genuß in Vergleichung mit der Gegenwart! Bey dieser lebt alles, alles sagt uns, daß wir uns hochschätzen, daß wir uns lieben, jeder Augenblick ist eine neue Freude; wenn dort kaum einmal die ermüdete Einbildungskraft den Weg zu unsrer Empfindung findet. Gewiß Sie sollten eine Reise nach Paris thun. Wenn ich Sie verführen könnte, so würde ich es hoffen, Sie hier zu sehn. — Ihre Briefe sind stets eine neue Stärkung für mein Herz, und eine neue Ermunterung zur Tugend. Sie werfen mir vor, daß ich Sie zu sehr liebe, und Sie verdienen weit mehr diesen Vorwurf in Absicht auf mich. Aber hören Sie ja deswegen nicht auf, ihn zu verdienen, und lassen Sie mir allein die Sorge, Sie davon zu befreyen. — Ich habe der Frau von Graffigny noch nicht alles sagen können, was Sie mir an sie aufgetragen. Der Chevalier d'Arc wird Ihnen selbst schreiben, und sich für Ihre Gewogenheit gegen ihn bedanken. Täglich vermehrt sich die Zahl meiner Bekanntschaften. Die Zeit vergeht mir hier ziemlich geschwinde. Des Morgens gehe ich viel zu Fuße, besuche meine Freunde, esse fast täglich auswärts, gebe alsdenn Visiten, und gehe, um den Tag würdig zu beschließen, zu einem Prinzen oder Prinzessinn von Geblüte. Dieß ist ohngefähr das Leben der meisten Einwohner in Paris. Meines ist nicht ganz so. Ich lese noch zuweilen, denke fast immer an Sie, und mache, wie Sie wissen, Eine Komödie, zwo Tragödien und drey Heldengedichte auf einmal. Meine Komödie ist noch nicht weiter, als sie war, da ich Ihnen davon schrieb. Eine Komödie ist eine schwere Sache. Lieber eine Tragödie, wenn man Verse machen kann. Ich habe immer vortreffliche Anschläge, aber ich führe sie nicht vortrefflich aus. Ich werde vermuthlich ein sehr philosophisch Werk von dem Charakter der Franzosen schreiben. Die Unternehmung ist nicht klein. Eine Nation beschreiben, die so bekannt ist, von der man schon so viel gesagt hat!

Allein ein edles Werk, ist nur für edle Seelen,
Und zur Unsterblichkeit, muß man nichts Leichtes wählen.

Man sieht noch immer in dieser Nation Spuren des guten Geschmacks, der Liebe zu den Wissenschaften und ihres vergangnen
Glanzes. Sie ist freylich nicht mehr so fruchtbar an großen
Geistern, als im vorigen Jahrhunderte, dennoch aber bleibt ihr
die Ehrfurcht für alles, was schön ist, der Eifer es zu kennen,
und die Begierde es zu besitzen, übrig. Der Geist der Untersuchung, der Philosophie, der eine Folge der schönen Wissenschaften
ist, wenn sie wohl verstanden sind, und der so gefährlich wird,
wenn er nicht mit vielen Gaben und einem hellen Verstande verknüpft ist, ist itzt die allgemeinste Eigenschaft dieser Nation. Der
Thor glaubt ihn hier zu besitzen, weil er frostig und langsam
denkt, und der Flüchtige glaubt alles gesehn, alles untersucht zu
haben, wenn er von allem urtheilet und entscheidet. — Das
Frauenzimmer bekümmert sich hier meistentheils nicht so sehr um
die Wissenschaften, als man es glaubt. Die jungen sind nur
damit beschäftiget, wie sie gefallen wollen, und die alten, wie
sie am meisten und am sichersten im Spiele gewinnen können.
Die Komödie ist fast die einzige Art, wodurch sie sich darum bekümmern, und auch diese besuchen die meisten nur, um gesehn
zu werden. In Ansehung der Religion kennt man hier nur
zween Gegensätze: entweder gar keine oder eine abergläubische
Andacht. Das Vergnügen und die Zerstreuung verhindert die
meisten, Religion zu haben, und die Einfalt oder der Ekel ist
die Quelle der Andacht bey den Andern. — — — —
Ich habe heute die Madame Dubocage gesehn. Wieder ein
Autor. Auf künftigen Sonntag esse ich bey dem Herrn von
Reaumur. — Herr Duclos läßt sich Ihnen empfehlen. Ich
besuchte ihn neulich des Morgens in einem garstigen Mantel,
wie man früh auszugehn pflegt, und entschuldigte mich, daß ich

wir diese Freyheit nähme. Mein Herr, sagte er, Sie dürfen
sich nicht entschuldigen. Sie sind mir stets angenehm, und ich
würde es Ihnen nicht sagen, wenn ichs anders meynte. Er ist
von einer unnachahmbaren Offenherzigkeit, die ihm schon viel
Feinde gemacht hat. Leben Sie wohl. Schreiben Sie mir
bald wieder.

Brühl.

---

100. (53.)

[An Frau von Zedtwitz.]

L. d. 7. Febr. 1756.

Ach! gnädige Frau, die Loose von acht, von zwölf, von
sechzehn tausend Thalern sind heraus, und ich armer Mensch
habe nichts bekommen; und ich soll also in der traurigen Stadt,
bey den bösen Büchern und noch bösern Menschen bleiben, und
nicht auf das Land ziehn, mich nicht in B[onau] ankaufen, nicht
Bäume pfropfen, Wein pflanzen, Obst backen, nicht M[eineweh]
pachten, nicht mit Ihnen spazieren gehn, — — —
mit Einem Worte, nicht bey Ihnen meine Tage zubringen?
Das ist kläglich, gnädige Frau. Ich mag ja an keiner fürst-
lichen Tafel speisen, ich will in B[onau] von dem guten Sallate,
von dem Krauskohle, der daselbst wächst, von den Enten, die
da geboren und erzogen werden, essen. — — Was hilft nun
der Ruhm? Habe ich das geringste Glück in der Lotterie gehabt? Es ist wahr, die letzte Classe der Lotterie in meiner
Vaterstadt ist noch nicht gezogen; aber das größte Loos ist nur —
ja nur 300 Rthlr., und dafür werden Sie mir das Haus am
Garten nicht lassen. Und ansäßig muß ich doch seyn; denn sonst
wird die Fräulein nicht — — — — Sie hat auch Recht.

Gellert VIII.   12

O gnädige Frau, wie weise ist es, sich nicht durch Hoffnungen einnehmen lassen! Ich kränke mich, schäme mich, schmähle auf mich, und küsse Ihnen mit vieler Demuth für den letzten so schönen, aber kurzen Brief, die Hand, und verharre in großer Traurigkeit

G.

101.*)

An J. F. Freiherrn von Cronegk.

L. d. 25. Febr. 1756.

Lieber, guter, böser Baron,

Wie lange ist es wohl, daß Sie nicht an mich geschrieben haben? — Sehr lange; ich kann es nicht läugnen. — Aber warum haben Sie seit so langer Zeit nicht geschrieben? — Warum? O Sie kennen mich ja. Ich habe Sie lieb, und ich schreibe an viele Leute, die ich lieb habe, noch seltner, als an Sie mein lieber Professor. — Das Letzte mag ich nicht wissen, schlauer Herr Baron. Ich frage Sie, wie Sie es über Ihr zärtliches, freundschaftliches, poetisches Herz haben bringen können, mir nicht zu antworten; denn ich habe Ihnen ja durch Herr Weißen geschrieben? — Nun das will ich Ihnen sagen. Ich bin Hofrath — Ja das weis ich. — Ich muß Acten lesen — recht gut; und ich Collegia, und dennoch schreibe ich auch Briefe. Ich bin ein Autor — Das bin ich auch, wenigstens bin ichs gewesen. — Ich bin ein Tragoedienschreiber — Viel Ehre! das bin ich nie gewesen und hätte es doch herzlich gern seyn mögen. Aber wo sind die großen

*) (Aus dem Original, im Besitz des Hrn. D. K. Schulz zu Leipzig. Mit willführlichen Aenderungen gedruckt in der Sammlung von 1774: Gellerts Schriften Th. 8, S. 6. No. 4.)

Trauerspiele, mein Herr Tragoedienschreiber? — Cobrus ist bey mir, und zum Theile bey dem Grafen Moritz in Paris, der ihn stückweise für die Madame Grafigny übersetzet — Haben Sie denn also Ihren Cobrus ausgebessert? — Noch nicht. — Das gefällt mir. Warum denn noch nicht? — Ich bin auch ein Steele, ich schreibe wöchentlich für mein Vaterland Weisheit nieder. Sie wissen es ja, ich schreibe den Freund. — Das weis ich, und darum kann ich eben nicht begreifen, wie ein Autor, der die Pflichten der Freundschaft bestimmt und besingt, eben diese Pflichten vergessen und unterlassen kann. — Ich besinge sie, daß Andre sie ausüben sollen. So thue ich ja auch mein Gutes. Wer kann Alles thun? Ich bin ja noch mehr, als bloß ein Hofrath, ein Tragoedienschreiber, ein Journalist. — Und was sind Sie denn mehr? Nur heraus mit der Sprache, wenn Sie ein gut Gewissen haben. Ich darf und ich muß alles wissen. — Ich schäme mich; dennoch will ichs Ihnen sagen, lieber Gellert, ich bin auch ein Schäfer, ein Geliebter, und ich muß oft an meine Schöne schreiben, und ich schreibe doch noch lange nicht so oft, als ich wünsche, als ich soll, als vielleicht Andre schreiben, die es nicht sagen und sehr stoisch thun, und doch sehr wächsern sind. — Das Letzte ist ein Gedanke, der nicht aus der Materie entspringt. Er ist nur im Vorbeygehn erhaschet, und Sie hätten ihn ganz wohl entbehren können. Aber wer ist denn die glückliche Schöne, in deren Fesseln Sie einher gehn? Doch ich will es nicht wissen. Sie soll ewig Ihre seyn. Schreiben Sie alle Tage an sie. Verküssen Sie alle leere Augenblicke bey ihr. Machen Sie Trauerspiele, Lustspiele, Lieder und Compositionen, Sinngedichte, Wochenblätter, alles, was Sie wollen, ich bin es sehr wohl zufrieden. Ich will Sie lesen, loben, tadeln; das ist meine Schuldigkeit; aber ich will nicht mehr an Sie schreiben; denn das ist auch meine Schuldigkeit, da Sie mir nicht antworten. Kurz, mein lieber Herr Baron, leben

12 •

Sie wohl, und bemühn Sie sich, mich ferner zu vergeffen. Ich war ehedem

Ihr befter Freund

Gellert.

Noch ein ernftlich Wort, liebfter Croneck. Sie haben mir von einer Paffion gefagt, die Sie gemacht. Der Cantor Doles, iziger Cantor an der Thomasschule, ein gefchickter Componift, wie Sie wiffen, wünfchet eine zu haben, aber bald. Erweifen fie der Religion die Ehre und schicken Sie Ihr Manufcript, so bald als es möglich ift, an mich oder an ihn.

102.

An den Freiherrn von Crauffen.

L: 15. März 1756.

Hochgebohrner Freyherr,
Theuerfter Freund und Gönner,

Sie find vermählt, nach Ihrem und alfo auch nach meinem Wunfche vermählt? Welche glückliche Veränderung Ihres Lebens und welche Freude für mich! Niemals habe ich eine Stelle in Ihren Briefen so oft, mit so vieler Empfindung, und mit so vielem Miftrauen gegen meine Augen gelefen, als die Stelle: ich bin beweibt — — Lies noch einmal, dachte ich, wer weis, was du gelefen haft — Der gute Baron scherzt — er hat ja nie heirathen wollen. — Aber wie schön wäre es gleich wohl, wenn er es gethan hätte! Ein Herz, das zur Freundschaft gebohren ift, ift es auch zur Liebe. Er soll lieben, er muß lieben — wenn du doch seine Gemahlin schon kenntest! Sie muß grosse Eigenschaften, wenigstens ein Herz, gleich dem seinigen haben. So dachte ich und las meinen frohen Brief noch einmal wieder durch.

Empfangen Sie denn, Theuerster Freyherr, den aufrichtigsten Glückwunsch zu Ihrer Vermählung, von Ihrem Verehrer und Freunde, und genießen Sie mit Ihrer würdigen Gemahlin alle Freuden des Lebens und der Liebe, der Tugend und Freundschaft und künftig des glücklichsten Vaters in langen langen Jahren. Wenn der letzte Theil meines Wunsches eintrifft, und ich lebe: so sehe ich eine freudige Aussicht vor mir, mich noch um Sie verdient machen zu können.

> Wie freu ich mich des Glücks, wofern ichs einst erlebe,
> Daß, mit dem Sohn an deiner Hand,
> Du sprichst: Der ist es, Freund, den ich Dir übergebe,
> Bild ihm das Herz und den Verstand.

Ihrer Frau Gemahlin küsse ich die Hand mit der größten Ehrerbietung, und danke ihr für die Zufriedenheit, die sie Ihrem Leben geschenket hat, und täglich schenken wird. Sie kann mir ihre Gnade nicht versagen, da ich die Gewogenheit ihres Gemahls besitze.

An der neuen Belohnung Ihrer Verdienste, die Ihnen Ihro Durchl. der Herzog von Sachsen-Meinungen in der Stelle eines Geheimden Raths ertheilet, wie könnte ich an dieser Belohnung keinen Antheil nehmen! Also ist Ihr Verstand und Ihr Herz zugleich belohnet worden? Und Sie machen mir auch Hoffnung, glücklicher Freund, Sie auf den Sommer zu sehn, wenn Sie in das Carlsbad gehn? Das wäre eine neue Wohlthat für mich! Aber, wenn ich nun nicht ins Carlsbad komme, woran ich zweifeln muß? Sollte Sie der Weg über Leipzig tragen, oder hoffe ich zu viel? Nach so vielen angenehmen Vorstellungen mag ich nicht an das Journal étranger denken, das Sie in Ihrem Briefe halten: Ich habe es gewagt, Sie nachzuahmen, und erst durch die Nachahmung empfunden, daß Sie unnachahmbar sind. Doch ich dachte, ein Schüler dürfe unter seinem Lehrer bleiben, und ich hielt es gewissermaßen für eine Pflicht, auch der Religion zu Ehren zu singen.

Mein Kodrus ist noch nicht fertig, das haben Sie in Ihrem Briefe errathen. Daß ich ein Schäfer war, haben Sie in so weit auch errathen; denn gerade an dem Tage, an dem ich Ihren Brief bekam, stellte ich den Damöt in Ihrer Sylvia vor. Aber mich für verliebt zu halten, weil ich im Schreiben nachlässig bin? Da haben Sie in der That einen falschen Schluß gemacht.

Wenn ich doch nur bald wieder so glücklich wäre, Sie zu sehen! Vielleicht geschieht es auf künftige Michaelmesse; vielleicht auf Ostern im künftigen Jahre. Ich kann nichts bestimmen. Ich bin auf doppelte Weise ein Sklav; als ein Jurist und als ein Hofmann. Behalten Sie mich in der Entfernung lieb. Diesen Sommer, ja diesen Sommer will ich Ihnen recht fleißig schreiben. Ich habe mein kleines Tibur zum ordentlichen Wohnhause eingerichtet. Da will ich im Sommer residiren und Trauerspiele schreiben, die besser seyn sollen, als Kodrus, wenn es anders nicht beym bloßen Vorsatze bleibt; denn ich habe ihn schon oft gehabt, und niemals ausgeführet. Und wenn ich auch keine Trauerspiele schreibe, so will ich doch meinen Freunden fleißig schreiben. Sie werden müde werden, meinen langen Brief zu lesen. Leben Sie recht wohl. Ich werde allezeit stolz, wenn ich einen Brief an Sie schließe. Der Titel eines Freundes ist eine Schmeicheley, die ich mir selber mache. Man kann mir keinen Titel geben, der größer wäre. Ich umarme Sie tausendmal in Gedanken, und bin

Ihr Verehrer, Ihr Freund,
Cronegk.

105.

L. d. 3. Juni 1758.

Endlich schicke ich Ihnen die so lange zurück gehaltenen Lieder; denn wie kann ich die Bitten Ihres so nachdrücklichen und herzlichen Briefs besser beantworten? Ich schicke sie Ihnen unter der ersten Bedingung; das versteht sich; und Sie sind zu sehr mein Freund, als daß Sie wider meine Absichten handeln sollten. Im Vertrauen geredt, bin ich nicht ganz zufrieden mit Ihnen. Vor etlichen Monaten gingen ein paar Candidaten aus Berlin hier durch. Sie versicherten mich ziemlich dreist, daß ich Lieder gemacht hätte. Vermuthlich war bey Herr Sacken davon gesprochen worden. Ich leugnete die Sache so, daß ich sagte; ich hätte einige wenige Stücke, die aber deswegen keine Lieder wären, sondern biblische Betrachtungen. Kurz sie mußten nicht Recht haben. In der That sehe ich auch, daß wenn ich die Poesien, von denen die Rede ist, jemals will drucken lassen, ich ihnen den Titel: Geistliche Oden und Lieder geben muß, weil sie nicht alle Lieder im engen Verstande sind. Aus diesem Gesichtspunkte, liebster Borchward, werden Sie viele in der jetzigen Sammlung beurtheilen müssen; und beurtheilen sollen Sie, eben so aufrichtig und strenge, als Sie bey den ersten gethan haben. Wo die Titel nicht adäquat oder deutlich genug sind, da haben Sie völlige Macht, andere an ihre Stelle zu setzen. Ich habe hin und wieder Melodeyen beygefügt, nach welchen die Lieder können gesungen werden, oft habe ich sie weggelassen; weil sie mir nicht gleich einfallen wollten; allein viele, wenn sie sollten gesungen werden, müßten ihre Harmonie erst von der Hand eines geschickten Componisten erhalten. Diesen Dienst hoffe ich leicht zu erhalten, wenn es seyn müßte. Aber itzt, liebster Freund, denke ich noch an keine Ausgabe. Ich habe die Critiken

meiner Freunde noch nicht beysammen. Ich habe noch wenig
Verbesserungen gemacht. Ich bin noch nicht überzeugt, daß die
kleinen Werke schön genug sind. Ich habe noch keine Wahl getroffen, in was für einer Ordnung sie zu stehn kommen sollen.
Ich bin noch nicht eins, welche ich weglassen will; denn alle
werde ich sie doch nicht drucken lassen. Sie erhalten jetzt sechs
und zwanzig Stücke, die ersten betrugen ein und dreyßig. Mache
ich noch drey oder viere, so habe ich eine Zahl von sechszig.
Unter sechszig können zehn leicht zurück bleiben müssen, und mit
funfzig wollte ich auch gern zufrieden seyn, wenn sie sonst gut
wären. Mit meinem Namen bin ich noch sehr uneins, Gott
weiß es, daß ich ihn jetzt nicht würde vorsetzen, und dieß aus
guten Absichten, wofern ich wüßte, daß ich verborgen seyn könnte.
Aber leider scheint das letzte unmöglich zu seyn. Ich würde ge-
schwinder an die Herausgabe denken, wenn kein Mensch wüßte,
daß ich Lieder gemacht hätte. Ich würde mich erfreuen, wenn
sie die Absicht der Erbauung beförderten, und glauben, daß ich
was Gutes gethan hätte. Aber nunmehr, da ich schon in der
Rede bin, fällt ein großes Verdienst auf meiner Seite weg. Es
wird mir und andern vorkommen, daß ich als Autor, aus Begierde des Namens, geistlich gedichtet habe. Elender Gedanke!
Meine Freunde sagen: mein Name wird tausend Leute reizen,
die Lieder zu lesen, die sie sonst nicht würden gelesen haben.
Das glaube ich ohne Eitelkeit selbst. Aber können nicht auch
tausend Leute sagen: Warum war der Mann nicht so bescheiden,
und hielt seinen Namen zurück? Will er durch Lobsprüche belohnet seyn? — Es bleibt doch nicht verborgen. Man kennet
Ihre Schreibart. Man wird sagen: Sie schämten sich der geistlichen Lieder, aber nicht Ihrer Fabeln und Erzählungen; oder
Sie wüßten es schon, daß es die Leute wüßten, und daß es nicht
verborgen bleiben könnte; drum hätten Sie sich verborgen halten
wollen, mit aller Kunst einer stolzen Demuth. — Rathen Sie

mir, theuerster Freund, und behalten Sie die Sachen nicht länger, als vierzehn Tage. Ich will sie gern Herrn Gärtnern schicken, der sie noch nicht gesehen hat. Wo Ihnen ein Stück durchaus nicht gefällt: so merken Sie es dreist an, und ziehn Sie Ihre liebe fromme Frau dabey sorgfältig zu Rathe, der ich mich bestens empfehle. Leben Sie wohl. Ich bin der Ihrige

G.

---

106. (57.)

L. d. 30. Juni 1756.

Theuerster Freund,

Der König hat mir sechzig Thaler Accisgeld auszahlen lassen, und gleichwohl kennt mich der König nicht. Bey wem soll ich mich nun bedanken? Bey dem Könige, der mich nicht kennt? Bey dem Minister, der mich auch nicht kennt? oder bey dem Accisrathe **, der mich kennt? Ich dächte, bey dem letzten. In der That bin ich eben nicht geizig, und doch freue ich mich über meine sechzig Thaler erstaunend. Die Ursache davon hat lange vor mir ein Frauenzimmer bey dem Terenz gesagt: gratum est donum, non tam per se, quam quod abs te datum est. Dieses Compliment war bey dem Mädchen eine listige Galanterie, und bey mir wird es der wahreste und freundschaftlichste Dank. Endlich schickt es sich für einen Professor ganz hübsch, daß er sich lateinisch oder griechisch bey seinem Gönner oder Freunde bedanket. Wie gut ist es doch, lieber Herr **, wenn man Zuhörer hat, die bald an das Steuerruder kommen! (ich nehme das Wort Steuer hier im Rabnerischen Verstande) Hätten Sie bey mir kein Collegium über den Styl gehöret: so würden Sie zwar vortrefflich haben schreiben lernen, ich aber

würde durch allen meinen Styl, durch alle Wendungen, die ich
meinem Memoriale gegeben, das Acciscollegium nicht bewegt
haben, mir sechzig Thaler zu geben, die ich aus Bescheidenheit
und aus Liebe für das Publicum sechs Jahre später gefodert,
als ich gesollt. Es wäre die größte Undankbarkeit, wenn ich
künftig von Ihrem Sohne (schieben Sie Ihre Vermählung ja
nicht lange auf, ich werde alt) das Honorarium für die Rhe=
torik annehmen wollte. Nein, lieber Herr ** und ehemaliger
theuerster Zuhörer, Sie haben dadurch, daß Sie mir den Befehl
ausgewirket, für alle Ihre Nachkommen bezahlet, und es wird
mein Lebensbeschreiber bey dem Jahre 1756 folgende rühmliche
Anecdote gewiß einrücken lassen:

„Als unser Autor theils aus Bescheidenheit, theils aus Nach=
lässigkeit das gewöhnliche Accisgeld sich zu erbitten, sechs Jahre
unterlassen hatte; so schlug mans ihm das erstemal ab, weil
man seinen Namen in Dresden nicht kannte. Als er das andre=
mal anhielt, behauptete einer bey dem Collegio, daß dieser Mann
fast eine Tonne Golds, wie er gehört, in Vermögen haben, und
wegen gemachten Unterschleifs bey der Accise verdächtig seyn
sollte, bis endlich zum Glücke der Accisrath **, der damals nicht
zugegen gewesen, in das Collegium trat, und seinen Collegen
eröffnete, wer der Mann wäre."

Schöne Anecdote! über der ich meine Danksagung vergessen
habe; doch sie selbst ist ja der künftige Dank. —

Also sind Sie mein Zuhörer, mein Freund, mein Gönner,
meine Verdienste, mein Ruhm, alles dieß in verschiedenen Ge=
sichtspunkten? Ja wohl, Sie sind mir Minister, Befehl und
König gewesen. Mit welcher Freundschaft, Liebe, Ehrerbietung,
Unterwerfung und allertiefster Devotion zugleich, muß ich nicht
zeitlebens verharren und darinne ersterben 2c.

G.

107. (35.)

An den Grafen Moritz v. Brühl.

L. d. 12. Nov. 1756.

Liebster Graf,

O wie lange habe ich Ihnen nicht geschrieben! wie lange haben Sie mir nicht geschrieben, und wie traurig sieht es seit unsrer unterbrochnen Correspondenz in unserm Vaterlande aus! Erwarten Sie keine Beschreibung unsers tragischen Zustandes von mir. Er ist, denke ich, der ganzen Welt bekannt. Wir sind tief gefallen, liebster Moritz, und ich weine über unser Schicksal, und sehe auf die Hand, die allein auch die allgemeinen Schicksale der Sterblichen lenkt, strafend und gütig. Nunmehr werden Sie Sachsen nicht so bald sehen mögen, und ich werde Sie nicht so bald zu sehen wünschen; denn sollen Sie ein Zuschauer unsers Elends seyn?

Ich bin von allen Seiten beängstiget. Schon einige Monate vor Michaelis ließ ich mich gezwungen in eine Autorarbeit ein, wie Sie aus der Beylage sehen werden; und erst gestern ist meine Arbeit, aber nicht meine Sorge, geendiget. Hier haben Sie also meine vermischte Schriften. Lesen Sie erst die Vorrede, liebster Graf, ehe Sie das Werk lesen, und so bald Sie es gelesen haben, so schreiben Sie mir Ihr Urtheil. Ich bin von allen Seiten geängstiget, habe ich vorhergesagt. Ueber die allgemeine Noth habe ich eine im Hause. — — — — Aber was quäle ich Sie mit der Erzählung meiner Noth? Um etwas zu thun, daß ich weniger trauriger werde, so will ich diesen Winter meine geistlichen Oden und Lieder ausbessern, und sie gegen Ostern unter diesem Titel herausgeben. Gott segne diese Arbeit! so thue ich gewiß etwas nützliches, das mich am Ende meines Lebens mehr erfreuen wird, als alle meine übrigen

würde durch·allen meinen Styl, durch alle Wendungen, die ich
meinem Memoriale gegeben, das Acciscollegium nicht bewegt
haben, mir sechzig Thaler zu geben, die ich aus·Bescheidenheit
und aus Liebe für das Publicum sechs Jahre später gefodert,
als ich gesollt. Es wäre die größte Undankbarkeit, wenn ich
künftig von Ihrem Sohne (schieben Sie Ihre Vermählung ja
nicht lange auf, ich werde alt) das Honorarium für die Rhetorik annehmen wollte. Nein, lieber Herr ·· und ehemaliger
theuerster Zuhörer, Sie haben dadurch, daß Sie mir den Befehl
ausgewirket, für alle Ihre Nachkommen bezahlet, und es wird
mein Lebensbeschreiber bey dem Jahre 1756 folgende rühmliche
Anecdote gewiß einrücken lassen:

„Als unser Autor theils aus Bescheidenheit, theils aus Nachläßigkeit das gewöhnliche Accisgeld sich zu erbitten, sechs Jahre
unterlassen hatte; so schlug mans ihm das erstemal ab, weil
man seinen Namen in Dresden nicht kannte. Als er das andere-
mal anhielt, behauptete einer bey dem Collegio, daß dieser Mann
fast eine Tonne Golds, wie er gehört, in Vermögen haben, und
wegen gemachten Unterschleifs bey der Accise verdächtig seyn
sollte, bis endlich zum Glücke der Accisrath ·· der damals nicht
zugegen gewesen, in das Collegium trat, und seinen Collegen
eröffnete, wer der Mann wäre.“

Schöne Anecdote! über der ich meine Danksagung vergessen
habe; doch sie selbst ist ja der künftige Dank. —

Also sind Sie mein Zuhörer, mein Freund, mein Gönner,
meine Verdienste, mein Ruhm, alles dieß in verschiedenen Gesichtspunkten? Ja wohl, Sie sind mir Minister, Befehl und
König gewesen. Mit welcher Freundschaft, Liebe, Ehrerbietung,
Unterwerfung und allertiefster Devotion zugleich, muß ich nicht
zeitlebens verharren und darinne ersterben ꝛc.

G.

licher Dichter ist! "Ich stelle Sie allen jungen Herrn zum Beyspiele auf, die nur für den Parnaß und nicht für die Welt
zugleich stubiren wollen.

Die Last meines Vaterlandes liegt wenigstens durch Mitleiden auf mir. Ach liebster Baron — —! Dennoch, da ich
dieses halbe Jahr etliche Collegia weniger habe, bin ich entschlossen, gegen Ostern meine geistlichen Oden und Lieder heraus
zu geben, und sie binnen der Zeit auszubessern. Gott gebe, daß
ichs aus gutem redlichen Herzen thue, wenn ich sie dem Drucke
überlasse. Sylvia, ja ich glaube es. Aber die Betschwester in
Berlin ist weit mehr Uebersetzung. — Der Chevalier b' Arcq
will gern gute Recensionen haben. O schicken Sie doch ihm oder
gleich Wächtern etwas. Meine Freunde haben mich unter den
öffentlichen Unruhen mit ihrem Beystande verlassen. Ich bitte
nicht für das Journal étranger als Journal, sondern für mein
Vaterland, damit nicht schlechte Werke noch schlechter recensirt
werden. Empfehlen Sie mich Ihrer gn. Fr. Mutter, Ihrem
gn. Hrn. Vater, und grüssen Sie die Mitarbeiter des Freundes, eines guten und nützlichen Wochenblattes, lieben Sie mich
und leben Sie wohl. Ich bin ewig der Ihrige

Gellert.

109.

Gellert an seine Schwester.

L. b. 15. Nov. 1756.

Hier folgen ein Paar Exemplare meiner vermischten Schriften,
leset die Vorrede, wenn Ihr wissen wollet, wie es damit zuge-
gangen ist. Ich habe 150 Thaler dafür bekommen, und es ist

sehr billig, daß ich der Mama davon ein Paar Thaler zu Hölfe
schicke. Ein Exemplar folgt für den Mittelsten*). Es kostet
16 gr. Dieses Geld gebt an ein Paar Arme, ohne mich zu
nennen. Ich habe gestern meine Andacht gehabt und zugleich
einen sehr trüben Tag; aber heute, Gott sey Dank!, bin ich heiter.

Den Herrn Bruder grüsse ich herzlich. Ich weis ihm wegen
G** l jetzt keine weitere Nachricht zu geben, als ich ihm in
dem letzten Briefe gegeben. Ich will es noch einmal mit ihm
versuchen, ob ich gleich sehr wenig Hoffnung habe. Aber genug,
ich will es thun, um alles in der Welt gethan zu haben. Mich
dauert der arme Vater, so oft ich an ihn denke. Gienge es
denn nicht an, daß er in ein Amt als Schreiber gethan würde,
wo ihm der Actuarius auf der Seite säße, und ihm das gäbe,
was er thun müßte. Ein Schreiber ist ein nothwendiger Mensch
und unendlich besser, als ein verdorbner Student.

Lebt wohl. Gott erhalte die liebe Mama und euch alle
gesund und wohl.

G.

_____

110.
An den Freiherrn von Cranffen.

L. d. 17. Nov. 1756.

Hochgebohrner Freyherr,
Gnädiger Herr Geheimbe Rath!

So sehr ichs auch seit vielen Jahren gewünschet habe, Sie
als meinen Gönner und theuersten Freund, von Person kennen

*) (So bezeichnet G. öfter seinen ältern Bruder Christlieb Ehregott,
geb. d. 11. Aug. 1713, gest. als Bergrath zu Freyberg d.
18. Mai 1795. Der älteste der drei Brüder war Friedrich
Albrecht, geb. d. 11. Nov. 1711, gest. d. 13. Dec. 1769
als Oberpostcommissair zu Leipzig.)

zu lernen, und so viel mir auch einer Ihrer letzten Briefe Hof=
nung zu diesem Glücke gemacht: so habe ich doch diese Hofnung
nie ganz fassen können, vielleicht deswegen, weil mich die Erfah=
rung nur zu oft gelehret, daß meine liebsten Wünsche unerfüllt
geblieben sind.   Ihr letzter Brief spricht für diese traurige Er=
fahrung. Ich soll in diesem Jahre das Glück noch nicht haben,
Sie zu sehen und Ihnen mündlich zu sagen, wie sehr ich Sie
verehre und liebe! Und wenn werde ich dieses Vergnügen denn
erleben? Vielleicht niemals! Nun so muß ich destomehr fort=
fahren einen Mann schriftlich zu genießen, den ich persönlich nicht
genießen soll, und aus Verlangen einer nähern Bekanntschaft das
Vergnügen des Umgangs in Gedanken nicht versäumen.   Sie
haben abermals, theuerster Herr, meiner Mutter die bestimmte
Pension auszahlen lassen, und diese wird Ihnen vielleicht zu eben
der Zeit, da ich dieses schreibe, den Dank im Herzen abstatten,
den sie Ihnen zeitlebens vor so vielen andern Großen, die nie
an sie gedacht haben, schuldig ist, und den sie gewiß noch in das
andere Leben fortsetzen wird.   Sie hat Geschwulst seit einigen
Monathen bekommen, und ich fürchte ihr nahes Ende.   So sehr
mich aber ihr Tod bey der ersten Nachricht betrüben dürfte, weil
ich sie zärtlich liebe: so hoffe ich doch meinen Schmerz bald durch
den Gedanken zu besiegen, daß sie glücklich gestorben, und nur
vor mir hergegangen ist. — Ich soll Ihnen die bewußten Ma=
nuscripte zurück schicken? Aber verzeihen Sie mir, Theuerster
Herr und Freund, ich habe sie nicht. Sie haben mir selbst ein=
mal das Recht ertheilet, sie zu behalten.   Den größten Theil
davon besitzet der junge Graf Moritz von Brühl, der vor etlichen
Jahren hier unter meiner Anführung studiret hat, und jetzt in
Paris bey der Sächsischen Gesandschaft sich aufhält. Kömmt er
bald zurück, so weis ich, daß kein Blatt von dem, was er hat,
verlohren ist. Einen Theil, wo ich nicht sehr irre, habe ich schon
vor langer Zeit dem Herrn von Reck auf sein oder Ihr Ver=

langen zugeschickt. Ich will mit nächster Gelegenheit an den Grafen nach Paris schreiben.

Jetzt bitte tausendmal um Vergebung und küsse der Frau Gemahlin mit größter Ehrerbietung die Hand; der ich zeitlebens das Vergnügen habe zu seyn

Ewr. Hochgebohren

gehorsamster und ergebenster
Diener und Freund
C. F. Gellert.

---

111. *)
An den Grafen von Brühl.

[L. aus der ersten Hälfte des J. 1756.]

Ich wage es Ew. Excellenz eine Nachricht zu ertheilen, ohne einen Beruf dazu zu haben. Allein wenn ich auch einen Fehler begehe, so sind Sie doch viel zu gnädig, als daß Sie mir einen Fehler, der aus einer guten Absicht herfließt, nicht vergeben sollten. Der Minister von Münchhausen sucht vom neuen den hiesigen Prof. Ernesti nach Göttingen zu ziehen. Man bietet ihm die Kanzlerstelle an, man verspricht ihm ungefähr 2000 Rthlr. und, wo ich nicht irre, auch die Doctorwürde in der Theologie. Ich stehe mit diesem Manne in keiner Verbin-

*) (Hesperus, 1825. No. 267. — An den Minister von Brühl. — J. A. Ernesti erhielt das durch den Tod des Prof. Kapp erledigte ordentliche Lehramt der Beredsamkeit, und disputirte pro loco in der philos. Facultät d. 24. Juli 1756. Doctor der Theologie ward er d. 21. Det. desselben Jahrs. S. die Neuen Zeitungen von Gelehrten Sachen, Leipz. 1756.)

bung, und ich gewönne vielleicht für meine Perſon, wenn er
wegginge. Allein aus Liebe zur Wahrheit und aus Achtung für
unſre Akademie muß ich geſtehen, daß wir einen der gelehrteſten,
brauchbarſten und fleißigſten Männer verlieren würden, wenn er
weggehen ſollte. Genie, Wiſſenſchaft, Arbeitſamkeit, ein belebter
Vortrag, eine ſchöne und ſehr benkende Schreibart, eine große
Kenntniß der alten Sprachen und Werke ſind ſeltene Eigenſchaften eines Gelehrten. Dieſer Mann hat vor einigen Jahren
Doctor der Theologie werden wollen und man hat es ihm abge-
ſchlagen. Nunmehr bietet ihm eine fremde Akademie die erſte
und vornehmſte Stelle an. Darf ich frey reden, gnädigſter Graf
und Herr, laſſen Sie lieber ſechs ſolche Leute, wie ich und meines Gleichen aus dem Lande gehen, als einen Erneſti. Einen
Mann, der zwey- bis dreyhundert Studenten zu Zuhörern hat,
wenn er über einen lateiniſchen Autor lateiniſch lieſet, bey dem
das Aubitorium zu enge iſt, wenn er über das Neue Teſtament
commentirt, das iſt vielleicht ſeit dem Melanchthon in Wittenberg und dem Camerarius in Leipzig, nicht erhört. Möchte
ich doch jetzt ein großer Mann ſeyn, damit Ew. Excellenz meinen
Worten trauen könnten. Doch es werden beſſere Zeugen da ſeyn,
nach deren Ausſage Sie, gnädigſter Graf und Beſchützer der
Wiſſenſchaften, unſrer Akademie die größte Wohlthat erweiſen
werden, wenn Sie den Prof. Erneſti nicht von uns laſſen.
Ich glaube, wenn er die Anweiſung auf eine theologiſche Pro-
feſſur oder auf die Kappiſche, wozu er ſich auch vortrefflich
ſchickt, erhielte, daß Göttingen uns ihn nicht nehmen ſollte.
Gebauer, Gesner, Käſtner und endlich Erneſti — das
wäre zu viel.

Ich fühle am Ende meines Briefes erſt die Verwegenheit,
die ich begangen habe. Allein, da ich mir bey derſelben keines
Eigennutzes, keiner Partheylichkeit bewußt bin, da ich bloß aus

meiner Freunde noch nicht beysammen. Ich habe noch wenig
Verbesserungen gemacht. Ich bin noch nicht überzeugt, daß die
kleinen Werke schön genug sind. Ich habe noch keine Wahl getroffen, in was für einer Ordnung sie zu stehn kommen sollen.
Ich bin noch nicht eins, welche ich weglassen will; denn alle
werde ich sie doch nicht drucken lassen. Sie erhalten jetzt sechs
und zwanzig Stücke, die ersten betrugen ein und dreyßig. Mache
ich noch drey oder viere, so habe ich eine Zahl von sechszig.
Unter sechszig können zehn leicht zurück bleiben müssen, und mit
funfzig wollte ich auch gern zufrieden seyn, wenn sie sonst gut
wären. Mit meinem Namen bin ich noch sehr uneins, Gott
weiß es, daß ich ihn jetzt nicht würde vorsetzen, und dieß aus
guten Absichten, wofern ich wüßte, daß ich verborgen seyn könnte.
Aber leider scheint das letzte unmöglich zu seyn. Ich würde ge-
schwinder an die Herausgabe denken, wenn kein Mensch wüßte,
daß ich Lieder gemacht hätte. Ich würde mich erfreuen, wenn
sie die Absicht der Erbauung beförderten, und glauben, daß ich
was Gutes gethan hätte. Aber nunmehr, da ich schon in der
Rede bin, fällt ein großes Verdienst auf meiner Seite weg. Es
wird mir und andern vorkommen, daß ich als Autor, aus Begierde des Namens, geistlich gedichtet habe. Elender Gedanke!
Meine Freunde sagen: mein Name wird tausend Leute reizen,
die Lieder zu lesen, die sie sonst nicht würden gelesen haben.
Das glaube ich ohne Eitelkeit selbst. Aber können nicht auch
tausend Leute sagen: Warum war der Mann nicht so bescheiden,
und hielt seinen Namen zurück? Will er durch Lobsprüche belohnet seyn? — Es bleibt doch nicht verborgen. Man kennet
Ihre Schreibart. Man wird sagen: Sie schämten sich der geistlichen Lieder, aber nicht Ihrer Fabeln und Erzählungen; oder
Sie wüßten es schon, daß es die Leute wüßten, und daß es nicht
verborgen bleiben könnte; drum hätten Sie sich verborgen halten
wollen, mit aller Kunst einer stolzen Demuth. — Rathen Sie

mir, theuerster Freund, und behalten Sie die Sachen nicht länger, als vierzehn Tage. Ich will sie gern Herrn Gärtnern schicken, der sie noch nicht gesehen hat. Wo Ihnen ein Stück durchaus nicht gefällt: so merken Sie es dreist an, und ziehn Sie Ihre liebe fromme Frau dabey sorgfältig zu Rathe, der ich mich bestens empfehle. Leben Sie wohl. Ich bin der Ihrige

G.

---

106. (57.)

Lz. d. 30. Juni 1756.

Theuerster Freund,

Der König hat mir sechzig Thaler Accisgeld auszahlen lassen, und gleichwohl kennt mich der König nicht. Bey wem soll ich mich nun bedanken? Bey dem Könige, der mich nicht kennt? Bey dem Minister, der mich auch nicht kennt? oder bey dem Accisrathe **, der mich kennt? Ich dächte, bey dem letzten. In der That bin ich eben nicht geizig, und doch freue ich mich über meine sechzig Thaler erstaunend. Die Ursache davon hat lange vor mir ein Frauenzimmer bey dem Terenz gesagt: gratum est donum, non tam per se, quam quod abs te datum est. Dieses Compliment war bey dem Mädchen eine listige Galanterie, und bey mir wird es der wahreste und freundschaftlichste Dank. Endlich schickt es sich für einen Professor ganz hübsch, daß er sich lateinisch oder griechisch bey seinem Gönner oder Freunde bedanket. Wie gut ist es doch, lieber Herr **, wenn man Zuhörer hat, die bald an das Steuerruder kommen! (ich nehme das Wort Steuer hier im Rabnerischen Verstande) Hätten Sie bey mir kein Collegium über den Styl gehöret: so würden Sie zwar vortrefflich haben schreiben lernen, ich aber würde durch allen meinen Styl, durch alle Wendungen, die ich meinem Memoriale gegeben, das Acciscollegium nicht bewegt haben, mir sechzig Thaler zu geben, die ich aus Bescheidenheit und aus Liebe für das Publicum sechs Jahre später gefodert, als ich gesollt. Es wäre die größte Undankbarkeit, wenn ich künftig von Ihrem Sohne (schieben Sie Ihre Vermählung ja nicht lange auf, ich werde alt) das Honorarium für die Rhetorik annehmen wollte. Nein, lieber Herr ** und ehemaliger theuerster Zuhörer, Sie haben dadurch, daß Sie mir den Befehl ausgewirket, für alle Ihre Nachkommen bezahlet, und es wird mein Lebensbeschreiber bey dem Jahre 1756 folgende rühmliche Anecdote gewiß einrücken lassen:

„Als unser Autor theils aus Bescheidenheit, theils aus Nachlässigkeit das gewöhnliche Accisgeld sich zu erbitten, sechs Jahre unterlassen hatte; so schlug mans ihm das erstemal ab, weil man seinen Namen in Dresden nicht kannte. Als er das andremal anhielt, behauptete einer bey dem Collegio, daß dieser Mann fast eine Tonne Golds, wie er gehört, in Vermögen haben, und wegen gemachten Unterschleifs bey der Accise verdächtig seyn sollte, bis endlich zum Glücke der Accisrath **, der damals nicht zugegen gewesen, in das Collegium trat, und seinen Collegen eröffnete, wer der Mann wäre."

Schöne Anecdote! über der ich meine Danksagung vergessen habe; doch sie selbst ist ja der künftige Dank. —

Also sind Sie mein Zuhörer, mein Freund, mein Gönner, meine Verdienste, mein Ruhm, alles dieß in verschiedenen Gesichtspunkten? Ja wohl, Sie sind mir Minister, Befehl und König gewesen. Mit welcher Freundschaft, Liebe, Ehrerbietung, Unterwerfung und allertiefster Devotion zugleich, muß ich nicht zeitlebens verharren und darinne ersterben ꝛc.

G.

107. (35.)

An den Grafen Morik v. Brühl.

£. d. 12. Nov. 1756.

Liebster Graf,

O wie lange habe ich Ihnen nicht geschrieben! wie lange
haben Sie mir nicht geschrieben, und wie traurig sieht es seit
unsrer unterbrochnen Correspondenz in unserm Vaterlande aus!
Erwarten Sie keine Beschreibung unsers tragischen Zustandes
von mir. Er ist, denke ich, der ganzen Welt bekannt. Wir
sind tief gefallen, liebster Moritz, und ich weine über unser
Schicksal, und sehe auf die Hand, die allein auch die allgemeinen
Schicksale der Sterblichen lenkt, strafend und gütig. Nunmehr
werden Sie Sachsen nicht so bald sehen mögen, und ich werde
Sie nicht so bald zu sehen wünschen; denn sollen Sie ein Zu=
schauer unsers Elends seyn?

Ich bin von allen Seiten beängstiget. Schon einige Monate
vor Michaelis ließ ich mich gezwungen in eine Autorarbeit ein,
wie Sie aus der Beylage sehen werden; und erst gestern ist meine
Arbeit, aber nicht meine Sorge, geendiget. Hier haben Sie
also meine vermischte Schriften. Lesen Sie erst die Vor=
rede, liebster Graf, ehe Sie das Werk lesen, und so bald Sie
es gelesen haben, so schreiben Sie mir Ihr Urtheil. Ich bin
von allen Seiten geängstiget, habe ich vorhergesagt. Ueber die
allgemeine Noth habe ich eine im Hause. — — — —
Aber was quäle ich Sie mit der Erzählung meiner Noth? Um
etwas zu thun, daß ich weniger trauriger werde, so will ich
diesen Winter meine geistlichen Oden und Lieder ausbessern, und
sie gegen Ostern unter diesem Titel herausgeben. Gott segne
diese Arbeit! so thue ich gewiß etwas nützliches, das mich am
Ende meines Lebens mehr erfreuen wird, als alle meine übrigen

Arbeiten. Nun so leben Sie wohl und unaufhörlich glücklich. Dieß wünscht und gönnt Ihnen mein ganzes Herz.

G.

108.*)

An J. F. Freiherrn von Cronegk.

L. d. 15. Nov. 1756.

Liebster Herr Baron,

Nach meinem Gewissen zu urtheilen, so habe ich Ihnen vor langer Zeit und zwar durch Hrn. Weisen geantwortet. Allein es ist möglich, guter Croneck, daß ich mich irre, und in diesem Falle bitte ich tausendmal um Vergebung. Da ich zeither ein Autor, ein Autor aus Zwang gewesen bin: so habe ich eher Recht gehabt, einen Fehler der Correspondenz zu begehn, als zehn andre. Aber wo ist denn das große Werk, das Sie ediret haben, Herr Autor? Es liegt in der Weidmannischen Handlung gedruckt; und ich würde Ihnen gern ein Exemplar schicken, wenn das Porto nicht mehr als das Buch kostete. Indessen kränkt es mich, daß Sie nicht einer meiner ersten Leser seyn können, da Sie es doch seyn sollten; das Buch mag nun unter die guten oder bösen Bücher gehören. Lesen Sie ja die Vorrede, ehe Sie das Werk selbst lesen: Sie werden sonst nicht wissen, was Sie aus mir machen sollen. Ihr Oratorium hat Herr Doles. Eins von Ihren Liedern hat mir vortrefflich gefallen. Doles hat sie auch. Ihr Oratorium ist stellenweise außerordentlich schön für die Musik. — Ihren Cobrus erwarte ich, so auch Ihre neuangelegte Tragoedie. Wie schön ist es, daß der fleißige und geschickte Hofrath auch ein emsiger und glück-

*) (Aus dem Original, das sich in der Stadtbibliothek zu Leipzig befindet.)

licher Dichter ist! Ich stelle Sie allen jungen Herrn zum Beyspiele auf, die nur für den Parnaß und nicht für die Welt
zugleich studiren wollen.

Die Last meines Vaterlandes liegt wenigstens durch Mitleiden auf mir. Ach liebster Baron — —! Dennoch, da ich
dieses halbe Jahr etliche Collegia weniger habe, bin ich entschlossen, gegen Ostern meine geistlichen Oden und Lieder heraus
zu geben, und sie binnen der Zeit auszubessern. Gott gebe, daß
ichs aus gutem redlichen Herzen thue, wenn ich sie dem Drucke
überlasse. Sylvia, ja ich glaube es. Aber die Betschwester in
Berlin ist weit mehr Uebersetzung. — Der Chevalier d' Arcq
will gern gute Recensionen haben. O schicken Sie doch ihm oder
gleich Wächtlern etwas. Meine Freunde haben mich unter den
öffentlichen Unruhen mit ihrem Beystande verlassen. Ich bitte
nicht für das Journal étranger als Journal, sondern für mein
Vaterland, damit nicht schlechte Werke noch schlechter recensirt
werden. Empfehlen Sie mich Ihrer gn. Fr. Mutter, Ihrem
gn. Hrn. Vater, und grüssen Sie die Mitarbeiter des Freundes, eines guten und nützlichen Wochenblattes, lieben Sie mich
und leben Sie wohl. Ich bin ewig der Ihrige

$\qquad\qquad\qquad\qquad\qquad\qquad\qquad$ Gellert.

109.

Gellert an seine Schwester.

$\qquad\qquad\qquad\qquad\qquad$ L. d. 15. Nov. 1756.

Hier folgen ein Paar Exemplare meiner vermischten Schriften,
leset die Vorrede, wenn Ihr wissen wollet, wie es damit zuge-
gangen ist. Ich habe 150 Thaler dafür bekommen, und es ist

sehr billig, daß ich der Mama davon ein Paar Thaler zu Holze schicke. Ein Exemplar folgt für den Mittelsten*). Es kostet 16 gr. Dieses Geld gebt an ein Paar Arme, ohne mich zu nennen. Ich habe gestern meine Andacht gehabt und zugleich einen sehr trüben Tag; aber heute, Gott sey Dank! bin ich heitern.

Den Herrn Bruder grüsse ich herzlich. Ich weis ihm wegen G***l jetzt keine weitere Nachricht zu geben, als ich ihm in dem letzten Briefe gegeben. Ich will es noch einmal mit ihm versuchen, ob ich gleich sehr wenig Hoffnung habe. Aber genug, ich will es thun, um alles in der Welt gethan zu haben. Mich dauert der arme Vater, so oft ich an ihn denke. Gienge B denn nicht an, daß er in ein Amt als Schreiber gethan würde, wo ihm der Actuarius auf der Seite säße, und ihm das gäbe, was er thun müßte. Ein Schreiber ist ein nothwendiger Mensch und unendlich besser, als ein verdorbner Student.

Lebt wohl. Gott erhalte die liebe Mama und euch alle gesund und wohl.

G.

────────

110.

An den Freiherrn von Craussen.

L. d. 17. Nov. 1756.

Hochgebohrner Freyherr,
Gnädiger Herr Geheimde Rath!

So sehr ichs auch seit vielen Jahren gewünschet habe, Sie als meinen Gönner und theuersten Freund, von Person kennen

*) (So bezeichnet G. öfter seinen ältern Bruder Christlieb Ehregott, geb. d. 11. Aug. 1713, gest. als Bergrath zu Freyberg d. 18. Mai 1795. Der älteste der drei Brüder war Friedrich Albrecht, geb. d. 11. Nov. 1711, gest. d. 13. Dec. 1769 als Oberpostcommißair zu Leipzig.)

zu lernen, und so viel mir auch einer Ihrer letzten Briefe Hoff=
nung zu diesem Glücke gemacht: so habe ich doch diese Hofnung
nie ganz faſſen können, vielleicht deswegen, weil mich die Erfah=
rung nur zu oft gelehret, daß meine liebſten Wünsche unerfüllt
geblieben ſind. Ihr letzter Brief spricht für dieſe traurige Er=
fahrung. Ich ſoll in dieſem Jahre das Glück noch nicht haben,
Sie zu ſehen und Ihnen mündlich zu ſagen, wie ſehr ich Sie
verehre und liebe! Und wenn werde ich dieſes Vergnügen denn
erleben? Vielleicht niemals! Nun ſo muß ich deſtomehr fort=
fahren einen Mann ſchriftlich zu genießen, den ich perſönlich nicht
genießen ſoll, und aus Verlangen einer nähern Bekanntſchaft das
Vergnügen des Umgangs in Gedanken nicht verſäumen. Sie
haben abermals, theuerſter Herr, meiner Mutter die beſtimmte
Penſion auszahlen laſſen, und dieſe wird Ihnen vielleicht zu eben
der Zeit, da ich dieſes ſchreibe, den Dank im Herzen abſtatten,
den ſie Ihnen zeitlebens vor ſo vielen andern Großen, die nie
an ſie gedacht haben, ſchuldig iſt, und den ſie gewiß noch in das
andere Leben fortſetzen wird. Sie hat Geſchwulſt ſeit einigen
Monathen bekommen, und ich fürchte ihr nahes Ende. So ſehr
mich aber ihr Tod bey der erſten Nachricht betrüben dürfte, weil
ich ſie zärtlich liebe: ſo hoffe ich doch meinen Schmerz bald durch
den Gedanken zu beſiegen, daß ſie glücklich geſtorben, und nur
vor mir hergegangen iſt. — Ich ſoll Ihnen die bewuſten Ma=
nuſcripte zurück ſchicken? Aber verzeihen Sie mir, Theuerſter
Herr und Freund, ich habe ſie nicht. Sie haben mir ſelbſt ein=
mal das Recht ertheilet, ſie zu behalten. Den größten Theil
davon beſitzet der junge Graf Moritz von Brühl, der vor etlichen
Jahren hier unter meiner Anführung ſtudiret hat, und jetzt in
Paris bey der Sächſiſchen Geſandſchaft ſich aufhält. Kömmt er
bald zurück, ſo weis ich, daß kein Blatt von dem, was er hat,
verlohren iſt. Einen Theil, wo ich nicht ſehr irre, habe ich ſchon
vor langer Zeit dem Herrn von Reck auf ſein oder Ihr Ver=

Hofes; nur der Pöbel und die traurigen Pedanten in Rom, spra=
chen Latein. Also ist die Sprache fest gestellet, in welcher der
König mit mir reden will. Ich erwarte täglich seine Befehle,
durch wen endlich diese Vorstellung geschehen soll.

Wie freue ich mich, mit dem Könige zu reden? Wie viele
gelehrte und witzige Brandenburger, so gelehrt und witzig als
Voltaire und Baumelle, wenigstens treuer und dankbarer als
Voltaire und Baumelle, will ich ihm nennen, die Er und seine
Franzosen nicht kennen.

Ich bin durchaus muthig, wenn es mir einfällt daß ich zum
Besten meiner Muttersprache dem tapfersten und noch nicht über=
wundenen Könige dieser Zeit, (ach wäre dieser König nur nicht
unser Feind!) den deutschen Witz predigen soll. [Aber ich weiß
es schon, ich predige den Brandenburgern eine Aergerniß, und
den Franzosen eine Thorheit.] Nun werden Sie es begreifen
können, lieber Gellert, wie es möglich ist, daß man hier glaubt
ich sey in Preußische Dienste getreten. Das muß ich Ihnen noch
sagen, daß vor einem Jahre schon der König den Einfall in
Potsdam geäussert hat, mich in seine Dienste zu ziehen, daß
vielleicht bey seinem Hofstaate auch hier davon gesprochen wor=
den ist, und daß viele von den Preußen gewiß glauben, er werde
mir noch seine Dienste antragen. Ich glaube es nicht, ich wün=
sche es auch nicht, denn je gnädiger er dabey wäre, je verlegener
würde ich seyn, meinen Entschluß zu erklären, ohne ihn zu belei=
digen. Im Ernste wünschte ich mit dem Könige zu sprechen,
und ausser meinem besten Könige, ist es von allen Königen nur
dieser, und einer noch, die ich zu sprechen wünschte. Aber wann
mir auch einfällt, wie man hier schon itzt davon urtheilet, und
was für einen nachtheiligen Eindruck es in künftigen Zeiten wi=
der mich machen könne: so vergesse ich meine Wünsche, und
werde stumm, um nichts bitteres von dieser argwöhnischen Den=
kungsart zu sagen.

Küssen Sie mich, guter Gellert, küssen Sie Ihren freund=
schaftlichen Plauderer tausendmal; denn das schmeichele ich mir,
daß Sie weder an den Obristen Mannstein, noch an Ihre Hypo=
chondrie die ganze Zeit über gedacht haben, als Sie diesen mei=
nen langen Brief gelesen.

Noch etwas und zwar etwas sehr lustiges; können Sie sich
wohl vorstellen, daß unser G[leim] den unerwarteten Einfall hat,
eine Geschichte des gegenwärtigen Krieges, und die neuen Siege
seines Königes zu schreiben? G[leim], der Menschenfreund, der
Freund der Freuden und des Weins, unternimmt aus freyem
Willen, einen blutigen Krieg, und die traurige Zerstörung so
vieler tausend Menschen, die auch trinken und scherzen und küs=
sen können, zu beschreiben. Durch seinen und meinen Freund,
den Herrn E* habe ich ihm sagen lassen, daß ich ihm diesen
grausamen Witz unter keiner Bedingung verzeihen würde, als
unter dieser, daß er den ganzen traurigen Krieg in anakreonti=
schen Versen beschreibe, und seine Mordgeschichte anstatt der Ca=
pitel in Trinklieder eintheile.

Sagen Sie mir, mein Freund, woher kommt es, daß Könige
so gern Dichter zu ihren Herolden haben? Boileau, Racine,
Voltaire, drey Dichter; und unser G[leim], der taumelnde G[leim],
die sollen für die Nachwelt Zeugen seyn; Zeugen in Sachen, die
sie selbst nicht glaubten, vor denen sie selbst erzitterten!

Warum verlangen die Könige nicht mich zu ihrem Herolde?
Aber vielleicht fürchten sie sich, daß die historische Lobschrift ihrer
unsterblichen Thaten der fünfte Theil zu meinen Satiren werden
möchte. Leben Sie wohl, mein stiller, friedfertiger, mein bester
Gellert ꝛc.

Rabener.

115.[*)

Gellert an Rabener.

[L. Jan. 1757.]

Mein bester Freund!

— — Pension? guter Rabener, nein, es wird mir keine ausgezahlet; ich habe auch ohne die geringste Unruhe, meine Quittung, die mir von Meißen zurück geschickt wurde, in mein Pult gelegt; das kränkt mich nicht, ob es mich gleich nicht erfreuen kann.

Könnte ich meinem Vaterlande den Frieden, und bessere Zeiten durch den Verlust von hundert Thalern jährlich erkaufen, ich, der ich, so bald ich nicht mehr arbeiten kann, auch nichts mehr habe; o, mit Freuden!

B** hat mir durch C** **) den Antrag thun lassen, ob ich mich zur Erziehung des Kronprinzen wollte brauchen lassen? Aber mein liebster Freund, so lange ich nicht wegen meiner nothdürftigen Erhaltung gedrungen bin, mein Vaterland zu verlassen, so will ich glauben, daß ich eine Pflicht habe, auch in einem unglücklichen Vaterlande zu leben; so denken Sie auch; ja denken Sie ewig so, wenn es möglich ist. Sachsen verlieret (dieß kann und muß ich sagen) zu viel mit Ihnen; einen Mann für Geschäffte, für den Staat, einen Autor! Sie müssen unser bleiben.

Bey mir hat es wenig Gefahr. Halb krank, an die Stube gewöhnt, wahrscheinlicher Weise nicht lange mehr zu leben bestimmt, nur für einige junge Leute gut! O, ich kann bleiben wo ich bin, und mein Wunsch ist die Einsamkeit, das Land und noch ein gutes moralisches Buch nach meinem Tode.

Sie ehren mich, wie ichs verdiene, wenn Sie dem Prinz Heinrich sagen, daß ich Ihr ältester und bester Freund bin; und ich würde Ihm zu meinem Ansehen eben das gesagt haben.

*) (S. die Anmerkung zum vorigen Briefe.)

**) (Bernstorff durch Cramer; vgl. No. 117.)

Ja, daß Sie, Gärtner, Schlegel, Cramer, Giseke meine
Freunde gewesen, dieses sehe ich als meine Glückseligkeit des Le=
bens an; dieses soll mir bey der Nachwelt so gewiß Ehre, Be=
weis meines guten Herzens, Sicherheit meines Geschmacks seyn,
als es Racinen Ehre ist, daß Boileau und Moliere seine Freunde
gewesen. Unsere Periode, die itzige, wird in der Literatur der
Deutschen nicht weniger merkwürdig seyn, als es der Zeitpunkt
des Boileau im Französischen ist.

Gehen Sie immer zum Könige, Er soll Sie sehen und be=
wundern; ich will es haben.

Ich verlange meine Pension nicht, aber Er soll Ihnen geben,
was Ihnen von Rechtswegen gehöret; Er soll bessere Gedanken
von den Deutschen und unter diesen von den Sachsen, in Anse=
hung des Witzes bekommen, und Sie sollen ihm statt aller De=
monstration seyn, und sollen ihm, wenns möglich ist, den Geist
des Friedens einflößen und meiner Furchtsamkeit. Aber lassen
Sie sich durch nichts fesseln! [Ueber Gleims Unternehmen ärgere
ich mich.] Leben Sie wohl, stets wohl, ich bin Ihr guter Freund

Gellert.

---

116. (37.)

An den Grafen Moritz v. Brühl.

L. d. 1. März 1757.

Liebster Graf,

Heute, den ersten März, erhalte ich Ihren Brief vom 12. Ja=
nuar, den ersten Brief seit sechs Monaten. Traurige Epoche! —
„Und warum schreibt Moritz nichts? Er vergißt dich nicht,
„das ist gewiß; aber sollte er unglücklich genug seyn, sich selbst

„einige Zeit zu vergessen? Eben so wenig. Und warum schreibt
„er doch auch nicht eine Zeile?" So habe ich mitten unter der
Noth meines Vaterlandes oft zu mir gesagt. — Endlich kam
Ihr lieber Brief, und aus diesem Briefe weis ichs sicher, daß
Ihr Herz noch das vorige gute edelgesinnte Herz ist, und ich
segne Sie, wie der Vater seinen entfernten Sohn, mit Thränen
der Freude. — Meine vermischten Schriften, liebster Moritz,
sind für unsre jungen Landsleute gewiß ein nützliches, wenn gleich
nicht für die Welt das angenehmste Buch. — Und meine Oden
und Lieder, an denen wird bereits gedruckt, und in vier Wochen,
hoffe ich, sind sie in Ihren Händen. — Neuigkeiten: Professor
Glöckner, der wackre Mann, ist vor drey Wochen zu Mittage,
gleich bey dem Schlusse eines Collegiums über das Evangelium
Johannis, vom Schlage gerühret worden, und gegen Abend
gestorben. Ich bin etliche Stunden vor seinem Sterbebette gewesen; aber er war und blieb empfindungslos und schlief sanft
ein. — Unser Vaterland? — Ich will schweigen und beten.
Leben Sie ewig wohl!

G.

---

117. (38.)

An denselben.

Den vorhergehenden Brief vom 1. März begleite ich mit
einem noch kürzern vom 28. März. Herr Reich geht nach
Frankfurt und verspricht mir, von da aus beyfolgendes Packet
nach Paris sicher zu schaffen. Sie erhalten in demselben ein
Exemplar meiner geistlichen Oden und Lieder. O wie werde ich
mich erfreuen, wenn Sie diese Lieder mit Ihrem Beyfalle und
zuweilen mit einer Ihrer frommen Empfindungen belohnen! —
Gott gebe es!

Daß wir itzt viel leiden, daß ich und hundert wackere Leute keine Pension mehr bekommen, daß unsere Universität täglich mehr abnimmt, o das versteht sich. Ich könnte, wenn ich wollte, nach Copenhagen gehn, wo man mich bey der Erziehung des Kronprinzen zu brauchen gedenkt; allein ich, der ich bald vierzig Jahre alt, meines Lebens oft müde, zu vielen Verrichtungen gar nicht mehr lebhaft genug, und der Einsamkeit gewohnt bin, werde nicht gehn. Aber wenn Sie wieder in unser Vaterland zurück kommen: so will ich mir auf einem Ihrer Güter einen Platz der Ruhe und des Grabes ausbitten. Gay, der englische Fabeldichter, liegt in den Gräbern der Könige zu Westmünster; und Gellert ruhe, selig gestorben, in Martinskirchen! — Leben Sie wohl,

G.

118.

An Borchward.

L. b. 21. März 1757.

Endlich kommen meine Lieder, und fordern nach Ihrer Critik, auch Ihren Beyfall. O wie glücklich werde ich seyn, wenn sie so guten Herzen, als das Ihrige ist, als Ihrer Gemahlinn Herz ist, gefallen und dann und wann es rühren! Dies wünsche ich mir; bies gebe Gott, und lasse es für mich einen süßen Gedanken, wo nicht itzt, doch künftig seyn, daß ich für die Religion gedichtet habe. Es war meine Schuldigkeit, da er mir das Genie dazu verliehn. O wie wenig habe ich noch gethan! lesen Sie, und wenn Sie mit mir zufrieden sind; so lassen Sie mich Ihren Beyfall nicht lange entbehren. Der Verleger wird Herr Sacken ein Exemplar schicken. — Und unsre jetzigen

Umstände? Laffen Sie uns einen Vorhang darüber ziehn. —
Nur Friede! Friede! Leben Sie wohl mit Ihrer Freundinn und
der meinigen. Ich liebe Sie, und bin beständig der Ihrige.

G.

119.*)

Rabener an Gellert.

Dresden, d. 25. März 1757.

Wie bescheiden sind Sie, mein liebster Gellert, daß Sie meinen Beyfall als einen Theil der Belohnung für Ihre frommen
Gedichte ansehn wollen. Sie haben ihn ganz, diesen Beyfall,
den Ihnen keiner von Ihren Lesern versagen wird, welcher nicht
so unglücklich ist, ein Feind von Religion und Witze zu seyn.
Bisher habe ich Sie, als meinen besten Freund, aufrichtig und
zärtlich geliebt; ich habe nicht geglaubt, daß meine Achtung für
Sie noch höher steigen könnte, als sie war: aber sie ist in der
That noch um einen ziemlichen Grad höher gestiegen.

Liebenswürdig sind Sie mir allezeit gewesen, aber nun sind
Sie mir auch ehrwürdig. Ich nehme dieses Wort in seinem
weiten und prächtigen Umfange, den es hatte, ehe man es noch
an viele Thoren verschwendete, die keine Vorzüge vor dem Pöbel
haben, als die Kleidung.

Sie dürfen keinen Augenblick zweifeln, daß Sie mit diesen
Ihren frommen Gedichten erbauen werden. Die Erbauung wird
doppelt seyn, da die Welt Sie bereits auf einer so vortheilhaften Seite kennt. Durch Ihren Witz haben Sie die gerechten
Vorurtheile des Publici gewonnen, welches nichts anders, als

---

*) (Rabeners Briefe, herausg. v. Weiße S. 259 ff.)

etwas lehrreiches, tugendhaftes und vollkommenes erwartet, so
bald es Ihren Namen erblickt. Wie vortheilhaft wird nunmehr
dieses Zutrauen der Welt für unsre heilige Religion seyn! Ihre
Fabeln und Lehrgedichte haben die Leser zu denen erhabenen Gedanken vorbereitet, die sie nunmehr in Ihren geistlichen Liedern
finden. Verehrer der Religion werden mit diesen Gedichten den
Leichtsinn dererjenigen beschämen, welche glaubten, daß der Witz
nur zu einer eitlen Belustigung gut sey. Und diese Leichtsinnigen müssen die Religion lieb gewinnen, da sie ihnen in einer so
angenehmen und reizenden Kleidung vorgestellt wird.

So glücklich sind die Folgen, mein redlicher Gellert, bey
denen, die Ihre Schriften lesen, ohne Sie genauer zu kennen;
was werden sie nicht erst bey benenjenigen würken, die Ihr gutes Herz kennen? Diesen sind ihre Wahrheiten doppelt über-
zeugend, da sie wissen, aus was für einer reinen Quelle, aus
was für einem guten Herzen alle diese Wahrheiten herfließen.
Ich habe es Ihnen so oft gestanden, daß mir Ihr rechtschaffenes Herz noch schätzbarer ist, als Ihr Witz: und hätte ich es
Ihnen noch niemals gestanden, so würden Sie mir durch Ihre
Lieder dieses Bekenntniß nunmehr gewiß entreißen. Unmöglich
hätten Sie so gut und lehrreich schreiben können, wenn Sie
nicht diese heiligen Wahrheiten aus einer innern Ueberzeugung
geschrieben hätten. Ich glaube, scharfsichtige Augen entdecken den
feinsten Heuchler allemal unter der frommen Maske, hinter welcher er verborgen zu seyn wünscht. Voltäre kann uns goldne
Sittensprüche predigen, Tugend und Menschenliebe in seinen
Versen vergöttern, und die Religion in tragischem Pompe aufführen. Er wird gefallen, aber niemals wird der Voltäre erbauen, dessen ungöttlicher Leichtsinn, dessen schmutziger Witz,
dessen liebloser Eigennutz uns seine Sittensprüche, seine Reime
von Tugend und Menschenliebe, und seine Religion verdächtig

machen. Man muß ihn haſſen, ſo bald man lieſt, wie edel er
ſchreibt, und dennoch weis, wie niedrig er denkt.

Wie ernſthaft haben Sie mich gemacht, mein lieber Gellert,
und doch empfinde ich bey aller dieſer Ernſthaftigkeit eine Art
des Vergnügens, das ich kaum empfunden habe, wenn ich ſcherz-
haft und ſpottend an Sie ſchrieb. Welch ein vortrefflicher
Freund ſind Sie! Ich fühle itzt den ganzen Werth Ihrer
Freundſchaft. Ihnen darf ich Sachen vorſagen, die ich keinem
andern vorſagen würde, da ſie zu viel Aehnliches von einer
Schmeicheley haben: Aber Sie, guter Gellert, Sie kennen Ihren
Rabener, der nicht gern beleidigt, aber noch weniger ſchmeichelt.
Und wenn ich Ihnen ſage, daß Sie meinen Beyfall haben, daß
Sie die Welt gewiß erbauen werden, und daß Sie alle Leſer
von Ihrem guten Herzen überzeugen; ſo ſage ich Ihnen eine
Wahrheit, die Ihnen meine Freundſchaft und mein Geſchmack
ſchuldig ſind.

Ob ich Ihre Entſchließung, nichts mehr zu ſchreiben, billige?
darüber will ich mich itzt noch nicht erklären: aber das will ich
Ihnen geſtehen, daß ich hoffe, es ſey nur ein flüchtiger Einfall
geweſen, wenn Sie mir melden, daß Sie nunmehr wünſchen,
den Reſt Ihres Lebens auf dem Lande in einer guten Familie
zubringen zu können. Verlaſſen Sie Ihr Amt nicht, ſo lange
Sie noch Kräfte haben, den Geſchmack und das Herz der Jugend zu bilden. An Ihrem nothdürftigen Unterhalte wird es
Ihnen niemals fehlen; und ſchenkt Gott unſerm Vaterlande die
Ruhe wieder, ſo werden ſich bey der Univerſität gewiß ſolche
Umſtände äußern, die Ihnen ein bequemes Auskommen verſchaffen.

Tauſendmal habe ich Schlegeln in Gedanken umarmt, daß
er Sie bey Ausarbeitung Ihrer Lieder mit ſeiner Kritik ſo
freundſchaftlich gekerkert hat. Wie großmüthig urtheilen Sie
von dieſen Gefälligkeiten; aber Sie haben auch gewiß dabey
gewonnen!

Damit ich meinen Brief mit eben dem Vergnügen, und der Gemüthsruhe schließe, mit welcher ich ihn angefangen habe; so will ich von unsern hiesigen Umständen nichts melden. Wann werden wir uns wieder sehn? Wann werden wir uns in Ruhe sprechen können?

Leben Sie wohl, mein witziger, mein menschenfreundlicher, nein frommer Gellert! Ich umarme Sie, und danke Gott, daß er mir Sie zum Freunde gegeben hat.

Rabener.

<hr />

120. (6.)

J. F. Freiherr v. Cronegk an Gellert.

Anspach, d. 21. Apr. 1757.

Liebster Gellert,

Schreiben Sie die lange Verzögerung meiner Antwort auf Ihren lieben freundschaftlichen Brief dießmal keiner Nachlässigkeit zu. Ihr armer Cronegk hat in der That eine geraume Zeit her viel ausgestanden. Eine Mutter, der ich meine Auferziehung, meine Art zu denken, kurz, der ich alles, was vielleicht Gutes an mir ist, mein Herz zu verdanken hatte; diese Mutter habe ich verloren. Mein bejahrter Vater und sein ganzes Hauswesen ist nunmehr meiner Sorge anvertraut, die Geschäffte des Berufs nehmen täglich zu, und doch sind die schönen Wissenschaften noch der Trost meines Lebens. Wenn ich einen freien Augenblick genießen kann, so wende ich ihn an, um an Trauerspiele zu arbeiten, wovon ich Ihnen nächstens den Aufzug schicken will. Meinen verbesserten Kodrus sollen Sie nächstens bekommen. Nur Ihnen darf ich es gestehen, die Schwachheit begangen habe, ihn nach Berlin an die

14 *

Verfasser der Bibliothek der schönen Wissenschaften zu schicken. Den Preis zu erhalten, ist weder meine Hoffnung noch meine Absicht. Sollte es seyn, so wird man in dem Zeddel, auf dem der Name des Verfassers stehen sollte, eine Bitte finden, die zum Preise bestimmte Summe sonst auf eine den Wissenschaften zuträgliche Art anzuwenden. Sagen Sie aber Niemanden etwas davon.

Ihre Lieder sind gedruckt, dieß habe ich aus den Zeitungen gesehen. Morgen hoffe ich sie aus Nürnberg zu erhalten, und ich freue mich zum voraus darauf. Fahren Sie fort, liebster Freund. Deutschland wäre Ihrer nicht werth, wenn es nicht, auch nach ganzen Jahrhunderten, einen seiner liebenswürdigsten Schriftsteller verehrte. Wie viel Gutes werden Sie nicht stiften, auch bey unsern Nachkommen! Zu wie vielen wahren, redlichen Empfindungen der Religion werden Sie Anlaß geben! Wie stolz bin ich nicht darauf, daß es mir erlaubt ist, mich Ihren Schüler, Ihren Freund zu nennen! Ich verlange es nicht, ich darf es nicht hoffen, der Nachwelt bekannt zu werden. Wenn Sie nur einmal so viel von mir sagt: „Cronegk lebte, er war ein „Schüler, ein Freund, des vortrefflichen Gellerts" dieses ist der größte Lobspruch, den sie mir geben kann. Ich umarme Sie tausendmal in Gedanken. Leben Sie wohl. Ich bin

Ihr

zärtlicher Freund,
Cronegk.

121.

An Borchward.

Bonau, d. 23. Apr. 1757.

Ich habe Ihren Brief nicht ohne Thränen, und, damit ich alles sage, nicht ohne Gebet, lesen können. Schon auf der erſten Seite legte ich ihn weg, und hob die Hände auf, und wünſchte mit ganzer Seele, daß meine Lieder nur die Hälfte des Seegens, den Sie ihnen verſprechen, ſtiften möchten, und mich nur der geringſte Theil der Belohnungen, die Sie mir ſo reichlich wünſchen, treffen möchte. O was iſt es für ein Glück, rechtſchaffene und fromme Freunde zu haben! Rabener ſchließt ſeinen Brief an mich, der ebenfalls meine Lieder betrift, mit einer Stelle, die mich, wenn ich ſo reden darf, beynahe vor Empfindung getödtet hat. Ich danke Gott, ſagt er, daß Sie mein Freund ſind! Und ich, liebſter Borchward, danke Gott, daß Sie mein Freund auch ſind. Niemand unter allen meinen Freunden hat mich für meine frommen Gedichte ſo ſehr belohnet, als Sie und Rabener. Beyde Briefe, wenn ſie auf die Nachwelt kommen, werden ihren Verfaſſern mehr Ehre machen, als mir. Niemand konnte ſie ſchreiben, als Männer von dem beſten Herzen, als Männer, die ihren Autor, den ſie wegen ſeines Herzens lobten, ſelbſt an Güte des Herzens weit übertreffen. Ich habe Prof. Schlegeln in Zerbſt Rabeners Brief geſchickt, außerdem würde ich die Beſcheidenheit vergeſſen, und Ihnen ſolchen hier beylegen, als eines meiner größten Siegeszeichen. Und wenn nun meine Lieder ſo erbaulich ſind; wie viel Dank bin ich Ihnen und Schlegeln und Cramern und Gärtnern ſchuldig, daß Sie mich durch Ihren Beyfall ermuntert, durch Ihre Critiken unterſtützet, und durch Ihr Anſehn vermocht haben, ſie herauszugeben, da ſie nach meinem Plane erſt nach meinem Tode herauskommen ſollten! Schlegeln in Zerbſt, dem treflichen Manne, habe ich erſtaunende Mühe mit meinen Liedern und mit meiner Unentſchließigkeit gemacht. Er hat ſie wohl zu vier verſchiedenen malen durchleſen, critiſiren, vertheidigen und verdammen müſſen. Er hat alle Aenderungen wieder durchleſen, wieder anfeinden, oder loben müſſen. Und dieſes hat er mit ſo vieler Strenge, Aufrichtigkeit und Scharfſichtigkeit gethan, daß ich ihm ewig dafür danken werde. Er hat mich bis zur Entzückung gelobt, und bis zur Ohnmacht oft getadelt, wenn ich mich des Ausdrucks bedienen darf. Kurz, liebster Freund, von der Seite des Fleißes und der angewandten Mühe bin ich sicher, daß der Beyfall meiner Freunde mir mit Recht zugehört. Wollte Gott, ich hätte den Beyfall meines eigenen Herzens und der besten Absicht, in der ich wenigstens habe arbeiten wollen, eben so sicher, oder empfände ihn eben so lebhaft!

Sacks und Buchholzens Lob!

O das ist zu viel Glück, so viel rechtschaffenen und grossen Männern auf einmal zu gefallen! Ich danke beyden durch Bescheidenheit und Demuth, und bete für den letzten in seiner schweren Krankheit. Ihren Bergius umarme ich für die künstliche Freude, die er Ihnen und mir bey dem Empfang meiner Lieder gemacht. Darf ich das nicht auch in Gedanken bey Ihrer Henriette thun? Warum nicht? Ich küsse sie also aus Dankbarkeit und Freundschaft für den Antheil, den sie an meiner Arbeit nimmt, und für die Erbauung, die sie durch meine Lieder nach ihrem guten Herzen in sich erwecken läßt. Edle und gegen die Religion empfindliche Seelen durch geistliche Gesänge zu bewegen, ist auf gewisse Weise ein nothwendiges Glück, davon der Autor sich nur den kleinsten Theil zuschreiben kann, wenn er auch noch so ein guter Dichter wäre. Die Kraft der göttlichen Wahrheit und das gute Herz des Lesers thun da alles, wo der Poet auch noch so viel zu thun scheint. Er hat den Ruhm der vollbrachten Pflicht, und der Sieg ist eigentlich auf der ersten Seite. Aber doch darf sich der Dichter erfreuen, daß er seine Pflicht mit Glück ausgeübt hat. — Wielands Empfindungen haben, als Poesie betrachtet, grosse Schönheiten für die Einbildung; aber mein Herz weigert sich, seine Sprache zu reden, wenn es mit Gott redet. — Ihre Aufsätze in dem Menschen würde ich schon begierig gelesen haben, wenn ich in Leipzig wäre;

aber ich schreibe dieses auf dem Lande, fünf Meilen von der Stadt, wohin ich zur Ruhe geflüchtet bin, die ich auch bey dem besten Wirth und der gefälligsten Wirthin genießen würde, wenn ich mich selbst, oder meinen Körper nicht mitgebracht, oder anders zu reden, wenn ich den Schlaf mitgebracht hätte. Bey dem Mangel desselben empfinde ich die Annehmlichkeiten des Frühlings und die Freundschaft des Herrn von Zedwitz und seiner Gemahlin nur halb, und eile alle Tage wieder in Gedanken nach meiner Einöde in der Stadt. Also soll meine Freude niemals ohne Beschwerung seyn, vermuthlich zu meiner Demüthigung. Ich habe hier mir Ihren Brief gewiß versprochen. Dieses Glück ist eingetroffen. Aber ich habe mir auch Briefe von Cramern, Gärtnern, Jerusalem, versprochen; dieses Glück ist nicht eingetroffen; vermuthlich zu meiner Demüthigung. Ob mir Ihr König meine Pension auszahlen läßt? Nein. Aber dies hat mich, Gott weiß es, noch keinen Augenblick beunruhiget. Könnte ich durch den Verlust derselben auf zeitlebens meinem Vaterlande Ruhe und Friede wiedergeben, o mit Freuden wollte ich meine hundert Thaler fahren lassen. Die Vorsehung, die das Werk der Regierung weislich und gütig führet, wird diese Stürme zur Zeit, wenn es ihr gefällt, in heitere Tage für uns und sie, für Freunde und Feinde, verwandeln; wenigstens müssen wir so hoffen, und beten, und mit Geduld uns allen Schickungen zu ergeben, arbeiten. — Rabener bekömmt eben so wenig, als ich, und er ist nicht unzufriedener, als ich. Er hat selbst einiges Vermögen. Nun habe ich Ihren langen Brief durch einen nicht kurzen beantwortet. Leben Sie wohl mit Ihrer Henriette und allen Ihren würdigen Freunden. Ich bin ewig Ihr Freund und Diener

G.

122.*)

Rabener an Gellert.

Dresden, d. 4. May 1757.

Lieber Gellert,

Machen Sie mir doch hurtig und geschwinde einen Informa=
tor nach beygehendem Recepte. Sie werden finden, daß die
Bedingungen nicht zu verachten sind; und da ich die Ehre habe,
den Herrn Kriegsrath wohl zu kennen, so kann ich Ihnen die
Versicherung geben, daß er durch eine gute Aufführung diese
Bedingungen noch mehr verbessern kann. Ich glaube nicht, daß
die Fähigkeiten und die Arbeiten, die man verlangt, die mensch=
lichen Kräfte eines S. S. Th. Candidati übersteigen. Er muß
allerdings, wie Sie sehn, ein Theolog seyn, denn der Vater
will, daß seine Kinder Religion haben sollen. Halten Sie dieses,
so viel möglich, geheim, es möchte dem Vater an seinem Glücke
und an seinem guten Namen Schaden thun, da er Kriegsrath,
ein Hofmann und von Geschlechte ein B* ist. Freuen Sie Sich
nicht, lieber Gellert, daß, nebst dem Lateine, auch die reine
Muttersprache gelehrt werden soll? Wie glücklich ist unser Pro=
fessor C*, daß er dergleichen Aergerniß nicht erlebt hat! Nur
mit reimfreyen Versen sollen die Kinder nicht angesteckt werden;
merken Sie das ja wohl. Klopstocks Messias hat den D[resdner] Hof
und die ganze P[reußische] Armee wider sich: den erstern, weil ihn
die Castraten nicht singen können; und die letztere, weil er be=
Messias ist.

Wie wird der Herr Candidat mit dem Französischen zu rechte
kommen? Doch dieses wird mehr des Informators, als der
Kinder, wegen verlangt, weil über Tische nichts anders gespro=
chen wird, als französisch. Man wird es dem deutschen Michel

*) (Rabeners Briefe herausg. v. Weiße. S. 263 f.)

rgeben, wenn er dafür nur weiße Wäsche und eine gesittete
rädte hat. Ich glaube, dieses beydes versteht man unter der
ttlichen Lehrart, so, wie die beliebte Lehrart ihre
jene Erklärung bekommen hat.

Laſſen Sie Sich, mein lieber Gellert, die Beschleunigung der
sche angelegen ſeyn, und antworten Sie mir bald. Wäre es
ht eine Sache für den Herrn F°°° der ſchon hier iſt, und
a ich nicht wohnen weis? Leben Sie wohl.

Rabener.

---

123. (7.)

An J J. Freiherrn v. Cronegk.

L. d. 11. Mai 1757.

Liebſter Cronegk,

Ich beklage mit Ihnen den Verluſt Ihrer theuerſten Mutter
b verehre das Andenken derſelben zeitlebens. Sind Sie ihr
jr Herz und alles ſchuldig, was Sie glücklich und ſchätzbar
acht, ſo bin ich ihr einen meiner beſten Freunde, meiner geiſt-
chen Freunde, ſchuldig. Immer opfern Sie ihr die dankbarn
n Thränen. Es iſt Liebe und Pflicht. Aber ſie mäßigen,
ſe Thränen, dieſe ſchmerzhaften Empfindungen, iſt auch Liebe
b Pflicht. Troſt genug für Sie, daß ſie werth war, in eine
ßre Welt überzugehen, und daß Sie werth ſind, den Kummer
jres rechtſchaffenen Vaters zu lindern, und durch Ihre Sorg-
lt ſein Leben zu erleichtern. — Daß Sie den Kodrus nach
erlin geſchickt haben, iſt mir ſehr lieb. Sollte man ihn auch
ht krönen, ſo wird man ihn doch gewiß beſcheiden beurtheilen.
h bin in der That nicht unpartheyiſch genug, einen Ausſpruch
thun; denn ich liebe Sie, und was von Ihnen kömmt, zu

fehr. — Was werden Sie von meinen Liedern sagen? Mich verlangt herzlich nach Ihrem Urtheile. Denn nunmehr werden Sie dieses Werk wohl erhalten haben. — Unsere iige Messe ist sehr unfruchtbar; vielleicht zum Glücke des guten Geschmacks. Leben Sie wohl, und schenken Sie mir ferner alle die Liebe, mit der Sie mich zeither belohnt haben. Ich bin ewig

Ihr

G.

---

194. (89.)

Moriz v. Brühl an Gellert.

Paris, b. 30. May 1757.

Mein liebster Professor,

Ich bin Ihr großer Schuldner. Auf zween Briefe bin ich Ihnen die Antwort schuldig. Werden Sie mir verzeihen, oder vielmehr, werde ich mir selbst verzeihen? Doch ist will ich mich bloß mit dem Vergnügen beschäfftigen, das mir Ihre Briefe verursacht haben, mit der Dankbarkeit, die ich darüber empfinde, und mit der unaussprechlichen Freude, die mir jede Versicherung Ihrer Liebe und Freundschaft erwecket. Ihre Oden und Lieder habe ich gelesen und bewundert. Sie sind überhaupt schön, aber einige darunter sind vortrefflich. Möchte ich Ihnen doch alle die Empfindungen ausdrücken können, die ich diesem Werke schuldig bin!

Werden Sie mir Cramers kleine Schriften und alle andern neuen deutschen Bücher bald schicken? Sie können sich das Vergnügen nicht vorstellen, das mir jedes deutsche Buch in Paris verursacht. Es ist ohngefähr wie das Vergnügen, das man über

die Ankunft eines seiner Landsleute empfindet, und Ihre Schriften unterscheiden sich bey mir von den allgemeinen Empfindungen, welche gute deutsche Schriften in mir erwecken, wie sich
ein Freund von einem bloßen Landsmanne unterscheidet. Paris
ist nicht fruchtbarer an guten Schriften, als Sachsen mitten
unter der Last und dem Schrecken des Krieges. Man wird in
einigen Tagen eine neue Tragoedie aufführen, Iphigenie en
Tauride, eine Handlung, zu der Racine schon den Plan entworfen hatte. Ich habe vor einigen Tagen von ungefähr mit
dem Verfasser des Cleveland gegessen. Es ist ein angenehmer
Mann, der nicht den Fehler der meisten vermeynten witzigen
Köpfe hat, die stets reden und niemals zuhören. Der französische Witz muß viel von seinem Glanze seit einiger Zeit verloren
haben; denn nach einer wahrhaft liebenswürdigen Frau ist nichts
seltner, als ein witziger Kopf, der nicht durch sein vieles Reden
entweder beschwerlich, oder durch sein wichtig stolzes Stillschweigen unleidlich wäre. Der Geist der Philosophie, so nennt man
die Trockenheit und Armuth des Verstandes, hat fast alle Anmuth und Leichtigkeit aus den Gesellschaften vertrieben. Ein
jeder will itzt untersuchen, erforschen, und die Quellen und die
geheimsten Triebfedern von allem entdecken. Die Meynung, diese
Königinn der Welt, ist es insbesondere in dieser Stadt.

Wann werde ich Sie wieder sehn? Möchte es doch eher geschehn, als ich es hoffe und vermuthen darf. Werden Sie mir
bald wieder schreiben? Verdiene ich auch nach einer so späten
Antwort Ihre fernere Güte? Aber wer sieht bey seinen Wünschen auf sein Verdienst zurück? Leben Sie wohl, mein liebster
Professor. Ich bin ewig

Ihr

Brühl.

125. (40.)

Derselbe an denselben.

Paris, d. 4. Jul. 1757.

Liebster Professor,

Ich muß Ihnen doch billig eine Nachricht von dem Erfolge des neuen Stückes geben, von dem ich in meinem letzten Briefe geredet habe. Iphigenie in Tauris hat den größten Beyfall erhalten, den nur immer ein Stück erhalten kann. Am Ende der ersten Vorstellung war das Parterre so entzückt, daß es mit Ungestüm den Autor zu sehen verlangte; und der gute Mann ist nicht mit Einemmale weggekommen. Bey der zwoten hat er ein ähnliches Schicksal gehabt; ein Fall, der sich noch niemals zugetragen. Ich wünschte, daß Sie dieses Stück sehen könnten. Sobald es gedruckt seyn wird, welches aber noch nicht sobald geschehen wird, werde ich es Ihnen schicken. Ich kenne den Autor. Er ist ein junger Mann von sieben und zwanzig Jahren, ein Freund der Frau von Graffigny, und sehr still und bescheiden. Die Scene der Freundschaft zwischen Orestes und Pilades, die Erkenntlichkeit zwischen dem ersten und seiner Schwester, und die Entwicklung oder vielmehr die Catastrophe sind Meisterstücke. Ich möchte Ihnen gern einige Stellen anführen, wenn ich nicht befürchtete, meinen Brief zu sehr zu verlängern. Eine kann ich doch unmöglich vorbeylassen, die als ein Exempel des Erhabnen dienen kann. Pilades ist von Iphigenien zum Opfer erwählt worden, und Orestes soll abreisen, weil sie lieber den Orestes retten will, als den Pilades. Orestes, dem seine Vorwürfe, womit ihn die Götter bestraften, das Leben selbst beschwerlich machten, wendet alles an, seinen Freund zu bewegen, ihn an seiner Stelle sterben zu lassen. Da sich dieser gar nicht ergeben will, so spricht Orestes: „Ich will der Priesterinn

„erzählen, wer ich bin, und wen ich umgebracht habe, ich will
„sie zwingen, mich aus Pflicht aufzuopfern. Sollte sie aber alles
„das nicht bewegen: nun gut, so magst du sterben; aber ich opfere
„mich selbst meiner Wuth auf;“ und dann sagt er, indem er
auf seine Hände sieht:

Si cette main balance, o terre entrouvre toi,
Et vous, qui m'entendez, o cieux, écrasez moi!

Ist dieser Gedanke nicht erhaben? Auch that er eine schreckliche
Wirkung. Ich kenne kein Stück, das mehr Schrecken und Mitleid erweckt als dieses. Sie können leicht denken, daß keine Liebe
darinnen ist, und dennoch interessirt es vom Anfange bis zum
Ende, und immer mehr, je näher man dem Ende kömmt. Doch
genug von dem Stücke. — Wann werden Sie mir doch alle
neue deutsche Bücher schicken? Scheuen Sie keine Kosten für
mich. Kann man sein Vergnügen wohl zu theuer bezahlen? —
Vom Kriege? Nichts vom Kriege, liebster Professor. Der Himmel gebe uns bald glücklichere Zeiten! Leben Sie wohl.

Brühl.

---

125. (182.)

[An den Commissionsrath Wagner.*)]

Bonau, d. 4. Sept. 1757.

Liebster **,

Länger kann ichs nicht ausstehen, ohne zu wissen, wie Sie
leben. Die letzte Nachricht, die mir L** von Ihnen gegeben
hat, ist traurig; aber eben deswegen glaube ich sie nicht, oder

*) (Damals in Leipzig; kam 1764 als Geh. Cammerrath nach Dres-
den, wo er später Geh. Finanzrath und Geh. Rath wurde.)

mag fie doch nicht eher glauben, bis ich fie von Ihnen felbft erfahren habe. Freylich werden Sie noch nicht ganz gefund feyn; aber bettlägerig, das fürchte ich auch nicht. Nein, wenigs ftens nicht fchlechter, als da Sie ins Bad giengen. Diefes ift ungefähr mein Zuftand, und ich hoffe, es foll der Ihrige feyn, wenn ich nicht alles hoffen darf, was ich Ihnen wünfche. Schrei: ben Sie mir alfo bald; denn mein Exilium wird mir, entfernt von meinen Freunden, alle Tage unerträglicher, und ich feufze fchon nach der Stadt, die ich vor fechs Wochen nicht ungern verließ. So widerfprechend find die Wünfche des Hypochondriften! Es fehlet mir hier auf dem Lande nichts, als daß ich nicht in meiner Ordnung, fondern vielmehr ein unnützes Gefchöpf für die Welt bin. Ich bin müßig, ohne es feyn zu wollen, und lefen, denke ich, ift nicht viel beffer als Müßiggang. Endlich wer kann lefen, wenn man alle Stunden mit neuen Nachrichten, fal- fchen und wahren, erfchrecket wird? Schreiben — ja auch das darf man nicht, denn wer kann fchreiben, ohne zu klagen?

> Sive pium vis hoc, sive hoc muliebre vocari;
> Confiteor misero molle cor esse mihi.

Ich liebe Sie und bin Ihr ergebenfter

G.

---

127. (183.)

An denfelben.

Bonau, b. 21. Sept. 1757.

Wenn der Mann, dachte ich, da ich Ihren letzten Brief las, feine Beredfamkeit bey dir gelernet hätte, das wäre ein großer Lobfpruch für dich; aber wenn du fein gutes Herz gebildet hät- teft, das wäre ein unendlich größrer. Er wünfchet nicht ängft-

lich, gesund zu seyn, sondern nur die Krankheit mit einem christs
lichen Anstande und einem verständigen Muthe zu tragen. Bist
du auch stets so gut gesinnt? Er klaget in einem langen Briefe
gar nicht, oder doch sehr verschämt; und sein Kummer ist nicht
die Schwachheit seines Körpers, sondern die Mattigkeit des
Geistes, den er immer zur Tugend der Gelassenheit angestrenget
wissen will. Wenn er auch darinne fehlet, daß er das Uebergewichte der Geduld und des Muthes in seinen Zufällen stets
lebhaft fühlen will: so ist es doch immer der Fehler eines sehr
guten Herzens, mit dem er dich beschämet, indem er sich selber
beschämen will. So ungefähr dachte ich, mein lieber **, als
ich Ihren lieben, guten Brief las. Ich wünschte Ihnen Gesundheit, Heiterkeit des Geistes, und tausend kleine Gelegenheiten
Gutes zu thun, weil Sie die größern itzt nicht ergreifen können.
Was kann ich Ihnen heute, da ich dieses schreibe, anders wünschen? Und was ist mein Wunsch mehr, als eine natürliche
Dankbarkeit für alle die Liebe, die Sie für mich haben, und seit
so vielen Jahren für mich gehabt haben? Wirklich ist das mein
eigenthümliches Glück, daß so viele rechtschaffne Leute, um die
ich mich nie verdient gemacht, meine Freunde sind, aber in gewissen Stunden ist eben dieses Glück für mich die größte Demüthigung; denn soll ich wohl glauben, daß ichs vor Andern
verdiene, oder genug verdiene? Daß ich kein ganz mittelmäßiger
Autor bin, o das gebe ich gern zu, wenn mirs die Welt vor-
saget; aber der fromme Mann, für den mich meine Freunde
halten, lieber **, o da macht mein Herz tausend Einwürfe, die
aller Beyfall nicht widerlegen kann. „Wie oft fehlt mir zum
Guten selbst der Wille!"

Für Ihre politischen Neuigkeiten danke ich Ihnen nicht wenig. Ich habe in vierzig Jahren nicht so viel Zeitungen gelesen, als seit vier Wochen; und es ist mir etwas geringes, in
die Schenke nach Meineweh zu gehn, und da zu warten, bis

die Post ankömmt. Möchte doch der Tag der öffentlichen Ruhe und das Ende meines müßigen Erils nicht mehr fern seyn! Wie freue ich mich, Sie bald umarmen zu können! — Leben Sie wohl.

G.

---

199. (184.)

An denselben.

Bonau, d. 1. Nov. 1756.

An Sie kann ich wieder schreiben?*) O Gott, der Allmächtige, sey ewig gelobet, der mir das Leben von neuem geschenkt hat! Ich umarme Sie, theuerster Freund, mit zitternden freudigen Händen, mit Thränen, mit brüderlicher Liebe. Freuen Sie sich mit mir; und danken Sie Gott mit mir; und nehmen Sie auch den Dank von mir an, den Sie durch Ihren Besuch in meiner Krankheit auf zeitlebens mir abverdienet haben. Gott segne Sie und Ihr Haus, und lasse mich bald einen Zeugen Ihrer Zufriedenheit seyn! — Genug für dießmal! Grüßen Sie meinen liebsten Heinen und Heyern und vorher Ihre beste Frau. Ich bin ewig Ihr

G.

*) Es waren die ersten Zeilen, die er nach seiner harten Krankheit in Bonau wieder schreiben konnte. D. Herausgeber v. 1774.

198. *)

Bonau, d. 2. Nov. 1757.

Liebster Bruder,

Endlich kann ich Euch meine Besserung eigenhändig melden, meine Genesung von einer sehr schweren Krankheit. Wie groß ist dieses Glück, und wie soll ich dem Herrn vergelten alle seine Wohlthat, die er an mir gethan hat! Lasset Eure Freude Dank mit mir seyn und empfanget zugleich von mir, lieber Bruder! für all Euer Mitleiden und Eure Sorgfalt den brüderlichsten Dank. Saget ihn zugleich allen meinen Freunden. Meiner liebreichen Wirthinn und ihrem Gemahle bin ich tausendfache Verbindlichkeit schuldig, so wie ich ihnen tausendfache Sorge und Beschwerung gemacht habe. An einem fremden Orte habe ich alles gefunden, was sich ein Kranker von Großmuth und Mitleiden wünschen kann, und ich wüßte keinen Ort nach Leipzig, wenn ich einen zu meiner Krankheit hätte wählen sollen, als den Bonau, wo ich nach Gottes Willen habe krank werden lassen. Nun ist es mein Wunsch, nach Leipzig zurück zu kehren; aber meine Kräfte sind dazu noch zu schwach. Das ganze otwitische Haus grüßet Euch. Lebet wohl, lieber Bruder! eldet unsrer Mutter meine Besserung. Ausgegangen bin ich h nicht, und mein Kopf ist sehr schwach. Lebet wohl.

G.

*) (Gellerts Familienbriefe. — Vermuthlich an den Oberpostkommissair zu Leipzig.)

130. (185.)

[An den Commissionsrath Wagner.]

Bonau, 15. Nov. 1757.

Wie bekümmert sind Sie nicht um meine Gesundheit und Ruhe, und wie ängstlich werde ich, daß ich nicht eben so dankbar seyn kann, als Sie besorgt und liebreich gegen mich sind! Ihr ganzer langer vortrefflicher Brief vom 11. November ist die Geschichte Ihrer freundschaftlichen Empfindungen gegen mich und die Fortsetzung Ihres Besuchs in meiner Krankheit. So wie mich Ihr Besuch gestärkt hat, so stärkt mich dieser Brief. Gott, was wäre das Leben der Menschen, ohne den Trost der Freundschaft; und wie viel würde mir bey meiner Zurückkunft nach Leipzig fehlen, wenn ich nicht wüßte, daß Ihr redliches und großes Herz mit aller seiner Liebe und seinem Werthe auf mich wartete! Ich höre Sie noch vor meinem Bette reden (denn sehen konnte Sie mein mattes Auge wenig), und fühle noch den sanften Schauer eines freundschaftlichen Kusses, den ich damals für den letzten mich einsegnenden Kuß hielt. Und eben Sie, liebster **, den ich mehr zu sehen nicht hoffte, dessen Stimme ich zum letztenmale gehöret zu haben glaubte, soll ich bald, von neuem in das Leben gerufen, in Leipzig sehen, brüderlich umarmen, und über den Namen Freund, noch den Namen Gevatter von Ihnen hören? Ich starb, und siehe, ich lebe noch. O sey nun wieder zufrieden, meine Seele, denn der Herr thut dir Gutes! So rede ich mich oft an, um Freude und Dankbarkeit in meinem Herzen zu erwecken und zu erhalten. Wodurch soll ich doch meines neuen Lebens würdig werden, gnädiger und allmächtiger Vater? — — Dadurch, daß ich noch besser sterben lerne. Ja, liebster Freund, Sie haben Recht; nicht sowohl die Hand meines geschickten Arztes, als der Wunsch und das Gebet meiner

Freunde, haben mir das Leben wieder gegeben; denn ich weis, daß meine besten Freunde, Freunde Gottes sind. Welche Glückseligkeit für mich und welcher Ruhm für meine Freunde, und besonders für Sie, theuerster **! Ich mache Ihnen keinen Lobspruch; aber ich kann auch meine Empfindungen, um den Verdacht des Lobes zu vermeiden, nicht zur Hälfte nur ausdrücken. — Sie böten mir gern einen Wagen und Freunde, die mich abholen sollten, an, wenn Sie meiner Gesundheit trauen könnten? Und ich würde dieses Anerbieten, als einen Ruf der Pflicht zurück zu kommen, ansehen und ergreifen, wenn ich selbst ihr trauen könnte. In der That sammeln sich meine Kräfte. Wird die Witterung günstig, billigt es Springsfeld und Heine, läßt es meine besorgte gnädige Wirthinn zu: so hoffe ich mit Gott bald bey Ihnen zu seyn. Möchte doch die allgemeine Ruhe, nach der wir seufzen, deren Verlust wir in dieser Gegend nur gar zu sehr empfunden haben, vor mir hergehen! Seit sechs Wochen, o da habe ich viel erfahren! Vielleicht bitte ich Sie bald um einen Wagen; denn ich fürchte hier den Mangel der Pferde, und möchte doch gern vor der Niederkunft Ihrer lieben Christiane bey Ihnen seyn; sie segne nun Ihr Haus durch eine Tochter, oder einen Sohn. Wünschen Sie ihr in meinem Namen Gesundheit und den Heldenmuth einer Gebährerinn, die da weis, daß sie Unsterbliche zeugt, für die Welt und den Himmel zugleich. — Die gnädige Frau und ihr Gemahl versichern Sie, liebster **, aller Hochachtung und Ergebenheit, nebst Ihrem ganzen Hause. Ich aber bin zeitlebens der Ihrige

S.

131. (31.)

An den Grafen Moritz von Brühl.

Bonau, bey Weissenfels, d. 18. Nov. 1757.

Liebster Graf,

Laſſen Sie ſich mein Schickſal klagen. Seit dem achtzehnten
Julius bin ich auſerhalb Leipzig. Erſt gieng ich wegen einer
Schlafloſigkeit und groſen Trägheit des Geiſtes mit dem guten
W[agner] ins Lauchſtädter Bad. Die erſte verlor ſich, aber ach!
die andere nicht. Nach drey Wochen verließ ich das traurige
Bad, und ſuchte meine Zuflucht in Bonau, um da vom Bade
auszuruhen, und nach etlichen Wochen wieder in mein einſames
ſchwarzes Bret zurück zu kehren; aber dieſe etlichen Wochen ſind
nun bis auf funfzehn geſtiegen. Anfangs verwehrte mir die
Furcht vor den öffentlichen Unruhen den Rückweg von einem
Tage zum andern, und meine Freunde in Leipzig hießen mich
auf dem Lande bleiben. Endlich kam eine noch dringenbere traurige Urſache, deren ich mich, ſo ſehr bin ich Menſch, am wenigſten verſehen hatte. Ich war in Gedanken nichts als Rückreiſe;
ich ſchrieb ſchon um einen Wagen, und achtete der drohenden
Unruhen nicht weiter, als ich den vierten October in Meineweh
von einem plötzlichen ſanften Schauer überfallen wurde, dem mir
unkenntlichen Vorbothen einer gewaltſamen Krankheit. Ich aß
noch mit Hunger an dieſem Abende; aber kaum war ich nach
Bonau und in mein Bette: ſo kam Hitze, unerträglicher Kopf-
ſchmerz, und von der Stunde an eine recht tödtliche Hinfälligkeit. Hier lag ich bis an den britten Tag ohne Arzt; denn ihm
(Dr. Springsfelden aus Weiſſenfels) war der Weg zu mir
burch den Krieg verſchloſſen. Aber Gott, der gütige Vater,
wollte mich erhalten. Der Doctor, der, vier und zwanzig Stunden ſpäter, vielleicht ohne Hülfe gekommen wäre, kam noch an

dem Tage, da die Ader geöffnet werden durfte. Ehe er ankam, war schon ein Balbier aus Naumburg, nicht für mich, nein, seit vielen Tagen von dem Kammerherrn von Z[edtwitz] auf einen Tag, wenn er wollte, verschrieben, zugegen. Glücklicher Umstand! Warum fiel es diesem Manne nicht ein, eher oder später zu kommen? Der Doctor konnte also das einzige, obgleich gefährliche Hülfsmittel, die Oeffnung einer Ader ohne Zeitverlust ergreifen, um einer tobenden Pleuresie zu wehren. Das Blut bewies ihm die Gewißheit der vermutheten Krankheit; ein schreckliches harziges Blut! Dieses geschah den siebenten October. Allein den 9. d. M. (oder den fünften Tag der Krankheit) ward ich so krank, daß ich mich meines Lebens begab, und mir noch in der Nacht das heilige Abendmahl reichen ließ. O liebster Moritz, was ist der Schritt in die Ewigkeit für ein feyerlicher, bebender Schritt! Welch ein Unterschied zwischen den Vorstellungen des Todes bey gesunden Tagen und am Rande des Grabes! Welcher Held muß da nicht zittern, wenn ihn nicht die Religion, gleich einem Engel vom Himmel, stärkt? Ich dachte zu sterben, und siehe, ich lebe noch durch die Güte Gottes. Wie werde ich dieses neugeschenkte Leben recht nützlich und dankbar anwenden? Wie lange oder kurz wird es noch dauern; und wenn es noch so lange dauerte, wie bald wird es gleich dem vorigen verschwunden seyn! —

An eben dem gedachten Tage minderte sich Nachmittags die Krankheit, und ich genoß ein unverhofftes Vergnügen, das für meine Empfindungen fast zu stark war. W[agner], Dr. H[eine] und H[eyer] besuchten mich, und brachten auch Springsfelsben mit aus Weissenfels. Ich hörte diese Freunde mehr, als daß ich sie genau sehen konnte, und fühlte mich durch das Erquickende der Freundschaft so gestärkt, daß ich seit fünf Tagen das erstemal einen Bissen Brodt forderte. Auch dieser Besuch meiner Freunde war eine göttliche Wohlthat. Des Tages vorher war schon mein lieber Famulus angekommen, der mir sehr gedienet. Nach wenig Tagen sahe ich auch Ihren würdigen Nachfolger, den Herrn von Bosen, der sich mitten durch die Husaren zu mir gedränget hatte. Ich stand bey Dr. H[eines] Ankunft in den traurigen Gedanken, daß mir der Aderlaß schädlich gewesen; und zum Glücke war noch das Blut aufbehalten worden. Er sah es, erschrack, umarmte Springsfelden vor Freuden, und versicherte mich, daß ich ohne die Oeffnung der Ader schwerlich würde haben leben können. Preisen Sie die gütige Vorsehung mit mir, liebster Moritz, der wir alles schuldig sind. Ich habe aus den Händen meiner gnädigen Wirthinn und Versorgerinn alles erhalten, was ein Kranker wünschen kann; alles ist für mich Mitleiden und Hülfe gewesen. Gott, was ist der Mensch, daß du sein gedenkest! — Ich übergehe die übrigen Tage der Krankheit, damit ich nicht ein medicinisches Verzeichniß statt eines Briefs aufsetze. Genug, liebster Graf, ich bin in der siebenten Woche nach der Krankheit so weit hergestellet, daß ich diesen langen Brief habe schreiben können; und wenn uns Gott Friede schenkte, hoffe ich bald in Leipzig zu seyn. Möchte Sie doch dieser Brief gesund und vollkommen zufrieden antreffen, und Ihnen Thränen der Freude abnöthigen! Möchte er mir doch bald eine Antwort von meinem so schätzbaren Freunde zuwege bringen! Gott beglücke Sie, theuerster Moritz, und bewahre Ihre Tugend, und gebe Ihnen langes Leben und allenthalben redliche Freunde, so wie mir. Ich liebe Sie mehr, als ich Ihnen sagen kann, und bin ewig der Ihrige,

G.

132.

Liebe Schwester,

Euer Brief ist mir herzlich angenehm und eine unvermuthete Beruhigung auf etliche Stunden gewesen, die für mich sehr traurig waren. Er hat mich noch in Bonau gefunden, und es scheint, daß ich an diesem Orte meinen Winter werde zubringen müssen, wenn mir Gott das Leben fristet. In Bonau also und nicht in Leipzig? Ja, denn meine Freunde und meine Geschäffte rufen mich nicht nach der Stadt, die ich nunmehr zwanzig Wochen nicht gesehen habe. Welch Schicksal! Doch ich werde es auch in Geduld überstehen können. Leiden nicht tausend wackere Leute bey den gegenwärtigen Unruhen noch mehr, als ich? Ist es nicht genug, daß mir Gott das Leben und die verlornen Kräfte wieder geschenkt hat? Also muß ich zufrieden seyn, und mir an den Umständen, die da sind, gnügen lassen, und das Beste hoffen. — — Meine Verrichtungen haben zeither meistens im Briefschreiben bestanden. Lesen über eine Stunde auf einmal kann ich nicht wohl. Mein Kopf gleicht oft meinem Magen, was er faßt oder liest, beschweret ihn bald. Die Einsamkeit würde noch sehr erträglich werden, wenn ich wegen der Jahreszeit mehr in das Freye gehen könnte; denn gehen kann ich besser als sitzen, und mein erster Ausgang ist in die Kirche nach Meineweh gewesen. In Bonau sieht man mich gern, Herr und Frau von Zedtwitz erzeugen mir alle Freundschaft; aber ich habe doch zu wenig lebendigen Umgang. Von Beiden habe ich an die liebe Mama und an Euch alle viele Empfehlungen. Also ist die gute Mutter zu eben der Zeit krank gewesen, da ich es war; und Gott hat ihr auch wieder geholfen. Möchte ich doch dankbar genug seyn können! Grüsset sie kindlich von mir und danket ihr für all ihr mütterliches Mitleiden und Gebet. Gott

stärke sie in dem angetretenen acht und siebzigsten Jahre ihres
Lebens mit neuen Kräften, und an dem Ende ihrer Laufbahn
mit neuem Muthe! Ich danke Euch herzlich für alles, was Ihr
meinetwegen gefühlet habt, und für alle Eure Gebete um meine
Erhaltung. — — Meine ehemalige Flucht nach Eisenberg ist
mit Ursache an meiner Krankheit gewesen. Ich wohnte bey
einem Schmidt in einer neu geweisseten Stube. Neben mir wo-
ren ein Paar alte Jungfern, die meine Schriften gelesen hatten,
und die mir tausend Gefälligkeiten erwiesen. Der Hofmeister,
den ich hieher empfohlen habe, hat mir in meiner Krankheit sehr
viel zu liebe gethan und nebst meinem Famulo viele Nächte bey
mir gewacht. Der Commissionrath Wagner aus Leipzig hat
viel, sehr viel zu meiner Erquickung beygetragen. Gott vergelte
es ihm. Er ist ehedem mein Zuhörer gewesen. Lebt wohl mit
allen den Unsrigen und grüßt sie alle herzlich.

G.

---

132. (63.)

Bonau, d. 5. Dec. 1757.

Lieber Herr von Bose,

Indem ich nur etliche Zeilen von Ihnen hoffe und wünsche,
erfreuen Sie mich mit einem langen Briefe, aus dem Innersten
Ihres Herzens geschrieben, und deswegen für mich so schön, und
für mein Vergnügen viel zu kurz. In der That verdiene ich
Ihre Liebe; aber so groß, als sie ist, habe ich sie doch nicht verdienet; und dennoch nehme ich sie an, als ob sie mir gehörte,
und als ob ich sicher wüßte, daß ich sie zeitlebens würde behaupten können. Fahren Sie fort, mir dieselbe in meiner Abwesenheit durch Briefe genießen zu lassen, ich bitte Sie darum. Aber

Unbekannter Herr Bruder will ich keine Briefe halten. Ich
mit wenigen Zeilen und mit den Augenblicken zufrieden, die
n Ihre Bücher und der Umgang noch frey lassen. Wird mir
Zeit übrig, so kann ich auch mehr und öfter an Sie schrei.
Ja, jede Stunde, die Sie bey unserm W[agner] zubringen,
mit einem Brief gelten. Eben dieses, daß Sie die Freunde
t dieses Mannes schätzen, vermehrt mein Vergnügen und
Verdienst, und sein Umgang ist für Sie, so gesetzt Sie auch
und für mich, so alt ich auch bin, immer eine Schule, und
besto nützlichere, je angenehmer sie ist.
Wie bald ich nach Leipzig kommen werde, mein lieber Rost,
steht auf gewisse Weise nicht mehr bey mir. Ich habe es,
zu beruhigen, dem Rathe und dem Rufe meiner Freunde
lassen. Es ist wahr, ich lebe, weil ich mich nicht genug be-
tigen kann, zu einsam; allein genug, daß ich an einem Orte
wo man mich gern sieht, und wo mich mein Schicksal hin-
rt hat. Um nicht ganz unnütze zu leben, und einigermaßen
bar zu seyn, unterrichte ich ist täglich die beiden jungen
en von Z[edtwitz], eine Arbeit, die, wenn ich ein stolzerer
hrter wäre, mir sehr geringe vorkommen würde, und die
doch, wenn ich an den Nutzen denke, beruhiget. Ist man
vierzigsten Jahre wohl zu alt, um sich mit seiner Weisheit
u dem zehnten und eilften Jahre herab zu lassen, und den
men derselben in die Herzen der Kinder zu streuen? Gesetzt,
Umstände unsrer Akademie sollten schlechter werden als ich
te: so würde ich mich keinen Augenblick schämen, einen Hof-
er abzugeben. Besser ein arbeitsamer Informator, als ein
iger Professor! Und wer kann immer Bücher schreiben? Ich
wenigsten; und die ausgestandne Krankheit hat mich auf
Zeit zum Nachdenken und Sitzen unfähig gemacht. —
Sie wohl, meine Schüler kommen. Ich liebe Sie, und
zeitlebens Ihr Freund und Diener,   G..

134. (42.)

Moritz v. Brühl an Gellert.

Paris, d. 16. Dec. 1757.

Liebster Professor,

Ich habe zween Briefe von Ihnen. Den ersten hat mir Herr S*** nebst den Büchern, die Sie ihm für mich mitgegeben, einige Zeit nach meiner Zurückkunft aus Holland, zugestellt. Ich danke Ihnen unendlich dafür. Aber wie groß ist nicht meine Verbindlichkeit für Ihren letzten Brief! O wenn Sie mich ihn hätten lesen sehn! Welche Unruhe bey den ersten Zeilen, und welche unbeschreibliche Zufriedenheit bey den letztern! Welche Glückseligkeit für mich bey der Entwickelung dieser rührenden Scene! Niemals habe ich deutlicher wahrgenommen, wie viel unsre Empfindung durch eine große Bewegung unsrer Seele gewinnt. Ich wußte es, daß ich Sie liebte. Ich fühlte mein Glück. Aber niemals habe ich es so lebhaft, als beym Schlusse Ihres Briefes, empfunden. Gott! in welcher Gefahr haben Sie sich nicht befunden, und wie glücklich sind Sie ihr nicht entgangen! Ich habe es meiner Entfernung von Ihnen zu danken, daß eine Begebenheit sich für mich in das größte Vergnügen verwandelt hat, die außerdem, wenigstens verschiedne Tage über, die größte Quaal für mich würde gewesen seyn. Sie sind also völlig wiederum hergestellt? Darf ich noch daran zweifeln, nachdem Sie mir einen so langen entzückenden Brief geschrieben? Also hätte ich bald meinen würdigen Freund verloren? Ich zittere, wenn ich daran denke. Tausend glückliche Zufälle haben ihn der augenscheinlichsten Gefahr entrissen. O Vorsehung, welche neue Wohlthat! Erhalte ihn fernerhin zum Nutzen der Welt und zum Glücke seiner Freunde! Diese überstandene Krankheit, liebster Professor, wird ein neuer Zuwachs für Ihre Geſundheit ſeyn. Bis zum neunten October habe ich bey Leſung Ihres Briefes nicht wenig gelitten. Aber ſobald nur der einmal vorbey war, ſo wuchs meine Hoffnung und meine Freude. Ich habe das Vergnügen Ihrer Beſſerung vollkommen mit Ihnen getheilt. Itzt ſehe ich Ihr Bette, umringt von Ihren Freunden, und mich mitten unter Ihnen. Ihre Sprache iſt zu ſchwach, ſich mit uns zu unterhalten. Ihr Auge erſetzt ihre Stelle und zeigt uns zugleich die überwundene Gewalt der Krankheit. Ich war in allen dieſen Augenblicken bey Ihnen, und indem ich dieſes ſchreibe, ſcheint mir Paris und Leipzig faſt nur Eine Stadt zu ſeyn. — Ihr Wunſch iſt erfüllet worden. Ihr Brief hat mich geſund angetroffen, und mir Freudenthränen abgenöthigt. Der Himmel gebe, daß ich niemals andere für Sie, liebſter Freund, vergießen darf! — Hier iſt alſo die Antwort, die Sie erwarten. Möchte ſie Ihnen doch nur den geringſten Theil von den Empfindungen der Freundſchaft und Zärtlichkeit abbilden können, mit denen mein Herz gegen Sie angefüllt iſt. Wir ſind itzt am Ende dieſes Jahres, eines merkwürdigen Jahres voll ſchrecklicher Begebenheiten. Ich weis die Schickſale des künftigen nicht, aber ſo viel weis ich gewiß, daß ich Sie unendlich liebe, und daß weder Zeit noch Umſtände hierinne die geringſte Macht über mich haben. Sie wiſſen, es kann kein Glück auf der Welt ſeyn, das ich Ihnen nicht wünſchte, ſo wie es keins giebt, das Sie nicht verdienten. Ich bin ewig

Ihr

Brühl.

135. (186.)

Bonau, b. 21. Dec. 1757.

So wenig Ihre Briefe an mich in dem bescheidnen Verstande, den Sie angeben, Ihr Beruf sind; so sehr sind sie es aus einer andern Ursache, weil sie mich ergötzen und erbauen. Ich habe Ihre ganze feyerliche Morgenbetrachtung auf mich anwenden können, und ich werde sie mir noch mehr als einmal vorlesen, wenn sich mein Herz weigert, den Tod lebhaft zu denken, das erst fürchterliche und dann heilsame Bild. Die erste Seite Ihres Briefs war traurig für mich. Ein sanftes Herz, das Herz meines Freundes; und gegen dasselbe harte, rauhe, demüthigende Begegnungen! Ich las voll Mitleiden und Widerwillen fort. Nun, dachte ich auf der dritten Seite, der Mann, wenn er gleich leidet, und nach deinen Gedanken nicht leiden sollte, ist doch in der Seele glücklich und weit größer als die, die ihn erniedrigen. Ich kam auf Ihre Verse, den Schluß Ihres Briefs:

Er thut, was er gedacht — wird der, der er will seyn,
Und wie ein Frommer stirbt, so festlich schläft er ein.

Selige Prophezeihung, wenn du sie erfüllst! sprach ich zu mir selbst. Ja, wenn du sie erfüllst, o wer ist glücklicher als du? Gebe es Gott, mein lieber **, daß ich diesen Gedanken lebhaft mit in das neue Jahr nehme, und um das Glück der letzten Zeile zu erlangen, den Innhalt der ersten täglich von Herzen, so schwach auch dieses Herz seyn mag, ausübe! Dieß Glück und kein anders bitte ich von Gott in dem neuen Jahre, und was ich mir bitte, bitte ich auch Ihnen; und was dieses Glück hindert, so angenehm es uns auch seyn möchte, sey ewig fern von uns! Bleiben Sie mein Beyspiel und mein Trost. Gehn Sie muthig auf bem Pfabe Ihres Lebens fort; uns ſchützt eine allmächtige unb gnädige Hanb. Was ſorgen wir benn?

G.

---

186. (62.)

An ben Hofrath **.

1757.

Ich kann ben Herrn Sohn nicht von unſrer Akabemie gehen laſſen, ohne ihm bas rühmliche Zeugniß bes Fleißes unb der guten Sitten, bas er vor vielen Anbern verbienet, zu ertheilen; unb ich thue bieſes mit bem größten Vergnügen, unb zugleich mit ber ſtrengſten Aufrichtigkeit. Sinb bie erſten Monate ſeines akabemiſchen Lebens nicht bie glücklichſten für ihn geweſen: ſo hat er bie übrige Zeit ſeines hieſigen Aufenthalts beſto mehr zu ſeinem Glücke angewanbt. Ich kenne ihn genau, ich habe ihn ganze Jahre faſt alle Tage geſprochen, unb bin bis zur Freunbſchaft mit ihm umgegangen. Ich kenne ſeinen Verſtanb, ſein Herz unb ſeine Geſchicklichkeit. Alles brepes macht ihm Ehre, unb Sie können bieſen würbigen Sohn nicht ohne Freube unb Segen ſich entgegen eilen ſehen. Er iſt ein guter Wirth geweſen, unb hat boch bie Regeln bes Wohlſtanbes aufs genauſte beobachtet. Er hat bie ſchönen Wiſſenſchaften getrieben, ohne bie höhern zu verabſäumen. Er hat bie beſten Geſellſchaften beſucht, unb bie wackerſten jungen Leute zu Freunben gehabt, ohne ſeinem Fleiße zu ſchaben; unb ſelbſt ſein Fleiß iſt bie Urſache geweſen, baß man ſeinen Umgang geſucht hat. Da ich gewiß weis, baß Sie kein Mißtrauen in mein Zeugniß ſetzen können: ſo weis ich auch gewiß, baß es Ihnen bie angenehmſte Nachricht ſeyn muß. Wie glücklich würbe ich mich ſchätzen, wenn ich ein

Vater wäre, und ein redlicher Mann sagte mir so viel Gutes von meinem Sohne, und zwar aus Pflicht und Ueberzeugung! Ich wünsche Ihnen also zu diesem so lieben Sohne, zu seinem glücklichen Abzuge von der Akademie, zu aller der Freude, die er Ihnen und seinem Vaterlande machen wird, von Herzen Glück, Ihnen und Ihrer Frau Gemahlinn; und so ungern ich ihn verliere, so sehr werde ich ihn stets lieben und hochschätzen.

Ich bin mit der vollkommensten Hochachtung

G.

127.

Gellert an seine Schwester.

Bonau, d. 22. Jan. 1758.

Mein Zustand ist erleidlich, und Gott gebe, daß der Eurige allerseits es auch seyn und lange bleiben mag. Ich grüße die liebe Mama und segne sie kindlich. Gott lasse es ihr auch in diesem Jahre wohlgehen. — — Der Baron Cronegk, ein Hofrath in Anspach, ein junger Herr von etlichen zwanzig Jahren, mein Zuhörer vor einigen Jahren, und mein Freund, ein treffliches, gelehrtes, geistreiches und frommes Kind, ist an den Blattern auf einer Reise nach Nürnberg gestorben; aber mit großem christlichen Heldenmuthe. Sein Tod hat mich in meiner Einsamkeit viele Thränen gekostet, und mich an den meinigen erinnert, den Gott im Himmel zu seiner Stunde mir wolle selig seyn lassen, das einzige Glück des Christen. Ein Preußischer Major von Kleist, der in Leipzig steht, und ein großer Poet ist, hat auf meinen vermeynten Tod vier Verse gemacht, die ich Euch hersetzen will:

Als Dich des Todes Pfeil, o Gellert! jüngst getroffen,
Klagt' ich und weint', und sah den Himmel plötzlich offen;
Auch den belebten Raum der weiten Welt sah ich:
Die Erde weinete, der Himmel freute sich.

Ich bin bey der letzten Zeile beynahe in Ohnmacht gefallen. O Gott, wer wäre ich, welcher Engel wäre ich, wenn ich diesen Lobspruch verdiente! Grüsset alle meine Freunde herzlich, und lebt wohl. Ich werde, wenn ich lebe, diesen Winter in Bonau bleiben.

G.

138. (187.)

[An den Commissionsrath Wagner.]

Bonau, d. 28. Jan. 1758.

Immer klagen Sie, ich höre es gern, und ich erbaue mich aus Ihrer Traurigkeit eben sowohl, als aus Ihrer Freudigkeit. Was können wir bey dem frühen Tode der Rechtschaffnen bessers thun, als daß wir an den unsrigen denken und uns mit eben dem Geiste auf ihn zubereiten, mit dem Sie ihn christlich und selig überwunden haben? Der liebe Cronegk! Gott hat ihn der Welt entnommen. Der liebe * *! Gott giebt ihm das Leben noch, und schenkt ihn mir und der Welt. Getrost, mein Freund! Wäre unsre Tugend die Ursache unsers ewigen Glücks: so müßten wir alle verzweifeln; aber wir haben ein göttliches Verdienst, das muß unsre Herzen unter dem aufrichtigen Gefühle ihrer Unwürdigkeit stillen und trösten. Ist Gott für uns, wer mag wider uns seyn? Welche Hoheit der Religion über alle Kraft der Vernunft! Ich umarme Sie brüderlich und danke Ihnen für die Thränen, die Sie mit mir über Cronegks Tod geweinet. Ich habe eine kleine Verordnung aufgesetzt, wenn ich etwa bald sterben sollte. Sie kommen einigemal darinnen vor,

———————————

Der Tod! welcher unendliche Gedanke! Leben Sie wohl mit Ihrer lieben Christiane und Ihren Söhnen. — Ich bin der Ihrige

G.

———————

139.

Gellert an seine Schwester.

Bonau, d. 25. Febr. 1758.

Euer Brief, auf den ich lange gehofft habe, ist mir bis auf die tragische Nachricht von F. sehr angenehm gewesen. Möchte doch der betrübte Fall dieses Verstorbenen allen, insonderheit jungen Leuten, ein Schrecken gegen alle Ausschweifungen und böse Gewohnheiten erwecken! — — Meine Gesundheit hat seit einigen Wochen vermuthlich durch die Jahreszeit gelitten. Ich schlafe wenig, und habe wenig Athem, insonderheit gegen Abend, und alsdenn, wenn ich ins Bette komme, wo ich oft auffitzen muß, so kurz wird er. Doch Gott thue, was ihm wohlgefällt. Das Leben ist nicht mein Wunsch; aber ein seliger Tod, der sey mein täglicher Wunsch! Ich habe gestern mit der Herrschaft meine Andacht in Küstritz gehabt; und dieser feyerliche Tag, den ich mir als einen freudigen versprach, war für mein Herz ein finsterer und kaltsinniger Tag. Gott vergebe mirs, wenn die Schuld zum Theil meine Schuld gewesen. G***l hat Göbicken geschrieben, daß er ihn wieder zu sich nehmen soll. Der gute Mensch! ich bedaure ihn; aber ich bedaure es noch mehr, daß ich nichts zu seinem Besten beyzutragen weis. Leipzig, das sein

Glück hätte seyn sollen, ist durch seine Schuld sein Unglück, und er meine Plage gewesen. Göbicke hat einen Stubenburschen und, welches sehr natürlich ist, keine Luft zu G**ln. Wollte Gott, ich müßte dem armen Vater zu rathen, und müßte nicht hören, daß G**l sich von seinen unglücklichen Gewohnheiten noch nicht losgerissen hat! — —

Wie lange ich noch auf dem Lande bleiben werde, kann ich nicht sagen. So viel ist leider gewiß, daß mich meine Freunde nicht nach Leipzig kommen heißen. Indessen muß ich immer beynahe 70 Thlr. Hauszins und 8 Thlr. Contribution bezahlen. Doch es wird ja Rath. Ich grüße die Mama kindlich und alle meine Freunde mit tausend Glückwünschen. Lebt wohl.

G.

104.

An Borchward.

Bonau, d. 9. März 1758.

Hier ist ein kleiner Auszug meines Lebens seit drey Viertel-jahren. Ich gieng in der Mitte des Julius vorigen Jahres wegen Schlaflosigkeit in das Bad nach Lauchstädt. Hier spürte ich einige Besserung, und begab mich nach drey Wochen auf ein Landgut bey Weissenfels, um da vom Bade auszuruhen, und an meine Verrichtungen nach Leipzig zurück zu kehren. Allein eine Hinderniß, eine traurige Nachricht über die andere, hielten mich auf, und da ich im Begriffe stund, wider den Willen mei-ner Freunde, nach meinem Catheder zu eilen, ließ mich Gott ungefürchtet und selbst im Spaziergehen, in eine tödtliche Krank-heit sinken. Im October also mitten unter dem Tumulte der Waffen, die selbst vor meinem Zimmer tobten, lag ich in den

Gellert VIII. 16

Banden des Todes, fern von meinem Arzte, dem der Zutritt in den ersten Tagen meiner Krankheit zu mir verschlossen war, weil Weissenfels gesperrt gehalten wurde. Aber unter allen diesen traurigen und schrecklichen Aussichten hat mich die Vorsehung Mitleiden, Pflege, Wartung, und endlich den Arzt, finden lassen, der durch einen gewagten Aderlaß eine tödtliche Pleurese aufzuhalten suchte. Er kam den fünften Tag der Krankheit an, und wußte vielleicht, vor dem Anblicke des Bluts, den Namen derselben nicht, vielleicht auch das Mittel nicht, wenn es ihm nicht durch einen besondern Umstand wäre eingegeben worden. Der Herr von Zedwitz, bey dem ich damals lebte, und noch itzt bin, hat die Gewohnheit alle Herbste sich die Ader öffnen zu lassen, und sein Barbier in Naumburg, war ohne Verordnung, an dem gedachten Tage in dieser Absicht angekommen. Diesen fand der Medicus, und ließ ihn, ob ich gleich dawider zu seyn schien, mir unverweilt die Ader schlagen. Zwey Tage darauf kam mein Medicus nebst etlichen Freunden aus Leipzig an, fand das harzige schreckliche Blut noch auf vier Tellern stehen, und umarmte den auch angekommenen Medicum aus Weissenfels, Hofrath Springsfelden, bey dem Anblicke des Blutes mit dankbarer Seele. Er hat mir nachher schriftlich gestanden, daß, wenn ich in Leipzig unter seinen und seiner Freunde Händen gewesen wäre, sie aus großer Liebe und Behutsamkeit die gefährliche und doch retterische Ader nicht würden gewagt haben. — Aber kein Tageregister meiner Krankheit! Genug, ich lebe und bin viel zu geringe der Treue und Barmherzigkeit, die Gott an mir gethan hat; und ich zittere oft bey den Spuren seiner wunderbaren Vorsehung, aus Erstaunen, wie sich der Allmächtige bis zum Staube mit seiner regierenden Hand herablassen kann. Preissen Sie ihn, frommer Freund, mit mir und wünschen Sie mir, daß ich mein zweites Leben nach seiner Absicht nutzen mag. — Noch ein rühmlicher Umstand für einen Ihrer Generale, dessen

Namen ich nicht weiß. Er hatte durch Springsfelden meine Krankheit erfahren, und Ordre gegeben, daß die Bothen, die von mir kämen, ungehindert, unaufgehalten und zu aller Zeit, aus= und eingelassen werden sollten. Dank sey es dem redlichen Manne, nach dessen Namen ich mich erkundigen will! Er hat aber nicht lange in Weissenfels gestanden. —

Die Bataille bey Roßbach, o ja, liebster Freund, die habe ich, kaum anderthalb Stunden, vielleicht nicht eine Stunde von ihr entfernt, erlebt, und von der Krankheit entseelt, von dem Krachen des Geschützes mit dem ganzen Gebäude erschüttert, mit keuchender Brust, mit bebenden Händen, unter Gebeten für die Sterbenden, nein nur unter Seufzern (denn ich konnte nicht be= ten, nicht weinen), so habe ich sie vier Stunden nach einander gehört, oder vielmehr zu sehn geglaubt, schon den Tag vorher gehört, schon lange vorher an dem Rasseln der Stücke, die durch den Hof, hart vor meinem Lager gezogen wurden, gehört. Genug! der Herr regieret die Welt, und lebt! —

Wegen der Freude über meine componirten Lieder verweise ich Sie auf den Brief an den treflichen Bach, Ihren Freund. Ich schmachte nach einem geschickten Manne, der mir sie vor= spielt, jetzt noch vergebens auf dem Lande. Aber vielleicht ist der Period meiner Rückkehr nach Leipzig näher, als ich denke. Möchte uns doch Gott allen Friede und Ruhe schenken! —

Aus Dankbarkeit gegen das Haus, wo ich so viel Sorgfalt genossen, gebe ich jetzt, in dem vierzigsten Jahre, einen Hof= meister über ein Paar junge Herren von zehn und eilf Jahren ab, die aber noch ihren besondern Aufseher haben.

Ich umarme Sie und Ihre Freundin, und bin der Ihrige

G.

—— ——

134. (42.)

Moritz v. Brühl an Gellert.

Paris, d. 16. Dec. 1757.

Liebster Professor,

Ich habe zween Briefe von Ihnen. Den ersten hat mir Herr S*** nebst den Büchern, die Sie ihm für mich mitgegeben, einige Zeit nach meiner Zurückkunft aus Holland, zugestellt. Ich danke Ihnen unendlich dafür. Aber wie groß ist nicht meine Verbindlichkeit für Ihren letzten Brief! O wenn Sie mich ihn hätten lesen sehn! Welche Unruhe bey den ersten Zeilen, und welche unbeschreibliche Zufriedenheit bey den letztern! Welche Glückseligkeit für mich bey der Entwickelung dieser rührenden Scene! Niemals habe ich deutlicher wahrgenommen, wie viel unsre Empfindung durch eine große Bewegung unsrer Seele gewinnt. Ich wußte es, daß ich Sie liebte. Ich fühlte mein Glück. Aber niemals habe ich es so lebhaft, als beym Schlusse Ihres Briefes, empfunden. Gott! in welcher Gefahr haben Sie sich nicht befunden, und wie glücklich sind Sie ihr nicht entgangen! Ich habe es meiner Entfernung von Ihnen zu danken, daß eine Begebenheit sich für mich in das größte Vergnügen verwandelt hat, die außerdem, wenigstens verschiedne Tage über, die größte Quaal für mich würde gewesen seyn. Sie sind also völlig wiederum hergestellt? Darf ich noch daran zweifeln, nachdem Sie mir einen so langen entzückenden Brief geschrieben? Also hätte ich bald meinen würdigen Freund verloren? Ich zittere, wenn ich daran denke. Tausend glückliche Zufälle haben ihn der augenscheinlichsten Gefahr entrissen. O Vorsehung, welche neue Wohlthat! Erhalte ihn fernerhin zum Nutzen der Welt und zum Glücke seiner Freunde! Diese überstandene Krankheit, liebster Professor, wird ein neuer Zuwachs für Ihre Ge-

sundheit seyn. Bis zum neunten October habe ich bey Lesung
Ihres Briefes nicht wenig gelitten. Aber sobald nur der einmal
vorbey war, so wuchs meine Hoffnung und meine Freude. Ich
habe das Vergnügen Ihrer Besserung vollkommen mit Ihnen
getheilt. Itzt sehe ich Ihr Bette, umringt von Ihren Freunden,
und mich mitten unter Ihnen. Ihre Sprache ist zu schwach,
sich mit uns zu unterhalten. Ihr Auge ersetzt ihre Stelle und
zeigt uns zugleich die überwundene Gewalt der Krankheit. Ich
war in allen diesen Augenblicken bey Ihnen, und indem ich dieses schreibe, scheint mir Paris und Leipzig fast nur Eine Stadt
zu seyn. — Ihr Wunsch ist erfüllet worden. Ihr Brief hat
mich gesund angetroffen, und mir Freudenthränen abgenöthigt.
Der Himmel gebe, daß ich niemals andere für Sie, liebster
Freund, vergießen darf! — Hier ist also die Antwort, die Sie
erwarten. Möchte sie Ihnen doch nur den geringsten Theil von
den Empfindungen der Freundschaft und Zärtlichkeit abbilden
können, mit denen mein Herz gegen Sie angefüllt ist. Wir sind
itzt am Ende dieses Jahres, eines merkwürdigen Jahres voll
schrecklicher Begebenheiten. Ich weis die Schicksale des künftigen
nicht, aber so viel weis ich gewiß, daß ich Sie unendlich liebe,
und daß weder Zeit noch Umstände hierinne die geringste Macht
über mich haben. Sie wissen, es kann kein Glück auf der Welt
seyn, das ich Ihnen nicht wünschte, so wie es keins giebt, das
Sie nicht verdienten. Ich bin ewig

Ihr

Brühl

noch geschieht, dürfte es wohl nicht geschehen. Hart an meinem Kammerfenster in Leipzig ist ein Hospital für Blessirte und Kranke errichtet, und ich kann sie aus meinem Fenster klagen hören und leiden sehen. Ein trauriger Umstand für mich! Nun ich will mich nicht in voraus ängstigen. Die Pfingstwoche ist noch nicht da. — — Habt Ihr etwas von meinen ersten Poesien, Briefen und Predigten, so packet es zusammen und schicket es nach Leipzig an Göbicken. Ich setze einige kleine Nachrichten, die mein Leben und Studiren betreffen, auf; und dazu brauche ich noch so etwas. Ihr sollt alles ohne Ausnahme wieder haben. Lebt wohl. Der Anfang des Frühlings thut keine gute Wirkung bey mir; doch Gott wird alles auch für mich einrichten, wie es mir gut ist, auch wenn es mir nicht gut scheint. Lebt wohl. Ich grüsse alle herzlich.

G.

144.

An dieselbe.

Bonau, b. 6. Mai 1758.

Mein Brief würde meistens Klage seyn, wenn ich Euch nicht Nachricht zu geben hätte von einem Präsent, das mir von einer Dame aus Liefland gemacht worden ist. Die Frau von Campenhausen in Riga, die ich ehedem im Carlsbade und auch in Leipzig kennen lernte, wo sie sich ein halbes Jahr der Gesundheit wegen aufhielt, und deren Sohn mein Zuhörer gewesen, jetzt aber Sächsischer Gesandter am Dänischen Hofe ist, diese Dame, der ich vor einem Jahre schrieb und meine Lieder schickte, hat mir den 3. May einen Wechsel von 300 Thlrn. zugesandt, der mir bereits in Leipzig ausgezahlet worden ist. Von diesen

300 Thlrn. sind zweyhundert mein und einhundert war für den Bruder, den sie auch kennt, bestimmt. — Da mich oft die wichtigsten Gegenstände nicht rühren, so könnt Ihr leicht denken, daß mich dieses Geld, so sehr ichs auch nöthig habe, wenn ich wieder in Leipzig leben will, ebenfalls nicht gerühret hat. Darüber habe ich mich freylich gekränkt, daß ich der Vorsehung für diese Wohlthat nicht herzlich genug danken und ihre Güte fühlen kann. Gott vergebe mirs, und mein Dank sey unvergessen. — — Der Bruder hat eine große Freude gehabt. Ich schickte ihnen den Wechsel durch einen Expressen; und mein Famulus Gödicke, auch der ist von Vergnügen so gerührt gewesen, wie er mir schreibt, daß er auf seine Knie niedergefallen und Gott laut gedanket hat. Es ist ein guter Mensch. Zu Ende der Pfingstwoche, wenn es Gott gefällt, denke ich in Leipzig zu seyn, so baufällig meine Gesundheit auch ist. Ich leide an meiner Brust noch oft, aber warum will ich klagen? Gott giebt uns nichts als was uns gut ist, so schwer es auch zu tragen sey; und er ist noch mächtig in dem Schwachen, wenn wir unser Vertrauen auf ihn nicht wegwerfen. Er stärke die liebe Mama in ihrem Alter, und gebe Euch und allen meinen Verwandten Gesundheit des Geistes und des Leibes.

G.

145.

An dieselbe.

L. d. 29. Mai 1759.

Ich habe seit einigen Tagen heftige Zahnschmerzen gehabt. Heute Morgen spürte ich einige Linderung. Wollte Gott, daß ich doch keinen dürfte heraus reißen lassen; ein Mittel, davor ich mich so schrecklich fürchte. — Die Besserung der lieben Mama hat mich sehr erfreut, und ich wünsche ihr Stärke und Kraft nach Gottes Willen. — — Ich lese wieder Collegia, und habe in dem Publico viel Zuhörer. Ich bin nunmehr eilf Tage wieder in Leipzig. Gott stärke mich und alle meine Freunde, die ich alle herzlich grüsse, auch den Bruder in Freyberg. Lebt wohl und getrost.

G.

146.

An dieselbe.

L. d. 4. Juni 1758.

Ich würde heute nicht an Euch schreiben, wenn ich Euch nicht meine Freude über die Befreyung von meinen Zahnschmerzen mittheilen wollte. Mittwochs zur Nacht waren sie bis um drey Uhr beynahe unerträglich, und Donnerstags früh schien ich zum Herausreißen entschlossen zu seyn, obgleich der Backen sehr geschwollen war; allein Dr. Tilling hatte keine Lust dazu und meynte, ich sollte erst Breyern, unsern besten Chirurgen, kommen und den Zahn von ihm untersuchen lassen. Der Doctor gieng und ich schickte nach Breyern. Er besah den Zahn. Sie haben ein Geschwür, fieng er ganz gelassen an, das wollen wir gleich öffnen, und so werden Sie Ihrer Schmerzen auf einmal los. Schon griff er nach den Instrumenten, gab mir den Stuhl und sagte: Blinzen Sie nur einen Augenblick zu, Herr Professor; und das that ich, ohne mich zu bedenken. Er schnitt also, und der Schnitt, einen Nagel lang, that, so lange er währte, freylich schrecklich wehe; aber kaum lief die Materie und das Blut heraus, so hörten die Schmerzen des Zahnes sogleich auf.

Seit dieser Stunde bin ich also frey; o wie habe ich am Don=
nerstag vor Freuden geweint, und wie soll ich Gott genug auch
für diese Wohlthat danken! Breyer kommt noch alle Tage zu
mir, um die Wunde offen zu halten; aber ich denke nicht, daß
es weitere Folgen haben soll. Indessen habe ich diese Woche
nicht lesen können, und zu Hause mich halten müssen. Breyer
hofft den Zahn zu erhalten. Was sind Zahnschmerzen für Uebel!
ein Uebel, das ich beynahe in zwanzig Jahren nicht, oder doch
nur wenig erfahren habe. Was machet die liebe Mama! Gott
gebe ihr eine gute Woche mit diesem Sonntag. — Auch hat
gestern der Auszahler meiner Pension wieder an mich geschrieben,
und mir einen Termin von Ostern vorigen Jahres angeboten.
Ich weis nicht, wie ich zu diesem Glücke komme, und ich wollte,
daß michs mehr rührte. Gott sorgt sehr wunderbar für mich.
Dank und Preis sey seiner Güte! Lebt wohl mit allen meinen
Freunden.

G.

147. (44.)

Moritz v. Brühl an Gellert.

Paris, d. 6. Juni 1758.

Mein liebster Professor,

Wie groß ist nicht das Vergnügen, das mir Ihr Brief ver=
ursacht! Wenn ich ihn so oft beantwortet hätte, als ich ihn
gelesen: o wie viel Antworten würden Sie nicht schon erhalten
haben! Sie sind stets der edle, geistreiche, vortreffliche Freund,
der Sie jederzeit gewesen. Ich wundre mich nicht über diese
Unveränderlichkeit, wenn ich anders so reden darf; aber ich freue

mich darüber, mehr als ich Ihnen sagen kann. Wenn ich bisweilen bedenke, wie viel vortreffliche Eigenschaften des Herzens und des Verstandes Sie in Ihrer Person vereinigen, so erstaune ich weniger über die große Anzahl mittelmäßiger Geschöpfe. Die Natur ist nicht verschwenderisch mit ihren Gaben. Welch Glück, Ihre Freundschaft zu besitzen, und wie großmüthig ist es nicht von Ihnen gehandelt, sie auch an Personen zu schenken, deren größtes Verdienst darinnen besteht, daß sie Sie unaussprechlich lieben! Dieses Verdienstes bin ich vorzüglich gewiß, und Sie lieben mich zu sehr, als daß Sie mir es absprechen sollten. Wie vortheilhaft überhaupt zeigt mich Ihnen Ihre Freundschaft nicht! Welch ein gütiger Beurtheiler, welch ein gelinder Richter! Wie viel gewinne ich nicht dabey, aus diesem Gesichtspunkte von Ihnen betrachtet zu werden! Ich beweine noch immer den lieben Cronegk, und seufze zugleich über das entsetzliche Uebel, das mir schon die meisten meiner Bekannten entrissen hat. Ich habe Sie ersuchet, mir bey Gelegenheit seine gedruckten Werke zu überschicken. Wenn sich eine ereignen sollte, so würde ich Ihnen unendlich für diese Gefälligkeit verbunden seyn.

Es erscheinen itzt wenig witzige Schriften in diesem Lande. Der Geist der Zwietracht und des Gewinnstes beschäfftiget den größten Theil der Nation. Das zweite Stück der Frau von Graffigny hat nicht so viel Beyfall gefunden, als Cenie. Verschiedene Umstände sind an dem Falle desselben Schuld; besonders aber die vielen Veränderungen, die sie aus zu großer Unterwürfigkeit gegen die Urtheile verschiedener ihrer Freunde gemacht hat. Sie werden es in einiger Zeit gedruckt, und so wie ich es vor zwey Jahren gelesen, hergestellt sehen. Die ungezwungene Gleichgültigkeit, mit der sie diesen kleinen Unfall aufgenommen, ist vollkommen ihrer Denkungsart gemäß, und würde meine Hochachtung gegen diese verehrungswürdige Frau vermehren, wenn sie anders zunehmen könnte.

Herr P[ajon] ist seit vierzehn Tagen hier, und noch immer
sehr schwach. Er hat mir die kleinen Stücke von Herr Weißen*)
mitgebracht, worunter in der That die größte Anzahl sehr artig
ist. Sie ist, meiner Meynung nach, eine der besten Sammlungen, die wir in dieser Gattung haben.

Der Baron von Bernsdorf meldet mir, daß Cramer ein
Wochenblatt, wie der Zuschauer, schreibt. Ist es Ihnen bekannt? Ich werde mir es kommen lassen. — O könnten Sie
mir denn nicht die Melodien Ihrer Lieder von Bachen schicken?
Ich wünsche recht sehnlich, sie zu sehen. Aber bin ich nicht zu
begehrlich? Das Sinngedichte von Kleist hat mich entzückt.
Ich sehe es als eine Prophezeihung an, deren Erfüllung unfehl-
bar ist. Ihren Verlust, mein liebster Professor, werden die
Klagen der Welt und die Freude des Himmels begleiten. Können Sie wohl daran zweifeln? Doch dieser Augenblick sey noch
lange entfernt. —

Ich lese itzt die Uebersetzung des Homers von Pope. Was
für ein Genie wird nicht zu einem solchen Werke erfodert! Der
alte Homer wird stets für diejenigen neu bleiben, die Empfindung und keinen verderbten Geschmack haben. Leben Sie wohl,
mein liebster Professor. Ich bin ewig

Ihr

Brühl.

*) (Die scherzhaften Lieder von C. F. Weiße sind gemeint. —
Pajon aus Paris, war zu Anfange des siebenjährigen
Krieges Prediger der reform. Gemeinde zu Leipzig; gieng 1758
nach Paris zurück; starb 1800 in Berlin als Prediger bey der
französ. Kirche und Consistorialrath. C. E. F. Weißens Selbst-
biographie. Lpzg. 1806. S. 65.)

ich bey Zorndorf vom Pferde hieb: und diese da, von der Frau
eines Rußischen Officiers, die in der Flucht mit dem Pferde stürzte.

Es lief mir bey dieser Erzählung und bey dem Präsente,
eiskalt über den Leib: Das sey ferne, daß ich Ihnen ein Theil
Ihrer Beute entziehen sollte! Mein lieber Herr Lieutenant, behalten Sie Ihre Rubel, ich habe genug an der Gewogenheit,
aus der Sie mir dieselben anbieten. Aber Sie müssen ein Andenken von mir nehmen. Herr Professor gefallen Ihnen diese
Pistolen, es sind Sieberische, und diese Peitsche, das ist eine
Knuthe, beydes ist zu Ihren Diensten. Ich habe noch trefliches
Gewehr erbeutet, Türkisches und Tartarisches, es stehet bey Eu-
lenburg, und was Sie verlangen, will ich Ihnen schicken. Ein
Wort ein Mann, der Soldat hat nichts kostbarers, als Beute
mit seinem Blute erfochten: Warum gefallen Ihnen die Pistolen
nicht? Es ist auserlesenes Gewehr; hier nahm ich ihn bey der
Hand, und führete ihn an meine Bücherschränke, dieses ist mein
Gewehr, Herr Lieutenant, mit dem ich umzugehen weiß, und
kaum; denn einen Theil verstehe ich nicht, den andern brauche
ich selten, und den dritten könnte ich zur Noth entbehren; aber
um gelehrt zu scheinen, muß ich solche Waffen haben. Wollen
Sie sich ein Andenken von meiner gelehrten Beute auslesen?
Ja! Geben Sie mir Ihre gelehrten Trostgründe wider ein sieches
Leben; wenn ich etwa noch von den Russen blessirt würde; denn
ach! die Russen, das ist ein schreckliches Volk, sie stehen wie die
Berge so feste, und man arbeitet sich müde und todt, ehe man
sie zum Weichen bringt. Nunmehr wollte er mir die letzte Bataille erzählen; aber zu meinem Glücke schlug es, meine Zuhörer
kamen haufenweise, und ich sagte dem Herrn Husaren=Lieutenant
daß ich ein Collegium hätte, er bot mir nochmals sein Gewehr
an, umarmte mich herzlich und war unzufrieden, daß ich nichts
annehmen wollte, besahe meinen Catheder, wünschte mir viel
Gutes, und gieng mit seinen Pistolen und seiner Knuthpeitsche,

149.

L. d. 9. Juli 1758.

Die Nachricht von Eures Sohnes Krankheit hat mich sehr beunruhigt, so wie mich seine Besserung erfreuet. Ich wünsche, daß er zu der Zeit, da Ihr dieses leset, vollkommen wieder hergestellt, und der Zustand der lieben Mama und Euer aller der beste seyn möge. Gott gebe es! Ich habe seit einiger Zeit einen bösen Hals gehabt, und es liegt mir immer noch auf der Brust. Ob ich gleich in der That nicht wohl bin: so hab ich doch meine Collegia noch nicht aussetzen dürfen. Meinen Geburtstag, den 4. July, habe ich auf der Stube sehr einsam begangen. Ich ließ mir um eilf Uhr vier Thomasschüler kommen und etliche von meinen Liedern singen; dieses ist die ganze Feyerlichkeit gewesen. Also bin ich nunmehr drey und vierzig Jahre alt? Gott sey Dank! Die übrigen Jahre oder Tage wird er auch überstehen helfen, wenn es auch die wären, von denen wir sagen: Sie gefallen uns nicht.

G***l führt sich recht gut auf. — — Die liebe Mama soll sich nichts abgehen lassen. Lebt wohl, grüsset alle herzlich.

G.

150.

L. d. 29. Juli 1758.

Meine Gesundheitsumstände, ja die sind nicht die besten, aber doch erträglich. Ich seufze sehr nach Michaelis, um etwa etliche Wochen aufs Land reisen zu können. Ich schicke Euch meine componirten Lieder, wenn vielleicht der Herr Cantor oder der Herr Rector sich etliche Compositionen abschreiben wollen. Vier Wochen könnt Ihr sie behalten. G***l ist in guter Ordnung.

Wisset Ihr ein Paar Kinder in Haynichen oder auf den Dörfern, welche von den Eltern oder Anverwandten aus Armuth nicht zur Schule gehalten werden: so meldet mir, was jährlich das Schulgeld für zwei Kinder beträgt; ich will es allezeit auf ein halbes Jahr voraus schicken, und auch die Schulbücher auf mich nehmen.

Grüßt den Herrn Bruder. Ich freue mich sehr über das Vermächtniß. Gott gebe, daß es G***l zu seinem Glücke verstudiret, und bis itzt hoffe ichs noch. — Der Herr Bruder soll so gut seyn, und Göbicken von den 100 Thalern zwei Thaler zu einem freywilligen Geschenke geben. Er verdienet es an G***ln und thut weit mehr, als ich thun kann. Ich grüße Euch herzlich. Gott sey mit Euch allen!

G.

151.

An dieselbe.

L. d. 3. Oct. 1758.

Meine Umstände sind, Gott sey Dank, leiblich, wenn gleich nicht die, die wir uns zu wünschen pflegen. Vor Michaelis war ich zehn Tage in Welke bey dem General Vitzthum. Man erwies mir außerordentlich viel Ehre; denn die Frau Gräfinn kann mich auswendig. Aber alle diese Ehre verhinderte nicht, daß ich nicht etliche Tage an einem Flußfieber gelitten hätte; es war rauhes Wetter. Die Gräfinn ist eine gebohrne von Fullen aus Störmthal, bey der die Frau Magist. Lechla ehedem gewesen ist. Diese Dame, die ich seit wenig Monaten kenne, hat mir, ohne daß ich mit ihr bekannt war, folgende Gelegenheit zu einem Briefwechsel gegeben. Sie schrieb vor etlichen Monaten an mich, sie hätte erfahren, daß ich meine Pension bey den jetzigen Unruhen nicht ausgezahlt bekäme; sie hätte sich also, um sich um mich verdient zu machen, ohne meine Erlaubniß durch ihren Gemahl an die Churprinzessinn gewendet, und es dahin gebracht, daß ich von derselben gegen die gewöhnliche Quittung zweyhundert Thaler auf meine Pension, unter der Bedingung des Stillschweigens, ausgezahlet bekommen sollte. Ich hatte nicht mehr als drey Termine zu fordern, der Weg zu meiner Bezahlung schien mir zu außerordentlich; ich wußte, daß andere wackere Leute längere Zeit hatten zurückstehen müssen, kurz, ich schlug die Gnade aus, und sagte, daß ich die allgemeine Last auch mittragen, und eine Prinzessinn, die so großmüthig gesinnt wäre, nicht zu einer Zeit beschweren wollte, da ihr eigner Hof litte. Diese unerwartete Uneigennützigkeit hat man am Hofe sehr wohl aufgenommen, und seit dieser Zeit habe ich der Gräfinn einmal in Störmthal und letzthin in Welke aufgewartet. Wenn sie künftig nach Lichtewalde zur Frau Gräfinn reiset, so will sie den Ort sehen, wo ich geboren bin, ich, der ich so vielen Leuten merkwürdig bin, und mir, wie Gott weis, oft sehr geringe und armselig bey allem meinen Ruhm vorkomme. Lebt wohl, grüsset alle unsre Freunde herzlich. Und der lieben Mama wünsche ich von Gott Kraft und Stärke.

G.

---

152. (67.)

L. d. 14. Oct. 1758.

Gnädige Frau,

So wenig Sie auch meine Danksagungen für Ihre Gnade verlangen, so bleibt es doch meine Pflicht, sie Ihnen abzustatten;

Gellert VIII.   17

und wer unterläßt gern eine angenehme Pflicht, auch wenn sie nicht verlanget wird? — So weit, gnädige Frau, war ich in meinem Danksagungsschreiben gekommen, als ich durch eine Begebenheit unterbrochen wurde, die ich Ihnen nicht verschweigen kann.

Mein Famulus trat herein, übergab mir einen Brief nebst einem Päcktchen und sagte: „Eine Frau, die ich nicht kenne, „brachte diese Sachen." Ich erbreche den Brief; aber es steht kein Wort darinne. Ich erbreche das Packet, finde ein Schächtelchen, ein Arzneyschächtelchen, dessen Titel ein Lebenspulver versprach, das für alle mögliche Krankheiten helfen soll. Nun, dachte ich, das muß eine sehr mitleidige Seele seyn, die dich ungebeten curiren will, und öffne das Siegel. Ich fand keine Arzney, aber das ganze Schächtelchen voll Louisdore, und bey diesem Gelde war wieder keine Zeile. Ich sehe nach dem Siegel; aber das Siegel war ein Kopf, der allen Menschen ähnlich sah. Ich rufe meinen Famulus: — Wo ist die Frau hergewesen, die ihnen diesen Brief gegeben hat? — Das weis ich nicht. Sie sagte, der Herr Professor wüßte schon, von wem der Brief käme. — Also war ich berichtet. Vergeben Sie mir, gnädige Frau, daß ich Ihnen diese kleine Geschichte so sorgfältig erzähle, als ob sie für Sie selbst merkwürdig wäre. Wenigstens würden Sie mir eine große Gnade erweisen, wenn Sie mir einen Rath ertheilen wollten, was ich mit diesem mir ziemlich verdächtigen Gelde anfangen soll. Es ist mir Niemand etwas schuldig, und die Schuldner verschweigen auch ihren Namen nicht. Geld in einer Arzneyschachtel? Könnte das Geld, oder der Brief, oder die Schachtel wohl gar vergiftet seyn? Aber ich bin ja kein großer Herr, und ich habe auch in meinen Schriften Niemanden beleidiget, einige übereilte Stellen wider das Frauenzimmer ausgenommen; doch diese Stellen stehen in den Fabeln, und sind auch Fabeln. Wie soll ich mich also vorsichtig genug bey diesem Gelde verhalen? Soll ichs in meine Chatoulle legen, so könnte es vielleicht ungerechtes Gut seyn, und mir ein Unsegen werden? Es soll auf Ihren Ausspruch ankommen, ob ichs behalten, oder lieber den Armen, oder Ihrer Königl. Maj. in P[reußen] geben soll. Vielleicht ist es selbst eine Wohlthat von diesem Herrn, wenn er etwan durch die dritte Hand erfahren hat, daß ich mich in ** ankaufen will. — Mir wird Angst, gnädige Frau, ich weis nicht warum; und ich werde, ohne Ihren Rath abzuwarten, mich mit der Schachtel auf einen Wagen setzen, und das Geld bey Ihnen gerichtlich beponiren, bis ich mehr Licht erhalte. In diesem Falle darf ich auch meine angefangene Danksagung nicht fortsetzen; denn Sie erzeugen mir doch wieder neue Gnade, wenn ich mit meinem Deposito ankomme. Den Herrn Gemahl habe ich gestern bey meiner Ankunft aufgesucht; aber vor der Mahlzeit war er nicht zugegen, und um fünf Uhr war er abgereiset. Eine neue Ursache zur Reise nach **! Ich bitte also unterthänig, daß Sie mir auf diesen Brief keine schriftliche Antwort ertheilen. Ich bin ⁊c.

G.

153.

Gellert an seine Schwester.

L. d. 10. Nov. 1758.

Der Bruder in Freyberg wird Euch mündlich von mir Nachricht geben, und also will ich Euch weiter nichts sagen, als daß meine Umstände leiblich sind; denn der böse Hals, den ich einige Tage gehabt habe, ist nur ein kleines Uebel gewesen. Der hiesige Bruder hatte Lust, wenn der Bruder in Freyberg einen viersitzigen Wagen gehabt hätte, mit ihm die Mama zu besuchen, und ich würde ungeachtet der Jahreszeit die Reise gerne mit gethan haben, wenn es mit dieser Gelegenheit hätte geschehen können; denn es ist sehr lange, daß ich die gute Mama nicht gesehen habe. Aber mein Wunsch wird wohl bis auf künftiges Jahr unerfüllt bleiben. Gott erhalte nur die liebe Mutter bey leiblicher Gesundheit in ihrem Alter, und lasse mich von Euch allen immer frohe Nachricht hören; dieser Wunsch erstreckt sich insonderheit auf den armen Stadtschreiber; denn nach des Bruders Beschreibung ist er sehr schwach. Ich grüsse ihn herzlich, und wünsche ihm zu wiederholtenmalen von Gott alles, was ihm und uns allen heilsam ist.

G.

154.

An dieselbe.

L. d. 12. Dec. 1758.

Der Baron Crausen hat mir unlängst geschrieben, daß er seine Schuld schon zu seiner Zeit abtragen würde. Ich will seinen Brief beylegen und Ihr werdet ihn bald wieder zurück schicken. Ich schreibe diesen Brief im voraus, weil ich nicht weis, wenn eine Gelegenheit ankommen, und ob ich nicht in der Woche vor dem Feste nach Bonau reisen möchte. Die Frau von Zedtwitz hat mich sehr inständig eingeladen; ich will ihren Brief auch mit beylegen. Meine Gesundheit ist bey der jetzigen Jahreszeit leidlich, indessen habe ich doch keine große Lust zum Reisen. Ich komme aus meiner gewohnten Ordnung und gemeiniglich kränker zurück, als ich ausreise. Und so bin ich auch gegen das, was Vergnügen heißt, überhaupt sehr unempfindlich geworden, leider schon seit vielen Jahren. Die liebe Mama möchte

ich freylich herzlich gerne sehen, wenn es bloß auf mein Wün=
schen ankäme. Dr. Bach, ein guter Freund von mir, den Ihr
bey mir müßt gesehen haben, starb vorige Woche an einer Aus=
zehrung und ich habe ihn zu seinem Grabe begleitet. Er ist
jünger, als ich. So geht einer nach dem andern hin und lehrt
uns sterben. Ich bin vorgestern bey der Herzoginn zur Tafel
gewesen. Sie fragte nach der Mama, und sagte, daß sie
den Bruder aus Freyberg mit dem Aeltesten auf der Gasse
gehen gesehen habe. Er möchte wohl gesünder seyn als ich.
Wer ist denn der Beste von Ihnen Dreyen? fuhr sie fort. Ihre
Durchlaucht, sagte ich, jeder denkt, er sey's, und der Aelteste
macht sich kein Gewissen, es zu sagen. — Letzthin waren zwölf
Preußische Officiers vom Corps des Grafen Dohna bey mir im
Collegio, und unter ihnen der junge Graf Dohna, Adjutant
seines Vaters, ein lieber frommer und geschickter Soldat. — Ein
Husarenlieutenant vom Regiment Maltovsky [Malachowsky] be=
suchte mich vor einigen Wochen, und wollte mir von seiner Beute
bey Zorndorf erst etliche Rubel, und hernach Gewehr aus großer
Liebe für meine Schriften aufbringen. Ich dankte ihm für Beides.
Es war auch ein guter Mann, schon bey Jahren.

Ich danke Euch herzlich für Euern langen Brief, und preise
Gott mit Euch allen, daß er uns bis hieher gebracht hat. —
Möchte doch Gott der Allmächtige den armen, kranken Stadt=
schreiber stärken, an Geist und Leibe stärken, darum will ich herz=
lich beten, mit ihm in Gedanken beten. Möchte ich ihn doch
sehen und trösten können. Ich weis keine Erquickung für ihn,
so gern ich ihm eine schickte. — Nunmehr reise ich die Feyer=
tage nicht weg; ich will den ersten meine Andacht haben. Ich
grüße die liebe Mama, und den armen Stadtschreiber von Her=
zen. Lebt wohl. Ich erhalte eben jetzt einen Brief von der
Tochter der Gräfinn Vitzthum, und werde eingeladen, diese
Feyertage nach Welke zu kommen; aber nein, weder nach Welke,

noch nach Bonau: ich will in Leipzig in die Kirche gehen. Gott erhalte Euch alle bey Leben, Gesundheit und Ruhe.

G.

---

155. °)

[L. im Dec. 1759.]

Gnädiges Fräulein!

Ihr zweyter Leib=Medicus, Herr Kabelbach, hat mir ver= sichert, daß Sie wieder in den Umständen wären, einen Brief von mir zu lesen, und dieses ist mir schon genug einen zu schrei= ben. Aber, womit werde ich Sie unterhalten, gnädiges Fräu= lein? mit Ihrer ausgestandenen Krankheit? Das wäre sehr grausam! mit meinen Collegiis? das wäre noch grausamer! Nein, mein Brief soll ein kleines Krieges=Diarium aus dem schwarzen Brete enthalten: denn ich weiß doch, daß Sie gütig genug sind an meinem Schicksale Theil zu nehmen.

Den achtzehnten November ließ sich ein Husaren=Lieutenant, von dem Gefolge des General Malachowsky, sehr ungestüm bey mir melden. Der Gewalt, dachte ich, kann niemand widerstehen, fasse dich und nimm den Besuch an, es begegne dir auch was da will.

Sogleich trat ein hagerer schwarzer Mann mit drohenden Augen, kothigten Stiefeln und blutigen Sporen hastig auf mich zu; sein gelbes Haar war in einen großen Knoten, und sein Bart in etliche kleine geknüpft, mit der linken Hand hielt er einen fürchterlichen Säbel, und in der rechten (den Arm mit

°) (Sechs Briefe von Gellert und Rabener. Berlin 1770. No. 1. Vgl. die Anm. zu No. 114.)

dazu genommen) den Stock, ein paar Pistolen, die Mütze und eine Karbatsche mit Drath durchflochten. Was ist zu Ihrem Befehl, Herr Lieutenant? fragte ich mit Zittern an; haben Sie Ordre mich zu arretiren? ich bin unschuldig. Nein mein Herr, sind Sie der berühmte Bücherschreiber und Professor Gellert? Ja, ich bin Gellert. Nun, es freuet mich, Sie zu sehen und zu umarmen! (O wie zitterte ich bey dieser Umarmung!) ich bin ein großer Verehrer Ihrer Schriften, sie haben mir in meinen Feldzügen viele Dienste gethan, und ich komme Ihnen zu danken, und Sie meiner Freundschaft zu versichern. Das ist zuviel Ehre für mich, Herr Lieutenant, mehr konnte ich vor Schrecken noch nicht aus mir hervor bringen, haben Sie die Gnade und lassen Sie sich nieder. Ja, das will ich gerne thun, sagen Sie mir nur, wie Sie es anfangen, daß Sie so viel schöne Bücher schreiben können? Ob meine Bücher schön sind, Herr Lieutenant, das weiß ich nicht; aber wie ich es mit meinen Büchern angefangen habe, das kann ich Ihnen sagen. Wenn ich Lust und Zeit zum Schreiben hatte, so dachte ich ein wenig nach, was ich schreiben wollte. Alsdenn setzte ich mich hin, vergaß alles andere, dachte nur an meine Materie, und schrieb was mir diese eingab, so gut ich konnte. War ich fertig, so fragte ich ehrliche Leute, ob sie das Werk für gut hielten, und was sie zu erinnern hätten? Sagten sie, es wäre gut, ich sollte es hin und wieder verbessern und alsdann drucken lassen; so besserte ichs und ließ es drucken. Dieses, Herr Lieutenant, ist die Geburt meiner Schriften, die das Glück haben, Ihnen zu gefallen. Nun das will ich mir merken, versetzte er: ich habe Lust und Zeit zu schreiben, und sobald die verteufelten Russen aus dem Lande sind, will ich einen Versuch nach Ihrer Weise machen, itzt aber biete ich Ihnen ein Andenken von meiner Beute an. Sie haben doch wohl keinen Rubel in Ihrer Chatoulle, Herr Professor? Lesen Sie sich also einen aus, diese hier sind von einem Cosacken-Obristen, den

148.

Gellert an seine Schwester.

L. d. 21. Juni 1758.

Ich will nur ein Paar Zeilen schreiben, Euer Verlangen zu stillen, und Euch sagen, daß meine Umstände, Gott sey Dank, leidlich sind. Den 15. und 16. dieses Monats bin ich in Lauch=städt gewesen, der Herzoginn von Curland, die das Bad ge=braucht und meinen Besuch befohlen hatte, aufzuwarten. Sie hatte viel Zufriedenheit über meine Gegenwart, die ich vorher der Zahnschmerzen wegen schon abgeschrieben hatte. Die Reise war glücklich, ich aber selbst in Lauchstädt nicht wohl, weil ich beidemale mit bey der Tafel bleiben mußte. Dr. Heine, mein Medicus, wird vermuthlich des Amtmann Riebners in Lauch=städt Schwester heirathen. Ich habe diese Heirath mit stiften helfen. G***l lebt zu meiner Freude noch ordentlich, wie er angefangen hat. — Aus London habe ich von einem Vater, dessen Sohn vor drey Jahren hier studieret hat, und an mich empfohlen gewesen, und nunmehro von Reisen wieder zurück ge=kommen ist, einen Wechsel von hundert Thalern zur Belohnung erhalten. Gott sey dafür gedankt! Also kann ich der Mama aushelfen, wenn auch ihre Pension in diesem Jahre nicht käme. Weil das Johannisfest auf den Sonnabend fällt, so kann es kommen, daß ich auf ein Paar Tage nach Bonau reise und meinen wohlthätigen Wirth und Wirthinn besuche. Vielleicht auch nicht. Lebt wohl, und grüßet alle herzlich.

G.

149.

An dieselbe.

L. d. 9. Juli 1758.

Die Nachricht von Eures Sohnes Krankheit hat mich sehr beunruhigt, so wie mich seine Besserung erfreuet. Ich wünsche, daß er zu der Zeit, da Ihr dieses leset, vollkommen wieder hergestellt, und der Zustand der lieben Mama und Euer aller der beste seyn möge. Gott gebe es! Ich habe seit einiger Zeit einen bösen Hals gehabt, und es liegt mir immer noch auf der Brust. Ob ich gleich in der That nicht wohl bin: so hab ich doch meine Collegia noch nicht aussetzen dürfen. Meinen Geburtstag, den 4. July, habe ich auf der Stube sehr einsam begangen. Ich ließ mir um eilf Uhr vier Thomasschüler kommen und etliche von meinen Liedern singen; dieses ist die ganze Feyerlichkeit gewesen. Also bin ich nunmehr drey und vierzig Jahre alt? Gott sey Dank! Die übrigen Jahre oder Tage wird er auch überstehen helfen, wenn es auch die wären, von denen wir sagen: Sie gefallen uns nicht.

G***l führt sich recht gut auf. — — Die liebe Mama soll sich nichts abgehen lassen. Lebt wohl, grüsset alle herzlich.

G.

150.

An dieselbe.

L. d. 29. Juli 1758.

Meine Gesundheitsumstände, ja die sind nicht die besten, aber doch erträglich. Ich seufze sehr nach Michaelis, um etwa etliche Wochen aufs Land reisen zu können. Ich schicke Euch meine componirten Lieder, wenn vielleicht der Herr Cantor oder der Herr Rector sich etliche Compositionen abschreiben wollen. Vier Wochen könnt Ihr sie behalten. G***l ist in guter Ordnung.

Wisset Ihr ein Paar Kinder in Haynichen oder auf den Dörfern, welche von den Eltern oder Anverwandten aus Armuth nicht zur Schule gehalten werden: so meldet mir, was jährlich das Schulgeld für zwei Kinder beträgt; ich will es allezeit auf ein halbes Jahr voraus schicken, und auch die Schulbücher auf mich nehmen.

Grüßt den Herrn Bruder. Ich freue mich sehr über das Vermächtniß. Gott gebe, daß es G***l zu seinem Glücke verstudiret, und bis itzt hoffe ichs noch. — Der Herr Bruder soll so gut seyn, und Göbicken von den 100 Thalern zwey Thaler zu einem freywilligen Geschenke geben. Er verdienet es an G***ln und thut weit mehr, als ich thun kann. Ich grüsse Euch herzlich. Gott sey mit Euch allen!

G.

151.

An dieselbe.

L. d. 8. Oct. 1758.

Meine Umstände sind, Gott sey Dank, leiblich, wenn gleich nicht die, die wir uns zu wünschen pflegen. Vor Michaelis war ich zehn Tage in Welke bey dem General Bitzthum. Man erwies mir außerordentlich viel Ehre; denn die Frau Gräfinn kann mich auswendig. Aber alle diese Ehre verhinderte nicht, daß ich nicht etliche Tage an einem Flußfieber gelitten hätte; es war rauhes Wetter. Die Gräfinn ist eine gebohrne von Fullen aus Störmthal, bey der die Frau Magist. Lechla hebem gewesen ist. Diese Dame, die ich seit wenig Monaten enne, hat mir, ohne daß ich mit ihr bekannt war, folgende Gelegenheit zu einem Briefwechsel gegeben. Sie schrieb vor etlichen Monaten an mich, sie hätte erfahren, daß ich meine Pension bey den jetzigen Unruhen nicht ausgezahlt bekäme; sie hätte sich also, um sich um mich verdient zu machen, ohne meine Erlaubniß durch ihren Gemahl an die Churprinzessinn gewendet, und es dahin gebracht, daß ich von derselben gegen die gewöhnliche Quittung zweyhundert Thaler auf meine Pension, unter der Bedingung des Stillschweigens, ausgezahlet bekommen sollte. Ich hatte nicht mehr als drey Termine zu fordern, der Weg zu meiner Bezahlung schien mir zu außerordentlich; ich wußte, daß andere wackere Leute längere Zeit hatten zurückstehen müssen, kurz, ich schlug die Gnade aus, und sagte, daß ich die allgemeine Last auch mittragen, und eine Prinzessinn, die so großmüthig gesinnt wäre, nicht zu einer Zeit beschweren wollte, da ihr eigner Hof litte. Diese unerwartete Uneigennützigkeit hat man am Hofe sehr wohl aufgenommen, und seit dieser Zeit habe ich der Gräsinn einmal in Störmthal und letzthin in Welke aufgewartet. Wenn sie künftig nach Lichtewalde zur Frau Gräfinn reiset, so will sie den Ort sehen, wo ich geboren bin, ich, der ich so vielen Leuten merkwürdig bin, und mir, wie Gott weis, oft sehr geringe und armselig bey allem meinen Ruhm vorkomme. Lebt wohl, grüsset alle unsre Freunde herzlich. Und der lieben Mama wünsche ich von Gott Kraft und Stärke.

G.

---

152. (67.)

L. d. 14. Oct. 1758.

Gnädige Frau,

. So wenig Sie auch meine Danksagungen für Ihre Gnade verlangen, so bleibt es doch meine Pflicht, sie Ihnen abzustatten;

Gellert VIII.   17

und wer unterläßt gern eine angenehme Pflicht, auch wenn sie nicht verlanget wird? — So weit, gnädige Frau, war ich in meinem Danksagungsschreiben gekommen, als ich durch eine Begebenheit unterbrochen wurde, die ich Ihnen nicht verschweigen kann.

Mein Famulus trat herein, übergab mir einen Brief nebst einem Päcktchen und sagte: „Eine Frau, die ich nicht kenne, „brachte diese Sachen." Ich erbreche den Brief; aber es steht kein Wort darinne. Ich erbreche das Packet, finde ein Schächtelchen, ein Arzneyschächtelchen, dessen Titel ein Lebenspulver versprach, das für alle mögliche Krankheiten helfen soll. Nun, dachte ich, das muß eine sehr mitleidige Seele seyn, die dich ungebeten curiren will, und öffne das Siegel. Ich fand keine Arzney, aber das ganze Schächtelchen voll Louisdore, und bey diesem Gelde war wieder keine Zeile. Ich sehe nach dem Siegel; aber das Siegel war ein Kopf, der allen Menschen ähnlich sah. Ich rufe meinen Famulus: — Wo ist die Frau hergewesen, die ihnen diesen Brief gegeben hat? — Das weis ich nicht. Sie sagte, der Herr Professor wüßte schon, von wem der Brief käme. — Also war ich berichtet. Vergeben Sie mir, gnädige Frau, daß ich Ihnen diese kleine Geschichte so sorgfältig erzähle, als ob sie für Sie selbst merkwürdig wäre. Wenigstens würden Sie mir eine große Gnade erweisen, wenn Sie mir einen Rath ertheilen wollten, was ich mit diesem mir ziemlich verdächtigen Gelde anfangen soll. Es ist mir Niemand etwas schuldig, und die Schuldner verschweigen auch ihren Namen nicht. Geld in einer Arzneyschachtel? Könnte das Geld, oder der Brief, oder die Schachtel wohl gar vergiftet seyn? Aber ich bin ja kein großer Herr, und ich habe auch in meinen Schriften Niemanden beleidiget, einige übereilte Stellen wider das Frauenzimmer ausgenommen; doch diese Stellen stehen in den Fabeln, und sind auch Fabeln. Wie soll ich mich also vorsichtig genug bey diesem Gelde verhalten? Soll ichs in meine Chatoulle legen, so könnte es vielleicht ungerechtes Gut seyn, und mir ein Unsegen werden? Es soll auf Ihren Ausspruch ankommen, ob ichs behalten, oder lieber den Armen, oder Ihrer Königl. Maj. in P[reußen] geben soll. Vielleicht ist es selbst eine Wohlthat von diesem Herrn, wenn er etwan durch die dritte Hand erfahren hat, daß ich mich in ** ankaufen will. — Mir wird Angst, gnädige Frau, ich weis nicht warum; und ich werde, ohne Ihren Rath abzuwarten, mich mit der Schachtel auf einen Wagen setzen, und das Geld bey Ihnen gerichtlich deponiren, bis ich mehr Licht erhalte. In diesem Falle darf ich auch meine angefangene Danksagung nicht fortsetzen; denn Sie erzeugen mir doch wieder neue Gnade, wenn ich mit meinem Deposito ankomme. Den Herrn Gemahl habe ich gestern bey meiner Ankunft aufgesucht; aber vor der Mahlzeit war er nicht zugegen, und um fünf Uhr war er abgereiset. Eine neue Ursache zur Reise nach **! Ich bitte also unterthänig, daß Sie mir auf diesen Brief keine schriftliche Antwort ertheilen. Ich bin rc.

G.

153.

Gellert an seine Schwester.

L. d. 10. Nov. 1758.

Der Bruder in Freyberg wird Euch mündlich von mir Nachricht geben, und also will ich Euch weiter nichts sagen, als daß meine Umstände leiblich sind; denn der böse Hals, den ich einige Tage gehabt habe, ist nur ein kleines Uebel gewesen. Der hiesige Bruder hatte Lust, wenn der Bruder in Freyberg einen viersitzigen Wagen gehabt hätte, mit ihm die Mama zu besuchen,

will: so flieht dieß Herz zu seinen eignen Bemühungen, sich zu
helfen, und sich von seiner Angst durch Thränen und Gebete,
durch Lesen und Studiren, durch gute Werke, burch mühsame
Einsamkeit zu befreyen, und Gott zu bewegen, ihm das Ver=
dienst des Erlösers deswegen zu Gute kommen zu lassen. Luther
sagt an einem Orte: „Wenn der Glaube rein und ungefärbt
bleibt, fußet und gründet er sich nicht auf mich selbst, noch mein
Thun, daß mir Gott darum sollte gnädig seyn, wie der falsche
Heuchelglaube thut, welcher menget in einander Gottes Gnade
und mein Verdienst, ob er auch wohl die Worte behält von
Christo, aber doch des Herzens Zuversicht setzet heimlich auf sich
selbst, also daß es nur eine angestrichene Farbe ist — Das hebe
an und versuche es, wer da will, so wird er sehen und erfahren,
wie trefflich schwer es sey, und wie sauer es wird, daß ein
Mensch, der sein Lebetage in seiner Werkheiligkeit gestecket, sich
herausschlinge und mit ganzem Herzen erhebe durch den Glauben
in diesem einzigen Mittler. Ich habe es nun selbst schier zwan=
zig Jahre geprediget, daß ich sollte heraus kommen seyn; noch
fühle ich immerbar den alten anklebischen Unflat, daß ich gern
mit Gott so handeln wollte, und etwas mitbringen, daß er mir
seine Gnade für meine Heiligkeit müßte geben, und will mir
nicht ein, daß ich mich so gar soll ergeben auf die bloße Gnade,
und muß doch nicht anders seyn.“ — — Wie bewundre ich
den seligen Luther in seiner biblischen Weisheit, in seiner frey=
müthigen Aufrichtigkeit und großen Demuth; und wie sehr fürchte
ich, daß Gott oft ein erwecktes Herz, das sich aber selbst helfen
will, nicht anders von seinem Irrthume und heimlichen Unglau=
ben heilen und zur Erkenntniß seines großen Elends bringen
will, als wenn er es einige Zeit durch Entziehung seiner Gna=
denkräfte sich selbst, seiner Weisheit und Stärke, das ist, seiner
Thorheit und Schwachheit überläßt. Alsdann fühlen wir, wie
viel Böses noch in uns wohnet; und wie selbst die Leidenschaf=

unb Neigungen, bie wir am gewiſſeſten unb ſeit vielen Jah=
beſiegt zu haben glaubten, noch in uns ba ſinb, unb nach
Herrſchaft ſtreben. Alsbann fühlen wir bey ben Anklagen
rs Gewiſſens, wie wenig wir ſeine Unruhen ſtillen können,
wie nicht unſre Lebensbeſſerung, ſonbern bas göttliche unb
nbliche Verbienſt unſers Erlöſers ber Grunb unſrer Gnade
Gott allein, ganz allein ſeyn, unb wie uns Gottes Geiſt
h ben Glauben umbilben, heiligen unb getroſt machen muß. —
ſter** ich habe viel geſchrieben, möchte ich boch etwas Gutes
mich geſchrieben haben! —

Unb wie leben Sie denn? Mein Herz ſagt mirs, baß Sie
klicher leben als tauſenb anbre Menſchen. Ich bitte Gott
im, bitte, baß er mich bieſen Tag, ſo ſchwer er auch ſeyn
l, gebulbig unb voll Hoffnung wolle zubringen, unb nicht ſo
imüthig ſeyn laſſen. Wer einen Gott zum Erlöſer unb Hel=
hat, ſagte Cramer einſtens zu mir, ber ſoll nicht traurig
, wenigſtens es nicht bleiben. Ich grüße Ihre liebe, fromme,
reffliche Frau, bas Glück Ihres Lebens, unb bin ꝛc.

G.

167.

Gellert an ſeine Schweſter.

L. b. 2. Oct. 1759.

Der 23. September hat, Gott ſey gepreiſet! nichts weiter
utet, als baß er mich nachbrücklicher an meinen Tob erin=
e*). Unb wenn er bieſe Wirkung auf mich gethan, ſo iſt

) Dieſer Brief war bie Antwort auf eine Zuſchrift ſeiner Schweſter,
in welcher bie Rebe von einem Traume geweſen war, ber ſie m
Abſicht auf ben geliebten Bruder ſehr beunruhigt hatte. Leuchs ꝛc.

es eine große Wohlthat für mich. Gott sey gelobet, der mir bisher aus so mancher Gefahr und Kümmerniß geholfen hat; er wird ferner mit seiner Gnade mir und uns allen nahe seyn. Unsern Freund wird also sein Vater bald wieder erhalten. Das Examen ist zwar noch nicht vorbey; allein es ist mir auch nicht bange, und ich bin sehr ruhig. Er hat mir versprechen müssen, den Sonntag stets feyerlich und mit Uebung der Religion zu begehen, und ohne die höchste Noth keine Berufsarbeit an demselben zu verrichten, noch sich solche Vergnügungen zu erlauben, die dem Herzen schädlich sind. Gesetzt, Gott rief seinen lieben Vater zu sich, ehe er ihn versorgt hätte, so weis ich doch, er wird sein Fortkommen in der Welt finden, wenn er nur Gott fürchtet und Fleiß anwendet.

— — Ich verreise diese Messe nicht, weil ich mir nicht trauen darf und weil mein Uebel fast stets anhält, oder doch, ehe ichs denke, wieder kommt. Lebt wohl. Ich grüsse Euch alle herzlich.

G.

168.

An dieselbe.

L. d. 21. Dec. 1759.

Herr Buschmann wird Euch sein Glück erzählen. Ich danke Euch für Euren langen Brief und wünsche durch diesen Euch und unserm ganzen Hause Leben, Gesundheit und Zufriedenheit zum neuen Jahre. Gott stärke insonderheit den lieben Herrn Bruder. Ich habe ein Geschenk aus Warschau durch einen mir unbekannten Gönner erhalten, der mir sogar eine beständige Pension ungenannt geben will. Ich kann Euch daher esto eher ein Vierteljahr von Eurer Pension auf das künftige Jahr bezahlen. Hier sind 2 Thaler, und zugleich 8 Groschen dr Arme. Danket Gott, der so gnädig und mehr als gnädig dr uns und besonders für mich sorgt. Lebet wohl. Ich grüsse Üe herzlich.

G.

———————

169. (70.)

An die Frau Gräfinn von **.

1759.

In diesem Augenblicke erinnere ich mich, daß morgen ein ehr feyerlicher Tag für Sie einfällt. Möchte ich doch mit einer Freude und mit meinem Glückwunsche der erste seyn! Ja, theuerste Gräfinn,

Noch oft wird dieser Tag ein Fest des Dankens seyn,
Noch oft des Grafen Herz erfreun,
Noch oft der Kinder Wunsch erneun,
Noch oft der Enkel Wollust seyn:
Da wirst Du, Gräfinn, noch in langen langen Jahren
Des Lebens größtes Glück erfahren,
Das Glück der Lieb und Zärtlichkeit,
Der Tugend und Zufriedenheit,
Das Glück, mit Kindern edler Gaben,
Die Welt und dich erfreut zu haben,
Das Glück, mit den verliehnen Gaben,
Die Menschen gern beglückt zu haben,
Das Glück der oft vollbrachten Pflicht;
Mehr Glück hat dieses Leben nicht.

G.

170. (47.)

An den Grafen Moritz von Brühl.

L. d. 10. Jan. 1760.

Sie haben mir durch meinen Bruder sagen lassen, daß ich
Sie nicht vergessen soll; das heißt, wie mir mein Herz sagt,
daß ich bald an Sie schreiben soll; und was thue ich lieber, als
daß ich an Sie denke, an Sie schreibe, und von Ihnen rede?
Aber warum schreibe ich gleichwohl nicht öfter? Liebster Graf,
warum? Weil ich itzt fast nichts als Collegium, und nach den
Collegiis nichts als Hinfälligkeit bin. Auch ein Brief, der mir
sonst Freude war, wird mir itzt nicht selten eine große Arbeit.
O wie wenig bin ich der Vorige, und wie alt muß ich seyn,
da ich so gern klage! Doch heute will ich nicht klagen, ich will
mich freuen, daß ich noch an Sie schreiben, und wieder in einem
neuen Jahre Sie aller meiner Liebe und Hochachtung, die Sie
vor tausend Andern verdienen und haben, versichern kann. Im=
merdar müsse es dem Grafen Moritz wohl gehen, und sein
Glück und sein Verdienst müsse das Glück vieler Tausende und
die Freude aller Rechtschaffenen werden! Ja, theuerster Graf,
Gott, den Sie von Jugend auf vor Augen gehabt, wird Sie
mit einem reichen Maaße von Weisheit und Tugend, und also
auch von Zufriedenheit und Glückseligkeit segnen, und Sie, wie
ich sicher hoffe, das höchste und freudigste Alter erreichen und
dereinst sterben lassen, wie Sie gelebt haben. Alle gute Men=
schen, die von Ihnen reden, reden nichts als Rühmliches von
Ihnen; beynahe nichts anders, als was ich in meinem Gedichte
zu Ihrem vierzehnten Geburtstage, nicht von der Poesie, son=
dern von Ihrem Charakter begeistert, vorher verkündiget habe.
O welche Zufriedenheit wird mir das noch in der Ewigkeit geben,
daß ich auf Erden mit zu der Pflicht bestimmt war, die ersten
Empfindungen Ihres edlen Herzens zu bemerken und zu bilden!

Möchte doch der Graf Heinrich seinem würdigen Bruder vollkommen ähnlich werden! Er zeigt, so jung er ist, schon viel
Anlage dazu.

Eine kleine Entdeckung muß ich Ihnen noch machen. Ich
habe vor wenig Wochen die Versicherung aus Warschau erhalten,
daß mir ein unbekannter Gönner daselbst eine jährliche Pension
von 150 Thalern (denke ich) ausgesetzet hätte, und zugleich
wurde mir von Herrn D** die Hälfte ausgezahlet. Ein son-
derbares, unerwartetes und unverdientes Glück! Wer ist der
Großmüthige, der mir Gutes thun will, ohne mich den Wohlthäter kennen zu laßen? Ich verweise Sie, bester Graf, auf
einen Brief an den Herrn von L**, in der Hoffnung, daß Sie
mir einiges Licht über mein Glück geben werden, wenn Sie
können, und wenn mirs gut ist. Ich umarme Sie und bin
bis an mein Ende der Ihrige,

G.

---

171. *)

An Friedrich Nicolai.

L. d. 24. Jan. 1760.

Hochedler,

Hochzuehrender Herr,

Sie verlangen in Ihrem letzten Briefe einige Nachrichten
von meinem Leben; und wie gern wollte ich Ihnen solche ertheilen! Aber auf der einen Seite ist mein Leben nicht sehr merkwürdig, und auf der andern Seite, wo es etwas Besonderes
hat, da darf ichs Ihnen, lieber Herr Nicolai und der Welt

*) (Aus dem Original, im Besitz des Hrn. Benoni Friedländer
zu Berlin.)

nicht selbst zeigen, um nicht wider die Bescheidenheit oder Klug=
heit zu sündigen. Nach meinem Tode wird man verschiedne
kleine Anecdoten finden, die theils nützlich theils dem Publico
angenehm seyn können. Itzt muß ich Ihr Verlangen bloß mit
einigen historischen Umständen zufrieden stellen; und diese sollen
Sie zu Ende des Briefs finden. Uebrigens wünsche ich Ihnen
zu dem gefaßten Entschlusse, die Leben der deutschen Poeten,
nach Art des Cubbers zu beschreiben, Glück, Geduld und Zeit;
denn soviel Sie auch Beruf zum Autor haben, so haben Sie
doch noch einen dabey, den Sie nach meinem Wunsche nie auf=
geben sollen. Von den Briefen über die neueste Litteratur habe
ich gestern das Ende des 4ten und den Anfang des 5ten Theils
durch Herr Reichen erhalten; wofür ich Ihnen ergebenst danke,
und zugleich für das erste Stück des 2ten Bandes von der Samm=
lung Verm. Schriften. Ich glaube, daß diese Uebersetzungen
allerdings für viele Leser angenehm und lehrreich sind. Könnten
Sie nicht dann und wann ein kleines Stück aus einem griechi=
schen Autor mit übersetzen lassen? — Her Weise, wie Sie viel=
leicht schon wissen werden, ist itzt mit seinem Grafen in Paris
und wenig mit seinem Auffenthalte daselbst zufrieden.

So bald ich eine bequeme Gelegenheit finde, will ich ihm
des sel. Kleists Leben, das noch bey mir liegt, zuschicken. End=
lich bitte ich um Vergebung, daß ich Ihren letzten Brief so
lange unbeantwortet gelassen. Ich leide theils in Ansehung mei=
ner Gesundheitsumstände, und theils in Ansehung der allgemei=
nen Last viel, wenigstens in meinen Freunden, und ich bin daher
oft auch zu den angenehmen Pflichten ungeschickt. Leben Sie
allezeit wohl. Ich bin beständig mit einer wahren und großen
Hochachtung und Freundschaft

Ewr. Hochedeln

ganz ergebenster Diener
C. F. Gellert.

´N. S. Laſſen Sie in dem beygelegten Leben weg, was Sie wollen, mir kömmt alles klein und eitel vor, was ich von mir ſelber ſagen ſoll. — Die Jahrzahlen zu den Schriften weis ich ſelbſt nicht ſo genau. — Die Ueberſetzungen habe ich faſt alle.

[Beilage.] °)

Chriſtian Fürchtegott Gellert

gebohren 1715 den 4. Julius zu Haynichen, einem Städtchen im Erzgebürge, zwiſchen Freyberg und Chemnitz gelegen und dem Herrn von Schömberg gehörig. Hier war ſein Vater Chriſtian Gellert, länger als funfzig Jahre, Diaconus und nachher Oberpfarrer und ſtarb 1746 in einem Alter von 76 Jahren, nachdem er dreyzehn Kinder von ſich geſehen und größten Theils erzogen hatte. Herr Prof. Gellert genoß den erſten Unterricht in der öffentlichen Schule ſeines Geburtsorts und wurde nachher einige Jahre durch Privatunterweiſung geſchickt gemacht, daß er in ſeinem dreyzehnten Jahre die Fürſtenſchule Meiſſen beziehn konnte. Hier errichtete er die vertraute Freundſchaft mit dem itzigen Herrn Profeſſor Gärtner in Braunſchweig und dem Herrn Oberſteuerſekretair Rabener. Nachdem er in Meiſſen fünf Jahre die Humaniora erlernt und ein Jahr für ſich in dem Hauſe ſeines Vaters ſich zur Academie vorzubereiten geſucht: ſo gieng er im Jahre 1734 nach Leipzig und trieb daſelbſt die Philoſophie und Theologie nebſt der Litteratur°°). Nach vier Jahren rief ihn ſein Vater nach Hauſe zurück. Bald darauf

°) (Die Beilage iſt nicht von Gellert geſchrieben, aber von ihm ſelbſt durchcorrigirt.)

°°) (Durchſtrichen: Er hörte daſelbſt die Philoſophie bei Dr. Adolph Friedrich Hofmann, die Theologie bey Dr. Klauſingen und Dr. Weiſen, und die Hiſtorie und Litteratur bey Jöchern, Chriſten und Kappen.)

bekam er auf dem Lande die Aufsicht über einen jungen Herrn
von Lüttichau*), und nachher unterwies er ein Jahr lang zu
Hause einen Schwestersohn, welchen er 1741 auf die Academie
nach Leipzig begleitete. Er hörte hier zum zweytenmale die Philosophie bey Dr. Hofmann, den er sehr hoch hielt, führte die Aufsicht
über die Studien seines Vetters und gab etlichen jungen von Adel
einen Privatunterricht im deutschen Style. Um diese Zeit studirte der sel. Johann Elias Schlegel, nachheriger Professor zu Soroe, in Leipzig, mit welchem Herr Gellert, durch
gleiche Neigungen und Liebe zu den schönen Wissenschaften vereint, einen genauen und täglichen Umgang gepflogen. Im Jahre
1743 ward er in Leipzig Magister der Philosophie und das Jahr
darauf erwarb er sich auf dem philosophischen Catheder durch
eine Disputation de Poesi Apologorum eorumque scriptoribus das Recht, Collegia zu lesen. Der berühmte Herr Hofprediger Cramer disputirte damals unter ihm. Von dieser Zeit
an las er über die Poesie und Beredsamkeit, schrieb verschiedene
seiner Schriften nieder**) und gab darauf 1746 den ersten Theil
seiner Fabeln und Erzählungen, 1747 den ersten Theil der
Schwedischen Gräfinn, 1748 den zweiten Theil der Fabeln und
Erzählungen, und die Trostgründe wider ein siechses Leben (°),
ferner 174— die Lustspiele; 1751 die Briefe; 1754 die Lehrge-

*) (Durchstrichen: über ein Paar junge von Adel.)

**) (Hier ist durchstr.: 1. E. die Betschwester und den ersten Theil
der Schwedischen Gräfinn.)

(°) Der Verfasser derselben ist schon seit zwanzig Jahren mit hypochondrischen Zufällen beschwert, von welchen ihn weder Brunnen noch Bäder haben befreyn wollen, auch drey tödtliche
Krankheiten nicht, die ihn seit zwölf Jahren befallen und davon
er die letzte, eine Pleuresie, auf dem Lande ohnweit Roßbach eben zur Zeit der Roßbacher Battalie überstanden. (Anmerkung von Gellerts eigner Hand.)

te; 1756 die Sammlung vermischter Schriften und 1757
geistlichen Lieder heraus. Verschiedene dieser Schriften sind
aus Französische, Englische, Holländische, Dänische und Pohl-
he, prosaisch und poetisch, aber nicht alle mit gleichem Glücke
rsetzet. Herr Gellert erhielt das Amt eines Professoris Phi-
ophiae extraordinarii 1751 und trat es mit einer Rede von
Einflusse der schönen Wissenschaften in das Herz und die
ten, an, die in der Sammlung vermischter Schriften, über-
von Herr Mag. Heyern zu finden ist, und lud zu dieser
ebe durch ein Programma de Comoedia commovente, ein,
as Hr. M. Lessing in seiner Theatralischen Bibliothek über-
tt hat.

Er hat noch zween ältere Brüder, mit denen er zugleich in
Reissen und Leipzig studieret hat; der erste ist Oberpostcommis-
r in Leipzig und der andere Bergcommissionrath in Frey-
erg und Mitglied der Academie zu Petersburg. °) — Seine
Mutter, eine gebohrne Schützinn, die Herr Prof. Gellert
usserordentlich geliebt hat, ist 1759 in Haynichen in einem fast
chtzigjährigen Alter verstorben. Sie hat sich an diesem Orte
urch ihren frommen und sanften Character und durch ihren
hr erbaulichen Wandel unsterblich gemacht.

°) (Durchstrichen: bey der er zehen Jahre Professor Adjunctus
gewesen.)

172.*)

Rabener an Gellert.

Wölkau, d. 25. Jan. 1760.

Ich habe vergessen, Ihnen, liebster Kleiner, da ich in Leip=
zig war, meine Autornoth zu klagen. Meine Schriften werden
in der Schweiz nachgedruckt. Desto mehr Ehre für Sie, mein
Herr College, werden Sie sprechen — Aber sprechen Sie das
im Ernste? Unmöglich! Ein verpfuschter Nachdruck, wie die=
ser seyn soll, muß mich eher bemüthig als stolz machen. Mein
ehrlicher Verleger dauert mich zu sehr, als daß ich mich über
den prächtigsten Nachdruck freuen sollte: Denn, ob ich gleich ein
Steuersekretär bin, so habe ich doch, Gott verzeih mirs, so viel
Menschenliebe, daß ich mich über den Verlust meines Verlegers
von ganzem Herzen kränke. Das Schlimmste aber ist dieses,
daß der schelmische Corsar in der Schweiz durch die Schafhauser
Zeitung hat bekannt machen lassen: er gäbe meine Schriften
vermehrt heraus. Unter uns gesprochen; ich bin darüber sehr
verlegen. Ich kann mir nicht ausdenken, durch was für Stücken
sie könnten vermehrt seyn? Durch einige, aus den Belustigun=
gen, die ich, als unächte und ungerathene Kinder, vorlängst
verstoßen habe? das will ich nicht wünschen. Und doch wünsche
ich das noch eher, als wenn diese angedrohte Vermehrung durch
einige Briefe geschehen sollte, die ich, zum Theil vor vielen
Jahren, an B[odmer?] und andere Schweizer geschrieben habe.
Und wäre das, wie ich es beynahe befürchten muß, was soll
ich thun? Rathen Sie mir, mein lieber Gellert. Ich glaube
wohl, daß einige Ausdrücke in diesen Briefen sein mögen, die
ich würde gemäßiget haben, wenn ich mir hätte vorstellen kön=
nen, daß jemand meine Correspondenz auf diese Art mißbrauchen

*) (Rabeners Briefe, herausgeg. von Weiße S. 264 f.)

: Aber doch geträue ich mir alles zu verantworten, was
ne steht. Soll ich an das Publicum appelliren und pro=
cen? soll ich die Briefe, so viel ich deren etwan noch in
nden habe, selbst bekannt machen, ohne zu erwarten, daß sie
Nachdrucker der Welt, vielleicht verstümmelt mittheilt? oder
ich das alles erwarten, nnd mich alsdann erst bey der Welt
chuldigen, oder durch einen Freund mich entschuldigen lassen?
he dem Nachdrucker, wenn er es so weit kommen läßt!
z, lieber Gellert, geben Sie mir einen guten Rath. Ich
ganz unschlüßig dabey, so unschlüßig, daß ich noch nicht ein=
l recht weis, ob ich bey der Schelmerey dieses Buben mich
ern, oder gleichgültig seyn soll. Läßt er sie drucken, so er=
rt die Welt einige vortheilhafte Urtheile, die ich von meinen
unden gefällt habe, und welche desto unpartheyischer seyn
ssen, da sie niemals in der Absicht geschrieben waren, der
lt solche bekannt zu machen. Und sind auch etwan hier und
lächerliche Züge von andern Personen darinnen, so ist das
t eine Beleidigung von mir, sondern von dem, der sie wider
nen Willen hat drucken lassen. Und doch werde ich mich
ern, gewiß werde ich mich ärgern, ich mag mich auch itzo
h so philosophisch dabey anstellen; wer weis, ob ich nicht
ch diese philosophische Gelassenheit mich selbst zu betrügen
ge. Ihren Rath, bester Freund, erwarte ich mit Ungebuld;
er wird desto gründlicher seyn, da Sie gewissermaßen Selbst
den Umständen sind, nur mit dem Unterschiede, daß Ihr
ief Ihnen gewiß Ehre macht, wenn er auch, welches ich noch
ht glaube, durch den Druck bekannt werden sollte; meine
iefe aber — o, das war gar zu bescheiden, Schande sollen
r diese Briefe auch nicht machen; ich will doch sehn, wer das
rz hat, mir so etwas nachzusagen? Aber darinne ist ein gro=
: Unterschied: in dreyen von meinen Briefen wird etwan von
ner Person ein wenig Gutes gesprochen; und Sie haben in

19 *

Einem Briefe von dreyen Personen auf einmal so viel Gutes gesagt; und sind auch einige scherzhafte Züge mit darinnen, so sind diese für das Original immer noch vortheilhaft, denn ich glaube, ein preußischer Husar, wie sie ihn geschildert haben, wird sich dabey immer noch sehr geschmeichelt finden, anstatt, daß er sich hätte müssen für beleidigt halten, wenn Sie ihm hätten eine süße lispelnde Sprache, eine Beutelperücke, glasirte Handschuhe, und weiße seidene Strümpfe gegeben. Aber, ich weis nicht, warum ich mich bey Ihrem Briefe*) aufhalte, da ich selbst so viel Noth wegen der meinigen habe.

Mit einem Worte, ich bitte mir Ihren freundschaftlichen Rath aus, und dafür schwöre ich Ihnen bey der wildesten von meinen Satiren, Ihr Secundant in allen dergleichen Fällen zu seyn. Leben Sie wohl, mein lieber Creuzbruder!

Rabener.

173.

Gellert an seine Schwester.

L. d. 25. Febr. 1760.

Mein Kopf, o, der ist immer noch mein Feind. Ich dulde viel daran, das weis Gott; aber der weis auch zu helfen, daran soll uns gnügen. Von den Liedern will ich binnen acht Tagen noch drey Exemplare in kleinem Formate schicken, eins für den Herrn Pastor Lechla, eins für den Herrn Bruder, und eins nach Reichenhayn. Gott gebe, daß diese Arbeit diejenige werde, auf die ich mit dem meisten Vergnügen zurück sehen mag. Ich wollte dem Publico zum Besten anfangs von dem Verleger gar nichts nehmen; allein da meine Pension jetzt wegfällt, da mir die Meinigen näher sind, als das Publicum, so habe ich

---

*) (Vermuthlich) der unter No. 155. abgedruckte Brief.)

125 Thaler gefordert und 150 erhalten. So viel. Lebt wohl
und betet um Frieden — —

G.

174.*)

L. d. 22. März 1760.

Lieber Vetter,

Ich danke ihm sehr für den guten Brief, den er mir geschrieben hat, und erfreue mich zugleich über die Nachricht von
seiner leiblichen Gesundheit, seinem Fleiße und der hinlänglichen
Arbeit seines Berufs. Fahre er fort, mein lieber Sohn, und
er wird ein Beweis seyn, daß Gebet und Arbeit Niemanden
verläßt. Es ist schon ein großes Glück für ihn, daß ihm Gott
seine Mutter so lange erhält, und daß er diese Wohlthat durch
so viel Liebe und Gehorsam zu verdienen sucht. Kann ich ihn
in seiner Handthierung durch einen Vorschuß an Gelde oder
Büchern unterstützen: so melde er mirs, ich wills gern thun.
So viel, mein lieber Vetter. Lebe er wohl; und wer nach Gottes Willen lebt, der lebt allezeit, auch im Unglücke, noch
wohl. Ich grüße seine liebe Mutter und bin zeitlebens sein
ergebenster Vetter

G.

*) (An den Sohn von Gellerts Schwester, Friedrich Biehle, der
1808 in Haynichen als Buchbindermeister starb. — Gellerts
Familienbriefe.)

175. (72.)

[L. b. J. Apr.] 1760.

Liebster Häseler, *)

Als ich heute, am grünen Donnerstage, in den Gedanken
der feyerlichsten Handlung der Religion, die ich eben verrichtet
hatte, nach Großbosens Garten gieng, kam mir vor demselben
ein Briefträger mit dem Briefe an den seligen Schmehr ent=
gegen. Ich erbrach ihn mitten auf dem Wege, las, erschrack,
las ihn noch einmal, sah gen Himmel, und konnte weder beten
noch weinen. Aber ich gieng zurück in mein Haus; und nun
habe ich das erste, und ich denke, auch das andre gethan. Also
stehen Sie, mein theuerster Freund, nahe an den Pforten der
Ewigkeit? Gott, der barmherzige Gott, stärke Ihre fromme
Seele im Glauben zum ewigen Leben, und lasse die Tage, oder
Stunden, die er Ihnen noch auf der Erde bestimmt, zu Stun=
den der Standhaftigkeit im Leiden, zu Stunden des Trostes
und der Freude in Gott, Ihrem Heilande, und für die, die
um Sie sind, zu lehrreichen Stunden werden! O wie glücklich,
wie überglücklich sind Sie, bester Freund, daß Sie freudig und
selig zu sterben durch die Religion gelernet haben! Ihr Brief,
den ich itzt vor mir habe, Ihr Brief voll Christenthum und
Ergebung in den göttlichen Willen, ist Ihre größte und rühm=
lichste That auf Erden, und er soll nicht von mir kommen. Sie
thun noch, indem Sie sterben, einem Manne Gutes, der schon
vor Ihnen zu Gott gegangen ist, und da für seinen Wohlthäter
betet. Sagen Sie ihm in der Ewigkeit dereinst, daß Ihre letzte
Wohlthat, die ihn nicht mehr gefunden, durch meine Hände
andre Arme erquicket hätte. Ach, liebster Häseler, ich weine
und umarme Sie im Geiste, und segne Sie mit Wünschen der
Liebe, und erbaue mich aus Ihrem Briefe, aus Ihrer Gelassen=
heit und Ihrem Glauben. Ja, es gehört zu den Wohlthaten

*) (Vgl. No. 179.)

tigen Tages, daß ich Ihren Brief erhalten. Ich soll an
Tod benken, indem ich ben Ihrigen fühle; ich soll für
en, unb mich, zum Beweise der Liebe der Religion, über
seligkeit erfreuen, an bem Gedächtnißtage der Leiden des
Gottes erfreuen, der die Auferstehung und das Leben,
g unsre Gerechtigkeit, unb im Tode allein unser Trost
sre Stärke ist. Vor wenig Tagen las ich in einem ge=
Schreiben des D. Young eine Nachricht von bem Tode
ßen Abbison, die mich ganz entzückt unb zugleich ge=
igt hat. Als er auf seinem letzten Lager die Aerzte auf=
, unb sich allein zu Gott seinem Erlöser gewanbt, befahl
man einen seiner jungen Anverwanbten rufen sollte. Er
Abbison lag ruhig unb schwieg. Ich komme, sagte der
g, Ihre letzten Befehle zu hören, die ich heilig erfüllen
Was haben Sie mir zu befehlen? Nichts, versetzte Ab=
Sie sollen sehen, in welchem Frieden ein Christ sterben
— Unb bald barauf starb er. Ihr Enbe, wenn es Gott
en hat, gleiche bem Enbe bieses frommen Mannes, unb
sey selig in Christo, wie bas Ihrige!

> Hat Gott uns seinen Sohn geschenkt,
> (So laß mich noch im Tobe benken)
> Wie sollt' uns ber, der ihn geschenkt,
> Mit ihm nicht alles schenken!

hätte ich an meinem Communiontage bessers thun kön=
ls an meinen sterbenben Häseler schreiben? Aber ich
bewegt, ich weis nicht, was ich Ihnen sagen soll; ich
Sie wohl in dieser Welt noch sehen! In der seligen sehe
; bas hoffe ich zur Gnabe Gottes. Diese sey mit Ihnen
r! Also leben Sie wohl, unb also sterben Sie, wenn Ihre
kömmt, christlich groß. Ich bin ewig Ihr Freund,

B.

176. (64.)

An Herrn von Bose.

Störmthal, b. 10. Apr. 1760.

Ich halte es allerdings für eine besondre Vorsehung, daß Ihnen ein Antrag, wie der C*** ist, und noch dazu in dem Augenblicke geschieht, da Sie Leipzig verlassen müssen, und eine nähere Bestimmung Ihres Schicksals erwarten. Gehen Sie nach C**, das verlange ich von Ihnen als Ihr Freund und ehemaliger Führer; ich hoffe sicher, Sie gehen Ihrem Glücke entgegen. Aber wollen Sie erst die Antwort von P** erwarten? Ich dächte nicht, sondern ich erwartete sie in dem Hause des Herrn von B***, nicht als Regierungsrath, sondern als ein Fremder, der sich bey Hofe bekannt machen will. Was ist das für ein Herr von B***? Kenne ich ihn? Es muß ein wackrer, ein vortrefflicher Mann seyn, wie ich aus seinem ganzen Briefe sehe, der mit so vieler Einsicht, Freundschaft und Geschmack geschrieben ist. Empfehlen Sie mich seiner Gewogenheit nachdrücklichst. — Lieber Bose, gehn Sie getrost. Gott, den Sie fürchten, wird Sie allezeit wohl führen, gesetzt, daß auch dieser Weg der nicht wäre, den Sie zu Ihrem künftigen Glücke gehen sollen. Er gefällt mir unendlich besser, als der Weg der Reise in fremde Länder. Sie können nützen, ohne zu reisen, und haben Lebensart, ohne sie in fremden Ländern zu suchen. — — — Leben Sie wohl, und bleiben Sie stets der, der Sie zeither gewesen sind, so werden Sie in allen Umständen des Lebens glücklich seyn, wenn Sie auch das Glück der großen Welt nicht machen. Ich umarme Sie, segne Sie im Herzen, und bin ewig Ihr Freund.

G.

177. (161.)

Störmthal, b. 13. April 1760.

Sie wollen mich auf den Freytag abholen? Das ist viel Freude für mich, wenn mir anders die Freude nicht unmöglich geworden ist. — — — Ich für meine Person kann alle Stunden fort; denn das Land hat so wenig Reiz für mich, als die Stadt, und ich weis nicht, welcher traurige Geist sich meiner bemächtiget hat, daß gar keine Freude in mein Herz kömmt. Mein Kopf, mein armer Kopf, ach der ist gespannt, gebunden, und alle Gedanken liegen an Fesseln, nur die beschwerlichen nicht. Lieber Gott, wie nichts, wie gar nichts ist der Mensch! Aber vielleicht soll ich dieß besser lernen, weil ichs noch nicht genug weis oder wissen will. — Die Frau von Z[ebtwitz] erwartet mich, und heimlich bedaure ich sie, daß sie mich erwartet. Gleichwohl ist es Pflicht, daß ich eine Dame besuche, die so viel Vertrauen und Freundschaft für mich hat, daß sie sich von meinem Besuche viel Vortheil verspricht. Vermuthlich werde ich also künftige Woche nach Bonau gehen, an einen Ort, wo ich durch zwo Krankheiten unendlich an meinem Charakter gelitten habe. Aber so viel habe ich doch nicht gelitten, daß ich nothwendig klagen und ungeduldig seufzen muß. Nein, wenn auch das Elend unsre Schuld nicht wäre: so ist doch der Mangel der Gelassenheit und Geduld im Elende gewiß stets unsre Schuld. Wen beschäme ich also, wenn ich klage, als mein eigen Herz? Und also hätte ich weiser gehandelt, wenn ich von mir selbst geschwiegen hätte. Aber ich dachte, weil ich mit Ihnen redte, so dürfte ich einmal klagen, das heißt, fehlen.

Ich bin der Ihrige

G.

178.*)

L. d. 2. Mai 1760.

Hochwohlgebohrner,

Hochzuehrender Herr Hauptmann!

Sie erweisen meinen Fabeln durch Ihre Uebersetzung viel
Ehre, und geben zugleich einen Beweis, wie glücklich der Officier
ist, der außer seiner Hauptwissenschaft sich mit den schönen Wissenschaften zu unterhalten gelernt hat. Möchten doch viele von
Ihrem Stande das Vergnügen des Lesens und des Studirens in
den Winterquartieren kennen, und dadurch ihr Herz auf diejenige
Zeit stärken, wo sie vor den Waffen nicht mehr lesen können.
Von der Uebersetzung selbst, kann ich, Hochzuehrender Herr Hauptmann, als ein Teutscher, nicht zuverläßig urtheilen. Allein nach
meiner Empfindung sind die überschickten Fabeln größtentheils
schön, und weit richtiger, als die Strasburger Uebersetzung. Der
Herr von Riveri in Paris hat auch viele von meinen Fabeln
übersetzet; und ich weis nicht, ob Ihnen dieses Werk bekannt
seyn wird. Es führet den Titel: Fables et Contes. Paris,
1754. in 12mo. Uebrigens danke ich Ihnen außerordentlich für
die Mittheilung Ihrer Poesien, versichere Sie meiner Hochachtung auf die vollkommenste Art, und wünsche Ihnen von Herzen
in dem bevorstehenden Feldzuge Gesundheit, und in allen Gefah-

---

*) Aus: Freundschaftliche Briefe von Gellert Leipzig, 1770. Die
in dieser Sammlung enthaltenen, an einen preußischen Hauptmann,
nachher Major, v. G. (nach C. H. Schmid, Nekrolog. 1785.
Bd. 2, S. 530 Hrn. v. Grabosky) gerichteten eilf Briefe bilden
auch, mit dem oben unter No. 46. abgedruckten, den Inhalt
der Sammlung, die unter dem Titel: Siebenter bis Achtzehnter
Brief von Gellert. Berlin, 1770 erschien.)

n Schutz Gottes. Ich verharre Zeit Lebens mit aller Er=
zeit und Freundschaft

Ew. Hochwohlgebohren

gehorsamster
C. F. Gellert.

---

179. (48.)

An den Grafen Moritz v. Brühl.

L. d. 2. Mai 1760.

h weis Ihnen außer meiner Liebe und unserm Unglücke
zu erzählen. Das letzte ist weltkundig, und die erste ist
t schon seit Ihrem vierzehnten Jahre bekannt. Indessen
es zu meiner Ruhe, daß ich Ihnen in jedem Briefe sage,
ehr ich Sie liebe und verehre. Ich fange also auch den
en in dieser Sprache des Herzens an, mein liebster Graf.
das sind Sie; Sie sind einer meiner liebsten Freunde, und
erden es mir bis an mein Ende bleiben. —
herr von Täubern hat Youngs Brief über die Origi=
lle übersetzt. Dieser Brief ist zu schön, als daß ich Ihnen
 nicht mitschicken sollte. Wie ist es möglich, daß ein Greis
chtzig Jahren noch so lebhaft und doch so richtig denken
 Lesen Sie nur, liebster Graf. Ein Period von Young
ehr Leben, als mein ganzer Brief nicht haben wird. Wie
vird Sie die christliche Anecdote vom Addison erfreuen! Ich
sie wohl zwanzigmal gelesen; sie ist ganz Original, Origi=
öße. — Von Cronegks Schriften ist der erste Theil fer=
Ich habe ihn noch nicht gesehen, allein wenn ich ihn fort=
n kann, so erhalten Sie ihn mit diesem Briefe. — Das

nicht selbst zeigen, um nicht wider die Bescheidenheit oder Klugheit zu sündigen. Nach meinem Tode wird man verschiedne kleine Anecdoten finden, die theils nützlich theils dem Publico angenehm seyn können. Itzt muß ich Ihr Verlangen bloß mit einigen historischen Umständen zufrieden stellen; und diese sollen Sie zu Ende des Briefs finden. Uebrigens wünsche ich Ihnen zu dem gefaßten Entschlusse, die Leben der deutschen Poeten, nach Art des Cubbers zu beschreiben, Glück, Gebuld und Zeit; denn soviel Sie auch Beruf zum Autor haben, so haben Sie doch noch einen dabey, den Sie nach meinem Wunsche nie aufgeben sollen. Von den Briefen über die neueste Litteratur habe ich gestern das Ende des 4ten und den Anfang des 5ten Theils durch Herr Reichen erhalten; wofür ich Ihnen ergebenst danke, und zugleich für das erste Stück des 2ten Bandes von der Sammlung Verm. Schriften. Ich glaube, daß diese Uebersetzungen allerdings für viele Leser angenehm und lehrreich sind. Könnten Sie nicht dann und wann ein kleines Stück aus einem griechischen Autor mit übersetzen lassen? — Her Weise, wie Sie vielleicht schon wissen werden, ist itzt mit seinem Grafen in Paris und wenig mit seinem Auffenthalte daselbst zufrieden.

So bald ich eine bequeme Gelegenheit finde, will ich ihm des sel. Kleists Leben, das noch bey mir liegt, zuschicken. Endlich bitte ich um Vergebung, daß ich Ihren letzten Brief so lange unbeantwortet gelassen. Ich leide theils in Ansehung meiner Gesundheitsumstände, und theils in Ansehung der allgemeinen Last viel, wenigstens in meinen Freunden, und ich bin daher oft auch zu den angenehmen Pflichten ungeschickt. Leben Sie allezeit wohl. Ich bin beständig mit einer wahren und großen Hochachtung und Freundschaft

Ewr. Hochedeln

ganz ergebenster Diener
C. F. Gellert.

N. S. Laffen Sie in dem beygelegten Leben weg, was Sie wollen, mir kömmt alles klein und eitel vor, was ich von mir selber sagen soll. — Die Jahrzahlen zu den Schriften weis ich selbst nicht so genau. — Die Uebersetzungen habe ich fast alle.

[Beilage.] *)

Christian Fürchtegott Gellert

gebohren 1715 den 4. Julius zu Haynichen, einem Städtchen im Erzgebürge, zwischen Freyberg und Chemnitz gelegen und dem Herrn von Schömberg gehörig. Hier war sein Vater Christian Gellert, länger als funfzig Jahre, Diaconus und nachher Oberpfarrer und starb 1746 in einem Alter von 76 Jahren, nachdem er dreyzehn Kinder von sich gesehen und größten Theils erzogen hatte. Herr Prof. Gellert genoß den ersten Unterricht in der öffentlichen Schule seines Geburtsorts und wurde nachher einige Jahre durch Privatunterweisung geschickt gemacht, daß er in seinem dreyzehnten Jahre die Fürstenschule Meissen beziehn konnte. Hier errichtete er die vertraute Freundschaft mit dem itzigen Herrn Professor Gärtner in Braunschweig und dem Herrn Obersteuersekretair Rabener. Nachdem er in Meissen fünf Jahre die Humaniora erlernt und ein Jahr für sich in dem Hause seines Vaters sich zur Academie vorzubereiten gesucht: so gieng er im Jahre 1734 nach Leipzig und trieb daselbst die Philosophie und Theologie nebst der Litteratur**). Nach vier Jahren rief ihn sein Vater nach Hause zurück. Bald darauf

*) (Die Beilage ist nicht von Gellert geschrieben, aber von ihm selbst durchcorrigirt.)

**) (Durchstrichen: Er hörte daselbst die Philosophie bei Dr. Adolph Friedrich Hofmann, die Theologie bey Dr. Klausingen und Dr. Weisen, und die Historie und Litteratur bey Jöchern, Christen und Kappen.)

bekam er auf dem Lande die Aufficht über einen jungen Herrn von Lüttichau *), und nachher unterwies er ein Jahr lang zu Hause einen Schwesterfohn, welchen er 1741 auf die Academie nach Leipzig begleitete. Er hörte hier zum zweytenmale die Philosophie bey Dr. Hofmann, den er sehr hoch hielt, führte die Aufficht über die Studien seines Vetters und gab etlichen jungen von Abel einen Privatunterricht im deutschen Style. Um diese Zeit studirte der sel. Johann Elias Schlegel, nachheriger Professor zu Soroe, in Leipzig, mit welchem Herr Gellert, durch gleiche Neigungen und Liebe zu den schönen Wissenschaften vereint, einen genauen und täglichen Umgang gepflogen. Im Jahre 1743 ward er in Leipzig Magister der Philosophie und das Jahr darauf erwarb er sich auf dem philosophischen Catheder durch eine Disputation de Poesi Apologorum eorumque scriptoribus das Recht, Collegia zu lesen. Der berühmte Herr Hofprediger Cramer disputirte damals unter ihm. Von dieser Zeit an las er über die Posse und Beredsamkeit, schrieb verschiedene seiner Schriften nieder **) und gab darauf 1746 den ersten Theil seiner Fabeln und Erzählungen, 1747 den ersten Theil der Schwedischen Gräfinn, 1748 den zweiten Theil der Fabeln und Erzählungen, und die Trostgründe wider ein siebes Leben (*), ferner 174 — die Lustspiele; 1751 die Briefe; 1754 die Lehrge=

*) (Durchstrichen: über ein Paar junge von Abel.)

**) (Hier ist durchstr.: 1. E. die Betschwester und den ersten Theil der Schwedischen Gräfinn.)

(*) Der Verfasser derselben ist schon seit zwanzig Jahren mit hypochondrischen Zufällen beschwert, von welchen ihn weder Brunnen noch Bäder haben befreyn wollen, auch drey tödtliche Krankheiten nicht, die ihn seit zwölf Jahren befallen und davon er die letzte, eine Pleuresie, auf dem Lande ohnweit Roßbach eben zur Zeit der Roßbacher Battalie überstanden. (Anmerkung von Gellerts eigner Hand.)

dichte; 1756 die Sammlung vermischter Schriften und 1757
die geistlichen Lieder heraus. Verschiedene dieser Schriften sind
in das Französische, Englische, Holländische, Dänische und Pohl-
nische, prosaisch und poetisch, aber nicht alle mit gleichem Glücke
übersetzet. Herr Gellert erhielt das Amt eines Professoris Philosophiae extraordinarii 1751 und trat es mit einer Rede von
dem Einflusse der schönen Wissenschaften in das Herz und die
Sitten, an, die in der Sammlung vermischter Schriften, übersetzt von Herr Mag. Heyern zu finden ist, und lud zu dieser
Rede durch ein Programma de Comoedia commovente, ein,
das Hr. M. Lessing in seiner Theatralischen Bibliothek übersetzt hat.

Er hat noch zween ältere Brüder, mit denen er zugleich in
Meissen und Leipzig studieret hat; der erste ist Oberpostcommis-
sar in Leipzig und der andere Bergcommissionrath in Freyberg und Mitglied der Academie zu Petersburg.°) — Seine
Mutter, eine gebohrne Schützinn, die Herr Prof. Gellert
außerordentlich geliebt hat, ist 1759 in Haynichen in einem fast
achtzigjährigen Alter verstorben. Sie hat sich an diesem Orte
durch ihren frommen und sanften Character und durch ihren
sehr erbaulichen Wandel unsterblich gemacht.

°) (Durchstrichen: bey der er zehen Jahre Professor Adjunctus
gewesen)

Gellert VIII.   19

172. *)

Rabener an Gellert.

Wölkau, d. 25. Jan. 1760.

Ich habe vergeſſen, Ihnen, liebſter Kleiner, da ich in Leip=
zig war, meine Autornoth zu klagen. Meine Schriften werden
in der Schweiz nachgedruckt. Deſto mehr Ehre für Sie, mein
Herr College, werden Sie ſprechen — Aber ſprechen Sie das
im Ernſte? Unmöglich! Ein verpfuſchter Nachdruck, wie die=
ſer ſeyn ſoll, muß mich eher bemüthig als ſtolz machen. Mein
ehrlicher Verleger dauert mich zu ſehr, als daß ich mich über
ben prächtigſten Nachdruck freuen ſollte: Denn, ob ich gleich ein
Steuerſekretär bin, ſo habe ich doch, Gott verzeih mirs, ſo viel
Menſchenliebe, daß ich mich über den Verluſt meines Verlegers
von ganzem Herzen kränke. Das Schlimmſte aber iſt dieſes,
daß der ſchelmiſche Corſar in der Schweiz durch die Schafhauſer
Zeitung hat bekannt machen laſſen: er gäbe meine Schriften
v e r m e h r t heraus. Unter uns geſprochen; ich bin darüber ſehr
verlegen. Ich kann mir nicht ausdenken, durch was für Stücken
ſie könnten vermehrt ſeyn? Durch einige, aus den Beluſtigun=
gen, die ich, als unächte und ungerathene Kinder, vorlängſt
verſtoßen habe? das will ich nicht wünſchen. Und doch wünſche
ich das noch eher, als wenn dieſe angedrohte Vermehrung durch
einige Briefe geſchehen ſollte, die ich, zum Theil vor vielen
Jahren, an B [obmer?] und andere Schweizer geſchrieben habe.
Und wäre das, wie ich es beynahe befürchten muß, was ſoll
ich thun? Rathen Sie mir, mein lieber Gellert. Ich glaube
wohl, daß einige Ausbrücke in dieſen Briefen ſein mögen, die
ich würde gemäßiget haben, wenn ich mir hätte vorſtellen kön=
nen, daß jemand meine Correſpondenz auf dieſe Art mißbrauchen

*) (Rabeners Briefe, herausgeg. von Weiße S. 264 ff.)

würde: Aber doch geträue ich mir alles zu verantworten, was darinne steht. Soll ich an das Publicum appelliren und protestiren? soll ich die Briefe, so viel ich deren etwan noch in Händen habe, selbst bekannt machen, ohne zu erwarten, daß sie der Nachdrucker der Welt, vielleicht verstümmelt mittheilt? oder soll ich das alles erwarten, nnd mich alsbann erst bey der Welt entschuldigen, oder durch einen Freund mich entschuldigen lassen? Wehe dem Nachdrucker, wenn er es so weit kommen läßt! Kurz, lieber Gellert, geben Sie mir einen guten Rath. Ich bin ganz unschlüßig dabey, so unschlüßig, daß ich noch nicht einmal recht weis, ob ich bey der Schelmerey dieses Buben mich ärgern, oder gleichgültig seyn soll. Läßt er sie drucken, so erfährt die Welt einige vortheilhafte Urtheile, die ich von meinen Freunden gefällt habe, und welche desto unpartheyischer seyn müssen, da sie niemals in der Absicht geschrieben waren, der Welt solche bekannt zu machen. Und sind auch etwan hier und da lächerliche Züge von andern Personen darinnen, so ist das nicht eine Beleidigung von mir, sondern von dem, der sie wider meinen Willen hat drucken lassen. Und doch werde ich mich ärgern, gewiß werde ich mich ärgern, ich mag mich auch itzo noch so philosophisch dabey anstellen; wer weis, ob ich nicht durch diese philosophische Gelassenheit mich selbst zu betrügen suche. Ihren Rath, bester Freund, erwarte ich mit Ungebuld; und er wird desto gründlicher seyn, da Sie gewissermaßen Selbst in den Umständen sind, nur mit dem Unterschiede, daß Ihr Brief Ihnen gewiß Ehre macht, wenn er auch, welches ich noch nicht glaube, durch den Druck bekannt werden sollte; meine Briefe aber — o, das war gar zu bescheiden, Schande sollen mir diese Briefe auch nicht machen; ich will doch sehn, wer das Herz hat, mir so etwas nachzusagen? Aber darinne ist ein grosser Unterschied: in dreyen von meinen Briefen wird etwan von Einer Person ein wenig Gutes gesprochen; und Sie haben in

Einem Briefe von dreyen Personen auf einmal so viel Gutes gesagt; und sind auch einige scherzhafte Züge mit darinnen, so sind diese für das Original immer noch vortheilhaft, denn ich glaube, ein preußischer Husar, wie sie ihn geschildert haben, wird sich dabey immer noch sehr geschmeichelt finden, anstatt, daß er sich hätte müssen für beleidigt halten, wenn Sie ihm hätten eine süße lispelnde Sprache, eine Beutelperücke, glasirte Handschuhe, und weiße seidene Strümpfe gegeben. Aber, ich weis nicht, warum ich mich bey Ihrem Briefe*) aufhalte, da ich selbst so viel Noth wegen der meinigen habe.

Mit einem Worte, ich bitte mir Ihren freundschaftlichen Rath aus, und dafür schwöre ich Ihnen bey der wildesten von meinen Satiren, Ihr Secundant in allen dergleichen Fällen zu seyn. Leben Sie wohl, mein lieber Creuzbruder!

Rabener.

173.

Gellert an seine Schwester.

L. d. 25. Febr. 1760.

Mein Kopf, o, der ist immer noch mein Feind. Ich dulde viel daran, das weis Gott; aber der weis auch zu helfen, daran soll uns gnügen. Von den Liedern will ich binnen acht Tagen noch drey Exemplare in kleinem Formate schicken, eins für den Herrn Pastor Lechla, eins für den Herrn Bruder, und eins nach Reichenhayn. Gott gebe, daß diese Arbeit diejenige werde, auf die ich mit dem meisten Vergnügen zurück sehen mag. Ich wollte dem Publico zum Besten anfangs von dem Verleger gar nichts nehmen; allein da meine Pension jetzt wegfällt, da mir die Meinigen näher sind, als das Publicum, so habe ich

*) (Vermuthlich der unter No. 155. abgedruckte Brief.)

125 Thaler gefordert und 150 erhalten. So viel. Lebt wohl und betet um Frieden — —

G.

174. *)

L. d. 22. März 1760.

Lieber Vetter,

Ich danke ihm sehr für den guten Brief, den er mir geschrieben hat, und erfreue mich zugleich über die Nachricht von seiner leiblichen Gesundheit, seinem Fleiße und der hinlänglichen Arbeit seines Berufs. Fahre er fort, mein lieber Sohn, und er wird ein Beweis seyn, daß Gebet und Arbeit Niemanden verläßt. Es ist schon ein großes Glück für ihn, daß ihm Gott seine Mutter so lange erhält, und daß er diese Wohlthat durch so viel Liebe und Gehorsam zu verdienen sucht. Kann ich ihn in seiner Handthierung durch einen Vorschuß an Gelde oder Büchern unterstützen: so melde er mirs, ich wills gern thun: So viel, mein lieber Vetter. Lebt er wohl; und wer nach Gottes Willen lebt, der lebt allezeit, auch im Unglücke, noch wohl. Ich grüße seine liebe Mutter und bin zeitlebens sein ergebenster Vetter

G.

*) (An den Sohn von Gellerts Schwester, Friedrich Biehle, der 1808 in Haynichen als Buchbindermeister starb. — Gellerts Familienbriefe.)

175. (72.)

[L. b. J. Apr.] 1760.

Liebster Häseler, *)

Als ich heute, am grünen Donnerstage, in den Gedanken
der feyerlichsten Handlung der Religion, die ich eben verrichtet
hatte, nach Großbosens Garten gieng, kam mir vor demselben
ein Briefträger mit dem Briefe an den seligen Schmehr ent=
gegen. Ich erbrach ihn mitten auf dem Wege, las, erschrack,
las ihn noch einmal, sah gen Himmel, und konnte weder beten
noch weinen. Aber ich gieng zurück in mein Haus; und nun
habe ich das erste, und ich denke, auch das andre gethan. Also
stehen Sie, mein theuerster Freund, nahe an den Pforten der
Ewigkeit? Gott, der barmherzige Gott, stärke Ihre fromme
Seele im Glauben zum ewigen Leben, und lasse die Tage, oder
Stunden, die er Ihnen noch auf der Erde bestimmt, zu Stun=
den der Standhaftigkeit im Leiden, zu Stunden des Trostes
und der Freude in Gott, Ihrem Heilande, und für die, die
um Sie sind, zu lehrreichen Stunden werden! O wie glücklich,
wie überglücklich sind Sie, bester Freund, daß Sie freudig und
selig zu sterben durch die Religion gelernet haben! Ihr Brief,
den ich itzt vor mir habe, Ihr Brief voll Christenthum und
Ergebung in den göttlichen Willen, ist Ihre größte und rühm=
lichste That auf Erden, und er soll nicht von mir kommen. Sie
thun noch, indem Sie sterben, einem Manne Gutes, der schon
vor Ihnen zu Gott gegangen ist, und da für seinen Wohlthäter
betet. Sagen Sie ihm in der Ewigkeit dereinst, daß Ihre letzte
Wohlthat, die ihn nicht mehr gefunden, durch meine Hände
andre Arme erquicket hätte. Ach, liebster Häseler, ich weine
und umarme Sie im Geiste, und segne Sie mit Wünschen der
Liebe, und erbaue mich aus Ihrem Briefe, aus Ihrer Gelassen=
heit und Ihrem Glauben. Ja, es gehört zu den Wohlthaten

*) (Vgl. No. 179.)

des heutigen Tages, daß ich Ihren Brief erhalten. Ich soll an
meinen Tod benken, indem ich den Ihrigen fühle; ich soll für
Sie beten, und mich, zum Beweise der Liebe der Religion, über
Ihre Seligkeit erfreuen, an dem Gedächtnißtage der Leiden des
Sohnes Gottes erfreuen, der die Auferstehung und das Leben,
der ewig unsre Gerechtigkeit, und im Tode allein unser Trost
und unsre Stärke ist. Vor wenig Tagen las ich in einem ge=
druckten Schreiben des D. Young eine Nachricht von dem Tode
des großen Abbison, die mich ganz entzückt und zugleich ge=
bemüthigt hat. Als er auf seinem letzten Lager die Aerzte auf=
gegeben, und sich allein zu Gott seinem Erlöser gewandt, befahl
er, daß man einen seiner jungen Anverwandten rufen sollte. Er
kam, Abbison lag ruhig und schwieg. Ich komme, sagte der
Jüngling, Ihre letzten Befehle zu hören, die ich heilig erfüllen
werde. Was haben Sie mir zu befehlen? Nichts, versetzte Ab=
bison, Sie sollen sehen, in welchem Frieden ein Christ sterben
kann. — Und bald darauf starb er. Ihr Ende, wenn es Gott
beschlossen hat, gleiche dem Ende dieses frommen Mannes, und
meines sey selig in Christo, wie das Ihrige!

> Hat Gott uns seinen Sohn geschenkt,
> (So laß mich noch im Tode denken)
> Wie sollt' uns der, der ihn geschenkt,
> Mit ihm nicht alles schenken!

O was hätte ich an meinem Communiontage bessers thun kön=
nen, als an meinen sterbenden Häseler schreiben? Aber ich
bin sehr bewegt, ich weis nicht, was ich Ihnen sagen soll; ich
möchte Sie wohl in dieser Welt noch sehen! In der seligen sehe
ich Sie; das hoffe ich zur Gnade Gottes. Diese sey mit Ihnen
und mir! Also leben Sie wohl, und also sterben Sie, wenn Ihre
Stunde kömmt, christlich groß. Ich bin ewig Ihr Freund,

G.

176. (64.)

An Herrn von Bose.

Störmthal, b. 10. Apr. 1760.

Ich halte es allerdings für eine besondre Vorsehung, daß Ihnen ein Antrag, wie der C*** ist, und noch dazu in dem Augenblicke geschieht, da Sie Leipzig verlassen müssen, und eine nähere Bestimmung Ihres Schicksals erwarten. Gehen Sie nach C**, das verlange ich von Ihnen als Ihr Freund und ehemaliger Führer; ich hoffe sicher, Sie gehen Ihrem Glücke entgegen. Aber wollen Sie erst die Antwort von P** erwarten? Ich dächte nicht, sondern ich erwartete sie in dem Hause des Herrn von B***, nicht als Regierungsrath, sondern als ein Fremder, der sich bey Hofe bekannt machen will. Was ist das für ein Herr von B***? Kenne ich ihn? Es muß ein wacker, ein vortrefflicher Mann seyn, wie ich aus seinem ganzen Briefe sehe, der mit so vieler Einsicht, Freundschaft und Geschmack geschrieben ist. Empfehlen Sie mich seiner Gewogenheit nachdrücklichst. — Lieber Bose, gehn Sie getrost. Gott, den Sie fürchten, wird Sie allezeit wohl führen, gesetzt, daß auch dieser Weg der nicht wäre, den Sie zu Ihrem künftigen Glücke gehen sollen. Er gefällt mir unendlich besser, als der Weg der Reise in fremde Länder. Sie können nützen, ohne zu reisen, und haben Lebensart, ohne sie in fremden Ländern zu suchen. — — — Leben Sie wohl, und bleiben Sie stets der, der Sie zeither gewesen sind, so werden Sie in allen Umständen des Lebens glücklich seyn, wenn Sie auch das Glück der großen Welt nicht machen. Ich umarme Sie, segne Sie im Herzen, und bin ewig Ihr Freund.

G.

177. (191.)

[An den Commissionsrath Wagner.]

Störmthal, d. 13. April 1760.

Sie wollen mich auf den Freytag abholen? Das ist viel
reude für mich, wenn mir anders die Freude nicht unmöglich
worden ist. — — — Ich für meine Person kann alle Stun=
n fort; denn das Land hat so wenig Reiz für mich, als die
tadt, und ich weis nicht, welcher traurige Geist sich meiner
mächtiget hat, daß gar keine Freude in mein Herz kömmt.
ein Kopf, mein armer Kopf, ach der ist gespannt, gebunden,
b alle Gedanken liegen an Fesseln, nur die beschwerlichen nicht.
eber Gott, wie nichts, wie gar nichts ist der Mensch! Aber
elleicht soll ich dieß besser lernen, weil ichs noch nicht genug
eis oder wissen will. — Die Frau von Z[ebtwitz] erwartet
ich, und heimlich bedaure ich sie, daß sie mich erwartet. Gleich=
ohl ist es Pflicht, daß ich eine Dame besuche, die so viel Ver=
auen und Freundschaft für mich hat, daß sie sich von meinem
esuche viel Vortheil verspricht. Vermuthlich werde ich also
unftige Woche nach Bonau gehen, an einen Ort, wo ich durch
vo Krankheiten unendlich an meinem Charakter gelitten habe.
ber so viel habe ich doch nicht gelitten, daß ich nothwendig
lagen und ungeduldig seufzen muß. Nein, wenn auch das Elend
nsre Schuld nicht wäre: so ist doch der Mangel der Gelassen=
eit und Geduld im Elende gewiß stets unsre Schuld. Wen be=
häme ich also, wenn ich klage, als mein eigen Herz? Und also
ätte ich weiser gehandelt, wenn ich von mir selbst geschwiegen
ätte. Aber ich dachte, weil ich mit Ihnen redte, so dürfte ich
inmal klagen, das heißt, fehlen.

Ich bin der Ihrige

G.

178.*)

L. d. 2. Mai 1760.

Hochwohlgebohrner,

Hochzuehrender Herr Hauptmann!

Sie erweisen meinen Fabeln durch Ihre Uebersetzung viel
Ehre, und geben zugleich einen Beweis, wie glücklich der Officier
ist, der außer seiner Hauptwissenschaft sich mit den schönen Wis=
senschaften zu unterhalten gelernt hat. Möchten doch viele von
Ihrem Stande das Vergnügen des Lesens und des Studirens in
den Winterquartieren kennen, und dadurch ihr Herz auf diejenige
Zeit stärken, wo sie vor den Waffen nicht mehr lesen können.
Von der Uebersetzung selbst, kann ich, Hochzuehrender Herr Haupt=
mann, als ein Teutscher, nicht zuverlässig urtheilen. Allein nach
meiner Empfindung sind die überschickten Fabeln größtentheils
schön, und weit richtiger, als die Strasburger Uebersetzung. Der
Herr von Riveri in Paris hat auch viele von meinen Fabeln
übersetzet; und ich weis nicht, ob Ihnen dieses Werk bekannt
seyn wird. Es führet den Titel: Fables et Contes. Paris,
1754. in 12mo. Uebrigens danke ich Ihnen außerordentlich für
die Mittheilung Ihrer Poesien, versichere Sie meiner Hochach=
tung auf die vollkommenste Art, und wünsche Ihnen von Herzen
in dem bevorstehenden Feldzuge Gesundheit, und in allen Gefah=

---

*) Aus: Freundschaftliche Briefe von Gellert Leipzig, 1770. Die
   in dieser Sammlung enthaltenen, an einen preußischen Hauptmann,
   nachher Major, v. G (nach L. H. Schmid, Nekrolog. 1785.
   Bd. 2, S. 530 Hrn. v. Grabosky) gerichteten eilf Briefe bilden
   auch, mit dem oben unter No. 46. abgedruckten, den Inhalt
   der Sammlung, die unter dem Titel: Siebenter bis Achtzehnter
   Brief von Gellert. Berlin, 1770 erschien.)

ren den Schutz Gottes. Ich verharre Zeit Lebens mit aller Ergebenheit und Freundschaft

Ew. Hochwohlgebohren

gehorsamster
C. F. Gellert.

---

179. (48.)

An den Grafen Moritz v. Brühl.

L. d. 2. Mai 1760.

Ich weis Ihnen außer meiner Liebe und unserm Unglücke
wenig zu erzählen. Das letzte ist weltkundig, und die erste ist
Ihnen schon seit Ihrem vierzehnten Jahre bekannt. Indessen
gehört es zu meiner Ruhe, daß ich Ihnen in jedem Briefe sage,
wie sehr ich Sie liebe und verehre. Ich fange also auch den
heutigen in dieser Sprache des Herzens an, mein liebster Graf.
Denn das sind Sie; Sie sind einer meiner liebsten Freunde, und
Sie werden es mir bis an mein Ende bleiben. — — —
Der Herr von Täubern hat Youngs Brief über die Origi-
nalwerke übersetzt. Dieser Brief ist zu schön, als daß ich Ihnen
solchen nicht mitschicken sollte. Wie ist es möglich, daß ein Greis
von achtzig Jahren noch so lebhaft und doch so richtig denken
kann? Lesen Sie nur, liebster Graf. Ein Period von Young
hat mehr Leben, als mein ganzer Brief nicht haben wird. Wie
sehr wird Sie die christliche Anecdote vom Addison erfreuen! Ich
habe sie wohl zwanzigmal gelesen; sie ist ganz Original, Origi-
nalgröße. — Von Cronegks Schriften ist der erste Theil fertig. Ich habe ihn noch nicht gesehen, allein wenn ich ihn fort-
bringen kann, so erhalten Sie ihn mit diesem Briefe. — Daß

der Herr von Riveri an den Blattern gestorben ist, werden Sie wohl aus des Freron Année Litteraire gesehen haben. Ich müßte sehr unempfindlich seyn, wenn ich den Verlust eines Mannes, der mir so viel Achtung bewiesen, nicht bedauren sollte.

So habe ich auch vor wenig Tagen einen lieben Freund an dem jungen Herrn von Häseler verloren, der in der Osterwoche in Halle an einer Auszehrung gestorben ist. Er hat mir noch auf seinem Sterbebette einen Brief geschrieben, der mehr Ruhm für ihn ist, als ein ganzes Buch. Sein Herz war vortrefflich, und seine Geschicklichkeit groß. Er ist lange mein Zuhörer gewesen, und sein Brief schließt sich mit der Stelle:

> Da will ich dem den Dank bezahlen,
> Der Gottes Weg mich gehen hieß,
> Und ihn zu Millionenmalen
> Noch segnen, daß er mir ihn wies.

Welche Belohnung ist so ein Dank, mein liebster Graf! — Cramers Aufseher, Sie haben Recht, ist wirklich sehr ernsthaft; allein er soll es auch nach seiner Absicht und den gewählten Materien seyn. — — —
Leben Sie wohl, liebster Graf.

C.

---

180. (74.)

Bonau, d. 12. Mai 1760.

Theuerste Freundinn,

Ich bin in Bonau, und wenn ich Ihnen auch nicht versprochen haben sollte, von hier aus zu schreiben: so fühle ich doch, daß es auch ohne Versprechung meine Pflicht ist. - Ich mache den Anfang meines Briefs mit einer kleinen Reisebeschreibung. Den 10. May gieng ich mit Quasi-Postpferden, nachdem ich von halb fünf Uhr bis um sieben auf sie gewartet hatte, in der Gesellschaft meines Famulus und noch eines Studenten, herzlich unzufrieden nach Rippach ab. Der Himmel war sehr neblicht, aber mein Kopf war es noch mehr. Ohne Pelz fror ich, und im Pelze wollte ich verschmachten. Meine drey Pferde, ein weißes, schwarzes, und braunes, schliefen im Gehen, und der Postillion versicherte mich, daß er krank, noch viel müder als seine Pferde, und auf meine Reise gar nicht wohl zu sprechen sey. Ich trug alles dieses mit einer mürrischen Gebuld, aß vor Unzufriedenheit eine halbe Semmel, die mir sehr bitter schmeckte, und kam enblich in Markranstädt an, wo die Pferde getränket und ein Schmidt und ein Wagner herbey gerufen wurden, um eine Besichtigung an meinem Wagen, der dem Grafen H** gehörte, anzustellen. Der Postillion behauptete, der Wagen würde nicht bis Rippach halten, wenn er nicht gemacht würde. Vermuthlich wollte er Zeit zur Erholung für sich und seine Pferde gewinnen; und der Schmidt sagte, wenn er nicht drey bis vier neue Schrauben von seiner Arbeit an diesen Wagen ansetzte, so würde er auf immer unbrauchbar bleiben. Mit dem Wagner ließ ich mich gar nicht ein, denn er sagte, der Mann, der diesen Wagen gebaut, müßte gar keinen Menschenverstand, und der ihn gekauft hätte, viel Geld übrig und nicht viel Verstand mehr als der Meister gehabt haben; kurz, ich war in der Gewalt des Schmidts, der eine Schraube nach der andern abriß und neue machte, und sie ansetzte, und mich einmal über das andre anfuhr, daß ich mit einer solchen Chaise zu fahren mir kein Gewissen machte. Indem ich also hielt, kam die Frau von *** mit ihrer Familie, sieben Personen in Einem Wagen. Ich mußte nothwendig aus dem meinigen aussteigen und sie becomplimentiren — Wo wollen Sie denn hin, Herr Professor? — Nach Bonau, gnädige Frau. — Wo liegt das Bonau? — Bey Weissenfels, Naumburg und Zeiz — Es kann doch nicht bey allen drey

es liegen? — Ich ja; es liegt bey allen breyen! Ich kann
nicht ändern. — Was wollen Sie denn in Bonau? — Nichts,
zig nach Ihnen, Herr Professor: da ließ man mir sagen,
der Welt nichts, gnädige Frau. — Ich schickte gestern in
Sie wären in ** bey **. Sie reisen ja recht herum — Leider!
und Sie sind nicht sicher, daß ich nicht zu Ihnen komme, wenn
der Krieg noch länger dauert. — Herr Professor, fieng eine
von den Fräulein an, Sie stehen ja mit Damen in Briefwechsel? — Ich? mit Damen? — Ja, sehen Sie — ein allerliebster Brief — Ich mochte gern nicht sehen noch wissen, was sie ge-
mag, dieß Compliment und das Hämmern des Schmidts brach-
für einen Brief meynte, aber wie sie dazu gekommen wäre: ge-
ten mich vollends um alle meine Gelassenheit. Ich konnte auch
der gnädigen Frau auf alle Fragen nichts weiter antworten, als
Ja und Nein, und Nein und Ja. Dieses hatte die Wirkung,
daß sie den Postillion fortfahren und mich glücklich nachkommen
hieß. Es geschah auch. Ich erreichte Rippach um zwölf Uhr.
Aber zu meinem Schrecken erblickte ich mich hier unter lauter
Freyhusaren und Freybeutern. Ich bat den Postmeister inständig, daß er mich bald fortschaffen und mir eine Schlafkammer,
geben sollte. Kommen Sie, sagte er, in meine Stube allein
sonst ist kein Winkel mehr leer. Ich gieng hinein, beseufzte mein
Schicksal, daß ich nichts zu essen bekommen und doch auch keine
Pferde haben konnte. Hier saß ich also, und nun traten sechs
Officiere unangemeldet in mein Zimmer. Ich stehe auf un-
bücke mich). — Lassen Sie sich nicht stören, Herr Professor, fiel
der erste an. Dieß hier ist der Rittmeister R**, ein g
Verehrer Ihrer Schriften, und ich bin der General S***.
gedenken Sie hin? — Nach Bonau, Herr General, komme
Ihnen etwan verdächtig vor? — Nichts weniger. Sie m
wohl oft in Bonau seyn? Um Vergebung, Herr Professor,
bekannt werden können? Eben so, Herr Professor, wie

ist, daß Sie oft in °° sind, und oft Besuche von solchen
haben, wie der Rittmeister K°° ist. — Nunmehr trat
meister näher auf mich zu, mit einem sehr freundlichen
°, und sagte mir, daß er mich sehr lieb habe, und mich
äse. — Herr Professor, fuhr der General fort, ich bitte
daß Sie diesen Mittag mit mir speisen; alsdann will ich
ruhig nach Bonau reisen lassen. — Nun, dachte ich, das
eine schöne Mahlzeit werden. Aber was hilfts? — Gehe
ehe man Gewalt braucht. Ich speiste also mit diesen Her-
n Garten. Das Essen war sehr gut, und der Rittmeister
der General begegneten mir mit vieler Freundschaft; ich aber
ate nicht essen und nicht trinken, so sehr sie mir auch zurede-
. Immer dachte ich, ich würde die ganze Nacht hier residi-
t müssen, und diese Furcht gab mir, wie ich vermuthe, ein so
krrisches Ansehen, daß sie sich wohl sehr über den menschen-
unblichen Professor wundern mochten; denn sie sahen mich
mer einer um den andern aufmerksam an. Zu meinem Glücke
ies in der Hälfte der Mahlzeit ein Postillion. Halten Sie
irs zu Gnaden, Herr General, fieng ich an, der Postillion ruft
ich; und sogleich stund ich auf, und zitterte heimlich vor der
rretirung. Aber nein, theuerste Freundinn; der General ließ
ich sehr gütig von sich, und ich muß es rühmen, daß ich an
ner Tafel kein unanständiges Wort gehöret habe. Ich lief
schwind durch den Garten, sprang in den Wagen, und sagte
m Postillion: Fahrt zu, ich gebe euch doppelt Trankgeld. Alle
orposten wollten mich aufhalten. — Wo kommen Sie her? —
o werde ich herkommen? Von der Tafel des Generals. —
ind Sie der Herr Professor Gellert? — Ja wohl. — Nun
fahren Sie ruhig, wir haben Ordre, Sie nicht aufzuhalten.
hrt zu, Postillion! fahrt zu, rief ich aufs neue, indem ich voll
ank meinen Hut gegen die guten Husaren abzog. Der Postil-
m fuhr, was er konnte, und hörte gar nicht mehr, die Vor-

poſten mochten rufen, wie, ſie wollten. Ich kam alſo wie im
Trunke nach Bonau. Hier, fand ich die gnädige Frau krank,
und zwar krank über das Schrecken, das ihr den 8. May zwey
Huſaren von demſelben Corps gemacht hatten. Einer hatte ſie
erſchießen, der andere erſtechen wollen, und ſie ſelbſt war von
allen ihren Leuten, die von den Huſaren durch Prügel waren
verſcheucht worden, verlaſſen, die Kammerjungfer ausgenommen.
Ich erzählte dieſer armen Dame meine in Rippach gemachten
Bekanntſchaften, und ſie ſah, meine Ankunft für ein Glück an.
Kurz, ich nützte mein Anſehn und ſchrieb (an wen dächten Sie?)
an den Rittmeiſter K°°, und bat, daß er keine ſolchen tyranni-
ſchen Huſaren mehr nach Bonau ſchicken ſollte, wenn er mich
anders lieb hätte. Ich hoffe von dieſem Briefe gute Wirkung.
Vielleicht kann auch einmal ein demüthiger und friedfertiger Autor eine Dame beſchützen, die alle Landſtände vor ſolchen Anfällen nicht würden ſchützen können. Sie hat ſich, da ſie nicht
mehr in Furcht iſt, größtentheils erholt, und mir ſelbſt befohlen,
es Ihnen zu melden, in welcher Gefahr ſie zeither beynahe ſeit
vier Wochen geweſen. Dieß habe ich nun, deucht mich, ſehr
treulich gethan. — Itzt will ich alſo ſpazieren gehen, und wünſchen, daß keine Huſaren wieder kommen. — Leben Sie wohl.

G.

---

181. (73.)

An dieſelbe.

Bonau, d. 20. Mai 1760.

Ich liege noch immer zur Bedeckung in Bonau, und in der
That iſt zwiſchen mir und einem Huſaren itzt eben kein großer
Unterſchied. Erſt hatte ich meinen Quartierſtand in Störm-

thal], alsdann in [Leipzig], und nun stehe ich in Bonau; und
alles, wessen ich mich bey meiner Freybeuterey rühmen kann,
ist, daß ich den Leuten nichts mit Gewalt nehme. Gleichwohl
zehre ich auf Kosten meiner Wirthe, und bringe sie über dieses
um die Zeit, ja ich bin in einer gewissen Betrachtung noch schlech=
ter, als ein Husar; denn anstatt daß dieser Tag und Nacht in
Bewegung seyn muß, so bin ich Tag und Nacht im Müßiggange.
Bey dieser Lebensart kann unmöglich viel Segen seyn, und daher
mag auch wohl die heimliche Unruhe kommen, die ich auf mei=
ner Stube, im Garten, und überall fühle. Ich sehe die Baum=
blüthe vor mir, und sie lacht mich nicht an. Ich höre die Nach=
tigallen, und bleibe immer kaltsinnig. Ich gehe nach Meineweh
in das Fasanenholz, und es ist, als ob mir jeder Baum etwas
vorzuwerfen hätte. Aber, werden Sie sagen, wenn sie alles das
fühlen und einsehen, warum gehen sie nicht zurück nach Leipzig,
wo sie hingehören? Warum ich nicht zurückgehe? — — Die
Frau von Z[ebtwitz] will mich nicht fortlassen. Sie spricht, ich
würde vor den Feyertagen nichts in Leipzig thun; und ich, ich
will dennoch fort, so sehr die gute Dame das Gegentheil will.
Welcher Wille wird gelten? Heute ist Dienstag; nun muß sichs
bald ausweisen. Leben Sie wohl.

G.

N. S. Hier schicke ich Ihnen die Antwort des Herrn Ritt=
meisters von K**. So lange ich hier bin, haben wir Ruhe
gehabt.

182. (87.)

[An Herrn von Rochow.]

L. d. 10. Juni 1760.

Liebster Herr von R**,

Sie machen mir wegen meines Charakters einen großen Lobspruch in Ihrem Briefe, und wie glücklich würde ich seyn, wenn
mir mein Herz sagte, daß ich das wäre, was ich nach Ihrer
Meynung bin! Allein mein Herz sagt oft nein. Indessen ist es
mein Wunsch, der Mann zu seyn, der ich seyn soll, ja es ist
auch mein Bestreben. Dieses ist es alles, was ich mir mit Wahrheit nachsagen kann; und wenn ich endlich besser wäre, als ich
nicht glaube, wem hätte ich mein Gutes zu verdanken? Gewiß
nicht mir. So aufrichtig also auch Ihr Lobspruch ist, mein lieber Herr von R**, so hat er mich doch weit mehr gedemüthi-
get, als erfreut; aber dennoch muß ich Ihnen dafür danken, und
ich thue es mit dem freundschaftlichsten Herzen. Zugleich ver-
sichre ich Sie, daß ich Sie, nachdem ich Sie persönlich habe
kennen lernen, noch weit mehr liebe, als vorher durch alle günstige Beschreibungen, die mir der Herr von B** von Ihnen
gemacht; denn ich kenne Sie nunmehr selbst als einen Freund
der Wissenschaften und Verehrer der Religion und als den angenehmsten Gesellschafter. Gott lasse Sie lange zum Besten Ihrer
Freunde, und zum Glücke Ihrer Unterthanen, und zum Troste
Ihrer Gemahlinn leben, und tausendfaches Gutes stiften! Ein
solches Leben ist eigentlich ein wahres Leben.

Mein Aufenthalt in Bonau, der drey Wochen gedauert hat,
ist für mich zwar nicht der ruhigste gewesen, aber ich würde undankbar seyn, wenn ich die frohen Stunden vergessen wollte, die
ich auch an diesem Orte genossen. Kaum war ich wieder in
Leipzig, so überfielen mich die Beschwerungen, die ich gemeinig-

im Frühlinge dulden muß, auf das heftigste, und die Woche
.1. bis zum 7ten Junius ist eine der schrecklichsten meines
ns gewesen. Aber ich hoffe zu Gott, das Meiste überstanden
haben, und preise seine Güte, daß es überstanden ist. Er
mir nur Vertrauen und wahre Gebuld in den bösen Ta=
— Leben Sie wohl, liebster Freund.

G.

183.

Gellert an seine Schwester.

L. d. 12. Juni 1760.

Liebe Schwester,

Ich habe mein jährliches Uebel schon seit Ostern gefühlt; aber
rbrochen. Doch seit dem ersten Junius bis zum siebenten ist
) außerordentlich heftig geworden, daß ich zittere, wenn ich
n gedenke. O wie viel läßt mich Gott erfahren; aber seine
e sind doch gerecht und gütig! Er will mich Gebuld und
trauen zu ihm lehren; denn Geduld ist euch noth, daß ihr
Willen Gottes thut und die Verheissung empfahet. Seit
8ten Junius habe ich einige Erleichterung. Ich kann wie=
schlafen und die Tage sind weit schlimmer für mich, als die
)t.
In eben diesen traurigen Tagen, da ich um Gesundheit des
:s und des Geistes bete, läßt mich Gott andere Beweise sei=
Fürsorge sehen. Mittwochs den 4. Jun. erhielt ich hundert
ler mit der Preußischen Post, über Magdeburg ohne Namen
Ort. In dem Couverte war nichts als ein Französisches
verbindliches Compliment enthalten. Ich hatte leider wenig
be darüber, ja das Geschenke betrübte mich vielmehr. Aber

20 *

warum erkenne ich's nicht mit Dank? Das ist traurig, so un=
fühlbar zu werden.

— — Der gute alte Herr Bruder mag wohl seinem Ende
sehr nahe seyn; doch sind wirs nicht alle täglich? Gott stärke
ihn in seiner Schwachheit und thue auch in seinem Tode wohl
an ihm nach seiner Gnade. Auch wünsche ich den beiden Ver=
lobten allen Seegen von Gott. Wäre die Hochzeit in der Nähe,
so würde ich gern dabey zugegen seyn; aber acht Meilen, die
schweren Reisekosten und mein jetziger Zustand — Nein, ich
komme nicht. . . . .

Grüßet alle herzlich, und lebt wohl.

G.

———

184. (71.)

[L. d. 11. Juni] 1760.

Theuerste Freundinn,

Was soll das bedeuten? Heute, Mittwoch, vor acht Tagen
erhielt ich mit der Preußischen Post hundert Thaler: und eben
itzt erhalte ich wieder hundert Thaler: unter eben dem Siegel
und von eben der Hand. Ich bin erschrocken, daß ich zittre;
und ich erschrecke noch mehr darüber, daß ich weder Freude noch
Dankbarkeit genug bey meinem Geschenke empfinde. Wer will
mich wider mein Wünschen reich machen? Und wie werde ich
die Wohlthaten anwenden, die mich Gott so unverdient, durch
unbekannte Hände empfangen läßt? Ich seufze um Gesundheit
und Gedulb, um Lust und Kraft zur Arbeit; und ich bekomme
einmal über das andre Geld. Ich gäbe gern alles, was ich
habe, darum, wenn ich das Uebel, das mich diesen Frühling wie=
der und weit heftiger befallen hat, von mir entfernen könnte.
Soll ich lernen, daß alles in der Welt ohne Gesundheit keinen

Werth für das Herz des Menschen hat; und daß Gelassenheit
und Geduld unendlich größre Güter sind, als Reichthum und
Ehre? Ach, theuerste Freundinn, die erhaltnen Wohlthaten sind
wohl Prüfungen für mich; aber auch, wenn sie dieses sind, muß
ich sie mit Dank annehmen. Ich will gegen Andre gutthätig zu
seyn suchen, wie es andre gegen mich sind, ohne Geräusche und
stets aus Religion und Dankbarkeit gegen Gott, unsern höchsten
Wohlthäter. Dieses will ich thun und nicht weiter forschen,
woher und warum ich so viel Geld erhalte. Ich schicke Ihnen
das Billet mit, das bey dem Geschenke lag; vielleicht lesen Sie
es lieber, als diesen meinen Brief.

G.

195.

Gellert an seine Schwester.

L. d. 7. Juli 1760.

Der Montag und Donnerstag voriger Woche sind wieder zwey
schwere, ach schwere Tage für mich gewesen; aber genug, sie
sind durch Gott überstanden. Mein Geburtstag war kraftlos
aber doch erträglich. Ich bin mit Büchern und Silberwerke
schenket worden, und nichts rühret mich. — Und die Friede-
sche Hochzeit, diese wird, wie ich hoffe, glücklich vollzogen seyn.
aber der Abschied wird Mutchen freylich sauer werden. Getrost:
Gott wohnet überall. Ich grüsse die beiden Verheiratheten herz-
, und wünsche ihnen Glück auf ihr ganzes Leben. Auch den
ern Bruder grüsse ich mit tausend guten Wünschen; und so
sse ich alle. Lebt wohl.

G.

ben hatten das Gewölbe, wohin wir alle unsre Sachen geschafft
hatten, zerschmettert, und alles verbrannt; der Keller aber war
von den Soldaten, welche löschen sollten, rein ausgeplündert
worden. Mein Bedienter, der treueste Mensch von der Welt,
hatte sich so lange im Hause aufgehalten, bis es anfieng einzu-
stürzen, und hatte ein Dutzend solcher Schurken hinausgeprügelt,
endlich aber ward er übermannt, und flüchtete zu mir nach
Neustadt. Vor Vergnügen, den ehrlichen Kerl, den ich schon
für erschossen oder verbrannt hielt, wieder zu sehn, fühlte ich
den Schmerz nur halb, den mir die Nachricht von meinem Verluste natürlicher Weise verursachen mußte. Sollte es nicht weh
thun, liebster Gellert, zu erfahren, daß alle meine Betten, Kleider, Wäsche, Bücher, Papiere, Schränke und Stühle zu Asche
verbrannt waren? und Sie wissen, wie reichlich mich der Himmel mit allen diesen gesegnet hatte. Gott zum Preise muß ich
gestehn, daß ich mich über diesen großen Verlust nicht einen
Augenblick betrübte. Es war weder Reflexion, noch Philosophie,
die mich so wunderbar beruhigte; Gottes Gnade allein war es.
Nichts von allem habe ich gerettet, als einen abgetragenen Zeug-
rock und ein paar alte Oberhemden, die ich auf die Seite gelegt
hatte, um sie meinem Bedienten zu geben. Sonntags früh fieng
man an, auch für die Neustadt besorgt zu seyn, und viel tausend Menschen giengen zum Thore hinaus, auf das offene Feld
und die Weinberge. Ich folgte mit, und mein Bedienter mußte
mein Bündelchen unter den Arm nehmen, mein ganzes Reichthum. Vor dem Schlage fand ich einen zerbrochenen Weinpfahl,
auf den stützte ich mich, und wadete bey einer brennenden Hitze
durch den Sand einer Meilewegs weit zu meinem Freunde, auf
seinen Weinberg, wo ich nothdürftiges Essen und gutes Wasser
fand. Seit dem 13ten Abends war ich in kein Bette gekommen,
und auch hier lag ich bis Mittewochs auf der Erde. Ich ritt
endlich selbigen Tags nach Hohenstein, vier Meilen von Dres-

von meinem traurigen Schicksal ersehen · haben. Er:
:ie mir, daß ich mich auch mit Ihnen davon unter:
nn ich finde eine große Beruhigung darinnen, wenn
so lieben Freunde, wie Sie sind, mein Unglück klagen
:as die Umstände dieser Belagerung überhaupt. betrifft,
ich mich dabey wenig aufhalten, und mich auf ein
beziehen, welches unter der Authorität unsers Gouver:
:te herausgekommen, und sehr zuverläßig ist; nur von
genen Zufällen will ich etwas melden. Am 14ten Juli
uche des Tages, fieng sich die Canonade und das Ein:
r Haubitzgranaden auf die schrecklichste· Art an. Früh
Uhr kam eine solche Granade in mein Zimmer, (sie
ehr als dreyßig Pfund wiegen,) zerschmetterte die Stube
ebienten, und zündete. Wir löschten den Brand, und
ille mögliche Anstalten. Weil es aber Granaden und
bige Kugeln auf mein Haus und die benachbarte Ge:
iete, welches die Absicht ·haben mochte, das zwanzig
von meiner Wohnung bestndliche Pulvermagazin in die
prengen, so packte ich meine Sachen, so viel es ohne
erschossen zu werden, angieng, zusammen, schaffte. sie
ben Keller, theils in ein Gewölbe, und flüchtete Abends
Uhr nach Neustadt zu D[resden]. Aber auch hier fieng
die Angst an, und in kurzer Zeit fuhren einige zwölf:
Kugeln ins Haus, nahe bey mir vorbey. In dieser
:hr brachten wir bis Sonnabends zu, wo die Dau:
nee die Seite von der Neustadt befreyte, welches die
nahe war, die uns Gott in der Beängstigung erzeigen
Denn eben diesen Tag, besonders um zwölf Uhr Mit:
eng das unglückliche Bombardement der Residenz an.
hundert Bomben fielen in einer Zeit von drey Stun:
:ie Creuzgasse und Kirche; um zwey Uhr brannte mein
nd um vier Uhr wußte ich mein Schicksal. Die Bom:

wild macht, so schreibe ich wider seine eigene kleine Person einen Band Satiren in Duodez, zwey Hände stark, welches ziemlich das Format von seinem Körper seyn wird.

An das Haus St** bitte meinen unterthänigsten Respekt zu vermelden. Wie wohl haben die gnädige Frau Cammerherrinn gethan, daß Sie Sich nicht mit der göttlichen Fügung übereilt haben. Nunmehr hungerte ich mit meiner Frau, da ich das Glück habe, allein zu hungern. Aber sagen Sie, ich ließe unterthänigst bitten, dahin zu sehen, daß meine künftige Frau drey tausend Thaler mehr hätte, als außer diesem Unglücke würde nöthig gewesen seyn; so hoch schätze ich meinen Verlust. Nur ein eignes Haus soll sie nicht haben. Denn ich kann mir nichts Schrecklichers vorstellen, als die Umstände eines Mannes, der nur des Hauses wegen eine Frau nimmt, das Haus aber durchs Feuer verliert, ohne daß seine werthe Hälfte zugleich mit verbrennt.

Leben Sie wohl, mein bester Freund. Ich bin in Feuer und Wassersnoth

Ihr

redlichster Rabener.

N. S.

In der Residenz sind 226 Häuser abgebrannt, 37 sehr beschädigt. In Neustadt 25 Häuser beschädigt. Vor dem Pirnischen Thore 102 abgebrannt und 50 beschädigt. Vor dem Wilsdurfer Thore 88 abgebrannt und 3 beschädigt. 50 Personen von der Bürgerschaft sind geblieben, viele aber gefährlich verwundet, und bey dem Sturmwinde, so gestern Nachmittags war, über 10 Personen von dem Gemäuer erschlagen worden. Auf die Wälle ist wenig geschossen worden, und wer sagt, daß das Feuer eine solche Verwüstung in der Residenz angerichtet,

, daß auf die Kreuzkirche um deswillen Bomben geworfen
worden, weil von dasigem Thurme auf die Belagerer wäre ge=
hoffen worden, der spottet noch unsers Elends auf eine
grausame Art.

---

188. (192.)

[An den Commissionsrath Wagner.]

Störmthal am 4. Sept. 1760.

Weil sich meine Zurückkunft verzieht, so seyn Sie so gütig
und übergeben Sie unterdessen an G[ödicke] die halbjährige Pen=
sion, die ich ausgezahlet bekommen soll. Ich schäme mich, daß
ich so viel Glück vor tausend Andern habe, die es mehr verdie=
nen und vielleicht weit nöthiger brauchen. Bedenken Sie nur,
mein lieber **, ich habe in diesem traurigen halben Jahre kein
Collegium endigen und also nichts verdienen können; gleichwohl
habe ich mehr eingenommen, als wenn ich sechs Collegia gelesen
und noch so viel gearbeitet hätte. Eben diese Anmerkung muß
ich auch von dem Jahre machen, da ich in Bonau krank lag.
Eine Dame aus Liefland schickte mir zweyhundert Thaler mit
einer Art, als ob ich sie ihr abverdienet hätte. Kurz, je unver=
mögender meine Seele zur Arbeit und zum Bücherschreiben ge=
worden, desto reichlicher sind auch meine Einkünfte geworden.
Habe ich nicht noch im vorigen Jahre eine Pension erhalten,
ohne zu wissen, wer mir sie giebt? Diese Spuren der göttlichen
Fürsorge, die mein Herz erfreuen und stärken sollten, erwecken
so wenig Zufriedenheit und Dankbarkeit in mir, daß ich verdiente,
alles dieses Glück zu verlieren. Gott vergebe mir meine Unem=
pfindlichkeit! Ich weis nicht, wie sie nebst tausend andern

Uebels in mich gekommen ist. Vermuthlich habe ich mich nicht gekannt, und soll mich auf diese bittere Weise besser kennen lernen; und wenn dieß geschieht, welche Wohlthat wird das Elend für mich in den künftigen Tagen werden! — — — — —

Warum ich nicht nach Leipzig komme? Das weis ich selbst nicht. Das Vergnügen des Landlebens ist gewiß nicht die Ursache, und auch nicht die Liebe zur Bequemlichkeit. Vielleicht fürchte ich in Leipzig noch schwerere Tage, als ich hier trage; vielleicht ist es Unentschloffenheit und Krankheit. — — — —

Ich bin zeitlebens der Ihrige

G.

------

189. (193.)

An denselben.

Störmthal, im September, 1760.

Der Brief, durch den Sie sich um meine Ruhe verdient gemacht haben, ist nicht bloß ein Beweis Ihrer Freundschaft gegen mich, die groß ist, sondern Ihres Herzens voll christlicher Liebe und voll Eifer für die Ehre Gottes. Der Mann, dachte ich im Lesen, klaget über seinen Gemüthszustand, und du siehst in seinem ganzen Briefe nichts, als Demuth gegen Gott, nichts als Verlangen nach seiner Gnade, nichts als Verlangen nach wahrer Selbsterkenntniß, nichts als Unterwerfung und Ergebung in alle göttliche Schickungen, nichts als Begierde, dich zu beruhigen und in Gott gelassen zu machen; o wie sehr hat er das, was er nicht zu haben meynt; denn wo diese Neigungen sind, da ist gewiß der Geist Gottes, wenn wir auch die Freudigkeit des Glaubens nicht empfinden. Danken Sie Gott, wenn Sie dieses

für das, was Sie durch seine Gnade haben, und seyn
»ersichert, daß er Ihnen noch mehr geben wird; er, der
)wenglich thut über alles, was wir bitten oder verstehen.
»ill Ihre Erinnerungen nützen, so sehr ich kann. Ich
»e, daß sie wahr sind, weil es mir einige Mühe kostet, sie
»ß für wahr zu halten, und weil sie aus dem Herzen des auf=
tigsten und eifrigsten Freundes kommen, der nichts sucht, als
»n wahres Glück. Gott belohne Sie für diesen Dienst. — Er
»ßt, was ihm wohlgefällt. Er ist der Herr, und ich bin sein
»chöpf. Was ich leide, ist unendlich wenig gegen das, was
»Sünder ohne seine Gnade in Ewigkeit verdienet hat. Er
»le meinen Glauben an den Erlöser der Welt, und lasse mich
»t bloß die Befreyung von meinem Uebel wünschen und bitten,
»dern Geduld und Demüthigung unter seine Hand; daß ich
»it ganzem Herzen, wie David, sagen könne: Ich harre des
»Herrn, meine Seele harret und ich hoffe auf sein Wort. — Er
»egehret mein, so will ich ihm aushelfen, er rufet mich an, so
»ill ich ihn erhören. Aus Gnaden macht er uns selig, nach
»iner Barmherzigkeit, nicht um unsrer Werke willen; Gottes
»Gabe ist es, auf daß sich nicht jemand rühme. — Liebster
Freund, ich wiederhole meine Danksagungen, und hoffe, Sie
werden uns heute oder doch bald besuchen. Beten Sie ferner
für mich, daß ich stark werde aus der Schwachheit und mir an
Gottes Gnade gnügen lasse. Er ist treu und läßt uns nie ver=
sucht werden über unser Vermögen. — — — Gott sey
mit Ihnen.

G.

190.

Störmthal, d. 30. Sept. 1760.

Ich habe geglaubt, Gödicke würde Euch Nachricht von meinen Umständen gegeben haben, außerdem hätte ich nicht so lange geschwiegen. In der That sind sie für mich sehr traurig, und der Gebrauch des Brunnens scheint sie gar nicht verbessert zu haben. Doch woher weis ich dieses? Könnte mein Zustand, ohne den Brunnen und Aufenthalt auf dem Lande nicht noch viel schlimmer seyn, und habe ich denn ein Recht, von Gott die völlige Befreyung von meinem Uebel zu fordern? Ist es nicht Wohlthat genug, wenn uns die Erduldung des Uebels nicht unerträglich wird, wenn wir uns in Gelassenheit fassen, und uns dem Willen Gottes ohne Ausnahme unterwerfen lernen? Ja, die Wege Gottes, so schwer sie uns zu seyn scheinen, sind allezeit gut, und seine Hülfe ist uns nahe; dieses sollen wir glauben, das Unsrige nach unsern Kräften thun, und fröhlich seyn in Hoffnung, geduldig in Trübsal, und anhalten am Gebet. Wahr ist es, daß ich in meinem ganzen Leben nicht so viel gelitten habe, als seit dem Monat Junius dieses Jahres. Allein genug, Gott hat es nicht gar mit mir ausseyn lassen, und er wird mir ferner gnädig beystehen, wenn ich mein Vertrauen auf seine Hülfe nicht wegwerfe. Jetzt stehe ich im Begriffe wieder nach Leipzig zu gehen, so wenig ich mich auch dahin sehne. Dieser Brief wird mir herzlich sauer. Ich will ihn schließen und aufs Feld gehen, ob ich mich da erholen kann. Des Bruders Wagen steht in Wittenberg bey Prof. Behrmann. Ich habe an ihn geschrieben und ihn gebeten, er sollte ihn nach Welkau, auf des Grafen Vitzthum Guth bringen lassen. Ich weis nicht,

s jetzt wird geschehen können. Gott stärke den Herrn Bru=
und lasse es Euch allen wohl gehen!

G.

191.

Caroline Lucius an Gellert.[*])

Dresden, d. 21. Oct. 1760.

Hochzuehrender Herr Professor!

Ich bitte Sie nicht, daß Sie mirs erlauben, an Sie zu
eiben; denn ich bin so entschlossen, es nicht zu unterlassen,
möchten mir es nun erlauben, oder nicht. Die Freyheit
r, deren ich mich bediene, ist sehr neu; allein, eben weil sie
ist und mir gefällt, bin ich nicht davon abzubringen. Sie
n sehr gütig seyn, das hat man mir gesagt; und da, denke
will ich schon dafür sorgen, daß Sie mich nicht für unbe=
iben halten. Denn fürs erste bin ichs nicht, das getraue ich
zu beweisen, wenn ich dazu aufgefordert werden sollte; und
n hoffe ich, Sie auch schon dadurch, daß ich Ihnen alles
e, was ich von Ihnen denke — und ich denke unbeschreiblich

) (Christiane Caroline Lucius, Tochter des Geh. Cabinetsregist=
rator Carl Friedr. Lucius ward geboren zu Dresden d. 7.
Dec. 1739; verheirathete sich im J. 1774 mit Gottlieb Schle=
gel, Pastor in Burgwerben bey Weißenfels, kehrte nach dessen
im J 1813 erfolgten Tode 1814 nach Dresden zuruck und
starb daselbst d. 21. Aug. 1833. Vergl. d. Einleitung zu: Brief=
wechsel Gellerts mit Dem. Lucius, herausg. v. F. A. Ebert.
Lpzg. 1823. Aus dieser Sammlung sind die hier aufgenom=
menen Briefe abgedruckt.)

21 *

gut von Ihnen — auf meine Seite zu bringen, daß Sie mir
meine Unbescheidenheit, wenn Sie ja so wollen, und meine an=
dern Fehler, die sich etwa verrathen könnten, gütigst übersehen
werden. — „Es gilt Ihnen gleich, was ich von Ihnen
denke?" — O verzeihen Sie mir! Ich bedeute zwar nicht
sonderlich viel in der Welt; aber daß ich Sie so sehr liebe, ist
doch wohl ein großer Beweis, daß mein Urtheil nicht zu ver=
achten ist, und daß ich Verstand habe. Ueberdieß bin ich auch
sonst ein gutes Mädchen, von allen meinen Verwandten und
Freunden geliebt. Ich könnte mich dießfalls auf das Zeugniß
meines Bruders berufen, der nicht wider sein Gewissen reden
würde, und der auch keine Parteilichkeit für mich hegt. Allein
ich darf es nicht. Er möchte sich wohl beleidigt finden, daß ich
es ihm nicht aufgetragen, meinen Brief an Sie zu bestellen;
zumal da er mich nur vor wenig Tagen verlassen hat, und nun
wieder das Glück genießt, mit Ihnen unter einem Dache zu
wohnen. Er könnte Ihnen auch sagen, wie sehr ich Sie liebe,
wie ich eifrig nach Ihnen frage, und mir jeden Umstand, um es
mir recht einzuprägen, wohl zehnmal wiederholen lasse. O wenn
ich doch mein Bruder wäre! Ich wollte Ihnen gewiß mehr
Gutes von mir sagen, als er vielleicht in seinem ganzen Leben
nicht von mir denken wird. In der That, mein lieber Herr
Professor, Sie können sichs unmöglich vorstellen, wie gut ich
Sie kenne, und wie viel ich von Ihnen weis. Ihren Charakter
und Ihre Grundsätze weis ich aus Ihren Schriften fast aus=
wendig. Hernach martere ich und meine Schwester (im Vorbey=
gehen, sie ist auch ein gutes junges Kind, zwölf Jahre alt, die
viel von Ihnen und vom Fragen hält) eine jede Person von
unserer Bekanntschaft, die das von uns beneidete Glück ge=
nießt, Sie persönlich zu kennen, fast todt mit unsern Fragen,
und ich weis nunmehr alles, wie Sie aussehen, wie Sie reden,
wie Sie gehen, wie Sie sich kleiden, wie Ihre Perücken,

Mützen, Trobelwesten, Schlafpelze u. s. w. aussehen; und das stelle ich mir alles so lebhaft vor, daß ich Sie malen und treffen wollte, ohne Sie gesehen zu haben. Noch mehr, ich kann Ihr Hausgeräthe beschreiben, so gut kenne ichs. Herr Göbicke — ja! so heißt Ihr Famulus. Der glückliche Mann! Er kann immer bei meinem lieben Gellert seyn. Aber er muß auch (zum wenigsten hat man mirs gesagt), wenn Sie krank seyn und nicht schlafen können, des Nachts bey Ihnen aufsitzen, und wenn er einschläft, werden Sie ungehalten. — Der arme Mann! — Ich könnte das nicht ertragen. Aber warum schläft er auch, wenn er wachen soll! — Sie speisen bey Ihrem Bruder, dem Fechtmeister. Warum ist doch Ihr Bruder ein Fechtmeister geworden? Ich bin ihm nur Ihrentwegen und um des Namens gut. Er soll ein poltrichter Mann seyn. — Ich soll ein geschwätziges Mädchen seyn, werden Sie sagen. Ja das bin ich auch, aber nur im Schreiben; sonst rede ich nicht leicht zu viel. Und darinnen gleiche ich Ihnen, wie ich glaube. Darf ich mir nicht etwas auf die Aehnlichkeit einbilden? Aber wieder zur Sache zu kommen, denn ich muß mich satt schreiben, — ich werde wohl nie wieder aufgemuntert werden, an Sie zu schreiben, — so muß ich Ihnen nur noch die Absicht entdecken, die ich bey diesem ganzen Geschmadere habe. Sehen Sie also nur. Ich kenne Sie so sehr gut und genau, wie ich schon gesagt habe, und da kann ich mirs nun nicht verwehren, den einzigen Weg zu ergreifen, den ich vor mir sehe, um Ihnen zu zeigen, daß auch Ich in der Welt bin, und daß dies Ich, das Sie zwar nicht kennen, Sie unendlich hochschätzt und verehrt. Und wenn ich nun das erlangt habe; so denke ich, kann ich immer noch nicht recht ruhig seyn, als bis ich mich rühmen kann, eine Gewogenheit von Ihnen erhalten zu haben. Sie würden mich zur äußersten Dankbarkeit verbinden, wenn Sie solche darinnen wollten bestehen lassen, daß Sie mir ein Geschenk von einem

Ihrer Bücher machten, von welchem Sie glaubten, daß es sich am besten für mich schickt. Sie würden mich dadurch nicht allein von der Sorge befreien, die mich manchmal beunruhigen wird, daß meine Freyheit Sie vielleicht könnte beleidiget haben; sondern Sie könnten mich wohl gar so eitel machen, zu denken, daß es Ihnen nicht ganz gleichgültig sey, daß ich Verlangen getragen, Ihnen die ausnehmende Hochachtung und Liebe zu bezeugen, mit welcher ich die Ehre habe zu seyn

Hochzuehrender Herr Professor!

Ihre gehorsamste Dienerin
Christiane Caroline Lucius.

Werden Sie nicht einmal nach Dresden kommen? Wenns geschieht, und ich etwas davon höre, wo Sie sich aufhalten, so sind Sie in der That vor mir nicht sicher. Fürchten Sie aber nur nicht gar zu viel. Ich weiß es schon, was es zu bedeuten hat, wenn Sie die Mütze abnehmen.

Meine Schwester küßt Ihnen die Hände.

192.

An Caroline Lucius.

L. d. 22. Oct. 1760.

Mademoiselle!

Sie haben mich Ihrer Achtung und Freundschaft in einer so aufgeweckten, naiven und überzeugenden Sprache versichert, daß ich sehr unempfindlich seyn müßte, wenn mir Ihr Brief nicht hätte gefallen sollen, und sehr undankbar, wenn ich Ihnen nicht gleich' ben erſten Tag für dieſes unerwartete Geſchenk banken wollte. In der That kann ich mich nicht erinnern, baß ich jemals einen ſo lachenben und boch natürlichen Brief von einem Frauenzimmer erhalten hätte; von einer Mannsperſon will ich gar nicht ſagen; denn unſer Witz iſt nicht fein genug zu dieſer Schreibart. Ihr Brief, liebe Mabemoiſelle, iſt alſo der erſte ſchöne Brief in dieſer Art, ben ich erhalten. Sind Sie mit dieſer Dankſagung zufrieden! Vor zehen Jahren hätte ich ſie munterer geſagt; aber itzt, ſcherzhafte Babet, koſtet mich ein trockner Brief ſchon Mühe, und Gedanken, die freywillig kommen ſollen, muß ich aus einem eingeſpannten und ſchmerzhaften Kopfe erſt losarbeiten. Doch ich ſtehe in der Gefahr zu klagen, wenn ich länger von mir rede; ich will alſo von dem Buche reden, das ich Ihnen ſchicken ſoll. Sie wollen eins von meinen Werken haben; aber wozu? Sie haben ſie ja alle geleſen, und es iſt eitel, wenn der Autor ſich ſelbſt zum Leſen verſchenkt. Nein, gute Mabemoiſelle, ich will Ihre Bibliothek durch ein Buch vermehren, das Sie vielleicht noch nicht geleſen haben, und das ich herzlich gern möchte geſchrieben haben, wenn ich ſo viel Fähigkeit beſäße, als bie Frau von Beaumont. Das Magazin bieſer vortrefflichen Frau iſt es, bas ich Ihnen ſchicke, und das Ihnen, ich weis es ſicher, angenehm ſeyn muß. Ich habe es zweymal durchgeleſen, und wie vielmal wird es meine gutherzige Correſpondentin nicht erſt leſen und ihrer kleinen lieben Schweſter (Fräulein Aufrichtig) vorleſen? So wenig ich ſonſt wünſche, daß ein Frauenzimmer ein Autor werden mag, ſo ſehr wünſche ich Ihnen, daß Sie zur Ehre und zum Beſten Ihres Geſchlechts eine deutſche Beaumont werden, und eben ſo glücklich und geiſtreich unterrichten und vergnügen mögen, als bieſe Frau gethan hat. Sie beſchämt uns Männer; und ich liebe ſie ſo ſehr, daß mir meine Liebe vielleicht einen ſehr ernſthaften Wunſch abnöthigen würde, wenn ſie nicht ſchon ſechzig Jahre wäre. Ihre

letzte Frage, Mademoiselle, ob ich nicht bald nach Dresden komme,
kann ich nicht beantworten. Leute, die oft krank sind, reisen nicht
gern. Aber soviel kann ich Ihnen sagen, daß ich nicht nach Dres=
den kommen will, ohne Sie persönlich der besondern Hochachtung
zu versichern, mit welcher ich zeitlebens verharre

Ihr verbundenster Diener

C. F. Gellert.

Ihrer Jungfer Schwester mache ich mein ergebenstes Compliment.

193.

Caroline Lucius an Gellert.

Dresden, d. 28. Oct. 1760.

Hochgeehrtester Herr Professor!

Man ist doch immer in der Welt recht unglücklich, auch so=
gar dann, wenn man seine Wünsche erreicht. Vorher war ich
voller Zweifel und Sorgen, und nun bin ich so unruhig, daß ich
die ganze Nacht nicht geschlafen habe. Sie haben mir, und
zwar bin ich selbst Schuld daran, das ist eben das Schlimmste,
durch Ihre ungemeine Gefälligkeit gegen mich, eine solche Last
von Verbindlichkeit aufgelegt, daß ich gar nicht weiß, was ich
damit anfangen soll. Wie soll ich Ihnen die lebhaftesten Em=
pfindungen der Dankbarkeit ausdrücken? Was kann ich Ihnen
sagen? Ihr Geschenk, hochzuehrender Herr, ist das schönste, und
muß das schönste seyn, weil es von Ihnen kömmt, und weil
Sie es für mich gewählet haben. Und Ihr Brief — der über=
trifft alle meine Wünsche, und weit mehr, alle meine Erwartun=
gen. Kam es Ihnen denn gar nicht gefährlich vor, meine be=

ene Meinung von mir selbst auf eine solche Probe zu stellen?
iß, mir ist noch kein Lobspruch beigelegt worden, der mich
rk gerührt hätte; und nie hat eine Achtung, die man mir
igt, eine so feurige Entschließung bey mir nach sich gezogen,
ser zu werden und mich derselben würdiger zu machen. Nun
ill ich mich bey jeder Gelegenheit fragen: Wird auch die Hand=
ng, die Rede, der Gedanke, der Vorsatz das Wohlwollen recht=
tigen, dessen mich zu würdigen, einer von den besten Männern
der Welt sich herabläßt? Mein Brief kann nur darum gut
wesen seyn, weil Sie so sehr gütig sind: und diese liebenswür=
ige und mir so nothwendige Eigenschaft an Ihnen kann auch
dem gegenwärtigen einige Art von Güte beylegen; sonst würde
ich vielleicht Ursache haben, sehr übel mit demselben zufrieden zu
seyn. Ja, hochzuverehrender Herr Professor, ich habe wirklich
das Buch, das Sie mir geschickt haben, noch nicht gelesen; ich
bin aber auf die glücklichste Art dafür eingenommen, indem ich
überzeugt bin, daß nichts ist, das den Werth desselben, wenigstens
in meinen Augen, erhöhen könnte, als nur der einzige Umstand,
wenn Sie es selbst geschrieben hätten. Was braucht es auch
mehr, als Ihre Empfehlung? Diese wird allen Lehren darinnen
einen stärkern Eindruck auf mein Herz machen helfen, und die
Einpflanzung jener Denkart und Grundsätze in mein Gemüth
ohnfehlbar erleichtern. Zweifeln Sie nicht daran! ich und meine
Schwester werden es fleißig lesen. Wie vergnügt haben Sie uns
nicht gemacht! — Gestern, den ganzen Nachmittag, haben wir
sonst nichts gethan, als von Ihnen geschwatzt, Ihren Brief und
in Ihrem Buche gelesen, und uns über beydes gefreuet. Stellen
Sie sich nur vor, wie wir an einem Tische einander gegenüber
sitzen; wie meine Schwester, während daß ich arbeite, mir vor=
liest, und fast bei jedem Blatte, das sie umschlägt, mit einer zu=
friedenen Miene auf= und mich ansieht, den gleichen Beyfall in
meinen Augen zu lesen, indem sie spricht: „Nun, was ich bis=

her in dem Buche gelesen habe, das gefällt mir recht hübsch. Nicht wahr?" Aber wie haben Sie doch für sie auf den Namen Fräulein Aufrichtig kommen können? Er schickt sich recht für sie. Der Wunsch, hochzuehrender Herr, den Sie für mich thun, (ich danke Ihnen dafür; er ist ein Zeichen Ihrer unschätzbaren Gewogenheit gegen mich) ist zu groß für meine Fähigkeiten und für meinen Ehrgeiz; denn der wird befriedigt seyn, und mein Herz wird mir einen sehr beruhigenden Beyfall geben, wenn ich mich versichern kann, daß ich nicht unglücklich in den eifrigen Bestrebungen bin, die ich anwenden will, eine folgsame Schülerin der vortrefflichen Frau Beaumont und also ein gutes Frauenzimmer zu werden. Es geht mir sehr nahe, und ich leide selbst dabey, daß Sie öfters krank sind. Der Himmel schenke Ihnen noch viele glückliche und heitere Tage! Vielleicht wird dann auch einer davon unter die angenehmsten meines Lebens gerechnet werden können, wenn er die reizende Hoffnung erfüllen sollte, die Sie mir geben. Wie vergnügt würde ich nicht seyn, mich mit einem der würdigsten Männer in Einem Zimmer zu befinden, mit ihm zu sprechen und mich dabey als die Glückliche zu betrachten, die er einer solchen Achtsamkeit würdigt. Man darf nicht denken, daß ich gar keine Eitelkeit besitze. Urtheilen Sie also, hochgeehrter Herr Professor, wie groß die Gefahr gewesen, deren mich Ihre schmeichelhafte Gütigkeit ausgesetzt. Seyn Sie aber auch versichert, daß ich niemals die zärtlichste Ehrerbietung und die dankbarsten Empfindungen vergessen werde, mit welchen ich mich verbunden erkenne, unaufhörlich zu seyn

Ihre gehorsamste und verbundenste Dienerin
C. C. Lucius.

Meine Schwester versichert Sie ihrer tiefsten Ehrfurcht. Sie ist lauter Freude und Entzückung.

194. (65.)

An Herrn v. Bose.

L. d. 6. Nov. 1760.

Jeder Brief von Ihnen überführt mich immer stärker, daß
Sie unter meinen jungen Freunden einer der glücklichsten und
dankbarsten sind; und so lange Sie das edle Mißtrauen gegen
sich selbst, und das große Vertrauen zu der göttlichen Hülfe fühlen, das Ihren letzten Brief erfüllt: so sind Sie auf allen Wegen, wenn sie auch noch so gefährlich wären (und der Hof hat
freylich die gefährlichsten), dennoch sicher. Seyn Sie getrost!
der Freund, den Sie itzt entbehren, ist Ihnen entweder zu Ihrer
Tugend nicht nothwendig, oder sein Dienst wird Ihnen durch
eine unsichtbare Hand ersetzet. Machen Sie sich indessen Ihre
abwesenden rechtschaffnen Freunde oft in Gedanken gegenwärtig.
Reden Sie mit ihnen, fragen Sie sie in zweifelhaften Fällen um
Rath, und geben Sie nur auf das Acht, was Ihr eignes Herz
im Namen des Freundes sagen wird; und Sie werden Rath und
Trost finden. Unser bester Freund, liebster Bose, zu allen
Zeiten und in allen Umständen, ist doch die Religion. Diese
lehrt unsern Verstand nicht nur die Regeln der wahren Weisheit; sie giebt auch unserm Herzen Kraft und Lust, diese Regeln
auszuüben; und das letzte kann uns kein Freund, keine Philosophie, kein menschlicher Lehrer, auch der beste nicht, gewähren.
Seyn Sie also getrost und stark durch die Kraft der Religion.
Kommen Hindernisse, Gefahren, süße Reizungen, so lassen Sie
sich nicht erschrecken. Sie sind nie allein, denn jeder Tugendhafte hat seine unsichtbaren Beschützer. Der Engel des Herrn
lagert sich um die her, so ihn fürchten, und hilft
ihnen aus; nicht bloß aus leiblichen Gefahren; denn die geistlichen sind ja die wichtigsten! Und wie viel vermag nicht das

Gebet des Gerechten, wenn es ernstlich ist! Wer sich auf sein
Herz und seinen Verstand verläßt, ja der ist allezeit schwach,
wenn er ein Held seyn soll; aber wer sich durch das Vertrauen
auf die Hülfe des Herrn stärkt, und wacht, und betet, und käm-
pfet, der kann nie über Vermögen versucht werden, und ruft in
seinem Siege dankbar mit einem David aus: Gelobet sey der
Herr, der mein Gebet nicht verwirft, und seine
Güte nicht von mir wendet! Ich freue mich, liebster
Bose, daß ich diese Sprache mit Ihnen reden kann; eine Sprache,
deren wir uns, wie im Umgange, so auch in vertrauten Briefen
nur gar zu oft schämen, und in der wir doch denken müssen,
wenn wir anders von unserm wahren Glücke richtig denken wollen. Die Nachrichten von mir habe ich bis zum äußersten Ende
meines Briefs versparet, damit ich sie Ihnen gar nicht geben
kann. Denn was würden sie anders seyn als Klagen? Doch
nein, der Christ, auch wenn er klagen könnte, soll lieber danken,
als klagen, und Materie zum Danke hat auch das ängstlichste
Leben noch. Ich empfehle Sie Gott, umarme Sie, und bin
zeitlebens der Ihrige.

G.

195.*)

L. d. 17. Nov. 1760.

Hochzuehrender Herr Hauptmann!

Sie können also aus einer vielfachen Erfahrung sagen: Ob
tausend fallen zu meiner Seiten, und zehen tausend zu meiner
Rechten: so wirds doch mich nicht treffen. Ja, wiederum in

*) (Freundschaftliche Briefe. S. d. Anm. zu No. 178.)

em blutigen Treffen bey dem Leben erhalten, und nur leicht
wundet. Zu welcher Freudigkeit gegen Gott, und zu welchem
thigen Vertrauen in künftigen Gefahren muß Sie nicht diese
rettung ermuntern; und welche Wolluft muß es seyn, nach
em vielstündigen Tode sich auf dem Schlachtfelde gesund erbli=
l, und seine Augen von der blutenden Erde das erstemal zum
mmel erheben. O! wie muß ein Trunk Wasser in diesen Au=
blicken, eine unbegreifliche Erquickung, und ein Stück Brod,
: Dank zu Gott, mehr als alle Freuden der Erde seyn. Ich
n diese Vorstellung nicht verlassen, ohne zugleich mit Ihnen
zu preisen, dessen allmächtiger Schutz Sie bewahret, und in
nen mir einen so theuren und rechtschaffenen Freund erhalten
. Aus Verlangen Sie bald zu sehen, würde ich Sie ermun=
t, nach Leipzig zu kommen, so bald Sie von Ihren Wunden
ber hergestellet wären. Allein ich fürchte, daß ich dieses Ver=
igen nicht genießen soll. Zwey Lazarethe, liebster Herr Haupt=
nn! eines zur Rechten, und eines zur Linken, das ist ein zu
recklicher Anblick, und eine zu angstvolle Nachbarschaft, als
ich sie so lange sollte aushalten können. Einen Elenden vor
iem Fenster sehen müssen, ist schon viel. Aber hundert Elende
en müssen, ihre Klagen hören, und den giftigen Geruch derer
gekerkerten Kranken in sich ziehen müssen: leiden sehen, ohne
fen zu können; das thut schrecklich weh, und würde mich in
zen selbst zum Elenden machen. . . . .
                                                    S.

196. (79.)

L. d. 29. Nov. 1760.

Was Sie mir in Ihrem letzten Briefe sagen, ist in der That sehr schön, aber in der Beziehung auf mich doch viel zu rühmlich. Es ist wahr, ich habe vieles nicht, was ich wünsche, und was vielleicht Andre besitzen, die es übel anwenden; aber ich habe doch unendlich mehr, als ich verdiene. Wer hat die Strophe gesagt?

> Willst du zu denken dich erkühnen,
> Daß Gottes Güte dich vergißt?
> Er giebt uns mehr, als wir verdienen,
> Und niemals, was uns schädlich ist.

Wenigstens kann doch das Elend zur Uebung unsrer Tugend dienen, und in Absicht auf die Wirkung betrachtet, die das Elend nach sich ziehn soll, ist es auch Glück. Alle Züchtigung, so lange sie da ist, scheint uns freylich nicht Freude zu seyn, aber nachmals wird sie eine friedsame Frucht der Gerechtigkeit denen geben, die dadurch geübet sind. Diese tröstliche Wahrheit lehret uns die Religion, wenn sie auch der Vernunft nicht helle genug scheinen sollte. Es ist wahr, liebster Freund, mein Leben wäre vielleicht mehr Ruhe, wenn mich eine liebe Gefährtinn durch dasselbe begleitete, aber nur vielleicht, vielleicht hätte ich unglücklich gewählt. Vielleicht hätte meine Frau nicht ganz nach Wunsche gewählt. Nunmehr ist mein beßres Leben vorbey, und dieser Gedanke verschwindet; aber genug, wenn mir Gott das Glück giebt, mein noch übriges Leben zu einem ruhigen Tode zu verleben; so habe ich ja unendlich viel, so habe ich alles —

Die Gelassenheit, lieber Herr von R°°, mit der Sie Ihren erlittnen Verlust tragen, ist mehr werth, als ein ganzes Ritter-

:, so wie das alte Sprüchwort: Krieg und Brand, segnet
tt mit milder Hand! reicher an Troste und Wahrheit ist, als
ibert witzige Sentenzen. — — Ich bezeige Ihrem würdigen
crn Vater, Ihrer Frau Gemahlinn, und der Frau von K**
ine Ehrerbietung und Freundschaft.

G.

---

197. (76.) °)

L. d. 3. Dec. 1760.

Nun bin ich vollkommen gedecket. Ich habe Fußvolk und
aterey, die Grenadier und die Garde, ich habe alles; denn
habe vier Lazarete, so nahe als man sie haben kann, und
in ganzer Hof ist mit Soldaten angefüllt, von denen viele
nker und viele auch gesünder sind, als ich bin. Man kocht
bratet und wäscht um mich herum. Man lacht, man weint,
n singt, man flucht, man betet, alles durch einander. Man
t hier einen Arm ab, und setzet dort einen Fuß an. Der
ie redet von der Schlacht bey Torgau, und hält sie für die
tigste; der Andre zieht die von Collin noch vor. Der Eine
et von seinem Fleiße auf der Universität Halle und Jena, und
Andre versichert, daß er weder schreiben noch lesen könne.
r Eine lobt meine Schriften, und weiset auf mein Kammer=
ster; und der Andre lacht mich aus. Kurz, die Scene wird
ernsthaft, und die Nachbarschaft zu groß und zu gefährlich.
muß fliehn, so sauer mirs auch ankömmt, mein sonst einsa=
schwarze Bret zu verlassen. In der Stadt ist vielleicht kein

°) (An dieselbe Freundinn, an welche No. 180, 181 u. 199
gerichtet sind.)

Haus sicher, und das noch sicher ist, nimmt mich darum nicht
auf. Also muß ich aus der Stadt, und wohin? Nach Bonau?
Aber Bonau ist fünf Meilen, und was will ich ohne Beschäfti=
gung in Bonau anfangen? Der Müssiggang ist so gut, als ein
Lazaret, und vielleicht noch schlimmer. Doch genug, daß Sie
wissen, daß ich bald von hier gehen werde, wenn ich Ihnen auch
heute nicht sagen kann, wohin. Leben Sie indessen vollkom=
men wohl.

G.

198.

Gellert an seine Schwester.

L. d. 16. Dec. 1760.

Es ist wahr, daß mich die beiden Sächsischen Prinzen bey
ihrer Anwesenheit in Leipzig haben zu sich rufen lassen, und mir
nebst dem Herzog von Braganza außerordentlich viel Gnade
erzeigt haben. Es ist auch wahr, daß mich der König von Preu=
ßen am vergangenen Donnerstage hat zu sich rufen lassen, und
mir bey einem beynahe zweystündigen Gespräche sehr gnädig be=
gegnet ist. Ich mußte ihm zuletzt noch eine Fabel (der Maler)
auswendig sagen. Nun fieng er an: Das ist gut, das ist sehr
gut, das habe ich nicht gedacht, das ist schön, gut und kurz; ich
muß ihn loben, nein, ihn muß ich unter den Deutschen doch lo=
ben. Komme er wieder zu mir und da stecke er seine Fabeln zu
sich und lese mir welche vor, u. s. w. Gott sey Dank, daß diese
Unterredung, vor der ich mich herzlich gefürchtet, so glücklich ab=
gelaufen ist. — — Lebt wohl, grüsset alle die Unsrigen herzlich.

G.

199. (77.) *)

im Leipzig zu entfliehn, gehe ich nach **, und um ** zu
.tehn, den andern Tag wieder nach Leipzig, das ist sonder=
. und zugleich traurig für mich. Hier sitze ich nun, trage
eine eigne Last, die nicht klein ist, und die Last der Besuche,
: mir fast unerträglich wird. O Ruhm, was bist du für ein
bel! Die dich nicht haben, grämen sich, und die dich haben,
seufzen dich. Ein Brief über den andern wünschet mir Glück
der Gnade des Königs. Ja, liebste Freundinn, es ist nicht
glauben, und doch wahr, ich komme tausend Leuten erst ehr=
irdig vor, seit dem der König mit mir gesprochen und mich
lobt hat; und ist denn sein Lob vor dem Richterstule der Ver=
.unft und des Gewissens wirklich mehr, als der Beyfall eines
andern Menschen? — So viel den 30. December 1760.

Den 31. December. Der letzte Tag im Jahre, und also
auch der letzte Brief dieses Jahres, den ich an Sie schreibe!
Und diese dreyhundert und fünf und sechzig Tage, merkwürdige
Tage für Sie, und noch mehr für mich, sind also vorbey?

Ja, wiederum ein ganzes Jahr vollbracht!
O schau mein Geist in dieses Jahr zurücke,
Denk an dein tausendfaches Glücke,
An jeden frohen Tag, an jede sanfte Nacht;
Und danke du, bey jedem Blicke
Auf dein und deiner Freunde Glücke,
Dem Gott, der deines Glücks gedacht.
Dann schau auf deine bösen Tage,
Und zähle sie und freue dich;
Sie sind vorbey. O sieh, wie manche Plage,
Die dich so lange drückte, mich,

*) (S. die Anmerkung zu No. 107.)

Und die noch blieb, verminderte doch sich!
Und jedes Kreuz, war dieß nicht Glück für dich?
So danke Gott auch für die bösen Tage!
Für die Geduld, die dich das Leid gelehrt,
Für das Vertraun, in dem es dich bewährt,
Für das Gebet, für jede fromme Klage,
Die Schmerz und Elend dich gelehrt.
So denk und tritt auf deines Lebens Pfade
Ins neue Jahr mit Dank und Muth,
Empfiehl dich Gott und seiner Gnade,
Was er verhängt, ist alles gut.
Aus Liebe hat er dir verborgen,
Was künftig ist, Glück oder Leid.
Drum sorg nicht für den andern Morgen.
Sey fromm und froh! Dieß sind die ganzen Sorgen
Des Lebens und der Seligkeit.

Diese Verse, liebste Freundinn, die ersten und letzten im
Jahre 1760, mögen die Stelle eines Briefs vertreten; wenig=
stens sind sie die natürlichsten Gedanken bey dem Schlusse eines
Jahres. Sie werden sich freuen, ich weis es, daß meine Ge=
danken die Ihrigen sind, und es ist kein besser Mittel, das neue
Jahr froh anzufangen, als wenn man das alte ernsthaft beschließt.
In der That ist mein Herz so unartig, daß es heute lieber kla=
gen als danken möchte; aber so gut, oder vielmehr so schlimm,
soll es ihm nicht werden. Es ist wahr, dieses Jahr ist eines der
traurigsten meines Lebens gewesen; ja ich kann noch mehr sagen,
seine Last ist mir größer gewesen, als die ganze Last aller der
vierzig Jahre, die ich unter mancherley Unfällen durchlebt habe.
Aber genug, dieses Jahr ist überstanden, und wer hat es mir
überstehen helfen? Könnte ich alles übersehen, so würde ich
vielleicht wahrnehmen, daß eben dieses bittre Jahr die größte

Wohlthat sey, für die ich Gott am meisten zu danken hätte.' Wir kennen uns so wenig, und was uns wahrhaftig gut ist, auch so wenig, daß wir oft unser Glück für Unglück ansehn, weil wir nur an den gegenwärtigen Schmerz und nicht zugleich an das Vergnügen denken, das aus diesem Schmerze für uns gebohren wird. Dank und Preis sey also Gott auch für dieses traurige und schmerzhafte Jahr, und für alle Demüthigungen seiner Hand, und für allen Trost in den bösen Stunden! Um froh zu sterben, will ich leben; gesetzt, daß ich auch nicht ganz froh leben kann, genug, wenn ich ohne Ungeduld und mit Hoffnung leben kann. Ich will Ihnen die Wünsche, die ich für Sie und Ihr ganzes Haus thue, nicht namentlich hersetzen. Ich will diese Pflicht im Stillen ausüben, und mich im voraus freuen, daß es Ihnen nicht nur auf dieses Jahr, sondern auf viele lange Jahre und immerdar wohlgehen wird. Dieses gebe Gott; und so leben Sie denn wohl, voll Muth und Hoffnung, denn Sie sind allemal glücklich!

G.

---

200. (73.)

1760.

Gnädige Gräfinn,

Herr S** hat mir erzählet, mit wie vieler Gelassenheit und Ergebung Sie Ihre so schwere und langwierige Krankheit tragen. So sehr ich Sie beklage, daß Sie so viel leiden, so erfreue ich mich auch zugleich, daß Sie so viele Menschen an Weisheit und Religion, und also auch an wahrer Glückseligkeit, übertreffen. Vielleicht schenkt Ihnen Gott bald die Gesundheit wieder; ich wünsche es nicht nur, sondern ich hoffe es zuversichtlich. Aber gesetzt, er versagte sie Ihnen länger: so fühlen Sie doch bey

22*

aller Ihrer Krankheit den Trost, daß denen, die ihn lieben, alle Dinge zum Besten dienen; und dieser Trost ist nichts anders, als die Versicherung, daß wir hier für ein ewiges Glück leben, zu dem wir bey allem unsern äußerlichen Unglücke nur desto geschickter werden. Ich weis wohl, daß dieser Trost nicht immer gleich stark in uns ist; aber in einem so edlen und unschuldigen Herzen, als das Ihrige ist, kann er auch unter anhaltenden Schmerzen nie ganz schwach werden. Vielleicht sehen Sie in Ihren künftigen Jahren die besondern Ursachen, warum Sie in der Blüthe Ihres Lebens die Last der Krankheit haben tragen müssen. Gewisse große und der Welt sehr nützliche Tugenden können ohne Widerwärtigkeiten nicht gebildet werden; und die das Glück vieler Andern werden sollen, müssen oft erst einige Zeit mit dem Elende dieses Lebens kämpfen. Ich bin mit der vollkommensten Ehrerbietung

G.

Leipzig, Druck von Hirschfeld.

CPSIA information can be obtained
at www.ICGtesting.com
Printed in the USA
BVHW08*1605190918
527934BV00012B/169/P